SYSTÈMES ASSERVIS

El-Kébir Boukas

Systèmes asservis
El-Kébir Boukas

Page de couverture : Bénédicte Stordeur
Image de la page de couverture : Agence spatiale canadienne

Cet ouvrage a été mis en pages par l'auteur au moyen du logiciel TEX.

Pour connaître nos distributeurs et nos points de vente, veuillez consulter notre site Web à l'adresse suivante : www.polymtl.ca/pub

Courrier électronique des Presses internationales Polytechnique : pip@polymtl.ca

Réimpression, automne 2005

Dépôt légal: 3e trimestre 1995
Bibliothèque nationale du Québec
Bibliothèque nationale du Canada

ISBN 2-553-00430-3
Imprimé au Canada

À la mémoire de mon père,
à ma mère,
à Saïda, Imane, Ibtissama et Anas

TABLE DES MATIÈRES

AVANT-PROPOS

Ce livre traite de l'automatique, une discipline qui, de nos jours, couvre un champ d'applications très vaste. L'intérêt qu'y porte la communauté scientifique et technique repose sur le rôle clé que joue l'automatique dans le développement technologique. C'est en partie grâce aux résultats des chercheurs automaticiens que l'on a pu poser le pied sur la lune, améliorer la qualité des produits que l'on trouve autour de nous, produire des avions sécuritaires et des robots intelligents, etc. Afin de s'adapter à l'évolution technologique moderne, tout ingénieur doit maîtriser les concepts de base de cette discipline scientifique.

Les ingénieurs automaticiens ont comme objectif de concevoir des systèmes fiables et précis, à des coûts compétitifs. Ceci représente un défi de taille. L'objectif de cet ouvrage est de présenter les fondements théoriques et pratiques des systèmes asservis. Il permettra aux futurs ingénieurs d'acquérir la maîtrise de plusieurs techniques modernes et classiques d'analyse et de synthèse pour relever les défis de leur profession. De nombreux exemples pratiques illustrent les concepts de base et les étapes de design des systèmes de commande. Nous avons développé plusieurs techniques d'analyse et de synthèse des systèmes asservis dans les domaines du temps et de la fréquence. Nous avons porté une grande attention à l'établissement des modèles mathématiques des systèmes abordés. Plusieurs phénomènes physiques ont servi à démontrer les fondements de la modélisation des systèmes. Tout au long de l'ouvrage nous avons eu recours au logiciel Matlab pour faciliter la compréhension des concepts et développer chez le lecteur les habilités pratiques dans la conception des systèmes asservis.

L'ouvrage se compose de huit chapitres et de quatre annexes. Les annexes contiennent les outils mathématiques de base pour assurer l'autonomie de l'ouvrage. Au chapitre 1, nous présentons la terminologie propre à cette discipline et décrivons les deux modes de commande des systèmes linéaires: commande en boucle ouverte et commande en boucle fermée. Au chapitre 2, nous développons la modélisation des systèmes dynamiques, car nous jugeons que l'établissement du modèle mathématique d'un système donné est une étape indispensable qui doit précéder les phases d'analyse et de synthèse. Au chapitre 3, nous décrivons les structures de commande en boucle fermée et nous démontrons leurs avantages. Au chapitre 4, nous développons la réponse des systèmes linéaires à des grandeurs de type impulsion, échelon, rampe ou toute combinaison de ces types de grandeurs. Le concept de précision est y aussi présenté. Au chapitre 5, nous nous attardons sur le concept de stabilité en employant le critère de Routh-Hurwitz et la technique du lieu des racines. Au chapitre 6, nous présentons l'analyse des systèmes linéaires dans le domaine fréquentiel. Le chapitre 7 est réservé à la conception des systèmes asservis au moyen des méthodes empiriques, des méthodes basées sur la technique du lieu des racines ainsi que de celles basées sur le diagramme de Bode. Enfin, le chapitre 8 traite de l'analyse et de la synthèse des systèmes linéaires décrits par modèle d'état.

Je tiens à exprimer mes sincères remerciements à mes collègues M. M'saad, J. O'shea et M. Perrier pour leurs judicieux commentaires ainsi qu'à mes étudiants au doctorat K. Benjelloun, M. Bentounès, E. Bissé, M. Faiçal et J.P. Kenné pour leurs précieuses aides en lisant à maintes reprises les versions préliminaires de cet ouvrage. Un grand merci à R. Prégent du service pédagogique de l'École Polytechnique de Montréal pour ses conseils qui m'ont beaucoup aidé à améliorer l'aspect pédagogique de l'ouvrage. Enfin je tiens à remercier N. Paradis pour l'assistance en Latex et M. Quentin pour la révision linguistique.

Montréal, septembre 1995

Boukas, El-Kébir

1

NOTIONS GÉNÉRALES

L'objectif de ce chapitre est d'introduire la terminologie des systèmes asservis linéaires invariants. Après lecture de ce chapitre, le lecteur doit être en mesure de:

1. **décrire le fonctionnement des systèmes asservis;**
2. **maîtriser la terminologie des systèmes asservis linéaires;**
3. **faire la distinction entre la structure de commande en boucle ouverte et celle en boucle fermée;**
4. **comprendre les concepts d'analyse et de synthèse d'un système asservi linéaire.**

1.1 INTRODUCTION

De nos jours, pour différentes raisons économiques, sécuritaires et sociales, on a souvent tendance à réduire ou à supprimer l'intervention de l'homme dans des procédés industriels. Par une telle action, nous obtenons ce que l'on appelle dans la littérature de la commande des systèmes **un système automatique**. Un système est dit automatique lorsqu'il accomplit une tâche déterminée sans nécessiter l'intervention humaine. La variété et la complexité des systèmes ne cessent d'évoluer. Nous vivons dans un monde où l'automatisation prend une place tellement importante que notre mode de vie doit s'y adapter continuellement. Nous subissons cette évolution de l'automatisation quotidiennement, que ce soit dans le milieu professionnel ou domestique. Pour s'en convaincre, il suffit de penser à tous les "gadgets" que l'on utilise partout et dont les fonctions automatiques ne cessent de se perfectionner. Il est par conséquent naturel d'accorder une attention particulière aux systèmes automatiques. Pour ce qui est de l'historique de cette discipline, nous renvoyons le lecteur à l'ouvrage de Mayr [21].

Le chapitre est organisé comme suit: Dans la section 1.2 nous définissons la terminologie de l'automatique. Dans la section 1.3 nous présentons des exemples de systèmes asservis. La section 1.4 est réservée aux structures de commande des systèmes linéaires et leurs avantages et inconvénients. Dans la section 1.5 nous présentons les concepts d'analyse et de synthèse des systèmes asservis ainsi que les points qui s'y rattachent.

1.2 TERMINOLOGIE DE L'AUTOMATIQUE

Les principes d'automatique sont souvent utilisés dans nos tâches quotidiennes. À titre d'exemple, citons le cas de la conduite d'un véhicule automobile. En effet, en conduisant un véhicule, on cherche souvent à lui assurer une vitesse et une direction déterminées. De telles grandeurs sont imposées par les conditions de circulation sur la route. En ce qui concerne le réglage de la vitesse du véhicule, le conducteur se fixe une vitesse, soit à titre d'exemple 100 km/h. La comparaison à tout instant de cette **vitesse de référence** avec celle lue sur le cadran génère une différence appelée **erreur**, qui indique de combien la vitesse du véhicule diffère de la vitesse désirée. À partir de cet écart, le conducteur prend une décision, la plus simple se résumant à:

- appuyer sur la pédale d'accélération lorsque l'écart est positif;
- retirer le pied de la pédale lorsque l'écart est négatif.

En appuyant sur la pédale, le conducteur augmente le débit d'essence, ce qui entraîne l'augmentation de la vitesse de rotation du moteur et, par conséquent, la vitesse de déplacement linéaire du véhicule. Le conducteur se rend compte de ce changement en lisant de façon permanente le cadran. Le retrait du pied de la pédale produit un effet inverse à celui obtenu lorsqu'on appuie sur la pédale. Par des actions appropriées sur la pédale, (appuyer ou retirer le pied) le conducteur est capable de régler la vitesse du véhicule à la valeur désirée.

Des phénomènes incontrôlables, tels que les changements des conditions de route (pentes, virages, etc.) obligent parfois le conducteur à réajuster le réglage de la vitesse de son véhicule. Ces actions extérieures sont souvent appelées des **perturbations** ou **parasites du système**.

Le réglage de la direction du véhicule est assuré par le réglage de la position angulaire du volant. Ainsi, si le conducteur décide de tourner à gauche, il doit tourner son volant vers la gauche, et le véhicule va suivre cette direction à condition qu'il possède une vitesse non nulle. Après un certain temps, le conducteur doit tourner progressivement son volant vers la droite pour aligner les roues et ainsi faire suivre au véhicule la direction désirée. Cette manoeuvre dépend de la qualification du conducteur. Il faut noter qu'il existe un certain couplage entre le réglage de la vitesse et celui de la direction.

Ce **système** possède des grandeurs sur lesquelles on agit pour régler d'autres grandeurs à des valeurs bien définies qui peuvent dépendre du temps ou non. Les premières grandeurs sont appelées les **grandeurs d'entrée**. Tandis que les autres sont appelées les **grandeurs de sortie**. Le système de conduite du véhicule admet deux grandeurs d'entrée qui sont la position de la pédale et l'orientation du volant; et deux grandeurs de sortie qui sont la vitesse du véhicule et l'orientation du véhicule. Un tel système est cité dans la littérature de l'automatique comme étant un **système multi-entrées multi-sorties** ou **multivariable**. Par opposition à ces systèmes, on retrouve les **systèmes mono-entrée mono-sortie**.

Cet exemple n'est pas un système automatique, mais il illustre le principe d'opération des systèmes automatiques. Dans cet exemple, on retrouve:

- le système à commander (véhicule), ses grandeurs d'entrée (position de la pédale, position angulaire du volant), ses grandeurs de sortie (vitesse du véhicule, orientation du véhicule); et ses grandeurs parasites (condition de la route, vent, etc.);
- l'organe de mesure (cadran de vitesse et vision humaine) nécessaire à la mesure de la vitesse et de la direction du véhicule à tout instant;
- le correcteur (représenté par l'humain dans cet exemple) qui est l'organe d'intelligence de la structure de commande employée. Sa fonction consiste d'abord à déterminer l'erreur entre la grandeur à commander et la

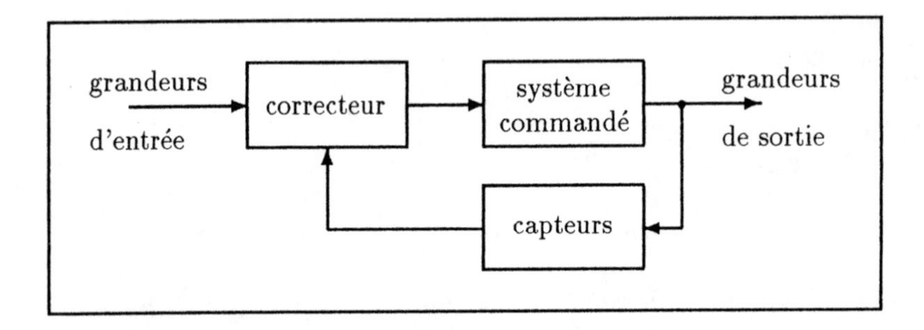

Figure 1.1 Schéma fonctionnel d'un système automatique

grandeur de référence, puis à agir en conséquence pour minimiser cette erreur. La première étape est faite à l'aide d'un organe portant le nom de comparateur.

En général, en automatique, un tel système est souvent représenté par le schéma fonctionnel de la figure 1.1. En supprimant l'intervention humaine, on obtient un **système asservi**.

Dans le milieu industriel, plusieurs systèmes nécessitent l'intervention humaine. Lorsque le développement technologique le permet, de tels systèmes peuvent être convertis en systèmes complètement automatiques en remplaçant l'intervention humaine par une certaine intelligence qui exécute la même tâche.

Comme second exemple, prenons le cas d'un échangeur de chaleur dont le rôle ultime est d'utiliser la chaleur de la vapeur provenant d'une conduite donnée pour chauffer l'eau froide provenant d'une canalisation. Pour maintenir la température de l'eau à la sortie de l'échangeur à une valeur constante, on doit régler le débit de la vapeur à la valeur correspondante. Le débit est fixé par l'ouverture de la vanne, laquelle est réglée par un moteur électrique.

Une manière très simple de commander la température de l'eau à la sortie de l'échangeur consiste à supposer que toutes les grandeurs et tous les paramètres considérés ne changent pas puis, à partir des principes de la thermodynamique, à trouver le débit de vapeur nécessaire pour chauffer le débit d'eau froide donné. Le débit de vapeur est alors réglé à la valeur trouvée en alimentant le moteur avec la tension électrique correspondante.

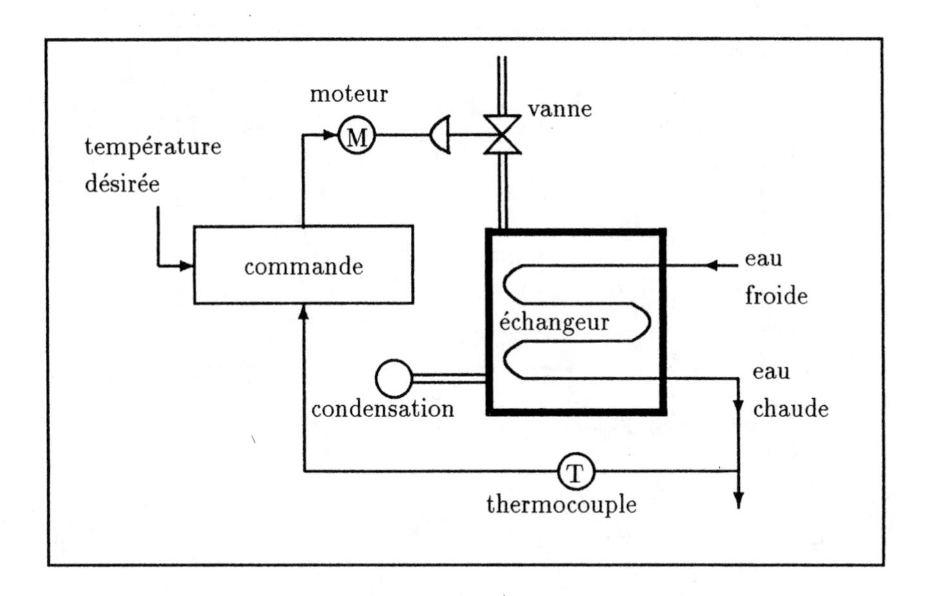

Figure 1.2 Structure de commande d'un échangeur de chaleur

En pratique, plusieurs facteurs font qu'une telle structure de commande est inefficace pour maintenir la température de l'eau à la sortie constante. Pour contrer ces variations, il faut employer un organe qui permet de mesurer constamment la température de l'eau à la sortie. Un tel organe est un capteur de température. Avec l'information du capteur et de la grandeur de référence, le correcteur peut régler l'ouverture de la vanne en fournissant au moteur la tension électrique appropriée. Le schéma de principe d'une telle structure de commande est illustré à la figure 1.2. L'action du correcteur peut être:

- intermittente: on définit un seuil, puis on agit de la manière suivante:

  1. ouvrir la vanne au maximum si on est au-dessus du seuil;
  2. fermer la vanne si on est au dessous du seuil.

  Un tel correcteur est du type tout ou rien ("On/Off").

- continue: le correcteur agit sur l'ouverture de la vanne de manière continue en utilisant le signal d'erreur entre l'information provenant du capteur et celle de la grandeur de référence.

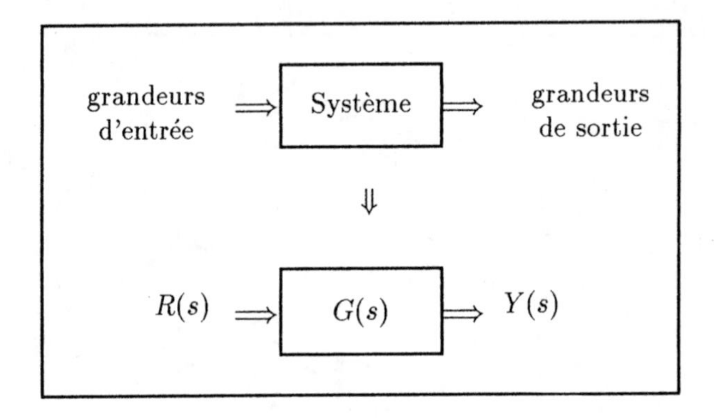

Figure 1.3 Diagramme fonctionnel

À partir de la présentation de ces exemples, définissons la terminologie propre aux systèmes automatiques.

Un **système** est défini comme une collection d'objets reliés ou branchés les uns aux autres de façon à former une entité. Chaque système est conçu pour accomplir une tâche ou une fonction donnée. Considérons par exemple le cas d'un escalier mécanique dont la fonction est de faciliter le déplacement des gens. Ce système est constitué de plusieurs **composantes**: le moteur électrique représentant l'organe de puissance, l'escalier mécanique (avec ses occupants) traduisant la charge et d'autres organes intermédiaires.

En automatique, on utilise une représentation schématique pour chaque composante. La figure 1.3 illustre une telle représentation appelée souvent **schéma-bloc** ou **diagramme fonctionnel**. Pour distinguer les systèmes, cette représentation utilise certaines grandeurs caractérisant le système considéré. Ainsi, comme on va le voir en détail au cours du chapitre 2, on retrouve les grandeurs d'entrée, les grandeurs de sortie et le concept de fonction de transfert ou matrice de transfert. Ces concepts reposent sur celui de la transformée de Laplace (voir Annexe A).

Les systèmes peuvent se classer en deux catégories:

- **systèmes statiques**: ce sont des systèmes dont la réponse à une excitation extérieure est instantanée. La variable indépendante, temps t, n'intervient pas dans le fonctionnement de ce type de systèmes.

Ces systèmes n'ont pas de mémoire et sont décrits par des équations algébriques. L'exemple qu'on peut citer est celui d'une résistance électrique pure, c'est-à-dire une résistance électrique dont l'effet capacitif et l'effet inductif sont négligeables. En effet, en notant par R la valeur de cette résistance pour toute tension électrique $u(t)$ représentant la grandeur d'entrée appliquée aux bornes de cette résistance, il résulte un courant électrique $i(t)$ représentant la grandeur de sortie, dont la valeur est donnée par la relation d'Ohm suivante:

$$i(t) = \frac{u(t)}{R}$$

- **systèmes dynamiques**: contrairement aux systèmes statiques, ces systèmes ont une réponse qui dépend simultanément de l'excitation présente et des réponses passées. Ces systèmes ont une mémoire. Un des exemples de ce type de systèmes est le condensateur électrique de capacité C. En effet, la charge électrique $q(t)$ accumulée durant l'intervalle de temps $[0, t]$ dans ce condensateur lorsqu'une tension électrique $u(t)$ l'alimente est donnée par: $q(t) = q(0) + Cu(t)$ où $q(0)$ est la charge à l'instant initial $t = 0$. Les systèmes dynamiques peuvent être:
  - **continus**: ce sont des systèmes dont le fonctionnement évolue de manière continue dans le temps. Ils sont décrits par des équations différentielles.
  - **discrets**: appelés aussi **systèmes échantillonnés**, ils évoluent par échantillons (intervalles) de temps. Ils sont représentés par des équations aux différences, et ne seront pas traités dans cet ouvrage.

Pour chaque système tel que représenté à la figure 1.4, il est toujours possible d'établir une relation mathématique entre les grandeurs de sortie, les grandeurs d'entrée et les paramètres caractérisant le système en utilisant les lois de la physique. Ces relations traduisent ce qu'on appelle dans la littérature de l'automatique le **modèle mathématique du système**. En général, en désignant par $r_i(t)$; $i = 1, \ldots, m$; les m grandeurs d'entrée du système, par $y_j(t)$, $j = 1, \ldots, p$; les p grandeurs de sortie correspondantes et par $\mathcal{P}$ l'ensemble des paramètres, ce modèle a la forme suivante:

$$\begin{aligned} \dot{y}_1(t) &= f_1(y_1(t), \ldots, y_p(t), r_1(t), \ldots, r_m(t), \mathcal{P}, t) \\ &\vdots \\ \dot{y}_p(t) &= f_p(y_1(t), \ldots, y_p(t), r_1(t), \ldots, r_m(t), \mathcal{P}, t) \end{aligned} \quad (1.1)$$

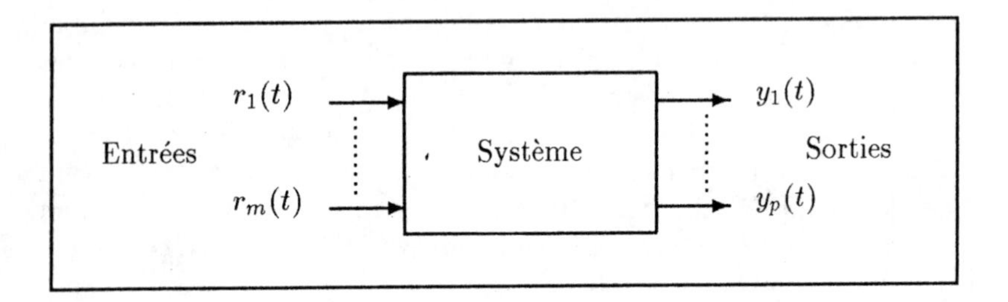

Figure 1.4 Représentation schématique d'un système

où $f_j(.)$; $j = 1, \ldots, p$ sont des fonctions données et bien définies et $\dot{y}_j(t)$ est la dérivée de $y_j(t)$ par rapport au temps t.

Un tel modèle peut se mettre sous la forme matricielle suivante:

$$\dot{\mathbf{y}}(t) = \mathbf{f}(\mathbf{y}(t), \mathbf{r}(t), t) \tag{1.2}$$

où: $\mathbf{y}(t) = [y_1(t), \ldots, y_p(t)]^T$, $\mathbf{r}(t) = [r_1(t), \ldots, r_m(t)]^T$, $\mathbf{f}(.) = [f_1(.), \ldots, f_p(.)]^T$.

Les paramètres des systèmes peuvent être **localisés** ou **répartis**. Ce qui correspond aux **systèmes à paramètres répartis** et **systèmes à paramètres localisés**. Les définitions de ces systèmes sont:

- **systèmes à paramètres localisés**: les systèmes à paramètres localisés sont des systèmes dont la description nécessite des équations différentielles. De tels systèmes sont appelés des **systèmes de dimension finie**.

- **systèmes à paramètres répartis**: par système à paramètres répartis on entend des systèmes dont la description nécessite des équations aux dérivées partielles. De tels systèmes sont souvent appelés dans la littérature d'automatique des **systèmes de dimension infinie**.

En supposant que le système considéré est à paramètres localisés, le modèle mathématique est souvent traduit par des équations différentielles qui peuvent être linéaires ou non linéaires. Dans ces conditions le modèle mathématique (1.2) se ramène à:

$$\dot{\mathbf{y}}(t) = \mathbf{f}(\mathbf{y}(t), \mathbf{r}(t)) \tag{1.3}$$

Ces équations peuvent être **déterministes**, ou **aléatoires**. Les systèmes correspondants sont appelés respectivement déterministes, aléatoires.

Les grandeurs d'entrée et de sortie sont souvent représentées par des signaux qui décrivent leur évolution en fonction du temps.

Le modèle est dit **linéaire** lorsque la relation mathématique reliant les grandeurs d'entrée $r_i(t)$; $i = 1, \ldots, m$ et les grandeurs de sortie $y_j(t)$; $j = 1, \ldots, p$ est linéaire. Ce qui est équivalent à dire que la fonction $\mathbf{f}(.)$ est linéaire. Dans le cas contraire, le modèle est dit **non linéaire**. En général, les modèles non linéaires sont difficiles à étudier et il n'existe pas de théorie unifiée pour l'étude de ces systèmes. Le lecteur intéressé pourra consulter Vidyasagar [29], Mohler [22], Slotine et Li [27], Khalil [17] et les références citées dans ces ouvrages. La littérature des systèmes linéaires est abondante et les méthodes sont nombreuses. Pour plus d'information, le lecteur pourra consulter la liste des références à la fin de cet ouvrage. Étant donné l'abondance des méthodes d'analyse et de synthèse des systèmes linéaires, on a souvent tendance à linéariser les systèmes non linéaires.

Deux approches peuvent être utilisées pour linéariser un système non linéaire selon le modèle dont on dispose. En effet, si le modèle d'un système donné est disponible sous forme graphique tel que représenté à la figure 1.5(a), un choix possible de modèle linéaire consiste à approximer la courbe en un point par la courbe tangente en ce point. La courbe de la figure 1.5(a) représente la variation de la grandeur y en fonction de la grandeur r. La représentation mathématique de cette évolution est souvent traduite par $y = f(r)$. Une telle relation est souvent non linéaire. La linéarisation de cette relation est souvent faite autour d'un point appelé point de fonctionnement ou point d'opération. En choisissant comme point de fonctionnement (y_e, r_e), c'est-à-dire $y_e = f(r_e)$, tel que représenté à la figure 1.5(a), la décomposition en série de Taylor au voisinage de ce point nous donne:

$$y = f(r) = f(r)|_{r=r_e} + \left[\frac{d}{dr}f(r)\right]_{r=r_e} (r - r_e) + o(r - r_e) \tag{1.4}$$

où le terme $o(r - r_e)$ représente la combinaison des termes de second ordre et plus. Ce terme tend vers zéro lorsque $(r - r_e)$ tend vers zéro.

En notant par Δy et Δr les variations de y et de r autour du point de fonctionnement, c'est-à-dire $\Delta y = y - y_e$ et $\Delta r = r - r_e$; et en tenant compte de la relation précédente (1.4), on obtient le modèle linéaire suivant:

$$\Delta y = k\Delta r \tag{1.5}$$

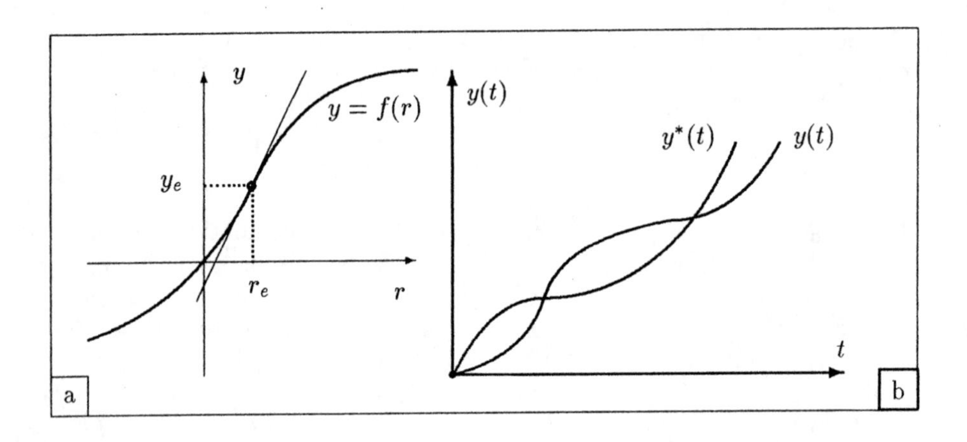

Figure 1.5 Principe de linéarisation: (a) autour d'un point de fonctionnement (b) le long d'une trajectoire

avec $k = \frac{df}{dr}(r_e)$. Les termes de second ordre et plus ont été négligés.

Notons que cette approche peut se généraliser à un système multivariable. On a recours à cette approche, basée sur la voie expérimentale, lorsque la relation analytique entre les grandeurs d'entrée et les grandeurs de sortie n'est pas facile à obtenir.

D'un autre côté, si le modèle du système est connu sous forme analytique, l'autre approche que l'on peut utiliser est l'approche analytique. Pour montrer son principe, considérons le cas d'un système à plusieurs grandeurs d'entrée et plusieurs grandeurs de sortie dont le modèle non linéaire est donné par l'équation (1.3). La fonction $\mathbf{f}(.,.)$ est supposée continûment différentiable par rapport à ses arguments et indépendante explicitement du temps. Dans ces conditions, le modèle est représenté par la relation suivante:

$$\dot{\mathbf{y}}(t) = \mathbf{f}(\mathbf{y}(t), \mathbf{r}(t)) \tag{1.6}$$

En supposant que l'on veuille linéariser le système autour du point de fonctionnement $(\mathbf{y}_e, \mathbf{r}_e)$, tel que $0 = \mathbf{f}(\mathbf{y}_e, \mathbf{r}_e)$, et en notant par $\Delta\mathbf{y}$ et $\Delta\mathbf{r}$ les variations des grandeurs de sortie et des grandeurs d'entrée respectivement autour du point de fonctionnement $(\mathbf{y}_e, \mathbf{r}_e)$, le développement en série de Taylor dans le cas multidimensionnel nous donne:

$$\Delta\dot{\mathbf{y}}(t) = \mathbf{A}\Delta\mathbf{y}(t) + \mathbf{B}\Delta\mathbf{r}(t) \tag{1.7}$$

avec:

$$\mathbf{A}_{(p\times p)} = \frac{\partial \mathbf{f}}{\partial \mathbf{y}}(\mathbf{y}_e, \mathbf{r}_e) = \begin{bmatrix} \frac{\partial f_1}{\partial y_1} & \cdots & \frac{\partial f_1}{\partial y_p} \\ \vdots & \cdots & \vdots \\ \frac{\partial f_p}{\partial y_1} & \cdots & \frac{\partial f_p}{\partial y_p} \end{bmatrix}_{|\mathbf{y}_e, \mathbf{r}_e}$$

$$\mathbf{B}_{(p\times m)} = \frac{\partial \mathbf{f}}{\partial \mathbf{r}}(\mathbf{y}_e, \mathbf{r}_e) = \begin{bmatrix} \frac{\partial f_1}{\partial r_1} & \cdots & \frac{\partial f_1}{\partial r_m} \\ \vdots & \cdots & \vdots \\ \frac{\partial f_p}{\partial r_1} & \cdots & \frac{\partial f_p}{\partial r_m} \end{bmatrix}_{|y_e, r_e}$$

Notons que les matrices **A** et **B** du modèle linéaire obtenu dépendent du point de fonctionnement. Il est clair que si ce point varie, les valeurs des matrices **A** et **B** varient en conséquence.

Cette méthode de linéarisation se généralise au cas où le point de fonctionnement est variable. La linéarisation est alors faite dans ce cas le long d'une trajectoire désirée. La figure 1.5(b) représente une telle situation.

La trajectoire désirée $\mathbf{y}^*(t)$ correspond à une excitation $\mathbf{r}^*(t)$. Ces deux grandeurs vérifient la relation suivante:

$$\dot{\mathbf{y}}^*(t) = \mathbf{f}(\mathbf{y}^*(t), \mathbf{r}^*(t)) \tag{1.8}$$

La trajectoire réelle $\mathbf{y}(t)$ et l'excitation correspondante sont données par:

$$\mathbf{y}(t) = \mathbf{y}^*(t) + \delta\mathbf{y}(t) \tag{1.9}$$

$$\mathbf{r}(t) = \mathbf{r}^*(t) + \delta\mathbf{r}(t) \tag{1.10}$$

où $\delta\mathbf{y}(t)$, $\delta\mathbf{r}(t)$ représentent respectivement des variations autour de la trajectoire nominale $\mathbf{y}^*(t)$ et la référence $\mathbf{r}^*(t)$ correspondante à l'instant t.

En soustrayant (1.6) et (1.8) et en tenant compte de (1.9)-(1.10), on obtient:

$$\delta\dot{\mathbf{y}}(t) = \mathbf{f}(\mathbf{y}, \mathbf{r}) - \mathbf{f}(\mathbf{y}^*, \mathbf{r}^*) \tag{1.11}$$

Or, en tenant compte du développement de Taylor autour de $\mathbf{y}^*$ et $\mathbf{r}^*$ et en négligeant les termes d'ordre deux et plus, la relation précédente devient:

$$\delta\dot{\mathbf{y}}(t) = \frac{\partial \mathbf{f}}{\partial \mathbf{y}}(\mathbf{y}^*, \mathbf{r}^*)\delta\mathbf{y} + \frac{\partial \mathbf{f}}{\partial \mathbf{r}}(\mathbf{y}^*, \mathbf{r}^*)\delta\mathbf{r} \tag{1.12}$$

Si $\mathbf{y}^* = \mathbf{y}^*(t)$ et $\mathbf{r}^* = \mathbf{r}^*(t)$ sont fonction du temps, le modèle linéaire est dit variant et son expression est donnée par:

$$\delta\dot{\mathbf{y}}(t) = \mathbf{A}(t)\delta\mathbf{y} + \mathbf{B}(t)\delta\mathbf{r} \tag{1.13}$$

où $\mathbf{A}(t) = \frac{\partial \mathbf{f}}{\partial \mathbf{y}}(\mathbf{y}^*, \mathbf{r}^*)$ et $\mathbf{B}(t) = \frac{\partial \mathbf{f}}{\partial \mathbf{r}}(\mathbf{y}^*, \mathbf{r}^*)$

Le modèle (1.13) constitue le modèle linéaire correspondant au système non linéaire (1.6).

Un système linéaire est dit **causal** si sa grandeur de sortie dépend seulement des valeurs présentes et passées des grandeurs d'entrée du système. Du point de vue mathématique, si $y(t)$ représente la grandeur de sortie à l'instant t, alors $\mathbf{y}(t)$ dépend seulement des valeurs de la grandeur d'entrée $\mathbf{r}(\tau)$ pour des valeurs de τ inférieures ou égales à t. Ces genres de systèmes sont aussi appelés **systèmes physiquement réalisables**.

Les systèmes linéaires obéissent au **principe de superposition** défini par les propriétés **d'additivité** et **d'homogénéité**. Ces deux propriétés sont définies comme suit:

- **additivité**: si aux excitations $\mathbf{r}_1(t)$ et $\mathbf{r}_2(t)$ le système répond par les grandeurs de sortie $\mathbf{y}_1(t)$ et $\mathbf{y}_2(t)$, on dit que le système obéit à la propriété d'additivité si, à la somme des excitations $\mathbf{r}_1(t)$ et $\mathbf{r}_2(t)$ (i.e. $\mathbf{r}_1(t) + \mathbf{r}_2(t)$), le système fait correspondre une grandeur de sortie $y(t)$ qui est la somme des deux grandeurs de sortie $\mathbf{y}_1(t)$ et $\mathbf{y}_2(t)$ (i.e. $\mathbf{y}_1(t) + \mathbf{y}_2(t)$).
- **homogénéité**: si à l'excitation $\mathbf{r}(t)$ le système fait correspondre la grandeur de sortie $\mathbf{y}(t)$, ce système obéit à la propriété d'homogénéité si, à une excitation obtenue à partir de l'excitation précédente $\mathbf{r}(t)$ multipliée par un coefficient réel a (i.e. $\mathbf{r}'(t) = a\mathbf{r}(t)$), le système fait correspondre une grandeur de sortie $\mathbf{y}'(t)$ qui est la grandeur de sortie $\mathbf{y}(t)$ multipliée par le facteur a. Mathématiquement, ceci est donné par: $\mathbf{y}'(t) = a\mathbf{y}(t)$.

Les systèmes linéaires dont les paramètres caractéristiques sont invariants dans le temps sont appelés **systèmes linéaires invariants**. Dans le cas contraire, les systèmes sont dits **variants** dans le temps. La figure 1.6 illustre

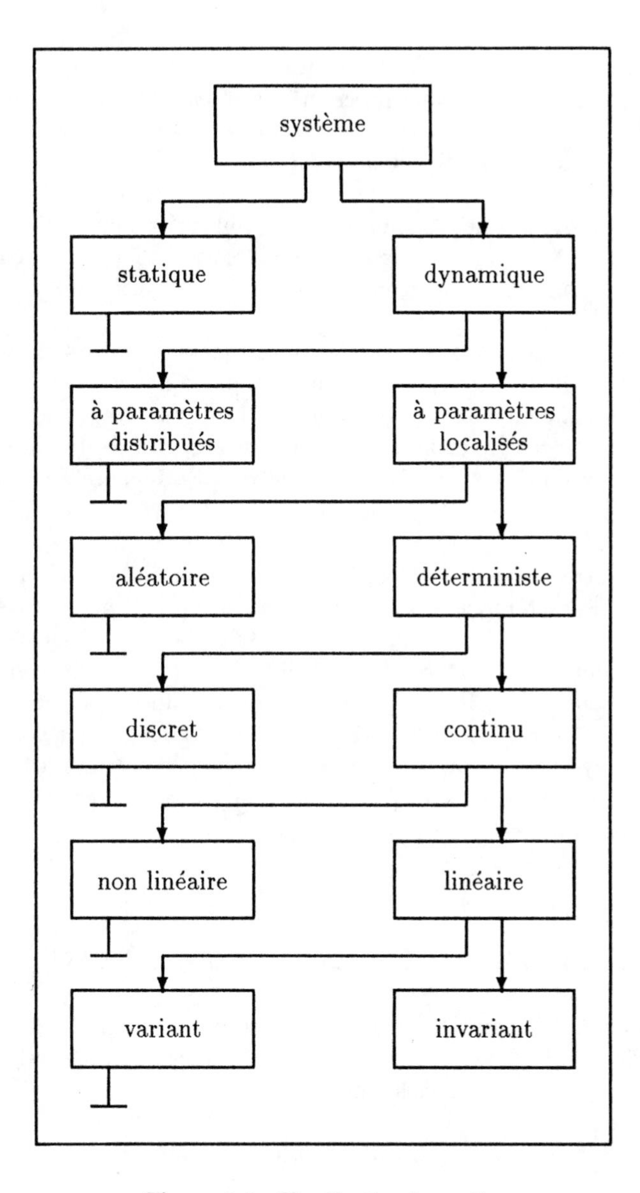

Figure 1.6 Classification des systèmes

les différentes classes de systèmes que l'on peut rencontrer dans la discipline de l'automatique.

Il est établi que pour assurer de meilleures performances à un système donné, on doit en général adjoindre à celui-ci un certain ensemble de composantes tels que le correcteur et les capteurs. Le système ainsi obtenu est souvent appelé dans la littérature de l'automatique **système asservi**.

Un système asservi est défini comme un assemblage de composantes physiques branchées ou reliées les unes aux autres de telle sorte qu'il puisse se commander, se diriger ou se régler, ou bien commander, diriger ou régler un autre système.

En se référant à l'exemple de régulation de la température d'eau dans un échangeur de chaleur présenté précédemment, on constate que chaque système possède un certain nombre de grandeurs d'entrée sur lesquelles on doit agir pour contrôler ou régler certaines grandeurs de sortie du système. En général, on excite les systèmes par des signaux d'entrée. En réponse à ces signaux, le système génère des signaux de sortie.

Le signal d'entrée principal est défini comme étant **l'excitation** ou **stimulus** appliqué au système asservi à partir d'une source d'énergie extérieure, en général, afin d'y provoquer une réponse spécifique. Le signal de sortie est défini comme étant la réponse effective obtenue à partir du système asservi. Elle peut coïncider ou non avec la réponse que doit normalement provoquer le signal d'entrée. En pratique, il existe d'autres grandeurs qui possèdent une action sur le système et qui sont susceptibles, par conséquent, de modifier la relation existante entre l'entrée principale et la sortie. Ces grandeurs sont appelées **entrées parasites** ou **perturbations**.

1.3 EXEMPLES DE SYSTÈMES ASSERVIS

Pour augmenter la compréhension des différents concepts d'automatique et pour familiariser le lecteur avec les systèmes asservis, nous allons donner quelques exemples de systèmes allant du simple au complexe.

Exemple 1.1 Asservissement de vitesse d'un convoyeur

Dans le domaine de la production manufacturière, les convoyeurs sont très répandus. Ils constituent le système de transport le plus utilisé. Un schéma

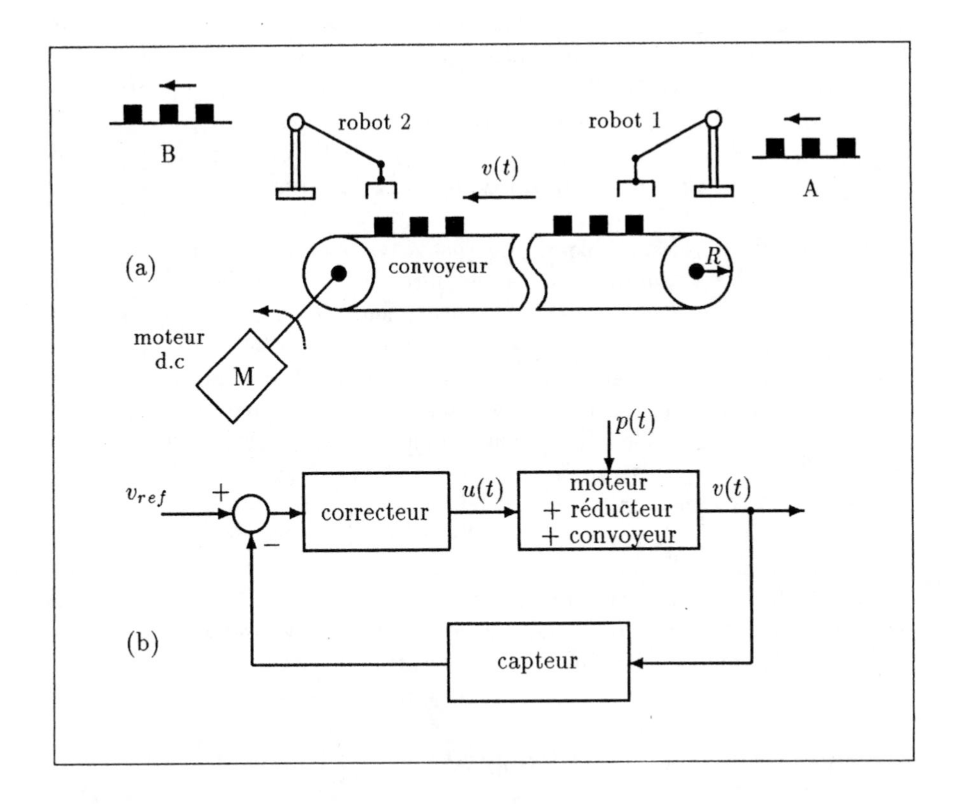

Figure 1.7 Asservissement de vitesse d'un convoyeur: (a) schéma technologique; (b) structure de commande en boucle fermée.

technologique de ce moyen de transport est représenté à la figure 1.7(a). Le système comprend deux robots, un moteur électrique et le convoyeur lui-même. La fonction du premier robot consiste à prendre des pièces de la position A et les placer sur le convoyeur. Celle du second robot consiste à prendre les pièces du convoyeur et les stocker à la position B.

Le convoyeur est principalement constitué d'un tapis roulant entraîné par un organe de puissance tel qu'un moteur électrique. Le moteur est choisi de manière à fournir le couple nécessaire pour faire déplacer toute charge admissible à une vitesse donnée. Nous supposons aussi que le moteur ne possède aucune information sur la vitesse du convoyeur. Le point de fonctionnement du système est alors choisi en fonction de la charge moyenne à transporter. La mise en marche du système se résume au choix de la tension nécessaire au bon fonctionnement du système. Il est clair que si, pour des raisons qui échappent à la volonté et au contrôle des personnes de la production, la charge dépasse la valeur nominale, alors le système n'aura aucun contrôle et ne pourra jamais corriger le changement de vitesse qui en résulte. Une telle structure de commande est appelée **structure de commande en boucle ouverte**.

Une façon d'éviter les problèmes qui peuvent résulter de l'utilisation de la **commande en boucle ouverte** est de fournir au système l'information sur le mouvement du convoyeur. Cette information peut être, par exemple, la vitesse de déplacement du convoyeur à chaque instant t. Une telle information est obtenue en ajoutant une autre composante au système. Cette composante est appelée **capteur**. Dans notre cas, c'est un **capteur de vitesse**. Son rôle est de générer une tension électrique proportionnelle à la vitesse du convoyeur. Un organe appelé **comparateur** s'occupe de calculer la différence entre le signal de référence v_{ref}, vitesse de référence, et celui généré par le capteur correspondant à la vitesse $v(t)$. En général, cette différence, représentée par une tension électrique, traduit l'erreur du système asservi utilisé. Cette tension électrique va être utilisée par une certaine **intelligence** représentée physiquement par un organe appelé **correcteur** pour générer la tension $u(t)$ appropriée afin de commander le moteur électrique. Cette structure de commande est illustrée à la figure 1.7(b).

Exemple 1.2 Réglage de la température d'un logement

Dans cet exemple, on décrit le fonctionnement d'un système de chauffage d'un logement réduit à une seule pièce. Pour fixer les idées, supposons que le logement est représenté par un parallélépipède dont les dimensions sont connues, de même que les dimensions des fenêtres. Un tel système est représenté à la figure 1.8(a). La chaleur provenant d'un radiateur placé dans le logement est transmise à celui-ci par radiation. La température de celui-ci est réglée par l'intermédiaire d'un thermostat qui agit sur la vanne contrôlant son ouverture et réglant ainsi le débit de circulation d'eau chaude. Les températures du logement et du milieu extérieur sont respectivement notées par $\theta(t)$ et $\theta'(t)$. La différence de température entre l'intérieur et le milieu extérieur, résulte en un transfert de chaleur vers le milieu extérieur, traduisant les pertes du système et représentant des perturbations aléatoires que l'on ne peut pas mesurer à priori. Ces perturbations sont représentées par le débit $q'(t)$. Le débit de chaleur fourni au logement par le radiateur est noté par $q_i(t)$. Une représentation schématique de ce système est illustrée à la figure 1.8b.

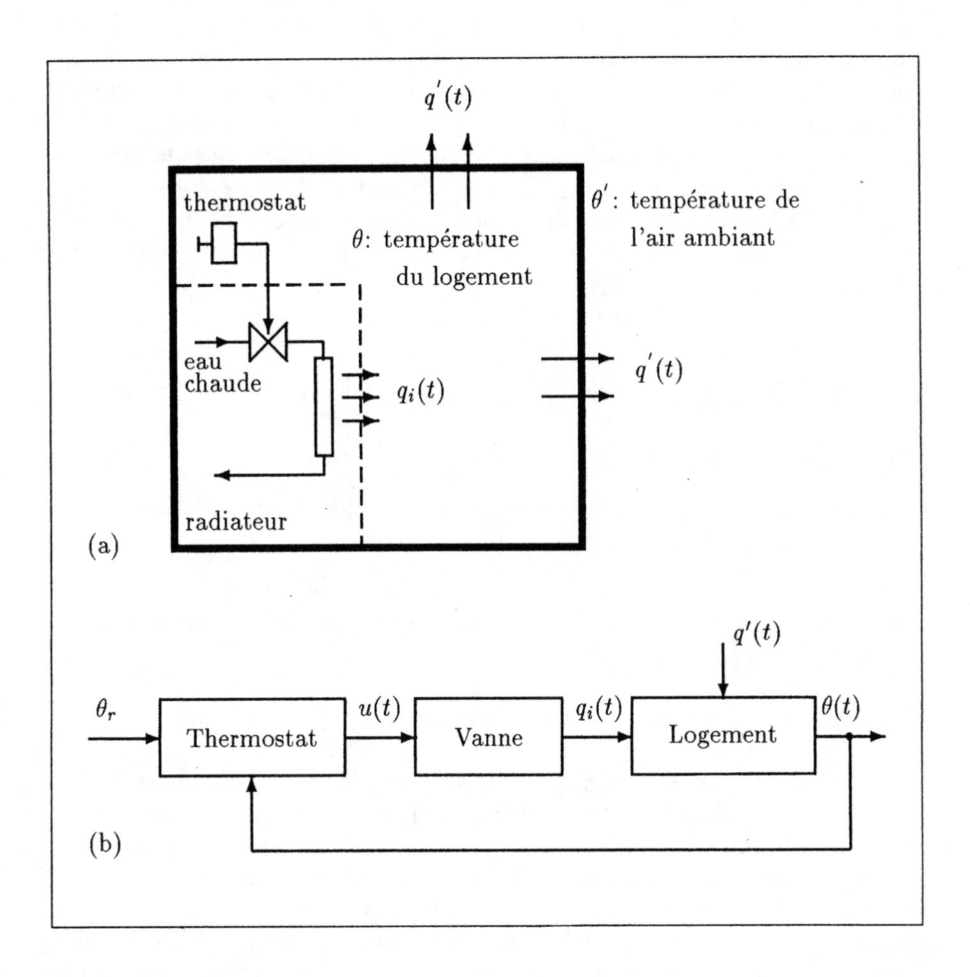

Figure 1.8 Réglage de la température d'un logement: (a) schéma technologique; (b) schéma-bloc.

Le but de ce système est de maintenir la température $\theta(t)$ à une valeur constante, notée par θ_r, choisie par l'occupant du logement. Cette température est souvent appelée la température de référence. Pour montrer comment un tel système de chauffage fonctionne, supposons que la température actuelle du logement est de 18^oC et que l'occupant désire l'augmenter à 24^oC. En plaçant ainsi l'aiguille du thermostat en face de 24^oC, celui-ci doit agir de telle manière que l'ouverture de la vanne augmente, causant ainsi l'augmentation du débit d'eau chaude et, par conséquent, la hausse de la quantité de chaleur transmise au logement. La température réelle du logement augmente donc pour atteindre, après un certain temps, une valeur fixe. La perturbation aléatoire $q'(t)$ peut empêcher le maintien de la température $\theta(t)$ à une valeur fixe. Le thermostat qui décèle cette variation tente de la contrer et apporte la correction requise dans le cas où les effets de la perturbation peuvent être contrés. Le rôle du thermostat est triple. En effet, il:

- mesure la température du logement à tout instant;
- compare cette température à celle de la référence;
- agit sur le flux de chaleur par des actions simples telles que l'ouverture ou la fermeture de la vanne.

Une telle structure de commande est appelée système de commande en boucle fermée de type tout ou rien.

Exemple 1.3 Système de chasse d'eau

Considérons le système de réglage de niveau d'eau dans un bassin (figure 1.9(a)). Le but de ce système consiste à maintenir le niveau d'eau constant dans un réservoir de dimensions données. Ce réservoir est alimenté par un débit $q_i(t)$ réglé par l'ouverture de la vanne. L'ouverture de celle-ci est contrôlée par un système de levier qui reçoit de l'information sur le niveau d'eau dans le bassin du flotteur. Celui-ci constitue l'organe de mesure du système. Ainsi, quand la hauteur $h(t)$ dans le bassin est inférieure (très loin de la référence) à la hauteur de référence h_r (fixée par la longueur de la barre reliant le flotteur au système de levier), l'ouverture de la vanne est grande et le débit $q_i(t)$ résultant est grand.

Le débit $q_0(t)$ de sortie du système est contrôlé lui aussi par une vanne de sortie. Les perturbations aléatoires $q'(t)$ dans ce cas sont traduites par un apport ou une fuite ($q_0(t)$) de liquide qui échappe à notre contrôle. Une représentation schématique de ce système est illustrée par la figure 1.9(b). Dans ce schéma, nous avons introduit la représentation du comparateur. En effet, cet organe a pour but de comparer la hauteur $h(t)$ à celle de référence h_r et de générer une indication sous forme d'erreur à l'actionneur qui est, dans ce cas, la vanne.

Si on augmente l'ouverture de la vanne de sortie, la hauteur $h(t)$ du bassin diminue. L'organe de mesure détecte cette variation et tend à la contrer en agissant sur l'ouverture de la vanne d'entrée jusqu'à ce que le nouvel équilibre soit atteint, quelle que soit la valeur acceptable de la perturbation.

Dans le cas où la distance d (parcourue par le liquide avant d'atteindre le réservoir) n'est pas négligeable, le bassin ne répond pas en fait à la vraie grandeur d'entrée de débit $q_i(t)$ à l'instant t, mais à cette grandeur d'entrée retardée d'une durée τ c'est-à-dire $q_i(t-\tau)$. La durée τ est le temps que prend le liquide pour traverser la distance d. Ce genre de système est appelé dans la littérature de l'automatique **système à retard**. La représentation schématique de la commande de niveau d'un bassin qui tient compte du retard est illustrée à la figure 1.9(c).

Exemple 1.4 Asservissement de position d'une antenne parabolique

Considérons le cas d'un asservissement de position d'une antenne parabolique (fig. 1.10(a)). Ce système est constitué de l'antenne parabolique qui est le système à commander et d'un moteur à courant continu qui est l'actionneur ou le convertisseur d'énergie de la forme électrique à la forme mécanique. En effet, par l'intermédiaire d'un système d'engrenage, il permet de donner à l'antenne l'orientation désirée. Pour déterminer la position angulaire à tout instant, un capteur de type transformateur différentiel angulaire (TR) est utilisé. Le choix de la position angulaire à donner à l'antenne est fixé par l'intermédiaire d'une vis de réglage qui agit sur un potentiomètre électrique dont la sortie est une tension proportionnelle à la position angulaire de la vis. Les signaux électriques provenant respectivement du capteur et de la vis servent à detecter de combien l'orientation de l'antenne parabolique diffère de celle de référence. L'écart est utilisé par des amplificateurs de puissance pour générer l'action appropriée à l'actionneur pour contrôler la position de l'antenne.

En général l'antenne parabolique est soumise à différentes perturbations qui font que si le système de commande n'est pas bien conçu, l'orientation de l'antenne parabolique diffère de celle désirée. Les perturbations représentent par exemple l'effet du vent qui peut avoir plusieurs formes. Ainsi, il peut être du type impulsionnel, constant ou variant avec le temps.

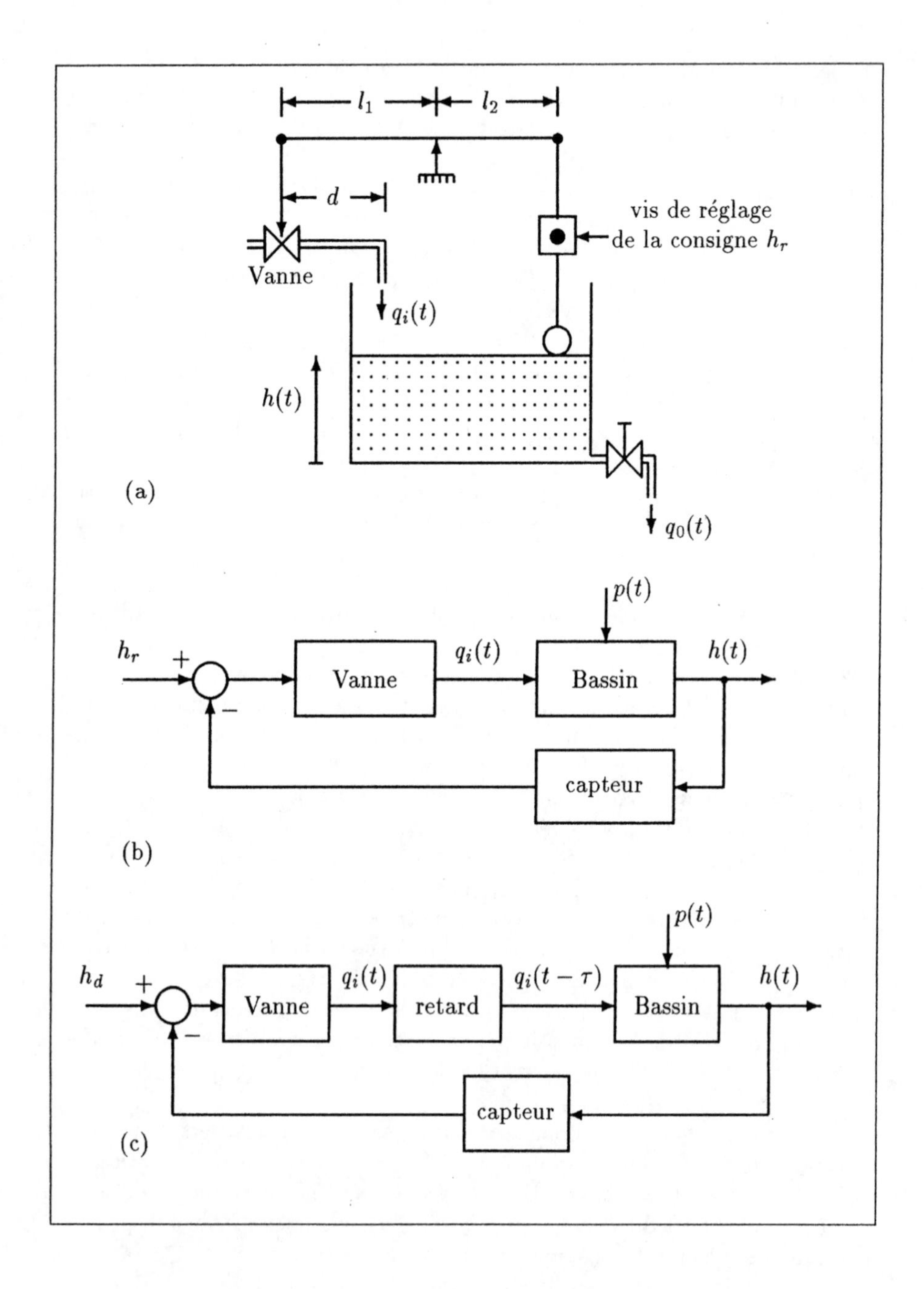

Figure 1.9 Réglage de niveau d'un bassin: (a) Schéma technologique; (b) Représentation schématique de la commande; (c) Représentation schématique avec retard.

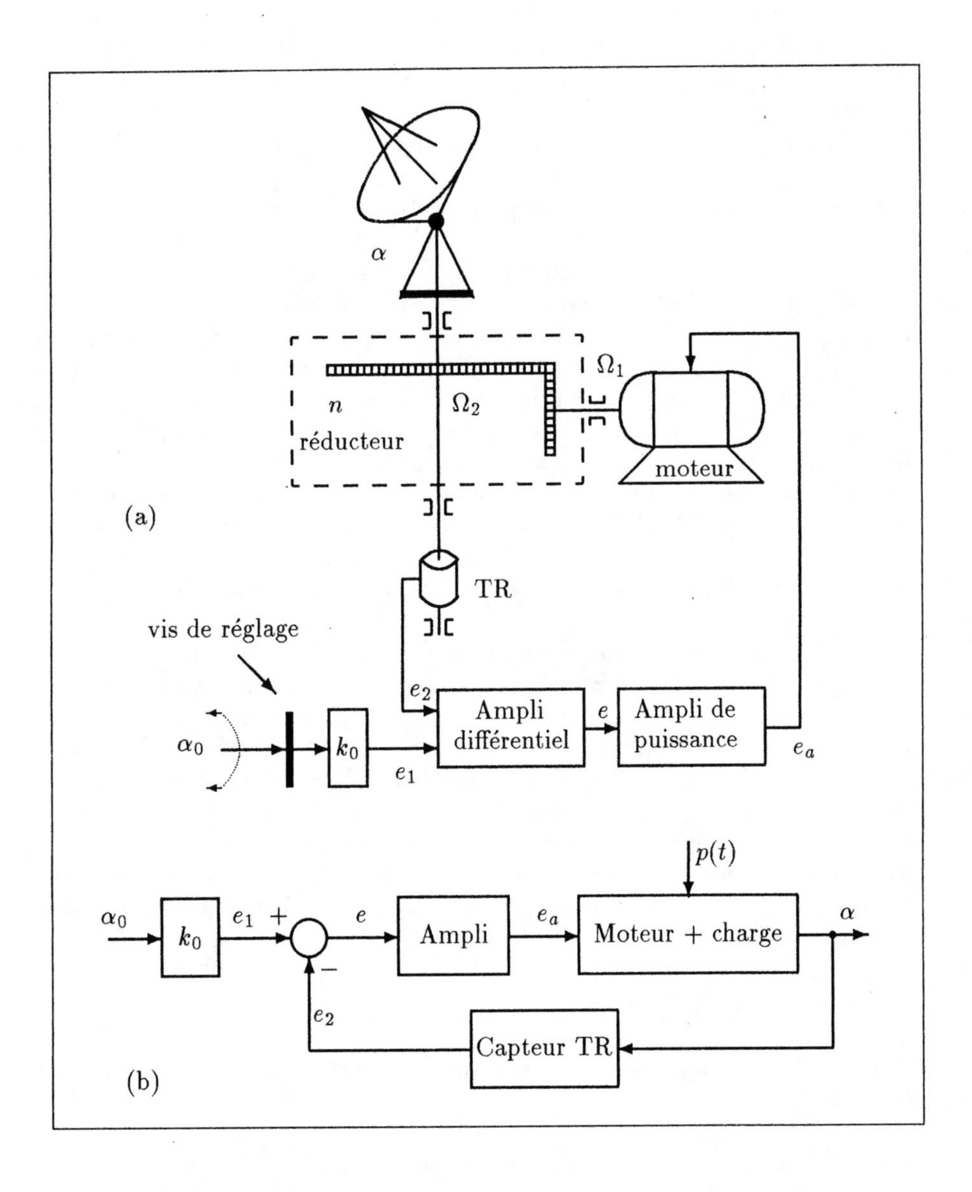

Figure 1.10 Asservissement de position d'une antenne parabolique: (a) Schéma technologique; (b) Schéma électrique du système de réglage de l'antenne parabolique.

D'un autre côté, pour des raisons bien connues tel que le vieillissement, l'usure, etc., font que les paramètres du système de commande changent ce qui peut se traduire par une dégradation des performances du système de commande.

Un schéma électrique de ce système est illustré à la figure 1.10(b).

Exemple 1.5 Commande d'un gouvernail de navire

Dans les systèmes de navigation maritime, les systèmes asservis ne manquent pas. Considérons l'asservissement de la position angulaire d'un gouvernail de navire dont le schéma technologique est illustré à la figure 1.11(a). Il comprend le gouvernail qui constitue l'organe à orienter dans la direction désirée qui correspond à une manoeuvre donnée, l'amplificateur hydraulique et l'actionneur qui sont respectivement une servovanne et un vérin, un capteur pour mesurer les positions angulaires, un volant relié à un capteur différentiel de type rotatif pour générer le signal de référence au système asservi, enfin un amplificateur différentiel qui traite les signaux électriques provenant des deux capteurs précédents. Le choix de la servovanne et du vérin hydraulique est justifié par les efforts importants pour mettre en mouvement le gouvernail.

En agissant sur la roue de commande on règle la position de référence qui est convertie par le capteur $TR1$ en une tension. Cette tension est comparée à celle provenant du capteur $TR2$, représentant la position actuelle du gouvernail du navire. Cette comparaison est traduite par une erreur dont la valeur est utilisé par l'amplificateur de puissance pour générer la commande $u(t)$ qui est utilisée par la servovanne pour orienter le gouvernail. D'un autre côté, lors de tout changement de référence, ou de l'apparition d'une perturbation externe, l'amplificateur décèle la différence et génère l'action appropriée pour repositionner le gouvernail ou pour contrer l'effet de la perturbation. L'action se poursuit tant et aussi longtemps que la différence entre le signal de référence et celui de la sortie est non nulle. Le schéma-bloc simplifié d'un tel système est illustré à la figure 1.11(b).

Exemple 1.6 Asservissement de la position angulaire d'un gouvernail d'avion

En aéronautique pour des raisons de sécurité et de confort les systèmes asservis sont très utilisés. Dans cet exemple, nous allons considérer l'asservissement de position angulaire d'un gouvernail d'avion. Un schéma technologique d'un tel système est illustré à la figure 1.12(a).

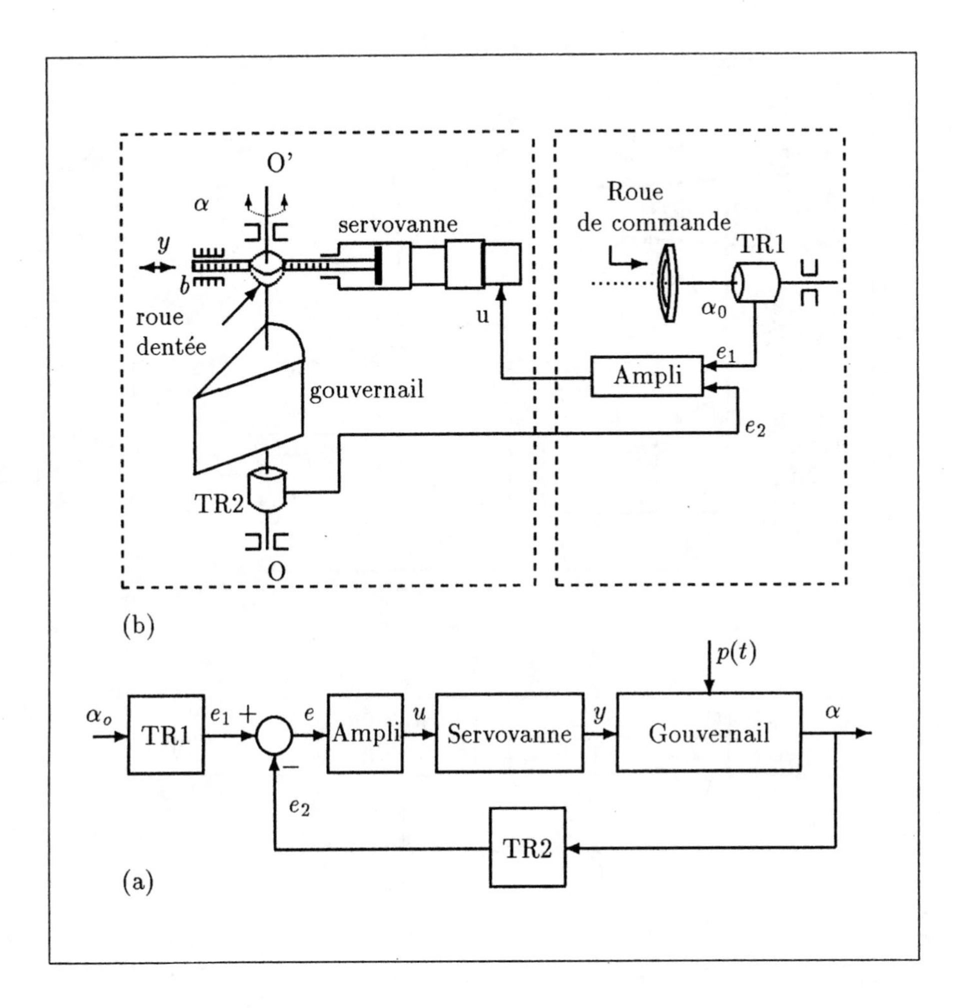

Figure 1.11 Asservissement de position angulaire d'un gouvernail de navire: (a) Schéma technologique; (b) Schéma-bloc du système de réglage de la position du gouvernail

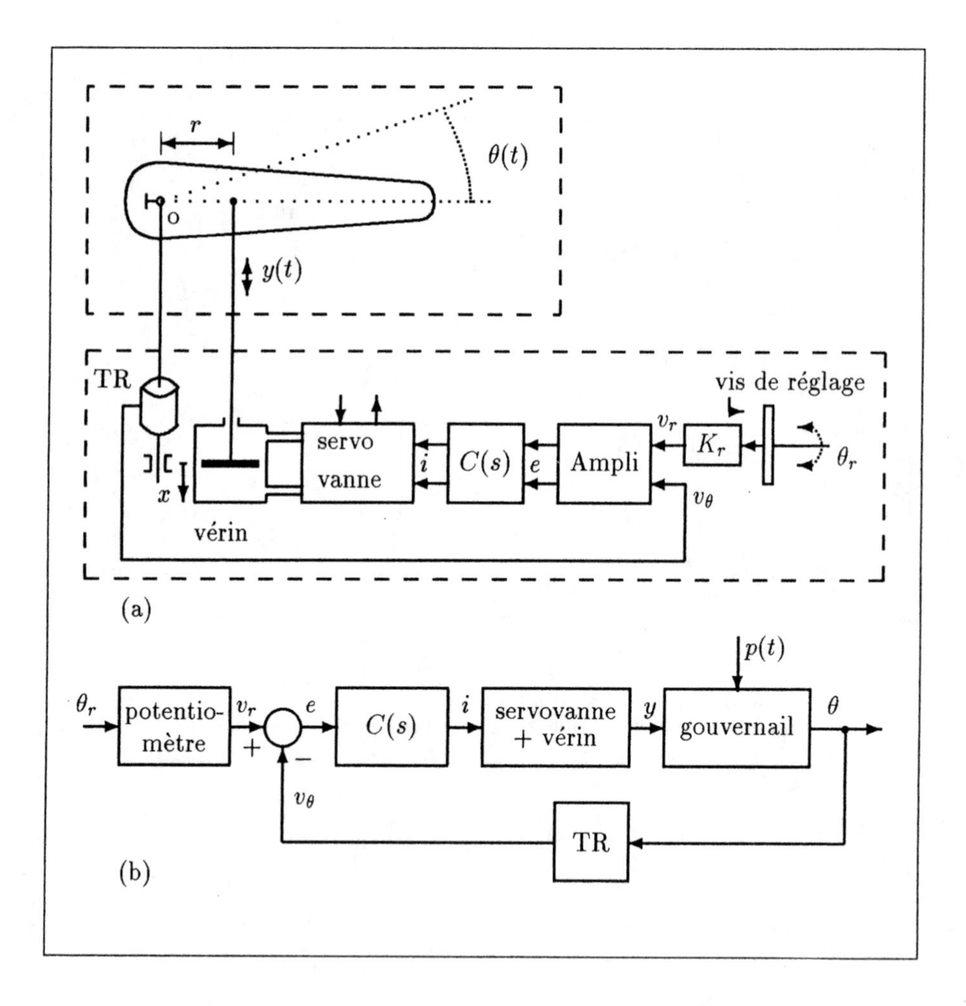

Figure 1.12 Asservissement de la position angulaire d'un gouvernail d'avion. (a) Schéma technologique. (b) Schéma bloc

L'objectif de ce système est de placer le gouvernail à une position donnée θ_r que nous appelons position de référence. Les différentes composantes principales de la structure de commande de ce système sont le gouvernail, la servovanne avec le vérin, le capteur et l'amplificateur de puissance.

Le gouvernail est la partie que l'on veut commander en réglant son orientation à la valeur choisie par le pilote. Un capteur du type transformateur différentiel rotatif (TR2) renseigne le système de commande sur la position courante du gouvernail. Un autre capteur traduit tout action sur la vis de réglage en une tension électrique qui est utilisée par le comparateur avec celle provenant du capteur TR pour déceler les écarts entre la grandeur de sortie et de celle de référence fixée par la vis. Ce comparateur produit un signal d'erreur entre l'angle de référence θ_r et la position $\theta(t)$ prise par le gouvernail. Cette erreur indique la différence entre $\theta(t)$ et la position angulaire de référence θ_r. À la position angulaire θ_r de référence est associée une tension de référence $v_r(t)$. La différence $e(t)$ entre la tension de référence $v_r(t)$ et la tension $v_\theta(t)$ correspondante à $\theta(t)$ traduit l'erreur du système. Ce signal d'erreur est utilisé par le correcteur pour générer le signal à fournir à l'actionneur. Le correcteur a pour rôle de réduire à zéro l'écart entre la position angulaire de référence θ_r et la position angulaire du gouvernail $\theta(t)$. Le signal d'erreur délivré par le comparateur est utilisé pour générer l'action nécessaire que l'on doit fournir à la servovanne après amplification pour contrer les écarts pris par l'erreur. La servovanne dont le rôle est d'utiliser le signal basé sur l'erreur issue de l'amplificateur pour générer l'action appropriée à l'actionneur qui, à son tour, doit agir sur le gouvernail pour corriger le défaut. L'actionneur prend la sortie de la servovanne et la convertit en action appropriée sur le gouvernail qui, à son tour, répond selon sa dynamique. Le schéma-bloc de l'ensemble est illustré à la figure 1.12(b).

D'après ces exemples, on constate qu'on a toujours une certaine entité appelée système à commander caractérisée par ses grandeurs d'entrée, ses grandeurs de sortie ainsi que ses paramètres. On constate principalement que tout système simple ou complexe, est composé d'un certain nombre d'éléments regroupés en vue d'accomplir une tâche bien déterminée. Ce système est caractérisé par des paramètres qui lui assurent sa particularité à répondre à des excitations extérieures. Les grandeurs de sortie représentent les grandeurs que l'on veut contrôler (température du logement, vitesse du convoyeur, niveau du bassin, etc.). Les grandeurs d'entrée d'un système se classent en deux catégories: les grandeurs d'entrée principales et les grandeurs d'entrée secondaires ou perturbations. En général, on n'a aucun contrôle sur ces perturbations. Les grandeurs d'entrée principales, quant à elles, représentent les grandeurs sur lesquelles on doit agir pour obtenir les grandeurs de sortie désirées.

1.4 CLASSIFICATION DES STRUCTURES DE COMMANDE

À partir des exemples présentés précédemment, nous pouvons conclure que les structures de commande forment deux catégories générales:

- **commande en boucle ouverte**, (B.O);
- **commande en boucle fermée** (B.F).

Ces configurations sont illustrées aux figures 1.13 (a) et (b).

Une structure de commande en boucle ouverte est définie comme un système où le signal de commande est indépendant du signal de sortie. Ces structures de commande sont simples et peu coûteuses, mais malheureusement dans certaines applications où la précision est d'une grande importance et où les paramètres du système à commander varient, elles ne sont pas utilisables à cause de leurs imprécisions et leurs incapacités à contrer les efforts aléatoires dus aux perturbations. Nous reviendrons sur ce point au cours du chapitre 3.

Par opposition à la structure de commande en boucle ouverte, celle en boucle fermée est définie comme un système où le signal de commande dépend d'une façon ou d'une autre du signal de sortie. Les systèmes en boucle fermée sont couramment appelés des systèmes asservis. Ces structures de commande comparées à leurs homologues en boucle ouverte sont plus chères et plus robustes. Dans certaines applications indutrielles, le mot système asservi est remplacé par d'autres termes propres à la discipline. Ainsi, on retrouve, les servomécanismes et les régulateurs.

Un servomécanisme est défini comme étant un système asservi dont la grandeur réglée est la position mécanique ou l'une de ses dérivées par rapport au temps, comme la vitesse ou l'accélération. Par exemple l'asservissement du déplacement d'un robot de peinture, l'asservissement de position angulaire d'une antenne parabolique, etc.

Le régulateur est défini comme étant un système asservi dans lequel le signal de référence, ou commande d'entrée, demeure constant durant de longues périodes et souvent pendant toute la durée d'existence du système. Par exemple le réglage de la température d'un logement, le réglage du niveau d'eau dans un bassin, le réglage de l'épaisseur d'une plaque d'acier, etc.

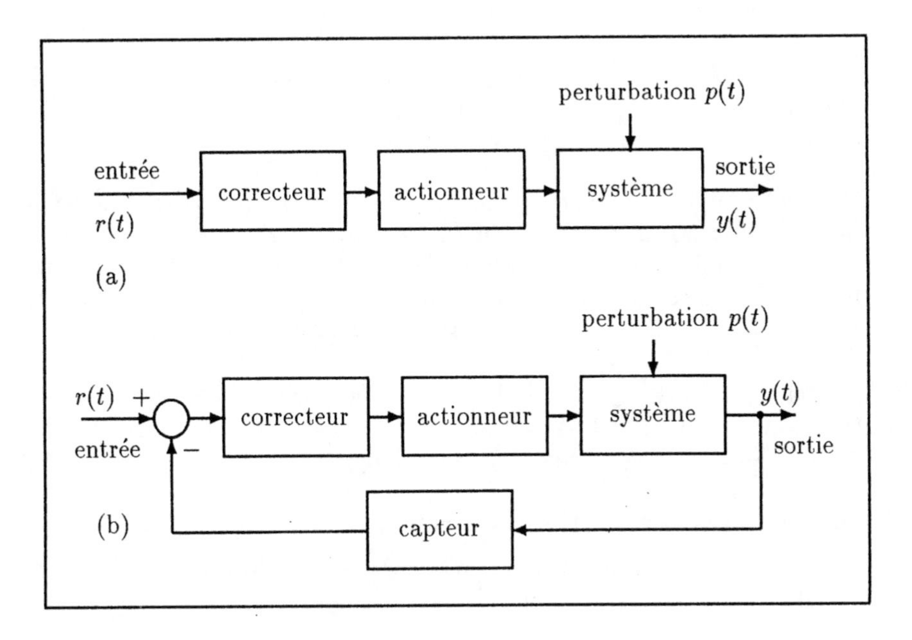

Figure 1.13 Structure de commande: (a) en boucle ouverte, (b) en boucle fermée

Un régulateur diffère d'un servomécanisme dans le sens que la fonction essentielle du régulateur consiste généralement à maintenir constant le signal de sortie réglé, tandis que la fonction du servomécanisme consiste la plupart du temps à faire suivre au signal de sortie un signal d'entrée variable.

1.5 TECHNIQUES D'ANALYSE ET DE SYNTHÈSE DES SYSTÈMES ASSERVIS

D'un point de vu pratique, il est toujours important de connaître les performances d'un système asservi. Les performances sont des caractéristiques essentielles qui font qu'un système asservi est acceptable ou non. Les performances d'un système donné sont généralement déterminées en effectuant une analyse approfondie. Les techniques d'analyse que l'on peut utiliser sont nombreuses, et sont présentées un peu plus loin dans cet ouvrage.

En général, le résultat d'une analyse approfondie d'un système donné se traduit par un verdict sur les spécifications qu'il possède à son état actuel. Ces spécifications peuvent être satisfaites ou non.

Dans le cas d'un système où les performances ne sont pas satisfaites, on peut recourir à la phase de synthèse. En général, cette phase a pour objectif de trouver le moyen d'améliorer les performances du système considéré sans changer le procédé, l'actionneur et l'amplificateur de puissance, mais en ajoutant un organe appelé correcteur qui représente l'intelligence du système asservi.

En général, l'analyse concerne l'étude des propriétés d'un système existant, tandis que la conception consiste à choisir et à agencer les organes du système asservi afin qu'il puisse effectuer une tâche déterminée.

Deux méthodes existent pour la conception:

- conception par essai et erreur: modifier les caractéristiques de la structure d'un système existant ou standard.
- conception par la synthèse: définir la forme du système asservi directement à partir de ses spécifications.

La réussite du design du système asservi nécessite dans un premier temps l'établissement des performances désirées, ce qui n'est pas une tâche facile et requiert souvent l'expérience de personnes qualifiées. Ces spécifications sont principalement basées sur l'un des facteurs suivants:

- **précision en régime permanent;**
- **comportement en régime transitoire;**
- **stabilité;**
- **sensibilité;**
- **robustesse du système asservi;**
- **effort de commande.**

Tous ces points sont développés tout au long de cet ouvrage.

1.6 RÉSUMÉ

Les systèmes dynamiques linéaires sont décrits par des équations différentielles. Ces équations indiquent comment les grandeurs de sortie du système considéré évoluent lorsque des signaux d'excitation sont appliqués sur les grandeurs d'entrée. En général, on cherche à donner aux grandeurs réglées certaines performances. Ces performances sont souvent mesurées lors de la phase d'analyse. Le résultat de cette phase se termine par un verdict sur les résultats obtenus. Si les performances ne sont pas satisfaisantes, on a recours à la phase de synthèse dont le but principal est de trouver le moyen efficace pour améliorer les performances du système à commander considéré.

1.7 QUESTIONS

1. Quelle est la définition d'un système?
2. Quelles sont les classes de systèmes?
3. Quelle est la définition des systèmes linéaires invariants?
4. En quoi consiste le théorème de superposition?
5. Quel est le principe de linéarisation?
6. Donner la définition d'un système asservi.
7. Énumérer les différentes structures de commande en précisant les avantages et les inconvénients de chacune.
8. Rappeler la définition d'un servomécanisme.
9. Rappeler la définition d'un régulateur.
10. Énumérer les différentes étapes de la procédure de design d'un système asservi donné.

1.8 EXERCICES

1.1 Citer les informations et les tâches inhérentes à toute structure de commande en indiquant celles qui s'appliquent à la structure de commande

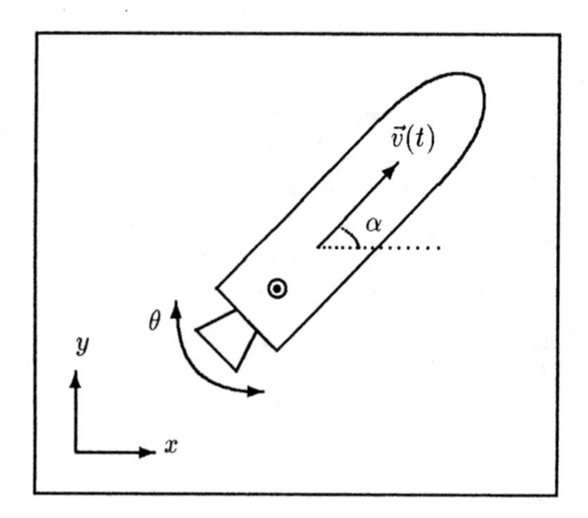

Figure 1.14 Schéma simplifié d'une fusée

en boucle fermée et celles qui s'appliquent à la structure de commande en boucle ouverte.

1.2 Soit une fusée dont la poussée est assurée par un moteur orientable (fig. 1.14). Les instructions de vol sont mémorisées dans un micro-ordinateur de bord.

a. La fusée forme-t-elle un système? Expliquer.

b. Identifier les blocs principaux nécessaires au mouvement de la fusée.

c. Identifier les grandeurs d'entrée-sortie de chaque bloc.

d. Donner une représentation schématique de la structure de commande.

1.3 Soit le système de chauffage d'air représenté à la figure 1.15.

1. Le système est-il en boucle ouverte ou en boucle fermée? Expliquer.
2. Si on doit exercer une commande sur le système, que faut-il ajouter?
3. Dessiner le nouveau système.
4. Donner la représentation schématique de l'ensemble.

1.4 Soit un bassin alimenté par un mélangeur d'eau chaude (CH) et froide (FR) tel que représenté à la figure 1.16. Les débits correspondants sont obtenues en réglant les ouvertures des vannes. On désire contrôler le niveau d'eau dans le bassin en agissant sur la vanne d'eau froide pour un débit fixe d'eau chaude.

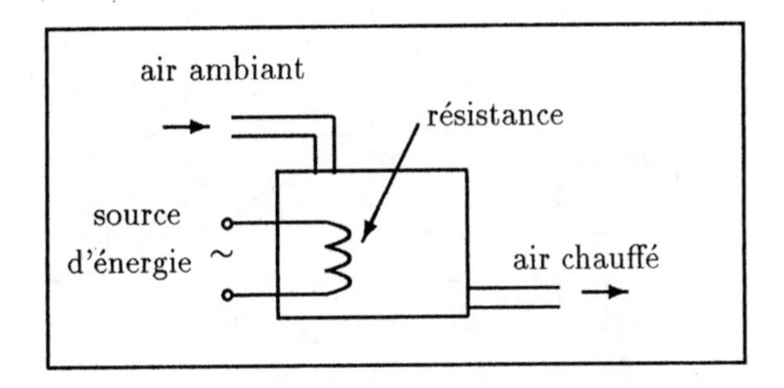

Figure 1.15 Système de chauffage d'air

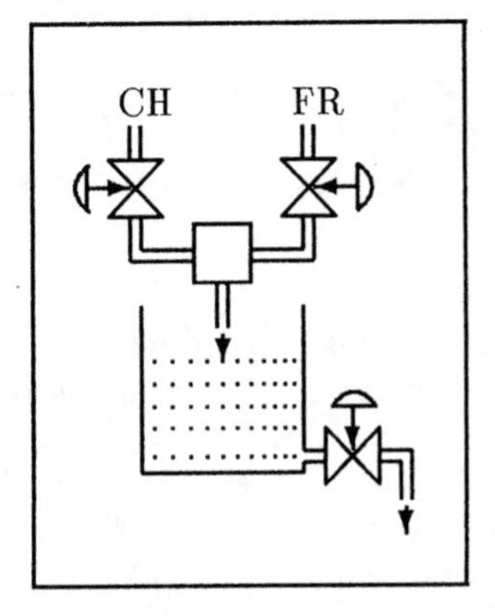

Figure 1.16 Réglage de température d'un bassin d'eau

1. Dessiner le nouveau système.
2. Identifier les grandeurs d'entrée et de sortie du système.
3. En supposant que l'on cherche à régler le niveau d'eau dans le bassin et sa température, proposer le nouveau schéma technologique permettant d'atteindre de telles objectives.

1.5 Les systèmes de laminage de lingots en acier ont souvent besoin d'actionneurs de grandes puissances. Le schéma de principe simplifié d'un laminoir est représenté à la figure 1.17. Le rouleau supérieur de masse m est entraîné par un actionneur électro-hydraulique et permet de régler l'épaisseur à donner au lingot se déplaçant vers la droite. Le rouleau

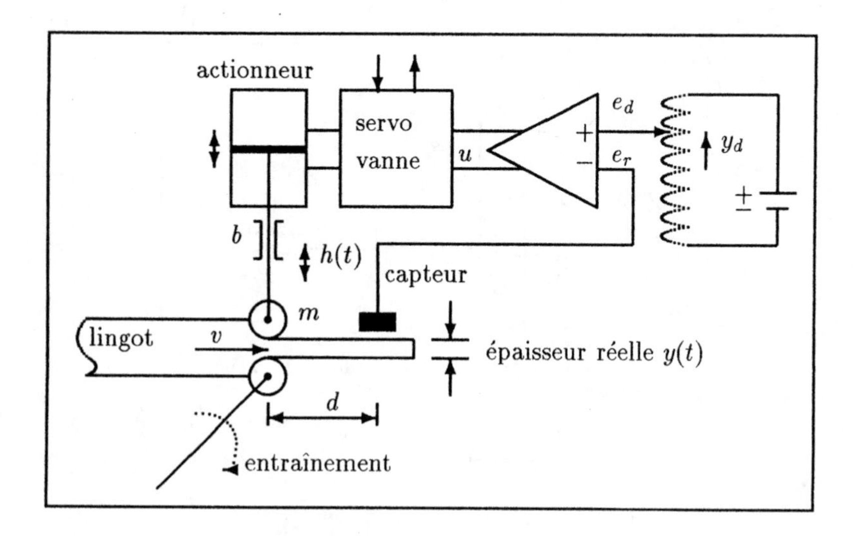

Figure 1.17 Système de laminage de l'acier

inférieur est entraîné par un moteur synchrone par l'intermédiaire d'un volant. Le rôle de ce dernier est de compenser les efforts brusques qui agissent sur le rouleau sans avoir à augmenter la puissance du moteur. L'épaisseur, $y(t)$, du lingot laminé est mesurée à l'aide d'un capteur de contact de facteur k_2. L'épaisseur désirée est fixée à l'aide d'un potentiomètre de facteur k_1. L'effort normal, F_N, agissant sur le rouleau supérieur est considéré comme perturbation.

1. Identifier les grandeurs d'entrée et de sortie de ce système.
2. Identifier la structure de commande employée.
3. Établir le diagramme fonctionnel correspondant.

1.6 Le schéma de principe d'un ascenseur est illustré à la figure 1.18. Le but de ce système est de déplacer les usagers d'un étage à l'autre avec le plus de confort. Pour cela, un asservissement de la cabine est nécessaire. Identifier la ou les variables d'entrée, la ou les variables de sortie, les paramètres du système et établir le schéma-bloc correspondant. Dire quel type de schéma de commande est utilisé par ce type de système.

1.7 Dans cet exercice, nous allons présenter un cas classique en automatique, celui du pendule inversé. Le système à commander est constitué d'un

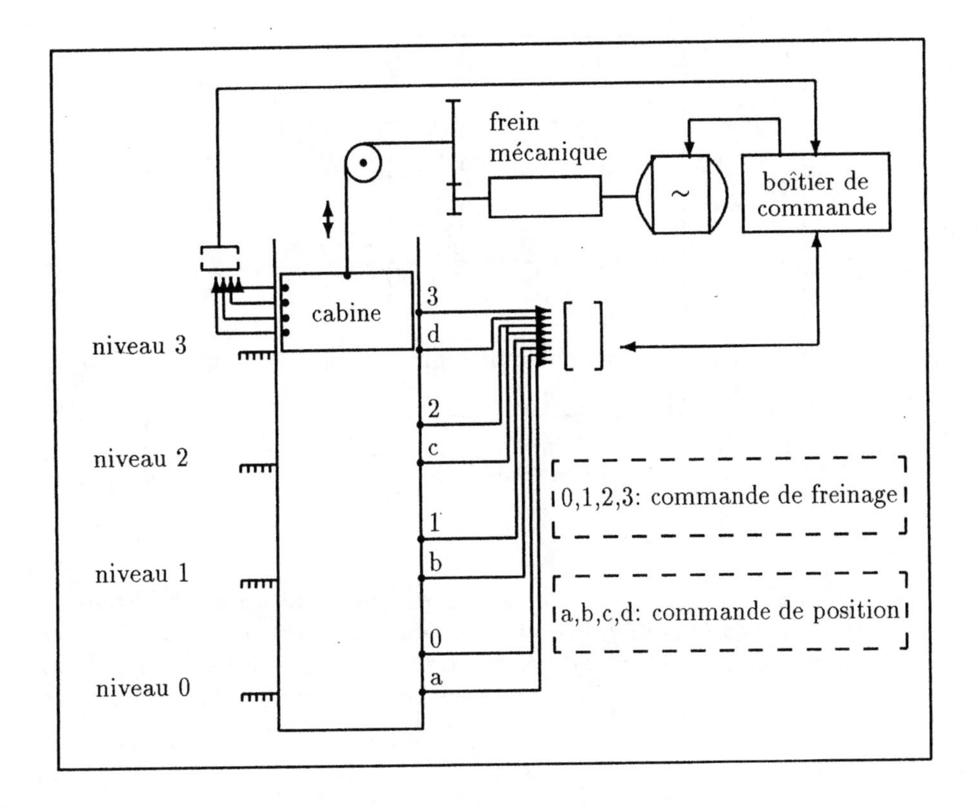

Figure 1.18 Schéma de commande d'un ascenseur

pendule inversé monté sur un chariot motorisé. Un tel système est illustré à la figure 1.19.

L'objectif est de maintenir le pendule en équilibre dans la position verticale. Il est clair que sans l'emploi d'un effort provenant d'une commande en boucle fermée, le pendule ne peut pas se tenir dans la position verticale.

1. Identifier les grandeurs d'entrée et de sortie de ce système.
2. Proposer une structure de commande pour maintenir le pendule à la verticale.
3. Établir le diagramme fonctionnel correspondant.

1.8 Dans cet exercice, nous allons nous intéresser à la régulation de température d'un four de traitement thermique. Le four est en général

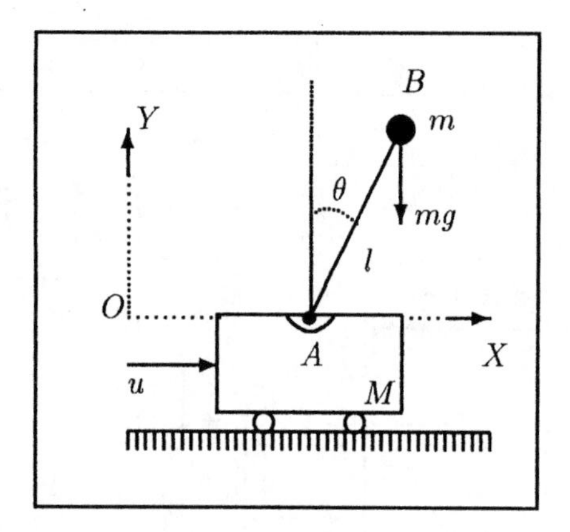

Figure 1.19 Représentation schématique d'un pendule inversé monté sur chariot motorisé

constitué d'une enveloppe en réfractaire léger à plusieurs couches réalisant l'isolation entre l'intérieur du four et le milieu extérieur ambiant. Le four est destiné à recevoir des pièces à traiter souvent appelées charge. Un schéma technologique d'un tel système de régulation est illustré à la figure 1.20.

On demande de:

1. Décrire brièvement le fonctionnement de ce système en justifiant le rôle de chaque composante;
2. Déterminer quelle structure de commande est employée;
3. Déterminer les grandeurs d'entrée et de sortie de ce système;
4. Établir le schéma-bloc de l'ensemble.

1.9 L'objectif de cet exercice est d'étudier la régulation de la concentration d'un réservoir alimenté par deux produits P_1 et P_2. Le schéma technologique d'un tel système est illustré à figure 1.21.

1. Décrire le fonctionnement d'un tel système.
2. Identifier les grandeurs d'entrée et de sortie de ce système.

1.10 L'objectif de cet exercice est d'étudier l'asservissement angulaire d'un radar de poursuite destiné à déterminer la position et la vitesse de déplacement d'un objet dans l'espace aérien. Le système considéré comporte une antenne parabolique (voir l'exemple 1.4) dont le rôle est d'émettre dans une

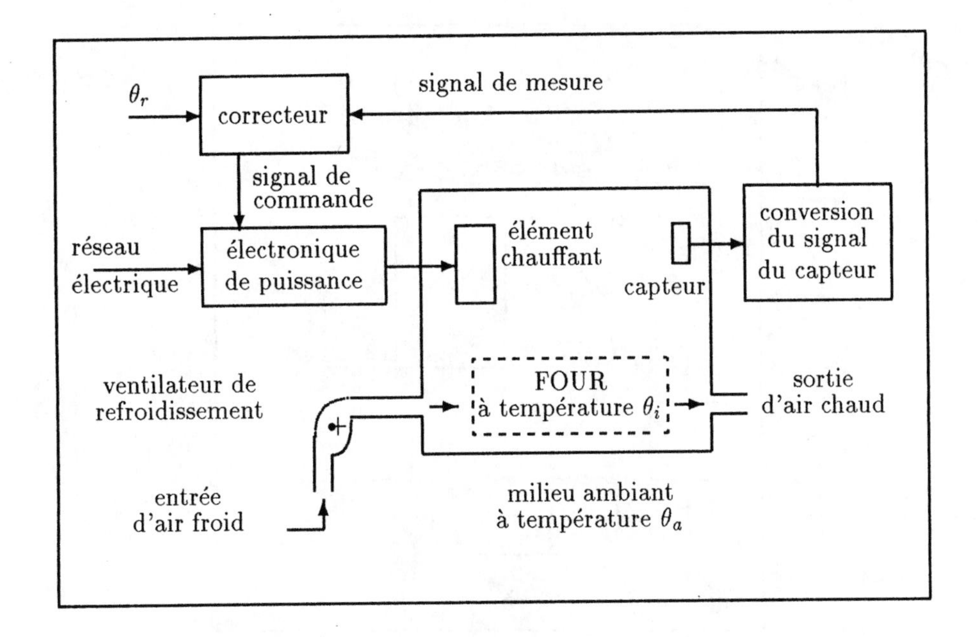

Figure 1.20 Représentation schématique d'un four

direction précise appelée axe "radio-électrique". Cet axe est repéré par les angles de "site", α_s et de "gisement", θ_s. Le système est doté de capteurs de positions angulaires permettant ainsi une visualisation permanente sur un écran cathodique des angles α_s et θ_s.

En présence d'une cible, l'écho reçu par la parabole dépend du "dépointage angulaire" entre l'axe radio-électrique et la ligne de visée. Le dispositif radar est capable de délivrer deux tensions proportionnelles aux écarts angulaires $(\theta_e - \theta_s)$ et $(\alpha_e - \alpha_s)$. La figure 1.22 illustre la signification des différents angles.

On demande de:

1. Décrire brièvement le fonctionnement de ce système;
2. Déterminer quelle structure de commande est employée;
3. Déterminer les grandeurs d'entrée et de sortie de ce système;
4. Établir le schéma-bloc de l'ensemble.

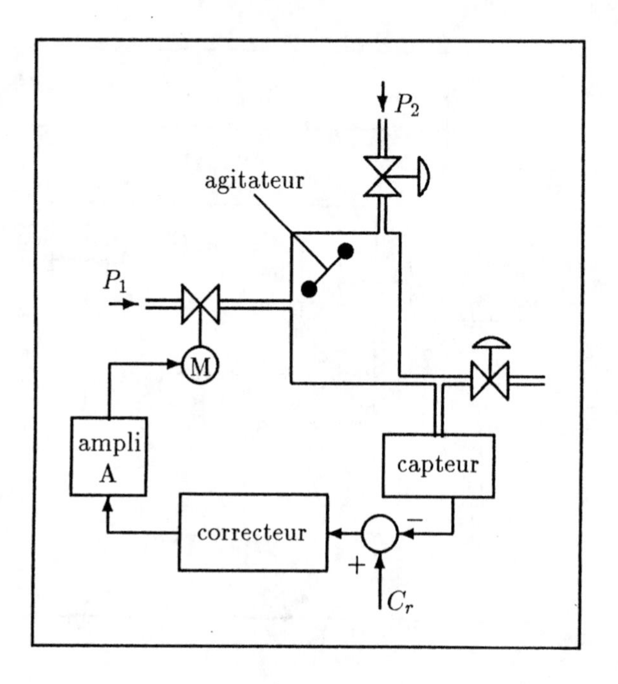

Figure 1.21 Réglage de la concentration d'un réservoir

1.11 L'objectif de cet exercice est d'étudier la commande de position d'un disque dur. Le schéma technologique d'un tel système est illustré à figure 1.23.

1. Décrire le fonctionnement d'un tel système.
2. Identifier les grandeurs d'entrée et de sortie de ce système.

1.12 L'objectif de cet exercice est d'étudier la commande de position de la base d'un robot. Le schéma technologique d'un tel système est illustré à figure 1.24.

1. Décrire le fonctionnement d'un tel système.
2. Identifier les grandeurs d'entrée et de sortie de ce système.

1.13 L'objectif de cet exercice est d'étudier la commande de position de la table d'une machine outil. Le schéma technologique d'un tel système est illustré à figure 1.25.

1. Décrire le fonctionnement d'un tel système.

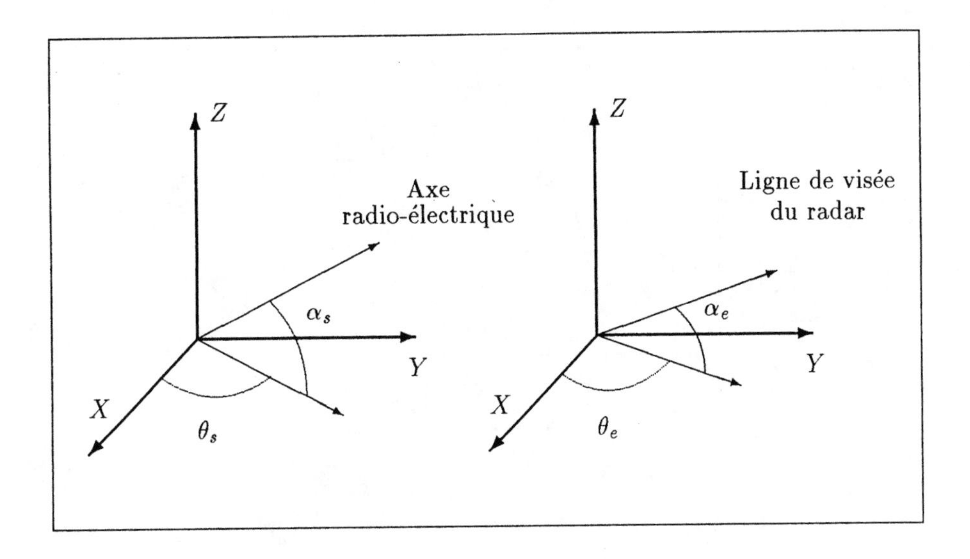

Figure 1.22 Angles caractéristiques d'un radar

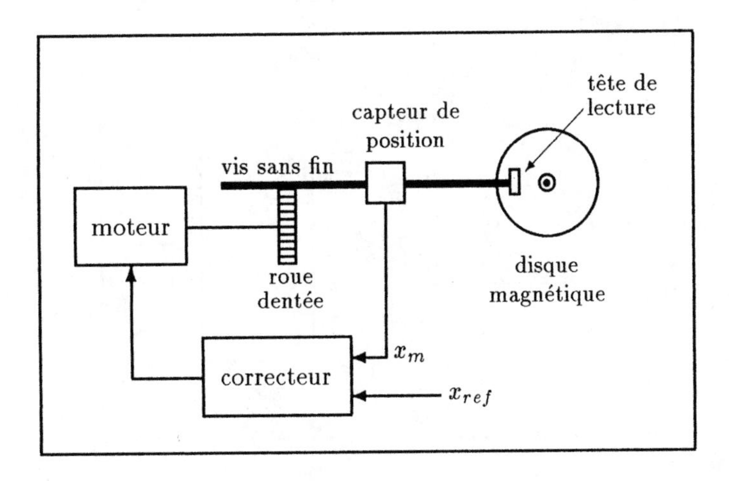

Figure 1.23 Schéma technologique simplifié de la commande d'une tête de lecture d'un disque dur

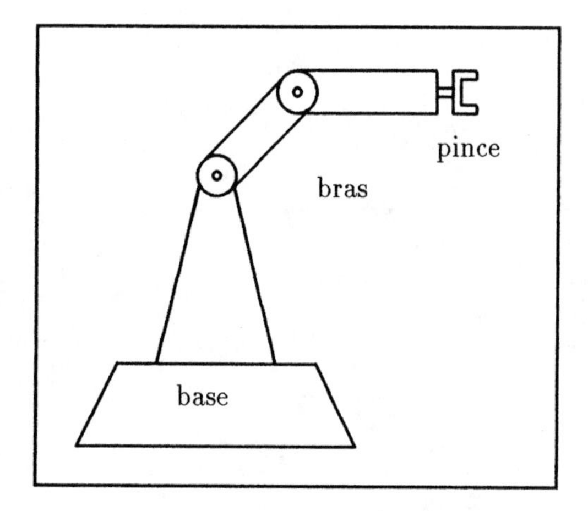

Figure 1.24 Schéma technologique simplifié d'un bras de robot

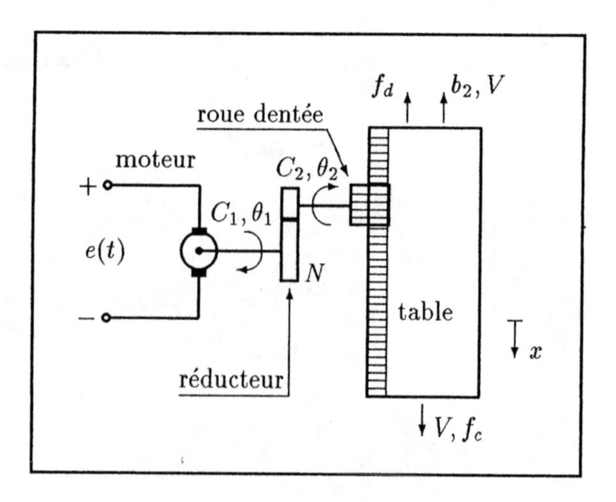

Figure 1.25 Table de machine-outil.

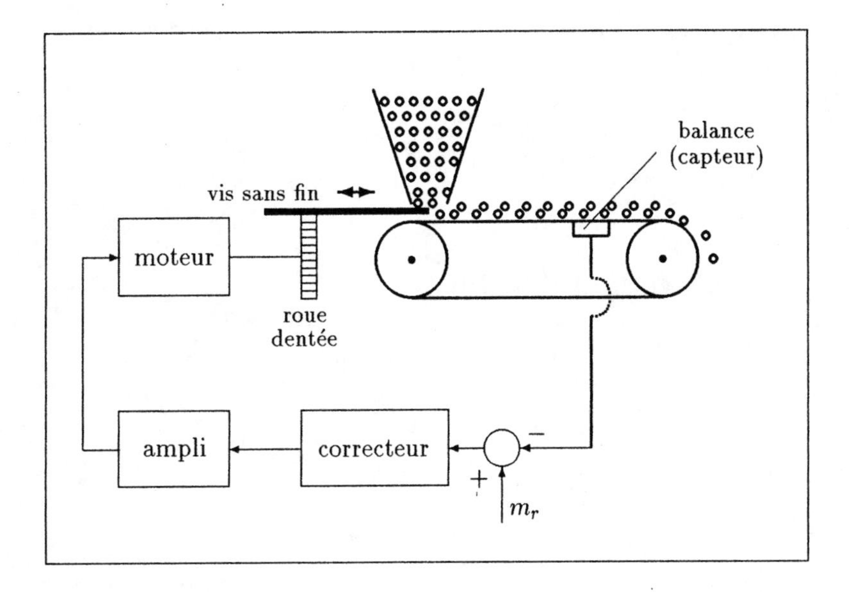

Figure 1.26 Asservissement de l'alimentation d'une unité de production

2. Identifier les grandeurs d'entrée et de sortie de ce système.

1.14 L'objectif de cet exercice est d'asservir l'alimentation en produit une unité de production se trouvant en aval du convoyeur. Le schéma technologique d'un tel système est illustré à figure 1.26.

1. Décrire le fonctionnement d'un tel système.
2. Identifier les grandeurs d'entrée et de sortie de ce système.

2

REPRÉSENTATION DES SYSTÈMES DYNAMIQUES

L'objectif de ce chapitre consiste à présenter au lecteur les différentes techniques de modélisation des systèmes linéaires invariants. Après lecture de ce chapitre, le lecteur doit être en mesure de:

1. **déterminer le modèle de n'importe quel système dynamique en utilisant les lois de la physique;**
2. **déterminer la représentation par fonction de transfert;**
3. **déterminer une représentation par modèle d'état;**
4. **dresser le schéma-bloc de n'importe quel système;**
5. **simplifier n'importe quel schéma-bloc en vue de déterminer la fonction de transfert ou le modèle d'état.**

2.1 INTRODUCTION

L'analyse et la synthèse des systèmes dynamiques linéaires invariants nécessitent la connaissance d'un modèle mathématique traduisant les relations reliant les grandeurs d'entrée principales et secondaires aux grandeurs de sortie. Nous avons présenté au cours du chapitre 1 un certain nombre de systèmes dont on a examiné le fonctionnement. Il est maintenant intéressant, sous certaines hypothèses, d'établir la ou les relations qui lient la cause à l'effet. En général, chaque système linéaire invariant peut être représenté par l'une des représentations suivantes:

- représentation graphique: diagramme (schéma) fonctionnel et diagramme de fluence;
- représentation traduisant des relations entre les grandeurs d'entrée et les grandeurs de sortie: équation différentielle ordinaire; réponse impulsionnelle; réponse indicielle; réponse en fréquence; fonction de transfert (ou représentation externe) et modèle d'état (ou représentation interne).

L'objectif de ce chapitre est de passer en revue les différentes représentations mathématiques des systèmes dynamiques linéaires à coefficients constants et d'établir un certain nombre de modèles de systèmes physiques qui sont utilisés dans le reste de cet ouvrage pour illustrer les différents concepts.

Le chapitre est organisé comme suit: à la section 2.2, on présente deux exemples de modélisation de systèmes dynamiques. À la section 2.3, on introduit la représentation interne des systèmes dynamiques, alors que la représentation externe fait l'objet de la section 2.4. La section 2.5 est réservée à la modélisation des systèmes mécaniques, électriques, électromécaniques, hydrauliques, pneumatiques et thermiques. Finalement, les sections 2.6 et 2.7 traitent de la modélisation et de la simplification des systèmes complexes.

2.2 EXEMPLES DE MODÉLISATION

Pour introduire les différentes représentations mathématiques qui décrivent la dynamique d'un système physique, nous étudions deux exemples simples: système mécanique "masse-ressort-amortisseur" et un circuit électrique. Les lois de la physique employées pour établir les modèles de ces systèmes sont présentées aux sections 2.5 et 2.6.

Exemple 2.1 Circuit électrique RL

Considérons le système électrique de la figure 2.1. Ce système représente un circuit électrique RL. La résistance R et la bobine d'induction L sont constantes. Le circuit électrique est excité par une tension électrique $v(t)$. Notons par $i(t)$ le courant électrique qui circule dans ce circuit électrique lorsque la tension électrique $v(t)$ est appliquée.

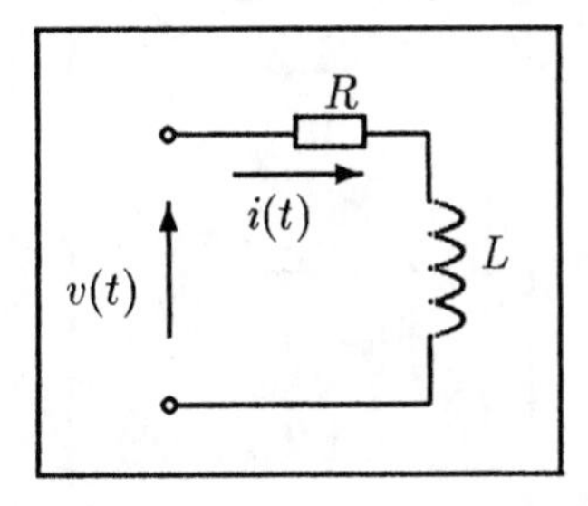

Figure 2.1 Représentation du circuit électrique RL.

Pour établir la relation reliant la grandeur d'entrée $v(t)$ et la grandeur de sortie $i(t)$, on écrit la loi des mailles pour le circuit électrique précédent. Cette méthode donne l'équation différentielle linéaire à coefficients constants suivante:

$$v(t) = Ri(t) + L\frac{d}{dt}i(t), \quad i(0) = i_0$$

Le système considéré est décrit par une équation différentielle linéaire à coefficients constants d'ordre 1. On dit alors que l'ordre du système est égal à 1. Pour étudier le comportement du courant électrique $i(t)$ dans le circuit, on doit résoudre l'équation différentielle précédente; il faut en particulier déterminer:

- la réponse libre (équation différentielle avec $v(t) = 0, \ \forall t$);
- la réponse forcée (due à la forme de la tension électrique $v(t)$).

La somme de ces deux solutions constitue la solution globale du problème, qui nous renseigne sur le comportement du courant $i(t)$ lorsque la forme de la tension électrique $v(t)$ est fixée.

Exemple 2.2 Système mécanique "masse-ressort-amortisseur"

Considérons maintenant le système mécanique représenté à la figure 2.2. Ce système est constitué d'une masse m, d'un ressort dont le coefficient de raideur est k et d'un amortisseur dont le coefficient de frottement est b. Ce système est excité à partir de sa position d'équilibre par une force $f(t)$.

On suppose que la force de frottement sec et la force de raideur sont respectivement proportionnelles à la vitesse et à l'élongation du ressort. En l'absence

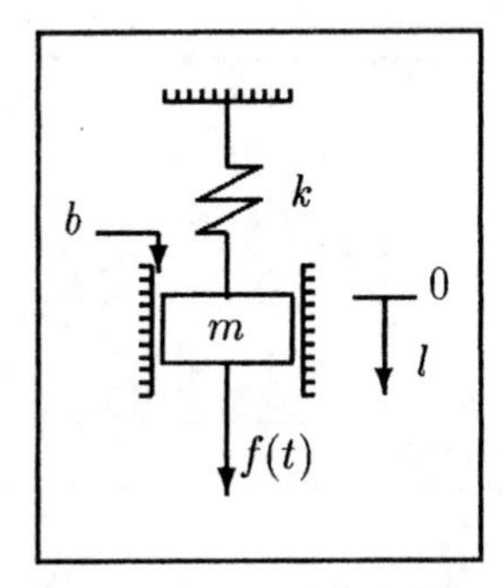

Figure 2.2 Système mécanique masse-ressort-amortisseur.

de l'excitation $f(t)$, le ressort prend une certaine élongation sous l'effet de la masse m. Cette élongation est donnée par la relation suivante:

$$mg = kl_0$$

où g est l'accélération de gravité et l_0 est l'élongation du ressort sous l'effet de la masse m.

Les élongations du ressort sont mesurées par rapport à la position d'équilibre caractérisée par l_0. L'équation différentielle traduisant la dynamique d'un tel système est obtenue en utilisant la relation fondamentale de la dynamique. Cette équation différentielle s'écrit:

$$m\frac{d^2}{dt^2}l(t) + b\frac{d}{dt}l(t) + kl(t) = f(t), \quad l(0) = l_0, \quad \frac{d}{dt}l(0) = v_0$$

Pour chaque forme de la force $f(t)$, la résolution de cette équation différentielle donne la position $l(t)$ de la masse m.

Comme nous pouvons le constater d'après ces exemples, pour tout système, l'étude du comportement de la grandeur de sortie associée à une grandeur d'entrée donnée nécessite dans tous les cas la résolution de l'équation différentielle correspondante.

En général, une telle résolution n'est pas chose aisée et une autre approche facile est nécessaire. Une possibilité consiste à utiliser la transformée de Laplace, technique qui permet d'introduire la notion de fonction de transfert et de ramener ainsi l'étude du système dans le plan complexe. Les équations différentielles sont remplacées par des équations algébriques et le problème d'analyse du système se trouve donc simplifié. Cette approche est détaillée à la section 2.4. Une autre approche consiste à utiliser la représentation d'état, c'est-à-dire ramener l'équation différentielle décrivant le système considéré à un système différentiel de premier degré dont la dimension est égale à l'ordre des équations différentielles modélisant le comportement dynamique du système physique considéré.

2.3 REPRÉSENTATION PAR MODÈLE D'ÉTAT

Pour montrer le concept de modèle d'état (ou représentation interne), revenons à l'exemple masse-ressort-amortisseur. Nous avons vu précédemment que ce système est décrit par l'équation différentielle du deuxième ordre suivante:

$$m\frac{d^2}{dt^2}l(t) + b\frac{d}{dt}l(t) + kl(t) = f(t), \quad l(0) = l_0, \quad \frac{d}{dt}l(0) = v_0 \tag{2.1}$$

Ecrivons cette équation sous forme de système différentiel du premier ordre. Pour cela, posons:

$$x_1(t) = l(t) = y(t) \tag{2.2}$$

$$x_2(t) = \frac{d}{dt}l(t) \tag{2.3}$$

En différenciant ces dernières relations par rapport au temps t, on obtient:

$$\dot{x}_1(t) = \frac{d}{dt}l(t) \tag{2.4}$$

$$\dot{x}_2(t) = \frac{d^2}{dt^2}l(t) \tag{2.5}$$

où $\dot{x}_i(t) = \frac{d}{dt}x_i(t)$; $i = 1, 2$

En tenant compte des équations (2.2) et (2.3), l'équation différentielle (2.1) et ses conditions initiales sont ramenées au système différentiel de dimension deux suivant:

$$\dot{x}_1(t) = x_2(t), \quad x_1(0) = l_0 \tag{2.6}$$

$$\dot{x}_2(t) = -\frac{k}{m}x_1(t) - \frac{b}{m}x_2(t) + \frac{1}{m}f(t), \quad x_2(0) = v_0 \tag{2.7}$$

Un tel système peut s'écrire sous la forme matricielle standard suivante appelée **la représentation d'état:**

$$\begin{aligned} \dot{\mathbf{x}}(t) &= \mathbf{Ax}(t) + \mathbf{Bu}(t), \ \mathbf{x}(0) = \mathbf{x}_0 \\ \mathbf{y}(t) &= \mathbf{Cx}(t) + \mathbf{Du}(t) \end{aligned}$$

où: $\mathbf{A} = \begin{bmatrix} 0 & 1 \\ -\frac{k}{m} & -\frac{b}{m} \end{bmatrix}$; $\mathbf{B} = \begin{bmatrix} 0 \\ \frac{1}{m} \end{bmatrix}$; $\mathbf{C} = \begin{bmatrix} 1 & 0 \end{bmatrix}$; $\mathbf{D} = \begin{bmatrix} 0 \end{bmatrix}$;

$\mathbf{x}^T(t) = [x_1(t), x_2(t)]$ et $\mathbf{u}(t) = f(t)$.

Pour montrer le concept de modèle d'état dans un cas général, considérons le système dynamique d'ordre n, dont la grandeur d'entrée est $r(t)$ et la grandeur de sortie est $l(t)$. Supposons que l'équation différentielle traduisant le comportement de ce système est donnée par la forme suivante:

$$\begin{aligned} \frac{d^n}{dt^n}l(t) + a_{n-1}\frac{d^{n-1}}{dt^{n-1}}l(t) &+ \ldots + a_0 l(t) = r(t), \\ l(0) &= l_0, \ldots, l^{(n-1)}(0) = l_{(n-1)} \end{aligned} \tag{2.8}$$

En posant $x_1(t) = l(t) = y(t)$, $x_2(t) = l^{(1)}(t)$, ..., $x_n(t) = l^{(n-1)}(t)$ (c'est-à-dire $\mathbf{x}^T(t) = \begin{bmatrix} x_1(t) & \ldots & x_n(t) \end{bmatrix}$) et $\mathbf{u}(t) = r(t)$ et en procédant comme à l'exemple précédent, on obtient:

$$\dot{\mathbf{x}}(t) = \mathbf{Ax}(t) + \mathbf{Bu}(t), \quad \mathbf{x}(0) = \mathbf{x}_0 \tag{2.9}$$

$$\mathbf{y}(t) = \mathbf{Cx}(t) + \mathbf{Du}(t) \tag{2.10}$$

où

$$\mathbf{A} = \begin{bmatrix} 0 & 1 & 0 & \ldots & 0 & 0 \\ 0 & 0 & 1 & \ldots & 0 & 0 \\ \vdots & \vdots & \vdots & \ddots & \vdots & \vdots \\ 0 & 0 & 0 & \ldots & 1 & 0 \\ 0 & 0 & 0 & \ldots & 0 & 1 \\ -a_0 & -a_1 & -a_2 & \ldots & -a_{n-2} & -a_{n-1} \end{bmatrix}; \mathbf{B} = \begin{bmatrix} 0 \\ \vdots \\ 0 \\ 1 \end{bmatrix};$$

$\mathbf{C} = \begin{bmatrix} 1 & 0 & \ldots & 0 \end{bmatrix}$; et $\mathbf{D} = \begin{bmatrix} 1 \end{bmatrix}$

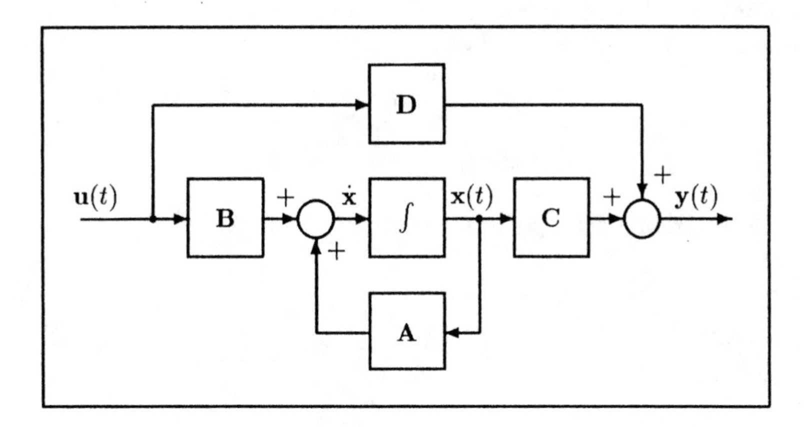

Figure 2.3 Schéma-bloc de la représentation d'état.

L'équation (2.9) est appelée **équation d'état** et l'équation (2.10) est appelée **équation de sortie**. Les matrices **A**, **B**, **C** et **D** sont des matrices réelles constantes possédant des dimensions appropriées.

Notons que le système décrit par l'équation différentielle (2.8) et ses conditions initiales peut être représenté par plusieurs modèles d'état. D'autres choix de variables d'états $x_i(t)$, $i = 1, \ldots, n$ peuvent être obtenus par une permutation entre $l(t)$ et ses dérivées. Ceci nous amène à conclure que **la représentation par modèle d'état d'un système dynamique n'est pas unique**.

Nous verrons un peu plus loin dans cet ouvrage (chapitre 8) comment trouver d'autres représentations. Le modèle d'état décrit par les équations (2.9) et (2.10) est représenté par le schéma-bloc de la figure 2.3.

2.4 REPRÉSENTATION PAR FONCTION DE TRANSFERT ET SCHÉMA FONCTIONNEL

Pour illustrer le concept de fonction de transfert (ou représentation externe), revenons à nos deux exemples simples et essayons d'appliquer la notion de transformée de Laplace aux équations différentielles correspondantes.

Pour le système de l'exemple 2.1, après transformation et en supposant que la condition initiale est nulle, on obtient:

$$V(s) = LsI(s) + RI(s) = (Ls + R)I(s) \tag{2.11}$$

où $V(s) = \mathcal{L}[v(t)]$, et $I(s) = \mathcal{L}[i(t)]$.

Une telle équation algébrique peut s'écrire sous la forme suivante:

$$G(s) = \frac{I(s)}{V(s)} = \frac{1}{Ls + R} = \frac{K}{\tau s + 1} \tag{2.12}$$

où $K = \frac{1}{R}$ et $\tau = \frac{L}{R}$

Les paramètres K et τ sont appelés respectivement le gain et la constante de temps du système. La relation (2.12) définit la fonction de transfert du circuit RL. Une telle fonction de transfert, $G(s)$, est définie comme étant le rapport entre les transformées de Laplace de la grandeur de sortie et de la grandeur d'entrée. Cette fonction de transfert est d'ordre 1 et elle est parfaitement caractérisée par les paramètres K et τ.

Pour le système de l'exemple 2.2, en procédant comme à l'exemple 2.1, on obtient:

$$(ms^2 + bs + k)L(s) = F(s) \tag{2.13}$$

où $L(s) = \mathcal{L}[l(t)]$ et $F(s) = \mathcal{L}[f(t)]$.

La fonction de transfert associée est donnée par:

$$G(s) = \frac{L(s)}{F(s)} = \frac{1}{ms^2 + bs + k} = \frac{K\omega_n^2}{s^2 + 2\zeta\omega_n s + \omega_n^2} \tag{2.14}$$

où $\omega_n^2 = \frac{k}{m}$, $\zeta = \frac{b}{2\sqrt{mk}}$ et $K = \frac{1}{k}$.

Les paramètres ζ, ω_n et K sont appelés respectivement taux d'amortissement, pulsation naturelle et gain du système. La fonction de transfert du système a le même ordre que l'équation différentielle.

Revenons maintenant au cas général et essayons de déterminer la fonction de transfert pour un système d'ordre n. En désignant par $r(t)$ la grandeur d'entrée du système et par $l(t)$ sa grandeur de sortie, l'équation différentielle qui traduit sa dynamique peut s'écrire sous la forme suivante:

$$\frac{d^n}{dt^n}l(t) + a_{n-1}\frac{d^{(n-1)}}{dt^{(n-1)}}l(t) + \ldots + a_0 l(t) = b_m\frac{d^m}{dt^m}r(t) + b_{m-1}\frac{d^{(m-1)}}{dt^{(m-1)}}r(t) + \ldots + b_1\frac{d}{dt}r(t) + b_0 r(t) \quad (2.15)$$

C'est une équation différentielle d'ordre n. Pour raison de causalité présentée au chapitre 1, le paramètre m doit être inférieur ou égal à n.

2.4.1 Conditions initiales nulles

Supposons qu'au moment de l'application de la grandeur d'entrée $r(t)$, les grandeurs d'entrée et de sortie du système sont nulles (conditions initiales nulles). Dans ces conditions, la propriété de la transformée de Laplace (voir annexe A) nous permet d'écrire:

$$\mathcal{L}\left[\frac{d^i}{dt^i}r(t)\right] = s^i R(s), \qquad i = 1, \ldots, m \quad (2.16)$$

$$\mathcal{L}\left[\frac{d^j}{dt^j}l(t)\right] = s^j L(s), \qquad j = 1, \ldots, n \quad (2.17)$$

où $R(s) = \mathcal{L}[r(t)]$ et $L(s) = \mathcal{L}[l(t)]$.

En remplaçant dans l'équation (2.15), $r(t)$, $l(t)$ et leurs dérivées successives par leur transformée de Laplace, nous pouvons dégager la relation suivante:

$$L(s) = \frac{b_m s^m + b_{m-1}s^{m-1} + \ldots + b_1 s + b_0}{s^n + a_{n-1}s^{n-1} + \ldots + a_1 s + a_0}R(s) \quad (2.18)$$

Nous appelons fonction de transfert $G(s)$ du système le rapport des transformées de Laplace de la grandeur de sortie et de la grandeur d'entrée du système lorsque les conditions initiales sont nulles. L'expression d'une telle fonction est donnée par:

$$G(s) = \frac{L(s)}{R(s)} = \frac{b_m s^m + b_{m-1}s^{m-1} + \ldots + b_1 s + b_0}{s^n + a_{n-1}s^{n-1} + \ldots + a_1 s + a_0} \quad (2.19)$$

2.4.2 Conditions initiales non nulles

Si à l'instant $t = 0$, par exemple au moment où l'on applique le signal d'entrée $r(t)$ au système, sa grandeur d'entrée, sa grandeur de sortie et leurs dérivées ont des valeurs non nulles, la transformée de Laplace de la grandeur de sortie $l(t)$ du système est de la forme:

$$L(s) = \frac{b_m s^m + b_{m-1}s^{m-1} + \ldots + b_1 s + b_0}{s^n + a_{n-1}s^{n-1} + \ldots + a_1 s + a_0} R(s) \quad + \\ \frac{P(s)}{s^n + a_{n-1}s^{n-1} + \ldots + a_1 s + a_0} \tag{2.20}$$

où $P(s)$ est un polynôme en s qui dépend de $r(t)$, de $l(t)$ et de leurs dérivées successives à l'instant $t = 0$.

Les représentations par fonction de transfert et par modèle d'état que nous venons de présenter sont parfois appelées dans la littérature **représentation externe** pour la fonction de transfert et **représentation interne** pour le modèle d'état. Notons que ces deux représentations sont équivalentes et qu'on peut passer d'une représentation à l'autre sans difficulté. Dans certains cas, l'ordre de la fonction de transfert est différent de la dimension du modèle correspondant. Nous reviendrons sur ce point au chapitre 8.

2.4.3 Diagramme fonctionnel

La figure 2.4a traduit la représentation graphique souvent employée pour illustrer les systèmes dynamiques. Une telle représentation est appelée schéma-bloc ou diagramme fonctionnel du système dont la fonction de transfert correspondante est $G(s)$. Dans le cas d'un système d'ordre n avec des conditions initiales non nulles, le schéma-bloc a souvent la forme illustrée à la figure 2.4b.

En général, cette représentation graphique possède une structure complexe, ce qui rend son exploitation difficile. Des techniques de simplification de ce type de représentation sont présentées à la section 2.6.

Dans les sections suivantes, nous présentons des exemples de systèmes physiques que nous allons utiliser comme support pour développer les différents concepts présentés dans cet ouvrage. Ces exemples regroupent principalement des systèmes mécaniques, électriques, électromécaniques, thermiques, pneuma-

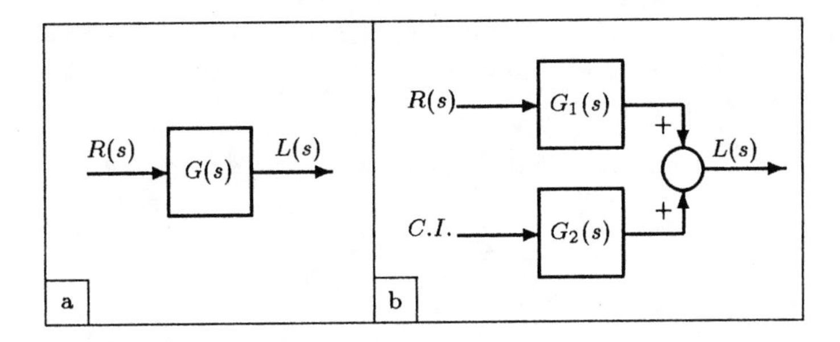

Figure 2.4 Schéma-bloc d'un système sans conditions initiales (a) et d'un système avec conditions initiales (b).

tiques et hydrauliques. Pour tous les exemples développés, nous présentons la représentation externe et la représentation interne.

2.5 MODÉLISATION DES SYSTÈMES DYNAMIQUES

Cette section est surtout dédiée à l'élaboration d'un certain nombre de modèles mathématiques qui sont utilisés dans le reste de cette ouvrage pour véhiculer les concepts d'automatique. Différentes catégories de systèmes sont considérées.

2.5.1 Systèmes mécaniques

Pour établir le modèle mathématique décrivant la dynamique des systèmes mécaniques, on utilise principalement les relations fondamentales de la dynamique des corps en translation ou en rotation selon le mouvement du corps étudié. Ces relations s'énoncent comme suit:

(a) Relation fondamentale de la dynamique des corps en translation:

$$m\frac{d^2}{dt^2}x(t) = \sum_{i=1}^{n} F_i(t) \tag{2.21}$$

où m est la masse du corps en translation; $\frac{d^2}{dt^2}x(t)$ est l'accélération linéaire du corps en translation; $F_i(t)$ est une force extérieure agissant sur le corps en question et n est le nombre de forces extérieures agissant sur le corps en translation.

(b) Relation fondamentale de la dynamique des corps en rotation:

$$J\frac{d^2}{dt^2}\theta(t) = \sum_{i=1}^{n} C_i(t) \tag{2.22}$$

où J est le moment d'inertie du corps en rotation; $\frac{d^2}{dt^2}\theta(t)$ est l'accélération angulaire du corps en rotation; $C_i(t)$ est un couple extérieur agissant sur le corps en rotation et n est le nombre de couples extérieurs qui lui sont appliqués.

La figure 2.5a illustre les diverses relations que l'on peut avoir.

Exemple 2.3 Système de deux masses en translation

Considérons le système illustré à la figure 2.6a. Il représente un système formé de deux masses m_1 et m_2 reliées par des ressorts et des amortisseurs visqueux.

Pour établir le modèle mathématique de ce système, on utilise la relation fondamentale de la dynamique des systèmes en translation. En se référant aux repères choisis sur la figure 2.6a, les équations traduisant le mouvement du système suite à l'excitation par la force $f(t)$ sont les suivantes:

$$\begin{aligned} m_1\ddot{y}_1 &= f(t) - k_1(y_1 - y_2) - b_1(\dot{y}_1 - \dot{y}_2) \\ m_2\ddot{y}_2 &= -k_2y_2 - k_1(y_2 - y_1) - b_2\dot{y}_2 - b_1(\dot{y}_2 - \dot{y}_1) \end{aligned}$$

Les conditions initiales du système sont: $y_1(0) = y_1^0$, $y_1(0) = \dot{y}_1^0$, $y_2(0) = y_2^0$ et $\dot{y}_2(0) = y_2^0$.

Pour étudier l'impact de l'effort $f(t)$ sur les deux masses, on doit déterminer les deux fonctions de transfert suivantes:

$$G_1(s) = \frac{Y_1(s)}{F(s)} \quad \text{et} \quad G_2(s) = \frac{Y_2(s)}{F(s)}$$

Pour cela, on suppose que les conditions initiales sont nulles. En composant par la transformée de Laplace les équations différentielles précédentes, on obtient:

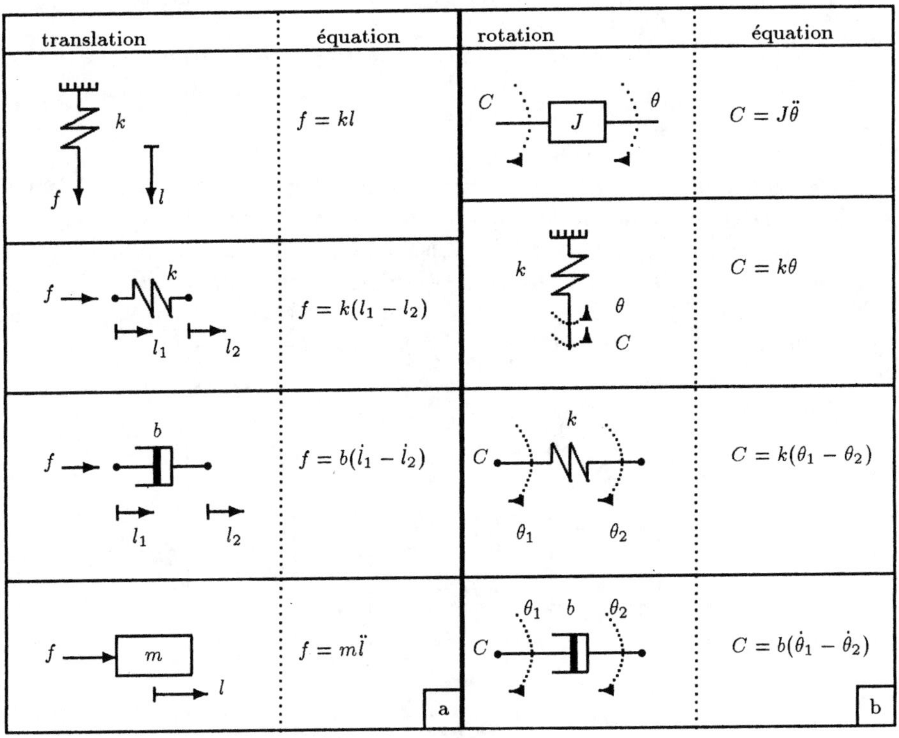

translation	équation	rotation	équation
k, f, l	$f = kl$	C, J, θ	$C = J\ddot{\theta}$
f, k, l_1, l_2	$f = k(l_1 - l_2)$	k, θ, C	$C = k\theta$
f, b, l_1, l_2	$f = b(\dot{l}_1 - \dot{l}_2)$	C, k, θ_1, θ_2	$C = k(\theta_1 - \theta_2)$
f, m, l	$f = m\ddot{l}$	C, θ_1, b, θ_2	$C = b(\dot{\theta}_1 - \dot{\theta}_2)$
a		b	

Figure 2.5 Équations de base de la mécanique en translation (a) et en rotation (b).

$$\left[m_1 s^2 + b_1 s + k_1\right] Y_1(s) - \left[b_1 s + k_1\right] Y_2(s) = F(s)$$
$$\left[m_2 s^2 + (b_1 + b_2)s + (k_1 + k_2)\right] Y_2(s) - \left[b_1 s + k_1\right] Y_1(s) = 0$$

En résolvant ce système algébrique, on obtient:

$$G_1(s) = \frac{m_2 s^2 + (b_1 + b_2)s + (k_1 + k_2)}{\left[m_1 s^2 + b_1 s + k_1\right]\left[m_2 s^2 + (b_1 + b_2)s + (k_1 + k_2)\right] - \left[b_1 s + k_1\right]^2}$$

$$G_2(s) = \frac{(b_1 s + k_1)}{\left[m_1 s^2 + b_1 s + k_1\right]\left[m_2 s^2 + (b_1 + b_2)s + (k_1 + k_2)\right] - \left[b_1 s + k_1\right]^2}$$

En développant le dénominateur de $G_1(s)$ et $G_2(s)$, on obtient:

$$m_1 m_2 s^4 + [b_1(m_1+m_2) + m_1 b_2]\, s^3 + [m_1(k_1+k_2) + m_2 k_1 + b_1 + b_2]\, s^2 + [b_1 k_2 + b_2 k_1]\, s + k_1 k_2$$

Le système admet une seule grandeur d'entrée $f(t)$ et deux grandeurs de sortie $y_1(t)$ et $y_2(t)$. En général, pour lier les grandeurs d'entrée et les grandeurs de sortie, on introduit le concept généralisant la fonction de transfert qui est la **matrice de transfert**. Dans notre exemple, cette matrice de transfert est $\mathbf{Y}(s) = G(s)F(s)$ avec $Y^T(s) = [Y_1(s), Y_2(s)]$ et $G^T(s) = [G_1(s), G_2(s)]$. Le schéma-bloc correspondant est illustré à la figure 2.6b.

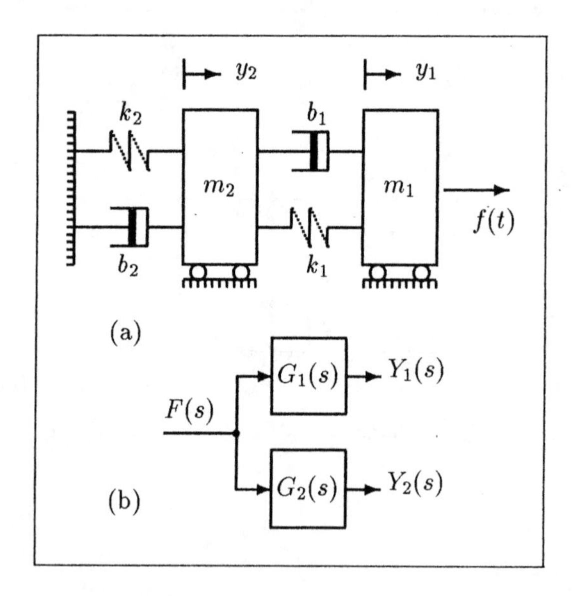

Figure 2.6 Système dynamique en translation (a) et son schéma-bloc (b).

Le système est d'ordre 4. Le modèle d'état va donc avoir quatre variables d'état. Notons ces variables d'état par $x_1(t)$, $x_2(t)$, $x_3(t)$ et $x_4(t)$. Un choix naturel de variables d'état dans les systèmes mécaniques consiste souvent à considérer les positions, les vitesses et les dérivées subséquentes. Dans ce cas, ceci se traduit par: $x_1(t) = y_1(t)$, $x_2(t) = \dot{y}_1(t)$, $x_3(t) = y_2(t)$ et $x_4(t) = \dot{y}_2(t)$ (c'est-à-dire $x^T(t) = \begin{bmatrix} x_1(t) & x_2(t) & x_3(t) & x_4(t) \end{bmatrix}$). En dérivant ces relations par rapport au temps et en tenant compte des relations précédentes, on obtient:

$$
\begin{aligned}
\dot{x}_1(t) &= \dot{y}_1(t) = x_2(t) \\
\dot{x}_2(t) &= \ddot{y}_1(t) = -\frac{k_1}{m_1}x_1(t) - \frac{b_1}{m_1}x_2(t) + \frac{k_1}{m_1}x_3(t) + \frac{b_1}{m_1}x_4(t) + \frac{1}{m_1}f(t)
\end{aligned}
$$

$$
\begin{aligned}
\dot{x}_3(t) &= \dot{y}_2(t) = x_4(t) \\
\dot{x}_4(t) &= \ddot{y}_2(t) = \frac{k_1}{m_2}x_1(t) + \frac{b_1}{m_2}x_2(t) - \frac{(k_1+k_2)}{m_2}x_3(t) - \frac{(b_1+b_2)}{m_2}x_4(t)
\end{aligned}
$$

Compte tenu de ces équations et du fait que $\mathbf{y}(t) = \begin{bmatrix} y_1(t) \\ y_2(t) \end{bmatrix}$, on obtient le modèle d'état suivant:

$$
\begin{aligned}
\dot{\mathbf{x}}(t) &= \mathbf{A}\mathbf{x}(t) + \mathbf{B}\mathbf{u}(t) \\
\mathbf{y}(t) &= \mathbf{C}\mathbf{x}(t)
\end{aligned}
$$

avec les conditions initiales $\mathbf{x}(0) = \mathbf{x}^0$ et

$$
\mathbf{A} = \begin{bmatrix} 0 & 1 & 0 & 0 \\ -\frac{k_1}{m_1} & -\frac{b_1}{m_1} & +\frac{k_1}{m_1} & +\frac{b_1}{m_1} \\ 0 & 0 & 0 & 1 \\ \frac{k_1}{m_2} & \frac{b_1}{m_2} & -\frac{k_1+k_2}{m_2} & -\frac{b_1+b_2}{m_2} \end{bmatrix}; \mathbf{B} = \begin{bmatrix} 0 \\ \frac{1}{m_1} \\ 0 \\ 0 \end{bmatrix} \quad \mathbf{C} = \begin{bmatrix} 1 & 0 & 0 & 0 \\ 0 & 0 & 1 & 0 \end{bmatrix}
$$

et $\mathbf{u}(t) = f(t)$.

Ce système est un système multidimensionnel (une seule grandeur d'entrée, deux grandeurs de sortie).

Exemple 2.4 Corps rigide en rotation

Pour montrer comment appliquer la relation fondamentale de la dynamique des corps en rotation, considérons le système mécanique illustré à la figure 2.7.

Le corps rigide a un moment d'inertie J par rapport à l'axe de rotation horizontal. Ce corps est attaché à un support fixe par un ressort dont la constante de torsion est k. Les frottements sont proportionnels à la vitesse de rotation du corps rigide. Le coefficient de frottement est noté par b.

En notant par $\theta(t)$ l'angle de rotation par rapport à l'axe horizontal, l'application de la relation fondamentale de la dynamique des corps en rotation donne l'équation différentielle suivante:

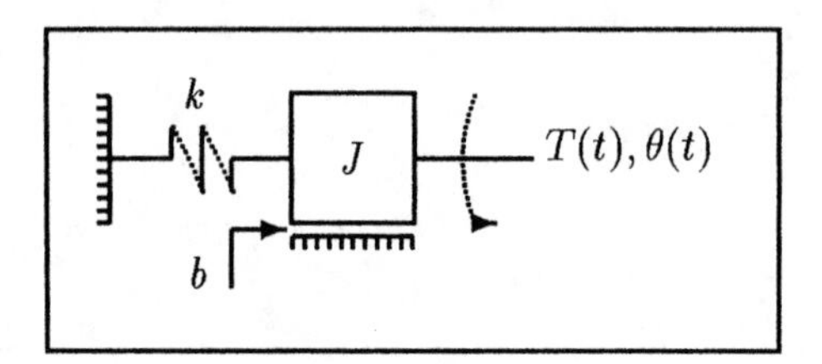

Figure 2.7 Corps rigide en rotation.

$$J\ddot{\theta}(t) = T(t) - b\dot{\theta}(t) - k\theta(t), \quad \theta(0) = \theta_0, \quad \dot{\theta}(0) = \dot{\theta}_0$$

où $T(t)$ est le couple moteur.

En prenant des conditions initiales nulles et en composant par la transformée de Laplace, on obtient:

$$(Js^2 + bs + k)\theta(s) = T(s)$$

La fonction de transfert correspondante est donnée par:

$$G(s) = \frac{\theta(s)}{T(s)} = \frac{K\omega_n^2}{s^2 + 2\zeta\omega_n s + \omega_n^2} \tag{2.23}$$

où: $K = \frac{1}{k}$, $\zeta = \frac{b}{2\sqrt{Jk}}$, et $\omega_n = \sqrt{\frac{k}{J}}$.

Pour le modèle d'état correspondant, posons: $x_1(t) = \theta(t) = y(t)$ et $x_2(t) = \dot{\theta}(t)$. En dérivant ces relations par rapport au temps et en tenant compte de l'équation différentielle décrivant la dynamique du corps rigide, on obtient le modèle d'état suivant:

$$\begin{aligned} \dot{\mathbf{x}}(t) &= \mathbf{A}\mathbf{x}(t) + \mathbf{B}\mathbf{u}(t), \quad \mathbf{x}(0) = \mathbf{x}_0 \\ \mathbf{y}(t) &= \mathbf{C}\mathbf{x}(t) \end{aligned}$$

où

$\mathbf{A} = \begin{bmatrix} 0 & 1 \\ -\frac{k}{J} & -\frac{b}{J} \end{bmatrix}$; $\mathbf{B} = \begin{bmatrix} 0 \\ \frac{1}{J} \end{bmatrix}$; $\mathbf{C} = \begin{bmatrix} 1 & 0 \end{bmatrix}$ et $\mathbf{u}(t) = T(t)$.

Exemple 2.5 Système en rotation (commande d'un satellite)

Soit le système de commande de l'orientation d'un satellite illustré à la figure 2.8a. L'objectif consiste à donner au satellite une certaine orientation $\theta(t)$ en jouant sur la force de poussée $\vec{f}$, obtenue en actionnant les moteurs. L'angle $\theta(t)$ est mesuré à partir d'un référentiel vertical. Le point d'application des forces est situé à une distance d du centre de gravité du satellite. Enfin, le moment d'inertie est constant et noté par J.

Pour établir l'équation différentielle décrivant la dynamique d'un tel satellite, on utilise la relation fondamentale de la dynamique des corps en rotation. Cette équation est:

$$J\ddot{\theta}(t) = f(t)\, d - C_p(t) \qquad \theta(0) = \theta_0, \quad \dot{\theta}(0) = \dot{\theta}_0$$

où $C_p(t)$ est le couple résistant.

En composant par la transformée de Laplace et en considérant les conditions initiales nulles, on obtient les fonctions de transfert suivantes:

$$\begin{aligned} G_1(s) &= \frac{\theta(s)}{F(s)} = \frac{d/J}{s^2} \\ G_2(s) &= \frac{\theta(s)}{C_p(s)} = -\frac{1/J}{s^2} \end{aligned}$$

Le schéma-bloc correspondant qui tient compte de toutes les excitations, y compris des conditions initiales, est représenté à la figure 2.8b.

Pour obtenir la représentation interne, posons: $x_1(t) = \theta(t) = y(t)$ et $x_2(t) = \dot{\theta}(t)$. La dérivation de ces relations et la relation fondamentale précédente donnent la représentation interne suivante:

$$\begin{aligned} \dot{\mathbf{x}}(t) &= \mathbf{A}\mathbf{x}(t) + \mathbf{B}\mathbf{u}(t), \quad \mathbf{x}(0) = \mathbf{x}_0 \\ \mathbf{y}(t) &= \mathbf{C}\mathbf{x}(t) \end{aligned}$$

où
$\mathbf{A} = \begin{bmatrix} 0 & 1 \\ 0 & 0 \end{bmatrix}$; $\mathbf{B} = \begin{bmatrix} 0 & 0 \\ \frac{d}{J} & -\frac{1}{J} \end{bmatrix}$; $\mathbf{C} = \begin{bmatrix} 1 & 0 \end{bmatrix}$ et $\mathbf{u}(t) = \begin{bmatrix} f & C_p \end{bmatrix}$.

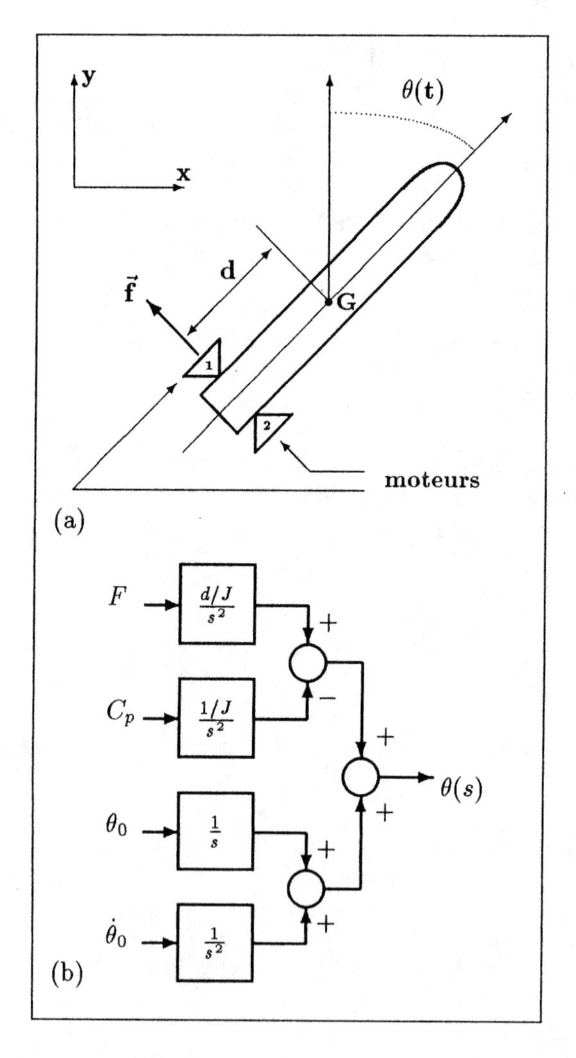

Figure 2.8 Commande d'un satellite (a) et son diagramme fonctionnel (b).

2.5.2 Systèmes électriques

Pour établir le modèle mathématique décrivant la dynamique des systèmes électriques, nous allons principalement utiliser les lois des noeuds et des mailles. Ces lois s'énoncent comme suit:

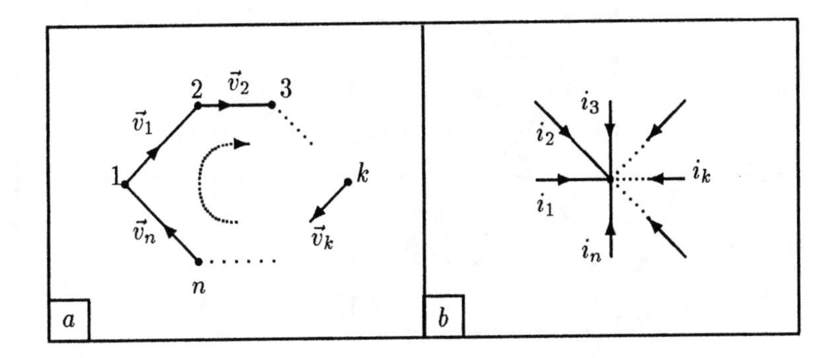

Figure 2.9 Lois des noeuds (a) et des mailles (b).

(a) lois des noeuds (fig. 2.9a).

Pour un noeud donné, on a:

$$\sum_{k=1}^{n} i_k = 0 \tag{2.24}$$

où i_k est le courant dans la branche k et n est le nombre de branches.

(b) lois des mailles (fig. 2.9b).

Dans une maille, on a:

$$\sum_{k=1}^{n} v_k = 0 \tag{2.25}$$

où v_k est la k^e différence de potentiel dans la boucle considérée et n est le nombre de branches dans la maille.

Les diverses relations de base en électricité sont regroupées à la figure 2.10.

élément	schéma	relation
résistance	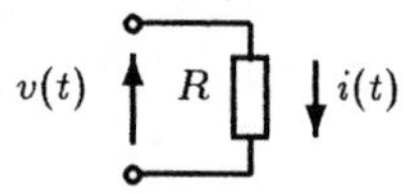 $v(t)$ R $i(t)$	$v(t) = Ri(t)$
inductance	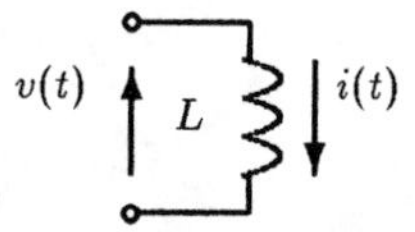 $v(t)$ L $i(t)$	$v(t) = L\frac{d}{dt}i(t)$
capacité	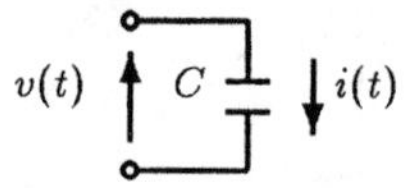 $v(t)$ C $i(t)$	$v(t) = \frac{1}{C}\int_0^t i(t)dt$

Figure 2.10 Relations de base en électricité.

Exemple 2.6 Circuit électrique RLC

Considérons le système représenté à la figure 2.11. Ce système est appelé "système passif" car il est constitué d'éléments passifs tels que la résistance R, l'inductance L et le condensateur C. Les paramètres R, L et C sont constants. La grandeur $u(t)$ est appelée "grandeur d'entrée du système". Comme "grandeur de sortie du système", on choisit la tension électrique $v(t)$ aux bornes du condensateur C.

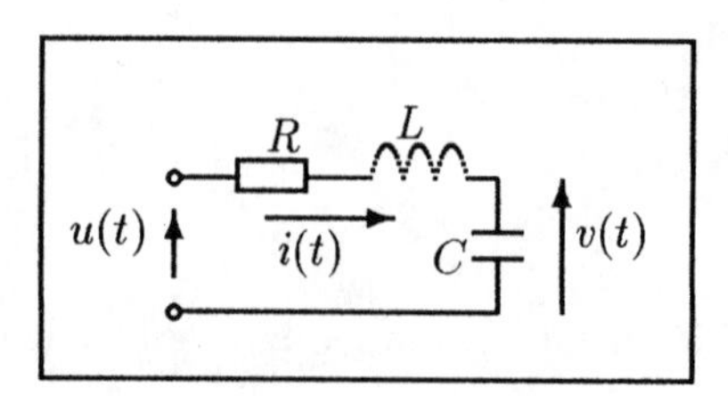

Figure 2.11 Circuit électrique RLC.

Le modèle mathématique de ce système découle immédiatement de la loi des mailles de Kirchhoff, et est donné par l'équation suivante:

$$u(t) = Ri(t) + L\frac{d}{dt}i(t) + \frac{1}{C}\int_0^t i(\tau)d\tau \tag{2.26}$$

Cette équation différentielle, pour être exploitable, doit faire ressortir les grandeurs d'entrée $u(t)$ et de sortie $v(t)$. Sachant que $v(t) = \frac{1}{C}\int_0^t i(\tau)d\tau$, par dérivation par rapport au temps t, on obtient $i(t) = C\frac{d}{dt}v(t)$. En dérivant une deuxième fois par rapport au temps, on a $\frac{d}{dt}i(t) = C\frac{d^2}{dt^2}v(t)$. En remplaçant maintenant $i(t)$, $\frac{1}{C}\int_0^t i(\tau)d\tau$ et $\frac{d}{dt}i(t)$ par leur expression, l'équation (2.26) devient:

$$u(t) = RC\frac{d}{dt}v(t) + LC\frac{d^2}{dt^2}v(t) + v(t) \tag{2.27}$$

ou encore, en divisant tous les termes par LC:

$$\frac{d^2}{dt^2}v(t) + \frac{R}{L}\frac{d}{dt}v(t) + \frac{1}{LC}v(t) = \frac{1}{LC}u(t) \tag{2.28}$$

L'équation différentielle (2.28) est le modèle cherché du système de la figure 2.11.

Pour déterminer la solution $v(t)$ de cette équation différentielle, il est nécessaire de connaître les conditions initiales. Dans ce cas, nous les supposons nulles, c'est-à-dire: $v(0) = 0$ et $\frac{d}{dt}v(0) = 0$. Notons que la deuxième condition initiale est équivalente à $i(0) = 0$.

Pour établir la représentation externe associée, l'équation différentielle (2.28) est prise comme équation de base. En composant par la transformée de Laplace, l'équation différentielle (2.28) devient:

$$s^2V(s) + \frac{R}{L}sV(s) + \frac{1}{LC}V(s) = \frac{1}{LC}U(s)$$

ou encore

$$\left[s^2 + \frac{R}{L}s + \frac{1}{LC}\right]V(s) = \frac{1}{LC}U(s) \tag{2.29}$$

où $V(s) = \mathcal{L}[v(t)]$ et $U(s) = \mathcal{L}[u(t)]$.

La fonction de transfert correspondante est alors donnée par la relation suivante:

$$\frac{V(s)}{U(s)} = \frac{K\omega_n^2}{s^2 + 2\zeta\omega_n s + \omega_n^2}$$

où: $K = 1$, $\omega_n = \frac{1}{\sqrt{LC}}$, et $\zeta = \sqrt{\frac{R^2C}{4L}} = \frac{R}{2}\sqrt{\frac{C}{L}}$.

Pour la représentation interne, l'équation différentielle (2.28) est prise comme équation de base. En électricité, un choix naturel de variables d'état consiste à prendre les tensions aux bornes des capacités et les courants dans les bobines d'induction. Sachant que les conditions initiales $v(0)$, $i(0)$ ainsi que la grandeur d'entrée du système $u(t)$ pour $t \geq 0$ définissent complètement le comportement du système considéré, on peut prendre $v(t)$ et $i(t)$ comme variables d'état. Posons: $x_1(t) = v(t) = y(t)$ et $x_2(t) = i(t)$. On a:

$$\begin{aligned}
\dot{x}_1(t) &= \frac{d}{dt}v(t) = \frac{1}{C}i(t) = \frac{1}{C}x_2(t) \\
\dot{x}_2(t) &= \frac{d}{dt}i(t) = -\frac{1}{L}x_1(t) - \frac{R}{L}x_2(t) + \frac{1}{L}u(t)
\end{aligned}$$

Finalement, pour le système considéré, la représentation d'état est:

$$\begin{aligned}
\begin{bmatrix} \dot{x}_1(t) \\ \dot{x}_2(t) \end{bmatrix} &= \begin{bmatrix} 0 & \frac{1}{C} \\ -\frac{1}{L} & -\frac{R}{L} \end{bmatrix} \begin{bmatrix} x_1(t) \\ x_2(t) \end{bmatrix} + \begin{bmatrix} 0 \\ \frac{1}{L} \end{bmatrix} u(t) \\
\mathbf{y}(t) &= \begin{bmatrix} 1 & 0 \end{bmatrix} \begin{bmatrix} x_1(t) \\ x_2(t) \end{bmatrix}
\end{aligned}$$

Une autre manière d'établir la représentation d'état est d'utiliser la charge accumulée dans la capacité. En la notant par $q(t)$, on a: $i = \frac{dq}{dt} = C\frac{dv}{dt}$ ce qui donne $q(t) = C\ v(t)$. On peut alors prendre comme variables d'état la charge $q(t)$ dans la capacité et le courant $i(t)$.

Exemple 2.7 Circuit électrique à deux mailles

Considérons le système représenté à la figure 2.12. Comme dans l'exemple précédent, le système de la figure 2.12 est passif. Les paramètres R_1, R_2, L et C sont constants; $u(t)$ est la grandeur d'entrée du système et $v(t)$ est sa grandeur de sortie. L'équation différentielle correspondante peut être obtenue en utilisant les relations de Maxwell relatives aux mailles.

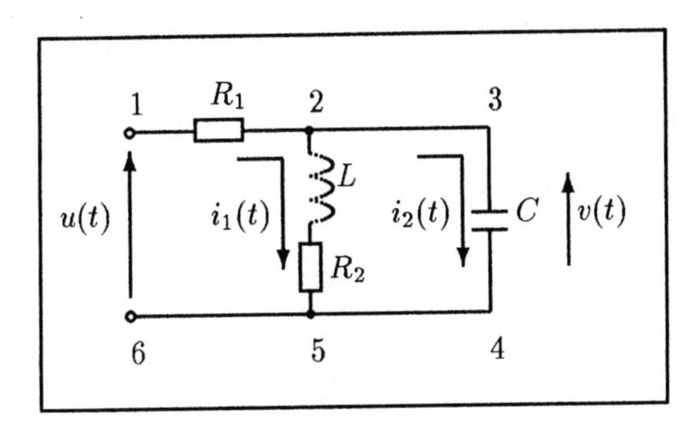

Figure 2.12 Circuit à deux mailles.

- Boucle 1-2-5-6:

$$R_1 i_1(t) + L\frac{d}{dt}i_1(t) + R_2 i_1(t) - R_2 i_2(t) - L\frac{d}{dt}i_2(t) = u(t)$$

- Boucle 2-3-4-5:

$$R_2 i_2(t) + L\frac{d}{dt}i_2(t) + \frac{1}{C}\int_0^t i_2(\tau)d\tau - R_2 i_1(t) - L\frac{d}{dt}i_1(t) = 0$$

On obtient ainsi le système de deux équations différentielles suivant:

$$L\frac{d}{dt}\left[i_1(t) - i_2(t)\right] + \left[R_1 + R_2\right] i_1(t) - R_2 i_2(t) = u(t) \quad (2.30)$$

$$L\frac{d}{dt}\left[i_2(t) - i_1(t)\right] + R_2 i_2(t) - R_2 i_1(t) + \frac{1}{C}\int_0^t i_2(\tau)d\tau = 0 \quad (2.31)$$

En utilisant le fait que la tension $v(t)$ et le courant $i_2(t)$ sont reliés par les relations: $v(t) = \frac{1}{C}\int_0^t i_2(\tau)d\tau$, $C\frac{d}{dt}v(t) = i_2(t)$, $C\frac{d^2}{dt^2}v(t) = \frac{d}{dt}i_2(t)$ et en éliminant $i_1(t)$ et $i_2(t)$ des équations (2.30) et (2.31), on obtient une équation différentielle unique du système considéré, mettant en jeu la grandeur de sortie $v(t)$ et la grandeur d'entrée $u(t)$:

$$\frac{d^2}{dt^2}v(t) + \left[\frac{1}{R_1 C} + \frac{R_2}{L}\right]\frac{d}{dt}v(t) + \left[\frac{R_1 + R_2}{R_1 L C}\right]v(t) = \frac{1}{R_1 C}\frac{d}{dt}u(t) + \frac{R_2}{R_1 L C}u(t) \quad (2.32)$$

avec les conditions initiales $v(0) = 0$ et $\dot{v}(0) = 0$.

En utilisant la transformée de Laplace, l'équation (2.32) devient:

$$\left[s^2 + \left(\frac{1}{R_1 C} + \frac{R_2}{L}\right) s + \left(\frac{R_1 + R_2}{R_1 L C}\right)\right] V(s) = \left[\frac{1}{R_1 C} s + \frac{R_2}{R_1 L C}\right] U(s)$$

avec $V(s) = \mathcal{L}[v(t)]$ et $U(s) = \mathcal{L}[u(t)]$

Cette équation donne comme représentation externe la fonction suivante:

$$G(s) = \frac{V(s)}{U(s)} = \frac{k_1 s + k_2}{k_3 s^2 + k_4 s + 1} \tag{2.33}$$

avec $k_1 = \frac{L}{R_1+R_2}$,$k_2 = \frac{R_2}{R_1+R_2}$, $k_3 = \frac{R_1 LC}{R_1+R_2}$, et $k_4 = \frac{L+R_1 R_2 C}{R_1+R_2}$.

Pour obtenir le modèle d'état du système, on choisit les variables d'état selon la règle énoncée dans l'exemple 2.7 pour les circuits électriques: $x_1(t) = v(t)$ et $x_2(t) = i(t)$, où $v(t)$ est la tension électrique aux bornes de la capacité électrique C et $i(t)$ est le courant électrique à travers l'inductance L tel que $i(t) = i_1(t) - i_2(t)$. Par dérivation de ces relations, on a: $\dot{x}_1(t) = \frac{d}{dt}v(t)$ et $\dot{x}_2(t) = \frac{d}{dt}i(t)$. En utilisant maintenant les équations (2.30) et (2.31), après transformations, on obtient:

$$\begin{aligned}
\dot{x}_2(t) &= \frac{1}{L}x_1(t) - \frac{R_2}{L}x_2(t) \\
\dot{x}_1(t) &= -\frac{1}{R_1 C}x_1(t) - \frac{1}{C}x_2(t) + \frac{1}{R_1 C}u(t)
\end{aligned}$$

D'autre part, en désignant par $y(t)$ la sortie du système tel que $y(t) = v(t)$, on obtient la représentation d'état suivante:

$$\begin{aligned}
\begin{bmatrix} \dot{x}_1(t) \\ \dot{x}_2(t) \end{bmatrix} &= \begin{bmatrix} -\frac{1}{R_1 C} & -\frac{1}{C} \\ \frac{1}{L} & -\frac{R_2}{L} \end{bmatrix} \begin{bmatrix} x_1(t) \\ x_2(t) \end{bmatrix} + \begin{bmatrix} \frac{1}{R_1 C} \\ 0 \end{bmatrix} u(t) \\
\mathbf{y}(t) &= \mathbf{v}(t) = \begin{bmatrix} 1 & 0 \end{bmatrix} \begin{bmatrix} x_1(t) \\ x_2(t) \end{bmatrix}
\end{aligned}$$

Exemple 2.8 Transformateur différentiel à réluctance variable (TL)

Ce transformateur est constitué d'un enroulement primaire alimenté par une tension électrique u_e et de deux enroulements secondaires montés en opposition et dont la tension électrique de sortie est u_s. Un noyau, en se déplaçant, fait

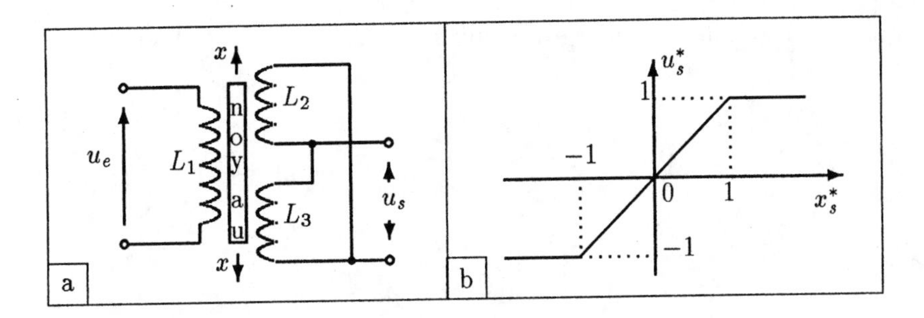

Figure 2.13 Transformateur différentiel à réluctance variable (a) et sa courbe caractéristique $u_s = f(x_s^*)$.

varier la réluctance du système et ainsi varient les tensions électriques induites dans les enroulements secondaires. La position neutre du noyau, telle que présentée à la figure 2.13a, fait que les tensions électriques induites dans le secondaire sont égales et opposées. Ainsi, pour cette position, on a $u_s = 0$. Tout déplacement du noyau autour de la position neutre entraîne une différence des tensions électriques induites et donc $u_s \neq 0$. Selon le déplacement du noyau dans un sens ou dans l'autre, la tension u_s est positive ou négative.

L'évolution de la tension électrique à la sortie u_s en fonction de la position du noyau x en unités relatives est représentée à la figure 2.13b. Pour des déplacements extrêmes $x^* = [-1, 1]$, on a à la sortie les tensions maximales $u_s^* = [-1, 1]$. Pour des positions intermédiaires, la caractéristique $u_s(x)$ est linéaire (fig. 2.13b):

$$u_s(t) = kx(t) \tag{2.34}$$

où k est le coefficient de proportionnalité.

La fonction de transfert de cet élément est:

$$G(s) = \frac{U_s(s)}{X(s)} = k$$

où $U_s(s) = \mathcal{L}[u_s(t)]$ et $X(s) = \mathcal{L}[x(t)]$

L'équation (2.34) est celle d'un transformateur différentiel du type linéaire puisque le noyau a un déplacement rectiligne. Il existe des transformateurs différentiels dont le noyau a un déplacement circulaire. On les appelle des transformateurs différentiels du type rotatif (TR).

Le principe de fonctionnement du TR est le même que celui du type linéaire, sauf que la grandeur d'entrée n'est plus un déplacement rectiligne, mais un déplacement circulaire d'angle θ:

$$u_s(t) = k\theta(t)$$

et la fonction de transfert correspondante est:

$$G(s) = \frac{U_s(s)}{\Theta(s)} = k$$

où $U_s(s) = \mathcal{L}[u_s(t)]$ et $\Theta(s) = \mathcal{L}[\theta(t)]$.

2.5.3 Systèmes électromécaniques

Le modèle mathématique décrivant ces systèmes est obtenu en faisant appel aux lois utilisées pour les systèmes mécaniques et électriques, c'est-à-dire la relation fondamentale de la dynamique et les lois de Kirchhoff.

Parmi les systèmes électromécaniques, on retrouve les actionneurs électriques qui sont souvent utilisés dans les applications industrielles. Nous développons dans les exemples qui suivent les modèles mathématiques des moteurs à courant continu commandés par l'induit et par l'inducteur.

Exemple 2.9 Moteur à courant continu commandé par l'induit

Le moteur à courant continu est un actionneur de type électrique qui utilise de l'énergie électrique pour conduire le système à commander. C'est un convertisseur d'énergie électrique en énergie mécanique.

Les moteurs à courant continu sont de divers types. Ces moteurs sont principalement constitués d'une partie fixe appelée **stator** et d'une partie rotative appelée **rotor**. Les moteurs à courant continu les plus employés en commande ont généralement un champ magnétique produit soit par un circuit d'excitation séparé, soit par aimant permanent.

On étudie dans cet exemple le moteur à courant continu à aimant permanent commandé par l'induit (fig. 2.14a). Les équations de base d'un tel moteur peuvent être obtenues à partir des équations électromagnétiques. En opération, le moteur à courant continu doit produire un couple $T(t)$ nécessaire pour vaincre les frottements et entraîner ainsi la charge. Un tel couple est proportionnel au produit du flux magnétique φ et du courant électrique de l'induit $i_a(t)$:

$$T(t) = K_1 \varphi i_a(t)$$

Le flux φ étant constant, cette relation peut s'écrire:

$$T(t) = K_t i_a(t)$$

La constante K_t est appelée constante de couple.

La force contre-électromotrice produite par le moteur est proportionnelle au produit du flux φ et de la vitesse $\omega(t)$ de l'arbre du moteur:

$$e_m(t) = K \varphi \omega(t)$$

Pour la même raison que le couple, l'expression de la force contre-électromotrice du moteur peut se mettre sous la forme suivante:

$$e_m(t) = K_\omega \omega(t)$$

La constante K_ω est appelée constante de force contre-électromotrice.

Dans le système international (SI), les constantes K_t et K_ω sont égales mais leurs unités sont différentes. Pour démontrer ceci, nous pouvons utiliser le bilan de puissance en égalisant la puissance électrique à la puissance mécanique.

L'équation électrique du moteur est obtenue en écrivant la loi de Kirchhoff (loi des mailles), du circuit de l'induit de la figure 2.14a. Une telle équation s'écrit:

$$e_a(t) = L_a \frac{d}{dt} i_a(t) + R_a i_a(t) + e_m(t)$$

L'équation mécanique est obtenue, quant à elle, en écrivant la loi de la physique des systèmes en rotation:

$$J\ddot{\theta} = T(t) - b\dot{\theta}(t) - T_d(t)$$

Le moteur à courant continu possède deux constantes de temps, l'une électrique et l'autre mécanique. La constante électrique est définie par $\tau_e = \frac{L_a}{R_a}$; quant à

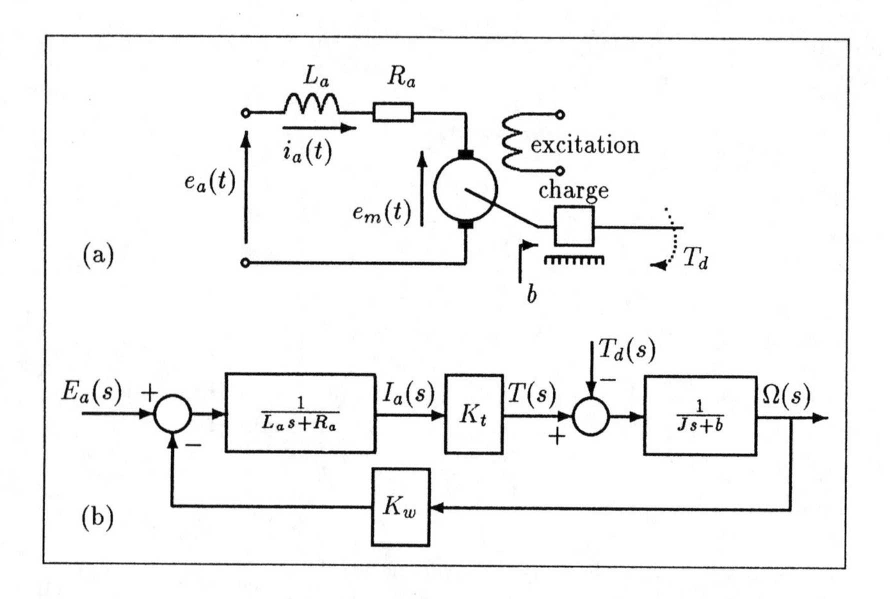

Figure 2.14 Moteur à courant continu à aimant permanent commandé par l'induit (a) et son schéma-bloc (b).

la constante mécanique, elle est définie par la relation $\tau_m = \frac{J}{b}$. En général, la constante électrique est négligeable.

En supposant que les conditions initiales sont nulles, les équations précédentes s'écrivent, après composition par la transformée de Laplace:

$$\begin{aligned} T(s) &= K_t I_a(s) \\ E_m(s) &= K_w \Omega(s) \\ E_a(s) - E_m(s) &= (L_a s + R_a) I_a(s) \\ Js\Omega(s) &= T(s) - b\Omega(s) - T_d(s) \end{aligned}$$

où $I_a(s) = \mathcal{L}[i_a(t)]$, $\Omega(s) = \mathcal{L}[\dot{\theta}(t)]$, $T(s) = \mathcal{L}[T(t)]$, $T_d(s) = \mathcal{L}[T_d(t)]$, $E_m(s) = \mathcal{L}[e_m(t)]$, et $E_a(s) = \mathcal{L}[e_a(t)]$

De ces équations dans le domaine complexe, on dresse le schéma-bloc représenté à la figure 2.14b.

Le moteur à courant continu est un système d'ordre 3 (ou 2) dont la grandeur d'entrée principale est la tension électrique d'induit, la grandeur de sortie est la position (ou la vitesse) et la grandeur d'entrée secondaire ou perturbation est T_d.

En considérant la vitesse comme grandeur de sortie, le diagramme fonctionnel représente un système à deux grandeurs d'entrée $e_a(t)$ et $T_d(t)$. Les deux fonctions de transfert correspondantes sont données par:

$$\begin{aligned} G_1(s) &= \frac{\Omega(s)}{E_a(s)} = \frac{\frac{K_t}{R_a b}}{(\tau_e s + 1)(\tau_m s + 1) + K_w \frac{K_t}{R_a b}} \\ G_2(s) &= \frac{\Omega(s)}{T_d(s)} = -\frac{\frac{(\tau_e s+1)}{b}}{(\tau_e s + 1)(\tau_m s + 1) + K_w \frac{K_t}{R_a b}} \end{aligned}$$

Lorsque la grandeur de sortie est la position, ces deux fonctions de transfert ont les expressions suivantes:

$$\begin{aligned} G_1(s) &= \frac{\Theta(s)}{E_a(s)} = \frac{\frac{K_t}{R_a b}}{(\tau_e s + 1)(\tau_m s + 1) + K_w \frac{K_t}{R_a b}} \frac{1}{s} \\ G_2(s) &= \frac{\Theta(s)}{T_d(s)} = \frac{-\frac{(\tau_e s+1)}{b}}{(\tau_e s + 1)(\tau_m s + 1) + K_w \frac{K_t}{R_a b}} \frac{1}{s} \end{aligned}$$

Dans le cas où la grandeur de sortie du système est la position angulaire, la dimension correspondante est 3. Le modèle d'état correspondant a alors 3 variables d'état. En posant: $x_1(t) = \theta(t)$, $x_2(t) = \dot{\theta}(t)$ et $x_3(t) = i_a(t)$, la représentation d'état du moteur à courant continu, est donnée par:

$$\begin{aligned} \dot{\mathbf{x}}(t) &= \mathbf{A}\mathbf{x}(t) + \mathbf{B}\mathbf{u}(t) \\ \mathbf{y}(t) &= \mathbf{C}\mathbf{x}(t) + \mathbf{D}\mathbf{u}(t) \end{aligned}$$

où

$$\mathbf{A} = \begin{bmatrix} 0 & 1 & 0 \\ 0 & -\frac{1}{\tau_m} & \frac{K_t}{\tau_m b} \\ 0 & -\frac{K_w}{R_a \tau_e} & -\frac{1}{\tau_e} \end{bmatrix}; \mathbf{B} = \begin{bmatrix} 0 & 0 \\ 0 & -\frac{1}{b\tau_m} \\ \frac{1}{R_a \tau_e} & 0 \end{bmatrix}; \mathbf{C} = \begin{bmatrix} 1 & 0 & 0 \end{bmatrix};$$

$\mathbf{D} = \begin{bmatrix} 0 \end{bmatrix}$ et $\mathbf{u}(t) = \begin{bmatrix} e_a & T_d \end{bmatrix}$.

En général, lorsqu'on utilise les moteurs à courant continu, on emploie souvent des organes de transmission de puissance tels les réducteurs, les courroies, etc. Étant donné leur importance, nous allons en donner quelques exemples.

Exemple 2.10 Moteur à courant continu commandé par l'inducteur

Considérons le cas d'un moteur à courant continu commandé par l'inducteur (fig. 2.15a).

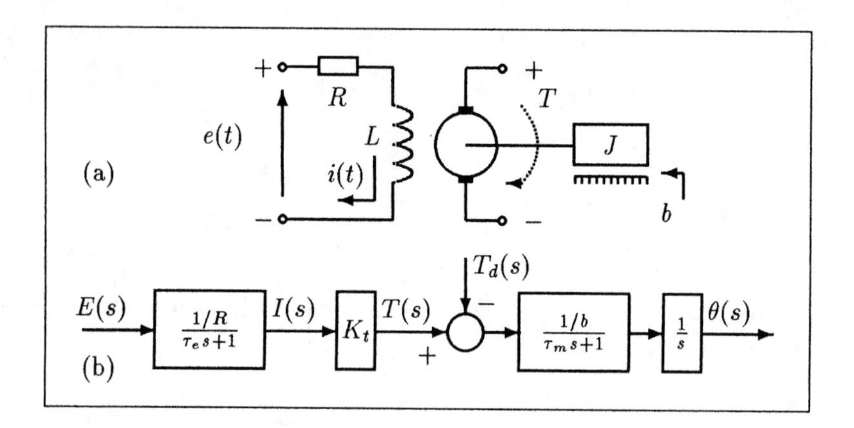

Figure 2.15 Schéma de principe d'un moteur à courant continu commandé par l'inducteur (a) et son schéma-bloc (b).

La différence qui existe entre ce moteur et le précédent est que dans ce moteur, l'induit est alimenté en permanence par une tension électrique continue fixe alors que l'inducteur est alimenté par une tension électrique variable $e(t)$ qui représente la grandeur d'entrée du système. Les équations de ce système sont presque similaires aux précédentes:

$$\begin{aligned} e(t) &= Ri(t) + L\frac{d}{dt}i(t) \\ T(t) &= K_t i(t) \\ T(t) &= J\ddot{\theta}(t) + b\dot{\theta}(t) + T_d(t) \end{aligned}$$

En prenant les transformées de Laplace, on obtient la fonction de transfert suivante:

$$G(s) = \frac{\theta(s)}{E(s)} = \frac{K_t/(Rb)}{s(\tau_m s + 1)(\tau_e s + 1)}$$

où $\tau_m = \frac{J}{b}$ et $\tau_e = \frac{L}{R}$.

Le schéma-bloc associé est illustré à la figure 2.15b. Pour le modèle d'état, en posant: $x_1(t) = \theta(t)$, $x_2(t) = \dot{\theta}(t)$, et $x_3(t) = i(t)$, le modèle d'état correspondant est alors:

$$\begin{aligned} \dot{\mathbf{x}}(t) &= \begin{bmatrix} 0 & 1 & 0 \\ 0 & -\frac{b}{J} & -\frac{K_t}{J} \\ 0 & 0 & -\frac{R}{L} \end{bmatrix} \mathbf{x}(t) + \begin{bmatrix} 0 & 0 \\ 0 & -\frac{1}{J} \\ \frac{1}{L} & 0 \end{bmatrix} \begin{bmatrix} e & T_d \end{bmatrix} \\ \mathbf{x}(0) &= \mathbf{x}_0 \end{aligned}$$

Exemple 2.11 Entraînement par réducteur de rapport n

Pour montrer l'impact du réducteur sur les équations du moteur, considérons le système de la figure 2.16a. Le moteur considéré dans cet exemple est commandé par l'induit.

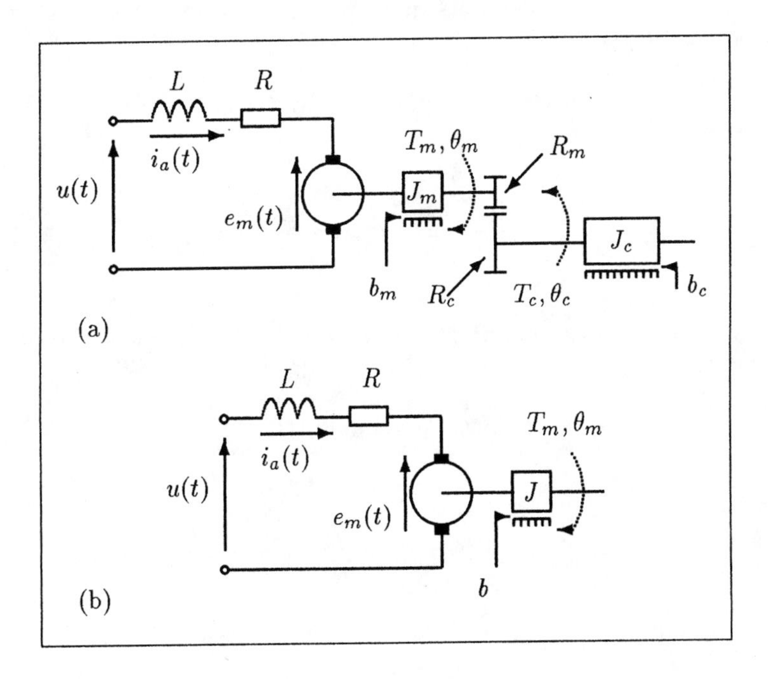

Figure 2.16 Transmission avec réducteur (a) et son schéma équivalent (b).

Pour ce qui est des équations électriques, elles sont identiques à celles du moteur sans réducteur. Quant aux équations mécaniques, elles changent à cause de la

système	relations
T_1, θ_1 R_1	$n = \frac{R_2}{R_1}$
n	$\theta_2 = \frac{\theta_1}{n}$
R_2 T_2, θ_2	$T_2 = nT_1$

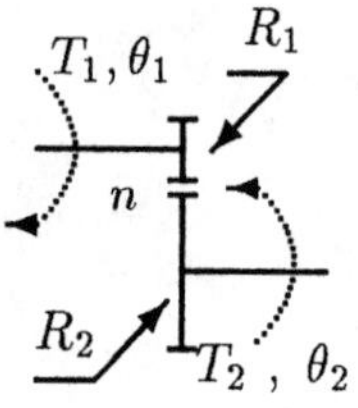

Figure 2.17 Relations entre les grandeurs en amont et en aval d'un réducteur.

présence du réducteur. En effet, en supposant qu'il n'y a pas de glissement dans les engrenages du réducteur, on obtient:

$$\theta_m(t)R_m = \theta_c(t)R_c, \quad R_m < R_c$$

ce qui donne:

$$\frac{\theta_c(t)}{\theta_m(t)} = \frac{R_m}{R_c} \implies \theta_c(t) = \frac{R_m}{R_c}\theta_m(t)$$

Pour les couples, en tenant compte du fait que les deux pignons transmettent la même puissance, on obtient:

$$T_m(t)\dot{\theta}_m(t) = T_c(t)\dot{\theta}_c(t)$$

ce qui est équivalent à:

$$T_c(t) = \frac{\dot{\theta}_m(t)}{\dot{\theta}_c(t)}T_m(t) = \frac{R_c}{R_m}T_m(t) = n\ T_m(t)$$

avec $n = \frac{R_c}{R_m} > 1$

Ces résultats sont regroupés à la figure 2.17.

Tout couple en aval du réducteur peut être ramené à un couple équivalent en amont et ainsi, on peut se ramener au cas du moteur sans réducteur. Les divers résultats concernant les équivalences sont regroupés à la figure 2.18.

schéma	équivalent	relations
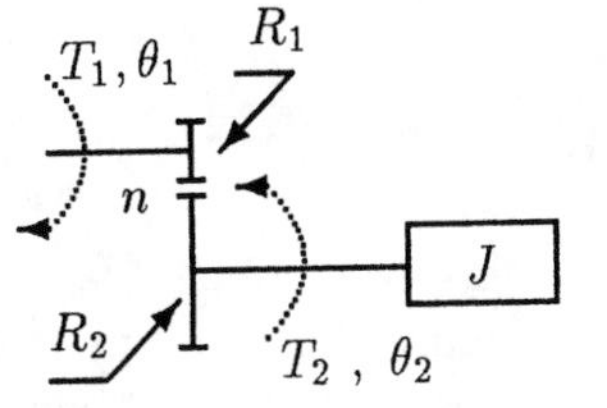 T_1, θ_1, R_1, n, J, R_2, T_2 , θ_2	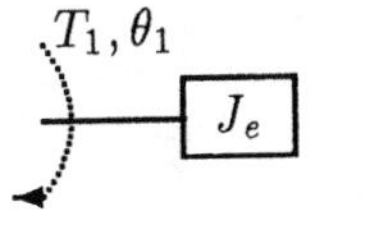 T_1, θ_1, J_e	$T_2 = J\ddot{\theta}_2$ $nT_1 = J\frac{\ddot{\theta}_1}{n}$ $T_1 = J_e\ddot{\theta}_1$ $J_e = \frac{J}{n^2}$
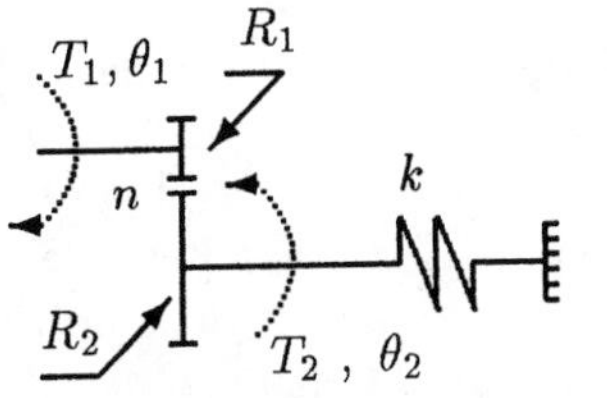 T_1, θ_1, R_1, n, k, R_2, T_2 , θ_2	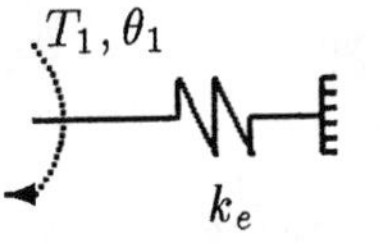 T_1, θ_1, k_e	$T_2 = k\theta_2$ $nT_1 = k\frac{\theta_1}{n}$ $T_1 = k_e\theta_1$ $k_e = \frac{k}{n^2}$
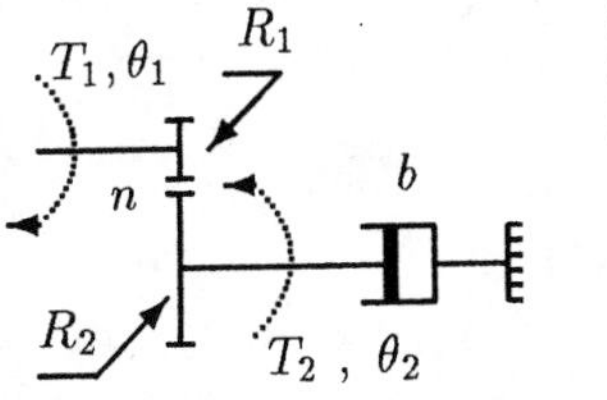 T_1, θ_1, R_1, n, b, R_2, T_2 , θ_2	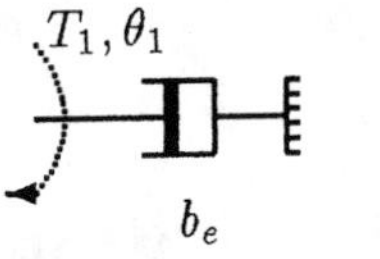 T_1, θ_1, b_e	$T_2 = b\dot{\theta}_2$ $nT_1 = b\frac{\dot{\theta}_1}{n}$ $T_1 = b_e\dot{\theta}_1$ $b_e = \frac{b}{n^2}$

Figure 2.18 Équivalences entre l'amont et l'aval d'un réducteur.

Dans ce cas, le schéma équivalent est illustré à la figure 2.16b.

Les paramètres J et b de la figure 2.16b sont donnés par:

$$
\begin{aligned}
J &= J_m + J_c/n^2 \\
b &= b_m + b_c/n^2
\end{aligned}
$$

De ces équations, on peut tirer la fonction de transfert et le modèle d'état correspondant sans difficulté en se basant sur la modélisation du moteur sans réducteur.

Pour les problèmes de transmission de puissance avec courroie, on a les mêmes résultats dans le cas où les glissements et l'élasticité de la courroie sont négligeables.

2.5.4 Systèmes hydrauliques

Lorsque l'on évoque le terme "hydraulique", on pense inévitablement aux écoulements des fluides. S'il s'agit d'eau, on implique directement la notion de niveau et de débit dans des réservoirs; s'il s'agit d'huile, on parle surtout de transmission de puissance.

Quel que soit le cas, l'écoulement est soit laminaire, soit turbulent. La description mathématique de tels systèmes est généralement difficile à mener en raison du caractère fortement non linéaire de certains de leurs paramètres. On tend généralement à linéariser les modèles en les analysant pour des petites variations autour de points de fonctionnement déterminés. Dans notre étude, nous nous limitons aux fluides incompressibles et nous cherchons à mettre en évidence les paramètres principaux qui décrivent un système hydraulique, en insistant sur leur analogie avec les systèmes électriques. Nous introduisons donc les notions de résistance, de capacité et d'inductance hydrauliques.

2.5.5 Résistance hydraulique

La notion de résistance implique forcément l'existence d'obstacles. Parmi ces obstacles, citons les vannes, les orifices ainsi que l'état de la surface interne des chemins empruntés par le fluide. Sur la figure 2.19a, on a représenté schématiquement une vanne traversée par un fluide dont le débit est désigné par q. Cet exemple est très significatif et peut représenter facilement les autres types d'obstacles.

Une vanne représente un obstacle: elle oppose une résistance au passage du fluide et occasionne ainsi une chute de pression, Δp, entre l'amont et l'aval tel que: $\Delta p = p_1 - p_2$, où p_1 et p_2 sont les pressions en amont et en aval de l'obstacle. Notons que la vanne est avant tout un élément de réglage de débit. L'obstacle à l'écoulement d'un fluide est défini par une résistance R_h qui représente la variation de pression capable de causer une variation unitaire de débit:

$$R_h = \frac{\Delta p}{q} \qquad (Pa.s/m^3) \tag{2.35}$$

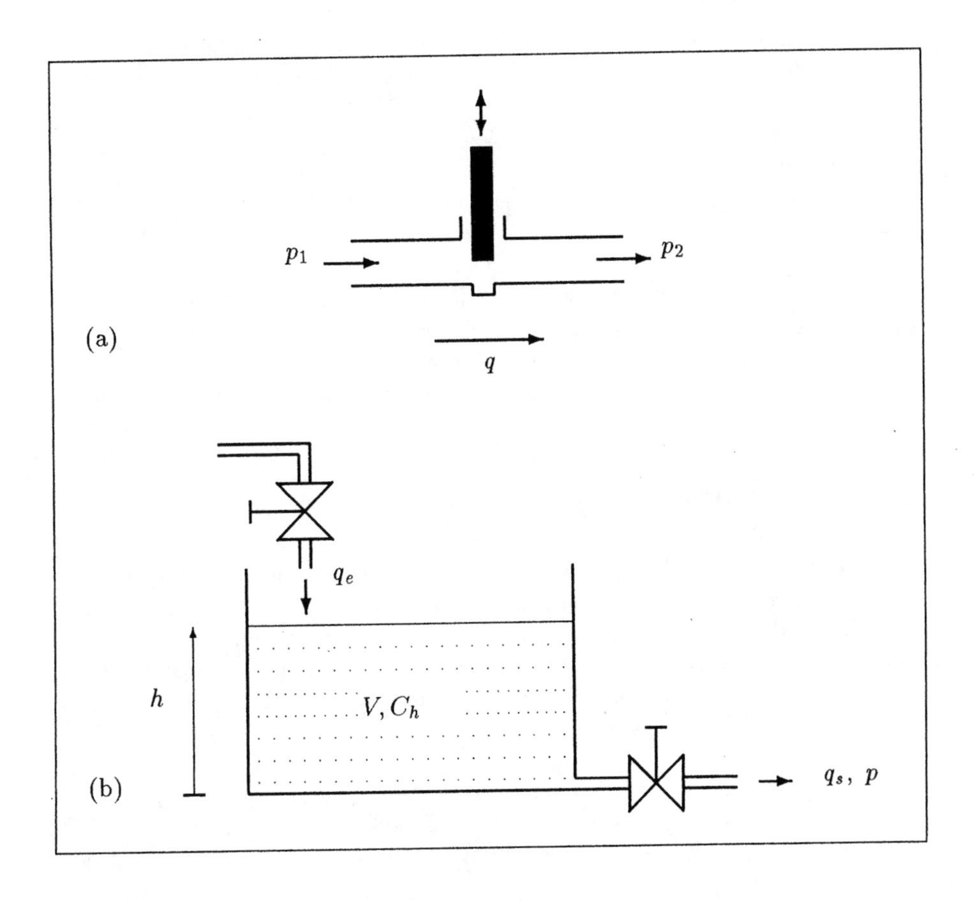

Figure 2.19 Représentation schématique d'une vanne (a) et réservoir hydraulique (b).

Les pressions p_1 et p_2 et le débit dans cette relation représentent des petites variations autour d'un point d'opération. En général une telle relation est non linéaire.

Si on connaît la loi de variation du débit q en fonction de la variation de pression Δp (c'est-à-dire la courbe $q = f(\Delta p)$), alors la résistance R_h est l'inverse de la pente de la tangente à la courbe au point de fonctionnement considéré. Sa valeur est unique si cette loi de variation est linéaire (écoulement laminaire) et différente en chaque point de la courbe dans le cas contraire (écoulement turbulent).

Insistons maintenant sur le fait que Δp représente une différence de pression similaire à une différence de potentiel. La pression p est assimilable à la tension électrique u.

De même, q est un débit de fluide ou un flux de fluide à travers une canalisation; q est donc assimilable au flux d'électrons ou au courant électrique i. Par analogie à $R = \frac{u}{i}$ en électricité, le rapport $\frac{\Delta p}{q}$ en mécanique des fluides représente une résistance que nous appelons "résistance hydraulique".

2.5.6 Capacité hydraulique

Examinons l'exemple de la figure 2.19b. Les grandeurs q_e et q_s ($\frac{m^3}{s}$) représentent respectivement les débits d'eau à l'entrée et à la sortie du réservoir. Celui-ci contient un volume d'eau V (m^3) appelé communément "capacité du réservoir", ce qui est différent de la capacité hydraulique analogue à la capacité électrique. Le niveau du fluide est désigné par h (mètres). La section du réservoir, A, est supposée constante.

Dans ce système, les paramètres susceptibles de varier sont le volume V du réservoir et la pression p de sortie du fluide. En effet, sachant que $V = Ah$, toute variation de débit entraîne une variation de volume qui, à son tour, implique une variation de niveau h.

De plus, puisque dans notre exemple, l'écoulement du fluide à la sortie du système se fait par gravité seulement, alors, comme $p = \rho g h$ où ρ est la densité du fluide et g est l'accélération de l'attraction terrestre, toute variation de niveau h entraîne une variation de pression p.

Pour le système de la figure 2.19b, en utilisant les équations de continuité, on peut écrire:

$$q_e(t) - q_s(t) = \frac{dV}{dt} = \frac{d}{dt}(Ah) = A\frac{dh}{dt} \tag{2.36}$$

D'un autre côté, en utilisant la relation précédente entre la pression et la hauteur, on a:

$$q_e(t) - q_s(t) = \frac{A}{\rho g}\frac{dp}{dt} \tag{2.37}$$

En tenant compte des remarques faites au paragraphe précédent, les expressions (2.37) et (2.36) sont analogues à celles des circuits électriques $i = C\frac{du}{dt}$ où C est la capacité électrique, c'est-à-dire p et h sont assimilés à un potentiel électrique u et q à un courant électrique i.

Selon que l'on utilise l'expression (2.37) ou (2.36), la capacité C_h aura une valeur différente et des unités différentes. En effet, en dérivant $V = Ah$, on obtient:

$$\frac{dV}{dt} = A\frac{dh}{dt} \quad \text{avec} \quad \frac{dV}{dt} = q$$

ainsi:

$$q = A\frac{dh}{dt} \tag{2.38}$$

En comparant maintenant (2.38) avec (2.36), on a:

$$C_h = A \tag{2.39}$$

De plus, si dans (2.38) on remplace h par $\frac{p}{\rho g}$, on obtient:

$$q = \frac{A}{\rho g}\frac{dp}{dt} \tag{2.40}$$

En comparant (2.40) avec (2.37), on a:

$$C_h = \frac{A}{\rho g}$$

Les expressions (2.37) et (2.36) sont générales et valables dans tous les cas. Le problème réside seulement dans la détermination de C_h, qui se fait soit analytiquement, en utilisant les équations caractéristiques des fluides, soit graphiquement, sur les courbes de variation $q = f(p)$ ou $q = f(h)$ de la même manière que pour le calcul de R_h montré au paragraphe précédent.

2.5.7 Inductance ou inertie hydraulique

Dans l'exemple de la figure 2.19b, le fluide dans le réservoir exerce une pression $p = \rho g h$. En multipliant les deux termes de cette expression par la section A du réservoir, on obtient:

$$Ap = \rho g h A \tag{2.41}$$

Sachant $V = Ah$ et que $m = \rho V$, l'équation (2.41) devient:

$$Ap = mg \tag{2.42}$$

L'expression (2.42) est analogue à la deuxième loi de Newton qui stipule que $\sum F = m\gamma$ où F, m, γ représentent respectivement la force, la masse et l'accélération. En analysant l'équation (2.42), on constate qu'une différence de pression entraîne l'accélération du corps. S'il y a accélération, c'est qu'il existe une certaine inertie à vaincre. D'une manière plus générale, l'expression (2.42) s'écrit:

$$A(p_i - p_f) = m\frac{dv}{dt} \tag{2.43}$$

où A est la section de passage du fluide (en m^2), m est la masse du fluide en mouvement, v est la vitesse de déplacement du fluide et $p_i - p_f$ est la différence entre les pressions initiale et finale.

Nous savons que la relation fondamentale liant le débit q d'un fluide à sa vitesse v à travers une section A est $q = Av$. En dérivant cette dernière relation dans le temps, on a: $\frac{dv}{dt} = \frac{1}{A}\frac{dq}{dt}$. L'expression (2.43) devient:

$$p_i - p_f = \frac{m}{A^2}\frac{dq}{dt} \tag{2.44}$$

Remarquons que l'équation (2.43) traduit le comportement d'un fluide le long d'une canalisation de longueur l.

Sachant que $m = \rho V = \rho A l$ où l, assimilé à h, est la longueur de la canalisation, l'équation (2.44) prend la forme finale suivante:

$$p_i - p_f = \frac{\rho l}{A}\frac{dq}{dt} \tag{2.45}$$

La relation (2.45) est analogue à la relation électrique $u = L\frac{di}{dt}$ donnant la tension aux bornes d'une inductance L. Ainsi, par analogie, le terme $\frac{\rho l}{A}$ représente une inductance et est appelé "inductance hydraulique" ou "inertie hydraulique". Remarquons que le calcul de l'inertie hydraulique a un sens lorsque la longueur l est grande. Dans le cas contraire, comme dans l'exemple de la figure 2.19b, l'inertie est négligeable.

Exemple 2.12 Système à plusieurs réservoirs

Étudions l'exemple de la figure 2.20a. Dans cette figure, le réservoir 4 est alimenté par deux sources. L'une provenant du réservoir 1, l'autre provenant conjointement des réservoirs 2 et 3. L'ensemble du système a deux grandeurs d'entrée q_{e1} et q_{e2} et une seule grandeur de sortie q_s.

Pour faciliter la modélisation de l'ensemble du système, on l'a décomposé en trois sous-systèmes notés s/s_1 (réservoir 1), s/s_2 (réservoirs 2 et 3), s/s_3 (réservoir 4). Procédons d'abord à la modélisation de chaque sous-système en considérant l'écoulement du fluide laminaire. On utilise pour cela les équations (2.35) pour la résistance et (2.36) pour la capacité. La longueur de la tuyauterie étant faible, l'inductance hydraulique est négligée.

Pour le sous-système s/s_1, on peut écrire:

$$q_{e1} - q_1 = C_1 \frac{dh_1}{dt} \tag{2.46}$$

$$R_1 = \frac{h_1}{q_1} \tag{2.47}$$

En dérivant l'expression (2.47) et en remplaçant dans (2.46), on obtient:

$$R_1 C_1 \frac{dq_1}{dt} + q_1 = q_{e1} \tag{2.48}$$

L'équation (2.48) représente l'équation différentielle décrivant le sous-système s/s_1.

Pour le sous-système s/s_2, nous remarquons qu'entre les réservoirs 2 et 3, il existe une liaison rigide par l'intermédiaire de la vanne R_3. Cela veut dire que le niveau de l'un influence le niveau de l'autre. Pour le réservoir 3, on peut

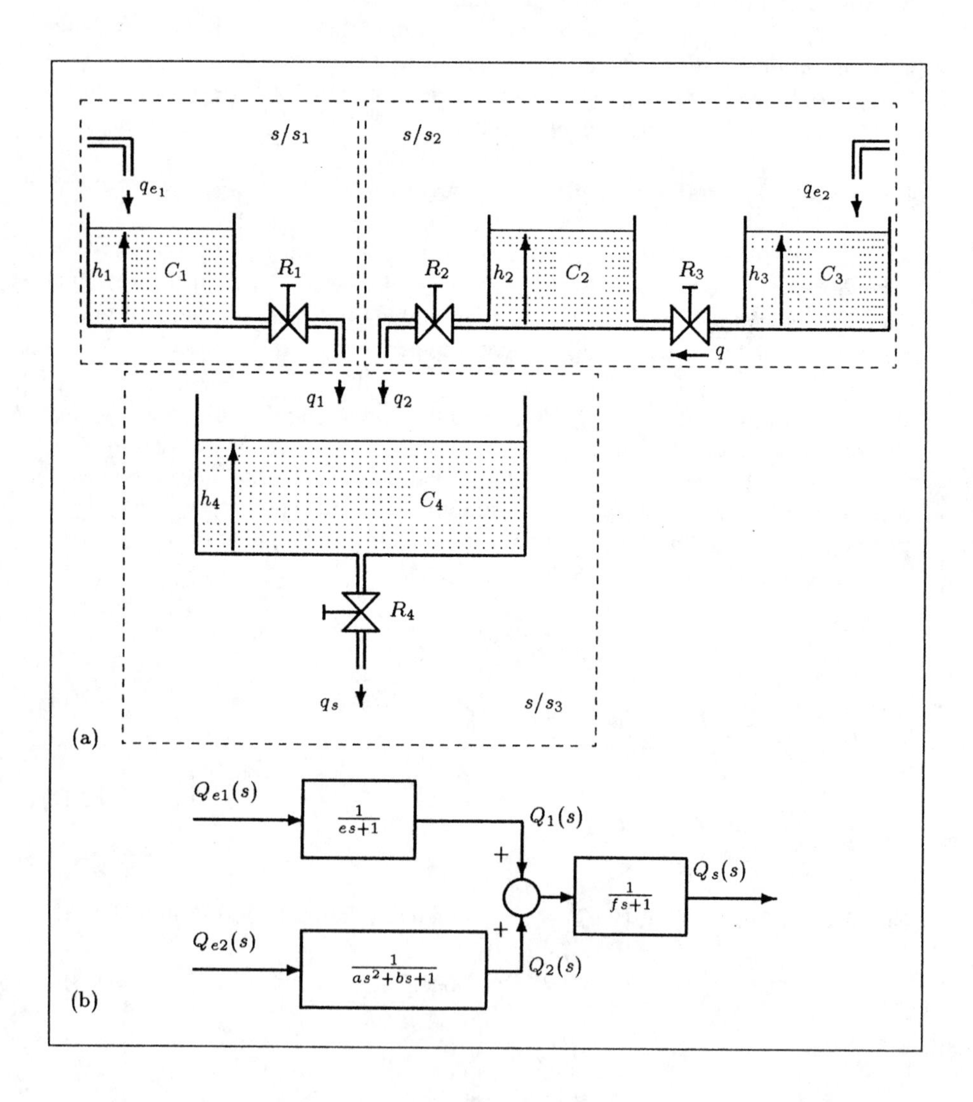

Figure 2.20 Système à plusieurs réservoirs (a) et son schéma-bloc (b).

écrire:

$$q_{e2} - q = C_3 \frac{dh_3}{dt} \qquad (2.49)$$

$$R_3 = \frac{h_3 - h_2}{q} \qquad (2.50)$$

Pour le réservoir 2, on a:

$$q - q_2 = C_2 \frac{dh_2}{dt} \qquad (2.51)$$

$$R_2 = \frac{h_2}{q_2} \qquad (2.52)$$

En combinant deux à deux les équations (2.49), (2.50) et (2.51), (2.52), on obtient le système d'équations différentielles suivant:

$$q_{e2} - q = R_3 C_3 \frac{dq}{dt} + R_2 C_3 \frac{dq_2}{dt} \qquad (2.53)$$

$$q - q_2 = R_2 C_2 \frac{dq_2}{dt} \qquad (2.54)$$

En éliminant q des équations (2.53) et (2.54), on obtient l'équation différentielle du sous-système 2, tel que:

$$R_2 R_3 C_2 C_3 \frac{d^2}{dt^2} q_2 + (R_3 C_3 + R_2 C_3 + R_2 C_2) \frac{d}{dt} q_2 + q_2 = q_{e2} \qquad (2.55)$$

Pour le sous-système s/s_3, on peut écrire:

$$(q_1 + q_2) - q_s = C_4 \frac{d}{dt} h_4 \qquad (2.56)$$

$$R_4 = \frac{h_4}{q_s} \qquad (2.57)$$

En combinant (2.56) et (2.57), on obtient l'équation différentielle de ce sous-système:

$$R_4 C_4 \frac{d}{dt} q_s + q_s = q_1 + q_2 \qquad (2.58)$$

Le modèle mathématique de l'ensemble du système est une combinaison des modèles décrits par les équations (2.56), (2.57) et (2.58), à savoir:

$$\begin{aligned} R_1C_1\frac{d}{dt}q_1 + q_1 &= q_{e1} && (2.59)\\ R_2R_3C_2C_3\frac{d^2}{dt^2}q_2 + (R_3C_3 + R_2C_3 + R_2C_2)\frac{d}{dt}q_2 + q_2 &= q_{e2} && (2.60)\\ R_4C_4\frac{dq_s}{dt} + q_s &= q_1 + q_2 && (2.61) \end{aligned}$$

Comme le système a deux grandeurs d'entrée q_{e1} et q_{e2} et une seule grandeur de sortie q_s, il est intéressant d'écrire les deux équations différentielles donnant la grandeur de sortie du système en fonction de chaque grandeur d'entrée. En arrangeant les trois équations précédentes et en posant: $a = R_2R_3C_2C_3$, $b = R_3C_3 + R_2C_3 + R_2C_2$, $e = R_1C_1$ et $f = R_4C_4$ on obtient:

$$ef\frac{d^2}{dt^2}q_s + (e+f)\frac{d}{dt}q_s + q_s = q_{e1} \qquad (2.62)$$

$$af\frac{d^3}{dt^3}q_s + (a+bf)\frac{d^2}{dt^2}q_s + (b+f)\frac{d}{dt}q_s + q_s = q_{e2} \qquad (2.63)$$

Ainsi, le système peut être représenté soit par le système d'équations (2.59), (2.60) et (2.61), soit par (2.62) et (2.63). On adopte le premier système d'équations pour le modèle par fonction de transfert et le deuxième pour le modèle d'état.

En passant à la transformée de Laplace, les équations précédentes s'écrivent:

$$\begin{aligned} esQ_1(s) + Q_1(s) &= Q_{e1}(s)\\ as^2Q_2(s) + bsQ_2(s) + Q_2(s) &= Q_{e2}(s)\\ fsQ_s(s) + Q_s(s) &= Q_1(s) + Q_2(s) \end{aligned}$$

où $Q_1(s) = \mathcal{L}[q_1(t)]$, $Q_2(s) = \mathcal{L}[q_2(t)]$, $Q_{e1}(s) = \mathcal{L}[q_{e1}(t)]$, $Q_{e2}(s) = \mathcal{L}[q_{e2}(t)]$ et $Q_s(s) = \mathcal{L}[q_s(t)]$.

Les fonctions de transfert correspondantes sont:

$$\frac{Q_1(s)}{Q_{e1}(s)} = \frac{1}{es+1}$$

$$
\begin{aligned}
\frac{Q_2(s)}{Q_{e2}(s)} &= \frac{1}{as^2+bs+1} \\
\frac{Q_s(s)}{Q_1(s)+Q_2(s)} &= \frac{1}{fs+1}
\end{aligned}
$$

Le schéma-bloc de l'ensemble est représenté sur la figure 2.20b.

Pour la représentation interne, on se base sur les équations (2.62) et (2.63). En choisissant comme variable d'état: $x_1(t) = q_1(t)$, $x_2(t) = q_2(t)$, $x_3(t) = \frac{d}{dt}q_2(t)$ et $x_4(t) = q_s(t) = y(t)$ et en notant le fait qu'on a:

$$
\begin{aligned}
q_{e1}(t) &= e\frac{d}{dt}q_1(t) + q_1(t) \\
q_{e2}(t) &= a\frac{d^2}{dt^2}q_2(t) + b\frac{d}{dt}q_2(t) + q_2(t) \\
q_s(t)^{\cdot} &= -f\frac{d}{dt}q_s(t) + q_1(t) + q_2(t)
\end{aligned}
$$

on obtient la représentation d'état suivante:

$$
\begin{aligned}
\begin{bmatrix} \dot{x}_1(t) \\ \dot{x}_2(t) \\ \dot{x}_3(t) \\ \dot{x}_4(t) \end{bmatrix} &= \begin{bmatrix} -\frac{1}{e} & 0 & 0 & 0 \\ 0 & 0 & 1 & 0 \\ 0 & -\frac{1}{a} & -\frac{b}{a} & 0 \\ \frac{1}{f} & \frac{1}{f} & 0 & -\frac{1}{f} \end{bmatrix} \begin{bmatrix} x_1(t) \\ x_2(t) \\ x_3(t) \\ x_4(t) \end{bmatrix} + \begin{bmatrix} \frac{1}{e} & 0 \\ 0 & 0 \\ 0 & \frac{1}{a} \\ 0 & 0 \end{bmatrix} \begin{bmatrix} q_{e1}(t) \\ q_{e2}(t) \end{bmatrix} \\
\mathbf{y}(t) &= \begin{bmatrix} 0 & 0 & 0 & 1 \end{bmatrix} \begin{bmatrix} x_1(t) \\ x_2(t) \\ x_3(t) \\ x_4(t) \end{bmatrix}
\end{aligned}
$$

Exemple 2.13 Servovanne électro-hydraulique

La servovanne hydraulique, schématisée à la figure 2.21a, est composée de trois parties: un servomoteur électro-hydraulique, un distributeur et un vérin (ou cylindre). Le principe de fonctionnement est le suivant: un servomoteur électro-hydraulique est constitué d'un micro-moteur électrique, qui, lorsqu'il est alimenté par un courant électrique i, fait déplacer la membrane M dans un sens ou dans l'autre selon le signe de i. Dans la membrane M circule un fluide à la pression constante P.

Supposons que M est attirée vers l'orifice 1. Ainsi, le fluide qui circule dans M passe par l'orifice 1 et alimente le distributeur par sa partie gauche. Ceci

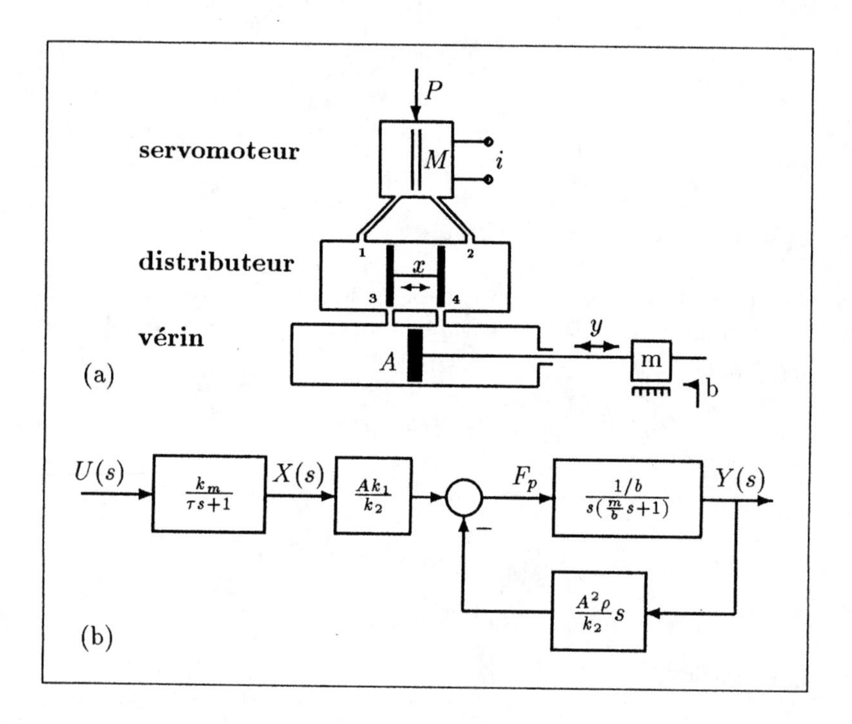

Figure 2.21 Représentation de la servovanne (a) et son schéma-bloc (b).

entraîne les pistons du distributeur à se déplacer vers la droite, libérant ainsi les orifices 3 et 4. Le passage du fluide à travers l'orifice 3 oblige le piston du vérin à se déplacer vers la droite. Le retour du fluide se fait par l'orifice 4.

On voit ainsi que la grandeur d'entrée de ce système est un courant électrique i et sa grandeur de sortie un déplacement y. Le courant électrique circulant dans la bobine en présence d'un champ magnetique produit un couple C dont l'expression est donnée par:

$$C = K_0 \phi i = k_m i$$

Soit θ l'angle de rotation de la membrane M qui ouvre ou ferme les orifices, et soit l sa longueur. La relation fondamentale de la dynamique des corps en rotation appliquée à cette membrane donne:

$$C = J_M \ddot{\theta} + C_M \dot{\theta} + K_M \theta$$

où J_M est le moment d'inertie de la membrane, C_M le coefficient de frottement visqueux et K_M la constante de torsion.

On sait que le déplacement x du tiroir est relié à θ par la relation $x = l\theta$, ce qui donne:

$$X(s) = \frac{\frac{l}{K_M}}{\frac{1}{\omega_m^2}s^2 + \frac{2\xi}{\omega_m}s + 1}C(s)$$

où $\omega_m = \left(\frac{K_M}{J_M}\right)^{\frac{1}{2}}$ et $2\xi\omega_m = \frac{C_M}{J_M}$.

En général, J_M est très petit et ω_m est grand, ce qui signifie que la relation précédente peut s'écrire comme suit:

$$X(s) = \frac{l}{K_M}C(s) = KI(s)$$

Lorsque les déplacements du tiroir sont petits autour du point d'équilibre, la différence de pression $p_1 - p_2$ entre les deux orifices peut être linéarisée, ce qui donne l'expression suivante:

$$p_1 - p_2 = -2c(-x) = kx$$

où c est la pente de la courbe caractérisant la relation entre la pression et la distance entre la membrane et l'orifice.

Pour trouver la relation entre y et x, notons par q le débit du fluide entrant dans le vérin et par $\Delta = p_1 - p_2$ la différence de pression entre les deux côtés du piston du vérin. Du fait de la non-linéarité de la relation liant q, Δp et x, on procède à une linéarisation de cette relation autour d'un point de fonctionnement défini par q_0, Δp_0 et x_0. Dans notre cas, le point de fonctionnement est l'état d'équilibre de l'ensemble tel que $q_0 = 0$, $x_0 = 0$ et $p_1 = p_2$. En négligeant la compressibilité de l'huile, le modèle linéarisé traduisant le débit q du fluide entrant dans le vérin suite à un déplacement x est donné par:

$$q = k_1 x - k_2(p_1 - p_2)$$

où k_1 et k_2 sont des constantes positives tel que $k_1 = \frac{dq}{dx}|_{x=x_0, \Delta p = \Delta p_0}$ et $k_2 = \frac{dq}{d\Delta p}|_{x=x_0, \Delta p = \Delta p_0}$

On sait que le taux de variation du débit ainsi que le taux de variation du déplacement sont liés par la relation:

$$q = A\dot{y} + q_L = A\dot{y} + k_3(p_1 - p_2)$$

où A est la section du piston du vérin et q_L traduit les pertes proportionnelles à $(p_1 - p_2)$.

En éliminant le débit q des deux relations précédentes, on obtient:

$$k_1 x = A\dot{y} + (k_2 + k_3)(p_1 - p_2)$$

Sachant que la force F_p développée par le piston du vérin est définie par:

$$F_p = A\,(p_1 - p_2)$$

On applique la relation fondamentale des corps en translation à la masse entraînée par le piston et, en tenant compte des frottements visqueux, on obtient:

$$m\ddot{y}(t) = F_p(t) - b\dot{y}(t) \tag{2.64}$$

Ce qui donne:

$$Y(s) = \frac{K}{s(\tau s + 1)} X(s)$$

où $K = \frac{Ak_1}{A^2+b(k_2+k_3)}$ et $\tau = \frac{m(k_2+k_3)}{A^2+b(k_2+k_3)}$

L'équation différentielle de ce système est donc:

$$\tau \frac{d^2}{dt^2} y(t) + \frac{d}{dt} y(t) = K\ i(t) \tag{2.65}$$

Pour le modèle d'état, posons: $x_1(t) = y(t)$, $x_2(t) = \dot{y}(t)$ et en différenciant ces relations, on obtient, en se basant sur l'équation (2.65), le modèle d'état suivant:

$$\begin{aligned} \begin{bmatrix} \dot{x}_1(t) \\ \dot{x}_2(t) \end{bmatrix} &= \begin{bmatrix} 0 & 1 \\ 0 & -\frac{1}{\tau} \end{bmatrix} \begin{bmatrix} x_1(t) \\ x_2(t) \end{bmatrix} + \begin{bmatrix} 0 \\ \frac{K}{\tau} \end{bmatrix} u(t) \\ \mathbf{y}(t) &= \begin{bmatrix} 1 & 0 \end{bmatrix} \begin{bmatrix} x_1(t) \\ x_2(t) \end{bmatrix} \end{aligned}$$

Le schéma-bloc du système servovanne-charge est représenté à la figure 2.21b.

2.5.8 Systèmes pneumatiques

Nous procédons de la même manière que nous l'avons fait pour les systèmes hydrauliques. C'est-à-dire que nous définissons les notions de résistance et de capacité dans le cas des écoulements des gaz.

2.5.9 Résistance pneumatique

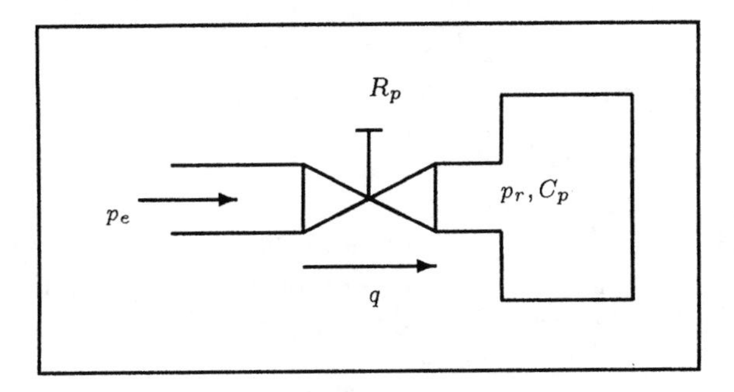

Figure 2.22 Réservoir pneumatique.

Soit un réservoir rempli de gaz tel que représenté à la figure 2.22. Soit q le débit de gaz introduit et p_e et p_r respectivement les pressions d'entrée du système et du réservoir. Sur cet exemple simple, nous remarquons que les pressions p_e et p_r sont différentes du fait de la résistance qu'opposent la vanne d'étranglement et la canalisation à l'écoulement du gaz. La résistance à l'écoulement des gaz est définie par le rapport des variations des pressions et du débit tel que:

$$R_p = \frac{dp}{dq} \tag{2.66}$$

Cette résistance est très difficile à calculer du fait que le coefficient de dilatation du gaz dépend beaucoup de la pression. Elle est déterminée généralement graphiquement sur la courbe de variation de la pression en fonction du débit $p = f(q)$. Remarquons que l'analogie de l'équation (2.66) avec les systèmes électriques est respectée [p est équivalent à u; q est équivalent à i; R_p est équivalent à R_{elect}].

2.5.10 Capacité pneumatique

Dans l'exemple de la figure 2.22, on voit que la quantité de gaz accumulée dans le réservoir est fonction de la variation de pression dans le système. Autrement dit, le réservoir a la capacité d'emmagasiner plus ou moins de gaz selon les pressions mises en jeu. Plus la quantité de gaz accumulée est grande et plus la capacité du réservoir est grande, plus la pression interne augmente. Il existe donc une relation liant ces trois paramètres:

$$C_p = \frac{dM}{dp} \implies dM = C_p dp \tag{2.67}$$

où M est la masse de gaz accumulée et p est la pression du gaz.

Remarquons que nous n'avons pas introduit la variable température dans notre raisonnement car nous sommes dans la situation où les variations de pression se font à température constante. Ceci est valable pour beaucoup de gaz (l'air entre autres) lorsque les variations de pression sont de l'ordre d'environ 1 à 10. Le système vérifie l'équation d'état des gaz parfaits:

$$pV = MRT \tag{2.68}$$

où T est la température absolue, R est la constante universelle des gaz, M est la masse du gaz, V est le volume du gaz et p est la pression du gaz.

Insistons sur le fait que l'expression (2.68) n'est valable que pour les hypothèses introduites ci-dessus. En effet, pour des gaz qui se liquéfient facilement, on a:

$$PV = f(\theta)$$

où θ est la température.

La théorie de la compression et de la détente des gaz parfaits nous enseigne que les situations concernant les variations de volume et, par conséquent, de pression sont très diverses. Dans le cas d'une transformation adiabatique et réversible (ou isentropique), la Loi de Laplace s'écrit:

$$\frac{dp}{dV} = -\gamma \frac{p}{V} \tag{2.69}$$

où $\gamma = \frac{C_p}{C_v}$ est un coefficient sans dimension caractérisant le rapport des chaleurs spécifiques d'un gaz respectivement à pression et à volume constants.

Dans ce cas, en tenant compte des équations (2.68) et (2.69), l'équation (2.67) s'écrit:

$$C_p = \frac{dM}{dp} = -\frac{V}{\gamma RT} \tag{2.70}$$

Si la transformation est isotherme ($\gamma = 1$), alors:

$$C_p = \frac{V}{RT} \tag{2.71}$$

Le signe négatif dans (2.70) veut dire que la pente de la courbe isentropique est négative (compressibilité). Il peut être omis dans notre cas.

La variation de dM et dp dans le temps est bien équivalente respectivement à i et u pour les systèmes électriques. Ainsi, C_p dans les systèmes pneumatiques est l'équivalent de C pour les systèmes électriques tel que $C\frac{du}{dt} = i(t)$. Là encore l'analogie est respectée.

Exemple 2.14 Vanne pneumatique

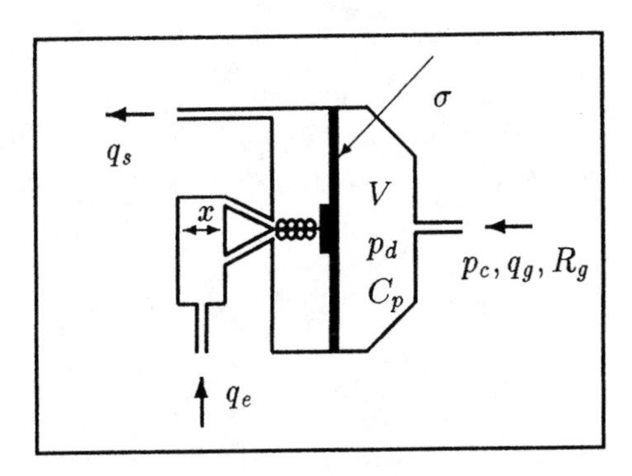

Figure 2.23 Vanne pneumatique.

Considérons la vanne pneumatique représentée à la figure 2.23. Lorsqu'une pression de commande p_c est introduite dans la vanne, le diaphragme de surface σ se déplace vers la gauche entraînant la tige et ouvrant le passage au débit d'air q_e à travers l'orifice. Le débit d'air à la sortie q_s est fonction du déplacement x de la tige.

Plus la pression p_c est grande, plus x et q_s augmentent. Les types de vannes pneumatiques diffèrent selon leur usage, mais le principe de fonctionnement reste le même.

Dans cet exemple, on tient compte des masses en mouvement ainsi que des paramètres dus à l'écoulement du gaz dans la partie commande. On ne considère comme constantes que les pressions du gaz à l'entrée et à la sortie de la vanne. Ainsi, entre la pression de commande p_c et la pression agissant sur le diaphragme p_d, il existe la relation suivante:

$$p_c - p_d = q_g R_g \tag{2.72}$$

où $q_g = C_g \frac{dp_d}{dt}$ avec $C_g = \frac{V}{\gamma RT}$. R_g et C_g représentent la résistance et la capacité du système.

La déformation du diaphragme entraîne la compression du ressort et le déplacement de la tige de x (mètres). L'équation dynamique de cet ensemble est:

$$\sigma p_d = m \frac{d^2}{dt^2} x + f \frac{d}{dt} x + kx \tag{2.73}$$

où m est la masse de la tige et de la soupape; f est le coefficient des frottements visqueux; k est la constante du ressort.

Le déplacement x dépend de la pression de commande p_c. Pour des déplacements différents (donc des p_c différents), on a des surfaces σ_1 d'ouverture de l'orifice différentes. Le débit de sortie q_s dépend directement de cette surface et donc de x.

Autrement dit, $q_s = f(\sigma_1) = f(x)$ tel que:

$$q_s = k_1 \sigma_1 = k_v x \tag{2.74}$$

où k_1 est le coefficient d'écoulement; k_v est le coefficient de la vanne dépendant des propriétés de l'écoulement du gaz, de la surface de l'orifice ainsi que des caractéristiques propres à la canalisation véhiculant le gaz en amont et en aval de la vanne.

Les équations (2.72), (2.73) et (2.74) permettent ainsi d'écrire l'équation différentielle du système:

$$\frac{d^3}{dt^3} q_s(t) + \left[\frac{1}{R_g C_g} + \frac{f}{m}\right] \frac{d^2}{dt^2} q_s(t) + \left[\frac{k}{m} + \frac{f}{mC_g R_g}\right] \frac{d}{dt} q_s(t) + \frac{k}{mC_g R_g} q_s(t) = \frac{\sigma k_v}{mC_g R_g} p_c(t) \tag{2.75}$$

Pour avoir le modèle par fonction de transfert du système représenté par l'équation (2.75), posons: $a = R_g C_g$, $b = 1 + \frac{f R_g C_g}{m}$, $c = \frac{k R_g C_g + f}{m}$, $d = \frac{k}{m}$ et $e = \frac{\sigma k_v}{m}$.

En prenant des conditions initiales nulles, et en utilisant la transformation de Laplace, on obtient la fonction de transfert suivante:

$$\frac{Q_s(s)}{P_c(s)} = \frac{e}{as^3 + bs^2 + cs + d} \tag{2.76}$$

Pour avoir le modèle par représentation d'état du système décrit par l'équation (2.75), appelons $p_c(t) = u(t)$ et posons: $x_1(t) = q_s(t) = y(t)$, $\dot{x}_1(t) = \dot{q}_s(t) = x_2(t)$ et $\dot{x}_2(t) = \ddot{q}_s(t) = x_3(t)$:

$$\frac{d^3}{dt^3} q_s(t) = \dot{x_3}(t) = -\frac{b}{a} x_3(t) - \frac{c}{a} x_2(t) - \frac{d}{a} x_1(t) + \frac{e}{a} u(t)$$

La représentation matricielle est:

$$\begin{aligned} \begin{bmatrix} \dot{x}_1(t) \\ \dot{x}_2(t) \\ \dot{x}_3(t) \end{bmatrix} &= \begin{bmatrix} 0 & 1 & 0 \\ 0 & 0 & 1 \\ -\frac{d}{a} & -\frac{c}{a} & -\frac{b}{a} \end{bmatrix} \begin{bmatrix} x_1(t) \\ x_2(t) \\ x_3(t) \end{bmatrix} + \begin{bmatrix} 0 \\ 0 \\ \frac{e}{a} \end{bmatrix} \mathbf{u}(t) \\ \mathbf{y}(t) &= \begin{bmatrix} 1 & 0 & 0 \end{bmatrix} \begin{bmatrix} x_1(t) \\ x_2(t) \\ x_3(t) \end{bmatrix} \end{aligned}$$

Si on néglige les masses en mouvement ainsi que les frottements visqueux, les dérivées de x s'annulent et l'équation (2.73) devient:

$$\sigma p_d = kx \tag{2.77}$$

En combinant les équations (2.73), (2.74) et (2.77), nous obtenons l'équation différentielle du système de la figure 2.23:

$$R_g C_g \frac{d}{dt} q_s(t) + q_s(t) = \frac{\sigma k_v}{k} p_c(t) \tag{2.78}$$

La fonction de transfert de ce système est:

$$\frac{Q_s(s)}{P_c(s)} = \frac{\sigma \frac{k_v}{k}}{R_g C_g s + 1} \tag{2.79}$$

Pour avoir la représentation d'état du système représenté par l'équation différentielle (2.78), on doit faire un choix de variables d'état. Notons tout d'abord que le but principal de la représentation d'état est de transformer une équation différentielle d'ordre n en une équation différentielle d'ordre 1 sous forme matricielle.

Or, pour l'équation différentielle décrite par (2.78), cette transformation est directe car (2.78) est déjà du 1er ordre.

En effet, l'équation différentielle (2.78) est:

$$\frac{d}{dt}q_s(t) + \frac{1}{R_g C_g}q_s(t) = \frac{\sigma k_v}{k R_g C_g}p_c(t)$$

Posons $q_s(t) = x_1 = y$ et $p_c(t) = u$ Ainsi:

$$\dot{q}_s(t) = \dot{x}_1 = -\frac{1}{R_g C_g}x_1 + \frac{\sigma k_v}{k R_g C_g}p_c(t)$$

Finalement,

$$\begin{aligned} \dot{x}_1(t) &= \left[-\frac{1}{R_g C_g}\right][x_1(t)] + \left[\frac{\sigma k_v}{k R_g C_g}\right]u(t) \\ y(t) &= [1][x_1] \end{aligned}$$

Pour les raisons ci-dessus évoquées, dans ce qui suit, on limite la représentation d'état aux systèmes décrits par des équations différentielles d'ordre strictement supérieur à 1.

Maintenant si, en plus des masses et frottements, on néglige les résistances et capacités dans le circuit de commande, alors l'équation (2.73) s'écrit:

$$\sigma p_d = kx \tag{2.80}$$

Comme précédemment, les expressions (2.73) et (2.79) permettent d'écrire l'équation différentielle du système de la figure 2.23 sous la forme:

$$q_s(t) = \frac{\sigma k_v}{k} p_c(t) \tag{2.81}$$

dont la fonction de transfert est:

$$\frac{Q_s(s)}{P_c(s)} = \frac{\sigma k_v}{k} \tag{2.82}$$

2.5.11 Systèmes thermiques

Comme dans le paragraphe précédent, il est intéressant d'introduire quelques notions analogues aux systèmes électriques, très utiles pour la simulation des processus. En effet, tout système, de quelque type que ce soit, dans le cas thermique, trouve indubitablement son équivalent électrique. Sans développer cette théorie, nous allons éclairer le lecteur sur certaines analogies de base.

2.5.12 Résistance thermique

En électricité, la loi d'Ohm nous permet d'écrire que la résistance est le rapport de la tension u et du courant i, c'est-à-dire $R = \frac{u}{i}$. Dans un système thermique, la notion de "différence de potentiel" est assimilable directement à la différence de température et celle de "flux" à un débit. Expliquons cela à l'aide du système de la figure 2.24a.

En effet, en se référant à cette figure, une certaine quantité de chaleur doit passer de la zone 1 vers la zone 2 à travers le corps solide homogène 3. Soit Q la quantité de chaleur devant être transférée de 1 vers 2 à travers le corps 3 de surface A et d'épaisseur L. Il est évident que le transfert de Q se fait par conduction et progressivement, jusqu'à la stabilité du phénomène. Plus L est petit et plus la température d'entrée θ_1 est grande et plus le transfert se fait rapidement. La Loi de Fourrier en conduction nous permet d'écrire:

$$dQ = kA\frac{d\theta}{dx} = kA\frac{d}{dx}(\theta_1 - \theta_2)$$

où k est la conductivité thermique et Q est le débit de chaleur.

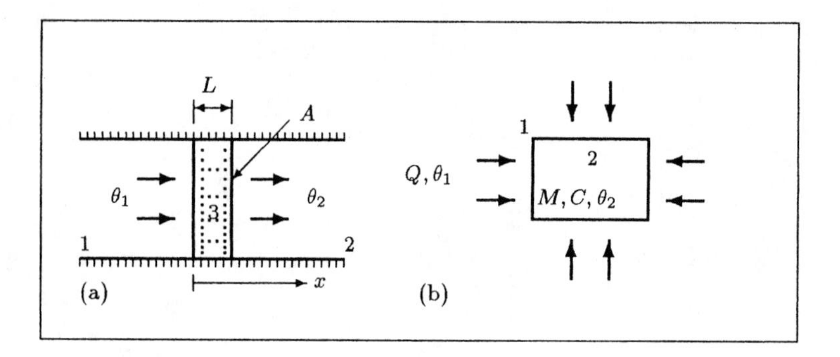

Figure 2.24 Système à transfert de chaleur par conduction (a) Système thermique (b)

En supposant la distribution de température uniforme à travers le corps, lorsque le processus de transfert de chaleur se stabilise, on a:

$$Q = \frac{kA}{L}[\theta_1 - \theta_2] \tag{2.83}$$

D'après ce qui a été dit, le rapprochement des équations thermique (2.83) et électrique $R = \frac{u}{i}$ est frappant. En effet, Q est assimilable à i; et $\theta_1 - \theta_2$ est assimilable à u.

De là, le terme restant $\frac{L}{kA}$ ne peut que représenter une résistance. Celle-ci est appelée "résistance thermique" et s'écrit:

$$R_{tcd} = \frac{L}{kA} \tag{2.84}$$

L'expression (2.84) de R_{tcd} a été déduite à partir d'un exemple (fig. 2.24a) où le transfert de chaleur se fait par conduction.

Or, nous savons que les transferts de chaleur se font également par convection et par rayonnement.

Pour expliquer succinctement le phénomène de convection, prenons l'exemple d'un radiateur chauffant une chambre. Les particules de l'air au contact du radiateur chauffent et ont tendance à s'élever, cédant la place à d'autres particules plus froides, qui à leur tour chauffent sur la surface du radiateur et s'élèvent. Ce processus se répète indéfiniment tant que l'on n'arrête pas le chauffage. L'expression du débit de chaleur transmise par cette voie est:

$$Q = hAdT = hA(\theta_s - \theta_\infty) \tag{2.85}$$

où h est coefficient de convection; A est la surface du radiateur; θ_s est la température de la surface du radiateur et θ_∞ est la température de l'air ambiant.

En faisant le rapprochement avec la loi d'Ohm pour les systèmes électriques, la résistance thermique pour la convection s'écrit:

$$R_{tcv} = \frac{1}{hA} \tag{2.86}$$

Le transfert de chaleur par rayonnement est un peu particulier. En effet, tout corps chauffé transmet de la chaleur sous forme rayonnante. Mais ce phénomène est particulièrement mis en valeur lorsque les températures sont élevées. À ce titre, l'exemple du soleil transmettant de la chaleur par rayonnement à des distances aussi élevées est très significatif. L'échange net d'énergie par rayonnement entre deux corps a et b est décrit par l'équation:

$$Q = A_a F_{ab} \sigma(\theta_a^4 - \theta_b^4) \tag{2.87}$$

où $\sigma(\theta_a^4 - \theta_b^4) = E$ est la puissance totale émise; σ est la constante de Stefan-Boltzmann ($5.67\ 10^{-8}\ \frac{W}{m^2K^4}$); A_a est la surface du corps émetteur (m^2); θ_a et θ_b sont les températures respectives de l'émetteur et du récepteur; F_{ab} est le coefficient de forme représentant la fraction d'énergie qui quitte le corps a et qui est interceptée par le corps b.

De la même manière que précédemment, par analogie, la résistance thermique par rayonnement est:

$$R_{tr} = \frac{1}{A_a F_{ab}} \tag{2.88}$$

2.5.13 Capacité thermique

En électricité toujours, la loi d'Ohm nous permet d'écrire l'équation suivante liée à un élément capacitif:

$$i = C\frac{du}{dt}$$

où C est la capacité électrique.

Lorsque l'élément capacitif est mis sous tension, on dit qu'il se charge d'électricité; c'est-à-dire qu'il emmagasine de l'électricité. La notion d'emmagasinage de l'énergie dans les phénomènes thermiques peut être expliquée à l'aide de l'exemple de la figure 2.24b.

Soit un corps solide homogène (2) dans lequel on doit transférer une certaine quantité de chaleur Q d'un environnement externe (1). Il est évident que les caractéristiques propres du corps (2), en l'occurrence sa chaleur spécifique c ainsi que sa masse M, sont importantes dans le processus de transfert de la chaleur Q.

Si Q est la quantité de chaleur qu'il faut fournir au corps (2) de masse M pour élever sa température de θ_e à θ_t pendant un intervalle de temps dt, alors la chaleur spécifique moyenne de ce corps solide entre ces deux températures est définie par le rapport:

$$Mc = \frac{Qdt}{\theta_t - \theta_e} = \frac{Qdt}{d\theta} \tag{2.89}$$

Cette expression n'est valable que si la chaleur spécifique c est constante, ce qui a lieu lorsque l'intervalle des températures $[\theta_t, \theta_e]$ n'est pas très étendu.

L'expression (2.89) s'écrit finalement:

$$Q = Mc\frac{d\theta}{dt} \tag{2.90}$$

Si on compare (2.90) avec $i = C\frac{du}{dt}$, alors on remarque que Q est analogue à i et θ est analogue à u; et donc finalement Mc est analogue à la capacité électrique C. On appelle le produit Mc "capacité-thermique" et on le désigne par C_t tel que:

$$C_t = Mc = \rho Vc \tag{2.91}$$

où ρ est la densité massique et V est le volume du corps.

Exemple 2.15 Chauffage électrique d'une maison

Considérons le chauffage d'une maison dont les dimensions sont connues. La source d'énergie est électrique. Notons $q_i(t)$ le flux de chaleur émis par le radiateur électrique, $q_p(t)$ celui des pertes vers le milieu extérieur, m la masse, c la chaleur spécifique, θ la température de la maison, et enfin θ_e la température du milieu extérieur. On suppose que tout le système est à paramètres localisés. Un tel système est illustré à la figure 2.25a.

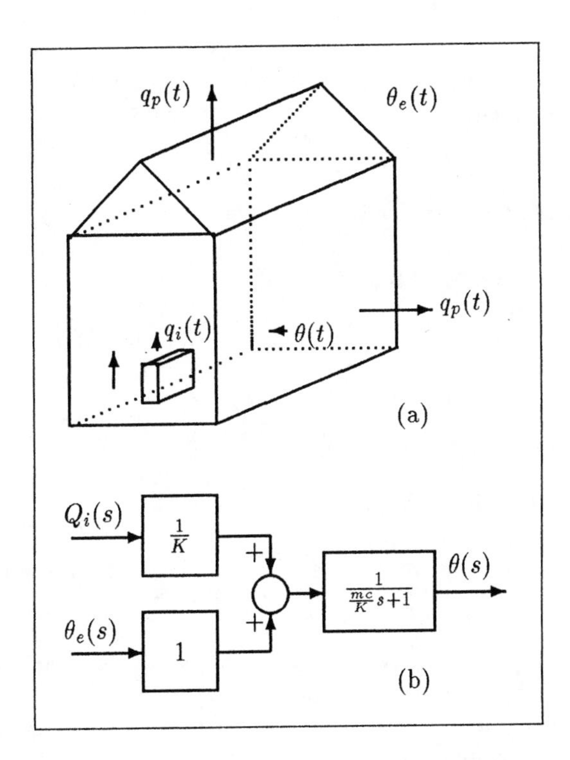

Figure 2.25 Chauffage électrique d'une maison de dimension donnée (a) et son schéma-bloc (b).

La chaleur échangée avec le milieu extérieur (ou les pertes d'énergie) est décrite par l'expression suivante:

$$q_p(t) \quad = \quad k[\theta(t) - \theta_e(t)]$$

où $k = \frac{1}{R_T} = \frac{1}{R+R_f}$ tel que $R = \frac{L}{k}$ est la résistance thermique par conduction à travers le mur de la maison. L est l'épaisseur du mur, k est le coefficient de conduction thermique du matériau constituant le mur; et $R_f = \frac{1}{h}$ est la résistance thermique par convection entre la paroi extérieure de la maison et l'air ambiant. h est le coefficient de convection.

Le principe de la conservation de l'énergie permet d'écrire:

$$\begin{aligned} mc\frac{d}{dt}\theta(t) &= q_i(t) - q_p(t) \\ mc\frac{d}{dt}\theta(t) &= q_i(t) - K[\theta(t) - \theta_e(t)] \end{aligned}$$

En prenant des conditions initiales nulles, en composant avec la transformée de Laplace et après quelques arrangements, on obtient:

$$\theta(s)\ (mc\ s + K) = Q_i(s) + K\ \theta_e(s)$$

où $\theta(s) = \mathcal{L}[\theta(t)]$, $Q_i(s) = \mathcal{L}[q_i(t)]$ et $\theta_e(s) = \mathcal{L}[\theta_e(t)]$.

L'expression de la température de la maison est finalement donnée par:

$$\theta(s) = \frac{1/K}{(\frac{mc}{K}s + 1)}Q_i(s) + \frac{1}{(\frac{mc}{K}s + 1)}\theta_e(s)$$

Le schéma-bloc correspondant est illustré à la figure 2.25b.

Exemple 2.16 Étude d'un échangeur de chaleur

Soit l'échangeur de chaleur représenté à la figure 2.26a et soit son modèle illustré à la figure 2.26b.

L'échangeur doit permettre le chauffage de l'eau de la température θ_e à θ_s. L'eau entre dans l'échangeur avec une quantité de chaleur q_e et en ressort avec q_s. L'élément chauffant de l'échangeur est une résistance électrique alimentée par l'intermédiaire d'un autotransformateur qui permet de régler le débit de chaleur Q_e à introduire dans l'échangeur.

Un mélangeur entraîné par un moteur M permet de considérer la température de l'eau en tout point intérieur de l'échangeur uniforme. Soit q le débit constant de l'eau à travers l'échangeur. L'échange de température avec l'environnement externe est considéré nul, donc θ_i est égale à θ_s (voir figure 2.26a).

Les paramètres susceptibles de varier sont Q_e et θ_e dans les trois variantes possibles suivantes:

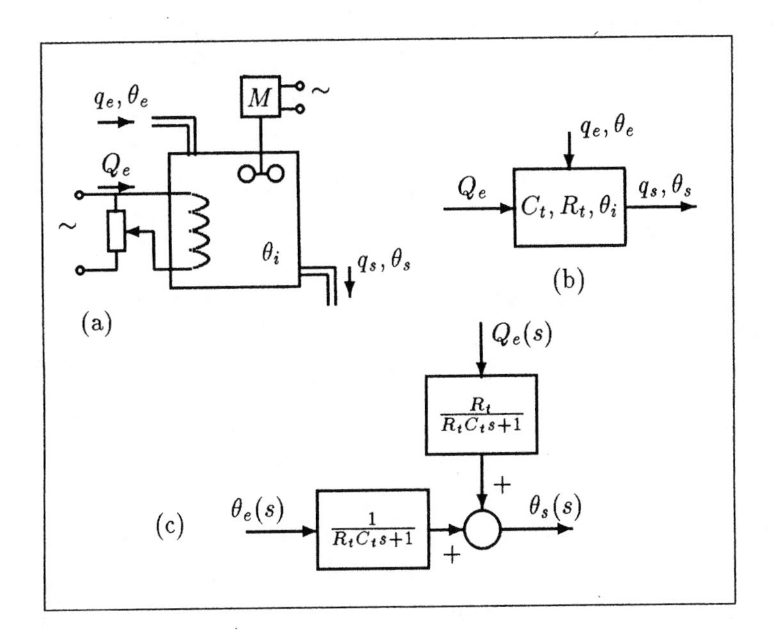

Figure 2.26 Représentation schématique de l'échangeur de chaleur (a), son schéma simplifié (b) et son schéma-bloc (c).

- Q_e variable et θ_e constante (cas i);
- θ_e variable et Q_e constante (cas ii);
- Q_e variable et θ_e variable (cas iii).

Dans ce qui suit, on étudie les trois variantes, et on obtient ainsi trois modèles différents.

Lorsque Q_e est variable, on convient que l'on passe d'un état Q_e à un autre $Q_e^t = Q_e + \Delta Q_e$ instantanément. Il en est de même pour θ_e.

Commençons par le cas (iii).

L'équation différentielle est déduite du modèle de la figure 2.26a. La chaleur emmagasinée dans le réservoir est égale à la somme algébrique des chaleurs introduites et sortantes, c'est-à-dire:

$$C_t \frac{d\theta_i}{dt} = Q_e + q_e - q_s$$

ou

$$C_t \frac{d\theta_s}{dt} = Q_e + qc\theta_e - qc\theta_s \tag{2.92}$$

où c est la chaleur spécifique de l'eau.

Remarquons que le produit qc représente la conductance du système. Autrement dit: $qc = \frac{1}{R_t}$ où R_t est la résistance thermique.

L'équation (2.92) s'écrit finalement:

$$R_t C_t \frac{d\theta_s}{dt} + \theta_s = R_t Q_e + \theta_e \tag{2.93}$$

Ceci est l'équation différentielle du système de la figure 2.26a avec $R_t C_t$ représentant la constante de temps du système.

En utilisant la transformée de Laplace, (2.93) devient:

$$\theta_s(s) = \frac{R_t}{R_t C_t s + 1} Q_e(s) + \frac{1}{R_t C_t s + 1} \theta_e(s) \tag{2.94}$$

La relation (2.94) représente l'équation de la grandeur $\theta_s(s)$ en fonction des entrées $Q_e(s)$ et $\theta_e(s)$. Le schéma-bloc est celui de la figure 2.26c. Les fonctions $\frac{\theta_s(s)}{Q_e(s)}$ et $\frac{\theta_s(s)}{\theta_e(s)}$ se déduisent immédiatement des équations (2.93) et (2.94) ou du schéma-bloc de la figure 2.26c.

Si Q_e est variable et θ_e est constant (cas i), θ_e n'est plus un paramètre et alors:

$$\frac{\theta_s(s)}{Q_e(s)} = \frac{R_t}{R_t C_t s + 1}$$

Si Q_e est constant et θ_e est variable (cas ii), donc Q_e n'est plus un paramètre et on a:

$$\frac{\theta_s(s)}{\theta_e(s)} = \frac{1}{R_t C_t s + 1}$$

Exemple 2.17 Modélisation d'un système avec retard

Les systèmes avec retard sont courants dans le milieu industriel. Parmi les systèmes les plus souvent rencontrés en pratique, on retrouve les systèmes de transport d'énergie ou de masse, les systèmes de mesure, par exemple la mesure de la concentration des mélanges des produits chimiques, etc. Ces systèmes sont illustrés par les schémas des figures 2.27a et 2.27b.

Pour ces types de systèmes, on a:

1. Transport de masse: En se référant à la figure 2.27a, si l'objectif est de commander l'alimentation en matière (i.e commander la masse $m(t)$), il est clair que la masse mesurée par le capteur placé à la distance d ne représente plus la masse désirée à l'instant t mais celle retardée d'une durée proportionnelle à la distance d et inversement proportionnelle à la vitesse du convoyeur.

   Si $\omega(t)$ est la vitesse angulaire du convoyeur et $v(t)$ la vitesse linéaire correspondante, i.e $v(t) = r\omega(t)$, où r est le rayon de la roue, la relation qui lie $m_1(t)$ et $m_2(t)$ est:

$$\begin{aligned} m_2(t) &= m_1(t - \tau_d) \\ \tau_d &= \frac{d}{v} \end{aligned}$$

   Le temps τ_d est le temps requis par la masse pour parcourir la distance d à la vitesse v.

2. Mesure de concentration: Supposons que l'on mélange deux produits chimiques P_1 et P_2 (fig. 2.27b) et que l'on s'intéresse à la mesure de la concentration du produit résultant. Si le fluide se déplace à la vitesse v, il lui faut un temps τ_d pour parcourir la distance d. La concentration $C_2(t)$ est alors liée à la concentration $C_1(t)$ par la relation:

$$C_2(t) = C_1(t - \tau_d) \text{ avec } \tau_d = \frac{d}{v}$$

En général, si $y(t)$ est la grandeur retardée correspondant à la grandeur $x(t)$, et que le retard est noté par τ, alors la relation qui lie les deux grandeurs dans le plan en "s" est donnée par:

$$Y(s) = X(s)e^{-\tau s}$$

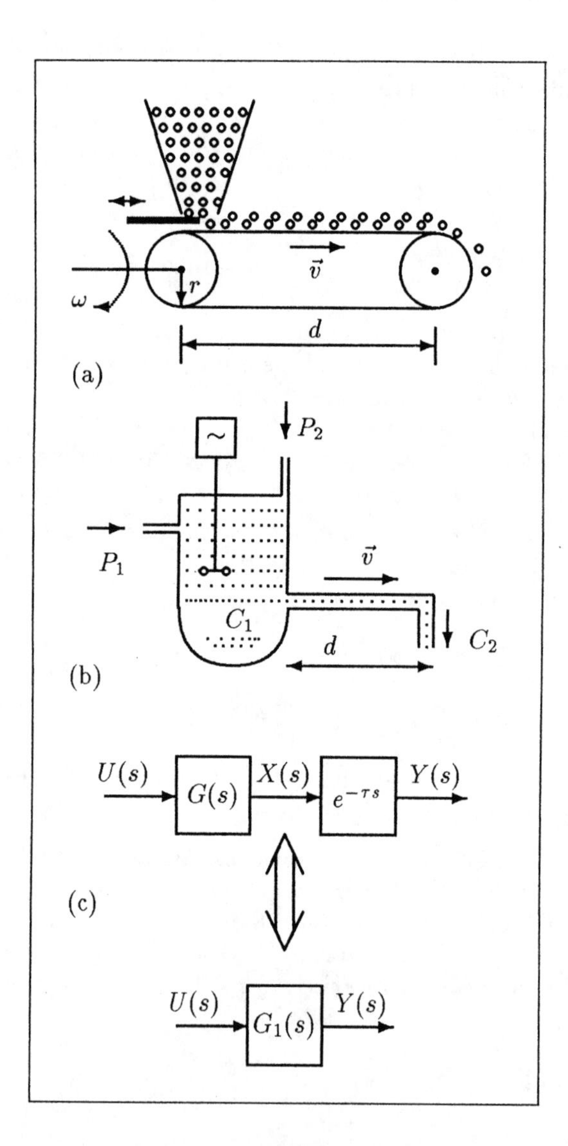

Figure 2.27 Système de transport de masse (a), de mesure de la concentration (b) et le schéma-bloc correspondant (c).

Si, par exemple, $X(s)$ correspond à la grandeur de sortie d'un système dont la grandeur d'entrée est $u(t)$ et la fonction de transfert est $G(s)$, alors $Y(s)$ est telle que:

$$Y(s) = G(s)e^{-\tau s}U(s)$$

Ceci donne la nouvelle fonction de transfert du système avec retard (fig. 2.27c) sous la forme suivante:

$$G_1(s) = \frac{Y(s)}{U(s)} = G(s)e^{-\tau s}$$

Au cours des sections précédentes, nous avons présenté la modélisation d'un certain nombre de systèmes. Nous avons étudié principalement des systèmes proprement dits que l'on cherche par la suite à commander, des capteurs qui vont nous renseigner sur les grandeurs des systèmes à commander et des actionneurs qui vont servir à transformer l'énergie d'une forme à une autre. D'autres exemples peuvent être étudiés mais nous jugeons qu'avec ceux présentés ici, le lecteur peut développer une certaine habitude à établir la modélisation de n'importe quel autre système.

Dans la section suivante, nous passons à des exemples complexes, c'est-à-dire ceux regroupant toutes les composantes présentées précédemment.

2.6 SYSTÈMES COMPLEXES

Un système complexe est un système dont la structure est une combinaison des différents systèmes physiques étudiés précédemment. C'est-à-dire des systèmes regroupant le système à commander, l'actionneur, le capteur et d'autres composantes nécessaires au bon fonctionnement du système considéré. Jusqu'à maintenant, nous avons cherché des modèles mathématiques de certains éléments en tant qu'entités indissociables. Ces dernières, lorsqu'elles sont judicieusement assemblées avec d'autres, forment un ensemble de régulation complet. C'est ce type d'ensemble que nous appelons "système complexe". Dans ce paragraphe, nous donnons quelques exemples de ces systèmes.

Remarquons toutefois que nous présentons une étude simplifiée de ces systèmes. Le but étant de montrer comment lier les différentes fonctions de transfert de différents éléments physiques et obtenir un modèle global.

Exemple 2.18 Système de réglage de la position d'un gouvernail de navire

Considérons le système de réglage de la position angulaire d'un gouvernail de navire tel que représenté à l'exemple 1.5. Le gouvernail pivote autour d'un axe fixe OO' et est entraîné par un servomoteur électro-hydraulique. Celui-ci produit un déplacement $y(t)$ et donc une rotation $\alpha(t)$ du gouvernail lorsqu'il est excité par un courant électrique $i(t)$ provenant d'un amplificateur. Le piston d'entrée est en contact avec une roue dentée de rayon r. Ce mécanisme transforme le déplacement linéaire $y(t)$ du piston en un mouvement angulaire $\alpha(t)$ du gouvernail. La position du gouvernail est mesurée à l'aide d'un transformateur différentiel à réluctance variable ($TR2$) de type rotatif qui transmet à un comparateur-amplificateur un signal électrique correspondant à la position réelle.

Au niveau de la cabine de pilotage, à l'aide d'une roue de commande, on fixe l'angle de route α_0 désiré. Un autre transformateur différentiel $TR1$ lié mécaniquement à la roue se charge de traduire α_0 en un signal électrique qui est transmis à l'amplificateur pour être comparé au signal e_2 correspondant à α réel.

Le gouvernail est à la position désirée lorsque $i = 0$ ou, ce qui est équivalent lorsque $e_1 - e_2 = 0$, c'est-à-dire que les deux signaux provenant des deux capteurs $TR1$ et $TR2$ sont égaux. Si l'on désire changer la position du gouvernail, il suffit de donner par l'intermédiaire de la roue un autre α_0 correspondant. Ainsi, la grandeur d'entrée du système est l'angle α_0 et sa grandeur de sortie est la position du gouvernail définie par son angle α.

Les différents éléments composant le système et leurs modèles correspondants sont:

- les deux transformateurs différentiels $TR1$ et $TR2$ tels que décrits à l'exemple 2.8 et dont les fonctions de transfert respectives sont:

$$\frac{E_1(s)}{\alpha_0(s)} = k_1, \quad \text{et} \quad \frac{E_2(s)}{\alpha(s)} = k_2.$$

- un gouvernail dont le modèle peut être établi de la manière suivante: le gouvernail étant en rotation, nous supposerons que les seuls couples agissant sur lui sont:

- le couple d'inertie qui est

$$J\frac{d^2}{dt^2}\alpha$$

avec J le moment d'inertie du gouvernail par rapport à l'axe OO'.

- le couple dû aux forces de frottements visqueux dans l'axe OO' tel que:

$$C_v = b\frac{d\alpha}{dt}$$

où b est le coefficient de frottements visqueux.

- le couple de charge C_r.

La relation fondamentale de la dynamique des corps en rotation appliquée au gouvernail nous donne:

$$J\ddot{\alpha} \quad = \quad F_g r - b\dot{\alpha} - C_r$$

où F_g est la force communiquée par le piston du vérin.

- une servovanne électro-hydraulique décrite par les fonctions de transfert suivantes (voir exemple 2.13):

$$\begin{aligned} X(s) &= k_m I(s) \\ F_p(s) &= A(p_1 - p_2) \end{aligned}$$

avec $p_1 - p_2 = \frac{k_3 x - A\dot{y}}{k_4 + k_5}$

En ramenant l'ensemble des couples au niveau du piston du vérin et en appliquant la relation fondamentale de la dynamique des corps en translation, on obtient:

$$m\ddot{y} \quad = \quad F_p - b_1\dot{y} - F_g$$

avec $F_g = \frac{C_g}{r} = \frac{1}{r}\left[J\ddot{\alpha} + b\dot{\alpha} + C_r\right]$

En utilisant le fait que $y = r\alpha$, on obtient:

$$\frac{Ak_3k_m r}{k_4 + k_5} i(t) = \left(mr^2 + J\right)\ddot{\alpha} + \left(\frac{A^2r^2}{k_4 + k_5} + b_1r^2 + b\right)\dot{\alpha} + C_r$$

En tenant compte des équations précédentes, on peut facilement établir la relation suivante entre l'angle du gouvernail $\alpha(s)$, le courant $I(s)$ et le couple de charge $C_r(s)$:

$$\alpha(s) = \frac{K_1}{s(\tau s+1)} I(s) - \frac{K_2}{(\tau s+1)} C_r(s)$$

avec $K_2 = \left[\frac{A^2r^2}{k_4+k_5} + b_1 r^2 + b\right]^{-1}$, $\tau = \left[mr^2 + J\right] K_2$ et $K_1 = \left[\frac{Ak_3k_m r}{k_4+k_5}\right] K_2$.

- un amplificateur-comparateur ou amplificateur différentiel tel que:

$$I(s) = k_3 \left(E_1(s) - E_2(s)\right)$$

Le schéma-bloc de l'ensemble du système est représenté à la figure 2.28.

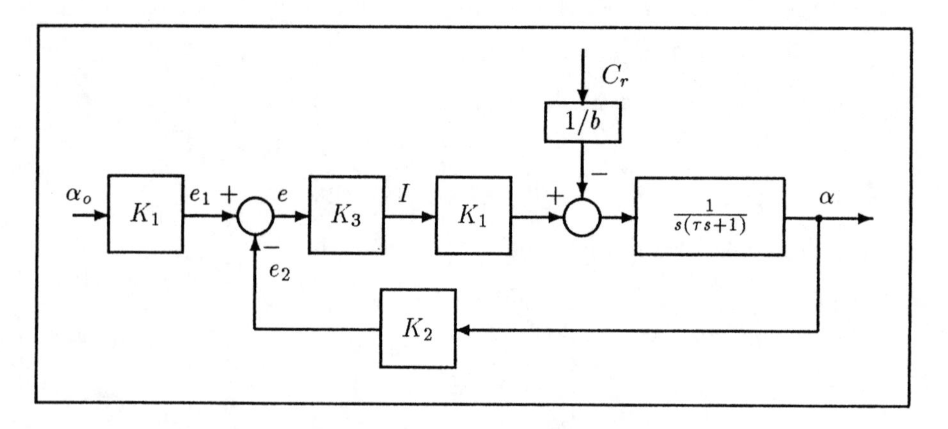

Figure 2.28 Schéma-bloc du système de réglage de la position d'un gouvernail de navire.

Pour le modèle d'état, posons

$$\begin{aligned} x_1(t) &= \alpha(t) = y(t) \\ x_2(t) &= \dot{\alpha}(t) \end{aligned}$$

Ce qui donne le modèle d'état suivant:

$$\begin{bmatrix} \dot{x}_1(t) \\ \dot{x}_2(t) \end{bmatrix} = \begin{bmatrix} 0 & 1 \\ 0 & -\frac{1}{K_1} \end{bmatrix} \begin{bmatrix} x_1(t) \\ x_2(t) \end{bmatrix} + \begin{bmatrix} 0 & 0 \\ \frac{Ak_3k_m r}{(mr^2+J)(k_4+k_5)} & -\frac{1}{mr^2+J} \end{bmatrix} \times \begin{bmatrix} i(t) \\ C_r(t) \end{bmatrix}$$

$$\mathbf{y}(t) = \begin{bmatrix} 1 & 0 \end{bmatrix} \begin{bmatrix} x_1(t) \\ x_2(t) \end{bmatrix}$$

Exemple 2.19 Système de réglage de la position d'une antenne parabolique

Considérons le système de réglage de la position angulaire d'une antenne parabolique telle que représentée à l'exemple 1.4. Elle repose sur un plateau tournant entraîné par un moteur électrique à courant continu par l'intermédiaire d'un réducteur de rapport n. L'angle de rotation de l'antenne est mesuré par un transformateur différentiel à réluctance variable de type rotatif de gain k. Ce dernier transforme l'angle α en un signal électrique e_2 qui sera transmis à un amplificateur différentiel pour être comparé à un signal de référence e_1 produit par un potentiomètre gradué en degrés. À l'aide d'une vis de réglage, on peut choisir l'angle de rotation α_0 désiré. Le potentiomètre se chargera de transformer cette action mécanique en une tension électrique e_1.

Le signal d'erreur e entre les signaux e_1 et e_2 est ensuite amplifié en puissance pour pouvoir commander le moteur qui actionnera le mouvement de l'antenne. Lorsque $e_1 - e_2 = 0$, le moteur s'arrête parce qu'il n'est plus alimenté et l'antenne se stabilise à la position désirée. La grandeur d'entrée du système est donc l'angle α_0 de référence et sa grandeur de sortie est la position angulaire α de l'antenne.

Les différents éléments composant le système sont:

- l'antenne avec un moment d'inertie J_a;
- un réducteur de rapport $n = \frac{\Omega_1}{\Omega_2}$
- un moteur électrique à courant continu dont la fonction de transfert a été établie au paragraphe 2.6 tel que:

$$\Omega_1(s) = \frac{n\frac{1}{s}\frac{k_t}{R_a b}}{(\tau_e s + 1)(\tau_m s + 1) + \frac{k_t k_w}{R_a b}} E_a(s) - \frac{n\frac{\tau s+1}{b}\frac{1}{s}}{(\tau_e s + 1)(\tau_m s + 1) + \frac{k_t k_w}{R_a b}} T_d(s)$$

- un transformateur différentiel tel que: $e_2 = k\alpha$
- un amplificateur différentiel tel que: $e = k_1(e_1 - e_2)$
- un amplificateur de puissance tel que: $e_a = k_A e$
- un potentiomètre tel que: $e_1 = k_0 \alpha_0$

La combinaison des différentes fonctions de transfert nous donne le schéma-bloc de la figure 2.29.

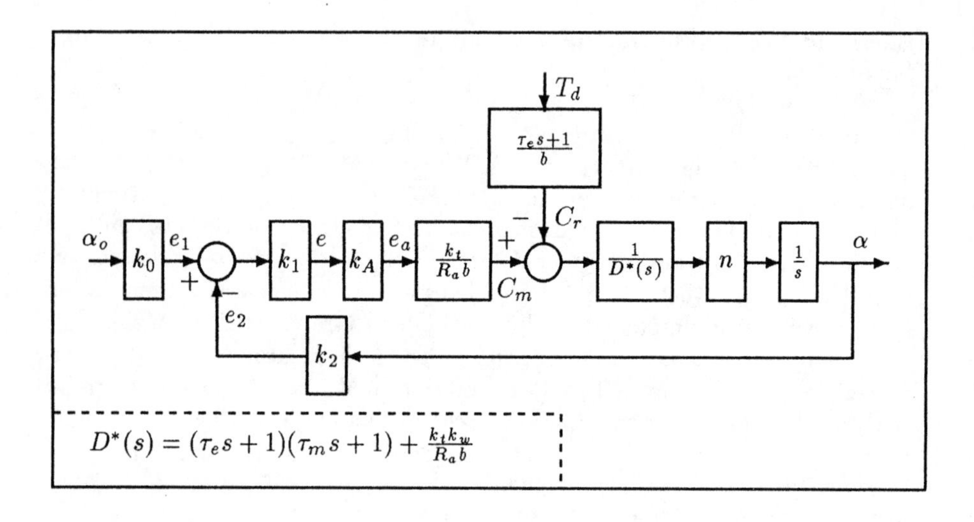

Figure 2.29 Schéma-bloc du système de réglage de l'antenne.

L'équation différentielle du système peut être déduite soit à partir des équations différentielles des différents éléments, soit à partir du schéma-bloc de la figure 2.29.

Ainsi, en posant $a = \frac{1}{\tau_m} + \frac{1}{\tau_e}$; $b = \frac{R_a b + k_t k_v}{R_a b \tau_e \tau_m}$; $c = \frac{k_1 k_A k_t n k}{R_a b \tau_e \tau_m}$; $e = \frac{k_0 k_1 k_A k_t n}{R_a b \tau_e \tau_m}$; $f = \frac{n}{b\tau_m}$ et $g = \frac{n}{b\tau_e\tau_m}$, nous obtenons l'équation suivante:

$$\frac{d^3}{dt^3}\alpha(t) + a\frac{d^2}{dt^2}\alpha(t) + b\frac{d}{dt}\alpha(t) + c\alpha(t) = e\alpha_0(t) - f\frac{d}{dt}T_d(t) - gT_d(t) \quad (2.95)$$

- si $T_d = 0$, alors l'équation (2.95) s'écrit:

$$\frac{d^3}{dt^3}\alpha(t) + a\frac{d^2}{dt^2}\alpha(t) + b\frac{d}{dt}\alpha(t) + c\alpha(t) = e\alpha_0(t)$$

la fonction de transfert $G_1(s) = \frac{\alpha(s)}{\alpha_0(s)}$ est donnée par l'expression suivante:

$$G_1(s) = \frac{e}{s^3 + as^2 + bs + c}.$$

Pour obtenir la représentation d'état de cette équation, posons: $x_1(t) = \alpha(t)$; $x_2(t) = \frac{d}{dt}\alpha(t)$ et $x_3(t) = \frac{d^2}{dt^2}\alpha(t)$. Par dérivation, on a:

$$\begin{aligned}
\frac{d}{dt}\alpha(t) &= \frac{d}{dt}x_1(t) = x_2(t) \\
\frac{d^2}{dt^2}\alpha(t) &= \frac{d}{dt}x_2(t) = x_3(t) \\
\frac{d^3}{dt^3}\alpha(t) &= \frac{d}{dt}x_3(t) = -ax_3(t) - bx_2(t) - cx_1(t) + e\alpha_0(t)
\end{aligned}$$

Finalement, on a:

$$\begin{aligned}
\begin{bmatrix} \dot{x}_1(t) \\ \dot{x}_2(t) \\ \dot{x}_3(t) \end{bmatrix} &= \begin{bmatrix} 0 & 1 & 0 \\ 0 & 0 & 1 \\ -c & -b & -a \end{bmatrix} \begin{bmatrix} x_1(t) \\ x_2(t) \\ x_3(t) \end{bmatrix} + \begin{bmatrix} 0 \\ 0 \\ e \end{bmatrix} \alpha_0 \\
y &= \begin{bmatrix} 1 & 0 & 0 \end{bmatrix} \begin{bmatrix} x_1(t) \\ x_2(t) \\ x_3(t) \end{bmatrix}
\end{aligned}$$

- si maintenant $\alpha_0 = 0$, alors l'équation (2.95) devient:

$$\frac{d^3}{dt^3}\alpha(t) + a\frac{d^2}{dt^2}\alpha(t) + b\frac{d}{dt}\alpha(t) + c\alpha(t) = -f\frac{d}{dt}T_d(t) - gT_d(t)$$

ou sous forme de fonction de transfert:

$$\frac{\alpha(s)}{T_d(s)} = -\frac{fs+g}{s^3+as^2+bs+c} = \frac{\alpha(s)}{W(s)}\frac{W(s)}{T_d(s)}$$

où $W(s)$ est une fonction intermédiaire, telle que:

$$\frac{W(s)}{T_d(s)} = \frac{1}{s^3+as^2+bs+c} \quad et \quad \frac{\alpha(s)}{W(s)} = -fs - g$$

On a ainsi les deux équations suivantes:

$$\begin{aligned}
\frac{d^3}{dt^3}w(t) + a\frac{d^2}{dt^2}w(t) + b\frac{d}{dt}w(t) + cw(t) &= T_d(t) \\
f\frac{d}{dt}w(t) + gw(t) &= \alpha(t)
\end{aligned}$$

Pour établir le modèle d'état correspondant, posons: $x_1(t) = w(t)$; $x_2(t) = \frac{d}{dt}w(t)$ et $x_3(t) = \frac{d^2}{dt^2}w(t)$. Par dérivation, on obtient:

$$\frac{d}{dt}w(t) = \frac{d}{dt}x_1(t) = x_2(t)$$

$$\begin{aligned}\frac{d^2}{dt^2}w(t) &= \frac{d}{dt}x_2(t) = x_3(t)\\ \frac{d^3}{dt^3}w(t) &= -ax_3(t) - bx_2(t) - cx_1(t) + T_d(t)\end{aligned}$$

On a également:

$$y = \begin{bmatrix} -g & -f \end{bmatrix} \begin{bmatrix} w(t) \\ \frac{d}{dt}w(t) \end{bmatrix}$$

Finalement, la représentation par variables d'état est:

$$\begin{aligned}\begin{bmatrix} \dot{x}_1(t) \\ \dot{x}_2(t) \\ \dot{x}_3(t) \end{bmatrix} &= \begin{bmatrix} 0 & 1 & 0 \\ 0 & 0 & 1 \\ -c & -b & -a \end{bmatrix} \begin{bmatrix} x_1(t) \\ x_2(t) \\ x_3(t) \end{bmatrix} + \begin{bmatrix} 0 \\ 0 \\ 1 \end{bmatrix} T_d(t)\\ y &= \begin{bmatrix} -g & -f & 0 \end{bmatrix} \begin{bmatrix} x_1(t) \\ x_2(t) \\ x_3(t) \end{bmatrix}\end{aligned}$$

Exemple 2.20 Système de laminage de l'acier

Les systèmes de laminage de lingots en acier ont souvent besoin d'actionneurs de grande puissance. Le schéma simplifié d'un laminoir est représenté à l'exercice 1.5. Le rouleau supérieur de masse m est entraîné par un actionneur électro-hydraulique et permet de régler l'épaisseur à donner au lingot. Le rouleau inférieur est entraîné par un moteur synchrone par l'intermédiaire d'un volant. Le rôle de ce dernier est de compenser les efforts brusques qui agissent sur le rouleau sans avoir à augmenter la puissance du moteur. L'épaisseur y_0 du lingot laminé est mesurée à l'aide d'un capteur de contact de facteur k_s. L'épaisseur désirée est fixée à l'aide d'un potentiomètre de facteur k_e. L'effort normal F_N agissant sur le rouleau supérieur est considéré comme perturbation.

Les différents éléments composant ce système de commande ainsi que leurs modèles sont donnés ci-dessous.

- **potentiomètre de référence:** l'équation liant e_d à y_d est représentée par la relation linéaire suivante:

$$e_d = k_e y_d;$$

Sa transformée de Laplace est:

$$\frac{E_d(s)}{Y_d(s)} = k_e$$

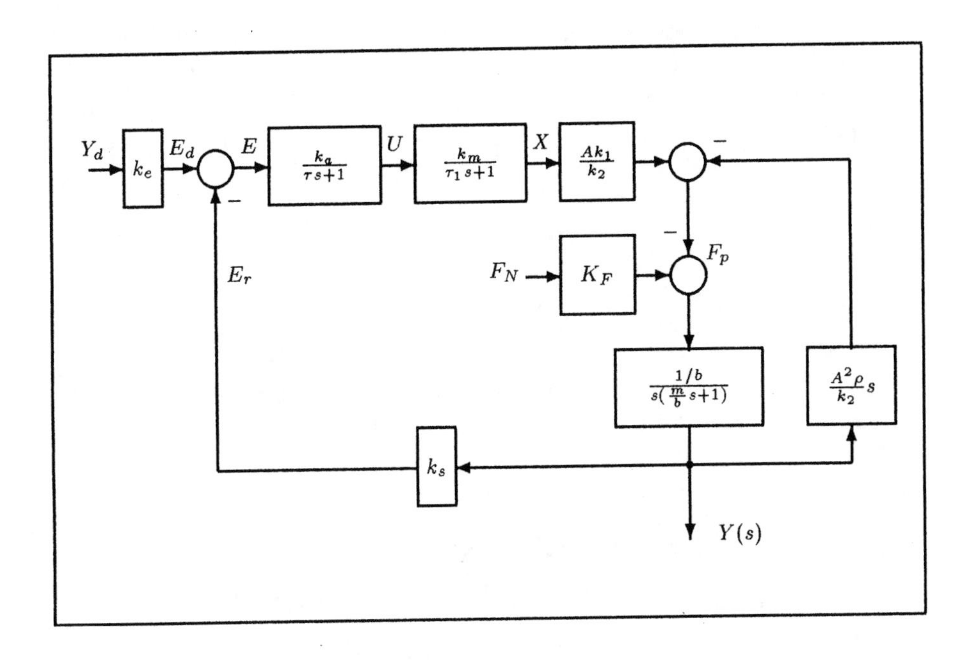

Figure 2.30 Schéma-bloc du système de laminage de l'acier.

- **amplificateur de puissance et comparateur:** tenant compte de la dynamique de l'amplificateur, le comparateur donne $e = e_d - e_r$; avec $e_d(t) = k_e y_d(t)$ ou $E_d(s) = k_e Y_d(s)$ et $e_r(t) = k_s y(t)$ ou $E_r(s) = k_s Y(s)$.

  L'amplificateur de puissance est défini par le modèle suivant:

$$\tau \dot{u}(t) + u(t) = k_a e(t)$$

  dont la fonction de transfert correspondante est:

$$\frac{U(s)}{E(s)} = \frac{k_a}{\tau s + 1}$$

- **servovanne électro-hydraulique et rouleaux:** le principe de modélisation est le même que celui décrit à la section 2.8, mais on ajoute la perturbation F_N à l'équation (2.64). En supposant que le rouleau inférieur est fixe et que seul le rouleau supérieur est mobile, la dynamique des corps en translation donne:

$$m\ddot{y}(t) = F_p - b\dot{y}(t) - F_N$$

où F_p est l'effort développé par le vérin; $b\dot{y}(t)$ est l'effort de frottement visqueux dû à b; et F_N est l'effort résistant dû au mouvement du lingot. Il représente une perturbation.

Le calcul étant identique à celui de la section 2.8, le modèle cherché a la forme:

$$Y(s) = \frac{K}{s(\tau_2 s + 1)(\tau_1 s + 1)} U(s) - \frac{K_F}{s(\tau_2 s + 1)} F_N(s)$$

avec $K_F = \frac{k_2}{bk_2 + A^2\rho}$

En réunissant les différentes équations, on obtient le schéma-bloc du système présenté à la figure 2.30.

2.7 SIMPLIFICATION DES DIAGRAMMES FONCTIONNELS

Comme nous avons vu dans les exemples précédents, le schéma-bloc représentant le fonctionnement du système considéré peut être très complexe. L'exploitation d'un tel schéma n'est alors pas chose facile et une technique visant à simplifier un tel système s'impose. Dans cette section, nous présentons quelques techniques qui vont faciliter une telle simplification.

2.7.1 Système en cascade (en série)

Soit le système constitué de deux sous-systèmes en cascade, représenté à la figure 2.31. Le but est de remplacer ce système par un système équivalent simple. D'après la figure 2.31a, nous pouvons écrire:

$$G_1(s) = \frac{W(s)}{R(s)} \quad \text{et} \quad G_2(s) = \frac{Y(s)}{W(s)}$$

D'autre part, nous avons:

$$\frac{Y(s)}{R(s)} = G(s) = \frac{Y(s)}{W(s)} \frac{W(s)}{R(s)} = G_1(s)G_2(s)$$

ce qui donne: $G(s) = G_1(s)G_2(s)$.

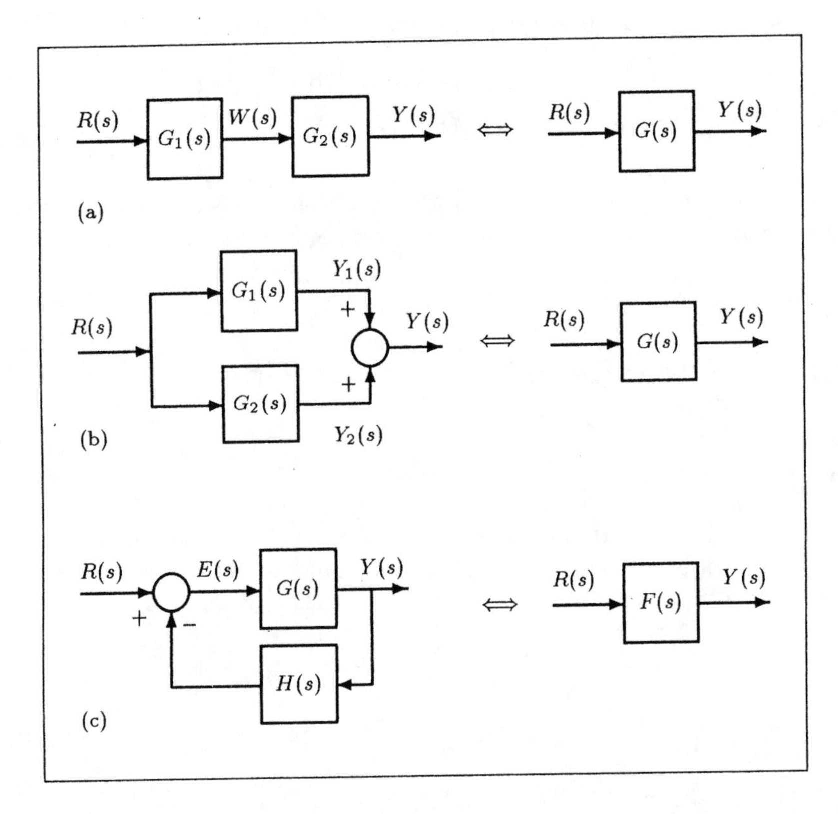

Figure 2.31 Système en cascade (a), en parallèle (b) et en boucle fermée (c).

La fonction de transfert équivalente de deux systèmes en cascade est obtenue en multipliant les fonctions de transfert de ces systèmes entre elles.

2.7.2 Système en parallèle

Le système représenté à la figure 2.31b est constitué de deux sous-systèmes en parallèle. Pour calculer la fonction de transfert entre $Y(s)$ et $R(s)$, remarquons que nous pouvons écrire:

$$\begin{aligned} Y(s) &= Y_1(s) + Y_2(s) \\ Y_1(s) &= G_1(s)R(s) \\ Y_2(s) &= G_2(s)R(s) \end{aligned}$$

D'autre part, en combinant ces relations, nous obtenons:

$$Y(s) = [G_1(s) + G_2(s)]\, R(s)$$

ce qui donne: $G(s) = G_1(s) + G_2(s)$

Il en résulte que la fonction de transfert équivalente de deux sous-systèmes en parallèle peut être obtenue en ajoutant les deux fonctions de transfert correspondantes.

2.7.3 Système en contre-réaction

La structure la plus utilisée en commande est illustrée à la figure 2.31c. Elle représente les systèmes en boucle fermée.

La fonction de transfert entre $Y(s)$ et $R(s)$ est appelée la fonction de transfert du système en boucle fermée. Soit $F(s)$ cette fonction. D'après le schéma-bloc de la figure 2.31c, nous pouvons écrire les relations suivantes:

$$\begin{aligned} E(s) &= R(s) - H(s)Y(s) \\ Y(s) &= E(s)G(s) \end{aligned}$$

ce qui donne,

$$F(s) = \frac{G(s)}{1 + G(s)H(s)}$$

En plus de ces règles, il existe d'autres règles qui sont regroupées dans la figure 2.32.

Exemple 2.21 Systèmes complexes

Considérons le système dynamique linéaire représenté par la figure 2.33a. Un tel système possède deux grandeurs d'entrée $r(t)$ et $p(t)$ et une seule grandeur de sortie $y(t)$. La grandeur d'entrée $r(t)$ représente la grandeur d'entrée principale, tandis que $p(t)$ représente la perturbation. L'analyse de ce système nécessite en premier lieu le calcul des fonctions de transfert.

On commence par simplifier le schéma-bloc de la figure 2.33a. Comme première transformation, on obtient le schéma représenté à la figure 2.33b, obtenu en

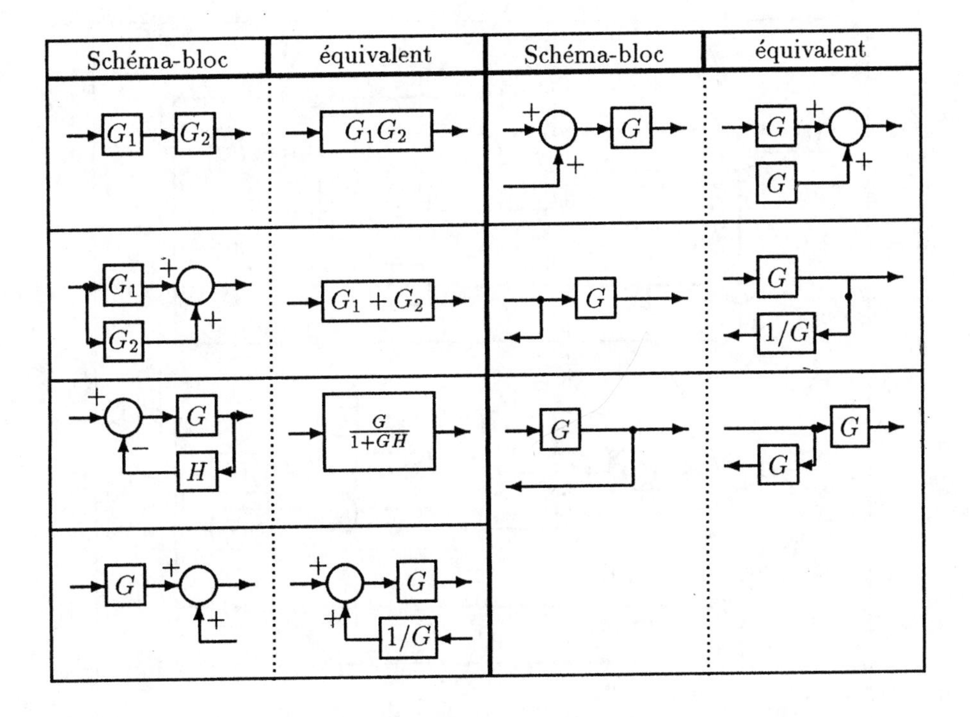

Figure 2.32 Simplification des schémas-blocs.

prenant les feedbacks correspondant à $H_1(s)$ et $H_2(s)$ à partir de la sortie $Y(s)$.

Un tel système, à son tour, peut se ramener à celui représenté à la figure 2.33c.

Les fonctions de transfert $C(s)$, $G(s)$ et $H(s)$ utilisées dans le schéma-bloc de la figure 2.33c sont données par les expressions suivantes:

$$
\begin{aligned}
C(s) &= G_1(s) \\
G(s) &= \frac{G'(s)G_3(s)}{G_3(s)+G'(s)H_2(s)} \\
\text{avec} \quad G'(s) &= \frac{G_2(s)G_3(s)}{1+G_2(s)G_3(s)H_3(s)} \\
H(s) &= 1+\frac{H_1(s)}{G_3(s)}
\end{aligned}
$$

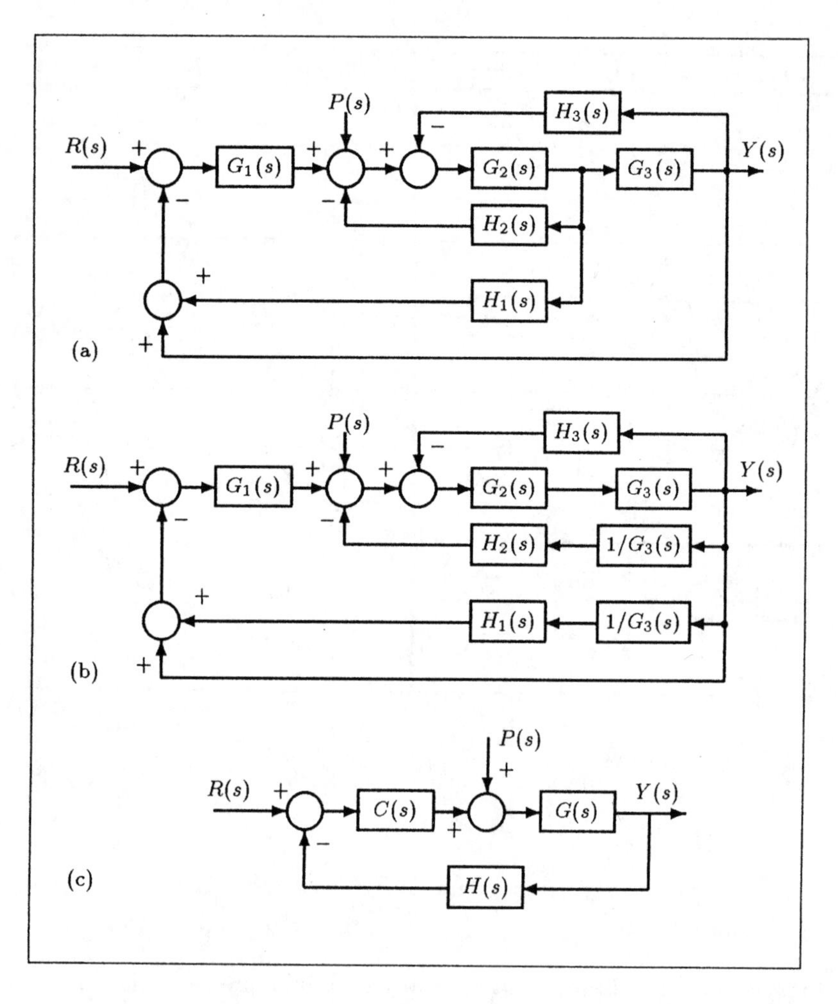

Figure 2.33 Système complexe (a), schéma simplifié (b) et schéma équivalent (c).

Les fonctions de transfert en boucle fermée du système sont:

$$F_1(s) = \frac{Y(s)}{R(s)} = \frac{C(s)G(s)}{1 + C(s)G(s)H(s)}$$

$$F_2(s) = \frac{Y(s)}{P(s)} = \frac{G(s)}{1 + C(s)G(s)H(s)}$$

Remarque: Pour la simplification des schémas-blocs complexes, il existe une autre technique basée sur la théorie des graphes que l'on appelle **règle de Mason.** Cette technique, détaillée à l'annexe C, est utilisée pour calculer les fonctions de transfert désirées, ainsi que pour l'établissement du modèle d'état.

2.8 RÉSUMÉ

En général, quel que soit le système dynamique, il est toujours possible, avec certaines hypothèses, d'établir une relation mathématique reliant les grandeurs d'entrée du système aux grandeurs de sortie. Cette relation mathématique est obtenue en se basant sur les lois de la physique. Pour les systèmes linéaires invariants, les relations mathématiques peuvent être utilisées pour définir le concept de fonction de transfert (ou matrice de transfert) ainsi que le concept de modèle d'état. Ces concepts sont à la base des techniques d'analyse et de synthèse. Une autre technique souvent utilisée par les automaticiens est celle du schéma-bloc. Le schéma-bloc d'un système de commande est souvent complexe et l'usage des techniques de simplification s'avère nécessaire.

2.9 QUESTIONS

2.1 Quelle est la définition de la fonction de transfert ?

2.2 Quelle est la définition de la représentation interne ?

2.3 Pouvez-vous rappeler les différentes lois de la physique qui peuvent être utilisées pour établir le modèle mathématique d'un système donné ?

2.4 Quelle est la différence entre le modèle statique et le modèle dynamique ?

2.5 Quelles sont les caractéristiques d'un système du premier ordre ?

2.6 Quelles sont les caractéristiques d'un système du deuxième ordre ?

2.7 Qu'est-ce qu'un retard pur ? Énumérer quelques exemples de systèmes ayant un retard pur.

2.8 Rappeler quelques règles de simplification de schémas-blocs.

2.9 Pouvez-vous énumérer quelques actionneurs ? Sur quelle base se font les choix de ces actionneurs?

2.10 Quel est le rôle du capteur ? Donner quelques exemples.

2.10 EXERCICES

2.1 Établir, pour des conditions initiales nulles, les fonctions de transfert $G(s) = Y(s)/U(s)$ ainsi que les modèles d'état des systèmes décrits par les équations différentielles suivantes:

a) $0.5\frac{d^2}{dt^2}y(t) + \frac{d}{dt}y(t) = 0.25\frac{d}{dt}r(t) + r(t)$

b) $\frac{d^3}{dt^3}y(t) + 6\frac{d^2}{dt^2}y(t) + 5\frac{d}{dt}y(t) = 10r(t)$

c) $\frac{d^3}{dt^3}y(t) + 8\frac{d^2}{dt^2}y(t) + 18\frac{d}{dt}y(t) + 12y(t) = \frac{d}{dt}r(t) + 3r(t)$

d) $\frac{d^3}{dt^3}y(t) + 6\frac{d^2}{dt^2}y(t) + 8\frac{d}{dt}y(t) = \frac{d^2}{dt^2}r(t) + 4\frac{d}{dt}r(t) + 3r(t)$

e) $\tau_1\frac{d}{dt}x(t) + x(t) = k_1 r(t)$
$\tau_2\frac{d}{dt}y(t) + y(t) = k_2 x(t)$

f) $M\frac{d^2}{dt^2}x(t) + ml\frac{d^2}{dt^2}\theta(t) = f$
$ml\frac{d^2}{dt^2}x(t) + (J + ml^2)\frac{d^2}{dt^2}\theta(t) - mgl\theta(t) = 0$
(On cherchera $\theta(s)/F(s)$).

2.2 Le modèle mathématique d'un système dont la grandeur d'entrée est $u(t)$ et la grandeur de sortie est $y(t)$ est donné par l'équation différentielle suivante:

$$m\ddot{y}(t) + b\dot{y}(t) + ky(t) = ku(t)$$

avec les conditions initiales suivantes: $y(0) = y_0$ et $\dot{y}(0) = \dot{y}_0$.

1. En supposant que les conditions initiales sont nulles, déterminer: la fonction de transfert et le modèle d'état du système.
2. En supposant maintenant les conditions initiales non nulles, déterminer l'expression de la grandeur de sortie $Y(s)$ en fonction de $U(s)$ et des conditions initiales.
3. Représenter l'expression de $Y(s)$ sous forme de schéma-bloc.

2.3 Reprendre le système de l'exercice 1.8 qui traite de la régulation de température d'un four. Soit $q(t)$ le débit d'air froid et $p(t)$ la puissance fournie par l'élément chauffant.

1. En absence de ventilation d'air, en notant par c_f le coefficient de chaleur massique du four, par c_e le coefficient de chaleur massique de la charge, par S la surface de l'enveloppe, écrire le bilan énergétique, puis déterminer l'expression de la température $\Theta_i(s)$ en fonction de $P(s)$ et $\Theta_a(s)$.

2. En présence de la ventilation d'air, reprendre la question no 1.
3. En considérant les données suivantes: $c = c_f + c_l = 140kJ/^o$; $KS = 7.5W/^o$; $c_a = 1kJ/KgK$, déterminer les expressions numériques des fonctions de transfert précédentes.
4. Représenter le système par un schéma-bloc.

2.4 Reprendre le système de l'exercice 1.10 qui traite de l'asservissement de position d'un radar. On suppose que les frottements sont négligeables, que la variation du site ne modifie pas le moment d'inertie autour de l'axe 2 et que l'inductance de l'induit est négligeable.

1. Déterminer l'expression de l'orientation $\Theta(s)$ en fonction de $E(s)$ en l'absence de perturbation.
2. Reprendre la question no 1 en présence de la perturbation $T(s)$.
3. En considérant les données suivantes:

   moment d'inertie de l'antenne et roue du réducteur $16\ 10^3 Kg.m^2$;
   moment d'inertie du moteur plus pignon du réducteur $6\ 10^{-3} Kg.m^2$;
   rapport de réduction $n = 1000$;
   coefficient de vitesse $K_\omega = 0.6V/rad/sec$
   coefficient de couple $K_t = 0.6N.m/A$
   résistance de l'induit $R = 0.8\Omega$
   gain de l'amplificateur de puissance $K = 10$

   déterminer les expressions numériques des fonctions de transfert précédentes.

2.5 Le modèle linéaire d'une base de robot actionné par un moteur électrique à courant continu (à aimant permanent) est représenté par le schéma de la figure 2.34:

Les paramètres et les variables d'un tel système sont donnés ci-dessous:

1. pour le moteur:

   T_m: couple moteur (égal à $K_t i(t)$);
   K_t: constante du couple;
   $i(t)$: courant de l'induit;
   J_m: moment d'inertie du moteur;
   b_m: coefficient de frottement visqueux du moteur;
   θ_m: déplacement angulaire de l'arbre du moteur.

2. pour le robot:

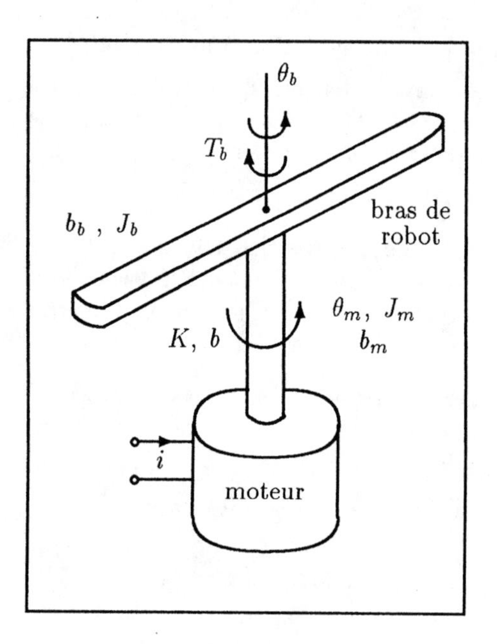

Figure 2.34 Base de robot.

J_b: moment d'inertie de la base;

T_b: couple de perturbation (sur la base);

θ_b: déplacement angulaire de la base du robot;

K: constante de torsion de l'arbre entre le moteur et la base;

b: coefficient de frottement visqueux entre l'arbre du robot et le moteur;

b_b: coefficient de frottement visqueux du robot.

a) Écrire les équations différentielles régissant le système en considérant comme grandeurs d'entrées $i(t)$ et T_b; et comme celles de sorties $\theta_m(s)$ et $\theta_b(s)$.

b) Établir le diagramme fonctionnel d'un tel système.

c) Déterminer la matrice de transfert $G(s)$ telle que:

$$\begin{bmatrix} \theta_m(s) \\ \theta_b(s) \end{bmatrix} = G(s) \begin{bmatrix} I(s) \\ T_b(s) \end{bmatrix}$$

d) Déterminer la représentation interne du système.

2.6 Dans cet exercice on se cherche à trouver le modèle mathématique du système asservi de chauffage d'air décrit dans le problème 1.3 du chapitre 1. On vous demande de:

1. déterminer l'équation différentielle du système.
2. déterminer la fonction de transfert;
3. dresser le schéma-bloc du système.

2.7 Dans le problème 1.4 du chapitre 1, il était question de contrôler respectivement le niveau et la température de l'eau dans un bassin.

1. Trouver le modèle mathématique du système lorsque, pour le même bassin, ces deux actions de contrôle sont combinées.
2. Donner le schéma-bloc de l'ensemble.

2.8 Considérons le schéma de la figure 2.35

1. Écrire les équations du mouvement des masses m_1, m_2 et m_3.
2. En déduire les fonctions de transfert $Y_1(s)/F(s)$, $Y_2(s)/F(s)$ et $Y_3(s)/F(s)$.
3. Donner la représentation d'état de l'ensemble.

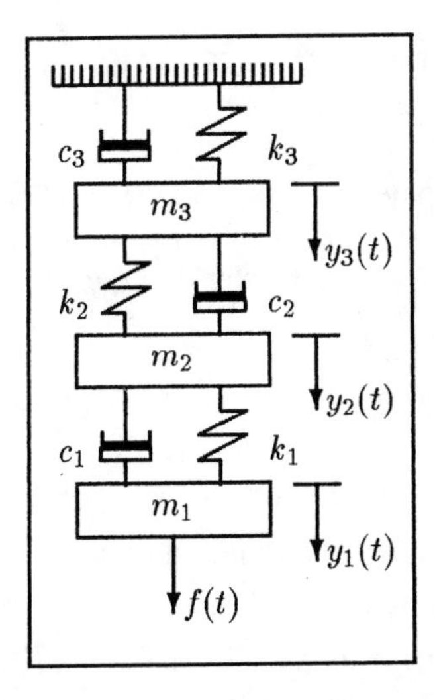

Figure 2.35 Système de masses multiples.

2.9 Considérons l'élément magnéto-électrique illustré à la figure 2.36. La grandeur d'entrée est la tension $u(t)$, celle de sortie est l'angle α de rotation du cadre 2 monté sur le rotor 1. L'aiguille 4 sert à visualiser l'angle α. Les ressorts 3 servent à ramener le cadre dans la position neutre lorsque $u(t) = 0$.

1. Donner l'équation différentielle décrivant le système.
2. Donner la fonction de transfert reliant la sortie α à l'entrée $u(t)$.

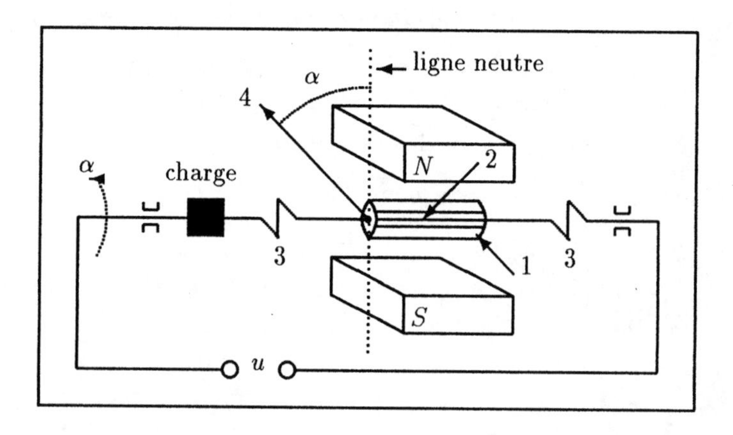

Figure 2.36 Élément magnéto-électrique.

2.10 On considère le système représenté à la figure 2.37. À partir de la position d'équilibre x_0, le système est excité par un effort f tel qu'indiqué sur la figure. Cet effort f déplace le levier de la position d'équilibre $(1 - 1')$ vers la position $(2 - 2')$.

1. Trouver la relation liant l'effort f au déplacement x si, à l'équilibre, on a $x_0 = 0$.
2. Déterminer la fonction de transfert $G(s) = X(s)/Y(s)$ pour:
   a. des conditions initiales non nulles;
   b. des conditions initiales nulles.
3. Pour des déplacements angulaires faibles, trouver la relation donnant θ en fonction de f pour:
   a. des conditions initiales non nulles;
   b. des conditions initiales nulles.

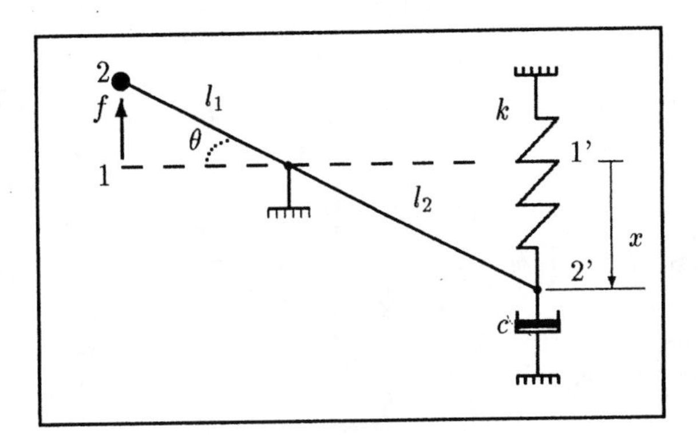

Figure 2.37 Système de levier.

2.11 Le système de régulation de niveau d'un réservoir est représenté par le schéma-bloc de la figure 2.38.

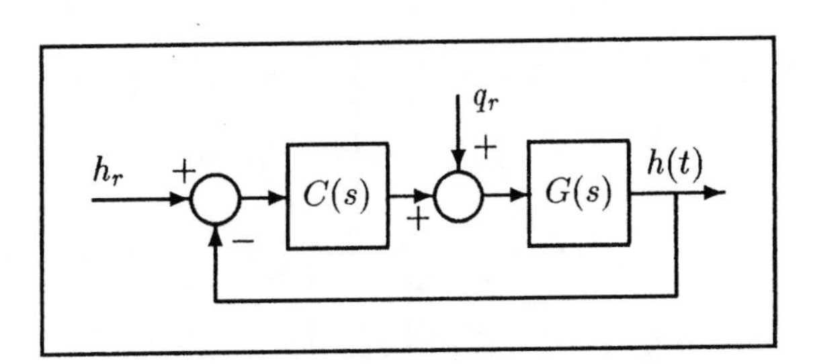

Figure 2.38 Contrôle de niveau d'un réservoir.

La fonction de transfert $G(s)$ et le correcteur $C(s)$ ont pour expressions:

$$G(s) = \frac{K}{\tau s + 1}$$

$$C(s) = k_p + \frac{k_I}{s}$$

Le système a pour entrée principale la hauteur désirée h_r et comme perturbation le débit q_r. La hauteur du système est désignée par $h(t)$.

1. établir les fonctions de transfert suivantes:

$F_1(s) = \frac{H(s)}{H_r(s)}$ quand $q_r = 0$

$F_2(s) = \frac{H(s)}{Q_d(s)}$ quand $h_r = 0$

2. En l'absence de q_d, déterminer la hauteur $h(t)$ du système lorsque $h_r = 1$.

2.12 Considérons les systèmes représentés à la figure 2.39.

- Trouver un schéma équivalent à celui de la figure 2.39a, après que l'on ait déplacé l'élément $H(s)$ de la branche de retour vers un autre endroit que vous spécifierez de façon que la chaîne de retour soit unitaire.

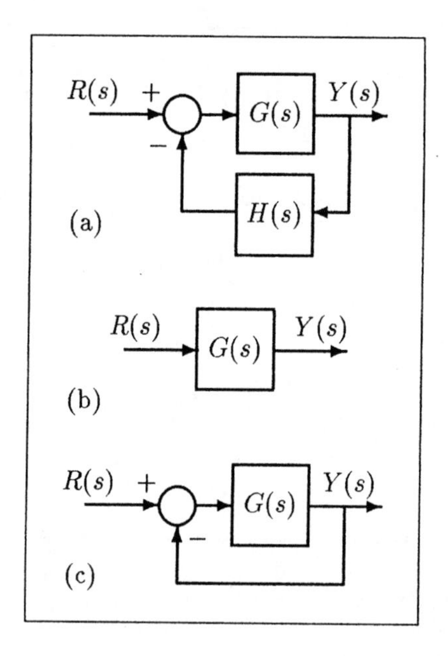

Figure 2.39 Schéma de principe de systèmes de commande en boucle fermée (a), en boucle ouverte (b) et en boucle fermée avec retour unitaire (c).

- Transformer le schéma en boucle ouverte de la figure 2.39b en un schéma équivalent en boucle fermée dont la branche de retour est unitaire.
- Trouver pour le schéma de la figure 2.39b un schéma équivalent en boucle fermée dont la branche directe est unitaire.
- Trouver un schéma équivalent à celui de la figure 2.39c, si on ajoute dans la branche de retour un élément de fonction de transfert $H(s)$.

2.13 Considérons le moteur pneumatique illustré à la figure 2.40. Le tube 1 tourne autour de son axe "O" d'un angle α dans un sens ou dans l'autre. Ceci permet de placer le bout du tube 1 devant l'orifice "a" ou "b". Dans le tube circule un gaz (air ou autre) à la pression constante P. La position verticale du tube est une position neutre. Selon que le tube 1 est placé en "a" ou "b", le cylindre 5 du vérin 4 se déplace vers la droite ou vers la gauche. Les ressorts 2 servent à amortir les oscillations du tube 1 lors de son positionnement.

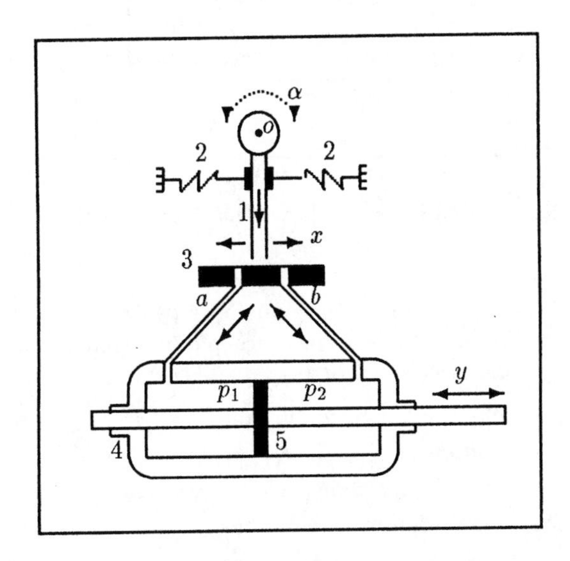

Figure 2.40 Moteur pneumatique.

1. Donner la description mathématique du système reliant y à α.
2. Donner la fonction de transfert $Y(s)/\alpha(s)$ ainsi que le schéma-bloc du système.

2.14 Considérons l'accéléromètre schématisé sur la figure 2.41. Il est composé d'un élément sensible, la masse M, accrochée au bâti par deux ressorts k_1 et k_2 identiques de constante de rappel k. Les déplacements mécaniques de M sont transformés en signal électrique par un potentiomètre P. L'élément A sert à amortir les oscillations de M.

1. Donner le modèle mathématique du système.
2. Donner la relation qui exprime la grandeur de sortie e_0 au déplacement x de la masse par rapport à sa position neutre.

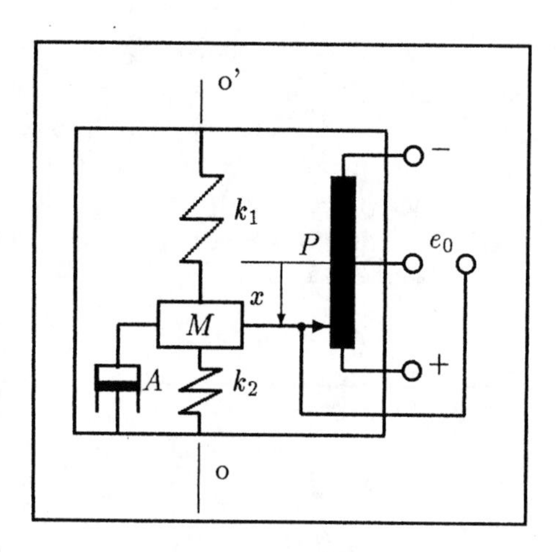

Figure 2.41 Schéma d'un accéléromètre.

2.15 La figure 2.42 représente schématiquement l'entraînement d'une table de machine-outil. La table est entraînée par une roue dentée de rayon r actionnée par un ensemble moteur-réducteur. Si on appelle:

f_c : force d'entraînement de la table;
f_d : perturbations;
b_2 : coefficient des frottements visqueux table-bâti;
C_1 : couple développé par le moteur;
C_2 : couple agissant sur la roue dentée;
N : coefficient de réduction de la vitesse;
V : vitesse de déplacement de la table;
x : distance de déplacement;
θ_1, θ_2 : angles de rotation;
m : masse de la table.

trouver le modèle mathématique ainsi que le schéma-bloc de l'ensemble.

2.16 Un corps rigide de masse m tel qu'illustré à la figure 2.43 repose sur deux ensembles composés de ressorts (k_1 et k_2) et d'amortisseurs (c_1 et c_2). Les déplacements possibles d'un tel corps par rapport à son point d'équilibre sont réduits à des déplacements verticaux y et des déplacements angulaires θ autour du point O. Le moment d'inertie du corps par rapport au point de symétrie O est noté par J. Les autres dimensions sont indiquées sur la figure.

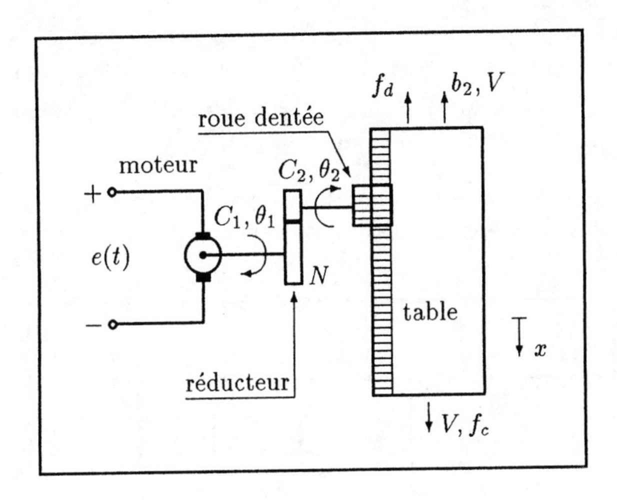

Figure 2.42 Table de machine-outil.

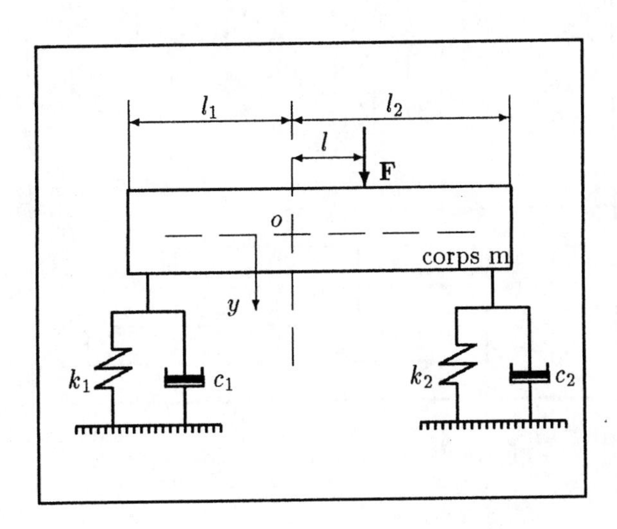

Figure 2.43 Corps rigide en suspension.

1. En considérant la force F et le couple Fl comme grandeurs d'entrée du système et y et θ comme celles de sortie, établir la matrice des fonctions de transfert reliant les grandeur de sortie aux grandeurs d'entrée de ce système. Les conditions initiales sont supposées nulles.
2. En désignant par y, θ, $\dot{y}$, $\dot{\theta}$, les variables d'état du système, établir le modèle d'état correspondant.

2.17 Considérons les systèmes représentés par les schémas-blocs des figures 2.44a, 2.44b et 2.44c. Les schémas-blocs sont-ils équivalents?

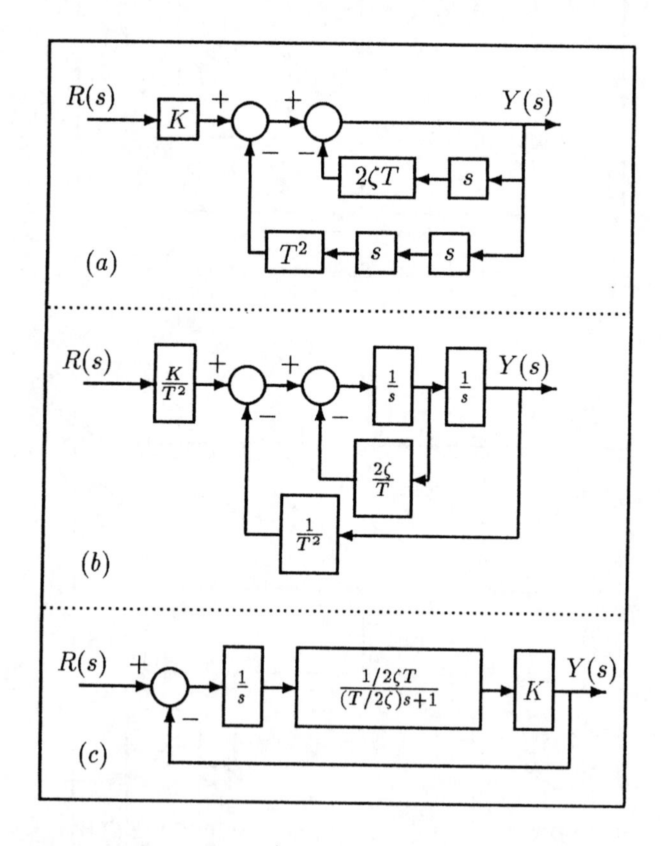

Figure 2.44 Équivalence des schémas-blocs.

2.18 Considérons les schémas-blocs de la figure 2.45.

1. Simplifier les schémas-blocs.
2. Trouver les expressions de $G(s) = \frac{Y(s)}{R(s)}$ quand

   $P(s) = 0.$
   $R(s) = 0.$
   $R(s) \neq 0$ et $P(s) \neq 0.$
3. Trouver la fonction de transfert globale de chaque système en utilisant la règle de Mason.

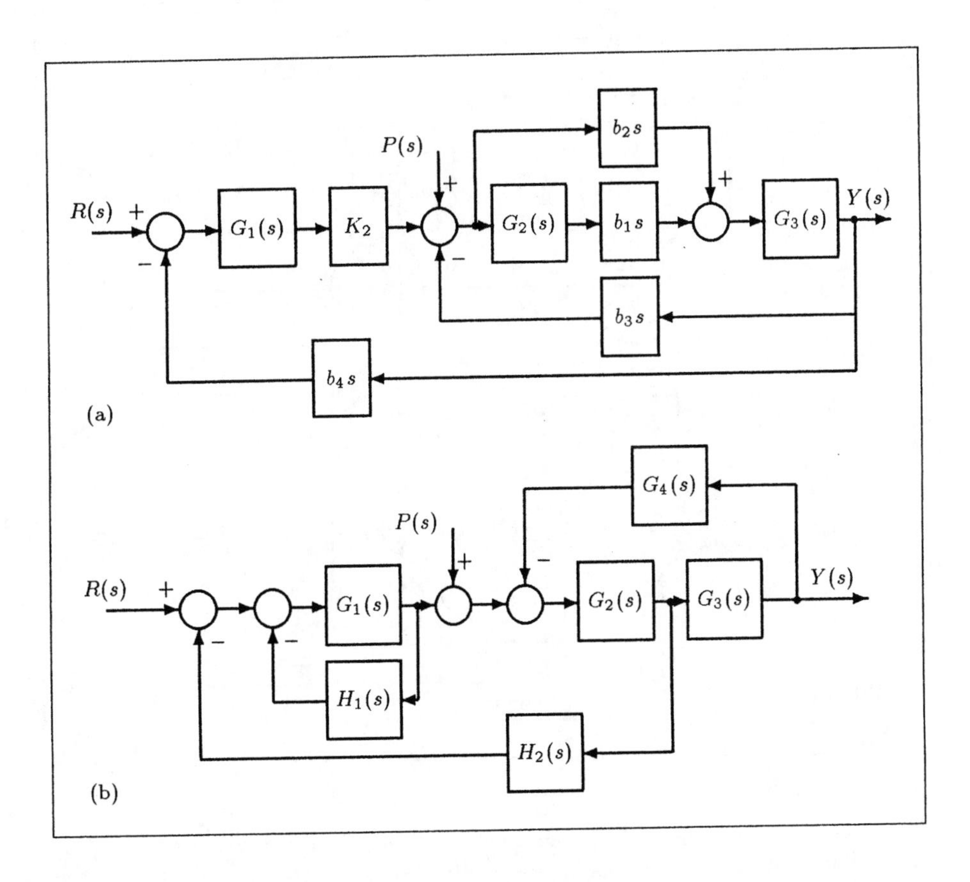

Figure 2.45 Schémas-blocs à plusieurs boucles de contre-réaction.

2.19 Considérons les schémas-blocs d'un stabilisateur de roulis dans un navire (fig. 2.46a) et d'un asservissement avec action anticipatrice (fig. 2.46b).

1. Simplifier les schémas-blocs.
2. Trouver les expressions de $G(s) = \frac{Y(s)}{R(s)}$ quand

   $P(s) = 0$.

   $R(s) = 0$.

   $R(s) \neq 0$ et $P(s) \neq 0$.

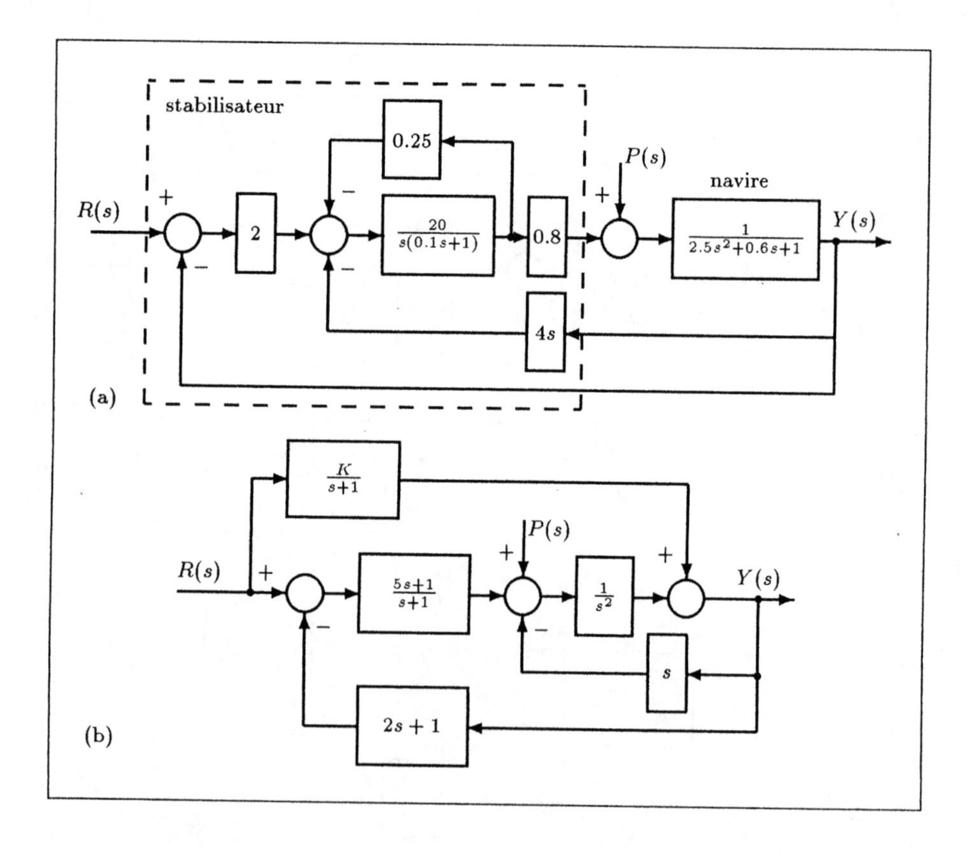

Figure 2.46 Schéma-bloc d'un stabilisateur de roulis dans un navire (a) et d'un asservissement avec action anticipatrice (b).

3

ANALYSE DE LA COMMANDE EN BOUCLE FERMÉE

L'objectif de ce chapitre consiste à présenter au lecteur les différentes structures de commande ainsi que les types de correcteurs que l'on peut utiliser pour satisfaire les spécifications d'un problème de design. Après lecture de ce chapitre, le lecteur doit être en mesure de:

1. **décrire les différentes composantes d'une structure de commande donnée;**
2. **maîtriser les structures des correcteurs classiques ainsi que la structure de retour d'état;**
3. **dresser et simplifier les schémas-blocs de n'importe quelle structure de commande.**

3.1 INTRODUCTION

Au chapitre 1, en parlant de la classification des systèmes asservis, nous sommes parvenus à la conclusion que la structure de commande qui assure les meilleures performances est celle en boucle fermée. Il est établi que la structure de commande en boucle fermée possède plusieurs effets bénéfiques tels que la réduction de la sensibilité du système à la variation des paramètres, l'amélioration des rejets des perturbations et des signaux de bruit agissant sur le système à commander et l'amélioration du régime permanent et du régime transitoire du système considéré.

Le but de ce chapitre consiste à présenter la structure de commande en boucle fermée des systèmes dynamiques linéaires à coefficients constants ainsi que le type de correcteurs que l'on va utiliser dans cet ouvrage. La forme standard de cette boucle de commande comprend en général les composantes suivantes: le système à commander, l'actionneur, le capteur, l'amplificateur et la loi de commande. La formulation du problème de design des asservissements ainsi que les spécifications qu'ils doivent assurer sont présentées au chapitre 7.

Le chapitre sera organisé comme suit: dans la section 3.2, nous présentons la structure de commande des systèmes en boucle fermée. Dans la section 3.3, on s'intéresse aux structures des correcteurs ainsi qu'à leurs réalisations. La section 3.4 est consacrée à la commande par retour d'état. Enfin, la section 3.5 traite des caractéristiques de la commande en boucle fermée.

3.2 STRUCTURE DE COMMANDE EN BOUCLE FERMÉE

Nous avons vu précédemment que pour un système linéaire donné, la forme de commande qui permet d'atteindre les meilleures performances est celle en boucle fermée. La structure de commande en boucle fermée peut prendre plusieurs configurations, qui sont représentées aux figures 3.1a,b,c,d,e. La configuration la plus utilisée, quand le modèle employé est sous forme de fonction de transfert, est celle de la figure 3.1a, souvent appelée la configuration cascade.

Par contre, quand le modèle est donné sous forme de modèle d'état, la structure utilisée est celle de la figure 3.1e. Cette configuration est celle de la commande par retour d'état. Nous nous restreignons dans le cadre de cet ouvrage à ces deux configurations. L'analyse et le design de ces deux configurations sont présentés ultérieurement.

La structure de la figure 3.1a peut être représentée différemment. En faisant apparaître les capteurs et les actionneurs, cette structure peut être représentée par la figure 3.1f.

La forme standard de cette boucle de commande comprend les composantes suivantes:

- le système à commander;
- l'actionneur;
- le capteur;
- l'amplificateur;
- le correcteur.

Chaque composante a son propre rôle en vue d'exécuter la tâche pour laquelle le système asservi est conçu. Nous allons décrire chacune de ces composantes.

Système à commander

Nous savons que ce système traduit en général un système physique possédant ses grandeurs d'entrée (principales et secondaires) et ses grandeurs de sortie. Nous avons vu précédemment que ce système peut être décrit par diverses représentations. La commande de ce système consiste à agir sur les grandeurs d'entrée principales de façon à fournir au système la ou les grandeurs de sortie désirées. À titre d'exemple de système asservi, citons le cas du moteur à courant continu, entraînant une charge mécanique donnée, commandé par l'induit. La grandeur d'entrée principale d'un tel système est la tension d'alimentation de l'induit, la grandeur d'entrée secondaire est le couple de charge représentant l'effet de la charge et la grandeur de sortie est la position de la charge ou la position de l'arbre du moteur.

Capteur

Pour que le correcteur utilisé puisse assurer le suivi de la consigne imposée, l'emploi d'un organe de mesure est d'une grande utilité. Un tel organe est appelé capteur; son rôle est de renseigner le correcteur sur le comportement dynamique de la grandeur commandée. En général, dans un système asservi, les grandeurs commandées peuvent être de nature électrique, thermique, mécanique ou autres. Les signaux de référence et de sortie sont parfois incompatibles. Les capteurs peuvent résoudre cette incompatibilité. Le capteur est alors un organe dont la tâche consiste à convertir une grandeur physique en une autre facilement utilisable et de même nature que la grandeur de référence. Dans la majorité des cas, cette dernière grandeur est du type électrique. Comme exemples de capteur, citons le thermocouple dont le rôle est de convertir la température en une tension électrique; la génératrice tachymétrique qui convertit la vitesse de rotation angulaire en une tension électrique. Les capteurs

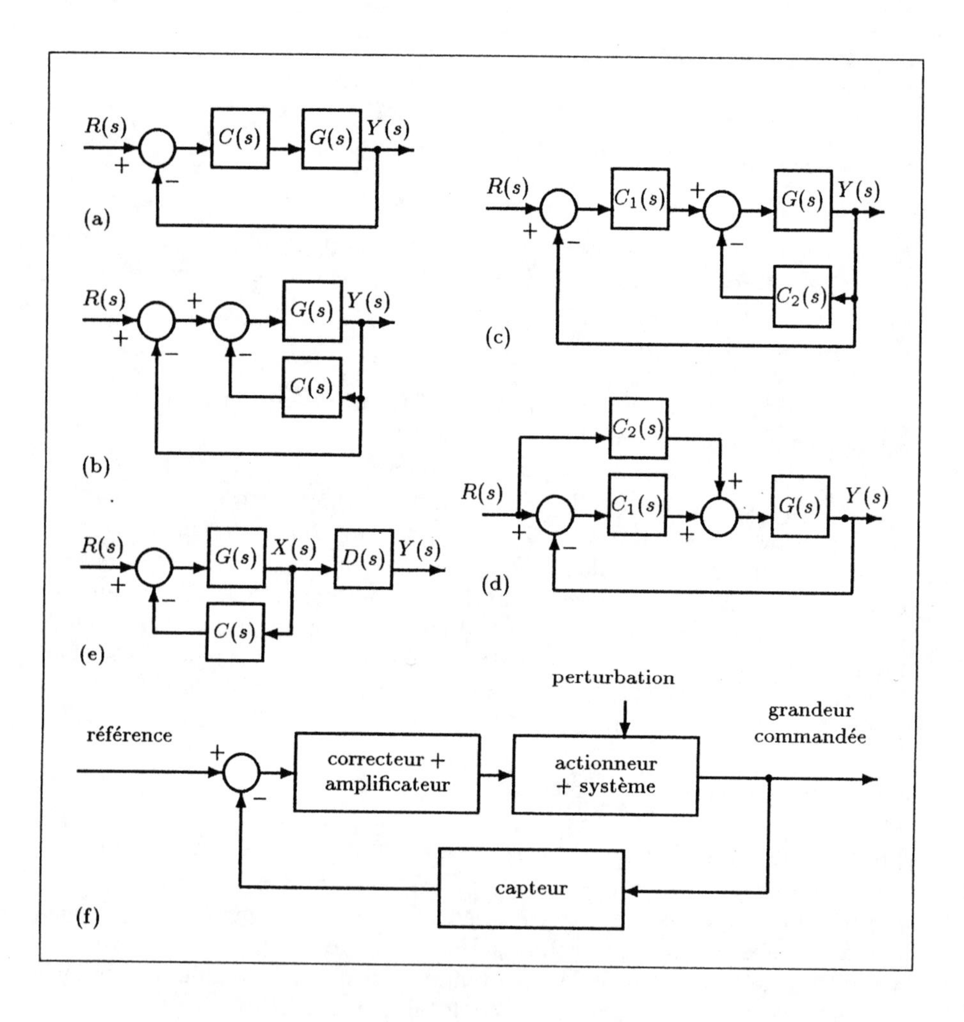

Figure 3.1 Correcteurs en cascade (a), en feedback (b), en cascade-feedback (c), par anticipation (d), par retour d'état (e) et structure de commande en boucle fermée des systèmes dynamiques (f).

sont nombreux; pour plus d'information, le lecteur peut consulter les références spécialisées.

Actionneur

Pour transmettre les ordres du correcteur au système à commander, on a recours généralement à l'utilisation d'un organe de transmission de puissance appelé actionneur.

L'actionneur est un organe qui convertit de l'énergie d'une forme en une autre pour agir sur le système à commander. Cet actionneur peut être du type électrique (moteur électrique), hydraulique (vérin hydraulique pour les déplacements linéaires ou moteur hydraulique pour les mouvements en rotation) ou pneumatique (vérin pour les déplacements linéaires ou moteur pneumatique pour les déplacements en rotation). Le choix entre ces types d'actionneurs dépend de plusieurs paramètres. En général, l'effort utilisé dicte un tel choix.

Correcteur

Le correcteur est en quelque sorte le cerveau du système asservi. C'est lui qui génère les décisions pour accomplir la tâche désirée. Le choix de ce correcteur dépend principalement de la structure du système à commander et des performances désirées. En général, ce correcteur se base sur l'erreur du système bouclé pour générer l'action appropriée. Dans le cas de la structure en cascade ou de la structure par retour d'état, cette action est traitée par un amplificateur de puissance. Les correcteurs peuvent être classés en deux catégories: les correcteurs classiques (combinaison des actions proportionnelle, dérivée, et intégrale; avance de phase, retard de phase) et les correcteurs modernes (retour d'état ou de sortie).

Amplificateur

En général, à la sortie du correcteur, le signal a un niveau insuffisant pour agir sur le système à commander par l'intermédiaire de l'actionneur. L'emploi d'un amplificateur s'impose. Le rôle de cet amplificateur est d'amplifier le signal généré par le correcteur pour le rendre suffisant pour faire fonctionner l'actionneur.

Rappelons qu'au cours du chapitre 2, la modélisation de ces composantes a été présentée. Dans le reste de cet ouvrage, nous ne faisons qu'utiliser les fonctions de transfert correspondantes.

Exemple 3.1 Asservissement de la position angulaire d'un gouvernail d'avion

Dans cet exemple, nous présentons la commande de position d'un gouvernail d'avion. Le système asservi est illustré à la figure 1.12a.

L'objectif de ce système est de placer le gouvernail à une position donnée appelée position de référence, notée θ_r. Les caractéristiques mécaniques du gouvernail sont le moment d'inertie J par rapport à l'axe de rotation passant par O, la constante d'amortissement b et la constante de raideur k du ressort reliant le gouvernail au vérin hydraulique. Le vérin est actionné par une servovalve. Les différentes composantes de la structure de commande de cet exemple sont :

1. Le capteur TR: les mouvements possibles du gouvernail sont réduits à des rotations autour de l'axe passant par le point O. Le capteur utilisé pour mesurer le mouvement du gouvernail est du type transformateur différentiel rotatif (voir chapitre 2.). La dynamique de ce capteur est réduite à un gain k_2, c'est-à-dire que la relation entre la grandeur d'entrée, $\theta(t)$, et la grandeur de sortie du capteur, $v_\theta(t)$, est donnée par:

$$v_\theta(t) = k_2\theta(t)$$

2. Le comparateur: il produit un signal d'erreur lorsque l'angle de référence θ_r diffère de la position $\theta(t)$ prise par le gouvernail. À la position angulaire θ_r de référence est associée une tension électrique de référence $v_r(t)$. C'est-à-dire:

$$v_r(t) = k_r\theta_r(t)$$

La différence $e(t)$ entre la tension électrique de référence $v_r(t)$ et la tension électrique $v_\theta(t)$ correspondant à $\theta(t)$ est donnée par la relation suivante:

$$e(t) = v_r(t) - v_\theta(t)$$

En supposant que $k_r = k_2$, l'expression de cette erreur se ramène à:

$$e(t) = k_r(\theta_r - \theta(t))$$

Ce signal d'erreur est utilisé par le correcteur de fonction de transfert $C(s)$ pour générer le signal nécessaire à l'actionneur après amplification par un gain K.

3. Le correcteur $C(s)$ et l'amplificateur de puissance: le correcteur a pour rôle de réduire à zéro l'écart entre θ_r et $\theta(t)$. Le signal d'erreur délivré par le comparateur est utilisé pour générer l'action nécessaire que l'on doit fournir à la servovalve après amplification pour contrer les grands écarts pris par l'erreur.

4. La servovalve: le rôle de la servovalve est d'utiliser le signal basé sur l'erreur issue de l'amplificateur pour générer l'action appropriée à l'actionneur, qui doit à son tour agir sur le gouvernail pour contrer le défaut. En se référant au chapitre 2, on sait que la relation qui lie la grandeur d'entrée $I(s)$ et celle de sortie de la servovalve $Y(s)$ est donnée par l'expression suivante:

$$Y(s) = \frac{k_s}{\frac{1}{\omega_n^2}s^2 + \frac{2\zeta}{\omega_n}s + 1} I(s) = G_1(s)I(s)$$

   où: $y(t)$ est la position de la servovalve; $i(t)$ est le courant délivré à la servovalve; k_s est le gain de la servovalve; ζ est le taux d'amortissement de la servovalve et ω_n est la pulsation naturelle de la servovalve.

5. L'actionneur et le gouvernail: l'actionneur, c'est le vérin hydraulique qui prend la grandeur de sortie de la servovalve et la convertit en action dont la relation est donnée par:

$$k_1 y = A\dot{x} + (k_3 + k_4)(p_1 - p_2)$$

   où $x(t)$ est la position du piston de l'actionneur; A est la section du vérin hydraulique; k_i est une constante $(i = 1, \cdots, 4)$ et $p_1 - p_2$ est la différence de pression entre les deux faces du piston du vérin hydraulique.

   En négligeant la masse du piston et les frottements, on peut écrire la relation entre le déplacement du gouvernail et la position du piston du cylindre de la façon suivante:

$$(p_1 - p_2)A = k(x - y)$$

   Compte tenu de cette relation et de la relation précédente, on obtient:

$$k_1 y = A\dot{x} + \frac{(k_3 + k_4)}{A} k(x - y)$$

   En prenant le moment d'inertie par rapport au point O, on obtient ainsi:

$$k(x - y)r = J\frac{d^2}{dt^2}\theta(t) + b\frac{d}{dt}\theta(t)$$

En utilisant les relations précédentes, on obtient après composition par la transformée de Laplace la relation suivante:

$$\Theta(s) = \frac{krA\,(k_1 - sA)}{s\,(sA^2 + k\,(k_3 + k_4)\,(Js + b))} Y(s) = G_2(s)Y(s)$$

Le schéma-bloc de l'ensemble est illustré à la figure 3.2.

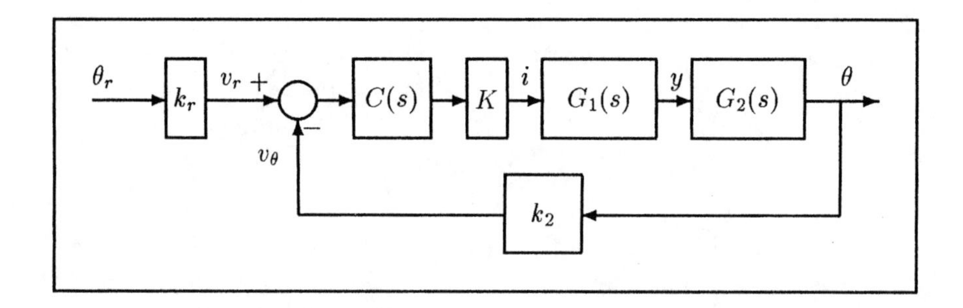

Figure 3.2 Schéma-bloc de la commande de position d'un gouvernail d'avion

Exemple 3.2 Commande du pendule inversé

Le cas du pendule inversé est classique en automatique. Le système à commander est constitué d'un pendule inversé monté sur un chariot motorisé. Un tel système est illustré à la figure 3.3a.

L'objectif est de maintenir le pendule en équilibre dans la position verticale. Il est clair que sans l'emploi d'un effort provenant d'une commande en boucle fermée, le pendule ne peut pas se tenir dans la position verticale. Le schéma bloc de la structure de commande utilisée est illustré à la figure 3.3b.

La masse m du pendule de longueur l est censée être totalement concentrée à l'extrémité de celui-ci. Celle du chariot est désignée par M. En désignant par (x, y) les coordonnées du point A, par (x_B, y_B) celles du point B, et par θ l'angle du pendule avec la verticale, on peut, avec les relations de base de la géométrie classique, établir les relations suivantes reliant les coordonnées des points A et B:

$$x_B = x + lsin(\theta) \quad (3.1)$$

$$y_B = lcos(\theta) \quad (3.2)$$

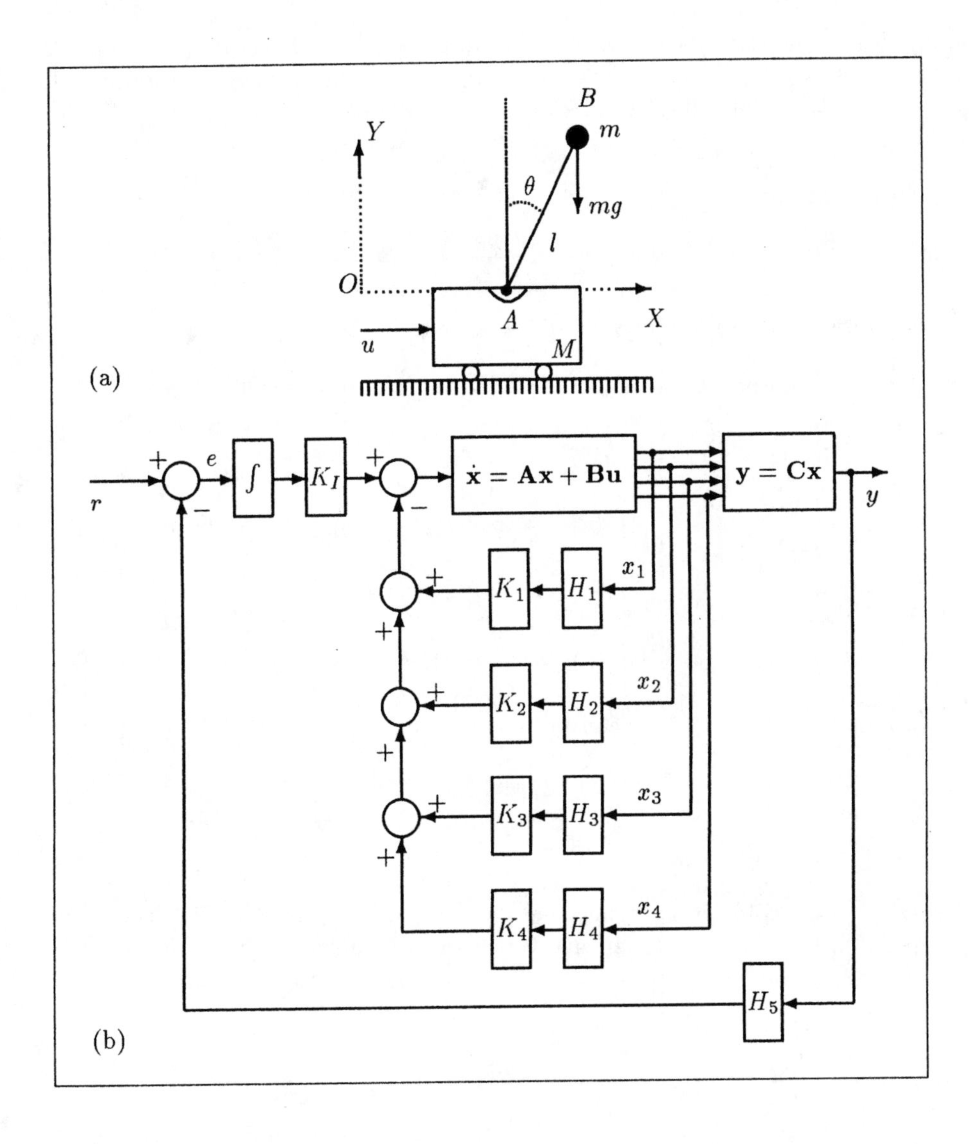

Figure 3.3 Représentation schématique d'un pendule inversé monté sur chariot motorisé (a) et sa structure de commande en boucle fermée (b).

Le chariot ne peut se déplacer que le long de l'axe OX. Les seuls mouvements possibles sont alors le déplacement de l'ensemble chariot et pendule le long de

OX et la rotation du pendule autour du point A sous l'effet de la masse m et des accélérations $\frac{d^2x_B}{dt^2}$ et $\frac{d^2y_B}{dt^2}$. En utilisant les relations fondamentales de la dynamique en translation et en rotation, on obtient:

$$\begin{aligned} m\frac{d^2x_B}{dt^2} + M\frac{d^2x}{dt^2} &= u(t) \\ m\frac{d^2x_B}{dt^2}lcos(\theta) - m\frac{d^2y_B}{dt^2}lsin(\theta) &= mglsin(\theta) \end{aligned}$$

où g est l'accélération de gravitation.

Compte tenu des relations (3.1)-(3.2) et des relations suivantes:

$$\begin{aligned} \frac{d}{dt}sin(\theta) &= \dot{\theta}cos(\theta) \\ \frac{d}{dt}cos(\theta) &= -\dot{\theta}sin(\theta) \\ \frac{d^2}{dt^2}sin(\theta) &= -\dot{\theta}^2 sin(\theta) + \ddot{\theta}cos(\theta) \\ \frac{d^2}{dt^2}cos(\theta) &= -\dot{\theta}^2 cos(\theta) - \ddot{\theta}sin(\theta) \end{aligned}$$

les relations précédentes s'écrivent comme suit:

$$\begin{aligned} (M+m)\ddot{x} - ml\dot{\theta}^2 sin(\theta) + ml\ddot{\theta}cos(\theta) &= u \\ m\ddot{x}cos(\theta) + ml\ddot{\theta} &= mgsin(\theta) \end{aligned}$$

D'un autre côté, étant donné que l'objectif est de maintenir le pendule en position verticale, il est clair que θ et $\dot{\theta}$ sont des quantités de faible valeur. Il en résulte que:

$$\begin{aligned} sin(\theta) &\approx \theta \\ cos(\theta) &\approx 1 \\ \theta\dot{\theta}^2 &\approx 0 \end{aligned}$$

Compte tenu de ces relations, on obtient le modèle linéaire du système constitué par le chariot et le pendule inversé suivant:

$$\begin{aligned} (M+m)\ddot{x} + ml\ddot{\theta} &= u \\ m\ddot{x} + ml\ddot{\theta} &= mg\theta \end{aligned}$$

De telles relations peuvent s'écrire après quelques manipulations algébriques (reporter l'expression de $\ddot{x}(t)$ à partir de (3.2) dans (3.2) pour obtenir (3.3) et (3.2) moins (3.2) pour obtenir (3.4)) sous la forme suivante:

$$Ml\ddot{\theta} = (M+m)g\theta - u \tag{3.3}$$

$$M\ddot{x} = u - mg\theta \tag{3.4}$$

Le modèle d'état correspondant peut être obtenu en posant: $x_1 = \theta = y_1$, $x_2 = \dot{\theta}$, $x_3 = x = y_2$ et $x_4 = \dot{x}$.

Un tel modèle est donné par:

$$\begin{aligned} \dot{\mathbf{x}}(t) &= \begin{bmatrix} 0 & 1 & 0 & 0 \\ \frac{(M+m)}{Ml}g & 0 & 0 & 0 \\ 0 & 0 & 0 & 1 \\ -\frac{m}{M}g & 0 & 0 & 0 \end{bmatrix} \mathbf{x}(t) + \begin{bmatrix} 0 \\ -\frac{1}{Ml} \\ 0 \\ \frac{1}{M} \end{bmatrix} \mathbf{u}(t) \\ \mathbf{y}(t) &= \begin{bmatrix} 1 & 0 & 0 & 0 \\ 0 & 0 & 1 & 0 \end{bmatrix} \mathbf{x}(t) \end{aligned}$$

Dans cet exemple, le correcteur par retour d'état annule l'erreur en régime permanent, mais comme nous allons le voir au cours du chapitre 8, le correcteur par retour d'état est incapable d'annuler l'erreur en régime permanent d'un système de type donné à une grandeur d'entrée de forme donnée. Pour remédier à ce défaut, nous pouvons adjoindre à ce type de correcteur une action intégrale dont le rôle est d'augmenter le type du système d'une unité, ce qui a pour effet l'annulation de l'erreur en régime permanent. Le correcteur ainsi obtenu est un correcteur mixte retour d'état-intégral. L'ajout de l'action intégrale augmente aussi la dimension du modèle d'état d'une unité (voir chapitre 8 pour plus d'informations).

Dans ce qui suit, le modèle augmenté est décrit par les équations suivantes:

$$\begin{aligned} \dot{\mathbf{x}}(t) &= \mathbf{A}\mathbf{x}(t) + \mathbf{B}\mathbf{u}(t) \\ \mathbf{y}(t) &= \mathbf{C}\mathbf{x}(t) \\ \mathbf{u}(t) &= \mathbf{N}\mathbf{r}(t) - \mathbf{K}\mathbf{x}(t) \end{aligned}$$

3.3 CORRECTEURS CLASSIQUES

Les correcteurs classiques comprennent les correcteurs proportionnel (P), intégral (I), dérivé (D) et les correcteurs avance de phase et retard de phase. Une présentation descriptive de ces types de correcteurs est donnée dans cette section. D'autres performances concernant ces correcteurs sont présentées au chapitre 7. Les performances énoncées dans ce chapitre sont démontrées par des exemples.

3.3.1 Correcteur proportionnel (P)

Le correcteur proportionnel P (ou à action proportionnelle P) est le correcteur le plus simple, comparé à ceux qui seront présentés ultérieurement. Il agit directement sur l'erreur à l'instant courant pour générer l'action requise pour corriger le comportement dynamique de la grandeur à commander. La réponse d'un tel correcteur est instantanée.

L'équation de ce correcteur dans le domaine du temps est donnée par la relation suivante:

$$u(t) = k_p e(t)$$

où $e(t)$, $u(t)$ et k_p désignent respectivement l'erreur à l'instant t, la commande générée et le gain du correcteur.

La fonction de transfert correspondante est donnée par:

$$C(s) = \frac{U(s)}{E(s)} = k_p$$

où $U(s) = \mathcal{L}[u(t)]$ et $E(s) = \mathcal{L}[e(t)]$.

La figure 3.4a illustre comment le correcteur P répond aux variations du signal d'erreur.

La réalisation électronique à base d'amplificateurs opérationnels d'un tel correcteur est représentée à la figure 3.4b.

L'avantage principal de ce type de correcteur est sa simplicité d'implantation à l'aide d'amplificateurs opérationnels. Son inconvénient majeur est qu'il n'offre aucune possibilité d'annuler l'erreur du système en régime permanent dans le

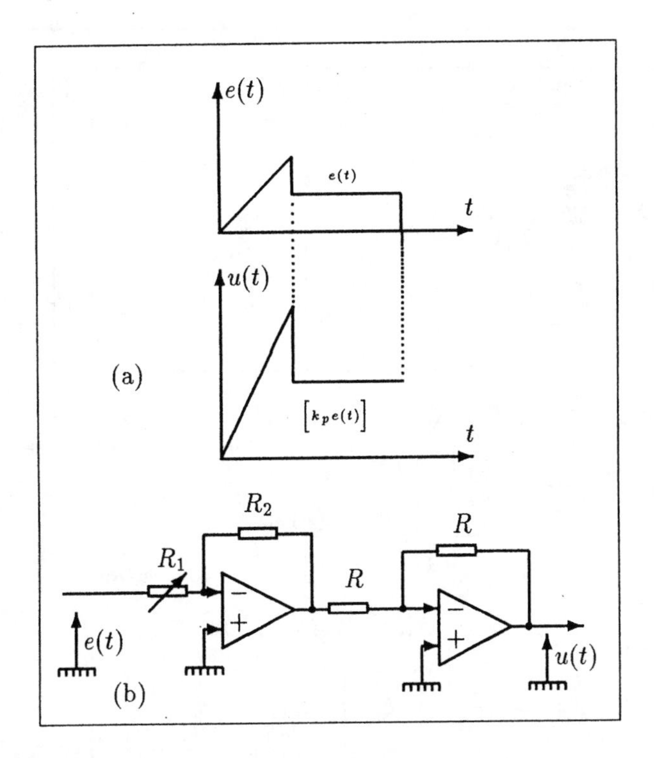

Figure 3.4 Comportement de la grandeur de sortie du correcteur proportionnel en fonction des variations du signal d'erreur (a) (k_p est plus grand que 1) et son schéma électronique (b).

cas où la fonction de transfert du système est du type zéro et que le signal de référence est en forme d'échelon par exemple.

Exemple 3.3 Correction de la hauteur d'un réservoir d'eau

On a vu, au cours du chapitre 2, que la fonction de transfert modélisant la commande de la hauteur d'un réservoir dont la grandeur d'entrée est un débit et la grandeur de sortie est la hauteur désirée est un système du premier ordre dont l'expression est de la forme:

$$G(s) = \frac{K}{\tau s + 1}$$

où les paramètres K et τ caractérisent le réservoir utilisé.

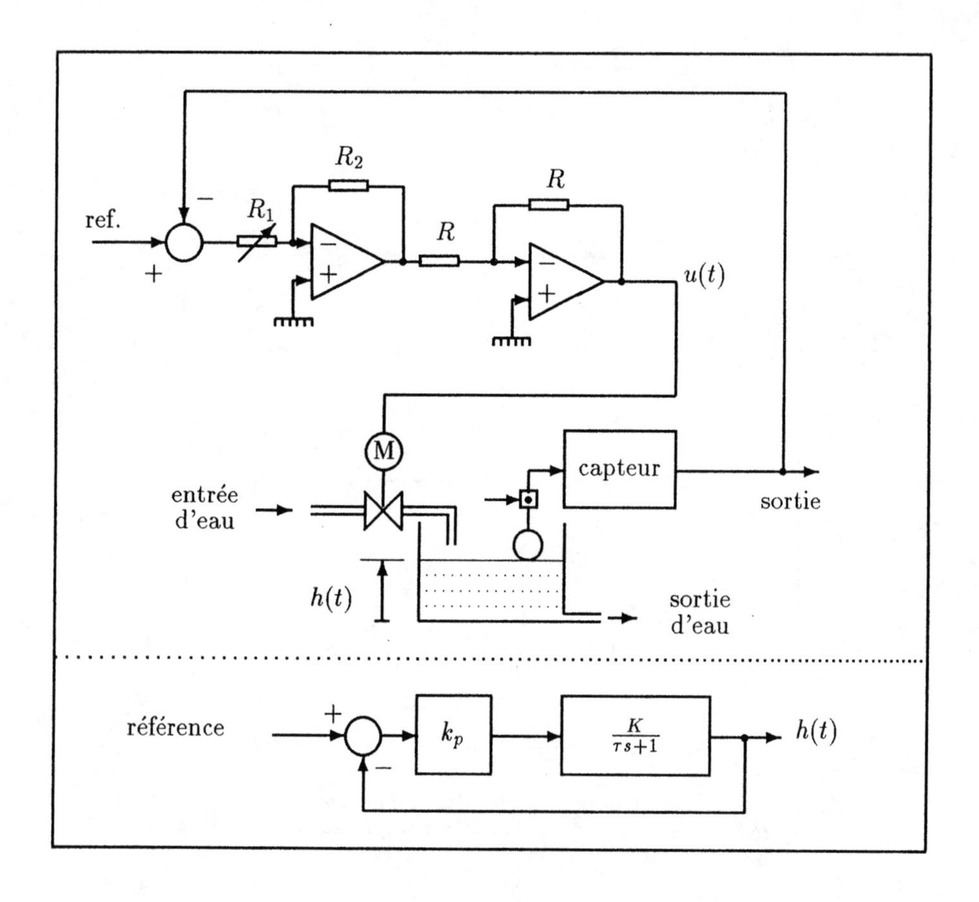

Figure 3.5 Structure de commande en boucle fermée de la hauteur d'un réservoir d'eau à l'aide d'un correcteur P

Cette fonction de transfert représente toute la dynamique du moteur entraînant la vanne, le réservoir et le capteur de hauteur.

L'objectif de cet exemple est de montrer qu'un correcteur du type proportionnel est incapable d'annuler l'erreur en régime permanent lorsque la grandeur d'entrée est un échelon unitaire.

Étant donné que le concept d'erreur n'a pas encore été traité, on procède différemment. En effet, si un tel correcteur est utilisé, le diagramme fonctionnel du système asservi a la forme représentée à la figure 3.5. Le retour unitaire est choisi en vue de faciliter les calculs.

Compte tenu de ce diagramme fonctionnel, l'expression de la grandeur de sortie, $y(t) = h(t)$, est donnée par:

$$Y(s) = \frac{Kk_p}{\tau s + 1 + Kk_p} R(s) \quad \text{avec} \quad R(s) = \frac{1}{s}$$

L'expression de l'erreur est alors donnée par:

$$E(s) = R(s) - Y(s) = \frac{1}{s}\left[1 - \frac{Kk_p}{\tau s + 1 + Kk_p}\right]$$

L'expression de cette erreur en régime permanent peut être obtenue en utilisant le théorème de la valeur finale. L'application de ce théorème donne:

$$e(\infty) = \lim_{s \to 0} sE(s) = \frac{1}{1 + Kk_p}$$

La valeur prise par cette erreur est d'autant plus petite que le gain k_p est grand. Une telle valeur n'est jamais nulle sauf dans le cas où k_p est infini, ce qui est impossible à obtenir en pratique. Ceci résume un résultat très connu, **qu'un correcteur de type proportionnel est incapable d'annuler l'erreur en régime permanent d'un système de type zéro (ne possédant aucun pôle à l'origine en boucle ouverte) lorsque la grandeur d'entrée est en forme d'échelon** . Notons que le correcteur proportionnel agit en même temps sur le régime permanent et le régime transitoire mais sa capacité est limitée.

3.3.2 Correcteur intégral (I)

Pour pallier l'inconvénient mentionné dans le cas du système de type zéro, le correcteur du type intégral est d'une grande importance, car il permet d'augmenter le type du système d'une unité et, par conséquent, d'améliorer le régime permanent. L'inconvénient majeur de ce type de correcteur se traduit par l'ajout d'un pôle à l'origine du plan s, ce qui cause un effet de dégradation de stabilité.

L'équation dans le domaine du temps de ce type de correcteur est donnée par la relation suivante:

$$u(t) = k_I \int_0^t e(\tau)d\tau$$

où $e(t)$, $u(t)$ et k_I désignent respectivement l'erreur à l'instant t, la commande générée et le gain du correcteur.

La fonction de transfert correspondante est donnée par:

$$C(s) = \frac{U(s)}{E(s)} = \frac{k_I}{s}$$

La figure 3.6a illustre comment le correcteur (I) répond aux variations du signal d'erreur. La réalisation électronique de ce type de correcteur est représentée à la figure 3.6b. Notons que ce type de correcteur agit en régime permanent tout en détériorant le régime transitoire.

Exemple 3.4 Amélioration du régime permanent

Dans cet exemple, on montre les effets positifs et négatifs d'un correcteur intégral. Pour cela, considérons le même système que celui traité à l'exemple 3.3 en remplaçant le correcteur proportionnel par un correcteur intégral. Les expressions de la grandeur de sortie et de l'erreur du nouveau système asservi sont:

$$\begin{aligned} Y(s) &= \frac{k_I K}{\tau s^2 + s + k_I K} R(s) \\ E(s) &= R(s)\left[1 - \frac{k_I K}{\tau s^2 + s + k_I K}\right] \end{aligned}$$

avec

$$R(s) = \frac{1}{s}$$

En ce qui concerne le régime permanent, nous pouvons procéder de la même manière que pour l'exemple 3.3, ce qui donne:

$$e(\infty) = 0$$

Ceci montre que le correcteur intégral améliore bien l'erreur en régime permanent. Pour voir son impact sur le régime transitoire, on peut procéder au calcul

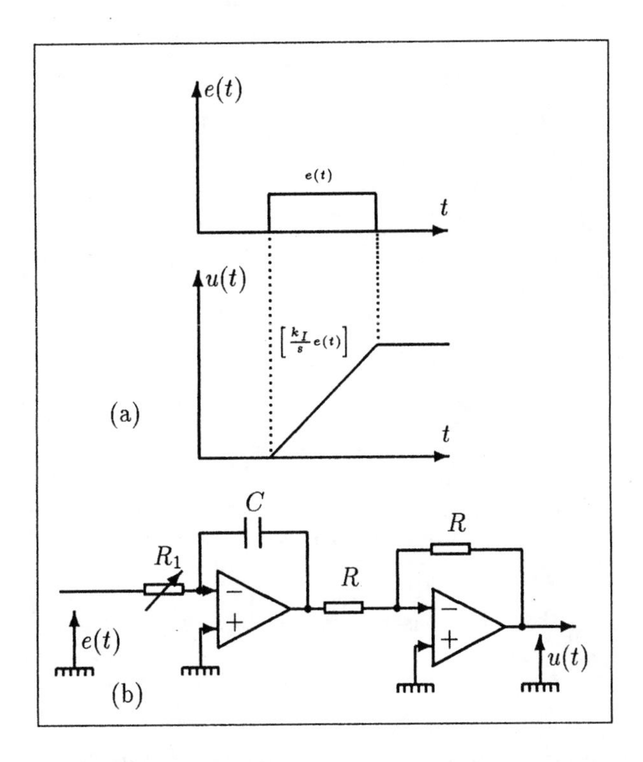

Figure 3.6 Comportement de la grandeur de sortie du correcteur intégral en fonction des variations du signal d'erreur (a) (k_I est plus grand que 0) et son schéma électronique (b).

de l'expression analytique de la grandeur de sortie pour une grandeur d'entrée en forme d'échelon unitaire, puis examiner l'impact de ce correcteur ou utiliser le logiciel MATLAB pour voir comment le système répond sur un intervalle de temps illustrant les deux régimes. Une telle réponse est présentée à la figure 3.7. Dans cette figure on a représenté la réponse indicielle du système avec un correcteur du type proportionnel (courbe 1) et un correcteur du type intégral (courbe 2).

On constate alors que le régime transitoire se dégrade par l'emploi de ce correcteur. Par contre, le régime permanent s'est bien amélioré.

En résumé, **le correcteur intégral a pour effet d'améliorer le régime permanent tout en détériorant le régime transitoire**. Le correcteur

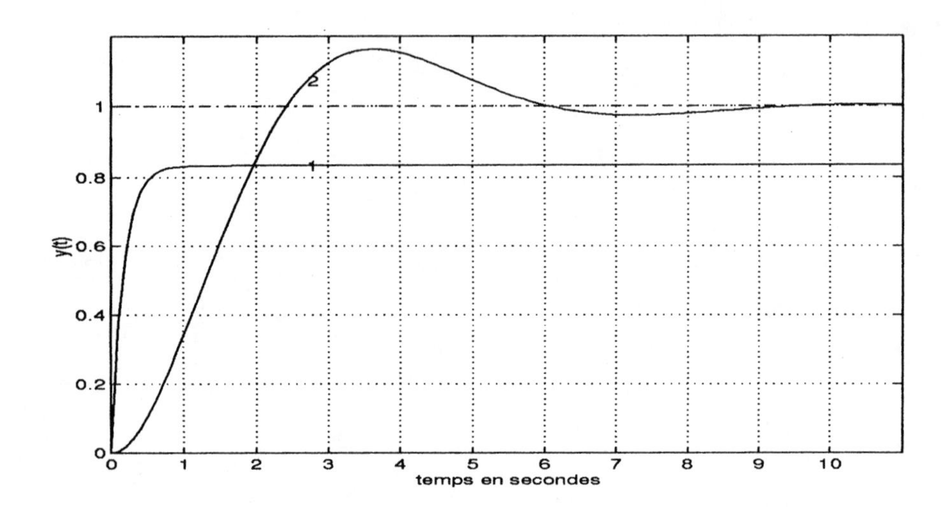

Figure 3.7 Réponse indicielle d'un système de 1er ordre commandé en boucle fermée à l'aide d'un correcteur intégral ($K = \tau = 1$, $k_I = 1$ et $t \in [0, 15]$)

intégral ayant un effet déstabilisateur, son utilisation est combinée, en général, à l'action proportionnelle.

3.3.3 Correcteur proportionnel-intégral (PI)

Le correcteur intégral est fréquemment combiné au correcteur proportionnel pour améliorer le régime permanent. Cette combinaison est souvent appelée correcteur proportionnel-intégral. La raison de cette combinaison est que le correcteur intégral améliore le régime permanent tout en détériorant le régime transitoire. Quant à l'action proportionnelle, elle offre la possibilité de modifier en même temps le régime transitoire et le régime permanent. Le correcteur proportionnel intégral combine alors les deux avantages et permet ainsi d'améliorer tant le régime permanent que le régime transitoire.

L'équation dans le domaine du temps de ce correcteur est donnée par la relation suivante:

$$u(t) = k_p e(t) + k_I \int_0^t e(\tau) d\tau$$

La fonction de transfert correspondante est donnée par:

$$C(s) = \frac{U(s)}{E(s)} = k_p + \frac{k_I}{s} = k_p \frac{s+z}{s}, \quad z = \frac{k_I}{k_p}$$

L'emploi de ce correcteur se traduit par l'ajout d'un pôle à l'origine et d'un zéro à la fonction de transfert en boucle ouverte du système.

La figure 3.8a illustre comment le correcteur PI répond aux variations du signal d'erreur. La réalisation électronique de ce type de correcteur est représentée à la figure 3.8b.

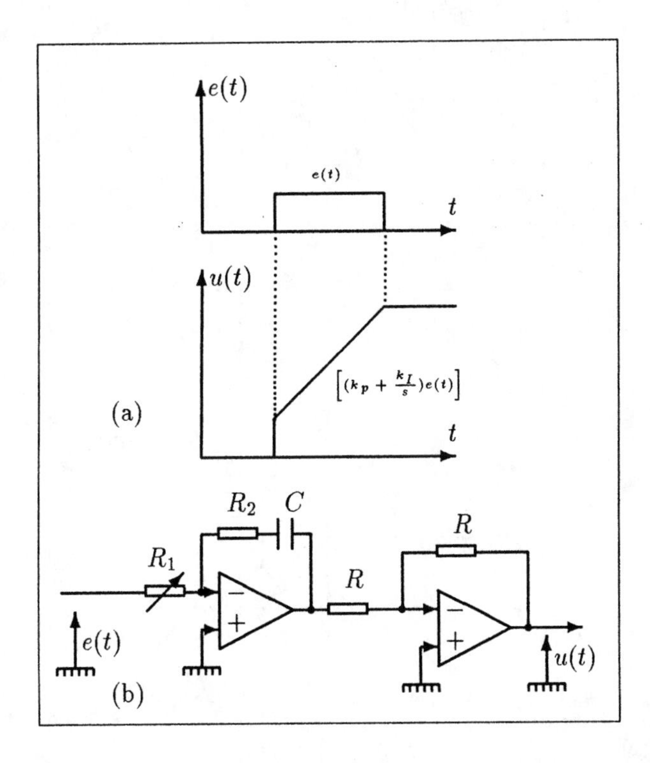

Figure 3.8 Comportement de la grandeur de sortie du correcteur proportionnel-intégral en fonction des variations du signal d'erreur (a) (k_p est plus grand que 1 et k_I est plus grand que 0) et son schéma électronique (b).

Exemple 3.5 Amélioration des régimes permanent transitoire

Le correcteur proportionnel-intégral est une combinaison des deux actions proportionnelle et intégrale. Il a pour effet d'améliorer en même temps le régime permanent et le régime transitoire. L'objectif de cet exemple est de montrer ce double effet. Pour cela, considérons le même système à commander que celui des exemples précédents. Compte tenu de l'expression du correcteur et de celle du système à commander, on obtient les expressions suivantes pour la grandeur de sortie et l'erreur:

$$\begin{aligned} Y(s) &= \frac{K(k_I + k_p s)}{\tau s^2 + (1 + Kk_p)s + Kk_I} R(s) \\ E(s) &= R(s)\left[1 - \frac{K(k_I + k_p s)}{\tau s^2 + (1 + Kk_p)s + Kk_I}\right] \end{aligned}$$

avec

$$R(s) = \frac{1}{s}$$

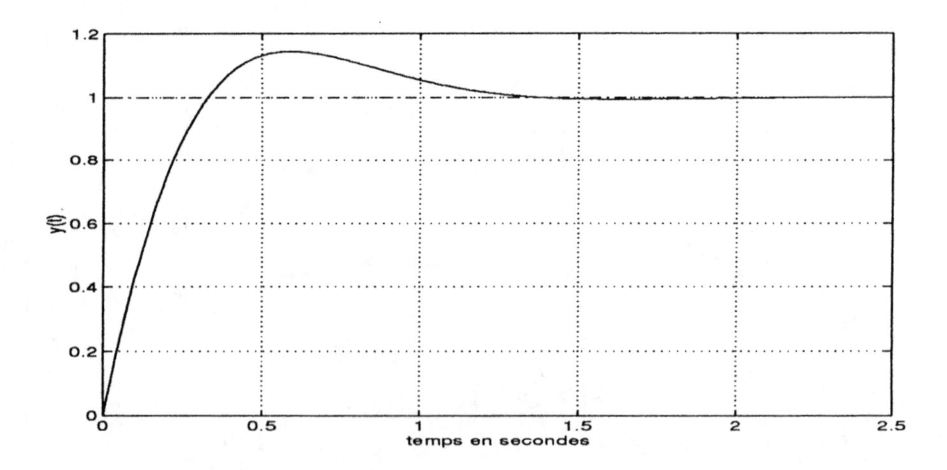

Figure 3.9 Réponse indicielle d'un système de premier ordre commandé en boucle fermée à l'aide d'un correcteur PI ($K = \tau = 1$, $k_I = 17.98$, $k_p = 5$, $t \in [0, 3]$)

En ce qui concerne le régime permanent, l'emploi du théorème de la valeur finale nous permet de confirmer que l'erreur est bien nulle. Pour le régime transitoire, l'emploi de MATLAB est d'une grande utilité. En effet, il donne la réponse transitoire de ce système lorsque le correcteur du type PI est utilisé et lorsque la grandeur d'entrée est sous forme d'échelon unitaire. Une telle réponse est illustrée à la figure 3.9. En comprarant le graphe de cette figure à celui de la figure 3.7(2), on constate que les deux régimes sont améliorés.

3.3.4 Correcteur dérivé (D)

Le correcteur intégral produit toujours le signal de commande même si le signal a atteint le régime permanent, ce qui est l'inconvénient majeur de ce correcteur. Une possibilité pour éviter ceci consiste à concevoir un correcteur qui réagit à la dérivée du signal d'erreur. Ainsi, le correcteur produit une action uniquement lorsque le signal d'erreur varie. Lorsque le taux de variation du signal d'erreur $e(t)$ au temps courant est grand, l'amplitude du signal d'erreur prend une grande valeur dans le futur. L'emploi du correcteur dérivé produit une correction anticipatrice qui réduit l'erreur. Le principal avantage du correcteur dérivé est qu'il prédit l'évolution future de l'erreur et agit en conséquence pour contrer cette évolution. Ce type de correcteur n'a aucun effet en régime permanent.

L'équation de ce type de correcteur dans le domaine du temps est donnée par la relation suivante:

$$u(t) = k_D \frac{d}{dt} e(t)$$

où k_D est le gain du correcteur dérivé.

La fonction de transfert correspondante est:

$$C(s) = \frac{U(s)}{E(s)} = k_D s$$

Cette fonction de transfert n'est pas causale. Une fonction de transfert estimant l'effet dérivatif peut être obtenue par la fonction de transfert suivante:

$$C(s) = \frac{U(s)}{E(s)} = \frac{k_D s}{\tau s + 1}$$

où la constante de temps τ est très petite.

Pour des fréquences inférieures à $\frac{1}{\tau}$, le correcteur se comporte comme le correcteur dérivé pur. Au-delà de la fréquence $\frac{1}{\tau}$, la courbe d'amplitude a une pente de 0 db/décade et, par conséquent, les signaux de haute fréquence ne sont pas dérivés.

La figure 3.10a illustre comment le correcteur dérivé répond aux variations du signal d'erreur. La réalisation de ce type de correcteur est représentée à la figure 3.10b.

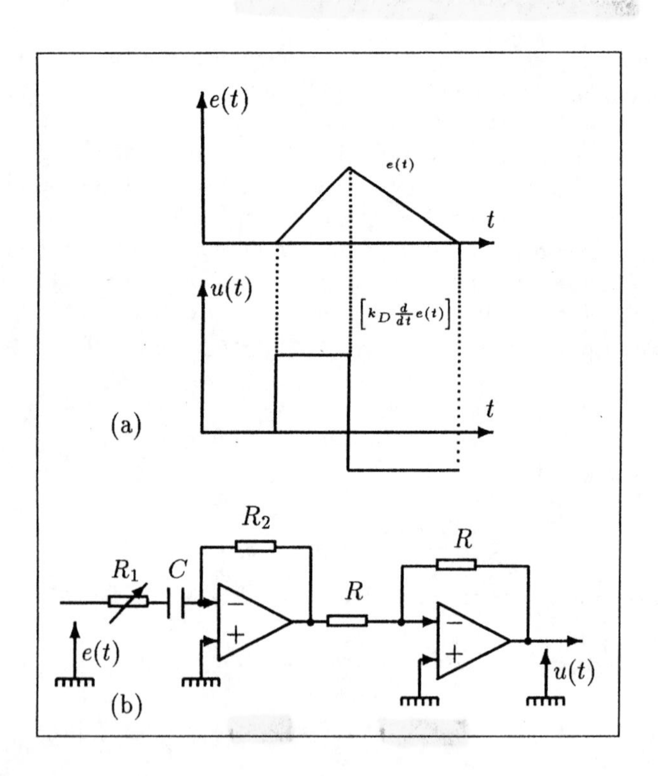

Figure 3.10 Comportement de la grandeur de sortie du correcteur dérivé en fonction des variations du signal d'erreur (a) et son schéma électronique (b).

L'emploi du correcteur dérivé dans la chaîne directe d'un système présente un danger lorsque le signal de référence varie brusquement (i.e subit certaines discontinuités). Pour remédier à cela, on préfère, en général, utiliser le correcteur dérivé dans la boucle de retour.

D'un autre côté, si la grandeur d'entrée subit certaines discontinuités, sa dérivée devient infinie et, par conséquent, limite l'emploi d'un tel correcteur. En général, l'action dérivée est appliquée au signal de sortie et non pas au signal d'entrée.

Remarque: On ne recommande pas l'utilisation de l'action dérivée toute seule dans la chaîne directe. Pour vous convaincre, vous pouvez considérer le système des exemples précédents en utilisant le correcteur dérivé et calculer la réponse indicielle du système. Vous trouverez que la valeur prise par la grandeur de sortie est nulle.

3.3.5 Correcteur proportionnel-dérivé (PD)

Contrairement au correcteur intégral (I), le correcteur dérivé (D) doit être utilisé avec précaution. En effet il ne doit jamais être utilisé dans la chaîne directe lorsque la référence est variable en fonction du temps.

L'inconvénient majeur du correcteur dérivé est son insensibilité aux variations lentes de l'erreur. Pour cette raison, ce type de correcteur n'est jamais utilisé seul. Une solution permettant de minimiser cet inconvénient consiste à utiliser le correcteur proportionnel-dérivé.

L'équation de ce type de correcteur dans le domaine du temps est donnée par la relation suivante:

$$u(t) = k_p e(t) + k_D \frac{de}{dt}(t)$$

dont la fonction de transfert est:

$$C(s) = \frac{U(s)}{E(s)} = k_p + k_D s = k_D(s + z), \quad z = \frac{k_p}{k_D}$$

Cette fonction de transfert n'est pas causale et, par conséquent, ne peut être réalisée à base d'amplificateurs opérationnels. Une façon d'estimer ce type de correcteur peut être obtenue par le schéma électronique de la figure 3.11b. La figure 3.11a illustre comment le correcteur PD répond aux variations du signal d'erreur.

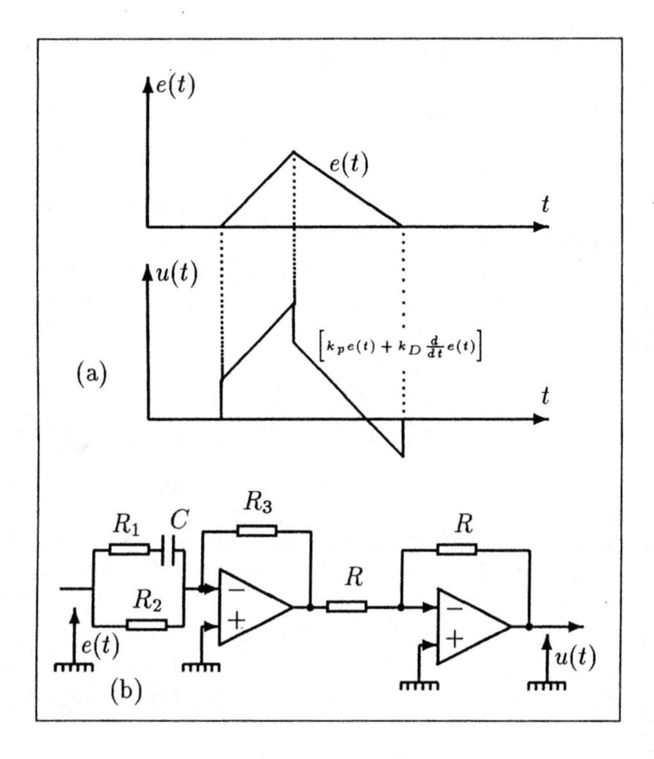

Figure 3.11 Comportement de la grandeur de sortie du correcteur proportionnel-dérivé en fonction des variations du signal d'erreur (a) et son schéma électronique (b).

Exemple 3.6 Comment pallier l'inconvénient causé par les variations lentes du signal d'erreur

L'objet de cet exemple est de montrer l'intérêt de l'utilisation combinée des actions proportionnelle et dérivée. Il est clair que si les variations de l'erreur sont lentes, l'action dérivée est inefficace. L'emploi de l'action proportionnelle est alors d'une grande importance. Pour montrer ceci, considérons le même système que dans les exemples précédents. Compte tenu de l'expression du correcteur et de celle du système à commander, on obtient les expressions suivantes pour la grandeur de sortie et l'erreur:

$$
\begin{aligned}
Y(s) &= \frac{(k_p + k_D s)K}{(\tau + K k_D)s + 1 + K k_p} R(s) \\
E(s) &= R(s) \left[1 - \frac{K(k_p + k_D s)}{(\tau + K k_D)s + 1 + K k_p} \right]
\end{aligned}
$$

avec

$$
R(s) = \frac{1}{s}
$$

À partir de l'expression de l'erreur, nous concluons que la valeur prise en régime permanent est non nulle et dépend de la valeur de k_p. Plus la valeur de k_p est grande et plus la valeur prise par l'erreur est faible. L'action dérivée n'a aucun effet sur le régime permanent. Par contre, le régime transitoire est fonction de l'action dérivée. Pour une action proportionnelle fixée, l'emploi de MATLAB nous renseigne sur le comportement du régime transitoire en fonction de la valeur de l'action. La figure 3.12 illustre un tel comportement. L'erreur en régime permanent n'est pas nulle.

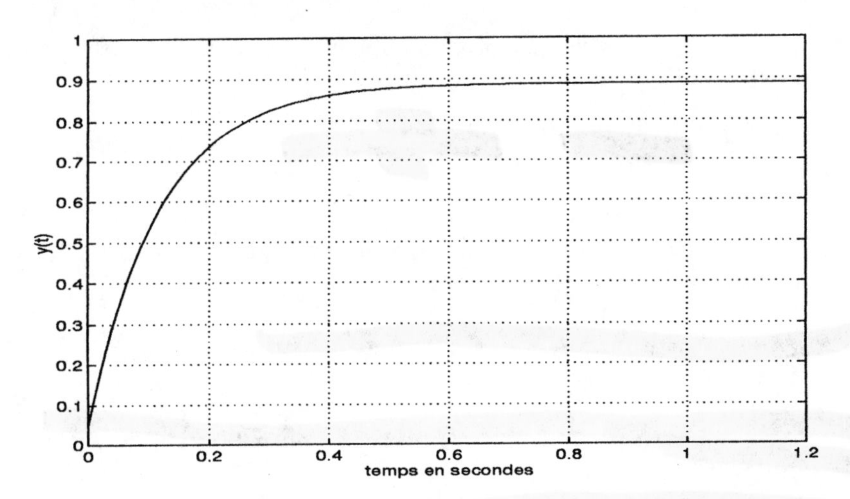

Figure 3.12 Réponse indicielle d'un système de premier ordre commandé en boucle fermée à l'aide d'un correcteur PD ($K = \tau = 1$, $k_p = 8$, $k_D = 0.05$, $t \in [0, 2]$)

3.3.6 Correcteur PID

Le correcteur proportionnel-intégral-dérivé est un correcteur très utilisé en industrie à cause de sa simplicité. Il est composé de trois actions:

- l'action proportionnelle (P);
- l'action intégrale (I);
- l'action dérivée (D).

Ce correcteur placé dans la chaîne directe d'un système asservi agit sur l'erreur du système pour produire le signal approprié à l'actionneur en vue de réduire cet écart entre la consigne et la grandeur de sortie. En appelant ce signal $u(t)$, on a:

$$u(t) = k_p e(t) + k_I \int_0^t e(\tau)d\tau + k_D \frac{d}{dt}e(t)$$

En utilisant la transformée de Laplace, on obtient la fonction de transfert du correcteur PID suivante:

$$C(s) = \frac{U(s)}{E(s)} = k_p + \frac{k_I}{s} + k_D s$$

Cette fonction de transfert est représentée par le schéma-bloc de la figure 3.13 (a) et la réalisation électronique à la figure 3.13 (b).

En général, on a les qualités suivantes du correcteur PID:

- l'action proportionnelle est souvent utilisée pour améliorer la rapidité du système bouclé;
- l'action intégrale est employée pour améliorer le régime permanent;
- l'action dérivée assure l'amélioration de la stabilité.

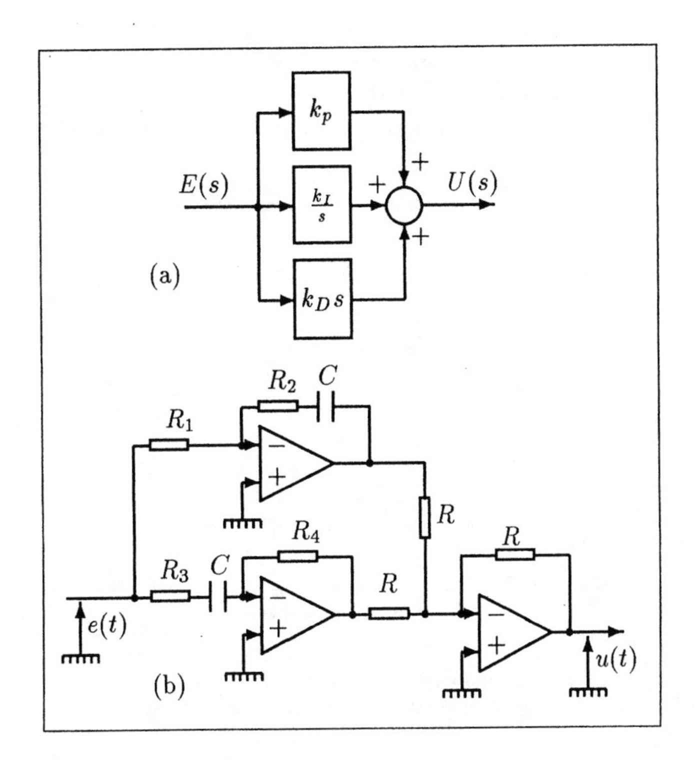

Figure 3.13 Schéma-bloc (a) et schéma électronique (b) du correcteur PID.

Exemple 3.7 Effets bénéfiques d'un correcteur PID

L'objetif de cet exemple est de montrer les effets bénéfiques qu'un correcteur PID apporte lorsqu'il est utilisé dans une boucle de commande. Considérons le même système à commander que dans les exemples précédents. Compte tenu des expressions du correcteur PID et du système à commander, on peut établir sans difficulté les équations suivantes pour la grandeur de sortie et l'erreur:

$$\begin{aligned} Y(s) &= \frac{K(k_D s^2 + k_p s + k_I)}{(\tau + K k_D)s^2 + (1 + K k_p)s + K k_I} R(s) \\ E(s) &= R(s) \left[1 - \frac{K(k_D s^2 + k_p s + k_I)}{(\tau + K k_D)s^2 + (1 + K k_p)s + K k_I} \right] \end{aligned}$$

avec

$$R(s) = \frac{1}{s}$$

Compte tenu de ces expressions, nous concluons que l'erreur en régime permanent est bien nulle et que le régime transitoire est amélioré par ce type de correcteur. Ceci est illustré à la figure 3.14. Celle-ci confirme que le correcteur PID agit en même temps sur le régime permanent et le régime transitoire.

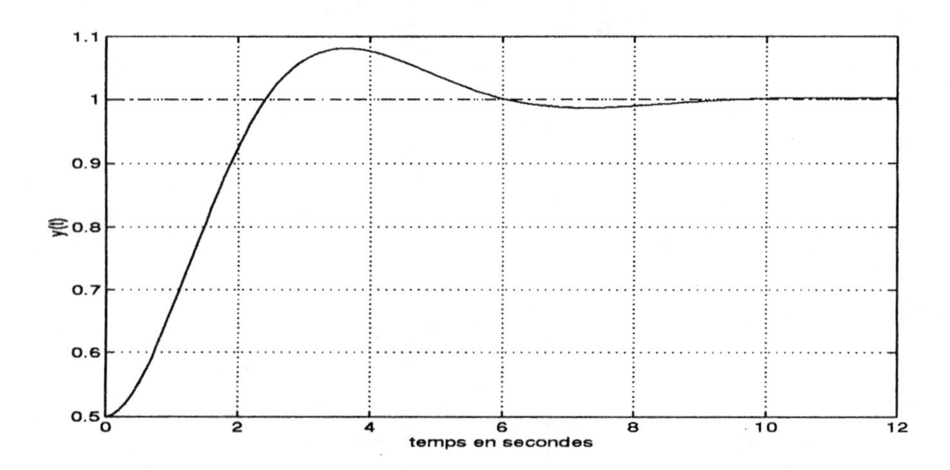

Figure 3.14 Réponse indicielle d'un système de premier ordre commandé en boucle fermée à l'aide d'un correcteur PID ($K = \tau = 1$, $k_P = 1$, $k_D = 1$ et $k_I = 2$, $t \in [0, 16]$)

3.3.7 Correcteur avance de phase

Le correcteur avance de phase est décrit par l'équation différentielle suivante dans le domaine du temps:

$$K_c \left[aT \frac{d}{dt} e(t) + e(t) \right] = T \frac{d}{dt} u(t) + u(t)$$

où K_c, a et T sont des constantes positives et $a > 1$.

La fonction de transfert correspondante est donnée par:

$$C(s) = K_c \frac{aTs + 1}{Ts + 1}, \quad a > 1$$

Cette fonction de transfert peut être réécrite sous la forme suivante:

$$C(s) = k_p \frac{s+z}{s+p} \tag{3.5}$$

avec $k_p = aK_c$, $z = \frac{1}{aT}$ et $p = \frac{1}{T}$.

Notons que le zéro, $-z$, est placé à droite du pôle $-p$. Le résultat de ce type de compensation est la diminution de la bande passante du système en boucle fermée et l'augmentation de la vitesse de la réponse du système. Ce correcteur est alors souvent utilisé pour améliorer le régime transitoire.

Ce type de correcteur peut être réalisé à l'aide du circuit électronique de la figure 3.15.

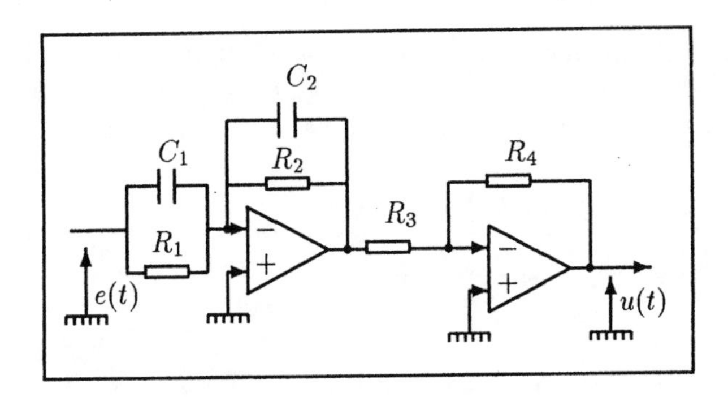

Figure 3.15 Schéma électronique du correcteur avance de phase

Le correcteur PD est souvent appelé dans la littérature de l'automatique le correcteur PD idéal. Cette action est souvent approchée par le correcteur avance de phase.

Exemple 3.8 Effet d'un correcteur avance de phase

Comme nous allons le voir au cours du chapitre 7, le correcteur avance de phase est souvent employé pour améliorer le régime transitoire. L'objectif de cet exemple est de confirmer une telle assertion. Pour cela, considérons le système à commander dont la dynamique est décrite par la fonction de transfert suivante:

$$G(s) = \frac{3}{s(0.5s+1)} \tag{3.6}$$

Un tel système peut représenter le moteur à courant continu entraînant une charge quelconque dont la grandeur de sortie est la position angulaire de son arbre et la grandeur d'entrée, la tension de l'induit. Ce système est de type 1. Il est alors clair que l'erreur en régime permanent est nulle pour une grandeur d'entrée en forme d'échelon unitaire lorsque qu'il est commandé en boucle fermée avec un correcteur de type proportionnel de gain $k_p = 10$. Le régime permanent est alors acceptable. Pour ce qui est du régime transitoire, il est souhaitable qu'il soit amélioré. Pour ce faire, on peut utiliser un correcteur du type avance de phase dont le rôle est d'améliorer le régime transitoire. L'expression d'un tel correcteur est donnée par:

$$C(s) = 10\frac{1+aTs}{1+Ts}$$

avec $a = 4.47$ et $T = 0.06$.

La réponse à l'échelon du système asservi en boucle fermée à retour unitaire est illustrée à la figure 3.16. En analysant cette figure, on constate que le correcteur avance de phase améliore bien le régime transitoire.

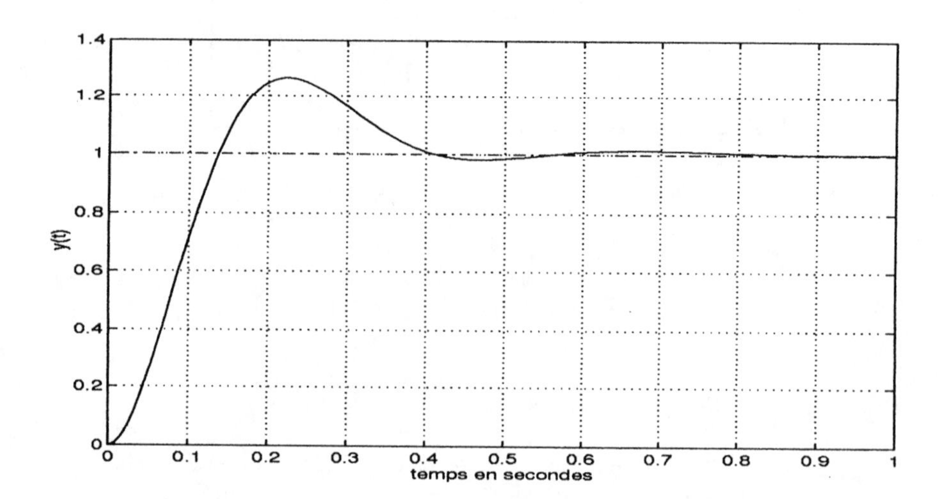

Figure 3.16 Réponse indicielle du système de fonction de transfert $F(s) = \frac{3k_p(aTs+1)}{0.5Ts^3+(0.5+T)s^2+(1+3aTk_p)s+3k_p}$, $t \in [0,1]$)

3.3.8 Correcteur retard de phase

Le correcteur retard de phase est décrit par l'équation différentielle suivante dans le domaine du temps:

$$u(t) + T\frac{d}{dt}u(t) = K_c\left[aT\frac{d}{dt}e(t) + e(t)\right]$$

où a et T sont des constantes positives et $a < 1$.

La fonction de transfert correspondante est donnée par:

$$C(s) = K_c\frac{1 + aTs}{1 + Ts}, a < 1$$

Cette fonction de transfert peut être réécrite sous la forme suivante:

$$C(s) = k_p\frac{s + z}{s + p} \tag{3.7}$$

avec $k_p = aK_c$, $z = \frac{1}{aT}$ et $p = \frac{1}{T}$.

Notons que le zéro, $-z$, est placé à gauche du pôle $-p$. Ce type de correcteur est principalement utilisé lorsque la vitesse de la réponse du système et l'amortissement du système en boucle fermée sont satisfaisants, mais que l'erreur en régime permanent est grande. Ce correcteur permet au gain d'augmenter sans changement majeur de la valeur de la fréquence de résonance et de la valeur du facteur de surtension de la fonction de transfert du système en boucle fermée.

Un tel correcteur peut être réalisé à l'aide du même circuit électronique que celui de la figure 3.15 mais avec un choix approprié des résistances R_1 et R_2.

Le correcteur retard de phase est souvent appelé "action approchée du correcteur PI".

Exemple 3.9 Effet du correcteur retard de phase

Le correcteur retard de phase est connu pour sa capacité à améliorer le régime permanent. Pour voir ceci, considérons le système à commander dont la fonction de transfert est donnée par:

$$G(s) = \frac{1}{(s + 1)(0.5s + 1)(0.125s + 1)}$$

dont le type est égal 1. On suppose que le régime transitoire d'un tel système est acceptable mais le régime permanent doit être amélioré. Le correcteur retard de phase peut être alors utilisé pour répondre à ce besoin. La fonction de transfert qui satisfait une telle exigence est donnée par l'expression suivante:

$$C(s) = k_p \frac{1 + aTs}{1 + Ts}$$

dont les paramètres k_p, a et T sont respectivement égaux à 80, 0.1 et 100.

La réponse à l'échelon du système asservi à retour unitaire est illustrée à la figure 3.17. Nous constatons que le correcteur retard de phase améliore bien le régime permanent.

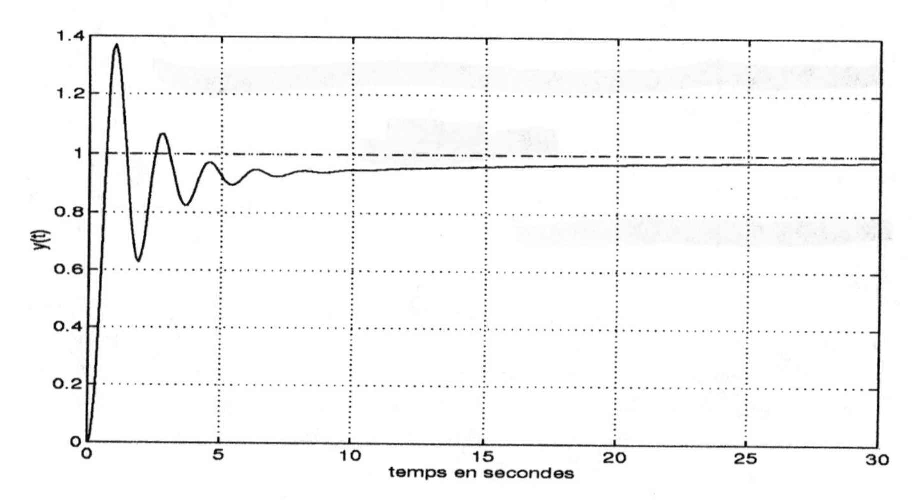

Figure 3.17 Réponse indicielle d'un système du second ordre commandé en boucle fermée à l'aide d'un correcteur retard de phase.

3.3.9 Correcteur avance-retard de phase

Il est parfois utile de combiner les deux effets bénéfiques des actions approchées avance de phase et retard de phase. Le correcteur ainsi obtenu est souvent appelé correcteur avance-retard de phase (fig. 3.18). Sa fonction de transfert est une combinaison de la fonction de transfert du correcteur avance de phase et de celle du retard de phase. Son expression est donnée par:

$$C(s) = k_p \frac{\left(s + \frac{1}{a_1 T_1}\right)}{\left(s + \frac{1}{T_1}\right)} \frac{\left(s + \frac{1}{a_2 T_2}\right)}{\left(s + \frac{1}{T_2}\right)}$$

avec $a_1 > 1$ et $a_2 < 1$.

Ce correcteur est souvent utilisé pour améliorer en même temps le régime transitoire et le régime permanent. C'est aussi une approximation de l'action PID. La seule différence est que le correcteur avance-retard de phase est incapable d'annuler l'erreur en régime permanent.

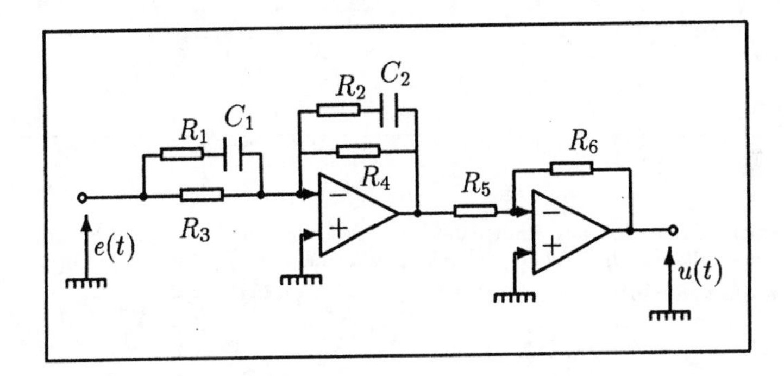

Figure 3.18 Schéma électronique du correcteur avance-retard de phase

Exemple 3.10 Effet du correcteur avance-retard de phase

Le correcteur avance-retard de phase est connu pour sa capacité à améliorer en même temps le régime permanent et le régime transitoire. Pour voir ceci, considérons le système à commander dont la fonction de transfert est donnée par:

$$G(s) = \frac{6.25}{s(0.25s + 1)(0.06s + 1)}$$

En choisissant le correcteur avance-retard suivant:

$$C(s) = \frac{(1 + 0.78s)(1 + 0.32s)}{(1 + 1.46s)(1 + 0.09s)}$$

la réponse à l'échelon du système asservi à retour unitaire est illustrée à la figure 3.19. On constate que le correcteur avance de phase améliore bien le régime transitoire.

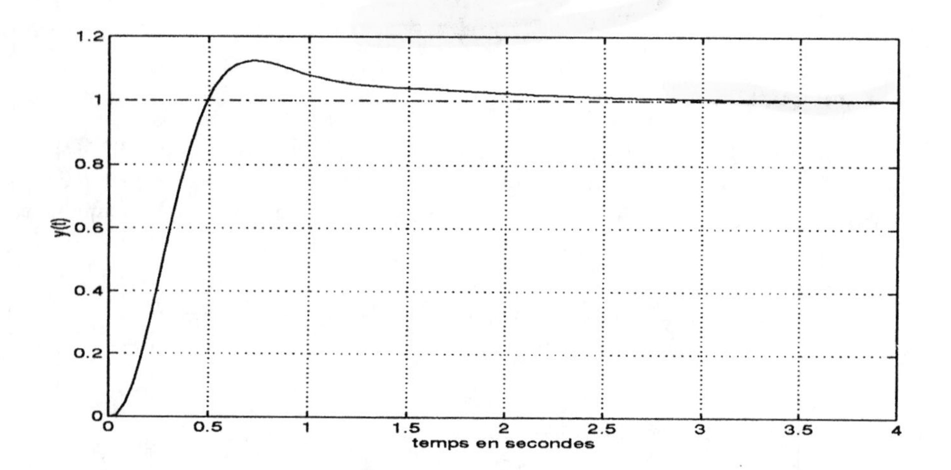

Figure 3.19 Réponse indicielle d'un système du second ordre commandé en boucle fermée à l'aide d'un correcteur avance-retard de phase (fonction de transfert en boucle fermée $F(s) = \frac{1.56s^2+6.86s+6.25}{0.002s^5+0.064s^4+0.627s^3+3.423s^2+7.875s+6.25}$, $t \in [0, 4.5]$

3.4 COMMANDE PAR RETOUR D'ÉTAT

Une autre possibilité pour commander les systèmes dynamiques linéaires consiste à utiliser la commande par retour d'état. L'idée de cette méthode consiste à choisir une loi de commande sous la forme suivante:

$$\mathbf{u}(t) = -\mathbf{K}\mathbf{x}(t) + \mathbf{N}\mathbf{r}(t)$$

où $\mathbf{K}$ et $\mathbf{N}$ désignent respectivement la matrice constante des gains de feedback à déterminer et une matrice constante donnée (ou une constante dépendant du nombre des grandeurs d'entrée).

La structure d'un tel système est illustrée à la figure 3.20.

Remarquons que la relation précédente de la loi de commande suppose que tous les états sont accessibles. Dans le cas contraire, on a recours au design d'un observateur qui peut estimer les états non accessibles à chaque instant.

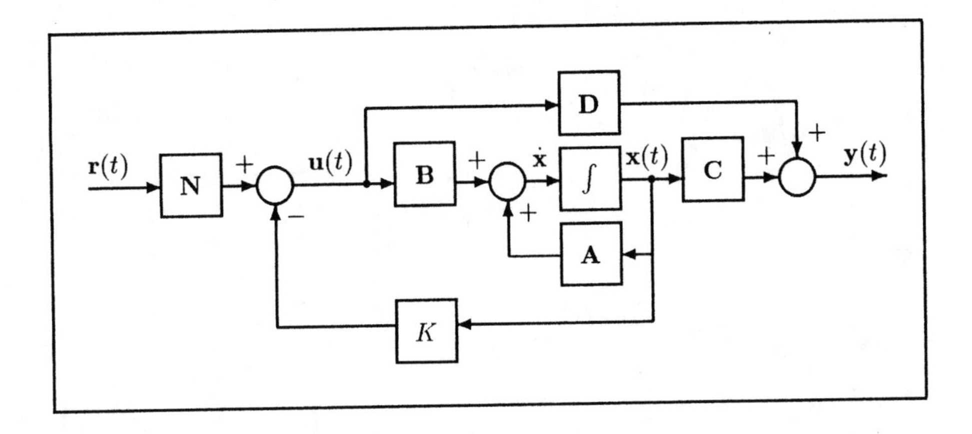

Figure 3.20 Structure de commande par retour d'état

Nous reviendrons sur ce problème de commande par retour d'état pour présenter les techniques qui déterminent le gain **K** de retour d'état. Le détail sera présenté au chapitre 8.

Exemple 3.11 Commande par retour d'état d'un moteur cc

On s'interesse, dans cet exemple, à la commande de position d'un moteur à courant continu commandé par l'induit. L'expression de la fonction de transfert entre la position et la tension électrique de l'induit est:

$$G(s) = \frac{K}{s(\tau s + 1)}$$

où K et τ représentent respectivement le gain du moteur et la constante du temps et ont une valeur de 1.0.

Le modèle d'état de ce système sous forme commandable est donné par:

$$\begin{aligned} \dot{\mathbf{x}}(t) &= \mathbf{A}\mathbf{x}(t) + \mathbf{B}\mathbf{u}(t) \\ \mathbf{y}(t) &= \mathbf{C}\mathbf{x}(t) \end{aligned}$$

où $\mathbf{A} = \begin{bmatrix} 0 & 1 \\ 0 & -1 \end{bmatrix}$, $\mathbf{B} = \begin{bmatrix} 0 \\ K \end{bmatrix}$ et $\mathbf{C} = \begin{bmatrix} 1 & 0 \end{bmatrix}$.

En choisissant le correcteur par retour d'état dont les valeurs des gains, K_1 et K_2, sont respectivement -1.0 et 0.4, la grandeur de sortie qui est la position du moteur a une forme acceptable. Son allure est représentée à la figure 3.21.

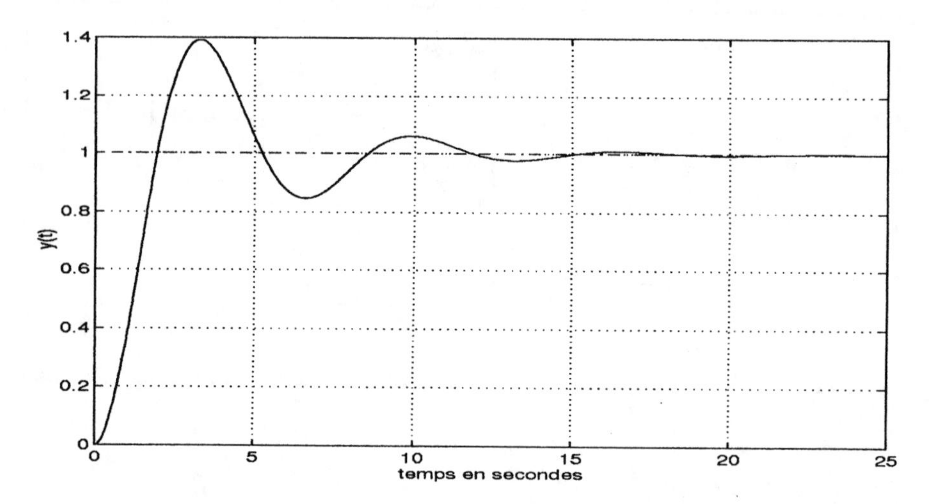

Figure 3.21 Commande par retour d'état d'un moteur à courant continu

3.5 CARACTÉRISTIQUES DE LA COMMANDE EN BOUCLE FERMÉE

En général, lors du design de la commande d'un système donné, on cherche à assurer certaines qualités au système et à lui imposer les formes de réponses associées à des excitations de type donné et à des conditions initiales données. En d'autres mots, ceci revient à imposer au système commandé d'être stable avec des régimes transitoire et permanent satisfaisants. D'un autre côté, pour des raisons bien connues en pratique, telles que les variations des paramètres du modèle du système considéré, la présence de perturbations, etc., on cherche aussi à assurer au système asservi une certaine insensibilité aux variations des paramètres ainsi que le rejet des perturbations indésirables. L'obtention de ces performances est garantie par l'emploi d'une commande en boucle fermée. L'objectif de cette section est d'étudier l'impact de la commande en boucle fermée sur les performances d'un système donné.

3.5.1 Réponse et stabilité

Pour étudier les caractéristiques de la commande en boucle fermée, considérons le schéma-bloc de la figure 3.22. Les fonctions de transfert $G(s)$, $C(s)$ et $H(s)$ représentent le système à commander, le correcteur employé et le capteur utilisé dans la chaîne de retour. La fonction de transfert de l'actionneur est incluse dans $G(s)$. Les excitations $R(s)$ et $P(s)$ représentent respectivement la référence et la perturbation.

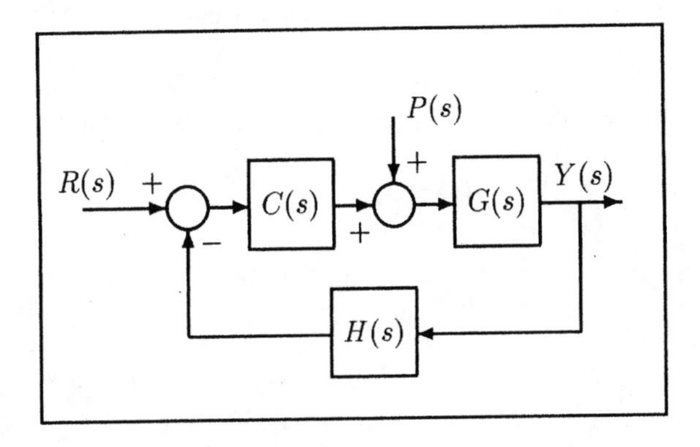

Figure 3.22 Schéma de principe de la commande en boucle fermée d'un système dont la fonction de transfert est $G(s)$

En utilisant le théorème de superposition, on obtient l'expression suivante de la grandeur de sortie $Y(s)$:

$$Y(s) = \frac{C(s)G(s)}{1 + C(s)G(s)H(s)} R(s) + \frac{G(s)}{1 + C(s)G(s)H(s)} P(s) \tag{3.8}$$

La forme de la réponse d'un système donné à une excitation de forme donnée est altérée par tout changement du gain de la chaîne directe du système asservi. Comme nous verrons au chapitre 5, ceci est dû au déplacement des pôles du système en boucle fermée.

La propriété de stabilité est obtenue en cherchant les racines de l'équation caractéristique du système suivante:

$$1 + C(s)G(s)H(s) = 0$$

Le système en boucle fermée est dit stable, si toutes les racines de cette équation ont une partie réelle négative. Pour un système instable, il est toujours possible, par un choix approprié de la structure du correcteur $C(s)$ pour une fonction $H(s)$ donnée, de stabiliser le système en boucle fermée. En d'autres termes, par ce choix de correcteur, on placera tous les pôles du système dans le demi-plan complexe gauche.

Exemple 3.12 Stabilisation d'un système instable

Pour montrer comment la commande en boucle fermée peut stabiliser un système instable, considérons le système à commander suivant:

$$G(s) = \frac{3}{s^2 - s + 1}$$

dont les pôles sont: $s_{1,2} = \frac{1}{2} \pm j\,\frac{\sqrt{3}}{2}$. Les parties réelles de s_1 et s_2 étant positives, le système est instable.

Pour stabiliser un tel système, nous pouvons utiliser un correcteur proportionnel-dérivé, dont l'expression de la fonction de transfert est donnée par:

$$C(s) = k_p + k_D s.$$

Le schéma-bloc du système asservi est représenté à la figure 3.23.

En choisissant les paramètres du correcteur PD comme suit:

$$\begin{aligned} k_p &= 1 \\ k_D &= \frac{5}{3} \end{aligned}$$

on place les pôles du système en boucle fermée à $s_{1,2} = -2$. Ainsi l'ajout du correcteur PD permet de déplacer les pôles du système du demi-plan complexe droit vers le demi-plan complexe gauche. Ce déplacement de pôles rend le système stable.

Le concept de stabilité sera développé au cours des chapitres 5, 6 et 8 où des techniques d'évaluation de la stabilité seront présentées. En ce qui concerne

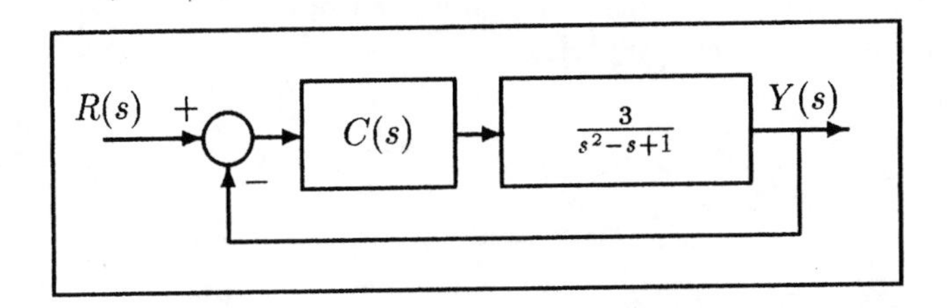

Figure 3.23 Stabilisation d'un système instable du second ordre à l'aide d'un correcteur PD

l'amélioration de la réponse d'un système donné, les sections précédentes apportent la solution. En effet, nous savons que les correcteurs PI et PD améliorent respectivement le régime permanent et le régime transitoire. Leur combinaison permet d'agir en même temps sur les deux régimes.

Exemple 3.13 Amélioration de la réponse d'un système à commander du second ordre

Le système considéré dans cet exemple est modélisé par la fonction de transfert suivante:

$$G(s) = \frac{1}{(5s+1)(10s+1)}$$

L'objectif de cet exemple est de montrer que l'emploi d'un correcteur PID peut améliorer en même temps le régime transitoire et le régime permanent.

Supposons que l'on veuille que le système en boucle fermée se comporte comme un système dont les pôles sont donnés par:

$$\begin{aligned} s_1 &= -5 \\ s_{2,3} &= -\zeta\omega_n \pm j\omega_n\sqrt{1-\zeta^2} \end{aligned}$$

où $\zeta = 0.707$ et $\omega_n = 1$.

Il en résulte que le correcteur correspondant est donné par:

$$\begin{aligned} k_I &= 250\omega_n^2 = 250 \\ k_p &= (\omega_n^2 + 10\zeta\omega_n)50 - 1 = 8.07 \times 50 - 1 = 402.5 \\ k_D &= (2\zeta\omega_n + 5)50 - 15 = 307.5 \end{aligned}$$

La figure 3.24 illustre la réponse du système en boucle fermée à une grandeur d'entrée en forme d'échelon unitaire.

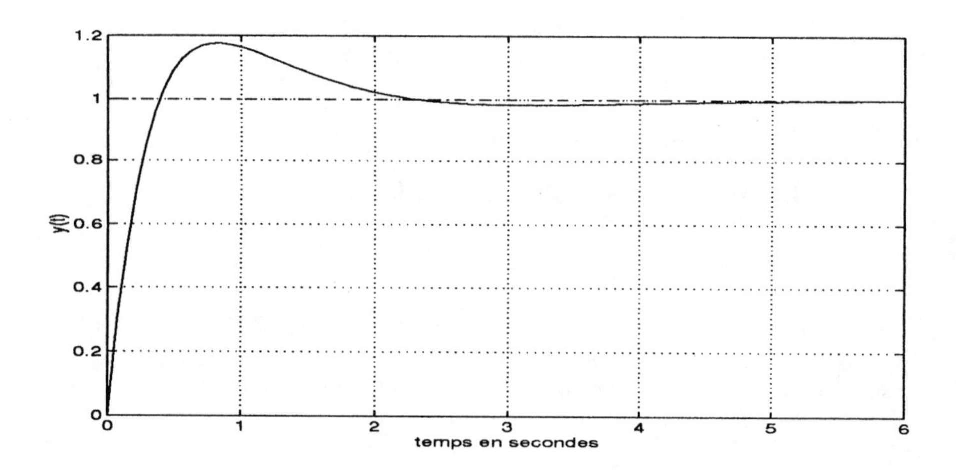

Figure 3.24 Réponse indicielle d'un système à commander du second ordre avec un correcteur du type PID (Fonction de transfert en boucle fermée $F(s) = \frac{307.5s^2+402.5s+250}{50s^3+320.7s^2+403.5s+250}$, $t \in [0,7]$)

3.5.2 Rejet des perturbations

Référons-nous au schéma-bloc de la figure 3.22 et à l'expression correspondante de la grandeur de sortie $Y(s)$ en fonction de $R(s)$ et $P(s)$ donnée par l'équation (3.8). Une manière de réduire l'effet de la perturbation consiste à jouer sur le correcteur $C(s)$ en vue d'augmenter le gain de la boucle directe. Ce qui revient à choisir $C(s)$ tel que:

$$C(s)G(s)H(s) \gg 1$$

Ceci entraîne que la fonction de transfert entre la grandeur de sortie $Y(s)$ et $P(s)$ est approximativement nulle et que celle entre la grandeur de sortie $Y(s)$ et $R(s)$ est:

$$Y(s) = \frac{1}{H(s)}R(s)$$

En supposant que la mesure est parfaite, c'est-à-dire $H(s) = 1$, la grandeur de sortie $Y(s)$ suit le signal de référence dans la bande de fréquence pour laquelle le gain de la boucle directe est grand. Ceci entraîne le rejet de la perturbation.

3.5.3 Sensibilité

La sensibilité est une indication de l'impact des variations des paramètres du système sur les performances. La définition mathématique est donnée par:

$$S_a^F = \frac{dF(s)}{da}\frac{a}{F(s)}$$

où "a" est le paramètre qui varie et "$F(s)$" la fonction de transfert du système.

La commande en boucle fermée est reconnue pour sa capacité à réduire la sensibilité du système. Pour montrer ceci, étudions la sensibilité de la fonction de transfert en boucle fermée $F(s)$ par rapport à $G(s)$, donnée par:

$$S_{G(s)}^{F(s)} = \frac{dF(s)}{dG(s)}\frac{G(s)}{F(s)} = \frac{1}{1 + C(s)G(s)H(s)}$$

Il est évident, à partir de cette expression, que la sensibilité est réduite par un choix approprié du correcteur $C(s)$ qui assure la condition suivante:

$$C(s)G(s)H(s) \gg 1$$

Les raisons telles que le vieillissement des composantes, l'échauffement etc., font que les paramètres d'un système donné changent, ce qui peut se répercuter sur les performances du système. L'emploi de la commande en boucle fermée réduit la sensibilité à des variations de paramètres.

Pour montrer ceci, considérons le système de la figure 3.22 et supposons que la fonction de transfert $G(s)$ admet un paramètre a qui varie suite à un phénomène physique quelconque. Notons par S_a^G la sensibilité de la fonction de transfert $G(s)$ lorsque le paramètre a change de valeur et par S_a^F celle de la fonction de transfert du système en boucle fermée lorsque le même paramètre change de valeur.

La fonction de transfert en boucle fermée du système considéré est donnée par l'expression suivante:

$$F(s) = \frac{C(s)G(s)}{1 + C(s)G(s)H(s)}$$

La sensibilité S_a^F est donnée par:

$$S_a^F = \frac{d\ln(F)}{d\ln(a)} = \frac{a}{F}\frac{dF}{da} = \frac{a}{F}\frac{dF}{dG}\frac{dG}{da} = \frac{a[1 + C(s)G(s)H(s)]}{C(s)G(s)}\frac{N(s)}{D(s)}$$

avec

$$\frac{N(s)}{D(s)} = \left[\frac{C(s)\left[1 + C(s)G(s)H(s)\right] - C^2(s)G(s)H(s)}{\left[1 + C(s)G(s)H(s)\right]^2}\right]\frac{dG}{da}$$

Ce qui donne:

$$S_a^F = \frac{1}{1 + C(s)G(s)H(s)}\frac{a}{G(s)}\frac{dG}{da} = \frac{1}{1 + C(s)G(s)H(s)}S_a^G$$

Retenons que la commande en boucle fermée a réduit la sensibilité du système lorsque le paramètre a change de valeur par un facteur de $\frac{1}{1+C(s)G(s)H(s)}$. Ce facteur prend de faibles valeurs dans la plage de fréquence d'intérêt.

Exemple 3.14: Étude de sensibilité d'un asservissement de vitesse d'un moteur à courant continu

Considérons le cas de l'asservissement de vitesse d'un moteur à courant continu entraînant une charge connue. Soit $G(s)$ la fonction de transfert du moteur et de sa charge dont l'expression est donnée par:

$$G(s) = \frac{K}{\tau s + 1}$$

Supposons que le correcteur utilisé est de type PI et que le capteur employé est une génératrice tachymétrique de gain K_a. Supposons aussi que la constante de temps du système change suite à un changement quelconque des paramètres du système formé par le moteur et la charge.

La sensibilité S_τ^G s'écrit:

$$S_\tau^G = \frac{\tau}{G}\frac{dG}{d\tau} = -\frac{\tau s}{\tau s + 1}$$

La sensibilité S_τ^F est donnée par:

$$S_\tau^F = \frac{1}{1 + C(s)G(s)H(s)}S_\tau^G = -\frac{\tau s}{(\tau s + 1)s + (k_p + \frac{k_I}{s})K}$$

Vers les faibles fréquences, c'est-à-dire lorsque s tend vers zéro, cette sensibilité prend une valeur nulle. Ce qui signifie que l'asservissement de vitesse est non sensible à la variation de la constante de temps τ.

Supposons maintenant que le paramètre a qui change est un paramètre de la fonction de transfert de la chaîne de retour. Dans ce cas, on peut montrer que l'on a:

$$S_a^F = -\frac{C(s)G(s)H(s)}{1 + C(s)G(s)H(s)}$$

De cette relation, il résulte que les sensibilités S_a^F et S_a^G sont du même ordre de grandeur lorsque $|C(s)G(s)H(s)| \gg 1$.

Le système en boucle fermée possède beaucoup d'avantages mais aussi certains inconvénients, parmi lesquels on peut citer:

- la commande en boucle fermée peut rendre un système instable même si celui-ci est stable en boucle ouverte;
- le capteur de la chaîne de retour introduit en général des bruits, ce qui réduit la précision du système asservi;
- les composantes de la chaîne de retour doivent être très précises car la commande en boucle fermée ne réduit pas la sensibilité vis-à-vis des changements des paramètres dans la chaîne de retour. Le choix de telles composantes se traduit par une augmentation du coût du système asservi;
- la commande en boucle fermée d'un système donnée complique la structure de commande.

3.6 RÉSUMÉ

Au cours de ce chapitre, nous avons présenté les diverses structures de commande des systèmes linéaires invariants, ainsi que les différentes composantes entrant dans ces structures. Enfin, nous nous sommes attardés sur les types de correcteurs que nous pouvons utiliser pour répondre aux spécifications d'un problème de design. Des exemples ont été utilisés pour confirmer certaines limites des différents types de correcteurs.

3.7 QUESTIONS

3.1 Pouvez-vous rappeler les différents éléments qui composent une boucle de commande ?

3.2 Quelle est la fonction de chacun des éléments qui composent une boucle de commande ?

3.3 Pouvez-vous énumérer les différents correcteurs utilisés lors de la correction des systèmes ?

3.4 Quels sont les avantages et les inconvénients de chacun des correcteurs ?

3.5 Pouvez-vous dire quels sont les liens entre les correcteurs PD, PI, PID et les correcteurs avance de phase, retard de phase, avance-retard de phase ?

3.6 Pouvez-vous rappeler la réalisation électronique de chacun des correcteurs ?

3.7 Quelles sont les différentes structures de commande souvent employées lors de la correction des systèmes ?

3.8 Quels sont les effets bénéfiques de la commande en boucle fermée ?

3.9 Pouvez-vous expliquer comment le correcteur PI arrive à éliminer l'erreur en régime permanent là où le correcteur P échoue ?

3.10 Dites dans quels cas l'action dérivée ne peut être utilisée et proposez une solution à chaque cas de figure.

3.8 EXERCICES

3.1 Considérons les systèmes représentés par les figures 3.25a, b et c.

1. Pour le système de la figure 3.25a, montrer que la fonction de transfert entre la grandeur d'entrée $r(t)$ et la grandeur de sortie $y(t)$ donne une fonction de transfert d'un correcteur avance de phase sous certaines conditions. Établir ces conditions.
2. Pour le système de la figure 3.25b, montrer que la fonction de transfert entre la grandeur d'entrée $r(t)$ et la grandeur de sortie $y(t)$ donne une fonction de transfert d'un correcteur retard de phase sous certaines conditions. Établir ces conditions.

3. Pour le système de la figure 3.25c, montrer que la fonction de transfert entre la grandeur d'entrée $r(t)$ et la grandeur de sortie $y(t)$ donne une fonction de transfert d'un correcteur retard-avance de phase sous certaines conditions. Établir ces conditions.

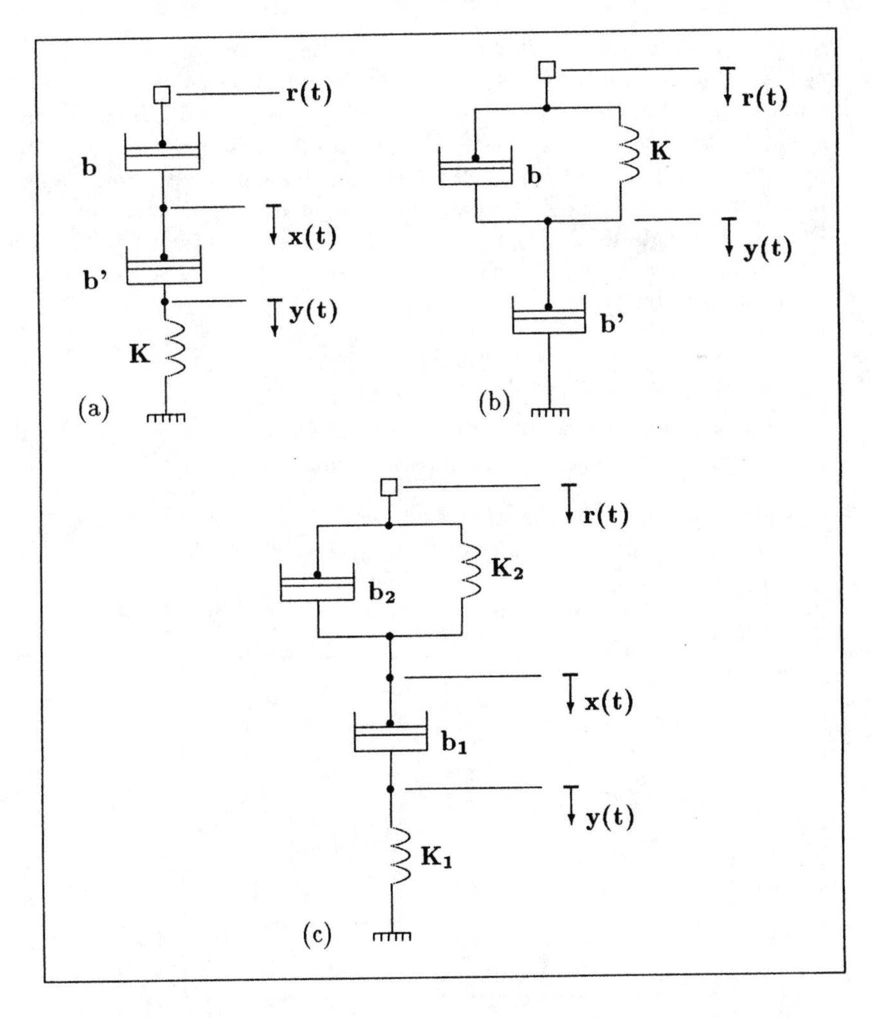

Figure 3.25 Correcteur avance-retard de phase (a), avance de phase (b) et retard de phase (c).

3.2 L'identification expérimentale d'un moteur à courant continu entraînant une charge mécanique variant dans des limites connues donne le modèle suivant:

$$G(s) = \frac{K_m}{s(\tau_m s + 1)}$$

où le gain K_m et la constante de temps τ_m sont respectivement égaux à 2 et 0.2. L'objectif de ce problème consiste à concevoir un système asservi qui assure un bon positionnement de la charge (i.e une masse) quelles que soient les variations possibles des paramètres du système. Ces variations sont dues à différentes causes telles que le vieillissement des composantes, la variation de la charge, l'échauffement de certaines composantes, etc. Étudier la sensibilité de la grandeur de sortie de la commande en boucle ouverte et en boucle fermée du système lorsque ses paramètres varient dans les deux situations suivantes:

a. le correcteur utilisé est du type proportionnel, le gain K_m double de valeur et la constante de temps τ_m reste invariante.

b. le correcteur utilisé est du type proportionnel, le gain K_m reste invariant et la constante de temps τ_m double de valeur.

3.3 L'asservissement de l'orientation d'une fusée est illustré à la figure 3.26. L'excitation P représente les perturbations agissant sur le système.

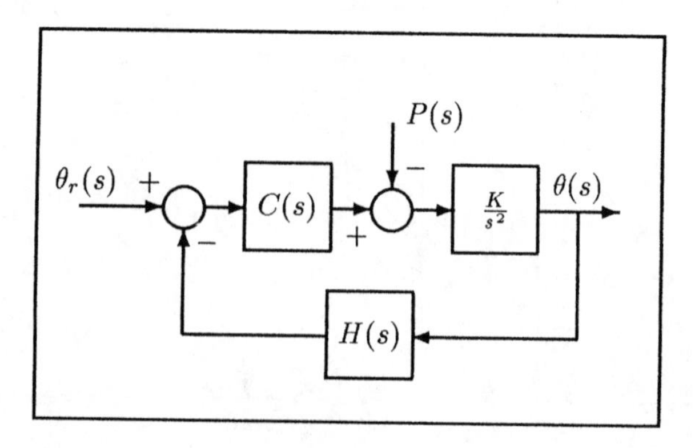

Figure 3.26 Asservissement de l'orientation d'un fusée

1. Donner les conditions qui assurent le rejet de la perturbation P.
2. Pour un capteur de dynamique constante (i.e $H(s) = K_0$), déterminer le type de correcteur qui stabilise le système, assure des régimes transitoire et permanent acceptables et rejette la perturbation.

3.4 Soit deux systèmes a et b représentés à la figure 3.27.

1. Évaluer les sensibilités des grandeurs de sortie des deux systèmes lorsque leurs paramètres internes varient.
2. Comparer les résultats obtenus en 1.

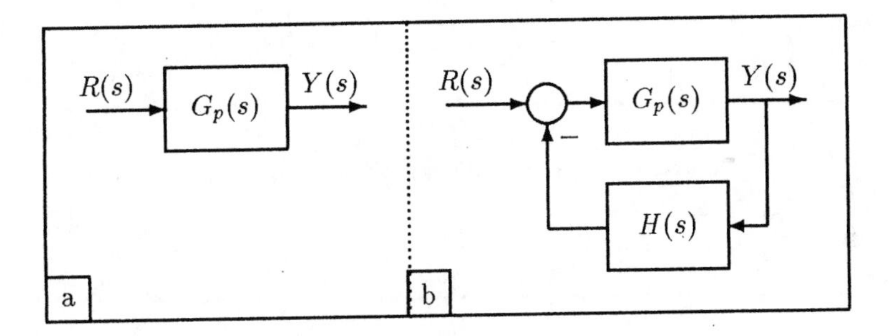

Figure 3.27 Étude comparative entre la commande en boucle ouverte et celle en boucle fermée

3.5 Simplifier le schéma-bloc des figures 3.28, 3.29, 3.30 et 3.31 en vue de trouver la fonction de transfert ou la matrice de transfert correspondante.

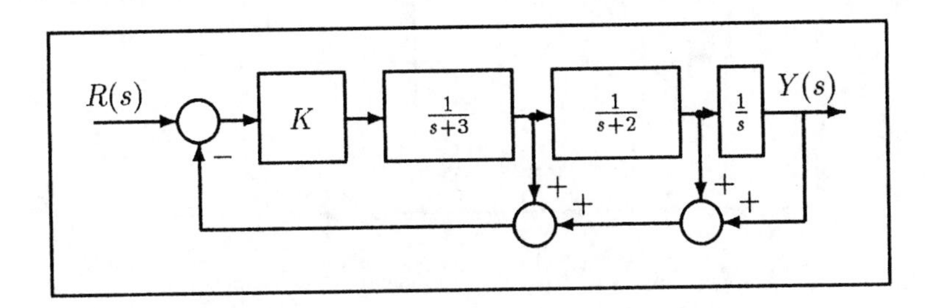

Figure 3.28 Schéma-bloc à plusieurs boucles internes

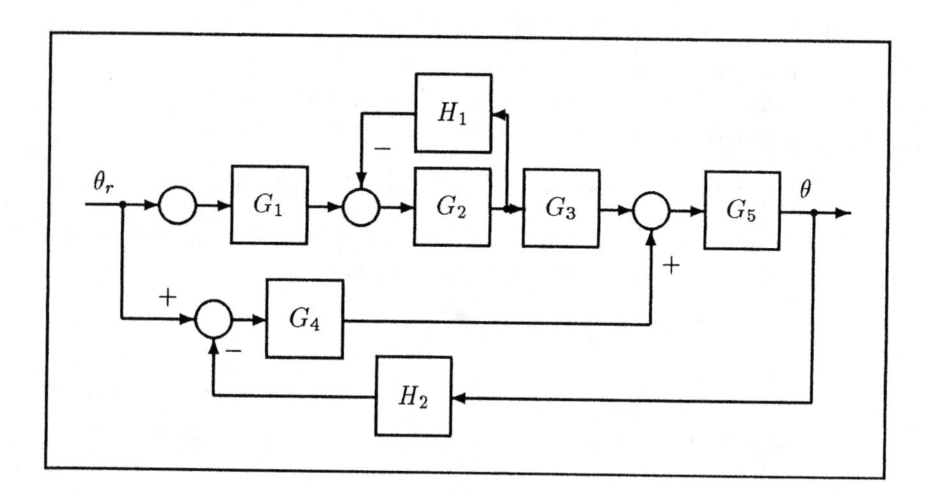

Figure 3.29 Schéma-bloc à plusieurs boucles internes

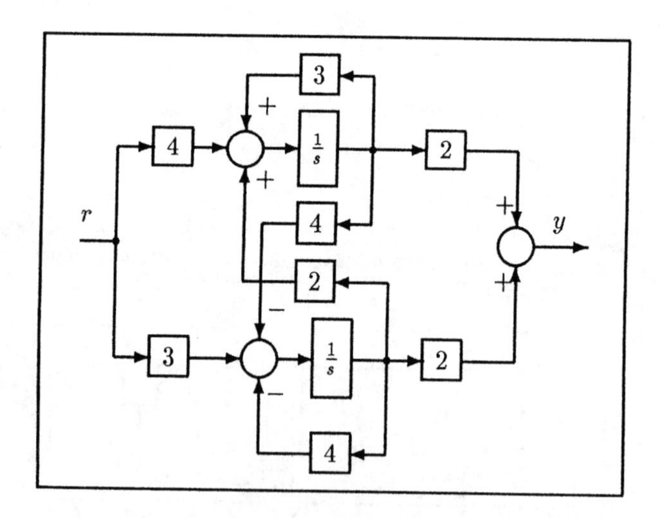

Figure 3.30 Schéma-bloc à plusieurs boucles internes

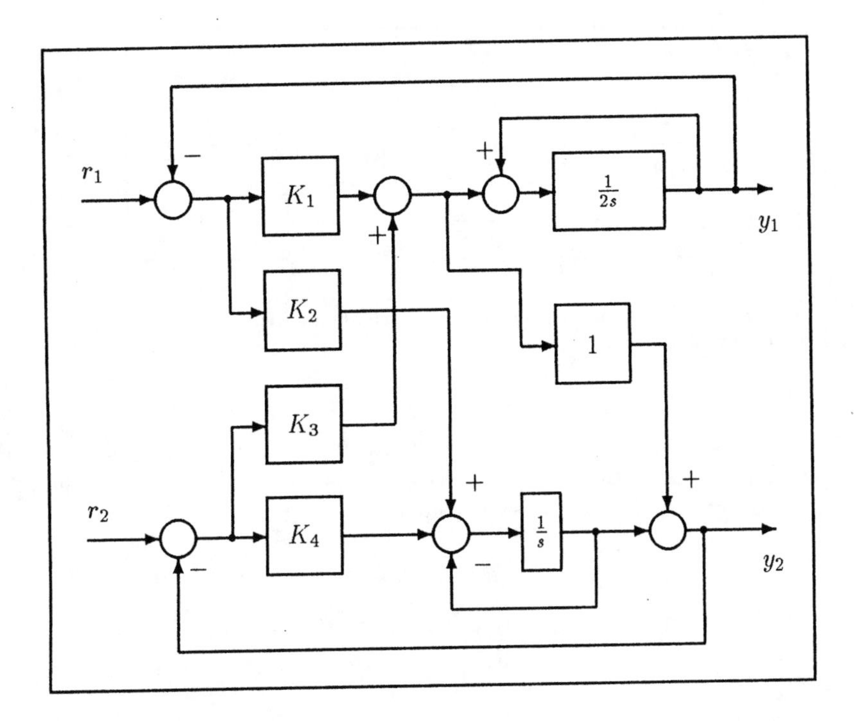

Figure 3.31 Schéma-bloc à plusieurs boucles internes

3.6 Dans ce problème, nous étudions le problème de la commande de position d'une tête de lecture d'un disque dur tel que traité au chapitre 1. Nous supposons que le schéma-bloc du système de commande est représenté à la figure 3.32.

1. En supposant que les perturbations sont nulles,

   Calculer la focntion de transfert du système en boucle fermée.

   Déterminer la plage de variation de K qui assure la stabilité du système.

   Pour une valeur de K dans cette plage, déterminer l'erreur en régime permanent du système lorsque la grandeur d'entrée est en forme d'échelon unitaire.

2. En supposant cette fois-ci que les perturbations sont non nulles, on vous demande de déterminer la forme du correcteur qui assure une erreur en régime permanent nulle lorsque les grandeurs d'entrée et de perturbation sont en forme d'échelon unitaire.

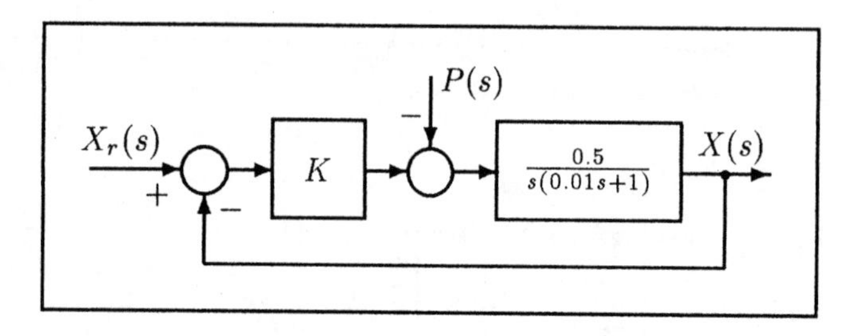

Figure 3.32 Schéma-bloc du système de commande de la position de la tête de lecture d'un disque dur

3.7 Dans ce prblème, on considère le système de commande dont la dynamique est décrite par le schéma-bloc de la figure 3.33, où les fonctions de transfert sont données par les expressions suivantes:

$$\begin{aligned} G(s) &= \frac{1}{s(s+1)} \\ H(s) &= K \\ C(s) &= 1 \end{aligned}$$

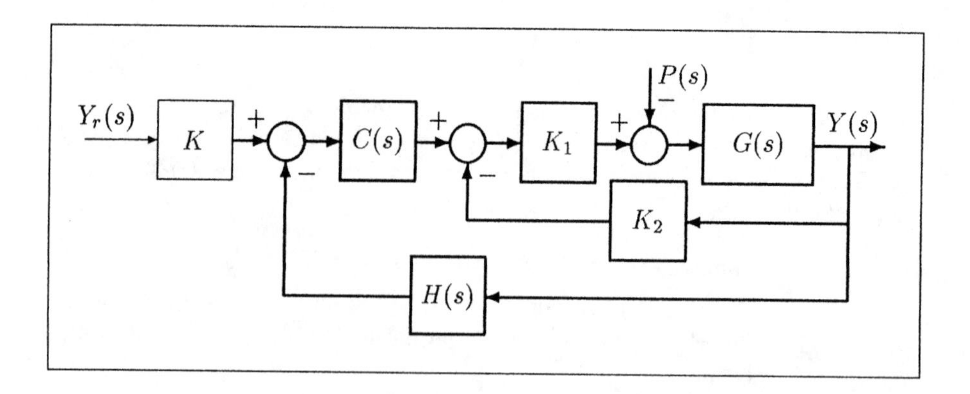

Figure 3.33 Schéma-bloc d'un système à boucles imbriquées

1. Calculer les fonctions de transfert en boucle fermée suivantes $F_1 = \frac{Y(s)}{Y_r(s)}$ et $F_2 = \frac{Y(s)}{P(s)}$.

2. Calculer les sensibilités $S_K^{F_1}$, $S_{K_1}^{F_1}$, $S_K^{F_2}$ et $S_{K_2}^{F_2}$.
3. En fixant $Y_r(s)$ et $P(s)$ à des formes en échelon unitaire, déterminer l'erreur en régime permanent correspondante. Cette erreur est-elle nulle ? Dans le cas contraire, proposer un type de correcteur qui assure une erreur nulle.

3.8 Le système étudié dans ce problème est illustré à la figure 3.34. L'objéctif est de réguler la température d'eau du réservoir à une valeur bien déterminée.

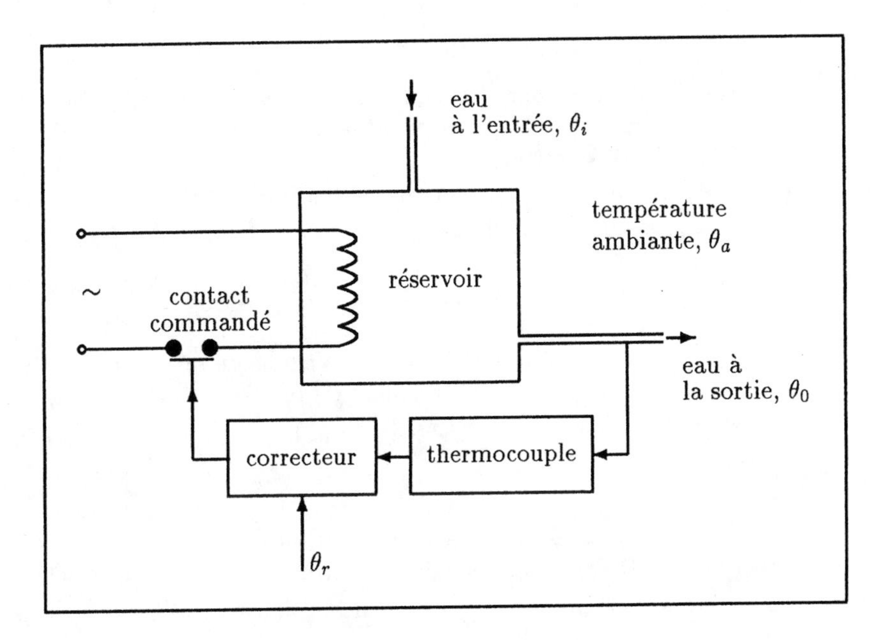

Figure 3.34 Schéma technologique d'un chauffe-eau électrique

1. En désignant par:

$q_h(t)$ le débit de chaleur fourni par l'élément chauffant;

$q_c(t)$ le débit de chaleur emmagasiné par l'eau dans le réservoir et dont l'expression est donnée par:

$$q_c(t) = c\frac{d\theta_o}{dt}$$

où c est la capacité thermique de l'eau du réservoir, et θ_o est la température de l'eau dans le réservoir.

$q_o(t)$ le débit de chaleur perdu par l'eau à la sortie du réservoir et dont l'expression est donnée par:

$$q_o(t) = q(t)h\theta_i$$

où h est la chaleur spécifique de l'eau, du réservoir, $q(t)$ est le débit d'eau chaude à la sortie et θ_i est la température de l'eau à l'entrée du réservoir.

$q_i(t)$ le débit de chaleur de l'eau à l'entrée du réservoir et dont l'expression est donnée par:

$$q_i(t) = hq(t)\theta_i$$

où h est la chaleur spécifique de l'eau, du réservoir, $q(t)$ est le débit d'eau chaude à la sortie et θ_i est la température de l'eau à l'entrée du réservoir.

$q_p(t)$ le débit de chaleur perdu par l'isolation du réservoir et dont l'expression est donnée par:

$$q_p(t) = \frac{\theta_o(t) - \theta_a(t)}{R}$$

où R est la résistance thermique des parois du réservoir et θ_a est la température du milieu ambiant du réservoir.

établir l'équation différentielle décrivant la relation entre $q_h(t)$ et $\theta_o(t)$.

2. En supposant que le schéma-bloc du syst'eme de commande de la température d'eau dans le réservoir est illustré à la figure 3.35, où τ est égal à 1 et K_t est la constante du thermocouple ($K_t = 1$), calculer la fonction de transfert du système en boucle fermée $F(s) = \frac{\theta_o(s)}{\theta_r(s)}$ et étudier la sensibilité $S^F_{k_p}$.

3.9 Dans ce problème, nous considérons l'asservissement de position d'un moteur à courant continu entraînant une charge mécanique. Le modèle mathématique correspondant au moteur et sa charge est donné par l'expression suivante:

$$G(s) = \frac{K}{s(\tau s + 1)}$$

où $\tau = 0.1$ et $K = 10$.

Le schéma-bloc de l'asservissement de position d'un tel système est illustré à la figure 3.36

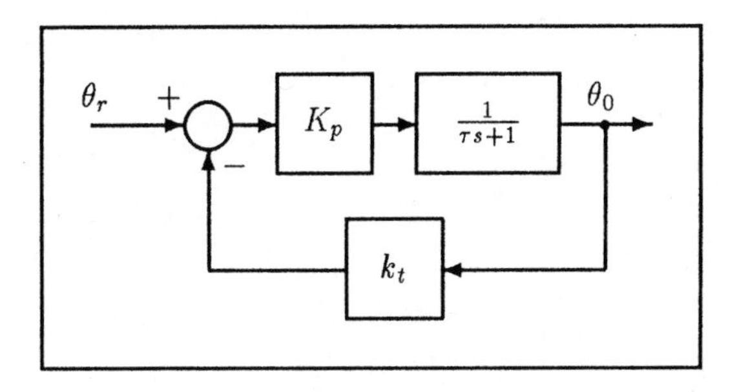

Figure 3.35 Schéma-bloc de la commande d'un chauffe-eau électrique

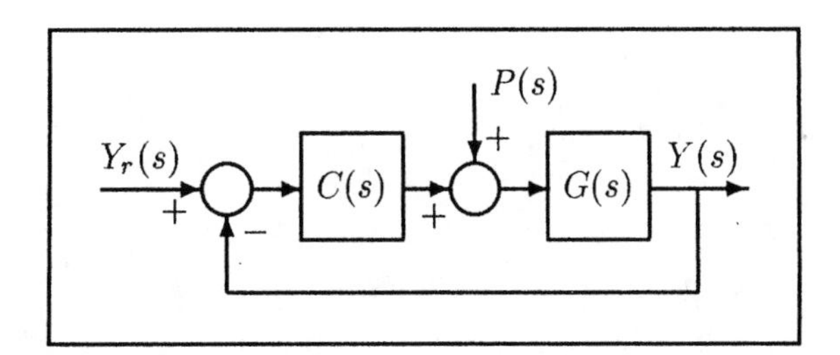

Figure 3.36 Schéma-bloc de l'asservissement de position d'un moteur à courant continu entraînant une charge

1. En supposant que les entrées $Y_r(s)$ et $P(s)$ sont en forme d'échelon unitaire, déterminer le correcteur qui assure une erreur en régime permanent nulle.
2. En supposant que le correcteur ($C(s)$ est une action proportionnelle de gain k_p, déterminer les sensibilités $S_{k_p}^{F_1}$ et $S_{k_p}^{F_2}$) où $F_1(s) = \frac{Y(s)}{Y_r(s)}$ et $F_2(s) = \frac{Y(s)}{P(s)}$.

4

ANALYSE DANS LE DOMAINE TEMPOREL

L'objectif de ce chapitre consiste à présenter au lecteur quelques techniques d'analyse des systèmes dynamiques linéaires et invariants. Après lecture de ce chapitre, le lecteur doit être en mesure de:

1. **déterminer la réponse d'un système quelconque à des grandeurs d'entrée typiques telles que l'impulsion, l'échelon, la rampe;**
2. **déterminer les caractéristiques d'une réponse telles que le temps de réponse t_r, le temps de montée t_m, le dépassement maximal d;**
3. **déterminer l'erreur en régime permanent associée soit à une grandeur d'entrée principale, soit à la perturbation, soit aux deux.**

4.1 INTRODUCTION

Lors de la conception d'un correcteur pour un système donné, une attention particulière doit être accordée à la qualité de la réponse en fonction du temps. Selon l'intérêt de l'application, l'importance doit être accordée soit au régime permanent, soit au régime transitoire, soit aux deux. En général, on cherche à donner au système asservi le temps de réponse le plus court possible tout en respectant les contraintes imposées et un dépassement acceptable.

Dans ce chapitre, nous présentons les techniques d'analyse des systèmes linéaires dans le domaine du temps. Ces techniques servent principalement à déterminer les performances du système asservi considéré. En général, de telles performances se classent en deux catégories:

- les performances du régime transitoire,
- les performances du régime permanent.

Pour une structure donnée de système en boucle fermée, on cherche principalement à montrer comment elle affecte les performances. De même, on montre comment ces performances peuvent être mesurées. Le choix des correcteurs qui assurent des spécifications données est traité un peu plus loin dans cet ouvrage.

Enfin, pour créer chez le lecteur le réflexe de concepteur de système asservi, nous dégageons l'impact de l'emplacement des pôles et des zéros du système sur la réponse du système.

Le chapitre est organisé comme suit: dans la section 4.2, la technique de calcul de la réponse des systèmes à des grandeurs d'entrée typiques est développée. Les caractéristiques de la réponse des systèmes asservis sont présentées à la section 4.3. La section 4.4 est réservée à la réponse des systèmes simples pour différents types de grandeurs d'entrée et à l'impact du positionnement des pôles et des zéros du système sur cette réponse. Dans la section 4.5, l'attention est portée sur le régime permanent et la détermination de l'erreur en régime permanent. Nous montrons principalement comment l'erreur en régime permanent est évaluée pour différentes grandeurs d'entrée typiques.

4.2 RÉPONSE DES SYSTÈMES DYNAMIQUES LINÉAIRES

Nous avons vu précédemment que la structure de commande des systèmes dynamiques linéaires peut être représentée comme à la figure 4.1. La fonction de transfert du correcteur employé pour obtenir les performances désirées est notée $C(s)$. Celle du système commandé est notée $G(s)$. Le but de cette

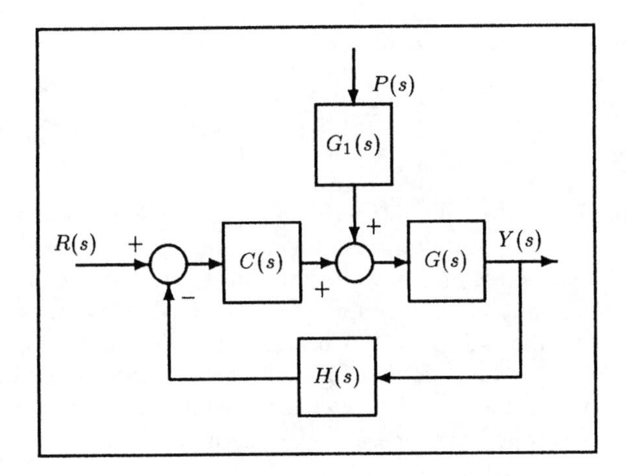

Figure 4.1 Structure de commande en boucle fermée d'un système linéaire de fonction de transfert $G(s)$

section est de déterminer la réponse du système asservi représenté à la figure 4.1 lorsque les grandeurs d'entrée principales et secondaires sont fixées. Par réponse du système, on entend l'évaluation de la grandeur de sortie en fonction du temps lorsque les grandeurs d'entrée (grandeur d'entrée principale, grandeur d'entrée secondaire) sont fixées à des excitations telles que **l'impulsion unitaire, l'échelon unitaire, la rampe unitaire, etc.**

D'un point de vue pratique, on veut par exemple connaître comment varie la vitesse d'un moteur à courant continu entraînant une charge lorsqu'on demande à ce moteur de tourner à la vitesse de 1000 tr/min à partir de sa position de repos (vitesse nulle). On est également intéressé par le temps que prend le système **moteur-charge** pour atteindre la vitesse de régime. Enfin, on veut savoir comment une variation de la charge se répercute sur le fonctionnement du système et sur ses performances.

Étant donné que le système considéré est linéaire, il est clair que la réponse globale peut être obtenue en utilisant le théorème de superposition. On suppose que la grandeur d'entrée secondaire est nulle et on détermine la réponse du système à des grandeurs d'entrée typiques telles que l'impulsion unitaire, l'échelon unitaire, la rampe unitaire, etc.

La fonction de transfert (entre $Y(s)$ et $R(s)$) en boucle fermée du système représenté à la figure 4.1, dans le cas où la grandeur d'entrée secondaire est nulle, est donnée par l'expression suivante:

$$F(s) = \frac{Y(s)}{R(s)} = \frac{C(s)G(s)}{1 + C(s)G(s)H(s)}$$

Les racines du numérateur de la fonction de transfert $F(s)$ sont appelées **zéros du système**, tandis que les racines du dénominateur sont appelées **pôles du système**. Ces pôles, comme on va le voir dans ce chapitre, jouent un rôle très important sur la qualité de la réponse d'un système. L'équation caractéristique est définie comme étant $D(s) = 0$. Un système linéaire invariant est appelé à déphasage minimal si tous ses zéros sont à parties réelles négatives. Dans le cas contraire, ou dans le cas où le système possède un retard pur, le système correspondant est appelé système à déphasage non minimal.

L'expression de la grandeur de sortie $Y(s)$ du système correspondante est alors donnée par:

$$Y(s) = \frac{C(s)G(s)R(s)}{1 + C(s)G(s)H(s)} = \frac{N(s)}{D(s)}$$

Supposons que le système en boucle fermée avec lequel nous travaillons est d'ordre n. Le degré du numérateur $N(s)$, m, est censé être inférieur ou égal à n pour la simple raison de causalité. L'équation caractéristique associée, $D(s) = 0$, ayant des coefficients constants réels, admet alors n racines. Ces racines peuvent être réelles ou complexes, multiples ou simples. Dans le reste de cette section, nous allons voir comment calculer la réponse du système dans les différents cas des grandeurs d'entrée énumérées précédemment.

4.2.1 Racines réelles simples

En notant par $-p_i$, $i = 1, \ldots, n$ les racines de l'équation caractéristique, l'expression de la grandeur de sortie peut être écrite sous la forme suivante:

$$Y(s) = \frac{K_1}{s + p_1} + \ldots + \frac{K_n}{s + p_n}.$$

Les coefficients K_i, $i = 1, \ldots, n$ peuvent se calculer de la manière suivante (voir annexe A):

$$K_i = \lim_{s \to -p_i} \left[Y(s)(s + p_i)\right], \quad i = 1,\ 2,\ \ldots, n$$

En utilisant la transformée de Laplace inverse, la réponse $y(t)$ est donnée par l'expression suivante:

$$y(t) = \left[K_1 e^{-p_1 t} + \ldots + K_n e^{-p_n t}\right] u_{-1}(t),$$

où $u_{-1}(t)$ est l'échelon unitaire défini de la façon suivante:

$$u_{-1}(t) = \begin{cases} 1 & \forall\, t \geq 0, \\ 0 & \text{ailleurs.} \end{cases}$$

La fonction $u_{-1}(t)$ est utilisée pour rendre la grandeur de sortie $y(t)$ causale.

Exemple 4.1 Décomposition en éléments simples dans le cas de racines simples

Pour montrer comment décomposer en éléments simples une fonction complexe dans le cas de racines simples, considérons l'expression de cette fonction:

$$F(s) \quad = \quad \frac{s+1}{s^3 + 5s^2 + 6s}$$

Les racines de cette fonction de transfert sont 0, -2 et -3. D'après ce que nous avons dit précédemment, la décomposition en éléments simples est donnée par:

$$F(s) \quad = \quad \frac{K_1}{s} + \frac{K_2}{s+2} + \frac{K_3}{s+3}$$

dont les coefficients K_i; $i = 1, 2, 3$ sont déterminés par les expressions suivantes:

$$\begin{aligned} K_1 &= \lim_{s \to 0} sF(s) = \lim_{s \to 0} \frac{s+1}{s^2 + 5s + 6} = \frac{1}{6} \\ K_2 &= \lim_{s \to -2} (s+2)F(s) = \lim_{s \to -2} \frac{s+1}{s^2 + 3s} = \frac{1}{2} \\ K_3 &= \lim_{s \to -3} (s+3)F(s) = \lim_{s \to -3} \frac{s+1}{s^2 + 2s} = \frac{-2}{3} \end{aligned}$$

En se référant à la table des transformées de Laplace de l'annexe A et à l'expression précédente de $F(s)$, l'expression de $f(t) = \mathcal{L}^{-1}[F(s)]$ est donnée par:

$$f(t) \quad = \quad \left[\frac{1}{6} + \frac{1}{2}e^{-2t} - \frac{2}{3}e^{-3t}\right] u_{-1}(t)$$

4.2.2 Racines réelles multiples

Supposons que la racine $-p_1$ est de multiplicité l $(l \leq n)$. Dans ces conditions, la décomposition en éléments simples de $Y(s)$ peut être écrite sous la forme suivante:

$$Y(s) = \frac{K_1}{(s+p_1)^l} + \frac{K_2}{(s+p_1)^{l-1}} + \cdots + \frac{K_l}{s+p_1} + \frac{K_{l+1}}{s+p_2} + \cdots + \frac{K_{l+n-1}}{s+p_n}.$$

Les résidus K_{l+1}, ..., K_{l+n-1} sont calculés de la même manière que pour la sous-section précédente, mais les résidus associés aux racines multiples sont calculés de la manière suivante:

$$K_i = \lim_{s \to -p_1} \left[\frac{1}{(i-1)!} \frac{d^{i-1}}{ds^{i-1}} \left[Y(s)(s+p_1)^l \right] \right], \quad i = 1, 2, \ldots, l$$

En utilisant la transformée de Laplace inverse (voir table à l'annexe A), la réponse $y(t)$ est donnée par:

$$\begin{aligned} y(t) &= \left[K_1 \frac{1}{(l-1)!} t^{l-1} e^{-p_1 t} + K_2 \frac{1}{(l-2)!} t^{l-2} e^{-p_1 t} + \ldots + K_l \frac{1}{(1)!} e^{-p_1 t} \right. \\ & \left. + K_{l+1} e^{-p_2 t} + K_{l+n-1} e^{-p_n t} \right] u_{-1}(t) \end{aligned}$$

Exemple 4.2 Décomposition en éléments simples dans le cas de racines multiples

Pour montrer comment décomposer en éléments simples une fonction complexe dans le cas de racines multiples, considérons l'expression suivante de cette fonction:

$$F(s) = \frac{s+3}{(s^2+2s+1)(s+2)}$$

Les racines de cette fonction de transfert sont -1, avec un ordre de multiplicité égal à 2, et -2. D'après ce que nous avons dit précédemment, la décomposition en éléments simples est donnée par:

$$F(s) = \frac{K_1}{(s+1)^2} + \frac{K_2}{s+1} + \frac{K_3}{s+2}$$

dont les coefficients K_i; $i = 1, 2, 3$ sont déterminés par les expressions suivantes:

$$\begin{aligned} K_1 &= \lim_{s \to -1} F(s)(s+1)^2 = \lim_{s \to -1} \frac{s+3}{s+2} = 2 \\ K_2 &= \lim_{s \to -1} \frac{d}{ds}[F(s)(s+1)^2] = \lim_{s \to -1} \frac{-1}{(s+2)^2} = -1 \\ K_3 &= \lim_{s \to -2} sF(s) = \lim_{s \to -2} \frac{s+3}{s^2+2s+1} = 1 \end{aligned}$$

En se référant à la table des transformées de Laplace (voir annexe A) et à l'expression précédente de $F(s)$, l'expression de $f(t) = \mathcal{L}^{-1}[F(s)]$ est donnée par:

$$f(t) = \left[2te^{-t} - e^{-t} + e^{-2t}\right] u_{-1}(t)$$

4.2.3 Racines complexes simples

Pour simplifier la présentation, considérons le cas d'une paire de racines complexes, le reste des racines étant simples. Le cas où plusieurs racines sont complexes de multiplicité égale à un se traite de la même manière que celle présentée dans cette sous-section.

En supposant que la racine $-p_1$ est complexe et que $-p_2$ est son conjugué, comme dans la sous-section précédente, la décomposition en éléments simples est donnée par:

$$Y(s) = \frac{K_1}{s+p_1} + \frac{K_2}{s+p_2} + \cdots + \frac{K_n}{s+p_n}$$

Les résidus $K_i, i = 1, 2, \ldots, n$ sont calculés de manière identique que dans le cas de la sous-section 4.2.1. Les racines $-p_1$ et $-p_2$ sont données par les expressions suivantes:

$$\begin{aligned} p_1 &= +\zeta\omega_n - j\omega_n\sqrt{1-\zeta^2} \\ p_2 &= +\zeta\omega_n + j\omega_n\sqrt{1-\zeta^2} \end{aligned}$$

Les résidus associés sont $K_1 = ke^{j\theta}$ et $K_2 = ke^{-j\theta}$
où $k = \lim_{s \to -p_1} Y(s)(s+p_1)$ et $\theta = \mathbf{arg}\left(\lim_{s \to -p_1}[Y(s)(s+p_1)]\right)$.

La contribution de ces racines à la réponse du système est donnée par:

$$\begin{aligned} K_1 e^{-p_1 t} + K_2 e^{-p_2 t} &= k e^{-\zeta\omega_n t}\left[e^{j\left(\omega_n t\sqrt{1-\zeta^2}+\theta\right)} + e^{-j\left(\omega_n t\sqrt{1-\zeta^2}+\theta\right)}\right] \\ &= 2k e^{-\zeta\omega_n t} cos\left(\omega_n t\sqrt{1-\zeta^2}+\theta\right) \end{aligned}$$

La réponse globale $y(t)$ est alors donnée par:

$$y(t) = \left[2k e^{-\zeta\omega_n t} cos\left(\omega_n t\sqrt{1-\zeta^2}+\theta\right) + K_3 e^{-p_3 t} + \ldots + K_n e^{-p_n t}\right] u_{-1}(t)$$

Exemple 4.3 Décomposition d'une fonction de transfert avec racines complexes

Décomposons en éléments simples la fonction complexe suivante:

$$Y(s) = \frac{s+5}{(s^2+1)(s+2)}$$

Les racines de cette fonction de transfert sont $\pm j$ et -2. La décomposition en éléments simples est donnée par l'expression suivante:

$$Y(s) = \frac{K_1}{s+2} + \frac{K_2}{s+j} + \frac{K_3}{s-j}$$

Les paramètres K_i; $i = 1, 2, 3$ sont déterminés de la manière suivante:

$$\begin{aligned} K_1 &= \lim_{s\to -2} \frac{s+5}{s^2+1} = \frac{3}{5} \\ K_2 &= \lim_{s\to -j} \frac{s+5}{(s-j)(s+2)} = 1.14e^{+j105.26} \\ K_3 &= \lim_{s\to j} \frac{s+5}{(s+j)(s+2)} = 1.14e^{-j105.26} \end{aligned}$$

La réponse correspondante est alors:

$$y(t) = \left[\frac{3}{5}e^{-2t} + 2.28cos(t+105.26)\right] u_{-1}(t)$$

4.2.4 Racines complexes multiples

Le cas des racines complexes multiples se traite de la même manière que le cas des racines réelles multiples. Pour un exemple, le lecteur peut se référer à la sous-section appropriée.

4.3 CARACTÉRISTIQUE DE LA RÉPONSE D'UN SYSTÈME

La réponse d'un système donné à une grandeur d'entrée donnée est caractérisée par certaines performances. En général, la réponse d'un système comprend toujours un régime transitoire qui traduit le début de la réponse et un régime permanent qui indique que la réponse a atteint sa valeur finale. Ainsi, les performances se divisent en deux catégories. La première catégorie regroupe les performances propres au régime transitoire et la seconde rassemble les performances qui caractérisent le comportement du système en régime permanent. Considérons le système asservi du laminoir présenté au chapitre 2. Si l'on veut changer l'épaisseur désirée du métal traité, on est intéressé à atteindre cette épaisseur en un temps réduit tout en respectant les contraintes du système. Ainsi, nous cherchons à réduire la durée du régime transitoire tout en assurant un régime permanent avec une erreur acceptable.

Les performances d'un système asservi sont généralement déterminées à partir de la réponse du système à une grandeur d'entrée en échelon unitaire. Les critères de performance typiques qui sont utilisés pour caractériser la réponse transitoire d'un système linéaire associé à une grandeur d'entrée en échelon unitaire se résument au **dépassement**, au **temps de réponse**, au **temps de montée** et au **délai** (fig. 4.2).

Le **dépassement** est défini comme étant la déviation maximale de la grandeur de sortie par rapport à la valeur prise par cette même grandeur de sortie en régime permanent. Généralement, ce dépassement est défini en pourcentage comme suit:

$$d = \frac{\text{déviation maximale de la grandeur de sortie}}{\text{valeur de la grandeur de sortie en régime permanent}} 100.$$

À la déviation maximale correspond un temps appelé **temps de pic**. Ce temps est généralement désigné par t_p.

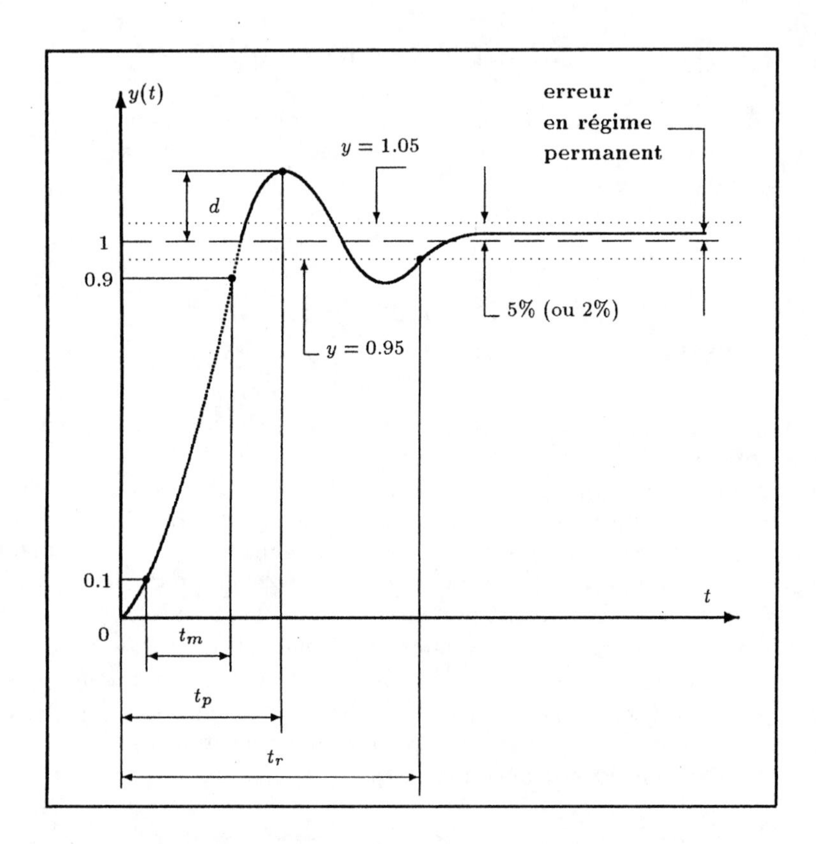

Figure 4.2 Performances d'un système linéaire

Le **temps de réponse** généralement désigné par t_r est défini comme le temps requis pour que la réponse du système à une grandeur d'entrée en échelon atteigne la plage définissant le régime permanent et y reste. Cette plage est définie par un pourcentage de la valeur de la grandeur de sortie prise en régime permanent. La tolérance la plus utilisée est de ± 5 % de la valeur de la grandeur de sortie en régime permanent (on utilise quelques fois ± 2 %) .

Pour une réponse indicielle, le **temps de montée** t_m est défini comme étant l'intervalle de temps compris entre l'instant où le signal de sortie, partant de la valeur nulle, atteint une fraction spécifiée et faible, en général 10% de sa valeur du régime permanent, et l'instant où il atteint pour la première fois une fraction spécifiée et élevée, en général 90% de cette même valeur de régime.

La **constante de temps** est un concept très important en automatique. Elle représente un autre choix de mesure du temps de réponse. En général, les termes de la réponse d'un système asservi qui définissent le régime transitoire ont une forme exponentielle Ke^{-pt}, où p peut être soit réel, soit complexe. Dans le cas où p est réel, la constante de temps est définie comme étant le temps qui rend l'exposant de l'exponentielle égal à -1, soit $-p\tau = -1$ ou $\tau = \frac{1}{p}$. Dans le cas où p est complexe, c'est-à-dire de la forme $p = \sigma \pm j\omega$, le régime transitoire de la réponse a une forme sinusoïdale amortie par une exponentielle décroissante qui représente l'enveloppe de la réponse. Cette forme est donnée par l'expression $Ke^{-\sigma t} sin(\omega t + \theta)$. Dans ce cas, la constante de temps est définie en fonction du paramètre σ qui caractérise l'enveloppe par l'expression suivante:

$$\tau = \frac{1}{\sigma}$$

Pour un système du second ordre sous-amorti, cette constante de temps est donnée par:

$$\tau = \frac{1}{\zeta \omega_n}$$

où ζ est le taux d'amortissement et ω_n est la pulsation naturelle.

Pour les systèmes d'ordre supérieur à deux, une spécification importante qui caractérise la réponse est la **constante de temps dominante** τ_d. Elle est définie comme étant la constante de temps associée au terme qui domine le régime transitoire. Pour les systèmes asservis d'ordre supérieur à deux, cette constante de temps s'approche de la constante de temps du second ordre sous-amorti qui domine la réponse. En général, on a:

$$\tau_d \leq \frac{1}{\zeta \omega_n}$$

où ζ, ω_n sont respectivement le taux d'amortissement et la pulsation naturelle du second ordre qui domine la réponse.

Ces critères de performance sont représentés à la figure 4.2. en général, ces quantités sont relativement faciles à mesurer à partir de la réponse indicielle. Par contre, de manière analytique, ces quantités sont difficiles à déterminer, sauf pour des cas simples.

4.4 RÉPONSE DES SYSTÈMES SIMPLES

L'objectif principal de cette section est de familiariser le lecteur avec la réponse des systèmes simples (1er ordre, 2e ordre, 2e ordre avec un pôle supplémentaire ou un zéro supplémentaire) à des grandeurs d'entrée typiques telles que l'impulsion unitaire, l'échelon unitaire et la rampe unitaire. La réponse des systèmes simples à des grandeurs d'entrée quelconques peut être obtenue de manière similaire à celle exposée dans cette section, en se basant sur le théorème de superposition.

4.4.1 Réponse d'un système du 1er ordre

Le commande d'un système de premier ordre est rarement rencontrée en pratique. Le but de cette sous-section est de montrer comment les racines de l'équation caractéristique affectent la réponse du système. La fonction de transfert d'un système de premier ordre est donnée par:

$$G(s) = \frac{K}{\tau s + 1}$$

où K est le gain du système et τ est la constante du temps.

Ce type de système peut représenter soit le modèle d'un réservoir hydraulique dont la grandeur d'entrée est le débit $q(t)$ et la grandeur de sortie est la hauteur $h(t)$ du réservoir, ou celui d'un moteur à courant continu dont la grandeur d'entrée est la tension électrique de l'induit, la grandeur de sortie étant la vitesse de rotation de son arbre. Pour plus d'informations, nous renvoyons le lecteur au chapitre 2 où plusieurs types de modèles ont été présentés.

En choisissant comme correcteur une action proportionnelle de gain k_p, la structure de commande du système de premier ordre est illustrée à la figure 4.3. Le système en boucle fermée admet un pôle égal à $-\frac{(1+Kk_p)}{\tau}$. Pour un système donné (i.e. K et τ fixés), plus le gain k_p est grand, plus le pôle est loin de l'axe imaginaire.

La grandeur de sortie $Y(s)$ du système en boucle fermée tel qu'illustré à la figure 4.3 est donnée par l'expression suivante:

$$Y(s) = \frac{k_p K}{\tau s + 1 + k_p K} R(s)$$

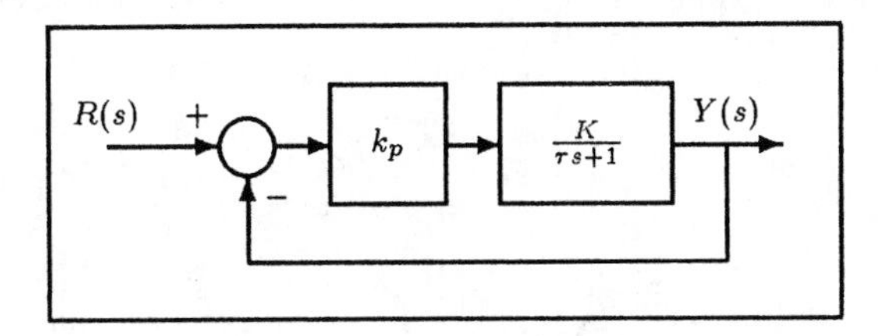

Figure 4.3 Commande d'un système du 1er ordre

Nous essayons dans le reste de cette sous-section de déterminer la réponse du système de la figure 4.3 lorsque la grandeur d'entrée $R(s)$ est du type impulsion unitaire, échelon unitaire et rampe unitaire.

Réponse impulsionnelle

En pratique, la réponse impulsionnelle correspond à la situation où une excitation instantanée de valeur unitaire perturbe le fonctionnement d'un système donné à un instant fixe t_0, puis disparaît. Par exemple, on peut imaginer que pour le système "masse-ressort" présenté au chapitre 2, une charge de valeur unitaire vient s'appliquer à l'instant $t_0 = 0$ puis disparaît après. On suppose que les conditions initiales sont nulles. En excitant le système du premier ordre par une grandeur d'entrée sous forme d'impulsion unitaire, $\delta(t)$ définie à partir de la fonction suivante (voir annexe A):

$$\delta_\Delta(t) = \begin{cases} 0 & \text{si } t < t_1 \\ \frac{1}{\Delta} & \text{si } t_1 \leq t < t_1 + \Delta \\ 0 & \text{si } t \geq t_1 + \Delta \end{cases}$$

dont la transformée de Laplace lorsque $t_1 = 0$ et Δ tend vers zéro est:

$$R(s) = 1$$

et la grandeur de sortie associée est:

$$Y(s) = \frac{Kk_p}{\tau s + 1 + Kk_p} = \frac{K'}{\tau' s + 1}$$

avec $K' = \frac{Kk_p}{1+Kk_p}$ et $\tau' = \frac{\tau}{1+Kk_p}$.

La transformée de Laplace inverse de $Y(s)$ (voir annexe A) est donnée par l'expression suivante:

$$y(t) = \left[\frac{K'}{\tau'} e^{-\frac{t}{\tau'}}\right] u_{-1}(t)$$

Cette réponse est illustrée à la figure 4.4. La valeur prise par la grandeur de sortie à l'instant $t = 0^+$ est $\frac{K'}{\tau'}$. La réponse impulsionnelle est alors discontinue à l'origine. La pente de la tangente à cette courbe au point $t = 0^+$ est donnée par l'expression suivante:

$$\frac{d}{dt} y(0^+) = -\frac{(Kk_p + 1)Kk_p}{\tau^2}$$

Cette tangente au point de départ ($t = 0^+$) coupe l'axe du temps à $t = \tau'$.

De l'expression de $y(t)$, on peut conclure ce qui suit: la vitesse de convergence de $y(t)$ vers 0 pour K' fixé dépend essentiellement de τ' (i.e. τ). Plus la constante de temps τ est faible, c'est-à-dire le pôle correspondant est loin de l'axe imaginaire, plus la convergence est rapide. La valeur de la constante de temps τ est liée à l'emplacement du pôle du système. Une constante de temps τ faible correspond à un pôle plus éloigné de l'axe imaginaire.

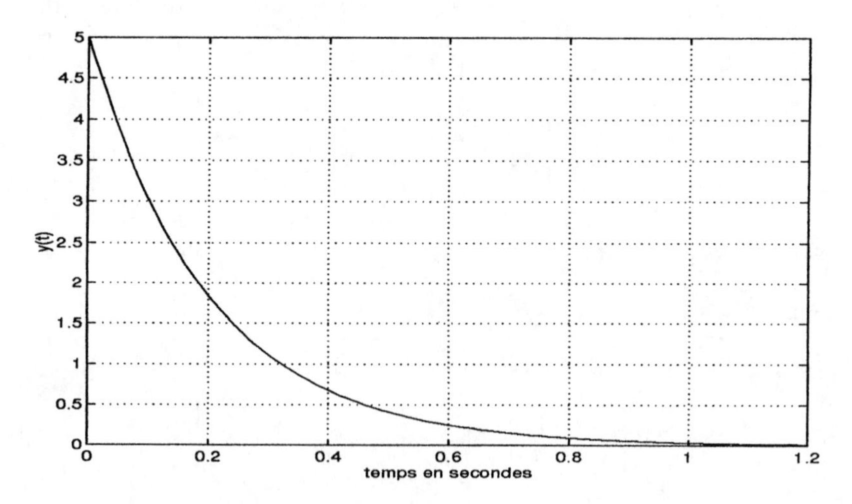

Figure 4.4 Réponse impulsionnelle d'un système du premier ordre avec $K' = 1$ et $\tau' = 0.2s$

La réponse impulsionnelle de la figure 4.4 peut être obtenue en utilisant les instructions suivantes de MATLAB:

```
≫ clear all
≫ t = (0:0.01:1.2)';
≫ num = 1;
≫ den = [.2 1];
≫ [y,X,T] = impulse(num,den,t);
≫ clg;
≫ plot(t,y);
≫ xlabel('temps en secondes');
≫ ylabel('y(t)');
≫ grid;
```

Réponse indicielle

En pratique, la réponse indicielle ou réponse à un échelon unitaire correspond à la situation où l'excitation prend un niveau constant indépendant du temps. L'action d'une masse donnée placée à l'extrémité du système masse-ressort ou l'ouverture instantannée d'une vanne alimentant un réservoir à un niveau donné sont des exemples où on a une réponse indicielle.

De la même manière que précédemment, on suppose que les conditions initiales sont nulles. La grandeur d'entrée $r(t)$ est un échelon unitaire défini par:

$$r(t) = \begin{cases} 1 & \text{si } t \geq 0 \\ 0 & \text{ailleurs.} \end{cases}$$

Sa transformée de Laplace $R(s)$ est:

$$R(s) = \frac{1}{s}$$

La grandeur de sortie $Y(s)$ associée est donnée par:

$$Y(s) = \frac{Kk_p}{\tau s + 1 + Kk_p}\frac{1}{s} = \frac{K'}{s(\tau' s + 1)}$$

La décomposition en éléments simples de cette grandeur de sortie donne:

$$Y(s) = \frac{K_1}{s} + \frac{K_2}{s + p_1}$$

où $K_1 = \frac{Kk_p}{1+Kk_p}$, $K_2 = -\frac{Kk_p}{1+Kk_p} = -K_1$ *et* $p_1 = \frac{1+Kk_p}{\tau}$

L'expression de cette grandeur de sortie en fonction du temps est:

$$y(t) = \left[K_1 + K_2 e^{-p_1 t}\right] u_{-1}(t) = K_1 \left[1 - e^{-\frac{t}{\tau'}}\right] u_{-1}(t)$$

Cette grandeur de sortie est représentée à la figure 4.5. Cette réponse ne possède pas de dépassement et elle est égale à 0 à l'instant $t = 0^+$. La pente de la tangente à cette courbe au point $t = 0^+$ est donnée par l'expression suivante:

$$\frac{d}{dt}y(0^+) = \frac{K_1}{\tau'} = \frac{Kk_p}{\tau}$$

Cette tangente coupe la valeur prise par la grandeur de sortie en régime permanent à $t = \tau'$.

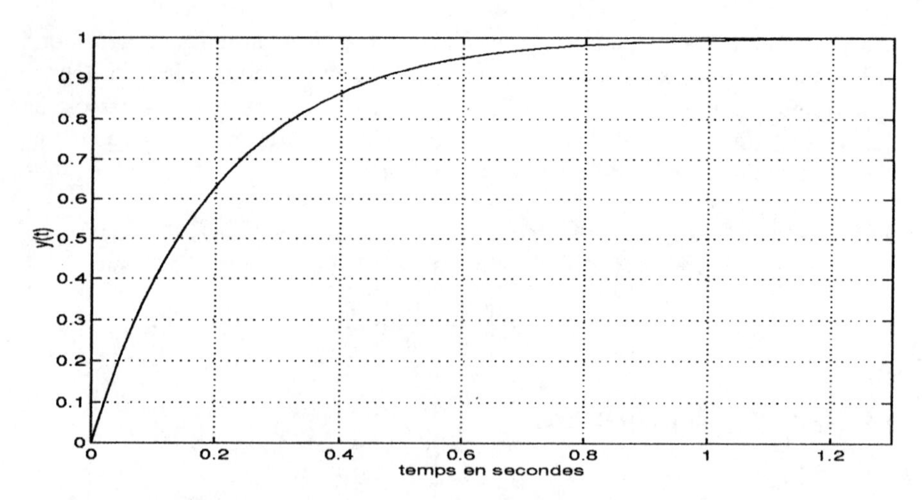

Figure 4.5 Réponse indicielle d'un système du 1er ordre, $K' = 1$ et $\tau' = 0.2s$

Une autre caractéristique importante de la réponse d'un système de premier ordre à un échelon unitaire est qu'à l'instant $t = \tau'$, la réponse du système $y(t)$ est donnée par:

$$y(\tau') = K_1 - K_2 e^{-1} = \frac{Kk_p}{1+Kk_p} 0.632$$

Ceci revient à dire qu'à l'instant τ', la réponse du système a atteint 63.2% de la valeur de la grandeur de sortie en régime permanent qui est dans ce cas $\frac{Kk_p}{1+Kk_p}$.
Le temps de réponse t_r à 5%, peut se calculer de la manière suivante:

$$0.95K' = K'\left[1 - e^{-\frac{t_r}{\tau'}}\right]$$

ce qui donne:

$$t_r = -\tau' ln(1 - 0.95) \simeq 3\tau'$$

- **Note:** La réponse du système du premier ordre à l'échelon peut être obtenue à partir de la réponse impulsionnelle en intégrant cette réponse entre 0 et t, c'est-à-dire:

$$y(t) = \int_0^t \frac{K'}{\tau'} e^{-\frac{\sigma}{\tau'}} d\sigma$$

La réponse à un échelon de position telle que représentée à la figure 4.5 peut être obtenue en utilisant les instructions suivantes de MATLAB:

```
≫ clear all
≫ t = (0:0.01:1.3)';
≫ num = 1 ;
≫ den = [.2 1];
≫ [y,X,T] = step(num,den,t);
≫ clg;
≫ plot(t,y);
≫ xlabel('temps en secondes');
≫ ylabel('y(t)');
≫ grid;
```

Réponse à une rampe

La réponse à une rampe correspond à la situation où l'excitation change de manière constante avec le temps. Ainsi, l'augmentation progressive de la tension d'alimentation de l'induit d'un moteur à courant continu est une excitation sous forme de rampe.

Pour déterminer la réponse à une rampe de notre système de premier ordre, supposons que les conditions initiales sont nulles et que le système est excité

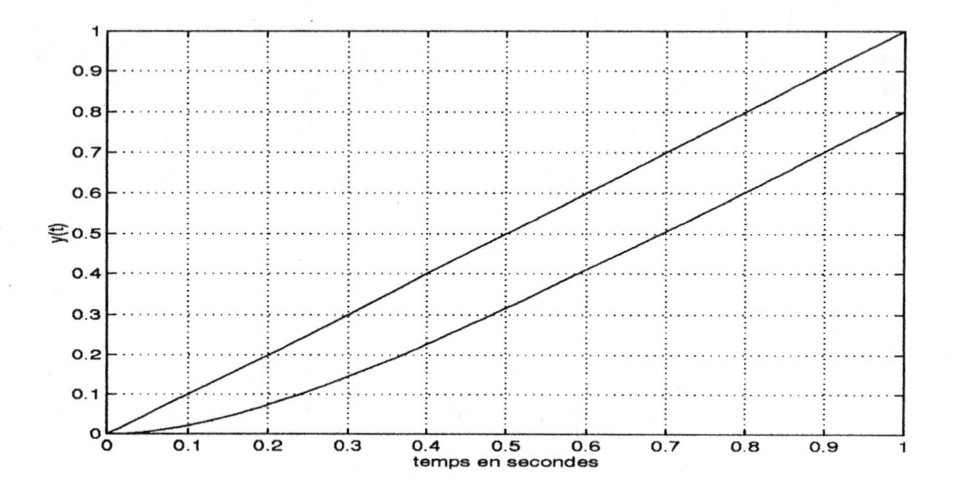

Figure 4.6 Réponse d'un système du premier ordre à une rampe unitaire avec $K' = 1$ et $\tau' = 0.2s$.

par une grandeur d'entrée sous forme de rampe unitaire, dont l'expression est définie par:

$$r(t) = \begin{cases} t & \text{si } t \geq 0 \\ 0 & \text{ailleurs} \end{cases}$$

Les transformées de Laplace de la grandeur d'entrée $R(s)$ et de la grandeur de sortie $Y(s)$ du système de la figure 4.3 sont respectivement données par les expressions suivantes:

$$\begin{aligned} R(s) &= \frac{1}{s^2} \\ Y(s) &= \frac{Kk_p}{\tau s + 1 + Kk_p} \frac{1}{s^2} \end{aligned}$$

La décomposition en éléments simples de la grandeur de sortie $Y(s)$ donne:

$$Y(s) = \frac{K_1}{s^2} + \frac{K_2}{s} + \frac{K_3}{s + p_1}$$

avec

$$K_1 = \frac{Kk_p}{1+Kk_p} = K', \quad K_2 = -\frac{Kk_p\tau}{(1+Kk_p)^2} = -K'\tau' \quad \text{et} \quad K_3 = \frac{Kk_p\tau}{(1+Kk_p)^2} = K'\tau'$$

La réponse associée dans le domaine du temps est:

$$y(t) = \left[K'(t - \tau') + K'\tau' e^{-\frac{t}{\tau'}}\right] u_{-1}(t)$$

Cette réponse est illustrée à la figure 4.6. La pente de la tangente à cette courbe au point $t = 0^+$ s'écrit:

$$\frac{d}{dt}y(0^+) = \left[K' - K'e^{-\frac{t}{\tau'}}\right]_{|t=0} = K'\left[1 - e^{-\frac{t}{\tau'}}\right]_{|t=0} = 0$$

- **Note:** La réponse à la rampe unitaire peut se calculer à partir de la réponse indicielle par simple intégration de celle-ci.

La réponse à une rampe telle que représentée à la figure 4.6 peut être obtenue en utilisant les instructions suivantes de MATLAB:

```
≫ clear all
≫ t = (0:0.01:1.3)';
≫ num = [1 ];
≫ den = [0.2 1 ];
≫ [y,x] = lsim(num,den,t,t);
≫ clg;
≫ plot(t,y,t,t);
≫ xlabel('temps en secondes');
≫ ylabel('y(t)');
≫ grid;
```

Ce qu'il faut retenir de cette étude, c'est que la réponse d'un système du 1er ordre à une grandeur d'entrée quelconque n'admet jamais de dépassement de la valeur prise en régime permanent.

4.4.2 Réponse d'un système du 2e ordre

Le chapitre 2 contient plusieurs systèmes dont le modèle est du second ordre. La fonction de transfert du moteur à courant continu commandé par l'induit, entre la position angulaire et la tension d'alimentation de l'induit, lorsque la constante de temps électrique est négligeable, en est un exemple.

Le système considéré dans cette section est illustré à la figure 4.7a. La fonction de transfert en boucle fermée d'un tel système est donnée par:

$$F(s) = \frac{\omega_n^2}{s^2 + 2\zeta\omega_n s + \omega_n^2} = \frac{Y(s)}{R(s)}$$

où ζ est le taux d'amortissement, ω_n est la pulsation naturelle.

La pulsation naturelle ω_n est liée à la fréquence naturelle f_n et à la période T du système par les relations suivantes:

$$\omega_n = 2\pi f_n; \quad f_n = \frac{1}{T}$$

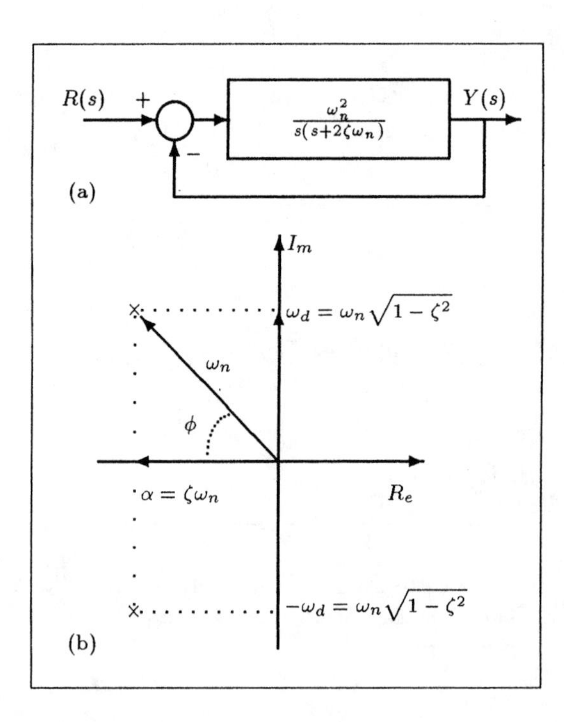

Figure 4.7 Système du 2ᵉ ordre (a) et relation entre les racines de son équation caractéristique avec α, ζ et ω_n.

L'équation caractéristique ($s^2 + 2\zeta\omega_n s + \omega_n^2 = 0$) du système en boucle fermée est un polynôme du 2ᵉ ordre. Les deux racines associées sont données par les expressions suivantes:

$$p_{1,2} = \begin{cases} +\zeta\omega_n \pm j\omega_n\sqrt{1-\zeta^2} & \text{si } 0 < \zeta < 1 \quad \text{(système sous-amorti)} \\ +\omega_n & \text{si } \zeta = 1 \quad \text{(amortissement critique)} \\ +\zeta\omega_n \pm j\omega_n\sqrt{\zeta^2-1} & \text{si } \zeta > 1 \quad \text{(système sur-amorti)} \\ \pm j\omega_n & \text{si } \zeta = 0 \quad \text{(système non amorti)} \\ +\zeta\omega_n \pm j\omega_n\sqrt{1-\zeta^2} & \text{si } \zeta < 0 \quad \text{(système amorti négativement)} \end{cases}$$

Les expressions des racines de l'équation caractéristique sont fonction des paramètres ζ et ω_n. Dans tous les cas, l'expression générale de ces racines est:

$$p_{1,2} = +\zeta\omega_n \pm j\omega_n\sqrt{1-\zeta^2} = +\alpha \pm j\omega_d$$

$$\text{avec:} \quad \alpha = \zeta\omega_n \quad \text{et} \quad \omega_d = \omega_n\sqrt{1-\zeta^2}$$

Le paramètre α est appelé facteur d'amortissement. Les racines de l'équation caractéristique sont représentées à la figure 4.7b en fonction des constantes α, ζ, ω_n.

Comme nous l'avons fait dans le cas d'un système du premier ordre, déterminons la réponse du système du deuxième ordre lorsque la grandeur d'entrée $R(s)$ est du type impulsion unitaire, échelon unitaire et rampe unitaire.

Réponse impulsionnelle

Supposons que les conditions initiales sont nulles. Le système est excité par une grandeur d'entrée en forme d'impulsion unitaire. Les expressions des transformées de Laplace de la grandeur d'entrée $R(s)$ et de la grandeur de sortie $Y(s)$ du système illustré à la figure 4.7 sont données par:

$$\begin{aligned} R(s) &= 1 \\ Y(s) &= \frac{\omega_n^2}{s^2 + 2\zeta\omega_n s + \omega_n^2} \end{aligned}$$

La réponse temporelle associée peut être obtenue en utilisant la table des transformées de Laplace de l'annexe A:

$$y(t) = \left[\frac{\omega_n}{\sqrt{1-\zeta^2}} e^{-\zeta\omega_n t} \sin\left(\omega_n t\sqrt{1-\zeta^2}\right)\right] u_{-1}(t)$$

pour $0 < \zeta < 1$.

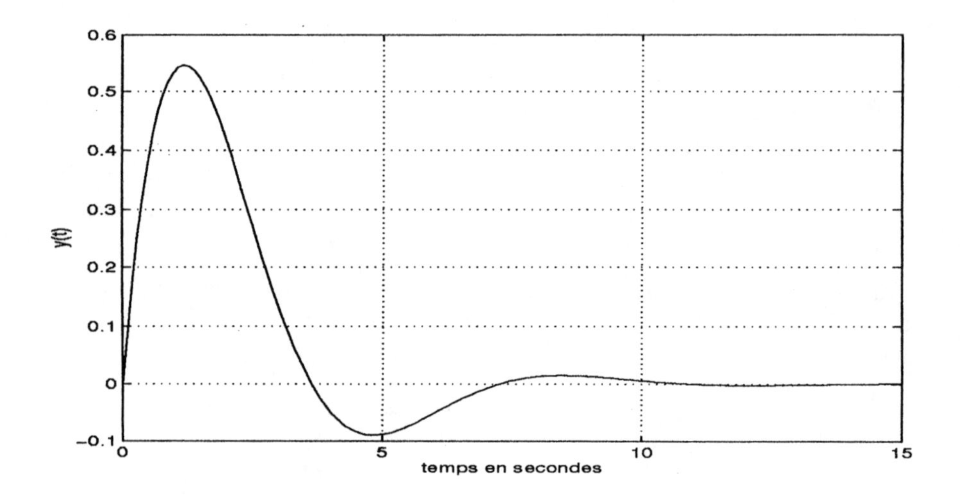

Figure 4.8 Réponse impulsionnelle d'un système du 2e ordre avec $\omega_n = 1rd/s$ et $\zeta = 0.5$

Le maximum de $y(t)$ est obtenu en résolvant l'équation $\frac{d}{dt}y(t) = 0$. Ce maximum se produit à l'instant t_p tel que:

$$t_p = \frac{cos^{-1}(\zeta)}{\omega_n\sqrt{1-\zeta^2}}.$$

Remarque: Sachant que $\cos\phi = \zeta$ et $\tan\phi = \frac{\sqrt{1-\zeta^2}}{\zeta}$, on peut déduire le temps de pic t_p à partir de $\dot{y}(t_p) = 0$.

La valeur maximale correspondante de $y(t)$ est:

$$y(t_p) = \omega_n exp\left[-\frac{\zeta cos^{-1}(\zeta)}{\sqrt{1-\zeta^2}}\right].$$

De cette expression, nous constatons que le maximum est d'autant plus élevé que le taux d'amortissement ζ est faible. Cette réponse est illustrée à la figure 4.8. Nous constatons que la réponse quitte la condition initiale avec une pente égale à ω_n sans discontinuité.

La réponse impulsionnelle du système du second ordre telle qu'illustrée à la figure 4.8 peut être obtenue en utilisant les instructions suivantes de MATLAB:

```
≫ clear all
≫ t = (0:0.1:15)';
≫ num = 1;
≫ den = [1 1 1];
≫ u = ones(1,length(t));
≫ y = impulse(num,den,t);
≫ clg;
≫ plot(t,y);
≫ xlabel('temps en secondes');
≫ ylabel('y(t)');
≫ grid;
```

Réponse indicielle

Supposons que les conditions initiales sont nulles. La grandeur d'entrée du système dans cette sous-section est un échelon unitaire. Les expressions des transformées de Laplace de la grandeur d'entrée $R(s)$ et de la grandeur de sortie $Y(s)$ du système illustré à la figure 4.7 sont données par:

$$\begin{aligned} R(s) &= \frac{1}{s} \\ Y(s) &= \frac{\omega_n^2}{s(s^2 + 2\zeta\omega_n s + \omega_n^2)} \end{aligned}$$

En utilisant la décomposition en éléments simples et la transformée de Laplace inverse, on obtient sans difficulté la réponse $y(t)$ suivante:

$$y(t) = \left[1 - \frac{e^{-\zeta\omega_n t}}{\sqrt{1-\zeta^2}} sin\,(\omega_d t - \varphi)\right] u_{-1}(t), \quad 0 < \zeta < 1$$

avec $\omega_d = \omega_n\sqrt{1-\zeta^2}$ la pulsation d'oscillation, et $\varphi = tg^{-1}\left[\frac{\sqrt{1-\zeta^2}}{-\zeta}\right]$ le déphasage.

Cette réponse est représentée à la figure 4.9. L'impact de l'emplacement des pôles dans le plan complexe sur la réponse du système est illustré à la figure 4.10.

L'utilisation de MATLAB permet d'étudier l'impact de l'emplacement des pôles d'un système de 2e ordre sur la réponse à une grandeur d'entrée quelconque.

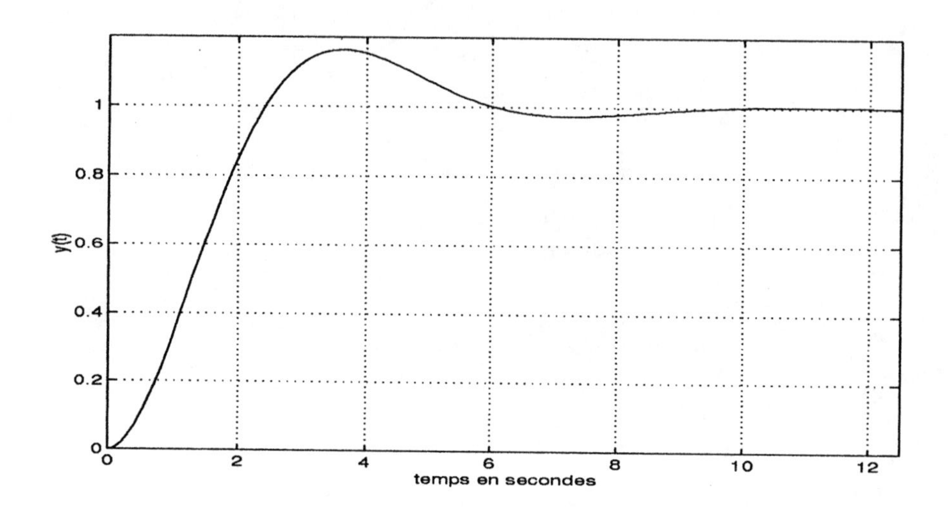

Figure 4.9 Réponse indicielle d'un système du 2e ordre avec $\omega_n = 1\ rd/s$ et $\zeta = 0.5$.

Les instructions suivantes permettent d'obtenir un tel résultat dans le cas d'une grandeur d'entrée sous forme d'échelon unitaire:

```
≫ num = [1];
≫ den1 = [1,2,1];
≫ [y1,x1] = step(num,den1);
≫ den2 = [1,1,1];
≫ [y2,x2] = step(num,den2);
≫ den3 = [1,-2,2];
≫ [y3,x3] = step(num,den3);
≫ den4 = [1,-2,1];
≫ [y4,x4] = step(num,den4);
≫ subplot(221)
≫ plot(y1);
≫ subplot(222)
≫ plot(y2);
≫ subplot(223)
≫ plot(y3);
≫ subplot(224)
≫ plot(y4);
```

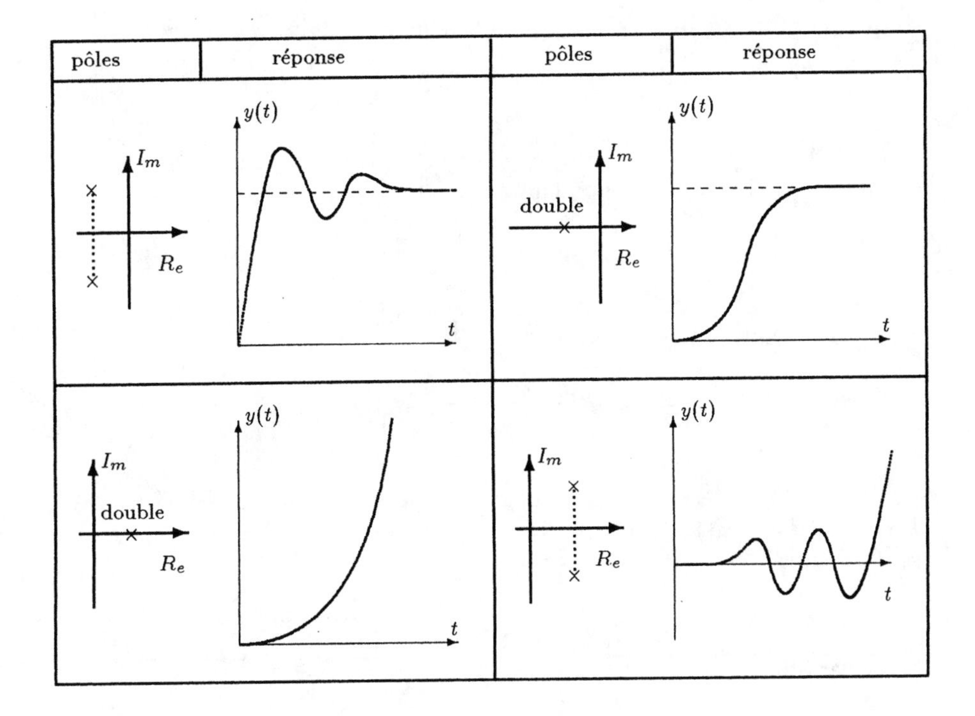

Figure 4.10 Réponse indicielle vs emplacement des pôles

La relation entre le taux d'amortissement et le dépassement peut être obtenue en cherchant l'optimum de la réponse indicielle. Ceci revient à calculer:

$$\begin{aligned}\frac{d}{dt}y(t) &= \frac{\zeta\omega_n e^{-\zeta\omega_n t}}{\sqrt{1-\zeta^2}}\sin(\omega_d t-\varphi)-\frac{\omega_n\sqrt{1-\zeta^2}e^{-\zeta\omega_n t}\cos(\omega_n t\sqrt{1-\zeta^2}-\varphi)}{\sqrt{1-\zeta^2}}\\ t &\geq 0\end{aligned}$$

Cette expression peut être ramenée à:

$$\frac{d}{dt}y(t)=\frac{\omega_n}{\sqrt{1-\zeta^2}}e^{-\zeta\omega_n t}\sin\left(\omega_n t\sqrt{1-\zeta^2}\right),\quad t\geq 0$$

En égalant cette dernière expression à zéro, on obtient:

$$\omega_n t\sqrt{1-\zeta^2}=q\pi \implies t=\frac{q\pi}{\omega_n\sqrt{1-\zeta^2}}\qquad q=0,1,2,\ldots$$

Le premier maximum de la réponse indicielle se produit à $q = 1$, ce qui donne:

$$t_p = \frac{\pi}{\omega_n\sqrt{1-\zeta^2}}$$

Le maximum de $y(t)$ correspondant est:

$$y(t_p) = 1 + e^{-\frac{\zeta\pi}{\sqrt{1-\zeta^2}}}$$

Le dépassement en % est alors:

$$d = 100\frac{[y(t_p) - y(t_\infty)]}{y(t_\infty)} = 100\ e^{-\frac{\pi\zeta}{\sqrt{1-\zeta^2}}}$$

La figure 4.11 montre comment le dépassement d varie avec ζ. Le logiciel MATLAB peut être utilisé pour tracer une telle figure. Les instructions nécessaires sont les suivantes:

```
>> clear all
>> zeta =(0:0.01:1)';
>> d =100 ;
>> for i=1:length(zeta)-1
>> d = [d; 100 * exp(-pi * zeta(i,:)/sqrt(1 - zeta(i,:)^2))];
>> end;
>> plot(zeta,d);
>> ylabel('d');
>> xlabel('zeta');
>> grid;
```

Le temps de réponse t_r, par exemple à 5%, correspond à l'enveloppe $e^{-\alpha t}$ avec $\alpha = \zeta\omega_n$, et se calcule de la même manière que pour le système du premier ordre; on a donc:

$$t_r = \frac{3}{\alpha} = \frac{3}{\zeta\omega_n}$$

En se référant à la réponse indicielle et en ne considérant que l'enveloppe de la réponse, on a:

$$y(t) = 1 + \frac{e^{-\zeta\omega_n t_r}}{\sqrt{1-\zeta^2}} = 1.05 \implies t_r = \frac{3}{\zeta\omega_n}$$

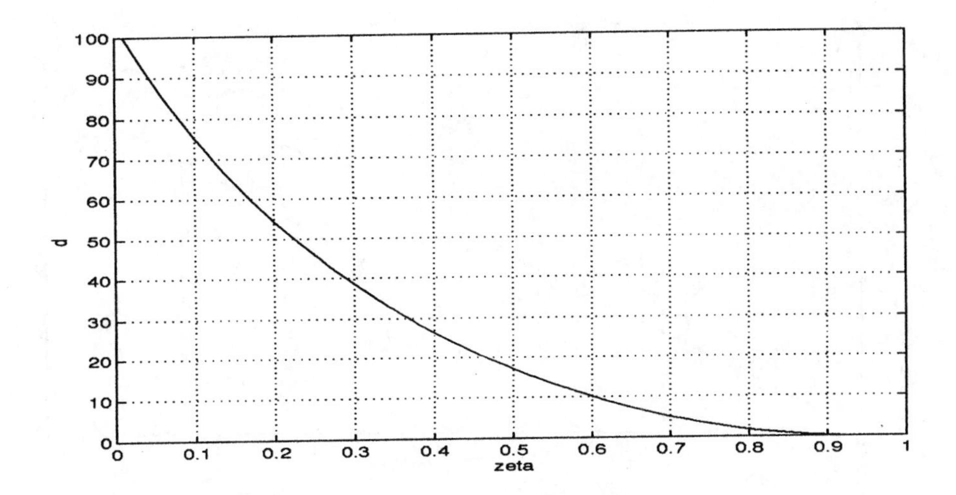

Figure 4.11 Dépassement (d) vs taux d'amortissement ζ

La réponse à l'échelon unitaire telle qu'illustrée à la figure 4.9 peut être obtenue en utilisant les instructions suivantes de MATLAB:

```
≫ clear all
≫ t = (0:0.1:12.5)';
≫ num = 1;
≫ den = [1 1 1];
≫ u = ones(1,length(t));
≫ [y,X,T] = step(num,den,t);
≫ clg;
≫ plot(t,y);
≫ xlabel('temps en secondes');
≫ ylabel('y(t)');
≫ grid;
```

Réponse à une rampe

Dans cette sous-section, les conditions initiales sont nulles et la grandeur d'entrée est sous forme de rampe. Les expressions des transformées de Laplace de la grandeur d'entrée $R(s)$ et de la grandeur de sortie $Y(s)$ du système de la

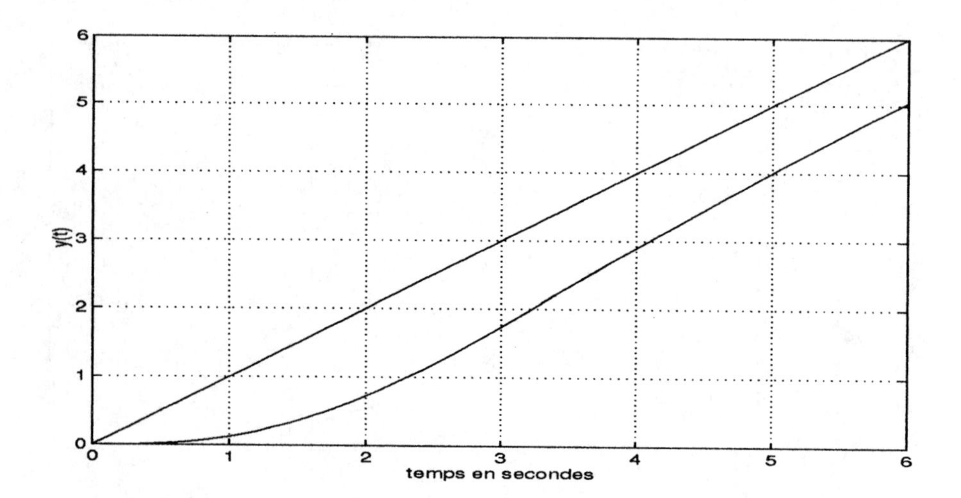

Figure 4.12 Réponse d'un système du 2e ordre à une rampe avec $\omega_n = 1rd/s$ et $\zeta = 0.5$

figure 4.7 sont données par:

$$\begin{aligned} R(s) &= \frac{1}{s^2} \\ Y(s) &= \frac{\omega_n^2}{s^2(s^2 + 2\zeta\omega_n s + \omega_n^2)} \end{aligned}$$

La réponse $y(t)$ associée est donnée par:

$$y(t) = \left[t - \frac{2\zeta}{\omega_n} + \frac{1}{\omega_n\sqrt{1-\zeta^2}} e^{-\zeta\omega_n t} sin\left(\omega_n t\sqrt{1-\zeta^2} - \varphi\right)\right] u_{-1}(t)$$

où

$$\varphi = 2tg^{-1}\left(\frac{\sqrt{1-\zeta^2}}{-\zeta}\right)$$

Cette réponse est illustrée à la figure 4.12. La réponse à une rampe telle qu'illustrée à la figure 4.12 peut être obtenue en utilisant les instructions suivantes de MATLAB:

```
≫ clear all
≫ t = (0:0.1:6)';
≫ num = [1];
≫ den1 = [1 1 1];
≫ [y1,T1] = lsim(num,den1,t,t);
≫ clg;
≫ plot(t,y1,t,t);
≫ xlabel('temps en secondes');
≫ ylabel('y(t)')
≫ grid;
```

De l'étude de la réponse d'un système du second ordre à des grandeurs d'entrée telles que l'impulsion, l'échelon et la rampe, nous concluons que la réponse dépend principalement de l'emplacement des pôles. Dans les cas de systèmes stables, la forme de la réponse dépend aussi du taux d'amortissement ζ. Plus ce taux est faible, plus le dépassement est élevé.

En général, un système du second ordre, a les principales caractéristiques suivantes, qui s'appliquent aussi aux systèmes d'ordre supérieur à 2 qui ont une paire de pôles complexes dominante:

- Pour un système sous-amorti, la pulsation naturelle ω_n est la distance des pôles à l'origine des axes. Augmenter cette distance pour un dépassement constant (ζ constant) revient à augmenter la rapidité du système tout en maintenant constant le dépassement. Cette action a aussi pour effet la réduction du temps de pic t_p, et du temps de montée t_m.

- Toute augmentation de la partie imaginaire des pôles pour une partie réelle fixe (diminuer ζ) a pour effet l'augmentation de la valeur du premier pic et la valeur du temps de montée t_m.

- Toute augmentation de la partie réelle pour une partie imaginaire fixe (augmenter ζ) a pour effet la réduction de la constante de temps τ et du temps de réponse t_r. Cette action a aussi pour effet la diminution du premier dépassement ainsi que le temps correspondant.

- Pour éviter des dépassements élevés, il est conseillé de choisir des taux d'amortissement qui correspondent à des angles ϕ (i.e. $\zeta = cos(\phi)$) strictement inférieurs à 90°, par exemple 45°.

Nous suggérons au lecteur à titre d'exercice de simuler les différents points précédents sur MATLAB pour se convaincre des caractéristiques énoncées ci-haut.

4.4.3 Impact des pôles zéros et pôles dominants

Revenons maintenant à la réponse d'un système du 2e ordre à une grandeur d'entrée en forme d'échelon unitaire et essayons de voir l'impact de l'ajout d'un pôle ou d'un zéro à la fonction de transfert. Ceci nous permet d'établir quelques résultats fondamentaux qui vont par la suite faciliter le problème d'analyse ainsi que celui de la synthèse des systèmes asservis.

Impact de l'addition d'un pôle

Considérons la fonction de transfert du système en boucle fermée dont l'expression est donnée par:

$$F(s) = \frac{\omega_n^2}{(s^2 + 2\zeta\omega_n s + \omega_n^2)(1 + \tau s)} \quad \tau > 0$$

Cette fonction de transfert correspond à deux systèmes en cascade. La première fonction de transfert correspond à un système du second ordre. L'autre modélise par exemple la dynamique du capteur utilisé.

L'équation caractéristique de ce système admet trois racines $-p_{1,2}$ et $-p_3$ dont les expressions sont:

$$\begin{aligned} p_{1,2} &= \zeta\omega_n \pm j\omega_n\sqrt{1-\zeta^2} \\ p_3 &= \frac{1}{\tau} \end{aligned}$$

Supposons que les pôles $-p_{1,2}$ sont fixes et étudions l'impact de l'emplacement de $-p_3$ par rapport aux pôles $-p_{1,2}$. Ce pôle peut prendre trois positions: à droite de $-p_{1,2}$, à gauche de $-p_{1,2}$ et confondu avec $-p_{1,2}$, c'est-à-dire qu'il possède la même partie réelle que $-p_{1,2}$. Ces trois positions sont illustrées à la figure 4.13. La réponse de ce système à un échelon par exemple est:

$$y(t) = \left[1 - \frac{\tau^2\omega^2}{1 - 2\tau\omega_n\zeta + \tau^2\omega_n^2} e^{-\frac{t}{\tau}} + \frac{e^{-\zeta\omega_n t} sin\left(\omega_n\sqrt{1-\zeta^2}t - \phi\right)}{\sqrt{(1-\zeta^2)}(1 - 2\tau\omega_n\zeta + \tau^2\omega_n^2)}\right] u_{-1}(t)$$

avec $\phi = tg^{-1}\left[\frac{\sqrt{1-\zeta^2}}{-\zeta}\right] + tg^{-1}\left[\frac{\tau\omega_n\sqrt{1-\zeta^2}}{1-\tau\zeta\omega_n}\right]$

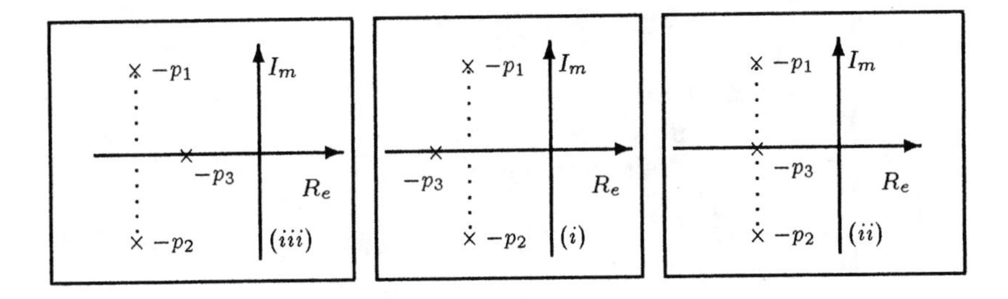

Figure 4.13 Possibilités de placer un pôle ajouté

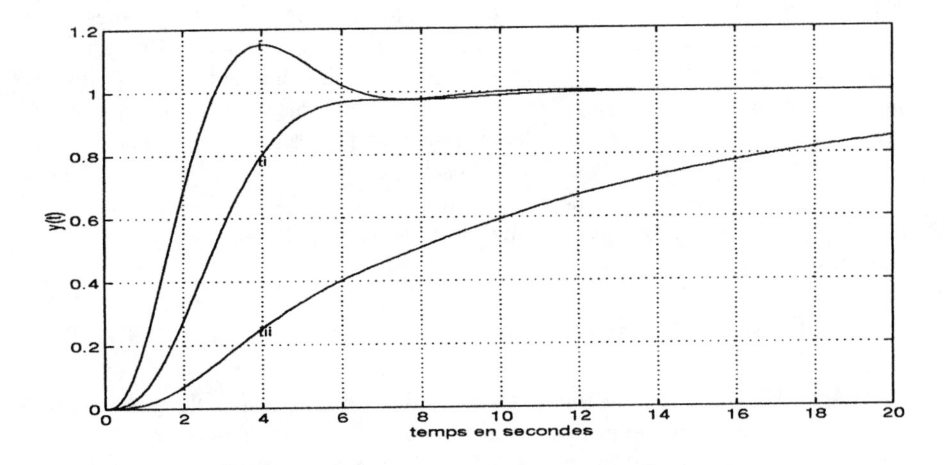

Figure 4.14 Impact d'un pôle ajouté sur la réponse d'un système de second ordre de fonction de transfert $G(s) = \frac{1}{s^2+s+1}$, (iii) $p_3 = 0.1$, (i) $p_3 = 3$, (ii) $p_3 = 0.5$

La réponse $y(t)$ à une grandeur d'entrée en forme d'échelon unitaire pour les différentes positions du pôle ajouté est illustrée à la figure 4.14 et peut être obtenue en utilisant les instructions suivantes de MATLAB:

```
≫ clear all
≫ num = 1;
≫ den1 = conv([1 1 1],[1/3 1]);
≫ den2 = conv([1 1 1],[2 1]);
≫ den3 = conv([1 1 1 ],[10,1]);
≫ t = (0:0.1:20)';
≫ [y1,X,T] = step(num,den1,t);
≫ [y2,X,T] = step(num,den2,t);
≫ [y3,X,T] = step(num,den3,t);
≫ clg;
≫ plot(t,y1,t,y2,t,y3);
≫ lx = length(t)/5;
≫ xlabel('temps en secondes');
≫ ylabel('y(t)');
≫ text(t(lx,:),y1(lx,:),'i');
≫ text(t(lx,:),y2(lx,:),'ii');
≫ text(t(lx,:),y3(lx,:),'iii');
≫ grid;
```

En analysant l'expression de $y(t)$, on constate que le pôle ajouté affecte la réponse et qu'il agit par conséquent sur toutes les performances du système. D'après la figure 4.14, on observe qu'en règle générale, lorsque le pôle ajouté est placé à droite des pôles $-p_{1,2}$, le terme associé à ce pôle domine la réponse du système et tend à faire diminuer le dépassement tout en augmentant le temps de montée et le temps de réponse. Plus le pôle ajouté est près de l'origine, plus l'impact est grand. Lorsque le pôle est placé à gauche des pôles $-p_{1,2}$, l'impact est faible et devient presque nul lorsque ce pôle est placé très loin de l'axe imaginaire (soit $+\frac{1}{\tau} = 6\alpha$).

Impact de l'addition d'un zéro

Considérons maintenant la même fonction de transfert que celle utilisée à la sous-section précédente et ajoutons un zéro à la place du pôle, pour voir l'impact de ce zéro sur la réponse du système. La fonction de transfert s'écrit alors:

$$F(s) = \frac{\omega_n^2(\tau s + 1)}{s^2 + 2\zeta\omega_n s + \omega_n^2} \quad \tau > 0$$

Cette fonction admet deux pôles $-p_{1,2}$ et un zéro $-z$ dont les expressions sont données par:

$$\begin{aligned} z &= +\frac{1}{\tau} \\ p_{1,2} &= +\zeta\omega_n \pm j\omega_n\sqrt{1-\zeta^2} \end{aligned}$$

L'expression de la fonction de transfert $F(s)$ correspond à deux systèmes en cascade. Le premier système est une boucle fermée avec une chaîne directe dont la fonction de transfert est $G(s) = \frac{\omega_n^2}{s(s+2\zeta\omega_n)}$, et un retour unitaire. Le second est constitué d'une fonction de transfert de la forme $H(s) = \tau s + 1$.

L'expression de $y(t)$ peut être obtenue en procédant à une décomposition en éléments simples et en utilisant la transformée de Laplace:

$$y(t) = \left[1 + \frac{K\tau}{\sqrt{1-\zeta^2}} e^{-\zeta\omega_n t} cos\left(\omega_d t + \varphi + \alpha + \frac{\pi}{2}\right)\right] u_{-1}(t)$$

$$\text{avec} \qquad \varphi = tg^{-1}\left[\frac{\sqrt{1-\zeta^2}}{\zeta}\right] \qquad et \qquad \alpha = tg^{-1}\left[\frac{\omega_n\sqrt{1-\zeta^2}}{z-\zeta\omega_n}\right]$$

La réponse $y(t)$ à une grandeur d'entrée en échelon unitaire, pour les différentes positions du zéro, est illustrée à la figure 4.15. L'impact du zéro peut être résumé ainsi: lorsque le zéro est situé à gauche des pôles $-p_{1,2}$, l'effet est faible et devient presque négligeable lorsque ce zéro est placé très loin de l'axe imaginaire. Par contre, l'impact est grand lorsque ce zéro est placé à droite des pôles $-p_{1,2}$ et devient dominant lorsque le zéro est placé près de l'axe imaginaire. Dans ce cas, il a tendance à augmenter le dépassement du système et réduire le temps de pic t_p. La confirmation de ces résultats est obtenue en déterminant l'expression du premier dépassement ainsi que le temps correspondant. En effet, en dérivant par rapport au temps et égalant à zéro l'expression de $y(t)$, nous obtenons l'expression suivante:

$$tg\left[\omega_d t + \alpha + tg^{-1}\left(\frac{\sqrt{1-\zeta^2}}{\zeta}\right)\right] = \frac{\sqrt{1-\zeta^2}}{\zeta}$$

Ceci est équivalent à:

$$\omega_d t + \alpha = q\pi \quad q = 0, 1, \ldots$$

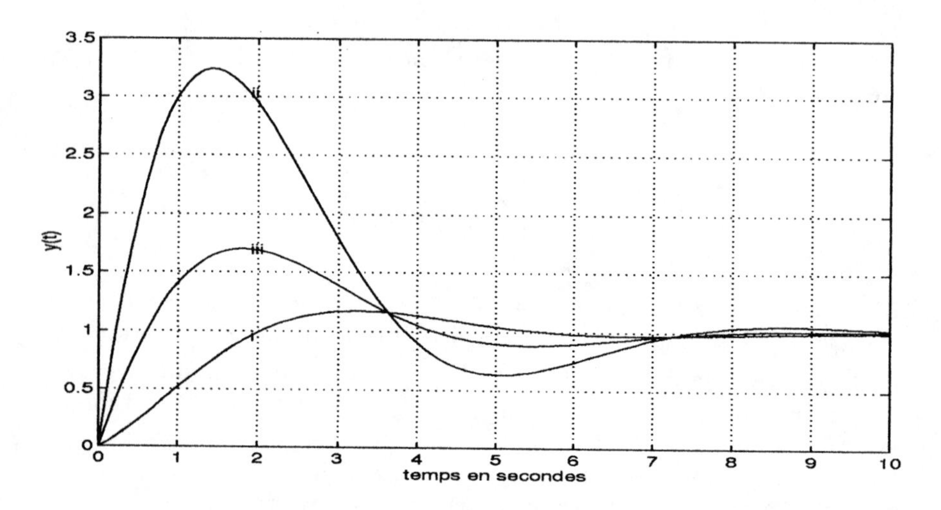

Figure 4.15 Impact de l'addition d'un zéro, (i) $z = 3$, (ii) $z = 0.2$, (iii) $z = 0.5$

Le premier dépassement se produit à $t = t_p$ dont l'expression est:

$$t_p = \frac{\pi - \alpha}{\omega_n \sqrt{1 - \zeta^2}}$$

Le dépassement correspondant est:

$$d = 100 K \tau e^{-\frac{\pi - \alpha}{\sqrt{1-\zeta^2}}}$$

Ces expressions expriment les résultats mentionnés plus haut. La figure 4.15 peut être obtenue en utilisant les instructions suivantes de MATLAB:

```
≫ clear all
≫ num1 = [1/3 1];
≫ num2 = [5 1];
≫ num3 = [2 1];
≫ den = [1 1 1];
≫ t = (0:0.1:10)';
≫ [y1,X,T] = step(num1,den,t);
≫ [y2,X,T] = step(num2,den,t);
≫ [y3,X,T] = step(num3,den,t);
≫ clg;
≫ plot(t,y1,t,y2,t,y3);
≫ lx = length(t)/5;
≫ xlabel('temps en secondes');
≫ ylabel('y(t)');
≫ text(t(lx,:),y1(lx,:),'i');
≫ text(t(lx,:),y2(lx,:),'ii');
≫ text(t(lx,:),y3(lx,:),'iii');
≫ grid;
```

Pôles dominants

En pratique, les systèmes linéaires sont généralement d'ordre supérieur à 2. Dans les sous-sections précédentes, nous avons vu que la position relative des pôles du système a une influence sur la réponse des systèmes. En général, les pôles des systèmes peuvent se diviser en deux catégories. La première regroupe les pôles dont la contribution à la réponse des systèmes est insignifiante. Ces pôles sont parfois appelés insignifiants. L'autre catégorie regroupe les pôles dont la contribution à la réponse est signifiante. Ces pôles dominent la réponse et sont appelés les **pôles dominants**.

Cette notion de pôles dominants est souvent utilisée lors du design des systèmes asservis, en particulier lors de la conception des systèmes asservis, quand on fait intervenir la technique de placement des pôles.

Exemple 4.4 Étude de l'impact des pôles dominants

Pour montrer l'importance des pôles dominants, considérons le cas du système asservi dont la fonction de transfert en boucle fermée est donnée par l'expression

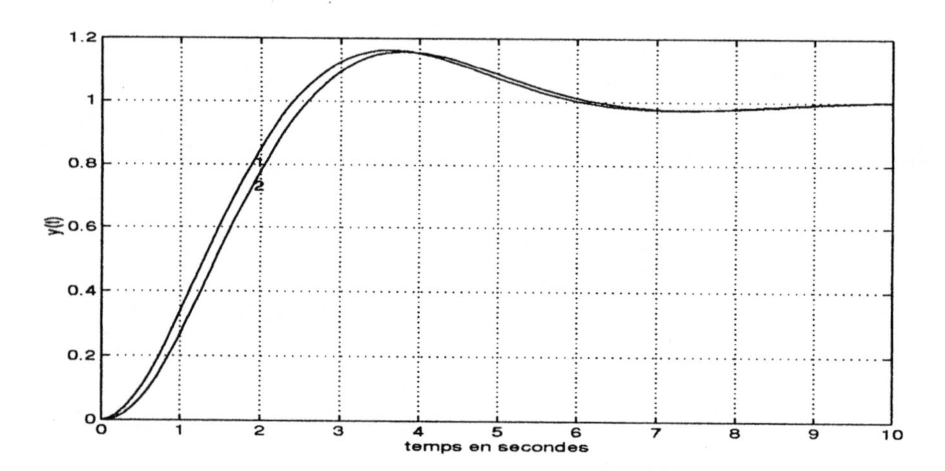

Figure 4.16 Réponse indicielle de $F(s) = \frac{0.4(s+10)}{(s^2+s+1)(s+4)}$

suivante:

$$F(s) = \frac{Y(s)}{R(s)} = \frac{0.4(s+10)}{(s^2+s+1)(s+4)}$$

La réponse indicielle de ce système est illustrée à la figure 4.16.

La configuration pôles-zéros de la fonction de transfert $F(s)$ est illustrée à la figure 4.17.

La décomposition en éléments simples de la réponse $Y(s)$ à une grandeur d'entrée en échelon unitaire donne:

$$Y(s) = \frac{K_1}{s} + \frac{K_2}{s+4} + \frac{K_3}{s+.5+j0.867} + \frac{K_4}{s+0.5-j0.867}$$

Dans le domaine du temps, la réponse $y(t)$ est dominée par les termes e^{-4t} et $e^{-0.5t}$. D'un autre côté, le terme $e^{-0.5t}$ domine aussi le terme e^{-4t}. En conséquence, il serait correct de dire que la réponse $y(t)$ est parfaitement dominée par le terme $e^{-0.5t}$, ce qui correspond à la dominance des pôles complexes.

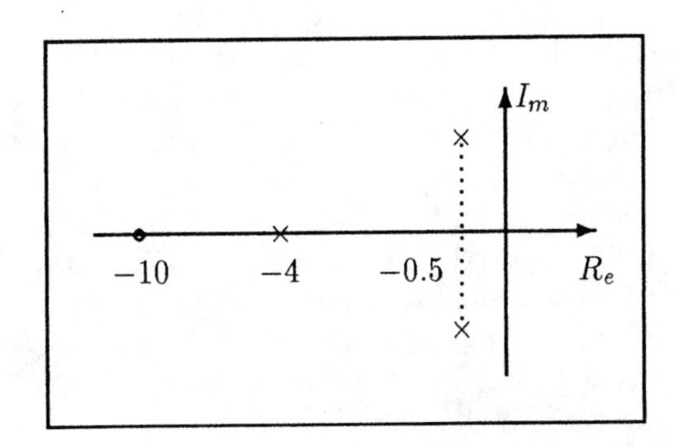

Figure 4.17 Configuration pôles-zéros de $F(s) = \frac{0.4(s+10)}{(s^2+s+1)(s+4)}$

Pour confirmer ceci, utilisons le logiciel MATLAB et traçons les réponses indicielles correspondant aux fonctions suivantes:

$$F(s) = \frac{0.4(s+10)}{(s^2+s+1)(s+4)}$$
$$F'(s) = \frac{1}{(s^2+s+1)}$$

Les instructions de MATLAB qui vont nous permettre d'obtenir de telles réponses sont les suivantes:

```
≫ clear all
≫ t= (0:0.1:10)';
≫ num1 = 1;
≫ num2 = .4*[1 10];
≫ den1 = [1 1 1];
≫ den2 = conv([1 1 1],[1 4]);
≫ [y1,X,T] = step(num1,den1,t);
≫ [y2,X,T] = step(num2,den2,t);
≫ clg;
≫ plot(t,y1,t,y2);
≫ lx = length(t)/5;
≫ xlabel('temps en secondes');
≫ ylabel('y(t)');
≫ text(t(lx,:),y1(lx,:),'1');
≫ text(t(lx,:),y2(lx,:),'2');
≫ grid;
```

Nous constatons que les courbes correspondantes illustrées à la figure 4.16 sont presque identiques et que les pôles complexes dominent bien la réponse.

Exemple 4.5 Étude de la réponse d'un système d'ordre 3 avec un zéro

Un tel système est représenté par la fonction de transfert suivante:

$$F(s) = K\frac{\omega_n^2(s+z)}{(s^2+2\zeta\omega_n s+\omega^2)(s+p)} \qquad K>0$$

Ce système admet trois pôles $-p_{1,2}$, $-p$ et un zéro $-z$. On suppose que ce système est stable, c'est-à-dire que tous les pôles sont à partie réelle négative. Ces pôles sont:

$$\begin{aligned} p_{1,2} &= \zeta\omega_n \pm j\omega_n\sqrt{1-\zeta^2} \\ p &> 0. \end{aligned}$$

Le zéro est tel que:

$$z > 0$$

Supposons que les pôles $-p_{1,2}$ dominent la réponse et étudions l'impact de l'emplacement du zéro $-z$ par rapport à $-p$ sur la réponse du système. Un tel zéro peut occuper trois positions: zéro à gauche du pôle $-p$, zéro confondu avec le pôle $-p$, et zéro à droite du pôle $-p$.

Supposons que le taux d'amortissement ζ et la pulsation naturelle ω_n sont donnés par:

$$\begin{aligned} \zeta &= 0.5 \\ \omega_n &= 1\ rad/s \end{aligned}$$

Le pôle p est placé à:

$$p = 10$$

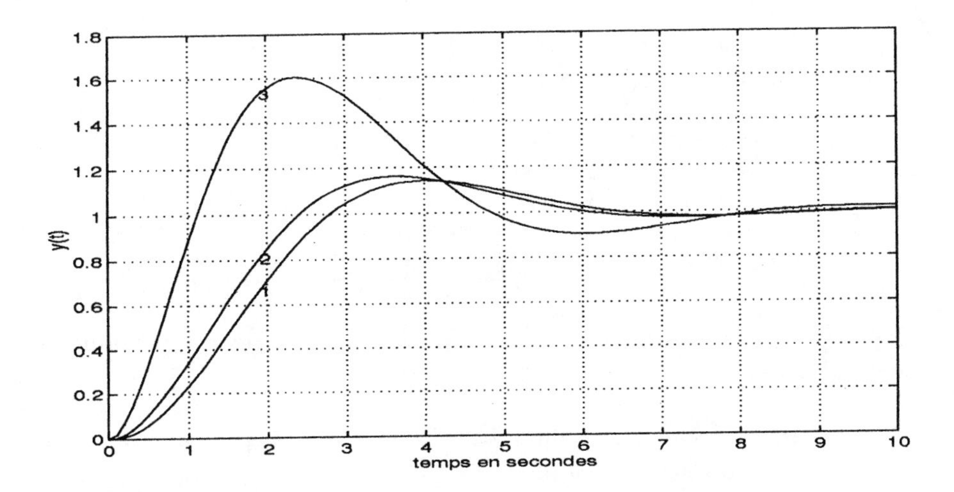

Figure 4.18 Réponse à un échelon du système $F(s) = \frac{10(s+z)}{z(s^2+s+1)(s+10)}$ dans les cas suivants: $z = 15$, $z = 10$, $z = 5$.

Le gain K est fixé de manière à ce que la réponse en régime permanent soit égale à 1. Les réponses à l'échelon dans les cas $z = 15$, $z = 10$ et $z = 5$ sont illustrées à la figure 4.18.

Nous pouvons conclure de cet exemple qu'il n'existe pas de règle générale qui régit la réponse des systèmes d'ordre général. Seul le concept des pôles dominants peut être exploité pour prédire la forme de la réponse du système.

Les allures de la figure 4.18 peuvent être obtenues en utilisant les instructions suivantes de MATLAB:

```
>> clear all
>> num1 = conv([0 2/5],[1 5]);
>> den1 = conv([1 1 1],[1 2]);
>> num2 = 1;
>> den2 = [1 1 1];
>> num3 = 2/.5*[1 0.5] ;
>> den3 = conv([1 2],[1 1 1]);
>> t = (0:0.1:10)';
>> [y1,X,T] = step(num1,den1,t);
>> [y2,X,T] = step(num2,den2,t);
>> [y3,X,T] = step(num3,den3,t);
>> clg;
>> plot(t,y1,t,y2,t,y3);
>> lx = length(t)/5;
>> xlabel('temps en secondes');
>> ylabel('y(t)');
>> text(t(lx,:),y1(lx,:),'1');
>> text(t(lx,:),y2(lx,:),'2');
>> text(t(lx,:),y3(lx,:),'3');
>> grid;
```

Exemple 4.6 Détermination des performances d'un système du second ordre

Considérons le système asservi illustré à la figure 4.19. Les fonctions de transfert $C(s)$ et $G(s)$ sont données par:

$$\begin{aligned} C(s) &= K \\ G(s) &= \frac{\omega_n^2}{s(s+2\zeta\omega_n)} \end{aligned}$$

La fonction de transfert en boucle fermée de ce système est:

$$F(s) = \frac{Y(s)}{R(s)} = \frac{K\omega_n^2}{s^2+2\zeta\omega_n s+K\omega_n^2}$$

En prenant $K = 1$, on retrouve la forme standard d'un système de second ordre dont les performances ont été déterminées précédemment. Ces performances ont des expressions analytiques. En choisissant un taux d'amortissement ζ de 0.5 et une pulsation naturelle ω_n de 1 rad/s, on obtient la réponse indicielle de

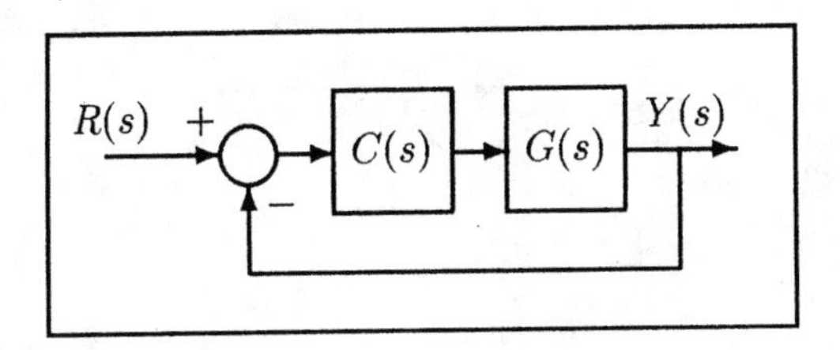

Figure 4.19 Système de commande du deuxième ordre.

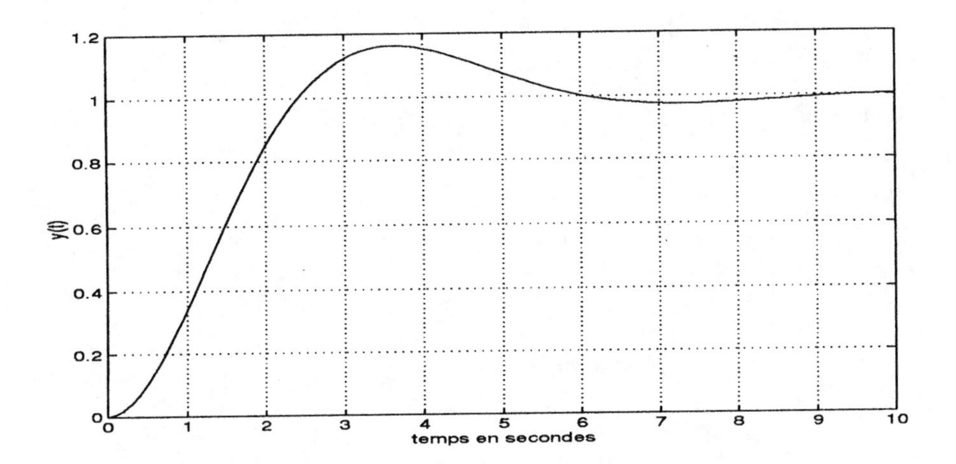

Figure 4.20 Performance du système du second ordre, $F(s) = \frac{1}{(s^2+s+1)}$

la figure 4.20. On peut aussi calculer de manière analytique les performances suivantes:

- constante de temps τ

$$\tau = \frac{1}{\zeta\omega_n} = \frac{1}{0.5} = 2s$$

- temps de réponse t_s à 5%

$$t_r = 3\tau = \frac{3}{\zeta\omega_n} = \frac{3}{0.5} = 6s$$

- dépassement d

$$d\ \% = 100e^{\frac{-\zeta\pi}{\sqrt{1-\zeta^2}}} = 100e^{-\frac{(0.5)(3.14)}{\sqrt{1-0.5^2}}} = 16.32\ \%$$

- temps de pic t_p

$$t_p = \frac{\pi}{\omega_n\sqrt{1-\zeta^2}} = \frac{3.14}{\sqrt{1-0.5^2}} = 3.63s$$

- premier maximum de la réponse $y(t_p)$

$$y(t_p) = 1 + e^{\frac{-\zeta\pi}{\sqrt{1-\zeta^2}}} = 1 + e^{-\frac{(0.5)(3.14)}{\sqrt{1-0.5^2}}} = 1.16$$

La réponse à l'échelon du système de commande considéré est illustrée à la figure 4.20, et peut être obtenue en utilisant les instructions suivantes de MATLAB:

```
≫ clear all
≫ num = 1;
≫ den = [1 1 1 ];
≫ t = (0:0.1:10)';
≫ [y,X,T] = step(num,den ,t);
≫ clg;
≫ plot(t,y );
≫ xlabel('temps en secondes');
≫ ylabel('y(t)');
≫ grid;
```

Avec cette réponse, on confirme les valeurs des différentes performances obtenues analytiquement.

Exemple 4.7 Approximation des performances d'un système asservi d'ordre supérieur à deux

Soit la fonction de transfert en boucle fermée d'un système de 3ième ordre avec un zéro suivante:

$$F(s) = \frac{0.25(s+2.4)}{(s^2+s+1)(s+0.6)}$$

Les pôles et les zéros de cette fonction de transfert sont illustrés à la figure 4.22.

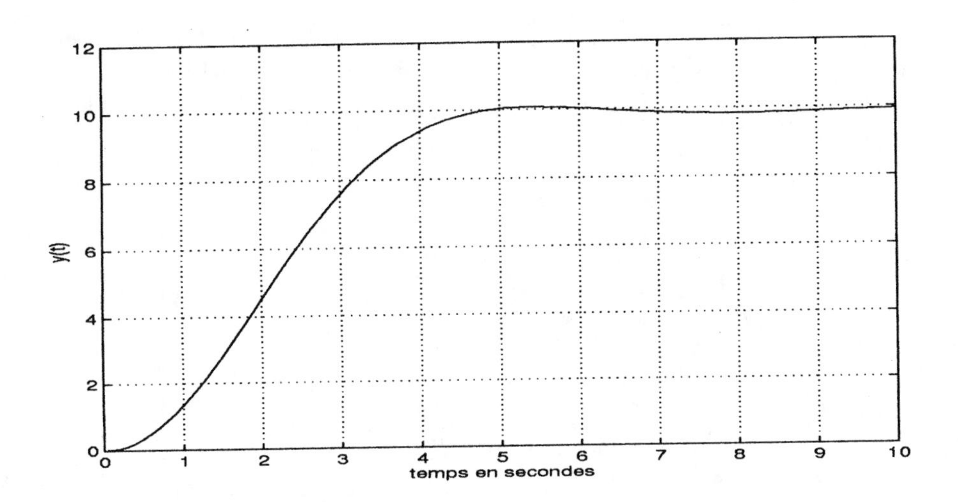

Figure 4.21 Performance d'un système d'ordre supérieur à deux, $F(s) = \frac{2.5(s+2.4)}{(s^2+s+1)(s+0.6)}$

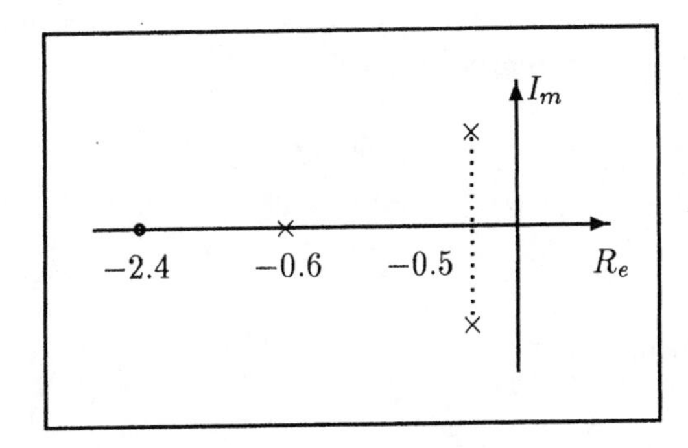

Figure 4.22 Configuration pôles-zéros de $F(s) = \frac{0.25(s+2.4)}{(s^2+s+1)(s+0.6)}$

Le système en boucle fermée admet trois pôles qui sont respectivement $-0.5 \pm j0.867$ et -0.6; et un zéro placé à -2.4. Les pôles complexes ne dominent pas la réponse du système. Les performances obtenues en considérant seulement la réponse de l'élément du second ordre sont loin des performances réelles. En effet, si la forme de la réponse global est simplifiée par celle donnée par la fonction $F'(s)$ suivante:

$$F'(s) = \frac{1}{s^2 + s + 1}$$

les performances sont données par les résultats de l'exemple 4.6. Les performances réelles peuvent être obtenues à partir de la réponse indicielle du système. Celle-ci peut être obtenue en utilisant les instructions suivantes de MATLAB:

```
≫ clear all
≫ num = 2.5*[1 2.4];
≫ den = conv([1 1 1 ],[1 0.6]);
≫ t = (0:0.1:10)';
≫ [y,X,T] = step(num,den ,t);
≫ clg;
≫ plot(t,y );
≫ xlabel('temps en secondes');
≫ ylabel('y(t)');
≫ grid;
```

Les performances sont alors obtenues par mesure sur la réponse illustrée à la figure 4.21. Les résultats sont:

- constante de temps dominante τ_d

$$\tau_d = 2.8s$$

- temps de réponse t_r à 5%

$$t_r = 4.14s$$

- dépassement d

$$d\,\% = 1.0\,\%$$

- temps de pic t_p

$$t_p = 5.38s$$

- premier maximum de la réponse $y(t_p)$

$$y(t_p) = 1.01$$

Nous constatons que les spécifications obtenues par une approximation du système par un système du second ordre diffèrent des spécifications réelles.

Exemple 4.8 Performances d'un système asservi avec deux paires de pôles complexes

Considérons un système asservi dont la fonction de transfert en boucle fermée admet deux paires de pôles complexes avec parties réelles rapprochées. La fonction de transfert est:

$$F(s) = \frac{3.06}{(s^2 + s + 1)(s^2 + 0.5s + 3.06)}$$

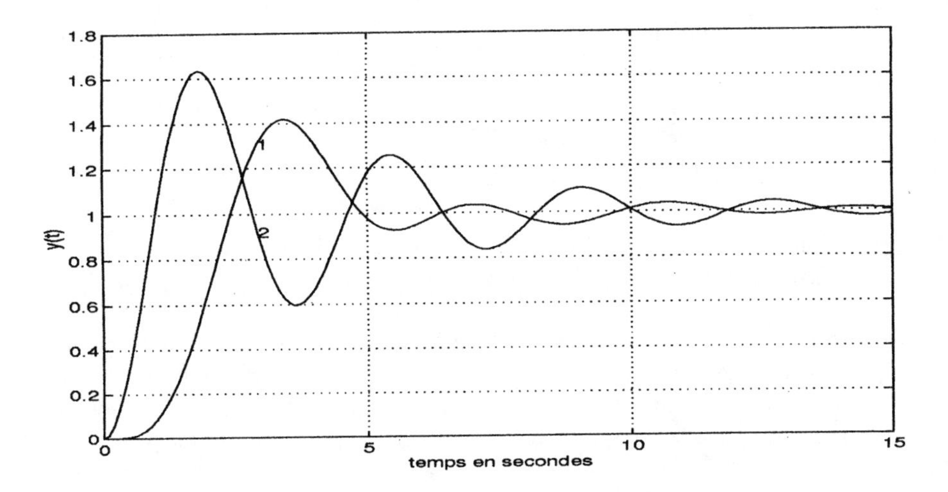

Figure 4.23 Réponses indicielles de $F(s) = \frac{3.06}{(s^2+s+1)(s^2+0.5s+3.06)}$ et de $F'(s) = \frac{3.06}{s^2+0.5s+3.06}$

Les pôles $-p_{1,2}$ et $-p_{3,4}$ correspondants sont:

$$\begin{aligned} p_{1,2} &= 0.5 \pm j0.867 \\ p_{3,4} &= 0.25 \pm j1.73 \end{aligned}$$

Dans ce cas, nous ne pouvons pas parler de pôles dominants car les deux paires de pôles sont très rapprochées. L'approximation de la réponse à un échelon unitaire par la dynamique des pôles les plus rapprochés de l'axe imaginaire est fausse. Ainsi, en utilisant les instructions suivantes de MATLAB:

```
≫ clear all
≫ num = 3.06;
≫ den1 = conv([1 1 1],[1 .5 3.06]);
≫ den2 = [1 .5 3.06];
≫ t = (0:0.1:15)';
≫ [y1,X,T] = step(num,den1,t);
≫ [y2,X,T] = step(num,den2,t);
≫ clg;
≫ plot(t,y1,t,y2 );
≫ lx = length(t)/5;
≫ xlabel('temps en secondes');
≫ ylabel('y(t)');
≫ text(t(lx,:),y1(lx,:),'1');
≫ text(t(lx,:),y2(lx,:),'2');
≫ grid;
```

Les réponses correspondantes sont illustrées à la figure 4.23. Comme nous l'avons dit auparavant, l'approximation est bien fausse.

Nous venons dans les sections précédentes de montrer comment calculer la réponse d'un système donné à une excitation donnée. Nous avons aussi montré comment évaluer les performances de cette réponse. Dans la section qui suit, nous nous intéressons aux performances de cette réponse en régime permanent.

4.5 PRÉCISION

L'objectif général d'un concepteur de système asservi est d'assurer à celui-ci les meilleures performances compte tenu des contraintes imposées, que ce soit en régime transitoire ou en régime permanent.

Un tel système doit être conçu principalement de manière à ce que la grandeur de sortie $y(t)$ suive fidèlement la grandeur d'entrée $r(t)$ quel que soit l'effet de la perturbation $p(t)$. Le système est d'autant plus précis que la différence entre la grandeur de sortie réelle $y(t)$ et la grandeur de sortie désirée $y_d(t)$ est faible. En général, on peut chiffrer la précision d'un système asservi par la différence:

$$e(t) = y_d(t) - y(t) \tag{4.1}$$

Étant donné qu'en général, la réponse d'un système asservi à une grandeur d'entrée comprend toujours deux régimes, le régime transitoire et le régime permanent, il est intéressant de parler de précision dynamique et de précision statique.

En général, la précision statique ou l'erreur en régime permanent est la plus employée lors du design des systèmes asservis. Une telle erreur est définie comme étant la valeur prise par $e(t)$ lorsque t tend vers l'infini (∞).

En réalité, l'erreur en régime permanent (erreur statique) n'est jamais nulle (à cause des bruits). En pratique, on tolère une certaine erreur $e(t)$ appartenant à l'intervalle $[a_0, a_1]$, qui définit une bande, qu'on choisit en général égale à ± 5 % de la valeur prise en régime permanent. Il faut retenir que plus ce pourcentage est faible, plus le coût du système asservi est élevé.

4.5.1 Expression générale de l'erreur

En se référant à la figure 4.1, on peut écrire les équations suivantes:

$$\begin{aligned} Y(s) &= C(s)G(s)E(s) + G_1(s)G(s)P(s), \\ E(s) &= R(s) - Y(s)H(s). \end{aligned}$$

En appelant $T(s) = C(s)G(s)H(s)$ la fonction de transfert en boucle ouverte, on obtient l'expression suivante de l'erreur:

$$E(s) = \frac{1}{1+T(s)}R(s) - \frac{T(s)}{1+T(s)}\frac{G_1(s)}{C(s)}P(s) \tag{4.2}$$

L'erreur à tout instant est égale à la somme algébrique de l'erreur due à la perturbation et de l'erreur due à la grandeur d'entrée principale. Le type du système est caractérisé par le nombre d'intégration dans la fonction de transfert associée. Il faut bien noter que l'ordre du système est différent du type du système.

On appelle erreur statique d'ordre p la limite de l'erreur $e(t)$ lorsque t tend vers l'infini suite à une grandeur d'entrée $r_p(t)$ de la forme:

$$r_p(t) = \frac{t^{(p-1)}}{(p-1)!}u_{-1}(t).$$

L'erreur en régime permanent est donnée par:

$$e(\infty) = \lim_{t \to \infty} e(t).$$

En utilisant le théorème de la valeur finale, on a une autre expression pour le calcul de l'erreur en régime permanent:

$$e(\infty) = \lim_{s \to 0} sE(s).$$

4.5.2 Précision relative à la grandeur d'entrée principale

La fonction de transfert en boucle ouverte $T(s)$ est donnée par:

$$T(s) = C(s)G(s)H(s) = \frac{N(s)}{D(s)}.$$

Nous avons vu précédemment que pour que $T(s)$ soit physiquement réalisable, nous devons satisfaire le fait que le degré de $N(s)$ soit inférieur ou égal au degré de $D(s)$.

Pour le reste de cette section, nous allons supposer que $T(s)$ est donné par:

$$T(s) = \frac{K}{s^l} \frac{1 + a_1 s + \cdots + a_m s^m}{1 + b_1 s + \cdots + b_n s^n} \qquad l + n \geq m$$

où m est le degré de $N(s)$; et $(l + n)$ est celui de $D(s)$.

Le nombre de pôles à l'origine caractérise le type du système. Ainsi, d'après l'expression précédente de $T(s)$, le système est de type l.

En se référant à l'expression de l'erreur et en supposant que la perturbation est absente, on obtient:

$$E(s) = \frac{1}{1 + T(s)} R(s)$$

En considérant une grandeur d'entrée de la forme suivante:

$$R(s) = \frac{1}{s^p}$$

l'erreur associée est:

$$E(s) \;=\; \frac{1}{1+T(s)}R(s) = \frac{1}{s^p\left[1+T(s)\right]}$$

et l'erreur statique est donnée par:

$$e(\infty) \;=\; \lim_{s\to 0} sE(s) = \lim_{s\to 0}\frac{1}{s^{p-1}\left[1+T(s)\right]}$$

En considérant les systèmes de type 0, la fonction de transfert en boucle ouverte associée est:

$$T(s) = K\frac{1+a_1 s+\cdots}{1+b_1 s+\cdots}$$

l'erreur correspondante est:

$$e(\infty) = \lim_{s\to 0}\frac{1}{\left[1+K\frac{1+a_1 s+\cdots}{1+b_1 s+\cdots}\right]s^{p-1}} \tag{4.3}$$

- Pour $p = 1$, c'est-à-dire quand la grandeur d'entrée est un échelon de position, l'erreur associée est:

$$e(\infty) = \frac{1}{K+1}$$

  La constante K est appelée généralement la constante de position et elle est notée par C_p.

- Pour $p > 1$, c'est-à-dire pour des grandeurs d'entrée autres que l'échelon de position, l'erreur est donnée par:

$$e(\infty) = \infty$$

- **Note:** Pour le cas d'un système de type 0 et une grandeur d'entrée en échelon de position unitaire, l'erreur est constante et inversement proportionnelle au gain K de $T(s)$. Cette erreur peut être réduite en augmentant la valeur du gain K tout en respectant la stabilité.

En considérant maintenant le système de type l, la fonction de transfert s'écrit:

$$T(s) = \frac{K}{s^l}\left[\frac{1+a_1 s+\cdots}{1+b_1 s+\cdots}\right] \tag{4.4}$$

Cette fonction de transfert peut être approchée par la forme suivante quand s tend vers 0:

$$T(s) \simeq \frac{K}{s^l}$$

Compte tenu de ceci, l'erreur en régime permanent peut se calculer ainsi:

$$e(\infty) = \lim_{s \to 0} \frac{1}{\left(1 + \frac{K}{s^l}\right) s^{p-1}}$$

Dans le cas où $p \geq 2$, la relation générale précédente s'écrit :

$$e(\infty) = \lim_{s \to 0} \frac{1}{K \ s^{p-l-1}}$$

De ces expressions, nous pouvons conclure ce qui suit:

	$p \leq l$	$p = l + 1$	$p > l + 1$
$e(\infty)$	0	$\frac{1}{K}$	∞

Pour des excitations de type échelon, rampe et parabole, définissons certaines constantes qui sont considérées comme des caractéristiques du régime permanent. Ces constantes sont la constante de position notée C_p, la constante de vitesse notée C_v et la constante d'accélération notée C_a, associées respectivement aux excitations échelon, rampe et parabole. Ces constantes sont définies comme suit:

$$C_p = \lim_{s \to 0} T(s), \text{ lorsque } R(s) = \frac{1}{s} \tag{4.5}$$

$$C_v = \lim_{s \to 0} sT(s) \text{ lorsque } R(s) = \frac{1}{s^2} \tag{4.6}$$

$$C_a = \lim_{s \to 0} s^2 T(s) \text{ lorsque } R(s) = \frac{1}{s^3} \tag{4.7}$$

L'erreur associée est reliée à ces constantes par les relations suivantes:

	$R(s) = \frac{1}{s}$	$R(s) = \frac{1}{s^2}$	$R(s) = \frac{1}{s^3}$
$e(\infty)$	$\frac{1}{1+C_p}$	$\frac{1}{C_v}$	$\frac{1}{C_a}$

Compte tenu de ces résultats, nous pouvons dresser le tableau (4.1) qui résume les valeurs prises par l'erreur en régime permanent dépendant du type du système et du type de grandeurs d'entrée.

type du système	échelon $e_\infty = \frac{1}{1+C_p}$	rampe $e_\infty = \frac{1}{C_v}$	accélération $e_\infty = \frac{1}{C_a}$
0	$\frac{1}{1+K}$	∞	∞
1	0	$\frac{1}{K}$	∞
2	0	0	$\frac{1}{K}$

Tableau 4.1 Erreur statique vs type de système et type de grandeurs d'entrée

Exemple 4.9 Étude d'un système du premier ordre

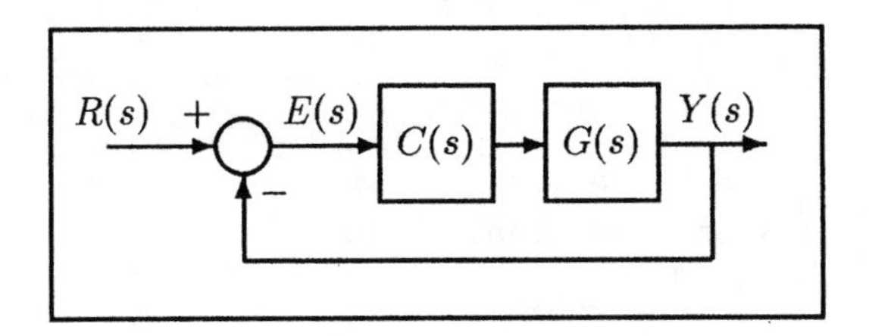

Figure 4.24 Commande d'un système du 1er ordre

Dans cet exemple, on considére que le procédé commandé est représenté par un système du premier ordre, dont la fonction de transfert $G(s)$ est donnée par:

$$G(s) = \frac{K}{\tau s + 1} \quad K > 0 \quad \tau > 0$$

Un tel procédé peut représenter soit le modèle d'un moteur à courant continu reliant la vitesse angulaire à la tension d'induit ou celui d'un réservoir hydraulique reliant la hauteur au débit d'entrée.

Une structure possible pour commander la grandeur de sortie est illustrée à la figure 4.24, où le correcteur utilisé est représenté par une fonction de transfert $C(s)$.

La fonction de transfert $T(s)$ du système de la figure 4.24 est donnée par:

$$T(s) = C(s)G(s)$$

Dans le reste de cet exemple, on montre comment calculer l'erreur du système pour différents types de grandeurs d'entrée et différentes structures de correcteur.

- 1er **cas:** $C(s) = k_p$, un correcteur à action proportionnelle.
Dans ce cas, $T(s)$ est de type 0; d'après les résultats du tableau 4.1, nous avons:

$$e(\infty) = \begin{cases} \frac{1}{1+Kk_p}, & \text{si } r(t) \text{ est un échelon unitaire,} \\ \infty, & \text{autrement.} \end{cases}$$

Vérifions cela par calcul.
L'expression de l'erreur E(s) est:

$$E(s) = \frac{1}{1 + C(s)G(s)} R(s)$$

et l'erreur en régime permanent est donnée par:

$$e(\infty) = \lim_{s \to 0} \frac{s}{1 + T(s)} R(s) = \lim_{s \to 0} \frac{s(\tau s + 1)}{\tau s + 1 + Kk_p} R(s)$$

Pour un échelon unitaire $R(s) = \frac{1}{s}$ l'erreur est:

$$e(\infty) = \lim_{s \to 0} \frac{\tau s + 1}{\tau s + 1 + Kk_p} = \frac{1}{1 + Kk_p}$$

Pour une rampe unitaire $R(s) = \frac{1}{s^2}$ l'erreur est:

$$e(\infty) = \lim_{s \to 0} \frac{\tau s + 1}{s(\tau s + 1 + Kk_p)} = \infty$$

Pour un signal en accélération $R(s) = \frac{1}{s^2}$ l'erreur est:

$$e(\infty) = \lim_{s \to 0} \frac{\tau s + 1}{s^2(\tau s + 1 + Kk_p)} = \infty$$

- 2e **cas:** $C(s) = k_p + k_D s$, un correcteur à actions proportionnelle et dérivée
Dans ce cas, $T(s)$ est aussi de type 0; d'après le tableau 4.1, on a les mêmes résultats qu'avec le correcteur à action proportionnelle. Ceci est bien évident puisque le correcteur PD n'intervient qu'en régime transitoire.

- 3e **cas:** $C(s) = k_p + \frac{k_I}{s}$, un correcteur à actions proportionnelle et intégrale Dans ce cas, le type du système est incrémenté d'une unité que le correcteur PI apporte. D'après le tableau 4.1, on a:

$$e(\infty) = \begin{cases} 0, & \text{si } r(t) \text{ est un échelon unitaire,} \\ \frac{1}{k_I k_p}, & \text{si } r(t) \text{ est une rampe,} \\ \infty, & \text{si } r(t) \text{ est un signal en accélération.} \end{cases}$$

Le lecteur peut vérifier ces résultats par calcul.

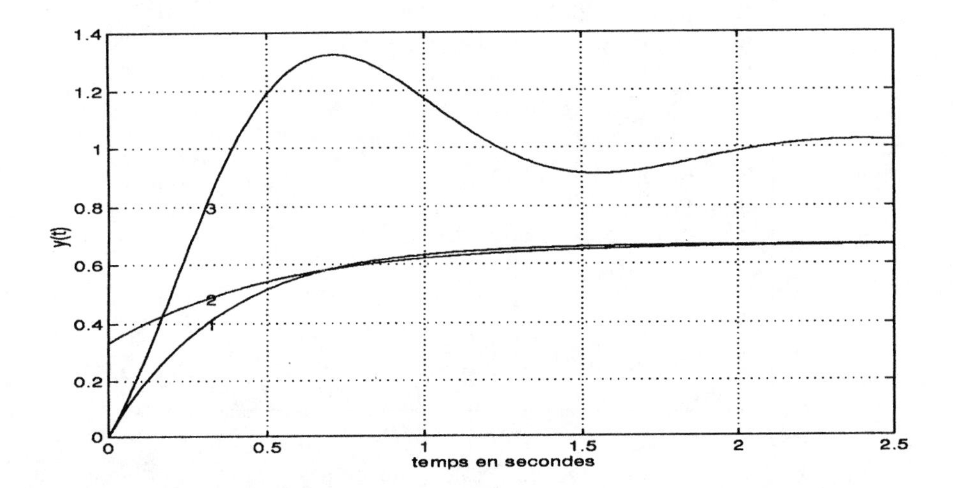

Figure 4.25 Réponse indicielle des fonctions de transfert suivantes: $F_1(s) = \frac{2}{s+3}$, $F_2(s) = \frac{2+.5s}{1.5s+3}$, $F_3(s) = \frac{16+2s}{s^2+3s+16}$

En prenant comme caractéristiques $K = 2$ et $\tau = 1$ pour le système du premier ordre considéré, et les paramètres suivants du correcteur dépendant des cas:

- correcteur proportionnel avec $k_p = 1$;
- correcteur proportionnel dérivé avec $k_p = 1$ et $k_d = 0.5$;
- correcteur proportionnel intégral avec $k_p = 1$ et $k_I = 8$,

le logiciel MATLAB permet d'obtenir la réponse en échelon unitaire, illustrée à la figure 4.25, qui confirme le résultat obtenu précédemment sur l'erreur en régime permanent. Les instructions que l'on peut utiliser pour obtenir la réponse désirée sont les suivantes:

```
≫ clear all
≫ num1 = 2;
≫ den1 = [1 3];
≫ num2 = [0.5 2];
≫ den2 = [1.5 3];
≫ num3 = [2 16];
≫ den3 = [1 3 16];
≫ t = (0:0.01:2.5)';
≫ [y1,X,T] = step(num1,den1,t);
≫ [y2,X,T] = step(num2,den2,t);
≫ [y3,X,T] = step(num3,den3,t);
≫ clg;
≫ plot(t,y1,t,y2,t,y3);
≫ lx = length(t)/8;
≫ xlabel('temps en secondes');
≫ ylabel('y(t)');
≫ text(t(lx,:),y1(lx,:),'1');
≫ text(t(lx,:),y2(lx,:),'2');
≫ text(t(lx,:),y3(lx,:),'3');
≫ grid;
```

- **Note:** On retient de cet exemple que pour un système asservi donné dont l'erreur en régime permanent associée à une grandeur d'entrée donnée est constante, une manière d'annuler cette erreur consiste à utiliser un correcteur qui augmente le type du système d'une unité.

Exemple 4.10 Étude d'un système du deuxième ordre

Considérons le modèle d'un moteur à courant continu reliant la position à la tension d'induit. Un tel modèle est représenté par la fonction de transfert suivante:

$$G(s) = \frac{K}{s(\tau s + 1)}$$

Le système lui-même est de type 1. La structure asservie d'un tel système est représentée à la figure 4.26, où le correcteur en cascade utilisé est représenté par la fonction de transfert $C(s)$.

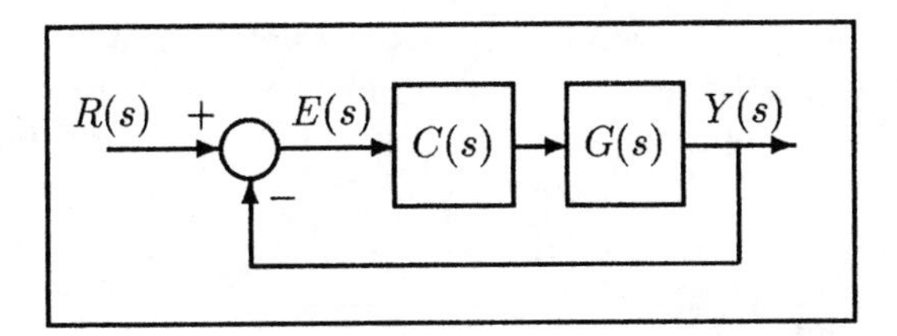

Figure 4.26 Commande d'un système du 2ᵉ ordre

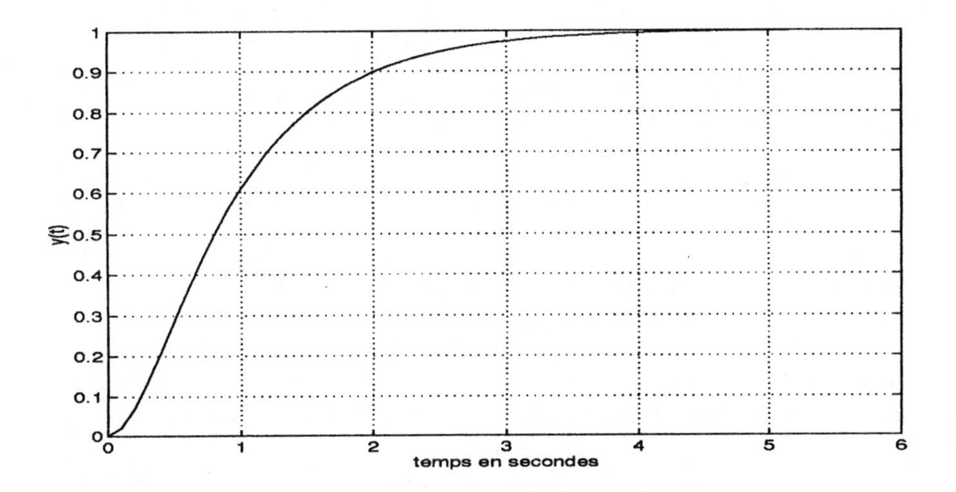

Figure 4.27 Réponse en échelon de la fonction de transfert suivante $F(s) = \frac{1}{0.2s^2+s+1}$

En se basant sur la remarque précédente, on conclut que le correcteur à action proportionnelle de gain k_p est suffisant pour annuler l'erreur en régime permanent correspondant à une grandeur d'entrée en échelon.

Vérifions cette affirmation. On sait que l'expression de l'erreur est donnée par:

$$E(s) = \frac{1}{1+T(s)}R(s) = \frac{(\tau s+1)}{\tau s^2 + s + Kk_p}$$

et l'erreur en régime permanent est:

$$e(\infty) = \lim_{s\to 0} sE(s) = \lim_{s\to 0} \frac{s(\tau s+1)}{\tau s^2 + s + Kk_p} = 0$$

En prenant $K = 1$ et $\tau = 0.2$ et en considérant un correcteur proportionnel avec un gain $k_p = 1$; le logiciel MATLAB permet d'obtenir la réponse en échelon unitaire, illustrée à la figure 4.27, qui confirme le résultat obtenu précédemment sur l'erreur en régime permanent. Les instructions que nous pouvons utiliser pour obtenir la réponse désirée sont les suivantes:

```
>> clear all
>> num = 1;
>> den = [0.2 1 1];
>> t = (0:0.1:6)';
>> [y,X,T] = step(num,den ,t);
>> clg;
>> plot(t,y );
>> xlabel('temps en secondes');
>> ylabel('y(t)');
>> grid;
```

4.5.3 Erreur due à la perturbation

En supposant maintenant que la grandeur d'entrée principale $r(t)$ est absente et que seule la perturbation agit sur le système, compte tenu de l'expression générale de l'erreur, nous obtenons l'expression suivante pour l'erreur:

$$E_p(s) = \frac{-T(s)}{1+T(s)} \frac{G_1(s)}{C(s)} P(s) = M(s)P(s)$$

où

$$M(s) = \frac{-T(s)}{1+T(s)} \frac{G_1(s)}{C(s)} = \frac{G(s)G_1(s)H(s)}{1+T(s)}$$

Dans cette sous section, nous déterminons l'erreur en régime permanent associée à la perturbation dans les cas où $T(s)$ a l pôles à l'origine et où $T(s)$ n'a pas de pôles à l'origine et pour $G(s)$ et $G_1(s)$ choisies selon les cas suivants:

(i) $G(s)$ et $G_1(s)$ sont de type 0;

(ii) $G(s)$ est du type 0 tandis que $G_1(s)$ est du type β;

(iii) $G(s)$ est du type α tandis que $G_1(s)$ est du type 0;

(iv) $G(s)$ est du type α tandis que $G_1(s)$ est du type β.

Nous supposons que la perturbation est modélisée par un échelon unitaire, la fonction de transfert de retour, $H(s)$, est de type zéro, par exemple un retour unitaire, $\beta > 1$ et $\alpha > 1$.

1er **cas:** $T(s)$ n'a pas de pôle à l'origine, c'est-à-dire $l = 0$

L'erreur en régime permanent associée à la perturbation $P(s)$ est donnée par les expressions suivantes dépendant des cas:

erreur	cas (i)	cas (ii)	cas (iii)	cas (iv)
$e(\infty)$	$-\frac{KK_1}{1+K_2}$	∞	∞	∞

avec $K = \lim_{s\to 0} G(s)$, $K_1 = \lim_{s\to 0} G_1(s)$ et $K_2 = \lim_{s\to 0} T(s)$.

En examinant l'expression de l'erreur associée à la perturbation dépendant du cas, nous constatons que seul le cas (i) présente une erreur finie qui peut être réduite en jouant sur le gain K_2 par exemple.

2e **cas:** $T(s)$ a l pôles à l'origine
Dans ce cas, l'erreur associée à la perturbation a comme expression:

	$e(\infty)$
cas (i)	0

cas (ii)	$e(\infty)$
$l > \beta$	0
$l = \beta$	$\frac{KK_1}{K_2}$
$l < \beta$	∞

cas (iii)	$e(\infty)$
$l > \alpha$	0
$l = \alpha$	$\frac{KK_1}{K_2}$
$l < \alpha$	∞

cas (iv)	$e(\infty)$
$l > \alpha + \beta$	0
$l = \alpha + \beta$	$\frac{KK_1}{K_2}$
$l < \alpha + \beta$	∞

avec $K = \lim_{s\to 0} G(s)s^{\alpha}$, $K_1 = \lim_{s\to 0} G_1(s)s^{\beta}$ et $K_2 = \lim_{s\to 0} T(s)s^{l}$.

Exemple 4.11 Étude d'un convoyeur

Considérons l'asservissement d'un convoyeur entraîné par un moteur cc. Le schéma-bloc d'un tel moteur est représenté à la figure 4.28. La consigne représente la vitesse à laquelle le convoyeur doit se déplacer tandis que la perturbation, elle, représente la charge.

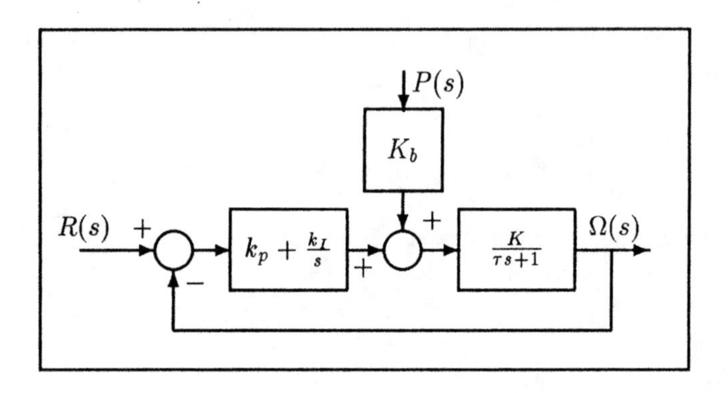

Figure 4.28 Asservissement de la vitesse d'un convoyeur

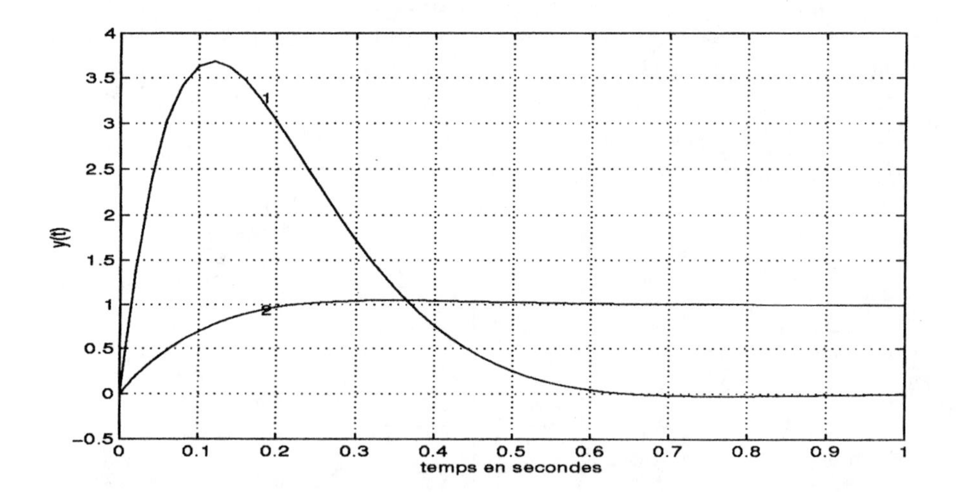

Figure 4.29 Réponse en échelon des fonctions de transfert suivantes: $F_1(s) = \frac{16s}{0.2s+3s+16}$, $F_2(s) = \frac{16+2s}{0.2s^2+3s+16}$

Compte tenu des résultats précédents, l'expression de l'erreur est donnée par:

$$E(s) \;=\; \frac{1}{1+T(s)}R(s) - \frac{T(s)}{1+T(s)}\frac{K_b}{k_p+\frac{k_I}{s}}P(s) = E_r(s) + E_p(s)$$

L'erreur associée à la grandeur d'entrée principale ($r(t) = 1$) est:

$$e_r(\infty) = \lim_{s \to 0} sE_r(s) = \lim_{s \to 0} \left[\frac{s}{1 + \frac{K}{\tau s + 1} \frac{k_p s + k_I}{s}} \frac{1}{s} \right] = 0$$

En supposant que la perturbation est modélisée par un échelon, c'est-à-dire $P(s) = \frac{p}{s}$, l'erreur associée est donnée par:

$$e_p(\infty) = \lim_{s \to 0} sE_p(s) = \lim_{s \to 0} \left[-\frac{s \frac{K(k_p s + k_I)}{(\tau s + 1)s}}{1 + \frac{K(k_p s + k_I)}{(\tau s + 1)s}} \frac{K_b}{\frac{k_p s + k_I}{s}} \frac{p}{s} \right] = 0$$

En faisant la somme de ces deux erreurs ($e_r(\infty) = 0$ et $e_p(\infty) = 0$), on obtient une erreur globale en régime permanent égale à 0.

En prenant pour le système asservi illustré à la figure 4.28 avec $K = 2$, $\tau = 0.2$, $k_p = 1$, $k_I = 8$ et $K_b = 1$, le logiciel MATLAB permet d'obtenir la réponse à l'échelon unitaire illustrée à la figure 4.29, qui confirme le résultat obtenu précédemment sur l'erreur en régime permanent. Les instructions que nous pouvons utiliser pour obtenir la réponse désirée sont les suivantes:

```
≫ clear all
≫ num1 = [16 0];
≫ den1 = [0.2 3 16];
≫ num2 = [ 2 16];
≫ den2 = [0.2 3 16];
≫ t = (0:0.02:1)';
≫ [y1,X,T] = step(num1,den1,t);
≫ [y2,X,T] = step(num2,den2,t);
≫ clg;
≫ plot(t,y1,t,y2 );
≫ lx = length(t)/5;
≫ xlabel('temps en secondes');
≫ ylabel('y(t)');
≫ text(t(lx,:),y1(lx,:),'1');
≫ text(t(lx,:),y2(lx,:),'2');
≫ grid;
```

Exemple 4.12 Étude d'un asservissement de position d'un moteur cc

Le système de la figure 4.30 représente l'asservissement de la position angulaire d'un moteur cc. La grandeur d'entrée principale est la position angulaire désirée tandis que la perturbation est une charge quelconque modélisant, par exemple, les frottements. On la suppose constante, c'est-à-dire $p(s) = \frac{p}{s}$. L'expression de l'erreur dans ce cas est donnée par:

$$E(s) = \frac{1}{1+T(s)}\theta_r(s) + \frac{T(s)}{1+T(s)}\frac{K_b}{k_p}P(s)$$

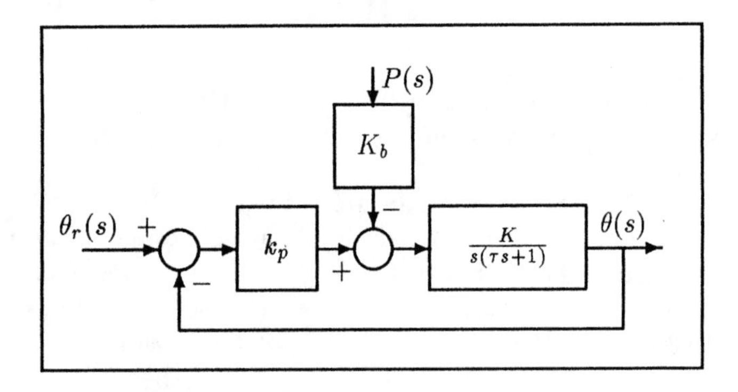

Figure 4.30 Asservissement de position angulaire

L'erreur associée à la grandeur d'entrée principale ($\theta_r = 1$) s'écrit:

$$e_r(\infty) = \lim_{s\to 0} sE_r(s) = \lim_{s\to 0} \frac{s}{1+\frac{Kk_p}{s(\tau s+1)}}\frac{1}{s} = 0$$

L'erreur associée à la perturbation ($P(s) = \frac{p}{s}$) est:

$$e_p(\infty) = \lim_{s\to 0} sE_p(s) = \lim_{s\to 0}\left[\frac{s\frac{Kk_p}{s(\tau s+1)}}{1+\frac{Kk_p}{s(\tau s+1)}}\frac{K_b}{k_p}\frac{p}{s}\right] = \frac{K_b}{k_p}p$$

L'erreur globale est constante. Le système est de type 1 et pourtant l'erreur en régime permanent n'est pas nulle. La raison à ceci est donnée à la remarque suivante.

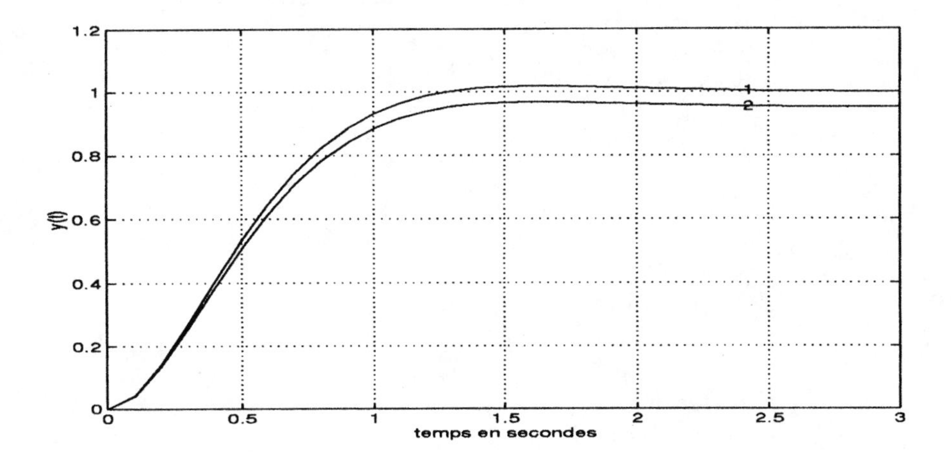

Figure 4.31 Réponse en échelon des fonctions de transfert suivantes: $F_1(s) = \frac{2}{0.2s^2+s+2}$, $F_2(s) = \frac{1.9}{0.2s^2+s+2}$

- **Note:** De l'étude de ces exemples, on conclut que pour un système de type 1, l'erreur globale associée à une grandeur d'entrée principale et une perturbation constante est nulle seulement dans le cas où l'intégration précède la perturbation.

En considérant pour le système asservi tel qu'il est illustré à la figure 4.30 avec $K = 2$, $\tau = 0.2$, $k_p = 1$ et $K_b = 0.95$, le logiciel MATLAB permet d'obtenir la réponse en forme d'échelon unitaire, illustrée à la figure 4.31, qui confirme le résultat obtenu précédemment sur l'erreur en régime permanent. Les instructions que nous pouvons utiliser pour obtenir la réponse désirée sont les suivantes:

```
≫ clear all
≫ num1 = 2;
≫ den1 = [.2 1 2];
≫ num2 = 1.9;
≫ den2 = [.2 1 2];
≫ t = (0:0.1:3)';
≫ [y1,X,T] = step(num1,den1,t);
≫ [y2,X,T] = step(num2,den2,t);
≫ clg;
≫ plot(t,y1,t,y2 );
≫ lx = length(t)/1.25;
≫ xlabel('temps en secondes');
≫ ylabel('y(t)');
≫ text(t(lx,:),y1(lx,:),'1');
≫ text(t(lx,:),y2(lx,:),'2');
≫ grid;
```

4.5.4 Qualité d'un système asservi

Nous avons parlé précédemment de deux types d'erreurs: celle du régime permanent et celle du régime transitoire. Puis nous nous sommes surtout intéressés dans les sous-sections précédentes à celle du régime permanent. L'erreur en régime transitoire peut aussi être utilisée pour caractériser la qualité d'un système asservi donné. C'est ce dont il est question dans cette sous-section.

L'évaluation de la qualité d'un système asservi donné est faite par l'évaluation d'un critère de qualité ou indice de performance. L'évaluation est principalement basée sur la réponse indicielle du système asservi considéré.

Parmi les indices de performances souvent utilisés, on retrouve:

- le critère ISE "Integral of Square Error";
- le critère IAE "Integral of Absolute Error";
- le critère ITAE "Integral of Time Multiplied Absolute Error";
- le critère ITSE "Integral of Time Multiplied Square Error";

En pratique, l'erreur en régime permanent n'est jamais nulle. L'intégration d'une fonction de cette erreur sur un intervalle infini donne à l'indice de performance employé une valeur infinie. Pour pallier à cet inconvénient, l'intégration est souvent faite sur un intervalle fini $[0, T]$, dont la borne supérieure T de l'intervalle est choisie supérieure au temps de réponse du système.

Critère ISE "Integral of Square Error"

Ce critère de performance est le plus populaire. Il est défini par:

$$J_{ISE} = \int_0^T e^2(t)dt \tag{4.8}$$

La présence de $e^2(t)$ dans le critère permet la mise en évidence des écarts transitoires de forte amplitude.

Critère IAE "Integral of Absolute Error"

Le critère de performance IAE est défini par:

$$J_{IAE} = \int_0^T |e(t)|dt \tag{4.9}$$

Ce critère est surtout utilisé lorsque le système asservi possède une réponse transitoire peu oscillante avec un amortissement moyen.

Critère ITAE "Integral of Time Multiplied Absolute Error"

Il est parfois avantageux de mettre en évidence les valeurs de fin de régime transitoire. Le critère de performance ITAE permet ceci. Un tel critère est défini par:

$$J_{ITAE} = \int_0^T t|e(t)|dt \tag{4.10}$$

Critère ITSE "Integral of Time Multiplied Square Error"

Le critère de performance ITSE permet de pondérer faiblement le début du régime transitoire et simultanément pondérer fortement les valeurs de l'erreur en fin du régime transitoire. Un tel critère est défini par:

$$J_{ITSE} = \int_0^T te^2(t)dt \tag{4.11}$$

La réponse optimale dépend essentiellement du critère utilisé. Il a été démontré, pour un système du second ordre sans zéro, que la réponse indicielle dépend de la valeur du taux d'amortissement ζ. On peut montrer que pour ce système du second ordre:

- le critère de performance ISE donne une valeur optimale pour le taux d'amortissement de 0.5;
- le critère de performance ITSE donne une valeur optimale pour le taux d'amortissement de 0.6;
- le critère de performance ITAE donne une valeur optimale pour le taux d'amortissement de 0.7;

L'évolution des différents critères de performance en fonction du taux d'amortissement est illustrée à la figure 4.32.

Exemple 4.13 Qualité des systèmes asservis

Considérons l'asservissement de position d'un moteur à courant continu. Le schéma-bloc d'un tel système est illustré à la figure 4.33. Le correcteur utilisé est du type proportionnel de gain k_p.

La fonction de transfert en boucle fermée d'un tel système est donnée par:

$$F(s) = \frac{Kk_p}{\tau s^2 + s + Kk_p}$$

En posant $\omega_n^2 = \frac{Kk_p}{\tau}$ et $2\zeta\omega_n = \frac{1}{\tau}$, on retrouve la forme standard d'un système du second ordre de taux d'amortissement ζ et de pulsation naturelle ω_n. L'expression de l'erreur $e(t)$ correspondant à une entrée $R(s)$ en forme d'échelon est:

$$E(s) = R(s) - Y(s) = \frac{s^2 + 2\zeta\omega_n s}{s^2 + 2\zeta\omega_n s + \omega_n^2} R(s)$$

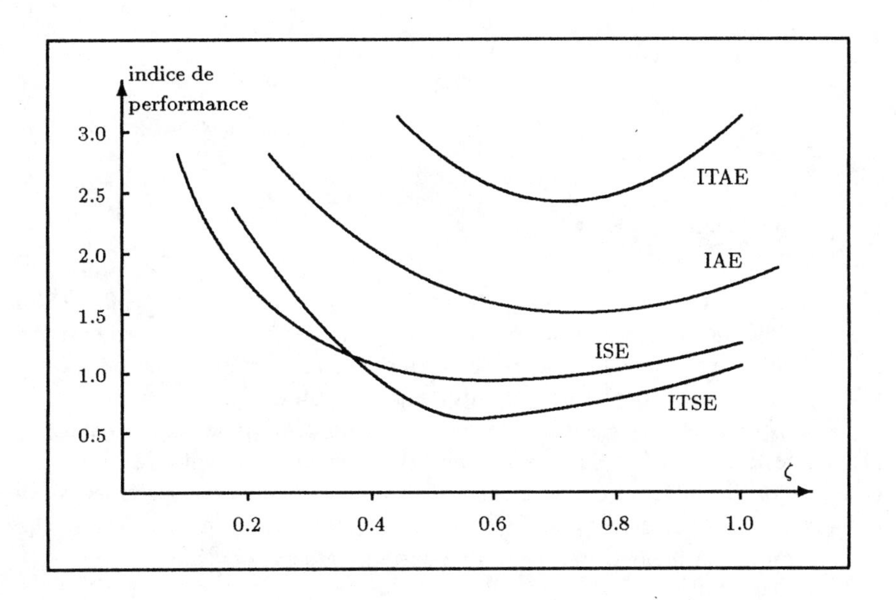

Figure 4.32 Évolution des critères de performance en fonction du taux d'amortissement ζ

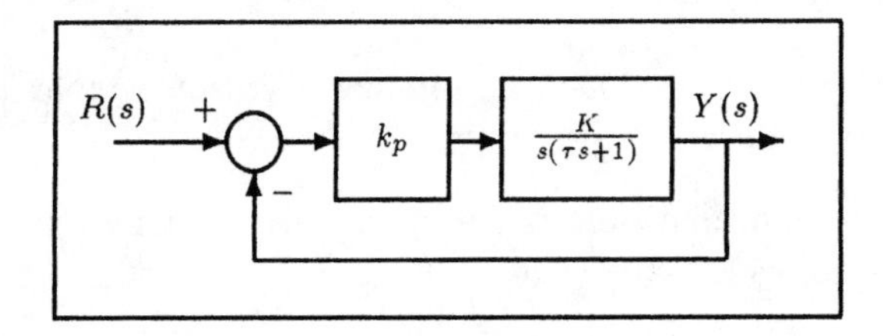

Figure 4.33 Commande d'un système du 1er ordre

En prenant la transformée de Laplace inverse, on obtient:

$$e(t) = \frac{e^{-\zeta t}}{\sqrt{1-\zeta^2}} sin\left(t\sqrt{1-\zeta^2} + tg\left(\frac{\sqrt{1-\zeta^2}}{\zeta}\right)\right)$$

En utilisant le fait qu'on a:

$$\int e^{ax} sin^2(x)dx = \frac{e^{ax}}{a^2+4} asin^2(x) - 2sin(x)cos(x) + \frac{2}{a}$$

on obtient:

$$JISE = \int_0^\infty e^2(t)dt = \zeta + \frac{1}{4\zeta}$$

4.6 RÉSUMÉ

Lors de la conception d'un système asservi, une attention particulière doit être accordée à la forme de la réponse à la grandeur de sortie de ce système. En général, on cherche à donner à cette réponse un régime transitoire acceptable possédant des performances exigées par le cahier des charges, telles que le dépassement en pourcentage, le temps de montée t_m, le temps de pic t_p. De même, on veille à ce que le régime permanent soit acceptable. Les pôles et les zéros de la fonction de transfert en boucle fermée du système asservi déterminent ces performances. Le concept de pôles dominants peut être utilisé pour approximer les performances d'un système asservi quelconque.

4.7 QUESTIONS

4.1 Rappeler les formules de décomposition en éléments simples d'une fonction de transfert donnée.

4.2 Donner les définitions des régimes permanent et transitoire ainsi que les performances les caractérisant.

4.3 Dire en quoi consiste la réponse d'un système.

4.4 Rappeler les caractéristiques d'un système du premier ordre et en donner les différentes performances.

4.5 Comment compare-t-on les réponses, pour un système du premier ordre, dans les cas suivants:

- pôles loins de l'axe imaginaire;
- pôles proches de l'axe imaginaire.

4.6 Rappeler les caractéristiques d'un système du second ordre et en donner les différentes performances.

4.7 Dire quel est l'impact de l'ajout d'un pôle à une fonction de transfert en boucle fermée sur la réponse du système.

4.8 Dire quel est l'impact de l'ajout d'un zéro à une fonction de transfert en boucle fermée sur la réponse du système.

4.9 Dire comment l'augmentation ou la diminution du type d'un système donné se répercute sur l'erreur en régime permanent.

4.10 En supposant que la fonction de transfert d'un système donné possède le type nécessaire pour annuler l'erreur en régime permanent associée à la grandeur d'entrée secondaire, dire comment doivent être localisés les pôles de la fonction de transfert en boucle ouverte pour que cette erreur soit effectivement nulle.

4.8 EXERCICES

4.1 Le schéma-bloc d'un système asservi à retour unitaire est représenté à la figure 4.34.

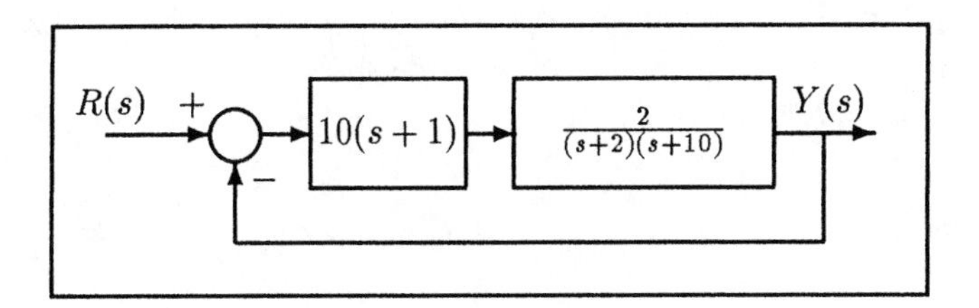

Figure 4.34 Commande d'un système de type 0

1. Trouver la réponse temporelle associée à une grandeur d'entrée en forme d'échelon unitaire du système en boucle fermée pour des conditions initiales nulles.
2. En déduire les valeurs finale et initiale de la grandeur de sortie $y(t)$.
3. Trouver la réponse du système en boucle fermée aux conditions initiales suivantes: $y(0) = 2$ et $\dot{y}(0) = 1$.
4. Utiliser le théorème de superposition pour calculer la réponse globale (conditions initiales et grandeur d'entrée principale).

4.2 Soit un système dont la représentation externe est donnée par:

$$G(s) = \frac{Y(s)}{U(s)} = \frac{6(s+2)(s+5)}{(s+1)(s+3)(s+4)},$$

1. Trouver la réponse de ce système à une grandeur d'entrée en échelon unitaire.
2. Donner la valeur finale de $y(t)$.
3. Calculer la valeur de $y(t)$ pour $t = 5$ secondes.

4.3 Soit le système linéaire dont le modèle est décrit par l'équation différentielle suivante:

$$\frac{d^3}{dt^3}y(t) + 8\frac{d^2}{dt^2}y(t) + 18\frac{d}{dt}y(t) + 12y(t) = \frac{d}{dt}r(t) + 2r(t)$$

Pour des conditions initiales nulles sur $r(t)$ et $y(t)$:

1. Trouver la fonction de transfert du système.
2. Établir la réponse du système à une grandeur d'entrée en forme d'échelon unitaire.
3. Indiquer si on peut appliquer le théorème de la valeur initiale. Si oui, trouver la valeur de la grandeur de sortie.
4. Indiquer si on peut appliquer le théorème de la valeur finale. Si oui, trouver la valeur de la grandeur de sortie.
5. Comparer les résultats trouvés en 3 et 4 avec ceux qu'on peut obtenir en 2.

4.4 Soit le système asservi représenté à la figure 4.35.

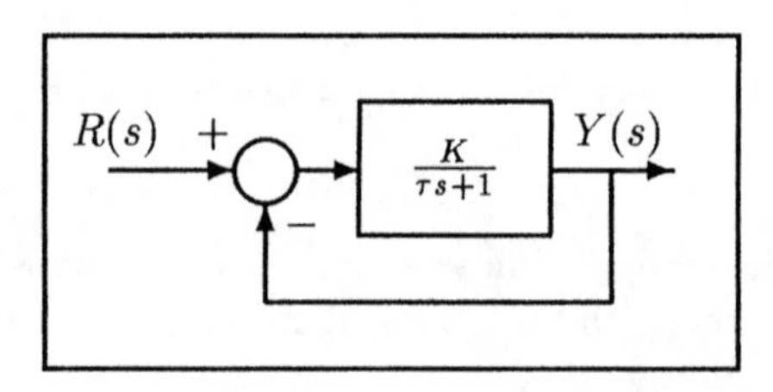

Figure 4.35 Commande d'un système du 1e ordre

Le but de cet exercice est d'étudier le système en boucle ouverte et en boucle fermée. Si le système est excité par une grandeur d'entrée $r(t)$ sous forme d'échelon unitaire, donner:

1. la forme de la réponse,
2. l'erreur en régime permanent,
3. le temps de réponse à 5 %,

dans les trois cas suivants:

a. $K = 1$ et $\tau = 0.2$,
b. K augmente de 50 % et τ fixe,
c. τ augmente de 50 % et K fixe.

4.5 Soit un système décrit par l'équation différentielle suivante:

$$3.26\frac{d^2}{dt^2}y(t) + 17.5\frac{d}{dt}y(t) + 44.2y(t) = r(t)$$

1. Trouver les racines de l'équation caractéristique associée.
2. En déduire la nature de la réponse $y(t)$ (non amortie, sous-amortie, sur-amortie ou amortie de manière critique).
3. Donner la réponse indicielle de ce système.

4.6 Soit le système asservi représenté à la figure 4.36. Les paramètres K_1, K_2 et K_3 sont des constantes réelles.

1. Déterminer les valeurs de K_1,K_2 et K_3 telles que:
   a. l'erreur en régime permanent associée à une grandeur d'entrée en échelon unitaire soit nulle,
   b. les racines de l'équation caractéristique du système soient toutes égales à 1.
2. Pour les conditions 1-b ci-dessus, trouver la réponse indicielle du système.

4.7 La chaîne directe d'un système asservi à retour unitaire dont la grandeur d'entrée est $r(t)$ et la grandeur de sortie $y(t)$ est donnée par l'expression suivante:

$$G(s) = \frac{25}{s(s+5)}$$

1. Donner l'erreur en régime permanent lorsque la grandeur d'entrée du système est une rampe unitaire.
2. Trouver l'erreur en régime permanent associée à la grandeur d'entrée $r(t) = 0.5t^2 + 2t + 1$.

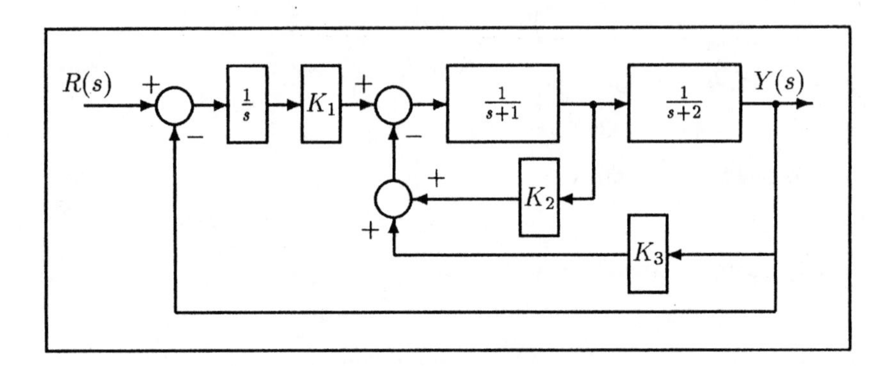

Figure 4.36 Système asservi

3. Pour les mêmes conditions que la question 2 ci-dessus, trouver la valeur de l'erreur lorsque $t = 10$ secondes.

4.8 Pour l'exercice 2.19 (figure 2.46b) du chapitre 2, en considérant $K = 1$, trouvez la réponse du système lorsqu'il est alternativement excité par une grandeur d'entrée $R(s)$ et une perturbation $P(s)$ en échelon unitaire. Trouver la constante de temps dominante du système.

4.9 Trouver la réponse impulsionnelle du système décrit dans l'exercice 4.2. Dessiner l'allure de cette réponse.

4.10 Trouver la réponse à un échelon unitaire du système décrit dans le problème 4.8 lorsque K prend successivement les valeurs 10 et 100. On prendra $P(s) = 0$. Décrire le régime transitoire.

4.11 Le schéma-bloc d'un système asservi à correction cascade et feedback est représenté à la figure 4.37. Les fonctions de transfert du schéma-bloc sont données par les expressions suivantes:

$$\begin{aligned} C(s) &= K, \\ G_1(s) &= \frac{10}{0.1s+1}, \\ G_2(s) &= \frac{1}{0.01s^2}, \\ H_1(s) &= K_t s, \\ H_2(s) &= 1. \end{aligned}$$

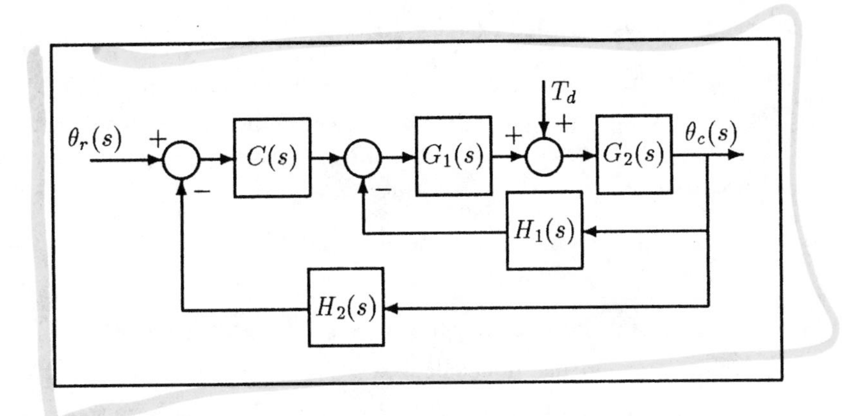

Figure 4.37 Correction cascade et feedback

1. Expliquer comment les valeurs de K et K_t affectent l'erreur en régime permanent associée à une grandeur d'entrée sous forme de rampe unitaire $\theta_r(t) = t$ lorsque $T_d(t) = 0$.
2. Expliquer comment les valeurs de K et K_t affectent $\theta(t)$ en régime permanent lorsque $T_d(t)$ est un échelon unitaire et $\theta_r(t) = 0$.

4.12 La chaîne directe d'un système asservi à retour unitaire a une fonction de transfert de la forme:

$$G(s) = \frac{4K}{s(2s+5)}.$$

Si le système est excité par une grandeur d'entrée en échelon unitaire, donner les critères de performances typiques associés à la réponse transitoire lorsque $K = 10$ et $K = 50$.

4.13 Soit un moteur à courant continu commandé par l'induit dont les constantes de vitesse k_v et de couple k_b sont respectivement égales à 0.8 V.s/rad et 0.8 N.m/A. La résistance de l'induit est égale à 0.42 ohms et le moment d'inertie du moteur est de $21\ 10^{-3} m^2 kg$. Si on néglige l'inductance de l'induit, calculer:

1. la constante de temps mécanique du moteur;
2. la vitesse limite atteinte pour 85 V de tension aux bornes du moteur à pleine charge ($C_r = 13.54 N.m$) et hors charge.

4.14 Trouver la réponse du système discuté à l'exercice 4.1, si on élimine l'élément, $(s+1)$, de la fonction de transfert de la chaîne directe. Commenter votre réponse.

4.15 Reprendre le système de l'exercice 4.7.

1. Trouver la réponse à un échelon unitaire du système.
2. En ajoutant à la chaîne directe de ce système un élément de fonction de transfert $W(s) = (s + z_1)$, trouver la valeur de z_1 qui donne une réponse transitoire non oscillante.

4.16 Considérons le système représenté par la configuration pôles-zéros telle qu'illustrée à la figure 4.38.

1. Écrire la fonction de transfert du système correspondante.
2. Trouver la réponse indicielle.
3. Utiliser MATLAB pour déterminer les différentes performances du système.

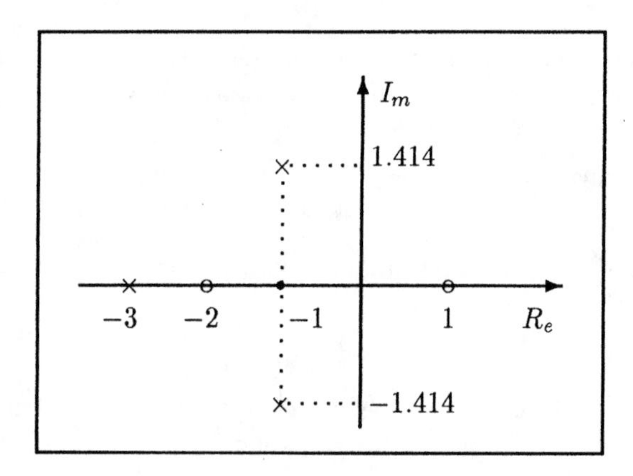

Figure 4.38 Configuration pôles-zéros

4.17 Calculer la réponse à une grandeur d'entrée de la forme $r(t) = e^{-t}$ du système de la figure 4.39. Les fonctions de transfert $G(s)$ et $H(s)$ sont données par:

$$G(s) = \frac{s+10}{(s+3)(s+4)}$$

$$H(s) = \frac{s+1}{s+6}$$

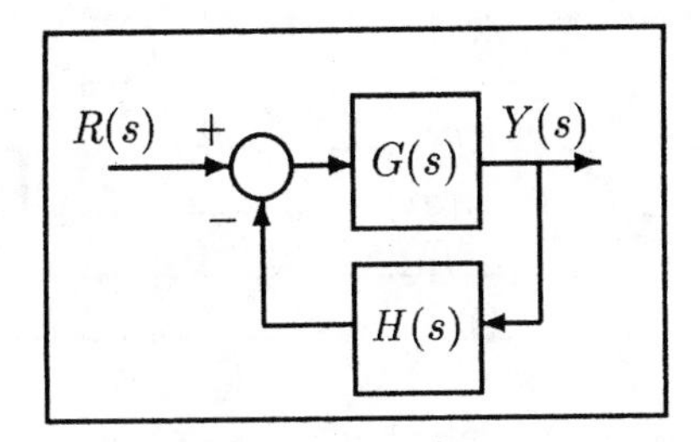

Figure 4.39 Système en boucle fermée

4.18 Soit un système dynamique dont la réponse à un échelon unitaire est donnée par:

$$y(t) = 2 - e^{-3t} + 4e^{-6t}$$

1. Trouver la fonction de transfert $G(s)$ du système.
2. Indiquer dans le plan complexe la position des pôles-zéros de ce système.
3. Tracer l'allure de la réponse $y(t)$ à un échelon unitaire.
4. Tracer l'allure de la réponse $y(t)$ à une grandeur d'entrée $r(t) = e^{-t}$.

4.19 Considérons le système de l'exercice 4.2.

1. Indiquer dans le plan complexe les positions des pôles-zéros du système.
2. Indiquer comment est influencé le régime transitoire de ce système suite à une grandeur d'entrée en échelon unitaire si la valeur du zéro $s = -2$ est rapprochée vers les pôles de valeurs -1 et -3 ? Expliquer.

4.20 Considérons le système représenté à la figure 4.40.

Pour une grandeur d'entrée $r(t)$ en rampe unitaire, trouver:

1. l'erreur en régime permanent si $C(s)$ est successivement du type P, PI, PD et PID;
2. $C(s)$ qui annule l'erreur en régime permanent.

4.21 Le but de cet exercice est d'examiner l'effet de la commande en boucle fermée et le gain K sur la réduction de variation du paramètre p ($p > 0$) du système illustré par la figure 4.41.

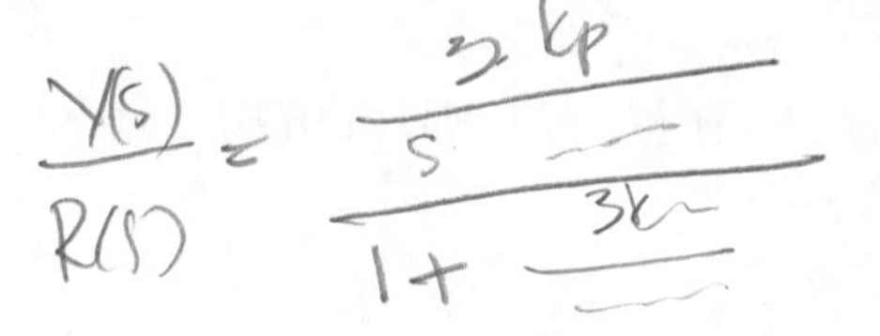

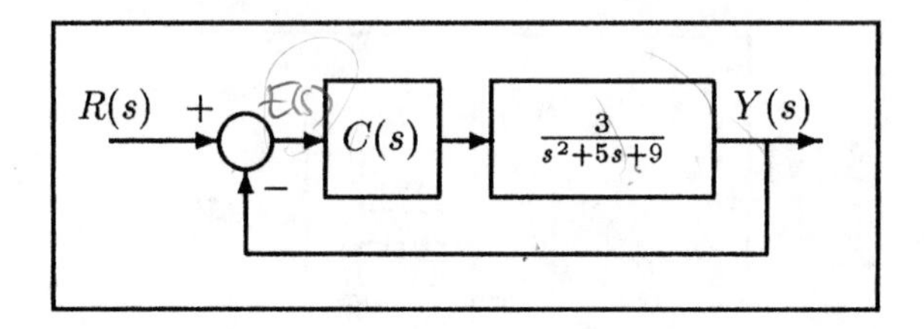

Figure 4.40 Commande d'un système du second ordre

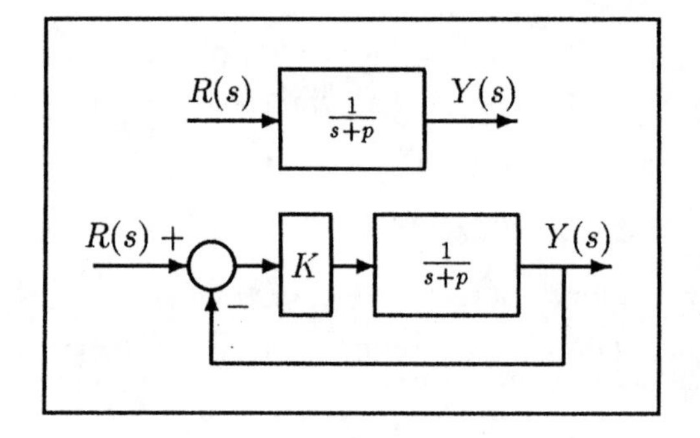

Figure 4.41 Commande en boucles ouverte et fermée

1. Calculer les réponses à un échelon unitaire du système:
   - en boucle ouverte,
   - en boucle fermée.
2. Utiliser le théorème de la valeur finale pour vérifier les valeurs de $\lim_{t\to\infty} y(t)$ trouvées en 1.
3. Si $p = 1$, alors la grandeur de sortie en régime permanent associée à la grandeur d'entrée en échelon unitaire est 1. Comparer l'effet des deux types de commande (B.O. et B.F.) pour $K = 10$ et $K = 100$ sur la valeur en régime permanent de la grandeur de sortie appropriée si la valeur du paramètre p a doublé.

4.22 Soit le diagramme fonctionnel d'un asservissement de position d'un moteur à courant continu non chargé tel que représenté à la figure 4.42.

1. Pour $k_d = 0$ (retour unitaire) et $\zeta = 0.5$, déterminer les valeurs de K et de l'erreur en régime permanent associée à une rampe.

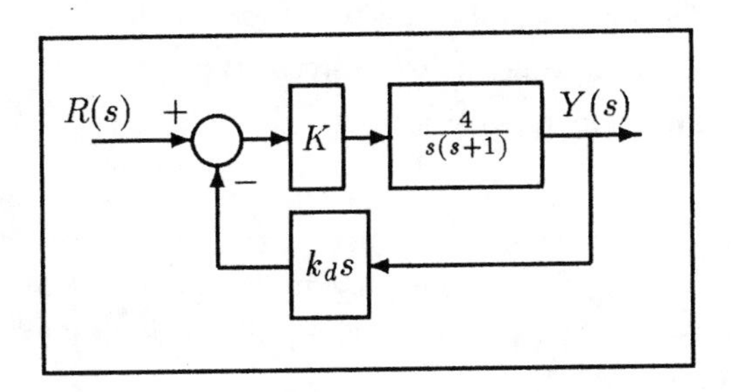

Figure 4.42 Asservissement de position d'un moteur à courant continu

2. Pour $k_d = 0$, déterminer la valeur de K qui procure une erreur en régime permanent associée à une rampe, de l'ordre de 0.1, et la valeur du taux d'amortissement correspondant.
3. En adoptant la valeur de K obtenue en b), déterminer la valeur de k_d qui procure un pôle à -5. Comparer l'erreur en régime permanent obtenue dans ce cas à celle obtenue en 2.

4.23 La commande d'un joint de robot est modélisée par le diagramme fonctionnel représenté à la figure 4.43.

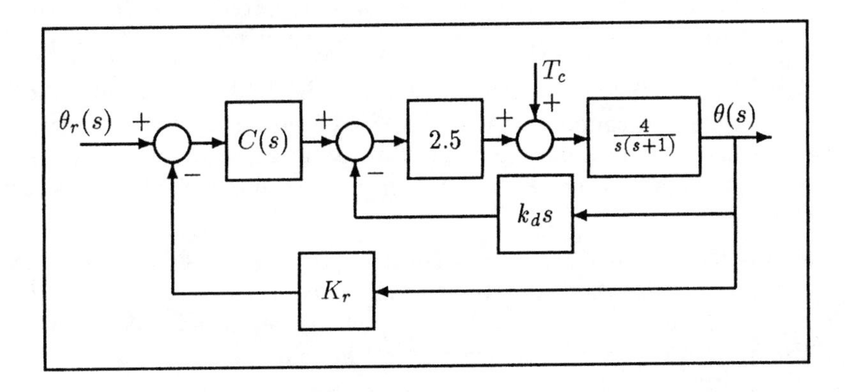

Figure 4.43 Commande d'un joint de robot

θ_r: consigne (grandeur d'entrée principale),

θ: position (grandeur de sortie principale),

T_c: couple de charge (grandeur d'entrée secondaire),
k_d: constante de la génératrice tachymétrique,
K_r: gain du capteur de position.

1. Si $K_r = 1$ et la fonction de transfert du correcteur est telle que $C(s) = K_c$ (constante), déterminer les valeurs de k_d et K_c qui procurent au système un facteur d'amortissement $\zeta = 0.5$ et une erreur en régime permanent de 5% pour une grandeur d'entrée T_c en échelon de position.
2. Dire en quelques lignes si la valeur de k_d affecte directement l'erreur en régime permanent. Justifier.
3. Dire en quelques lignes comment le retour de vitesse affecte l'erreur en régime permanent. Justifier vos réponses.
4. Si $K_r = 1$ et la fonction de transfert du correcteur est telle que:

$$C(s) = K_c \frac{k_I}{s}$$

   K_c et k_I sont constantes.
   Dire si le choix d'un tel correcteur assure une erreur en régime permanent nulle à un changement de T_c en échelon de position. Justifier la réponse.
5. En fixant, dans la question 4, les valeurs de k_d et K_c à celles obtenues à la question 1, déterminer l'équation caractéristique du système et les limites de k_I pour assurer la stabilité du système.

4.24 Dans le domaine de l'informatique, les applications de la commande automatique sont courantes. Ainsi, dans ce problème, nous nous intéressons au système de **commande d'une bande magnétique** utilisant un moteur à courant continu à aimant permanent tel que représenté à la figure 4.44a.

Le système est modélisé par le modèle représenté à la figure 4.44b. Dans ce modèle, K_L représente la constante d'élasticité du ruban élastique, B_L représente le coefficient de frottement visqueux entre la bande et le cabestan. Les paramètres d'un tel système sont:

$\frac{K_a}{R_a}$	$0.25\ N.m/V$
J_m	$1.62\ 10^{-4}\ Kg.m^2$
K_e	$0.05\ V.s/rad$
K_L	$20.00\ N.m/rad$
B_L	$0.07\ N.m.s$
J_L	$0.05\ Kg.m^2$.

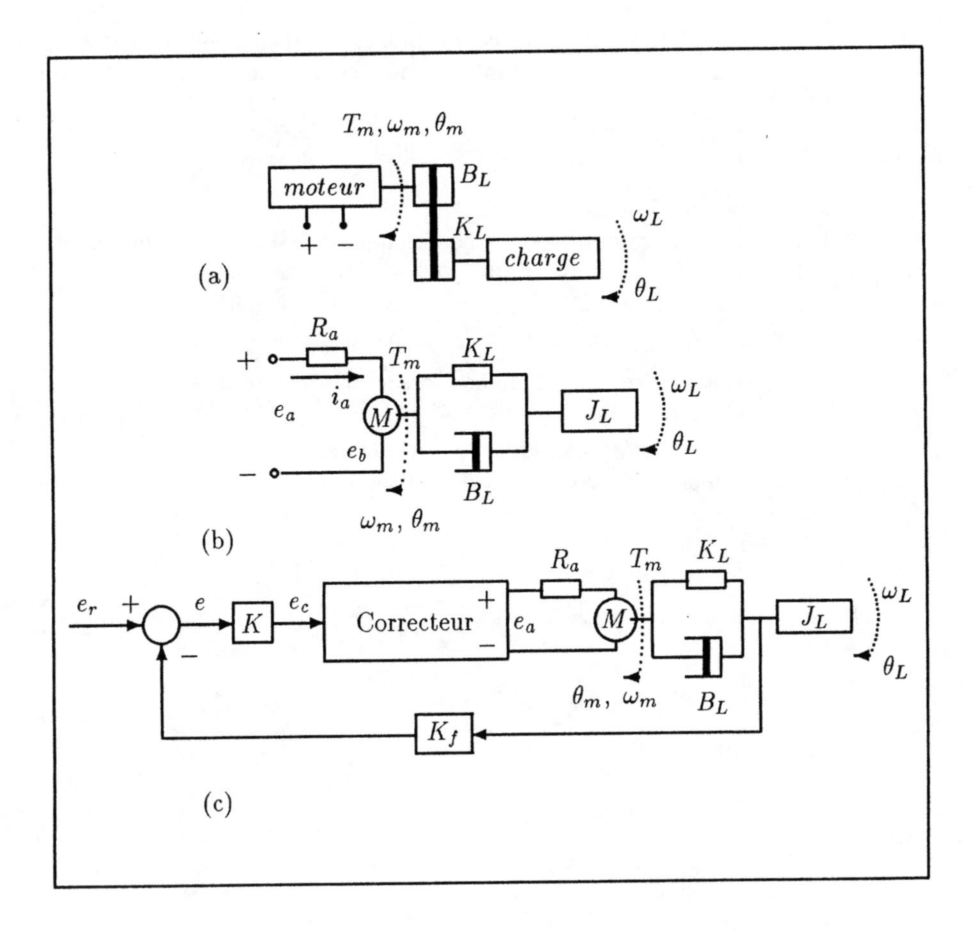

Figure 4.44 Système de commande de bande magnétique

où K_e est la constante de force contre-électromotrice.

$$K_e = \frac{K_b K_a}{R_a} + B_m$$

K_a est la constante du couple (en N.m/A)
B_m est la constante du frottement visqueux du moteur.

1. Écrire les équations traduisant le modèle mathématiques du système représenté à la figure 4.44b. En déduire les fonctions de transfert suivantes:
   a. $\frac{W_m(s)}{E_a(s)}$
   b. $\frac{W_L(s)}{E_a(s)}$
2. L'objectif du système est de commander la vitesse de la charge W_L. La figure 4.44c représente le système asservi en boucle fermée. En choisissant $K_f = 0.01$, désigner un correcteur et déterminer la valeur de gain K de façon à satisfaire les spécifications suivantes:
   a. erreur en régime permanent associée à une grandeur d'entrée en échelon est nulle,
   b. les pôles dominants de l'équation caractéristique admettent un facteur d'amortissement de l'ordre de 0.707,

5

STABILITÉ ET LIEU DES RACINES

L'objectif de ce chapitre consiste à présenter au lecteur les techniques d'analyse de stabilité ainsi que la technique des lieux des racines des systèmes linéaires invariants. Après lecture de ce chapitre, le lecteur doit être capable:

1. **d'étudier la stabilité de n'importe quel système linéaire invariant;**
2. **de tracer le lieu des racines de n'importe quelle structure de commande quand un ou plusieurs paramètres varient;**
3. **d'utiliser la technique des lieux des racines pour fixer les paramètres d'un correcteur donné qui assure des spécifications imposées.**

5.1 INTRODUCTION

L'objectif de ce chapitre est de présenter au lecteur les techniques d'analyse des systèmes linéaires et invariants dans le temps. Nous nous intéressons principalement aux techniques d'étude de la stabilité des systèmes linéaires et de celles des lieux des racines.

Nous avons vu dans le chapitre précédent que la réponse transitoire d'un système asservi dont le modèle est décrit par des équations différentielles ordinaires (linéaires) avec coefficients constants est gouvernée par les racines de l'équation caractéristique. En particulier, si le système possède une ou plusieurs racines à partie réelle positive, la réponse correspondante augmente avec le temps et le système est dit instable. Étant donné qu'un système asservi instable ne peut pas fonctionner de manière adéquate, la stabilité doit être considérée comme première spécification lors du design de ces systèmes.

En règle générale, l'emplacement des pôles de l'équation caractéristique du système en boucle fermée caractérise la réponse dynamique et la stabilité. C'est aussi un moyen de caractériser la marge de stabilité d'un système donné. Le positionnement de ces pôles aux valeurs qui assurent les performances désirées fait souvent intervenir l'ajustement d'un ou plusieurs paramètres. La technique des lieux des racines permet de voir comment les pôles de l'équation caractéristique se comportent lorsqu'un paramètre varie.

Dans ce chapitre, nous définissons la stabilité et nous présentons les techniques d'évaluation de stabilité dans le domaine temporel. Puis, dans un deuxième volet, nous présentons les propriétés fondamentales de la technique du lieu des racines et nous montrons comment construire et utiliser un tel lieu lors de l'analyse et la synthèse.

Pour fixer les idées, considérons l'exemple d'asservissement de position d'une antenne parabolique tel qu'il a été présenté au chapitre 2. En négligeant l'effet des perturbations, le schéma-bloc correspondant est illustré à la figure 5.1.

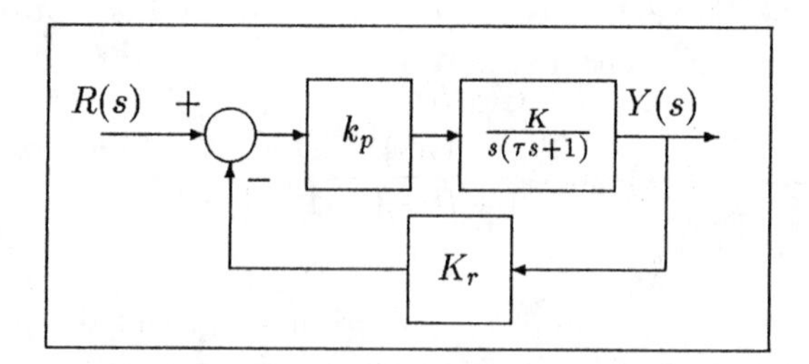

Figure 5.1 Schéma-bloc de l'asservissement de position d'une antenne parabolique

Le but consiste à concevoir un système asservi stable et précis. Nous voulons aussi que le système asservi soit insensible aux variations des paramètres du système. Nous voulons, pour un gain K, une constante de temps τ et un K_r donnés, trouver les valeurs de k_p qui assurent au système en boucle fermée une stabilité absolue et une très bonne précision. Pour répondre à ces questions, nous avons besoin de quelques méthodes appropriées. Ces méthodes font l'objet de ce chapitre.

Le chapitre est organisé comme suit: dans la section 2, nous présentons la technique la plus employée pour étudier la stabilité des systèmes linéaires. Dans la section 3, nous développons la technique des lieux des racines qui permet au lecteur de voir comment les pôles du système (ou racines de l'équation caractéristique) varient lorsqu'un paramètre varie. Dans la section 4, nous développons la sensibilité du système vis-à-vis des paramètres. Plusieurs exemples sont présentés pour faciliter la compréhension des différents concepts présentés dans ce chapitre.

5.2 STABILITÉ DES SYSTÈMES LINÉAIRES

Au cours de cette section, nous allons voir comment caractériser la stabilité des systèmes dynamiques linéaires à coefficients constants. Pour cela, considérons le schéma-bloc de la figure 5.2a, qui illustre la structure simplifiée d'un système asservi linéaire sans perturbation.

Les fonctions de transfert en boucle ouverte et en boucle fermée d'un tel système sont données respectivement par les expressions suivantes:

$$T(s) = G(s)H(s) \tag{5.1}$$

$$F(s) = \frac{G(s)}{1+H(s)G(s)} = \frac{G(s)}{1+T(s)} \tag{5.2}$$

La stabilité de ce système exige que les racines de l'équation caractéristique $1+T(s)=0$, soient toutes à partie réelle négative. La figure 5.2b illustre le domaine de stabilité qui comprend tout le demi-plan gauche du plan complexe. Pour examiner la stabilité d'un système donné, on peut penser à chercher les racines de l'équation caractéristique, c'est-à-dire les pôles du système. Ensuite, après avoir examiné toutes les parties réelles des racines, on peut conclure sur la stabilité.

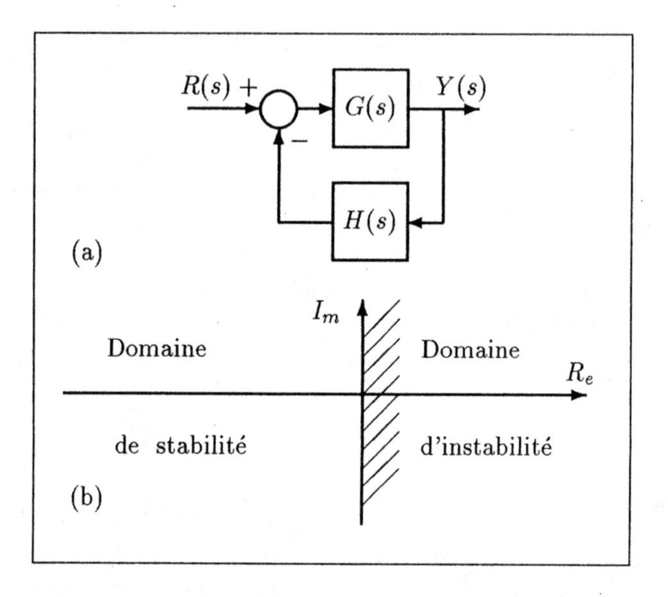

Figure 5.2 Structure de commande (a) et domaine de stabilité (b).

Exemple 5.1 Étude de la stabilité d'un système de second ordre

Considérons par exemple le système linéaire tel que représenté à la figure 5.2a avec

$$G(s) = \frac{1}{s^2 + 5s + 5}$$
$$H(s) = 1$$

L'équation caractéristique correspondante est:

$$1 + T(s) = s^2 + 5s + 6 = 0$$

Cette équation est un polynôme du 2e ordre dont les deux racines sont -2 et -3. C'est-à-dire $(s+2)(s+3) = 0$. Les deux racines sont toutes à partie réelle négative et, par conséquent, on peut dire que le système en question est bien stable.

Une telle technique n'est utilisable que lorsque le degré de l'équation caractéristique est faible, c'est-à-dire d'ordre inférieur ou égal à 3; plus l'ordre de l'équation caractéristique augmente et plus la méthode devient lourde et presque impossible sans moyen de calcul.

D'autres techniques s'imposent alors pour contourner la résolution de l'équation caractéristique. Quelques méthodes ont été développées pour répondre à ce besoin, parmi lesquelles on trouve: **le critère algébrique de Routh-Hurwitz** et **le critère géométrique de Nyquist**. Le critère géométrique de Nyquist est lié à la réponse en fréquence, présentée au chapitre 6 avec le critère de stabilité correspondant. Le critère algébrique de Routh-Hurwitz fait l'objet de ce chapitre.

5.2.1 Critère de Routh-Hurwitz

Dans cette section, nous traitons du critère algébrique de Routh-Hurwitz. Ce critère nous renseigne principalement sur le nombre de racines de l'équation caractéristique du système qui ont une partie réelle positive. Ce nombre est égal au nombre de changement de signe dans la première colonne du tableau de Routh-Hurwitz. Le principe de ce critère consiste à:

- remplir le tableau de Routh-Hurwitz;
- voir le nombre de changement de signe de la première colonne d'une ligne à une autre de ce tableau;
- conclure sur la stabilité en se basant sur la première colonne.

Soit un système linéaire possédant l'équation caractéristique suivante:

$$\begin{aligned} 1 + T(s) &= a_n s^n + a_{n-1} s^{n-1} + \cdots + a_1 s^1 + a_0 = 0 \\ & \text{avec} \quad a_n > 0 \end{aligned} \tag{5.3}$$

Ceci est la forme générale d'une équation caractéristique se traduisant par un polynôme de degré n à coefficients réels constants. Ce polynôme possède n racines, qui peuvent être soit réelles, soit complexes. L'étude de stabilité de ce système requiert la connaissance de ces n racines. Mais le critère de Routh-Hurwitz est une technique d'étude de stabilité qui ne nécessite pas la connaissance de ces racines, et qui consiste principalement à remplir le tableau (5.1) en utilisant seulement les coefficients du polynôme caractéristique du système.

s^n	a_n	a_{n-2}	a_{n-4}	$\cdots$
s^{n-1}	a_{n-1}	a_{n-3}	a_{n-5}	$\cdots$
s^{n-2}	b_1	b_2	b_3	$\cdots$
s^{n-3}	c_1	c_2	c_3	$\cdots$
s^{n-4}	d_1	d_2	d_3	$\cdots$
.	.	.	.	$\cdots$
s^0	.	.	.	$\cdots$

Tableau 5.1 Tableau de Routh-Hurwitz

Les termes b_k, $k = 1,\ 2,\ \ldots$, dans ce tableau sont calculés comme suit:

$$b_1 = -\frac{\begin{vmatrix} a_n & a_{n-2} \\ a_{n-1} & a_{n-3} \end{vmatrix}}{a_{n-1}} = \frac{a_{n-1}a_{n-2} - a_n a_{n-3}}{a_{n-1}}$$

$$b_2 = -\frac{\begin{vmatrix} a_n & a_{n-4} \\ a_{n-1} & a_{n-5} \end{vmatrix}}{a_{n-1}} = \frac{a_{n-1}a_{n-4} - a_n a_{n-5}}{a_{n-1}}$$

$$\vdots$$

$$b_k = -\frac{\begin{vmatrix} a_n & a_{n-2k} \\ a_{n-1} & a_{n-(2k+1)} \end{vmatrix}}{a_{n-1}} = \frac{a_{n-1}a_{n-2k} - a_n a_{n-(2k+1)}}{a_{n-1}}$$

Les termes c_k, $k = 1,\ 2,\ \ldots$, se calculent à partir des termes b_k comme suit:

$$c_1 = -\frac{\begin{vmatrix} a_{n-1} & a_{n-3} \\ b_1 & b_2 \end{vmatrix}}{b_1} = \frac{b_1 a_{n-3} - a_{n-1}b_2}{b_1}$$

$$c_2 = -\frac{\begin{vmatrix} a_{n-1} & a_{n-5} \\ b_1 & b_3 \end{vmatrix}}{b_1} = \frac{b_1 a_{n-5} - b_3 a_{n-1}}{b_1}$$

$$\vdots$$

$$c_k = -\frac{\begin{vmatrix} a_{n-1} & a_{n-(2k+1)} \\ b_1 & b_{k+1} \end{vmatrix}}{b_1} = \frac{b_1 a_{n-(2k+1)} - a_{n-1}b_{k+1}}{b_1}$$

Les termes d_k, k=1,2, ..., peuvent se calculer de façon semblable au calcul des b_k et c_k. Le numérateur représente le déterminant, le dénominateur représente le pivot. Notons que:

- Étant donné que le tableau (5.1) fait intervenir des déterminants, tous les résultats relatifs à la théorie des déterminants vont s'appliquer. En effet, d'après ces résultats, on peut multiplier ou diviser tous les termes d'une même ligne avec un nombre sans changer le résultat. Ainsi, si par exemple la ligne $(n-i)$ est $(\frac{25}{2} \;\; \frac{13}{2} \;\; \frac{11}{2})$, en multipliant cette ligne par le chiffre 2, nous obtenons (25 13 11).
- Lorsque les coefficients a_i; $i = 1, 2, \ldots, n$ ne sont pas tous de même signe, le système correspondant est automatiquement instable.
- Lorsque tous les termes d'une ligne sont nuls, alors le système asservi considéré admet des racines complexes pures.
- Contrairement à la notion de précision, la stabilité est indépendante du type d'entrée. Elle n'est fonction que de l'équation caractéristique du système asservi considéré.

Dans les exemples qui suivent, on applique le critère de Routh-Hurwitz à différents systèmes dont les équations caractéristiques sont à structure variable et à structure fixe; c'est-à-dire avec et sans paramètre susceptible de varier.

Exemple 5.2 Asservissement de position d'un moteur à courant continu entraînant une charge

On cherche la stabilité du système linéaire dont l'équation caractéristique est donnée par:

$$s^3 + 6s^2 + 12s + 8 = 0$$

Ce système représente l'asservissement de position d'un moteur à courant continu qui entraîne une charge donnée. Le correcteur utilisé est du type PI. Le schéma-bloc d'un tel système asservi est illustré à la figure 5.3.

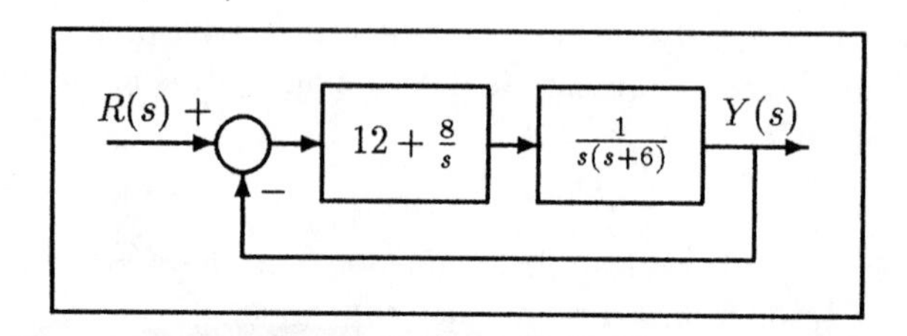

Figure 5.3 Asservissement de position d'un moteur à courant continu

Le tableau de Routh Hurwitz correspondant est donné par:

s^3	1	12
s^2	6	8
s^1	$\frac{72-8}{6}$	0
s^0	8	

La première colonne associée est:

1
6
$\frac{32}{3}$
8

Le nombre de changement de signe dans la première colonne est égal à 0. Par conséquent, le nombre de racines à partie réelle positive de l'équation caractéristique est nul. Il en résulte que toutes les racines du système en boucle fermée sont à partie réelle négative. Le système est stable.

De nos jours, il existe toute une gamme de logiciels qui permettent le calcul des racines d'un polynôme à coefficients réels constants. Le logiciel MATLAB possède une fonction qui permet de déterminer les racines d'un polynôme à coefficients réels constants de degré n. Pour obtenir les racines du polynôme de cet exemple, on utilise l'instruction de MATLAB suivante:

```
≫ [v] = roots([1,6,12,8]);
```

Les racines obtenues sont $s_{1,2} = -2.00001 \pm j0.00002$ et $s_3 = -1.99998$. Ce qui confirme que le système est bien stable.

Exemple 5.3 Asservissement de l'orientation d'un satellite

Étudions la stabilité du système dont l'équation caractéristique est:

$$s^3 + 3s^2 + 3s + 11 = 0$$

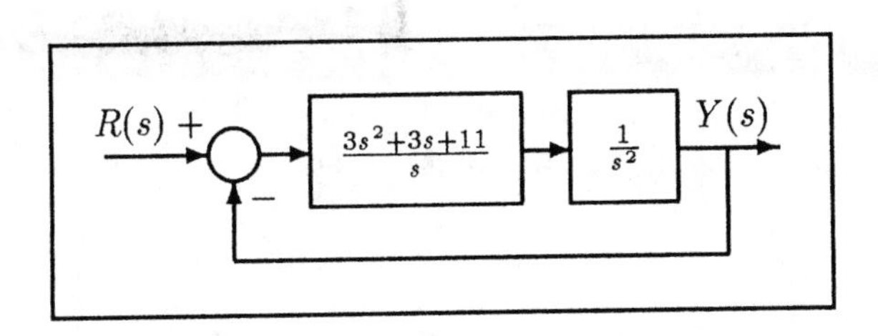

Figure 5.4 Asservissement de l'orientation d'un satellite

Cette équation caractéristique correspond à l'asservissement de l'orientation d'un satellite dont le schéma-bloc est représenté à la figure 5.4. Le correcteur utilisé est du type PID.

Le tableau de Routh-Hurwitz associé à cette équation caractéristique est:

s^3	1	3
s^2	3	11
s^1	$\frac{-2}{3}$	0
s^0	11	0

La première colonne de ce tableau est:

1
3
$\frac{-2}{3}$
11

On constate qu'il y a deux changements de signe, ce qui correspond à l'existence de deux racines à parties réelles positives. Le système est instable.

En utilisant l'instruction relative à la fonction "**roots**" du logiciel MATLAB, comme suit:

```
≫ [v] = roots([1,3,3,11]);
```

on obtient comme pôles $s_{1,2} = 0.077 \pm j1.87$ et $s_3 = -3.15$. Ce qui confirme le résultat précédent.

Exemple 5.4 Asservissement de position angulaire d'un moteur à courant continu entraînant une charge

Dans cet exemple, nous allons voir que le critère de Routh-Hurwitz peut être utilisé pour choisir la plage de variation des paramètres du système asservi. Pour cela, considérons le schéma-bloc représenté à la figure 5.5, qui traduit l'asservissement de position d'un moteur à courant continu où la bobine n'est pas négligée.

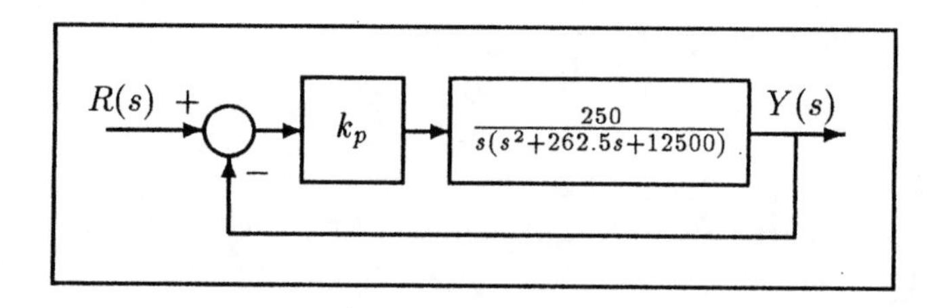

Figure 5.5 Asservissement de position d'un moteur à courant continu

Nous cherchons dans cet exemple à déterminer les conditions que doit vérifier le gain k_p du correcteur proportionnel utilisé pour que le système en boucle fermée soit stable. Le système en boucle ouverte est stable car ses trois racines -200, -62.5, 0 sont toutes situées dans le demi-plan gauche du plan complexe. La présence du pôle à l'origine place le système en boucle ouverte à la frontière de stabilité.

L'équation caractéristique de ce système est donnée par l'expression suivante:

$$s^3 + 262.5s^2 + 12500s + 250k_p = 0$$

et le tableau de Routh-Hurwitz s'écrit:

s^3	1	12500
s^2	262.5	$250k_p$
s^1	b_1	0
s^0	c_1	0

où $b_1 = \frac{(12500)(262.5)-250k_p}{262.5}$ et $c_1 = 250k_p$

D'après le critère de Routh-Hurwitz, la stabilité de ce système exige qu'il n'y ait pas de changement de signe dans la première colonne. Ceci correspond aux conditions suivantes:

$$b_1 > 0$$
$$c_1 > 0$$

La seconde condition ($c_1 > 0$) donne $k_p > 0$. Par contre, la première condition ($b_1 > 0$) peut s'écrire comme suit:

$$\frac{(12500)(262.5) - 250k_p}{262.5} > 0$$

ce qui correspond à:

$$(12500)(262.5) - 250k_p > 0$$

Finalement, on obtient la condition suivante:

$$k_p < \frac{(12500)(262.5)}{250} = 13125$$

Pour avoir alors la stabilité du système, il faut choisir le paramètre k_p de manière à satisfaire la condition suivante:

$$0 < k_p < 13125$$

On peut vérifier ce résultat en utilisant le logiciel MATLAB. Ainsi, si on choisit $k_p = 100$ par exemple qui est bien élément de la plage autorisée pour k_p, on aura:

```
≫ [v] = roots([1,262.5,12500,25000]);
```

Les racines obtenues sont $s_1 = -200.89$, $s_2 = -59.51$ et $s_3 = -2.09$. Ainsi, le système est bien stable.

Exemple 5.5 Système à deux paramètres variables

Considérons maintenant la commande d'un système de deuxième ordre par un correcteur PI. Un tel système asservi est représenté par le schéma-bloc de la figure 5.6a. L'équation caractéristique de ce système est donnée par:

$$s^3 + 2s^2 + (5 + 5k_p)s + 5k_I = 0$$

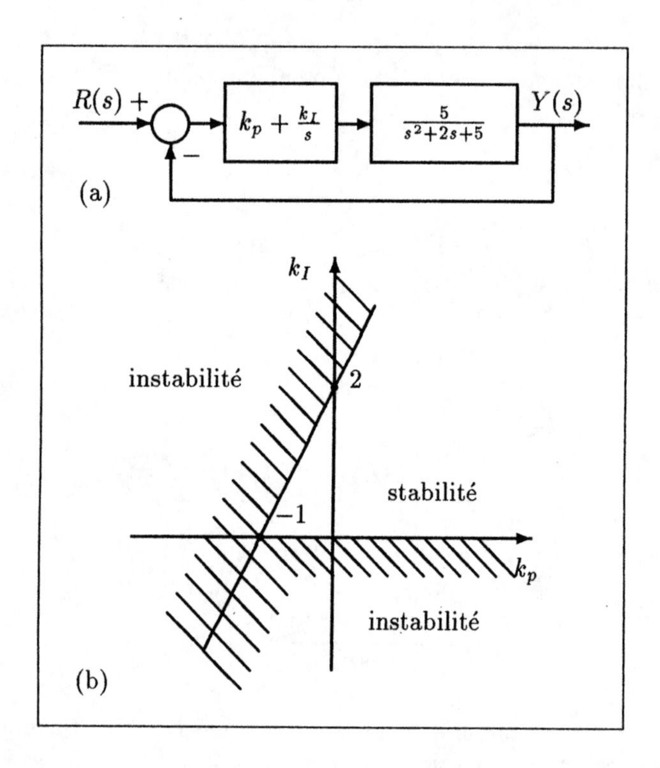

Figure 5.6 Système à deux paramètres variables (a) et domaine de stabilité (b).

Le tableau de Routh-Hurwitz associé s'écrit:

$$\begin{array}{c|ll} s^3 & 1 & 5+5k_p \\ s^2 & 2 & 5k_I \\ \hline s^1 & \frac{10+10k_p-5k_I}{2} & 0 \\ s^0 & 5k_I & \end{array}$$

Pour que le système en boucle fermée soit stable, il faut et il suffit que les conditions suivantes soient vérifiées:

$$\begin{aligned} 5k_I &> 0 \\ \frac{10+10k_p-5k_I}{2} &> 0 \end{aligned}$$

Ces deux conditions sont équivalentes aux suivantes:

$$\begin{aligned} k_I &> 0 \\ k_I - 2k_p &< 2 \end{aligned}$$

Ces dernières conditions définissent le domaine de stabilité représenté à la figure 5.6b où la partie non hachurée représente la zone stable.

On peut vérifier ce résultat en utilisant le logiciel MATLAB. Ainsi, si on choisit par exemple $k_p = k_I = 1$ qui sont bien éléments du domaine autorisé pour k_p et k_I, on aura:

```
≫ [v] = roots([1,2,10,5]);
```

Les racines obtenues sont $s_{1,2} = -0.73 \pm j2.95$ et $s_3 = -0.54$. Ce qui confirme le résultat.

5.2.2 Limites de la méthode de Routh-Hurwitz

Le critère de Routh-Hurwith est un critère qui a certaines limites, parmi lesquelles on peut citer:

1. Le critère algébrique est valable uniquement quand le polynôme traduisant l'équation caractéristique est à coefficients réels constants.
2. Le critère est non valable pour les systèmes avec retard, c'est-à-dire des systèmes de la forme:

$$F(s) = e^{-\tau s}\frac{N(s)}{D(s)}$$

3. Le critère cesse d'être applicable lorsque le pivot est égal à zéro.
4. Le critère cesse d'être applicable lorsque tous les termes d'une ligne sont nuls.

Les limites énoncées ci-dessus constituent des cas particuliers que nous étudierons dans le cas des exemples suivants:

Exemple 5.6 Asservissement d'un système dynamique d'ordre 4.

Étudions la stabilité du système dont l'équation caractéristique est:

$$s^4 + 2s^2 + s + 4 = 0$$

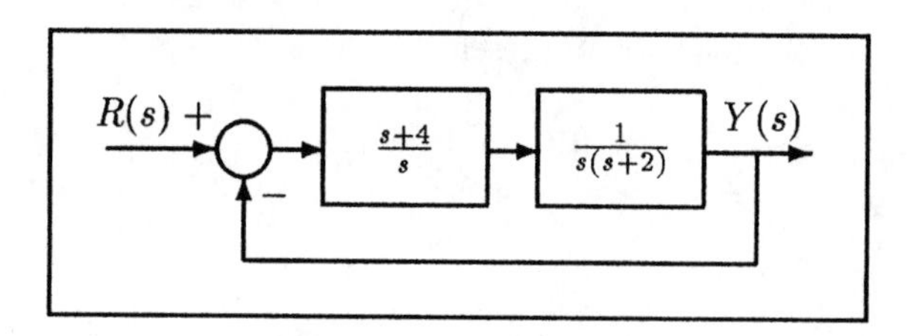

Figure 5.7 Asservissement de position angulaire d'un moteur à courant continu

Cette équation caractéristique correspond à celle de la commande d'un système dynamique d'ordre 4. Le correcteur utilisé est du type PI. Le schéma-bloc de ce système asservi est illustré à la figure 5.7.

Le tableau de Routh-Hurwitz est donné par:

s^4	1	2	4
s^3	0	1	0
s^2	$\frac{0-1}{0} = \infty$	0	

La méthode ne fonctionne pas car le premier pivot est nul et il faut chercher comment contourner cette difficulté. Trois techniques peuvent être utilisées pour résoudre la question.

- Remplacer la variable s par $\frac{1}{x}$ dans l'équation caractéristique. Suite à cette transformation, on obtient une nouvelle équation qui est la nouvelle équation caractéristique qui sert de base au critère de Routh-Hurwitz.
- Remplacer le zéro à la première colonne par un $\epsilon > 0$ (suffisamment petit) pour appliquer la règle. Pour trouver le changement de signe dans la première colonne, on procède par passage à la limite, c'est-à-dire qu'on fait tendre ϵ vers 0.

- Multiplier l'équation caractéristique initiale par $(s+\epsilon)$, $\epsilon > 0$ (ϵ doit être petit; par exemple $\epsilon = 1$). La nouvelle équation sert de base au critère.

Si nous appliquons la troisième méthode à l'exemple précédent, nous obtenons:

$$(s+1)(s^4+2s^2+s+4) = s^5+s^4+2s^3+3s^2+5s+4 = 0$$

Cette nouvelle équation caractéristique donne le tableau de Routh-Hurwitz suivant:

s^5	1	2	5
s^4	1	3	4
s^3	$\frac{2-3}{1}$	$\frac{5-4}{1}$	0
	-1	1	0
s^2	$\frac{-3-1}{-1}$	4	
	4	4	
	1	1	(division par 4)
s^1	2	0	
s^0	1		

Comme il y a des changements de signe dans la première colonne, le système est bien instable.

L'utilisation de MATLAB comme suit:

```
≫ [v] = roots([1,1,2,3,5,4]);
```

donne les racines suivantes $s_{1,2} = +0.72 \pm j1.37$, $s_{3,4} = -0.72 \pm j1.08$ et $s_5 = -1.0$.

En appliquant la première méthode au même exemple précédent, on remplace s par $\frac{1}{x}$ dans l'équation caractéristique, et on obtient la nouvelle équation de base suivante:

$$\left(\frac{1}{x}\right)^4 + 2\left(\frac{1}{x}\right)^2 + \left(\frac{1}{x}\right) + 4 = \frac{1}{x^4} + \frac{2}{x^2} + \frac{1}{x} + 4 = 0$$

en multipliant cette équation par x^4, on obtient:

$$1 + 2x^2 + x^3 + 4x^4 = 0$$

De cette équation, on déduit le tableau de Routh-Hurwitz suivant:

x^4	4	2	1
x^3	1	0	0
x^2	2	1	
x^1	$\frac{-1}{2}$	0	
	-1	0	
s^0	1		

En examinant la première colonne, on constate qu'il y a deux changements de signe, donc le système considéré est instable.

L'utilisation de MATLAB comme suit:

```
≫ [v] = roots([4,1,2,0,1]);
```

donne les racines suivantes:

$$\begin{aligned} s_{1,2} &= -0.43 \pm j0.64 \\ s_{3,4} &= 0.30 \pm j0.57 \end{aligned}$$

Par les deux méthodes, on constate que deux racines du système sont à partie réelle positive, ce qui confirme que le système est bien instable.

Exemple 5.7 Asservissement de position angulaire d'un moteur à courant continu

Dans cet exemple, on étudie la stabilité du système linéaire dont l'équation caractéristique est donnée par:

$$s^4 + 2s^3 + 4s^2 + 8s + 10 = 0 \tag{5.4}$$

L'équation caractéristique correspond au système de réglage de la position angulaire d'un moteur à courant continu entraînant une charge mécanique donnée. Le correcteur utilisé est du type PID avec un double intégrateur. Le schéma de ce système asservi est illustré à la figure 5.8. En remplissant le tableau de Routh-Hurwitz, on constate que le pivot de la ligne des b_i est nul.

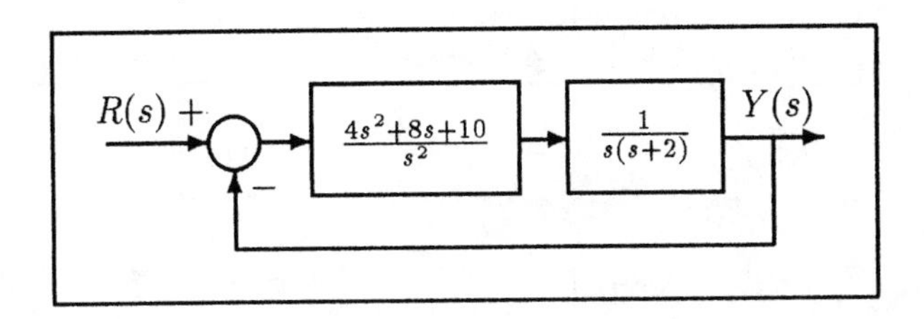

Figure 5.8 Asservissement de position angulaire d'un moteur à courant continu

En appliquant la deuxième méthode, on obtient:

s^4	1	4	10
s^3	2	8	0
s^2	ϵ	10	
s^1	b_1	$b_2 = 0$	
s^0	c_1		

avec $b_1 = \frac{8\epsilon - 20}{\epsilon}$, $b_2 = 0$ et $c_1 = 10$.

En procédant par passage à la limite, on obtient:

$$b_1 = \lim_{\epsilon \to 0} \frac{8\epsilon - 20}{\epsilon} = \frac{-20}{0} = -\infty$$

En examinant la première colonne, on constate qu'il y a deux changements de signe, donc le système est bien instable.

L'utilisation de MATLAB comme suit:

```
≫ [v] = roots([1,2,4,8,10]);
```

donne les racines suivantes $s_{1,2} = 0.42 \pm j1.86$ $s_{3,4} = -1.42 \pm j0.86$. On constate que deux racines sont à partie réelle positive, ce qui confirme que le système est bien instable.

Comme deuxième limite du critère de Routh Hurwitz, considérons le cas où tous les termes d'une ligne donnée sont nuls. La méthode que l'on peut utiliser pour contourner ce problème consiste à former une équation auxiliaire à partir de la ligne précédente (juste au-dessus de la ligne à zéros), dont la dérivée remplace la ligne qui a tous ses termes nuls. Ceci est illustré par le tableau 5.2

i	x x x x	(équation auxiliaire)
$i+1$	0 0 0 0	(dérivée de l'équation auxiliaire par rapport à s)

Tableau 5.2 Construction de l'équation auxiliaire

où toutes les composantes de la $(i+1)^e$ ligne sont nulles. L'équation auxiliaire dans ce cas sera formée à partir de la i^e ligne. Les coefficients de la dérivée de cette équation vont remplacer les zéros de la $(i+1)^e$ ligne.

Exemple 5.8 Asservissement de position angulaire d'un moteur à courant continu

Étudions la stabilité du système linéaire dont l'équation caractéristique est donnée par:

$$s^3 + 3s^2 + 4s + 12 = 0$$

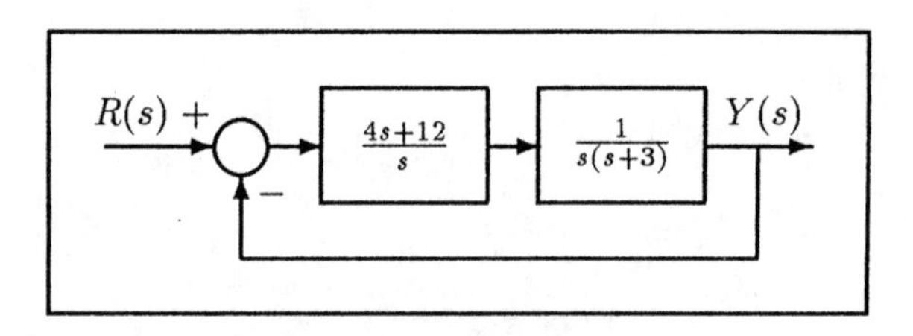

Figure 5.9 Asservissement de position angulaire d'un moteur à courant continu

Cette équation caractéristique correspond à la commande de position angulaire d'un moteur à courant continu. Le correcteur utilisé est du type PI. Le schéma-bloc d'un tel système asservi est illustré à la figure 5.9.

Le tableau de Routh-Hurwitz associé est donné par:

s^3	1	4	
s^2	3	12	
s^1	0	0	ligne qui répond au 2e cas
s^0			

Ce tableau possède une ligne où tous les termes sont nuls. Le critère ne s'applique pas. Nous devons alors former l'équation auxiliaire correspondante, qui s'écrit:

$$3s^2 + 12 = 0$$

La dérivée de cette équation est $6s$. Le nouveau tableau est:

s^3	1	4
s^2	3	12
s^1	6	0
s^0	12	

En examinant la première colonne, on constate qu'il n y a pas de changement de signe, ce qui donne un système stable.

L'utilisation de MATLAB comme suit:

```
≫ [v] = roots([1,3,4,12]);
```

donne les racines suivantes $s_1 = -3.0$, $s_2 = -j2.0$ et $s_3 = +j2.0$. On constate qu'il n'y a pas de racines à partie réelle positive, ce qui confirme que le système est bien à la limite de la stabilité.

5.2.3 Stabilité des systèmes linéaires avec retard pur

En pratique, il existe des systèmes dont la réponse à une excitation donnée prend du temps pour se manifester. Dans la littérature des systèmes linéaires, de tels systèmes s'appellent des systèmes avec retard. Le lecteur peut se référer aux chapitres 1 et 2 pour avoir des exemples de ce type de systèmes. Pour étudier la stabilité de ces systèmes linéaires comprenant un retard, on utilise l'une des approximations suivantes:

- développement en série de Taylor de $e^{-\tau s}$:

$$e^{-\tau s} = 1 - \tau s + \frac{\tau^2 s^2}{2!} - \frac{\tau^3 s^3}{3!} + \dots$$

qu'on arrête par exemple à:

$$e^{-\tau s} = 1 - \tau s + \frac{\tau^2 s^2}{2!}$$

- deuxième possibilité d'approximation de $e^{-\tau s}$:

$$e^{-\tau s} = \frac{1}{1 + \tau s + \frac{\tau^2 s^2}{2!}}$$

- troisième possibilité: consiste à utiliser l'approximation de Padé de $e^{-\tau s}$:

$$e^{-\tau s} = \frac{1 - \frac{\tau s}{2}}{1 + \frac{\tau s}{2}}$$

Évidement, par ces méthodes, nous faisons une approximation de la stabilité. Notons qu'il existe une méthode qui traite les systèmes avec retard purs, et qui donne une indication sur la stabilité (voir chapitre 6).

Exemple 5.9 Commande d'un système avec retard pur

Considérons le système asservi dont la structure est représentée par le schéma-bloc de la figure 5.10. Dans ce schéma, $G(s)$ représente la fonction de transfert du système commandé, $C(s)$ celle du correcteur utilisé. Les expressions de ces fonctions sont:

$$G(s) = \frac{e^{-\tau s}}{s(s^2 + 2s + 2)}$$
$$C(s) = k_p$$

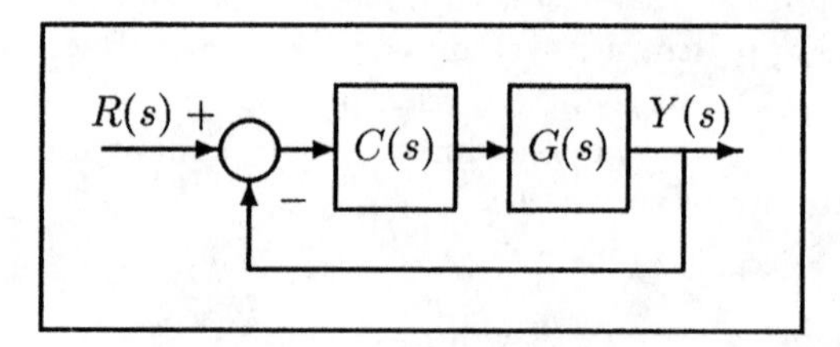

Figure 5.10 Système avec retard

En utilisant l'approximation de $e^{-\tau s}$ donnée par:

$$e^{-\tau s} = 1 - \tau s + \frac{\tau^2 s^2}{2!} = \frac{2 - 2\tau s + \tau^2 s^2}{2}$$

l'équation caractéristique du système en boucle fermée s'écrit:

$$1 + T(s) = 2s^3 + (4 + k_p\tau^2)s^2 + (4 - 2k_p\tau)s + 2k_p$$

En supposant que $k_p > 0$ et que $(4 - 2k_p\tau) > 0$, c'est-à-dire $k_p \in [0, \frac{2}{\tau}]$, le tableau de Routh associé est:

s^3	2	$4 - 2k_p\tau$
s^2	$4 + k_p\tau^2$	$2k_p$
s	b_1	0
s^0	$2k_p$	

où $b_1 = \frac{(4+k_p\tau^2)(4-2k_p\tau)-4k_p}{4+k_p\tau^2}$

La stabilité exige que:

$$b_1 > 0$$
$$k_p > 0$$

Ces relations traduisent le domaine de stabilité.

En utilisant cette fois-ci l'approximation de Padé de $e^{-\tau s}$ donnée par:

$$e^{-\tau s} = \frac{1 - \frac{\tau}{2}s}{1 + \frac{\tau}{2}s}$$

l'équation caractéristique du système en boucle fermée s'écrit:

$$1 + T(s) = \frac{\tau}{2}s^4 + (1 + \tau)s^3 + (2 + \tau)s^2 + \left(2 - \frac{k_p\tau}{2}\right)s + k_p = 0$$

En supposant que $k_p > 0$ et $2 - \frac{k_p\tau}{2} > 0$, c'est-à-dire $k_p \in [0, \frac{4}{\tau}]$, le tableau de Routh associé est:

s^4	$\frac{\tau}{2}$	$2 + \tau$	k_p
s^3	$1 + \tau$	$2 - \frac{\tau}{2}k_p$	
s^2	b_1	b_2	
s^1	c_1		
s^0	d_1	0	

où $b_1 = \frac{(1+\tau)(2+\tau)-\frac{\tau}{2}(2-\frac{\tau}{2}k_p)}{1+\tau}$, $b_2 = k_p$, $c_1 = \frac{b_1\left(2-\frac{\tau}{2}k_p\right)-k_p(1+\tau)}{b_1}$, $d_1 = b_2$

La stabilité exige que: $b_1 > 0$, $b_2 > 0$ et $c_1 > 0$, Ces relations traduisent le domaine de stabilité.

Nous venons de présenter un critère algébrique simple qui permet d'analyser la stabilité des systèmes linéaires invariants.

En résumé, la méthode de Routh-Hurwitz consiste à:

1. **établir l'équation caractéristique du système;**
2. **former le tableau de Routh-Hurwitz;**
3. **voir les changements de signe des termes de la première colonne;**
4. **conclure sur la stabilité: s'il y a changement de signe, le système est instable; sinon, il est stable.**

En notant bien que:

- le critère renseigne sur l'effectif des racines à partie réelle positive;
- le critère ne donne aucune information sur le degré de stabilité;
- le critère ne donne aucune information sur la façon de stabiliser un système instable.

5.2.4 Stabilité relative

En général, on ne cherche pas seulement à assurer une stabilité absolue du système asservi, on doit aussi s'assurer que la forme de la réponse du système asservi à une entrée donnée en forme d'échelon, par exemple, soit acceptable. C'est-à-dire qu'il faut essayer de placer les pôles du système en boucle fermée à des positions bien précises.

Nous avons vu au chapitre 4 que le concept de pôles dominants représente une manière adéquate pour approximer la réponse des systèmes d'ordre supérieur à deux. En effet, en jouant sur la constante de temps dominante et sur le taux d'amortissement, nous pouvons assurer au système asservi considéré la forme de réponse que nous voulons. En procédant de la sorte, nous imposons au système asservi une certaine stabilité relative. En général, nous cherchons à placer les pôles du système en boucle fermée en dehors des zones hachurées (fig. 5.11).

En effet, si nous désirons connaître si le système asservi possède ou non le degré de stabilité de valeur $-\sigma$, ce qui revient à chercher si tous les pôles du système en boucle fermée sont à gauche de l'axe défini par $-\sigma$ tel que représenté à la figure 5.11, il est alors important d'avoir une technique similaire au critère algébrique de Routh-Hurwitz. Le critère de Routh-Hurwitz peut être adapté pour étudier la stabilité relative.

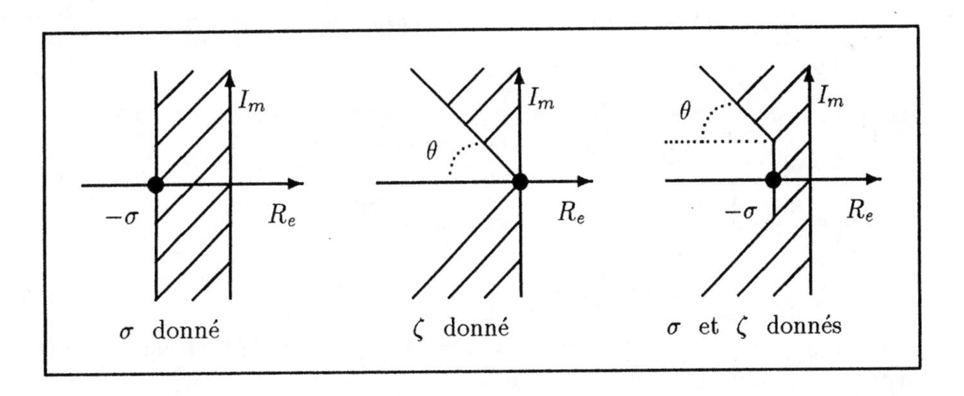

Figure 5.11 Régions du plan complexe caractérisant le choix du régime transitoire

Pour étudier la stabilité relative, nous devons procéder par un changement de variable dans l'équation caractéristique. En effet, en changeant s par $s - \sigma$, nous obtenons la nouvelle équation caractéristique qui nous permet de tester la stabilité relative. Remarquons que l'étude de la stabilité relative doit être toujours précédée par l'étude de la stabilité absolue.

Exemple 5.10 Étude de la stabilité relative de l'asservissement de l'orientation d'un satellite

Dans cet exemple, nous reprenons l'exemple 5.2 avec quelques modifications dans les valeurs du correcteur PID. Le schéma bloc d'un tel système asservi avec les nouvelles modifications est représenté à la figure 5.12. L'équation caractéristique d'un tel système est:

$$s^3 + 3s^2 + 3s + 5 = 0$$

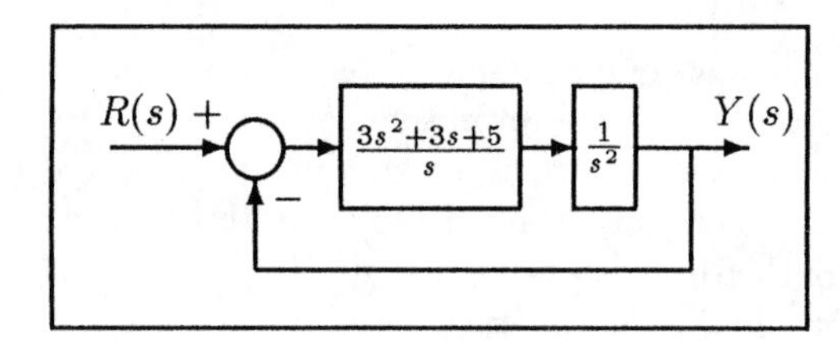

Figure 5.12 Système de commande d'un satellite

Le tableau de Routh-Hurwitz associé à cette équation caractéristique s'écrit:

s^3	1	3
s^2	3	5
s^1	$\frac{4}{3}$	0
s^0	5	0

En examinant la première colonne, on constate qu'il n y a pas de changement de signe. Ce qui équivaut à dire que la stabilité absolue est assurée.

Ceci peut être vérifié en utilisant l'instruction relative à la fonction "**roots**" du logiciel MATLAB, comme suit:

```
≫ [v] = roots([1,3,3,5]);
```

On obtient ainsi les racines suivantes: $s_{1,2} = -0.2 \pm j1.37$ et $s_3 = -2.59$. Ce qui confirme le résultat précédent.

Si maintenant on désire connaître si le système admet un degré de stabilité égal à -2, on remplace d'abord s par $(s-2)$ dans l'équation caractéristique, ce qui donne la nouvelle équation caractéristique suivante:

$$s^3 - 3s^2 + 3s + 3 = 0$$

Le coefficient de s^2 est négatif, tandis que tous les autres coefficients sont positifs, il en résulte que le système est instable. Ce qui veut dire que le système ne possède pas le degré de stabilité désiré. Pour confirmer ceci, procédons par le test classique de stabilité.

Le tableau de Routh-Hurwitz associé à cette équation caractéristique est:

s^3	1	3
s^2	-3	3
s^1	4	0
s^0	3	0

En examinant la première colonne, on constate qu'il y a deux changements de signe. Ce qui revient à dire que le système ne possède pas le degré de stabilité égal à -2.

Ceci peut être vérifié en utilisant l'instruction relative à la fonction roots du logiciel MATLAB, comme suit:

```
>> [v] = roots([1,3,3,3]);
```

On obtient ainsi les racines suivantes: $s_{1,2} = 0.76 \pm j2.28$ et $s_3 = -0.52$. Ce qui confirme le résultat précédent.

5.2.5 Dilemme stabilité-précision

En général, l'ingénieur doit, lors du design de l'asservissement d'un système donné, assurer une certaine précision et une certaine stabilité imposées par le cahier des charges. Ces notions varient en général en sens opposé: l'amélioration de l'une entraîne la détérioration de l'autre, ce qui est illustré dans l'exemple suivant.

Exemple 5.11 Dilemme stabilité-précision

Cet exemple permet de faire ressortir le dilemme stabilité-précision. La fonction de transfert du système commandé est:

$$G(s) = \frac{1}{s(s+1)(s+5)}$$

C'est un système de type 1. Comme spécifications, nous supposons que lorsque le système est excité par une grandeur d'entrée en forme de rampe unitaire, l'erreur en régime permanent associée ne doit pas excéder 1%, et que le système en boucle fermée doit être stable. Essayons un correcteur de type proportionnel de gain K pour répondre aux spécifications imposées (c'est-à-dire $C(s) = K$). Le système considéré est supposé à retour unitaire (fig. 5.13).

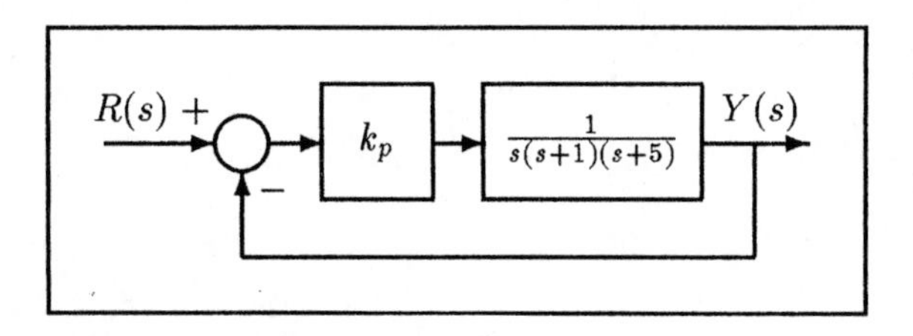

Figure 5.13 Structure de commande en boucle fermée

L'erreur en régime permanent associée à une rampe unitaire est donnée par:

$$e_s = \lim_{t\to\infty} e(t) = \lim_{s\to 0} sE(s) = \lim_{s\to 0} \frac{1}{sC(s)G(s)} = \frac{5}{k_p}$$

Cette erreur ne doit pas excéder le 1%, soit:

$$\frac{5}{k_p} \leq 0.01 \tag{5.5}$$

ce qui donne une valeur de 500 pour k_p, ($k_p >= 500$).

Par conséquent, pour satisfaire cette spécification, k_p doit être supérieur ou égal à 500. À ce stade, notre conception n'est pas terminée car il faut aussi analyser la stabilité.

Utilisons par exemple la méthode de Routh-Hurwitz. L'équation caractéristique du système en boucle fermée est donnée par l'expression suivante:

$$1 + \frac{k_p}{s(s+1)(s+5)} = 0$$

ce qui se transforme en:

$$s^3 + 6s^2 + 5s + k_p = 0$$

Le tableau de Routh-Hurwitz associé est:

s^3	1	5
s^2	6	k_p
s^1	$\frac{30-k_p\times 1}{6}$	0
s^0	k_p	0

La stabilité du système en boucle fermée exige la condition suivante sur k_p:

$$0 < k_p < 30.$$

On conclut qu'on ne peut pas, par simple ajustement de gain k_p, satisfaire les spécifications imposées. On doit insérer dans la chaîne directe un correcteur autre qu'un correcteur proportionnel pour respecter ces spécifications.

Au cours des sections précédentes, nous nous sommes intéressés à la caractérisation de la stabilité des systèmes linéaires invariants. Il faut noter que lors de leur fonctionnement, certaines composantes, pour des raisons qui échappent à tous contrôles (chauffage des composantes, vieillissement etc.), changent de valeur. Par conséquent, la stabilité et les performances changent et peuvent se dégrader. Il est alors intéressant de voir comment le changement de ces grandeurs se répercute sur la configuration des pôles-zéros et par conséquent sur les performances du système. Cette technique fait l'objet de la prochaine section, et s'appelle la technique des lieux des racines. En effet, elle nous permet de voir comment les racines de l'équation caractéristique, c'est-à-dire les pôles du système en boucle fermée, se comportent quand un ou plusieurs paramètres varient.

5.3 LIEU DES RACINES

Considérons le système asservi représenté à la figure 5.14. Le correcteur est du type proportionnel de gain $K = k_p$. Les fonctions de transfert $G(s)$ et $H(s)$ sont supposées fixées. Les fonctions de transfert en boucle ouverte $T(s)$ et en boucle fermée $F(s)$ sont respectivement données par les expressions suivantes:

$$T(s) = KG(s)H(s) \quad (5.6)$$

$$F(s) = K\frac{G(s)}{1+T(s)} \quad (5.7)$$

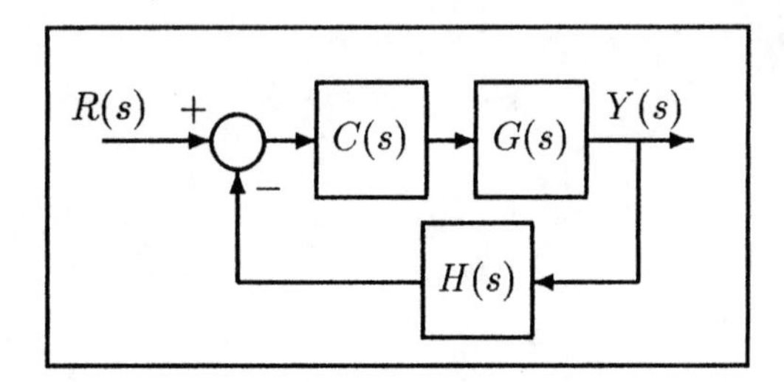

Figure 5.14 Système en boucle fermée

En supposant que les expressions des fonctions de transfert $G(s)$ et $H(s)$ sont:

$$G(s) = \frac{N_1(s)}{D_1(s)}$$
$$H(s) = \frac{N_2(s)}{D_2(s)}$$

la fonction de transfert en boucle fermée du système s'écrit:

$$F(s) = K\frac{N_1(s)D_2(s)}{D_1(s)D_2(s) + KN_1(s)N_2(s)} \tag{5.8}$$

De cette expression, nous déduisons les deux remarques suivantes:

- les zéros de $F(s)$ sont:
  - les zéros de $N_1(s)$, c'est-à-dire les zéros de la fonction de transfert $G(s)$ de la chaîne directe;
  - les zéros de $D_2(s)$, c'est-à-dire les pôles de la fonction de transfert $H(s)$ de la chaîne de retour;
- les pôles de $F(s)$ sont les racines de l'équation

$$D_1(s)D_2(s) + KN_1(s)N_2(s) = 0$$

Une telle expression est appelée l'équation caractéristique. Cette équation peut s'écrire sous la forme:

$$1 + T(s) = 0 \tag{5.9}$$

où

$$T(s) = K\frac{\prod_{i=1}^{m}(s+z_i)}{\prod_{i=1}^{n}(s+p_i)} \qquad (5.10)$$

avec n est le degré du dénominateur de $T(s)$ (nombre de pôles du système); m est le degré du numérateur de $T(s)$ (nombre de zéros du système); K est le gain du système; $-z_i$ est le zéro de $T(s)$, et $-p_i$ est le pôle de $T(s)$.

Les racines de l'équation caractéristique dépendent de la valeur du coefficient K, donc du gain en boucle ouverte du système. Par contre, les zéros de $F(s)$ ne sont pas modifiés quand K varie.

Exemple 5.12 Variation des pôles d'un système du premier ordre quand le gain varie

Pour montrer comment les pôles de la fonction de transfert en boucle fermée se comportent quand un paramètre K varie, considérons le système asservi du premier ordre de la figure 5.15a.

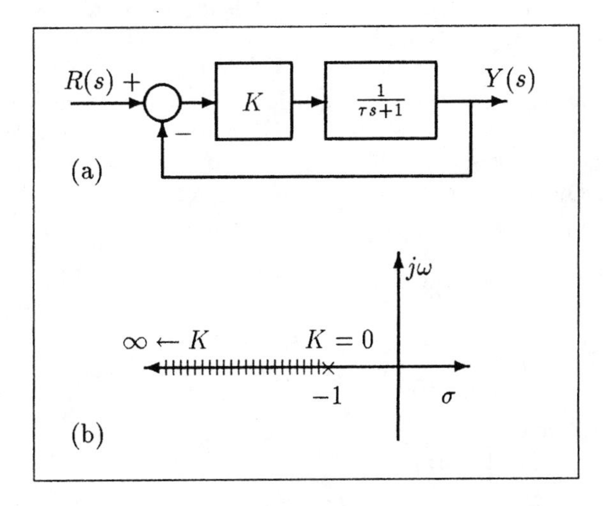

Figure 5.15 Structure de commande en boucle fermée d'un système de premier ordre (a) et lieu des racines de $\frac{K}{s+1}$ (b).

K	0	1	2	$\cdots$	∞
s	-1	-2	-3	$\cdots$	$-\infty$

Tableau 5.3 Position du pôle $s = -\frac{1+K}{\tau}$ quand K varie et $\tau = 1$

La fonction de transfert en boucle fermée de ce système est donnée par l'expression suivante:

$$F(s) = \frac{K}{\tau s + 1 + K}$$

Ce système asservi n'admet pas de zéro, mais possède un seul pôle dont la valeur est:

$$s = -\frac{1+K}{\tau}$$

Les valeurs prises par ce pôles à différentes valeurs de K pour $\tau = 1$ sont résumées au tableau 5.3. Le report de ces valeurs sur un plan complexe donne le lieu des racines de la figure 5.15b.

On constate avec cet exemple simple que les performances d'un système asservi dépendent directement du gain en boucle ouverte K. Quand K varie de 0 à ∞, les pôles du système décrivent un certain lieu géométrique appelé **lieu des racines**. On remarque également que ce lieu quitte le pôle du système en boucle ouverte à $K = 0$ et arrive au zéro rejeté à l'infini lorsque K tend vers l'infini.

5.3.1 Conditions définissant le lieu des racines

Un point M d'affixe $s = \sigma + j\omega$ appartient au lieu des racines si son affixe s vérifie l'équation caractéristique:

$$1 + T(s) = 0$$

Compte tenu de l'expression de $T(s)$, cette équation caractéristique peut être réécrite sous la forme suivante:

$$\frac{\prod_{i=1}^{m}(s+z_i)}{\prod_{i=1}^{n}(s+p_i)} = -\frac{1}{K} \tag{5.11}$$

Géométriquement, M appartient au lieu des racines si les relations:

$$\frac{\prod_{i=1}^{m}|s+z_i|}{\prod_{i=1}^{n}|s+p_i|} = +\frac{1}{K} \tag{5.12}$$

et

$$\Sigma_{i=1}^{m}\,\mathbf{arg}(s+z_i) - \Sigma_{i=1}^{n}\,\mathbf{arg}(s+p_i) = \pm(2q+1)\pi, \quad q = 0,1,2,\ldots \tag{5.13}$$

sont satisfaites. Ces relations sont respectivement appelées **équation des amplitudes** et **équation des angles**. Les notations $|.|$ et $\mathbf{arg}(.)$ désignent respectivement le module et l'argument.

Exemple 5.13 Utilisation des équations d'amplitude et d'angle

Appliquons ces deux équations dans l'exemple de la figure 5.16.

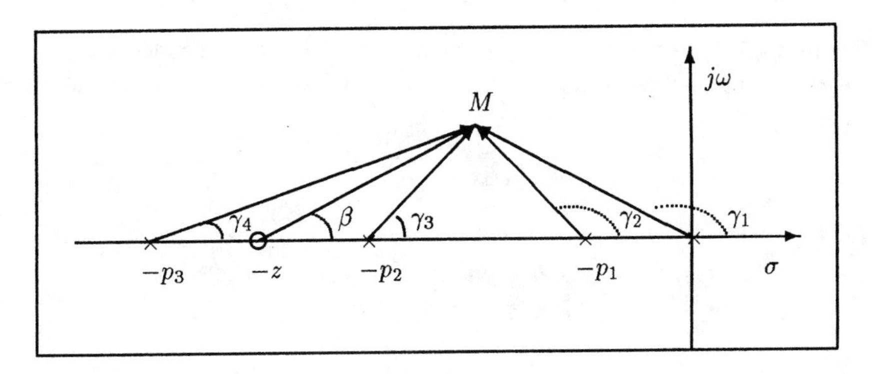

Figure 5.16 Pôle zéro de $\frac{K(s+z)}{s(s+p_1)(s+p_2)(s+p_3)}$

Pour un point M d'affixe s tel que représenté à la figure 5.16, les deux équations s'écrivent:

- relation d'angle:

$$\beta - (\gamma_1 + \gamma_2 + \gamma_3 + \gamma_4) = \pm(2q+1)\pi, \quad q = 0,1,2,\ldots$$

- relation d'amplitude:

$$K = \frac{|s||s+p_1||s+p_2||s+p_3|}{|s+z|}$$

5.3.2 Règles du tracé du lieu des racines

Les règles qui suivent découlent directement de l'équation caractéristique du système en boucle fermée. Ces règles doivent être considérées utiles pour obtenir l'allure approchée du lieu des racines et non le lieu des racines exact.

Règle 1 - Nombre de branches du lieu. À chaque racine de l'équation caractéristique correspond une branche du lieu dont le nombre est égal au degré de cette équation. Pour un système physique, le degré m étant inférieur ou égal au degré n, le nombre de branches est n. Ces branches se divisent en m branches finies et $(n - m)$ branches infinies.

Règle 2 - Symétrie. Les coefficients de l'équation caractéristique étant réels, les racines complexes de cette équation interviennent par paires conjuguées. Les branches du lieu correspondant à ces racines sont donc symétriques par rapport à l'axe réel.

Règle 3 - Départ et arrivée des branches. Pour déterminer le départ et l'arrivée des branches, écrivons l'équation caractéristique sous la forme suivante:

$$K\frac{\prod_{i=1}^{m}(s+z_i)}{\prod_{i=1}^{n}(s+p_i)} = -1 \tag{5.14}$$

que l'on peut réécrire sous la forme suivante:

$$\frac{\prod_{i=1}^{m}(s+z_i)}{\prod_{i=1}^{n}(s+p_i)} = -\frac{1}{K} \tag{5.15}$$

En faisant tendre K vers 0, le terme $\frac{1}{K}$ tend vers l'infini (∞). Pour que le terme de gauche tende vers ∞, il faut que le dénominateur soit nul, c'est-à-dire $s = -p_i$. Nous concluons alors que le lieu des racines part des pôles du système en boucle ouverte.

En faisant maintenant tendre K vers l'infini, le terme $\frac{1}{K}$ tend vers 0. Pour que le terme de gauche tende vers 0, il faut que le numérateur soit nul, c'est-à-dire $s = -z_i$. Le lieu des racines arrive sur les zéros du système.

Règle 4 - Asymptotes. Lorsque le paramètre K tend vers l'infini ($K \to \infty$), le lieu s'approche soit des zéros finis, soit des zéros situés à l'infini. Cette dernière situation donne naissance à des directions asymptotiques, et est illustrée à la figure 5.17 en pointillé.

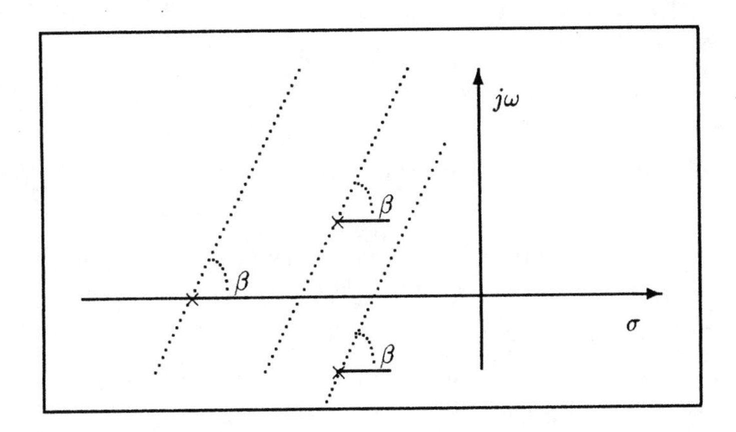

Figure 5.17 Directions asymptotiques

Le système d'ordre n, d'après la règle 1, possède n branches. Ces branches comprennent m branches finies et $(n-m)$ branches infinies donnant lieu à des directions asymptotiques.

Si un point M d'affixe s du lieu est rejeté à l'infini, les vecteurs associés à $(s+z_i)$ et à $(s+p_i)$ deviennent tous parallèles à une direction dont on désigne par β l'angle qu'elle fait avec l'axe réel. Tous les pôles et les zéros du système étant très éloignés du point M, les vecteurs associés aux pôles et zéros font chacun un angle β avec l'horizontale:

$$\mathbf{arg}(s+z_i) = \mathbf{arg}(s+p_j) = \beta \qquad \forall i, \ \forall j \tag{5.16}$$

La relation des angles devient alors:

$$\begin{aligned} \Sigma_{i=1}^{m} \mathbf{arg}(s+z_i) - \Sigma_{i=1}^{n} \mathbf{arg}(s+p_i) &= m\beta - n\beta \\ &= \pm(2q+1)\pi \qquad q = 0, 1, 2, \ldots \end{aligned}$$

que l'on peut réécrire sous la forme suivante:

$$\beta_q = \pm(2q+1)\frac{\pi}{(n-m)} \qquad q = 0, 1, 2, \ldots \tag{5.17}$$

L'intersection des directions asymptotiques avec l'axe des réels est donnée par:

$$\delta = \frac{\Sigma_{i=1}^{n} p_i - \Sigma_{i=1}^{m} z_i}{n-m} \tag{5.18}$$

Règle 5 - Branches de l'axe réel appartenant au lieu. Pour un point M de l'axe réel du lieu, on a:

- une contribution nulle des pôles et des zéros situés à droite de M ($\mathbf{arg}(s+z_i) = \mathbf{arg}(s+p_j) = 0$);
- une contribution égale à π de chaque pôle et de chaque zéro situé à gauche de M.
- une contribution égale à 2 π de chaque paire constituée d'un pôle et d'un zéro imaginaires conjugués, situés à droite de M.

Si on a N pôles et Z zéros à droite du point M de l'axe réel, la condition des angles donne la relation suivante:

$$N\pi + Z\pi = \pm(2q+1)\pi \qquad q = 0, 1, 2, \ldots \tag{5.19}$$

Pour que cette relation soit vérifiée, il faut que $N + Z$ soit impair.

Règle 6 - Tangente du lieu en un point de départ ou d'arrivée (fini). Soit un point M d'affixe s appartenant au lieu voisin de P d'affixe p pour lequel on veut calculer l'angle de départ. En notant par θ l'argument associé, c'est-à-dire:

$$\theta \approx \mathbf{arg}(s+p).$$

La condition des angles dans laquelle on remplace $\mathbf{arg}(s+p_k)$ par θ et $\mathbf{arg}(s+p_k)$ par $\frac{\pi}{2}$ dans le cas où p_k est complexe (approximation valable, le point M étant infiniment voisin de P), permet donc de calculer la valeur de θ, tel que:

$$\theta = -180 + \Sigma_{j=1}^{m} \mathbf{arg}(p_k + z_j) - \Sigma_{i=1}^{n} \mathbf{arg}(p_k + p_i), \quad k \neq i \tag{5.20}$$

Règle 7 - Intersection du lieu avec l'axe réel. Les pôles du système sont donnés par l'équation caractéristique. Cette équation est:

$$1 + K\frac{P(s)}{Q(s)} = 0$$

Une telle équation peut s'écrire sous la forme suivante:

$$\frac{Q(s)}{P(s)} = -K \tag{5.21}$$

où $P(s) = \prod_{i=1}^{m}(s+z_i)$ et $Q(s) = \prod_{i=1}^{n}(s+p_i)$

On note par s le point d'intersection du lieu avec l'axe réel. Ce point faisant partie du lieu vérifie la relation (5.21). En posant $Y(s) = \frac{Q(s)}{P(s)} = -K$, le problème du calcul du point d'intersection revient à trouver la valeur de s vérifiant la relation (5.21). Deux méthodes peuvent être utilisées:

- la méthode graphique;
- la méthode algébrique.

Nous traitons dans cet ouvrage uniquement la méthode algébrique. Par cette méthode algébrique, l'intersection avec l'axe réel peut être obtenue en dérivant l'équation (5.21) par rapport à s, ce qui donne:

$$\begin{aligned} \frac{d}{ds}\left(\frac{P(s)}{Q(s)}\right) &= 0 \\ Q\frac{d}{ds}P(s) - P\frac{d}{ds}Q(s) &= 0 \end{aligned}$$

ce qui revient à écrire:

$$\frac{\frac{dP}{ds}}{P} = \frac{\frac{dQ}{ds}}{Q}$$

c'est-à-dire:

$$\frac{d}{ds}lnP = \frac{d}{ds}lnQ$$

Ce qui donne:

$$\frac{d}{ds}lnP = \sum_{i=1}^{m} \frac{1}{s+z_i}$$

$$\frac{d}{ds}lnQ = \sum_{i=1}^{n} \frac{1}{s+p_i}$$

Compte tenu des relations précédentes, on obtient la relation suivante:

$$\sum_{i=1}^{m} \frac{1}{s+z_i} = \sum_{i=1}^{n} \frac{1}{s+p_i}$$

Si s_0 est la solution de cette équation, la valeur de K correspondante est donnée par:

$$K = -\frac{Q(s_0)}{P(s_0)}$$

- **Remarque:** dans le cas où le nombre de zéros est nul ($m = 0$), cette relation est traduite par:

$$\sum_{i=1}^{n} \frac{1}{s + p_i} = 0$$

Dans certains cas, il se peut que l'on se trouve dans une situation où il faut décider si le lieu des racines quitte le point trouvé sur l'axe réel ou arrive en ce point d'intersection. Pour répondre à ce problème, on peut utiliser la dérivée seconde de K par rapport à s:

$$\frac{d^2K}{ds^2} \tag{5.22}$$

Ainsi, le lieu des racines quitte le point d'intersection trouvé lorsque la dérivée seconde de K par rapport à s, évaluée au point considéré, est négative. Dans le cas contraire, le lieu des racines arrive en ce point.

Règle 8 - Intersection avec l'axe imaginaire. Si l'équation caractéristique possède des racines à partie imaginaire pure, les coefficients des lignes s^1 et s^0 dans le tableau de Routh-Hurwitz sont tous nuls.

Deux méthodes sont possibles pour déterminer l'intersection avec l'axe imaginaire. La première consiste à remplacer s par $j\omega$ dans l'équation caractéristique puis à isoler les parties réelle $R_e(\omega)$ et imaginaire $I_m(\omega)$. On résoud ensuite:

$$R_e(\omega) = 0$$
$$I_m(\omega) = 0$$

ce qui donne ω (i.e. l'emplacement des pôles) et K (i.e. le gain associé).

La seconde méthode consiste à appliquer le critère de Routh-Hurwitz en considérant l'équation caractéristique puis à annuler les termes correspondant à s^1 et s^0 dans le tableau de Routh-Hurwitz. Ceci nous donne la valeur du gain K

et la ligne des s^2 dans le tableau de Routh-Hurwitz et nous donne les valeurs des pôles recherchés.

Nous venons de présenter la technique des lieux des racines ainsi que les règles qui permettent d'approcher l'allure du lieu de racines d'un système donné.

Résumé de la procédure de tracé du lieu des racines:

1. **Obtenir l'équation caractéristique du système de manière à ce que le paramètre K à faire varier apparaisse comme étant un facteur multiplicatif dans la forme:**

$$1 + T(s) = 1 + \mathbf{K}\frac{N(s)}{D(s)}$$

   puis obtenir les équations d'amplitude et d'angle.

2. **Positionner les pôles et les zéros de $T(s)$ dans le plan s et les marquer respectivement par des croix et des cercles (croix pour pôle, cercle pour zéro).**

3. **Déterminer le nombre de branches du lieu des racines en utilisant la règle 1.**

4. **Déterminer l'emplacement des points de l'axe réel appartenant au lieu en utilisant la règle 5.**

5. **Déterminer le nombre des directions asymptotiques ainsi que leur angle et leur intersection avec l'axe réel en utilisant la règle 4.**

6. **Déterminer les points où le lieu des racines quitte l'axe réel ou arrive sur l'axe réel (s'il y en a) en utilisant la règle 7.**

7. **Déterminer les angles de départ à partir des pôles complexes ainsi que les angles d'arrivée sur les zéros (s'il y en a) en utilisant la règle 6.**

8. **Pour n'importe quelle valeur des pôles du lieu des racines, déterminer la valeur du paramètre K associé en utilisant la condition d'amplitude.**

9. **Si le lieu des racines coupe l'axe imaginaire, déterminer la valeur limite du paramètre K (limite de stabilité) en utilisant la règle 8. Prendre par exemple le critère de Routh-Hurwitz.**

Mettons maintenant en application, dans les exemples qui suivent, les règles précédentes afin d'obtenir l'allure du lieu des racines.

Exemple 5.14 Étude de l'asservissement de position angulaire d'un moteur à courant continu

Considérons le système représenté à la figure 5.18. Ce système en boucle fermée représente par exemple l'asservissement de position angulaire d'une charge mécanique entraînée par un moteur à courant continu.

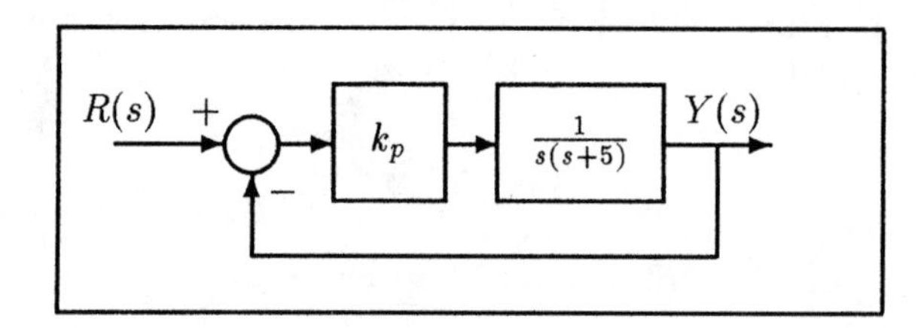

Figure 5.18 Asservissement de position angulaire d'un moteur à courant continu

Le paramètre k_p représente dans ce cas le gain du correcteur de type proportionnel. L'objectif de cet exemple est de voir comment les pôles du système en boucle fermée se comportent quand le gain k_p du correcteur proportionnel varie de 0 à ∞. Pour cette fin, on utilise la technique du lieu des racines.

En suivant la procédure précédente, on a:

1. En remplaçant k_p par K, l'équation caractéristique d'un tel système est donnée par:

$$1 + \frac{K}{s(s+5.0)} = 0 \tag{5.23}$$

Les équations d'amplitude et d'angle associées sont données respectivement par:

$$\frac{1}{K} = \frac{1}{|s||s+5.0|}$$

$$-\mathbf{arg}(s) - \mathbf{arg}(s+5.0) = \pm(2q+1)\pi, \quad q = 0, 1, 2, \ldots$$

2. Le système en boucle ouverte possède deux pôles et aucun zéro fini. Ces pôles sont 0 et -5.0.

3. Le nombre de branches du lieu des racines est égal à 2.

4. Tous les points qui sont situés entre les pôles 0 et -5.0 appartiennent au lieu des racines.

5. Étant donné que le système admet deux pôles et aucun zéro fini, il possède deux directions asymptotiques, caractérisées par les angles et le point d'intersection avec l'axe réel suivants: $\theta_0 = \frac{\pi}{2}$, $\theta_1 = -\frac{\pi}{2}$ et $\delta = -2.5$.

6. Le point où le lieu des racines quitte l'axe réel est donné par la relation suivante:

$$\frac{dK}{ds} = 0$$

Or, d'après l'expression de l'équation caractéristique, nous déduisons que l'expression du paramètre K est:

$$K = -s^2 - 5s$$

En dérivant cette expression par rapport à s, on obtient:

$$\frac{dK}{ds} = -2s - 5 = 0$$

Ce qui donne comme point d'intersection $s = -2.5$. Remarquons que ce point coïncide avec l'intersection des directions asymptotiques avec l'axe réel. En général, ces deux points ne sont pas identiques. Compte tenu de ces résultats, l'allure du lieu des racines correspondante peut être tracée sans difficulté. Un tel lieu est représenté à la figure 5.19.

L'allure de la figure 5.19 peut être obtenue en utilisant les instructions suivantes de MATLAB:

```
≫ clear all;
≫ num = [1];
≫ den = [1 5 0];
≫ [r,K]=rlocus(num,den);
≫ plot(r,'*'),
≫ axis([-5 0 -8 8]);
≫ xlabel('partie reelle');
≫ ylabel('partie imaginaire');
≫ grid;
```

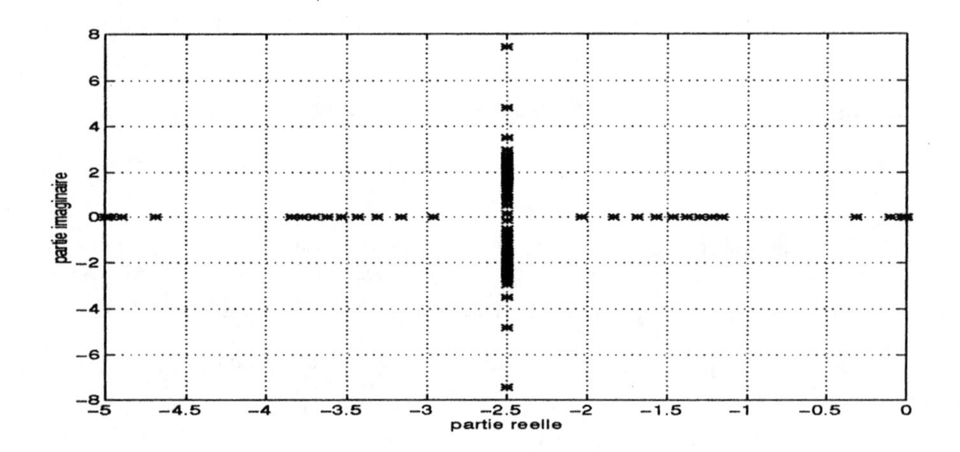

Figure 5.19 Lieu des racines du système dont la fonction de transfert est $G(s) = \frac{1}{s(s+5)}$

Exemple 5.15 Étude d'un système de 3e ordre

Considérons le même procédé que celui de l'exemple 5.12, mais essayons de le compliquer en ajoutant un autre pôle. Le nouveau système asservi est représenté par le schéma-bloc de la figure 5.20.

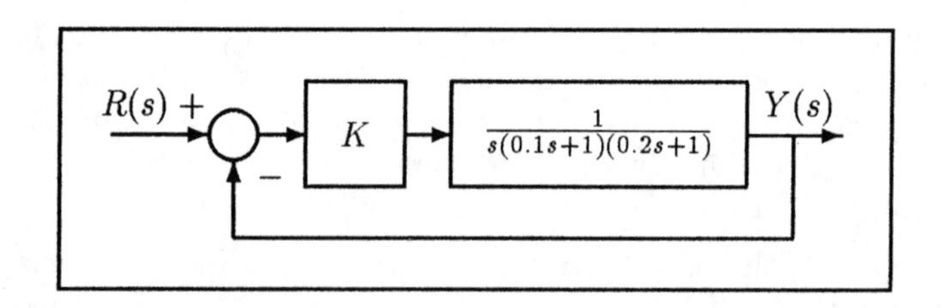

Figure 5.20 Commande d'un système de 3e ordre

En suivant la même procédure que pour l'exemple 5.12, on obtient ce qui suit.

1. L'équation caractéristique du système est donnée par la relation suivante:

$$1 + \frac{K}{s(0.1s+1)(0.2s+1)} = 0$$

Les conditions d'amplitude et d'angle sont:

$$\frac{1}{K} = \frac{1}{|s||0.1s+1||0.2s+1|}$$

$$-\mathbf{arg}(s) - \mathbf{arg}(0.1s+1) - \mathbf{arg}(0.2s+1) = \pm(2q+1)\pi, \quad q = 0, 1, 2, \ldots$$

2. Le système en boucle ouverte possède trois pôles et aucun zéro fini. Ces pôles sont $s_1 = 0$; $s_2 = -10$; et $s_3 = -5$.

3. Le nombre des branches au lieu des racines est égal à 3.

4. Tous les points de l'axe réel situés entre 0, -5 et ceux entre -10 et ∞ font partie du lieu des racines.

5. Le lieu des racines admet trois directions asymptotiques, caractérisées par les angles et le point d'intersection avec l'axe réel suivants: $\theta_0 = \frac{\pi}{3}$, $\theta_1 = \pi$, $\theta_2 = -\frac{\pi}{3}$ et $\delta = \frac{-0-5-10}{3} = -5$

6. Le point où le lieu des racines quitte l'axe réel est déterminé par la relation suivante:

$$\frac{dK}{ds} = 0$$

D'après l'équation caractéristique, on a:

$$K = -(0.02s^3 + 0.3s^2 + s)$$

ce qui donne:

$$\frac{dK}{ds} = -0.06s^2 - 0.6s - 1$$

dont les deux racines sont $s_1 = -7.89$ et $s_2 = -2.11$.

De ces deux racines, nous déduisons que la racine acceptable est $s_2 = -2.11$. L'autre est à rejeter car le segment [-10,-5] ne fait pas partie du lieu des racines.

7. L'intersection du lieu des racines avec l'axe imaginaire peut être obtenue en utilisant le critère de Routh-Hurwitz. L'équation précédente peut s'écrire sous la forme suivante:

$$s^3 + 15s^2 + 50s + 50K = 0$$

Le tableau de Routh-Hurwitz associé est:

s^3	1	50
s^2	15	$50K$
s^1	$\frac{(15)(50)-50K}{15}$	0
s^0	$50K$	

En égalant les coefficients associés à s^0 et s^1, on obtient la valeur de K correspondante. Pour s^0, on a $50K = 0$, ce qui donne $K = 0$. Ceci correspond au pôle en boucle ouverte ($s = 0$). Pour s^1, on a $750-50K = 0$, ce qui donne $K = 15$. Les coordonnées des points d'intersection avec l'axe imaginaire sont alors données par la solution de l'équation suivante:

$$15s^2 + 50K = 0 \quad \text{avec} \quad K = 15$$

ce qui donne: $s = \pm j7.07$.

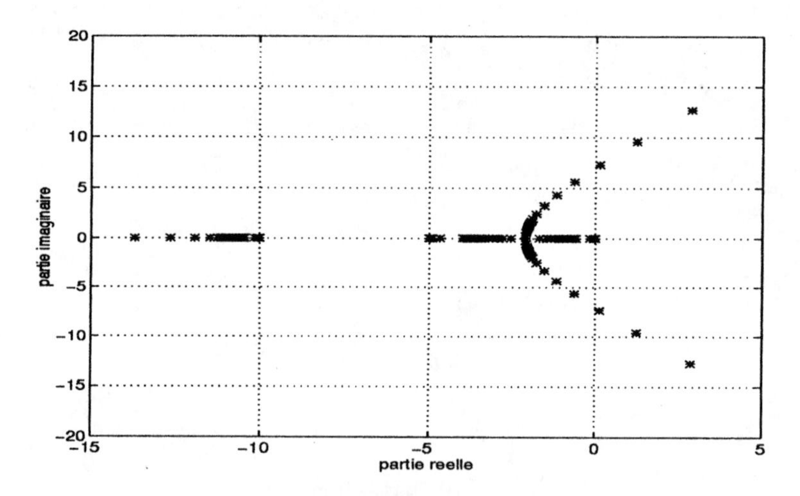

Figure 5.21 Lieu des racines de $\frac{50}{s(s+5)(s+10)}$

L'allure du lieu des racines peut être alors obtenue en utilisant les résultats précédents. Ce lieu est représenté à la figure 5.21. L'allure de la figure 5.21 peut être obtenue en utilisant les instructions suivantes de MATLAB:

```
≫ clear all
≫ num = [50];
≫ den = conv([1 0],conv([1 5],[1 10]));
≫ [r,K]=rlocus(num,den);
≫ plot(r,'*'),
≫ axis([-15 5 -20 20]);
≫ xlabel('partie reelle');
≫ ylabel('partie imaginaire');
≫ grid;
```

Exemple 5.16 Étude d'un système du 2e ordre avec un zéro

Revenons maintenant à l'exemple 5.12 et ajoutons un zéro. Le nouveau système asservi est illustré à la figure 5.22.

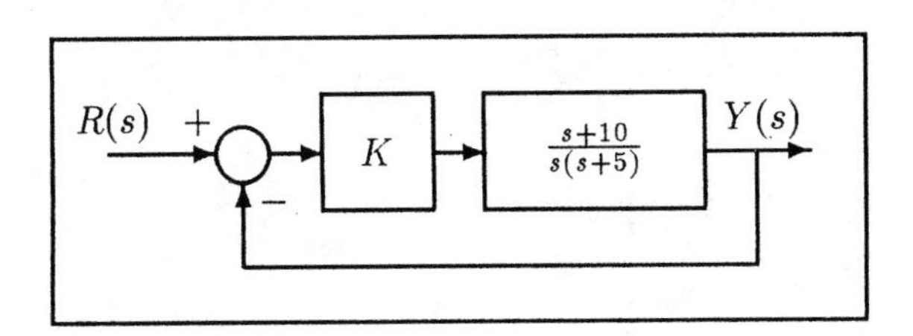

Figure 5.22 Commande d'un système du 2e ordre avec un zéro

En procédant de la même façon que précédemment, on obtient:

1. L'équation caractéristique est donnée par:

$$1 + K\frac{s+10}{s(s+5)} = 0$$

   Les équations d'amplitude et d'angle sont:

$$\begin{aligned} \frac{1}{K} &= \frac{|s+10|}{|s||s+5|} \\ \mathbf{arg}(s+10) - \mathbf{arg}(s) - \mathbf{arg}(s+5) &= \pm(2q+1)\pi, \quad q = 0, 1, 2, \ldots \end{aligned}$$

2. Le système admet deux pôles et un zéro. Ces pôles et ce zéro sont respectivement: $s_1 = 0$, $s_2 = -5$ et $z = -10$.

3. Le nombre de branches du lieu des racines est égal à 2.

4. Tous les points de l'axe réel qui sont éléments des segments suivants $[-5, 0]$ et $]-\infty, -10]$ appartiennent au lieu des racines.

5. Le système possède une seule direction asymptotique dont l'angle et l'intersection avec l'axe réel sont: $\theta_0 = \pi$ et $\delta = \frac{-0-5+10}{1} = 5$.

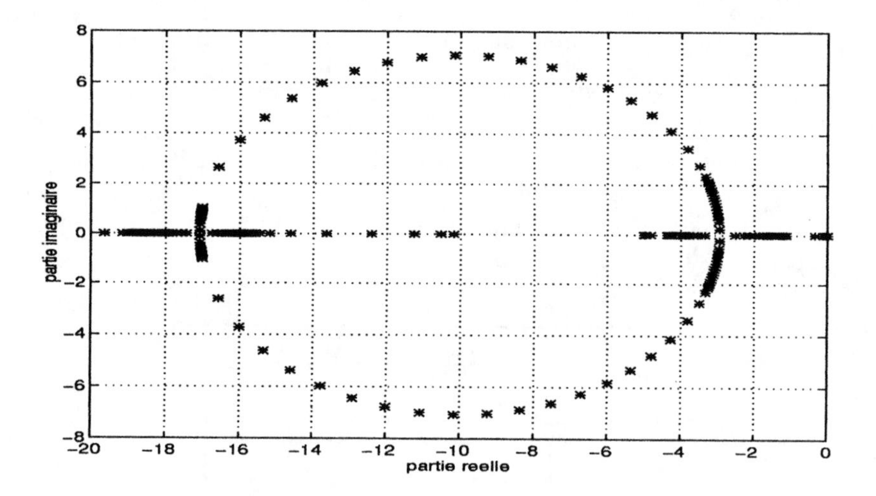

Figure 5.23 Lieu des racines de $\frac{s+10}{s(s+5)}$

6. Le point où le lieu quitte ou arrive sur l'axe réel est donné par:

$$\frac{dK}{ds} = 0$$

D'après l'équation caractéristique, on a:

$$K = -\frac{s^2 + 5s}{s + 10}$$

dont la dérivée par rapport à s donne:

$$(2s + 5)(s + 10) - (s^2 + 5s) = 0.$$

Les solutions de ce polynôme sont: $s_1 = -2.93$ et $s_2 = -17.07$. Les deux racines sont acceptables. Le lieu des racines quitte l'axe réel au point $s = -2.93$ pour le rejoindre plus tard au point $s = -17.07$. Le lieu des racines correspondant est donné à la figure 5.23.

L'allure de la figure 5.23 peut être obtenue en utilisant les instructions suivantes de MATLAB:

```
≫ clear all
≫ num = [1 10];
≫ den = conv([1 0],[1 5]);
≫ [r,K] = rlocus(num,den);
≫ plot(r,'*');
≫ axis([-20 0 -8 8]);
≫ xlabel('partie reelle');
≫ ylabel('partie imaginaire');
≫ grid;
```

À partir de l'étude des trois exemples précédents, nous concluons que:

- l'ajout d'un pôle à la fonction de transfert en boucle ouverte a tendance à repousser les branches loin du lieu des racines;
- l'ajout d'un zéro à la fonction de transfert en boucle ouverte a tendance à attirer les branches du lieu des racines.

Ces deux points peuvent être exploités lors de la procédure du design des systèmes asservis pour les systèmes dynamiques linéaires à coefficients constants.

L'ajout du zéro peut être vu comme étant l'ajout dans la boucle directe d'un correcteur PD. Ce correcteur a un effet stabilisateur.

Exemple 5.17 Étude d'un système de 3e ordre

Essayons maintenant de traiter un exemple où on peut calculer les angles de départ des pôles complexes. Pour cela, considérons le système asservi représenté à la figure 5.24.

En suivant la procédure précédente, on obtient:

1. L'équation caractéristique du système est donnée par:

$$1 + \frac{K}{s(s^2 + 6s + 13)} = 0$$

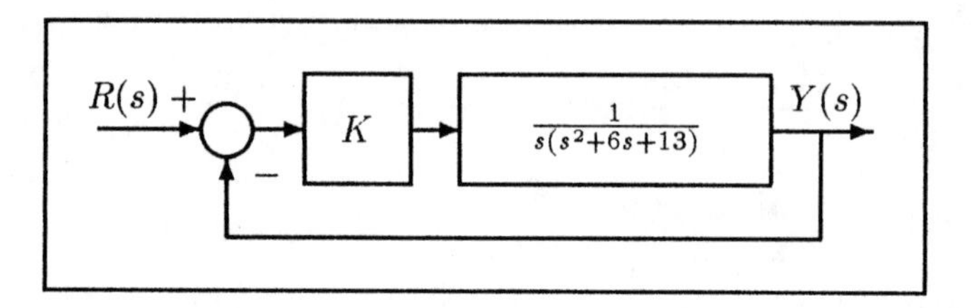

Figure 5.24 Système asservi d'un système du 3e ordre

Les équations d'amplitude et d'angle correspondantes sont:

$$
\begin{aligned}
\frac{1}{K} &= \frac{1}{|s||s^2+6s+13|} \\
-\mathbf{arg}(s) - \mathbf{arg}(s^2+6s+13) &= \pm(2q+1)\pi, \\
-\mathbf{arg}(s) - \mathbf{arg}(s+3-2j) - \mathbf{arg}(s+3+2j) &= \pm(2q+1)\pi, \\
& \quad q = 0, 1, 2, \ldots
\end{aligned}
$$

2. Le système en boucle ouverte admet trois pôles et aucun zéro. Ces pôles sont: $s_1 = 0$, $s_2 = -3.0 + j2.0$ et $s_3 = -3.0 - j2.0$.

3. Le nombre des branches du lieu des racines est égal à 3.

4. Tous les points situés entre -∞ et 0 appartiennent au lieu des racines.

5. Le lieu des racines possède trois directions asymptotiques, caractérisées par les angles et l'intersection avec l'axe réel suivants:

$$
\begin{aligned}
\theta_0 &= \frac{\pi}{3} \\
\theta_1 &= \pi \\
\theta_2 &= -\frac{\pi}{3} \\
\delta &= \frac{-0-3-3}{3} = -2
\end{aligned}
$$

6. L'intersection avec l'axe imaginaire peut être calculée en utilisant le critère de Routh-Hurwitz. L'équation caractéristique peut être réécrite sous la forme suivante:

$$s^3 + 6s^2 + 13s + K = 0$$

Le tableau de Routh-Hurwitz correspondant est:

s^3	1	13
s^2	6	K
s^1	$\frac{78-K}{6}$	0
s^0	K	

Ce qui donne comme possibilité d'intersection avec l'axe imaginaire: $K = 0$. Ceci correspond au pôle 0 en boucle ouverte et $K = 78$. C'est cette dernière valeur qui est acceptable. Les pôles correspondants sont donnés par la solution suivante:

$$6s^2 + K = 0$$

ces pôles sont

$$s_{1,2} = \pm 3.6j$$

7. On calcule l'angle de départ à partir du pôle complexe $s_2 = -3 + j2.0$. En notant par θ_1 cet angle, la condition d'angle pour ce système nous donne:

$$\begin{aligned} \pm(2q+1)\pi &= -\mathbf{arg}(s_2) - \theta_1 - \mathbf{arg}(s_2 + 3 + 2j) \\ \pm(2q+1)\pi &= -\mathbf{arg}(-3+2j) - \theta_1 - \mathbf{arg}(4j) \\ \theta_1 &= -180 - 146.3 - 90 = -56.3^o \end{aligned}$$

Comme les pôles sont conjugués, l'angle de départ à partir du pôle $s_3 = -3 - j2.01$ est égal à $\theta_2 = +56.3^o$. Ceci peut être vérifié par la condition d'angle, tel que:

$$\begin{aligned} \pm(2q+1)\pi &= -\mathbf{arg}(s_3) - \mathbf{arg}(s_3 + 3 - 2j) - \theta_2 \\ \pm(2q+1)\pi &= -\mathbf{arg}(-3-2j) - \mathbf{arg}(-4j) - \theta_2 \\ \theta_2 &= -180 + 146.3 + 90 = +56.3^o \end{aligned}$$

Enfin, l'allure du lieu des racines est donnée à la figure 5.25.

L'allure de la figure 5.25 peut être obtenue en utilisant les instructions suivantes de MATLAB:

```
≫ clear all
≫ num = [1];
≫ den = conv([1 0],[1 6 13]);
≫ [r,K] = rlocus(num,den);
≫ plot(r,'*');
≫ axis([-5 1 -6 6]);
≫ xlabel('partie reelle');
≫ ylabel('partie imaginaire');
≫ grid;
```

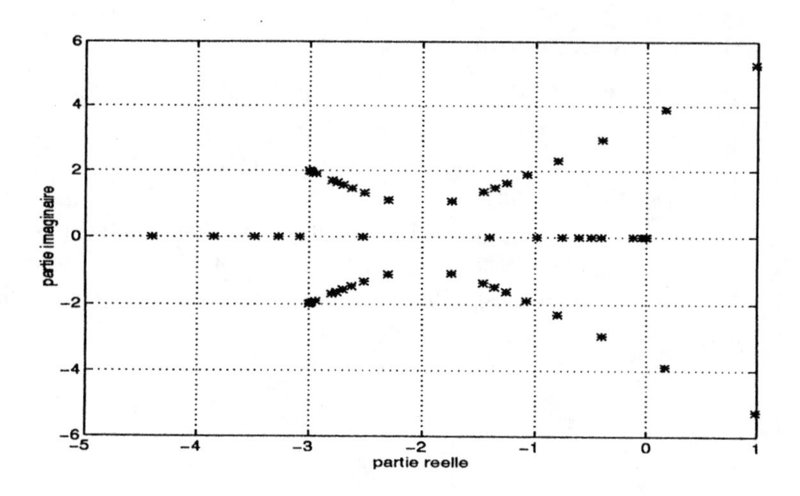

Figure 5.25 Lieu des racines de $\frac{1}{s(s^2+6s+13)}$

Exemple 5.18 Utilisation du lieu des racines

Pour montrer comment utiliser le lieu des racines pour fixer le paramètre variant K à une valeur qui procure au système une certaine paire de pôles dominants, considérons le système asservi tel que représenté à la figure 5.26.

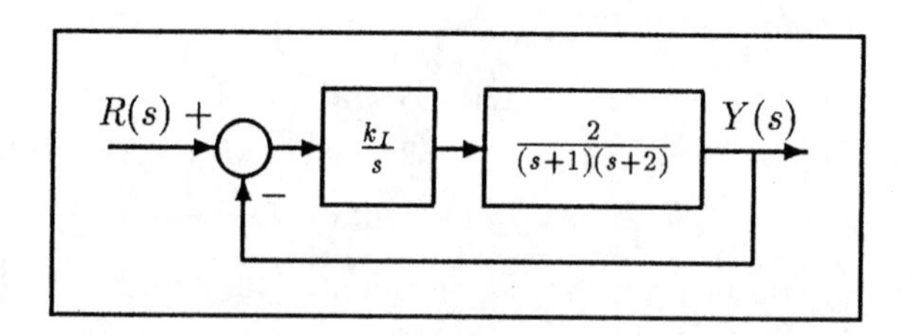

Figure 5.26 Asservissement de vitesse à l'aide d'un correcteur I

1 L'équation caractéristique d'un tel système est donnée par:

$$1 + \frac{2k_I}{s(s+1)(s+2)} = 0$$

En posant $K = 2k_I$, les conditions d'amplitude et d'angle sont respectivement données par les expressions suivantes:

$$\begin{aligned} \frac{1}{K} &= \frac{1}{|s||s+1||s+2|} \\ -\mathbf{arg}(s) - \mathbf{arg}(s+1) - \mathbf{arg}(s+2) &= (2q+1)\pi, \quad q = 0, \pm 1, \ldots \end{aligned}$$

2 Le système possède trois pôles et aucun zéro. Ces pôles sont: $s_1 = 0$, $s_2 = -1$ et $s_3 = -2$.

3. Le nombre des branches du lieu des racines est égal à 3.

4. Tous les points situés entre -∞ et -2, et -1 et 0 appartiennent au lieu des racines.

5. Le lieu des racines possède trois directions asymptotiques, caractérisées par les angles et l'intersection avec l'axe réel suivants: $\theta_0 = \frac{\pi}{3}$, $\theta_1 = \pi$; $\theta_2 = -\frac{\pi}{3}$ et $\delta = \frac{-0-1-2}{3} = -1$.

6. L'intersection avec l'axe imaginaire peut être calculée en utilisant le critère de Routh-Hurwitz. L'équation caractéristique peut être écrite sous la forme suivante:

$$s^3 + 3s^2 + 2s + K = 0$$

Le tableau de Routh-Hurwitz est:

s^3	1	2
s^2	3	K
s^1	$\frac{6-K}{3}$	0
s^0	K	

Ce qui donne comme possibilité d'intersection avec l'axe imaginaire: $K = 0$, ceci correspond au pôle 0 en boucle ouverte et $K = 6$. C'est cette dernière valeur qui est acceptable. Les pôles correspondants sont donnés par la solution suivante:

$$3s^2 + K = 0$$

ces pôles sont

$$s_{1,2} = \pm j\sqrt{2}$$

7. Pour calculer la valeur de K qui assure au système asservi un taux d'amortissement de 0.5, on se sert du tracé du lieu des racines. L'allure du lieu des racines est donnée à la figure 5.27.

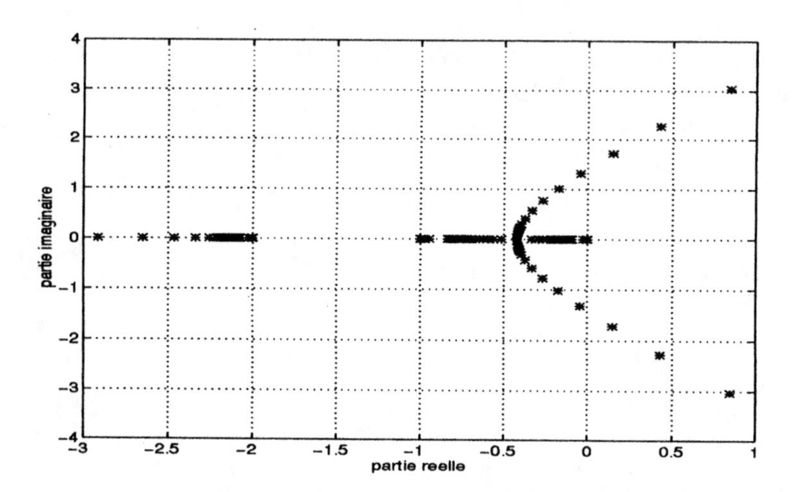

Figure 5.27 Lieu des racines de $\frac{1}{s(s^2+3s+2)}$

L'allure de la figure 5.27 peut être obtenue en utilisant les instructions suivantes de MATLAB:

```
≫ clear all
≫ num = [1];
≫ den = conv([1 0],[1 3 2]);
≫ [r,K]=rlocus(num,den);
≫ plot(r,'*');
≫ axis([-3 1 -4 4]);
≫ xlabel('partie reelle');
≫ ylabel('partie imaginaire');
≫ grid;
```

L'angle correspondant au taux d'amortissement $\zeta = 0.5$ est donné par:

$$\theta = cos^{-1}(0.5) = 60^o$$

En reportant cet angle sur le lieu des racines déjà tracé, on obtient la paire de pôles dominantes suivante:

$$s_{1,2} = -0.33 \pm j0.586$$

Le pôle non dominant est $s_3 = -2.34$.

La valeur du gain du correcteur est donnée par:

$$k_I = \frac{K}{2} = \frac{1}{2}\frac{|s_d||s_d+1||s_d+2|}{1} = 1.03$$

5.3.3 Lieu des racines avec plusieurs paramètres

Nous venons de voir comment tracer le lieu des racines dans le cas d'un seul paramètre. Mais en réalité, le système asservi dépend de plusieurs paramètres. Ainsi, par exemple, lorsqu'on commande un processus par un correcteur proportionnel et intégral, ce correcteur introduit deux paramètres qui sont k_p et k_I. Le système asservi résultant possède alors deux paramètres. L'étude du comportement des pôles du système en boucle fermée en fonction de la variation de ces paramètres ne peut pas se faire à partir de la technique du lieu des racines telle que vue précédemment.

Par contre, une approche modifiée peut être appliquée. Elle consiste à fixer un seul paramètre à la fois en maintenant les autres constants. Expliquons le principe de cette approche sur un système dont l'équation caractéristique est donnée par l'expression suivante:

$$Q(s) + K_1 P_1(s) + K_2 P_2(s) + K_3 P_3(s) = 0$$

où k_i, $i = 1, 2, 3$ sont les paramètres variables et $Q(s)$, $P_i(s)$, $i = 1, 2, 3$ sont des polynômes en s donnés.

La technique de la procédure consiste à fixer deux paramètres et faire varier celui qui reste pour obtenir le lieu des racines correspondant.

En fixant K_2 et K_3 à zéro, l'équation précédente devient:

$$Q(s) + K_1 P_1(s) = 0$$

que l'on peut réécrire sous la forme suivante:

$$1 + K_1 \frac{P_1(s)}{Q(s)} = 0$$

dont la construction du lieu des racines dépend essentiellement des pôles et des zéros de:

$$\frac{P_1(s)}{Q(s)}$$

La prochaine étape consiste à prendre $K_3 = 0$, K_1 constant et comme paramètre variant K_2. Compte tenu de ceci, on a:

$$Q(s) + K_1 P_1(s) + K_2 P_2(s) = 0$$

Cette équation peut être réécrite sous la forme suivante:

$$1 + K_2 \frac{P_2(s)}{Q(s) + K_1 P_1(s)} = 0$$

Le tracé du lieu des racines correspondant dépend des pôles et des zéros de:

$$\frac{P_2(s)}{Q(s) + K_1 P_1(s)}$$

qui dépendent à leur tour de K_1. Ainsi, le lieu des racines part des pôles du système en boucle fermée correspondant à des valeurs fixes de K_1, ce qui revient à dire que le lieu des racines correspondant à K_2 part du lieu des racines correspondant à K_1.

De la même manière que précédemment (i.e. pour paramètre K_2), le lieu des racines correspondant à K_3 peut être obtenu, à partir de l'équation suivante:

$$1 + K_3 \frac{P_3(s)}{Q(s) + K_1 P_1(s) + K_2 P_2(s)} = 0$$

Ce lieu des racines démarre à partir du lieu des racines correspondant à K_2 qui à son tour démarre à partir du lieu des racines correspondant à K_1.

Pour mettre en application cette procédure, considérons l'exemple suivant qui traite l'asservissement de vitesse d'un moteur à courant continu à l'aide d'un correcteur PI.

Exemple 5.19 Asservissement de vitesse

Le schéma-bloc de l'asservissement de vitesse est représenté à la figure 5.28. L'équation caractéristique de ce système est donnée par:

$$1 + \frac{(k_p s + k_I)K}{s(\tau s + 1)} = 0$$

En fixant K et τ aux valeurs suivantes: $K = 3$; et $\tau = 0.2$, l'équation caractéristique prend la forme suivante:

$$0.2s^2 + s(1 + 3k_p) + 3k_I = 0$$

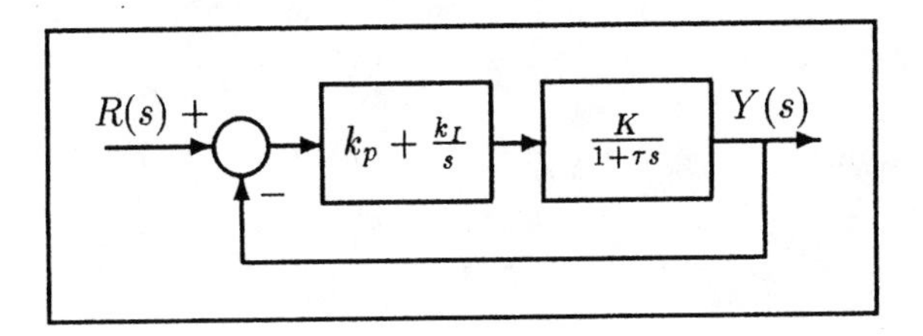

Figure 5.28 Asservissement de vitesse à l'aide d'un PI

En fixant $k_I = 0$, on a comme équation:

$$1 + k_p \frac{3}{0.2s + 1} = 0$$

dont le lieu des racines correspondant peut être obtenu de la même manière que précédemment sans aucune difficulté.

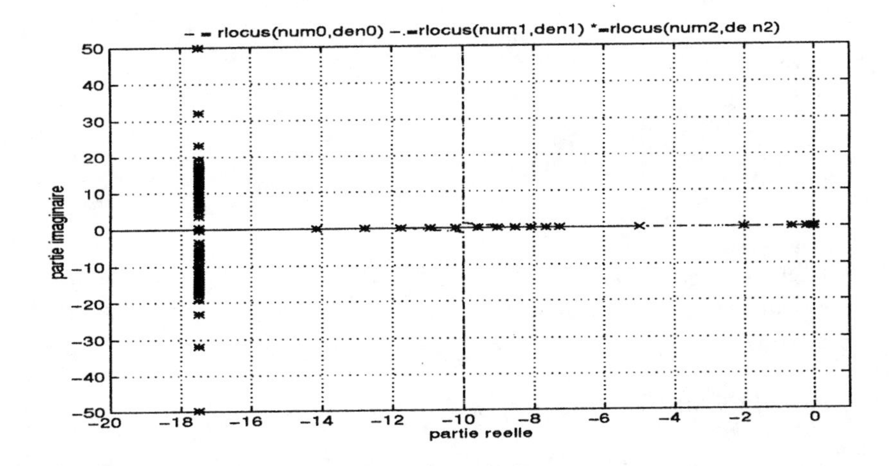

Figure 5.29 Lieu des racines de $\frac{3}{0.2s+1}$ et $\frac{15}{s(s+5+15k_p)}$

En considérant cette fois-ci le cas où $k_I \neq 0$ et comme paramètre variable, on a comme équation de base pour le tracé du lieu des racines l'équation suivante:

$$1 + k_I \frac{3}{s(0.2s + 1 + 3k_p)} = 0$$

Compte tenu des deux équations de base précédentes, le lieu des racines pour différentes valeurs de k_p est représenté à la figure 5.29.

L'allure de la figure 5.29 peut être obtenue en utilisant les instructions suivantes de MATLAB:

```
≫ clear all
≫ num0 = [3];
≫ den0 = [0.2 1];
≫ [r0,K0] = rlocus(num0,den0);
≫ num1 = [15];
≫ k = 1;
≫ den1 = conv([1 0],[1 5+15*k]);
≫ [r1,K1] = rlocus(num1,den1 );
≫ num2 = [15];
≫ k = 2;
≫ den2 = conv([1 0],[1 5+15*k]);
≫ [r2,K2] = rlocus(num2,den2);
≫ plot(r2,'*');
≫ axis([-20 20 -60 60]);
≫ grid;
≫ hold on
≫ plot(r1,'-.');
≫ grid;
≫ hold on
≫ rlocus(num0,den0);
≫ axis([-20 1 -50 50]);
≫ xlabel('partie reelle');
≫ ylabel('partie imaginaire');
≫ grid;
```

Exemple 5.20 Asservissement de position

Le schéma-bloc de l'asservissement de position d'un moteur à courant continu commandé par l'induit est représenté à la figure 5.30.

L'équation caractéristique de ce système est donnée par l'expression suivante:

$$1 + \frac{K(k_p s + k_I)}{s^2(\tau s + 1)} = 0$$

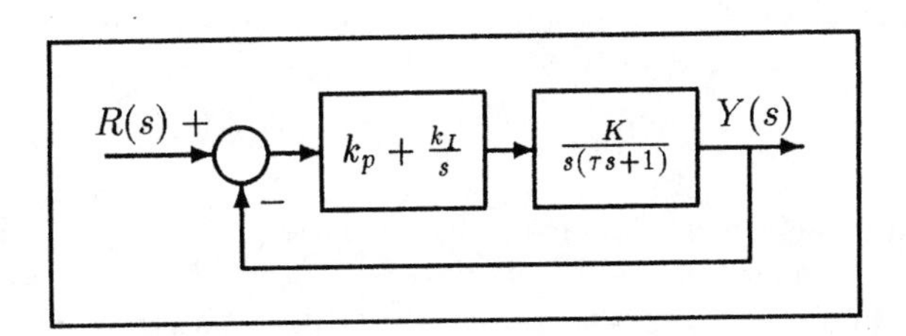

Figure 5.30 Asservissement de position

En prenant le même moteur à courant continu, c'est-à-dire les mêmes données que précédemment, cette équation caractéristique peut se mettre sous la forme suivante:

$$s^3 + 5s^2 + 15k_p s + 15k_I = 0$$

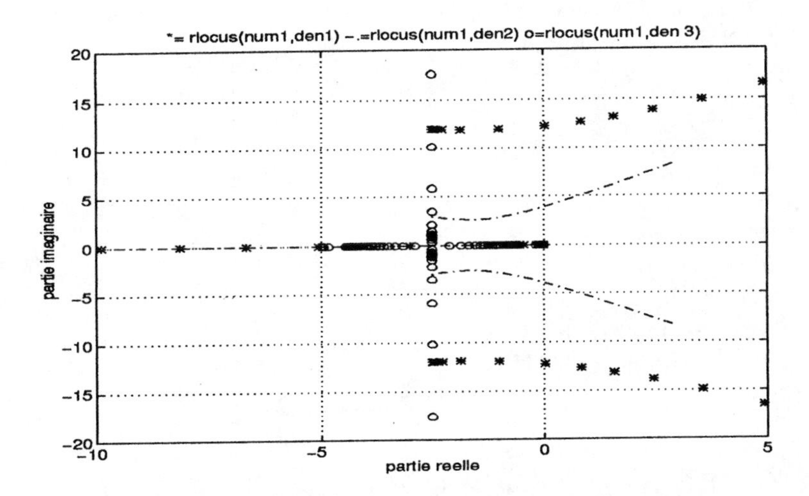

Figure 5.31 Lieu des racines de $\frac{15}{s(s+5)}$ (a) et de $\frac{15}{s(s^2+5s+15k_p)}$ (b).

En fixant $k_I = 0$, on a comme équation:

$$1 + k_p \frac{15}{s(s+5)} = 0$$

dont le lieu des racines est représenté à la figure 5.31a.

En fixant k_p et en faisant varier k_I, on a comme équation caractéristique:

$$1 + k_I \frac{15}{s(s^2 + 5s + 15k_p)} = 0$$

dont le lieu des racines est donné à la figure 5.31b.

L'allure de la figure 5.31 peut être obtenue en utilisant les instructions suivantes de MATLAB:

```
≫ clear all
≫ num0 = [15];
≫ den0 = conv([1 0],[1 5]);
≫ [r0,K0] = rlocus(num0,den0);
≫ k = 1;
≫ den1 = conv([1 0],[1 5 15*k]);
≫ [r1,K1] = rlocus(num0,den1);
≫ k = 10;
≫ den2 = conv([1 0],[1 5 15*k]);
≫ [r2,K2] = rlocus(num0,den2);
≫ plot(r2,'*');
≫ axis([-10 5 -20 20]);
≫ grid;
≫ hold on
≫ plot(r1,'-.');
≫ grid;
≫ hold on
≫ plot(r0,'O');
≫ xlabel('partie reelle');
≫ ylabel('partie imaginaire');
≫ grid;
```

5.3.4 Lieu des racines des systèmes avec retard pur

En pratique, il existe des systèmes dont la réponse à une excitation présente un certain retard par rapport à l'instant de l'application de l'entrée. Ces types de systèmes sont souvent rencontrés en pratique, par exemple lors de la commande des processus thermiques.

La fonction de transfert d'un processus avec retard pur est de la forme suivante:

$$G(s) = e^{-\tau s}\frac{N(s)}{D(s)}$$

où τ est le retard pur.

Le problème auquel nous nous intéressons est l'analyse de ce genre de systèmes par la technique du lieu des racines. Il faut noter que les règles que nous avons présentées précédemment ne sont pas applicables directement.

Traçons le lieu des racines du système en boucle fermée représenté à la figure 5.32.

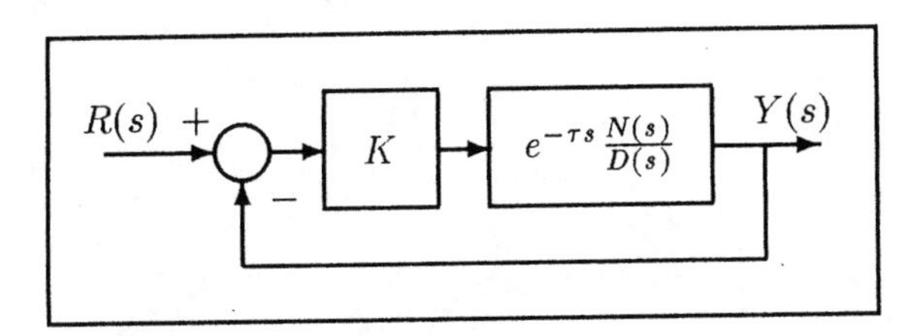

Figure 5.32 Commande de système à retard

L'équation caractéristique associée à ce système asservi est donnée par la relation suivante:

$$1 + Ke^{-\tau s}\frac{N(s)}{D(s)} = 0$$

En notant que $s = \sigma + j\omega$, cette équation nous donne les relations suivantes:

$$\begin{aligned} e^{-\tau\sigma}\frac{|N(s)|}{|D(s)|} &= \frac{1}{K} \\ \mathbf{arg}\left(\frac{N(s)}{D(s)}\right) &= \pm(2q+1)\pi + \omega\tau \end{aligned}$$

Notons que les équations de module et d'argument diffèrent de celles des systèmes sans retard pur.

Dans cet ouvrage, nous ne traitons pas ce genre de lieu des racines, le lecteur intéressé par ce lieu peut consulter les références appropriées. On se restreint à l'approche qui consiste à estimer $e^{-\tau s}$ pour se ramener ainsi à la technique classique. Ainsi, une approximation possible de $e^{-\tau s}$ est:

$$e^{-\tau s} = \frac{1}{(1+\frac{\tau s}{p})^p} \qquad p \in N$$

Plus p est grand, meilleure est l'approximation.

Une autre façon de procéder consiste à utiliser l'approximation de Padé. Cette approximation est donnée par:

$$e^{-\tau s} = \frac{P(\tau s)}{D(\tau s)} = \frac{b_0 + b_1(\tau s) + b_2(\tau s)^2 + b_3(\tau s)^3 + \dots}{a_0 + a_1(\tau s) + a_2(\tau s)^2 + a_3(\tau s)^3 + \dots}$$

En général, on se restreint aux cas suivants:

$$e^{-\tau s} = \begin{cases} \frac{1-\frac{\tau}{2}s}{1+\frac{\tau}{2}s} & 1^{er} \text{ ordre;} \\ \frac{12-6\tau s+(\tau s)^2}{12+6\tau s+(\tau s)^2} & 2^{e} \text{ ordre;} \\ \frac{120-60\tau s+12(\tau s)^2+(\tau s)^3}{120+60\tau s+12(\tau s)^2+(\tau s)^3} & 3^{e} \text{ ordre;} \end{cases}$$

Exemple 5.21 Étude d'un système du 1er ordre avec retard pur

On veut tracer le lieu des racines du système représenté à la figure 5.32, où

$$e^{-\tau s}\frac{N(s)}{D(s)} = e^{-s}\frac{3}{0.2s+1}$$

L'équation correspondante est donnée par:

$$1 + K\frac{3e^{-1\tau s}}{0.2s+1} = 0, \qquad \tau = 1$$

- 1er cas: $e^{-s} = \frac{1}{1+s}$ c'est-à-dire p=1. L'équation caractéristique précédente devient:

$$1 + K\frac{3}{(s+1)(0.2s+1)} = 0$$

Le lieu des racines d'un tel système est représentéà la figure 5.33a.

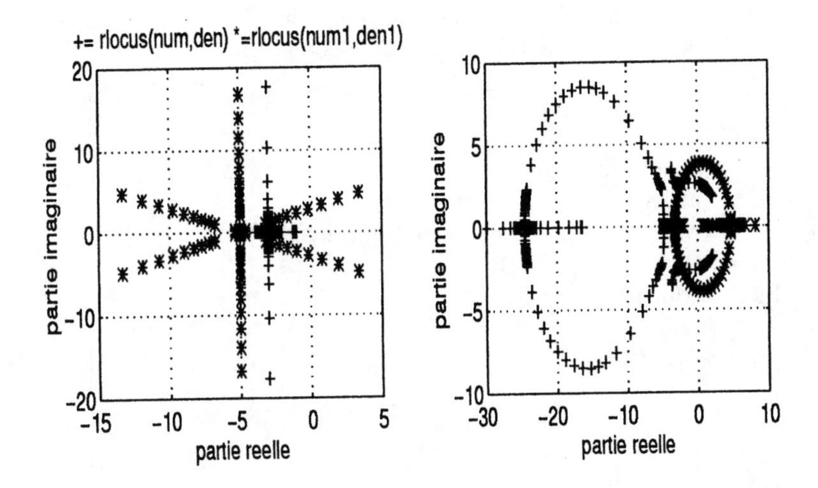

Figure 5.33 Lieu des racines de $\frac{3}{(s+1)(0.2s+1)}$ et celui de $\frac{9375}{(s+5)^5(0.2s+1)}$ basé sur la première approximation, et lieu des racines de $K\frac{3(1-0.5s)}{(0.2s+1)(1+0.5s)}$ et celui de $K\frac{3(120-60s+12s^2+s^3)}{0.2s+1)(120+60s+12s^2+s^3)}$ basé sur l'approximation de Padé.

- 2e cas: $e^{-s} = \frac{1}{(1+\frac{s}{5})^5} = \frac{3125}{(s+5)^5}$. L'équation caractéristique devient dans ce cas:

$$1 + K\frac{9375}{(s+5)^5(0.2s+1)} = 0$$

dont le lieu des racines est représenté à la figure 5.33a.

On peut aussi utiliser l'approximation de Padé du retard et tracer le lieu des racines correspondant.

1. En utilisant l'approximation de Padé du premier ordre, on obtient:

$$1 + K\frac{3(1-0.5s)}{(0.2s+1)(1+0.5s)} = 0$$

dont le lieu des racines correspondant est illustré à la figure 5.33b.

2. En utilisant l'approximation de Padé du second ordre, on obtient:

$$1 + K\frac{3(12-6s+s^2)}{(0.2s+1)(12+6s+s^2)} = 0 \tag{5.24}$$

dont le lieu des racines correspondant est illustré à la figure 5.33b.

L'allure des lieux des racines du système représenté à la figure 5.33 peut être obtenue en utilisant les instructions suivantes de MATLAB:

```
≫ clear all
≫ num = [3];
≫ den = conv([1 1],[0.2 1]);
≫ [r,K] = rlocus(num,den);
≫ den1 = conv([1 5],conv([1 5],conv([1 5],conv([1 5],[1 5]))));
≫ den1 = conv(den1, [0.2 1]);
≫ [r1,k1] = rlocus(num,den1);
≫ subplot(221)
≫ plot(r1,'*');
≫ hold on;
≫ plot(r,'+');
≫ num2 = [-1.5 1];
≫ den2 = conv([0.2 1],[0.5 1]);
≫ [r2,k2] = rlocus(num2,den2);
≫ num3 = [1 12 -60 120];
≫ den3 = conv([0.2 1],[1 12 60 120]);
≫ [r3,k3] = rlocus(num3,den3);
≫ subplot(222)
≫ plot(r2,'*');
≫ hold on;
≫ plot(r3,'+');
≫ grid;
```

D'après les courbes de la figure 5.33, on constate que plus le degré de l'approximation est élevé, meilleure est l'approximation et plus la complexité est grande.

La section 5.3 a été consacrée à la technique des lieux des racines. Nous avons principalement présenté les fondements de cette technique. Nous l'avons aussi utilisée pour déterminer les performances du système. Cette technique s'applique également lors du design des systèmes asservis (cf. chapitre 7).

5.4 ÉTUDE DE LA SENSIBILITÉ

Dans les applications industrielles, pour différentes raisons, telles que le vieillissement des composantes du procédé lui-même ou du capteur ou de l'actionneur, les paramètres du système asservi varient. Ce qui se traduit en pratique par une détérioration des performances du système asservi. Pour éviter de tels problèmes, nous devons concevoir des systèmes asservis **robustes**, c'est-à-dire insensibles aux variations des paramètres et aux perturbations.

La sensibilité d'une fonction $Y(s)$ par rapport à une fonction ou un paramètre $G(s)$ donné, notée par $S_{G(s)}^{Y(s)}$, est traduite mathématiquement par l'expression suivante:

$$
\begin{aligned}
S_{G(s)}^{Y(s)} &= \frac{\text{variation de } Y(s) \text{ en pourcentage}}{\text{variation de } G(s) \text{ en pourcentage}} = \frac{dY(s)/Y(s)}{dG(s)/G(s)} \\
&= \frac{dY(s)}{dG(s)} \frac{G(s)}{Y(s)}
\end{aligned}
$$

On parle généralement de la sensibilité statique et de la sensibilité dynamique. La sensibilité dynamique est reliée à l'étude fréquentielle et elle est obtenue en remplaçant s par $j\omega$ puis procéder à une étude de l'expression obtenue de la sensibilité en fonction de la fréquence. Nous reviendrons sur ce point lors de l'étude fréquentielle des systèmes linéaires.

En ce qui concerne la sensibilité statique, on l'obtient en prenant la limite de l'expression de la sensibilité lorsque s tend vers 0. L'exemple suivant montre comment calculer une telle sensibilité.

Exemple 5.22 Étude de la sensibilité statique d'un système asservi de position d'un moteur à courant continu

Pour illustrer le concept de la sensibilité ainsi que son importance, considérons l'asservissement de position d'un moteur à courant continu. Un tel système est représenté à la figure 5.34. Le correcteur utilisé est du type proportionnel. Le capteur employé pour mesurer la position est modélisé par une constante de valeur K_c.

La charge du moteur est traduite par la perturbation $P(s)$. La sortie $Y(s)$ est donnée par l'expression suivante:

$$
\begin{aligned}
Y(s) &= \frac{Kk_p}{\tau s^2 + s + Kk_pK_c} R(s) + \frac{Kk_D}{\tau s^2 + s + Kk_pK_c} P(s) \\
&= F_1(s)R(s) + F_2(s)P(s)
\end{aligned}
$$

La sensibilité de $F_1(s)$ et de $F_2(s)$ vis-à-vis des différents paramètres est regroupée respectivement aux tableaux 5.4 et 5.5.

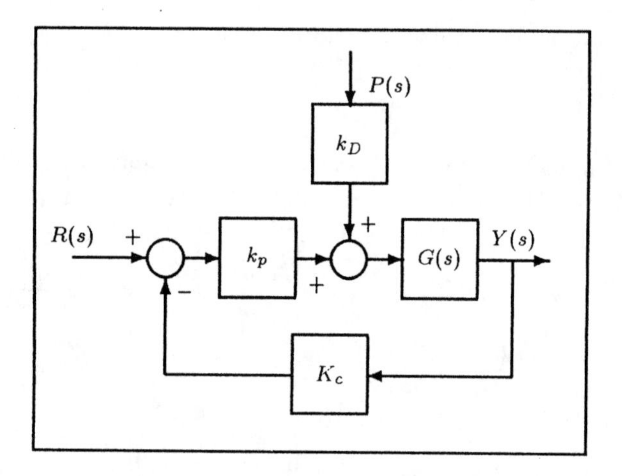

Figure 5.34 Asservissement de position d'un moteur à courant continu

Comme interprétation de chacune de ces sensibilités, on peut dire que lorsque la valeur statique est nulle, le système est insensible à la variation du paramètre en question. Dans le cas contraire, le système est sensible. Et plus la valeur est grande, plus le système est sensible. En général, on cherche à réduire la sensibilité du système.

D'un autre côté, lorsqu'un ou plusieurs paramètres du système varient, les pôles et les zéros varient en conséquence. Étant donné que les pôles déterminent les performances du système, il est intéressant d'introduire la sensibilité du système lorsqu'un pôle varie suite à un changement de paramètre quelconque. Celle-ci est définie par:

$$S_K^s = \frac{ds/s}{dK/K} = \frac{ds}{dK}\frac{K}{s}$$

L'approximation de la variation du pôle est:

$$\Delta s = sS_K^s \frac{\Delta K}{K}$$

Paramètre	$S_{par}^{F_1(s)}$	Sensibilité statique
K	$\frac{\tau s^2+s}{\tau s^2+s+Kk_pK_c}$	0
τ	$-\frac{\tau s^2}{\tau s^2+s+Kk_pK_c}$	0
k_p	$\frac{\tau s^2+s}{\tau s^2+s+Kk_pK_c}$	0
K_c	$-\frac{K_c(\tau s^2+s+Kk_pK_c)}{k_p}$	$-KK_c^2$

Tableau 5.4 Étude de la sensibilité de $F_1(s)$ vis-à-vis des paramètres K, k_p, τ, et K_c

Paramètre	$S_{par}^{F_2(s)}$	Sensibilité statique
K	$\frac{\tau s^2+s}{k_D(\tau s^2+Kk_pK_c)}$	0
τ	$-\frac{\tau s^2}{\tau s^2+s+Kk_pK_c}$	0
k_D	1	1
K_c	$-\frac{Kk_pK_c}{\tau s^2+s+Kk_pK_c}$	-1
k_p	$-\frac{Kk_pK_c}{\tau s^2+s+Kk_pK_c}$	-1

Tableau 5.5 Étude de la sensibilité de $F_2(s)$ vis-à-vis des paramètres K, k_p, τ, k_D, et K_c

Exemple 5.23 Étude de la sensibilité des pôles

Pour montrer comment évaluer la sensibilité d'un système donné lorsqu'un pôle varie suite à une variation d'un gain K, considérons le système traduit par l'équation caractéristique suivante:

$$s^2 + 5s + 2K = 0$$

La définition de la sensibilité nécessite le calcul de la dérivée de s par rapport à K. En effet, en dérivant l'équation caractéristique par rapport à K, on obtient:

$$2s\frac{ds}{dK} + 5\frac{ds}{dK} + 2 = 0$$

que l'on écrit sous la forme suivante:

$$\frac{ds}{dK} = -\frac{2}{2s+5}$$

dont la sensibilité est donnée par:

$$S_K^s = -\frac{2K}{s(2s+5)}$$

Pour $K = 3$, les pôles du système sont $s = -2$ et $s = -3$.

Pour $s = -2$, la sensibilité est donnée par:

$$S_K^{s=-2} = -\frac{2 \times 3}{-2(2(-2)+5)} = -3$$

Si par exemple le gain K varie de 10%, c'est-à-dire:

$$\frac{\Delta K}{K} = 0.1$$

la variation du pôle correspondante est donnée par:

$$\Delta s = (-2)(3)(0.1) = -0.6$$

La situation correspondante est illustrée à la figure 5.35.

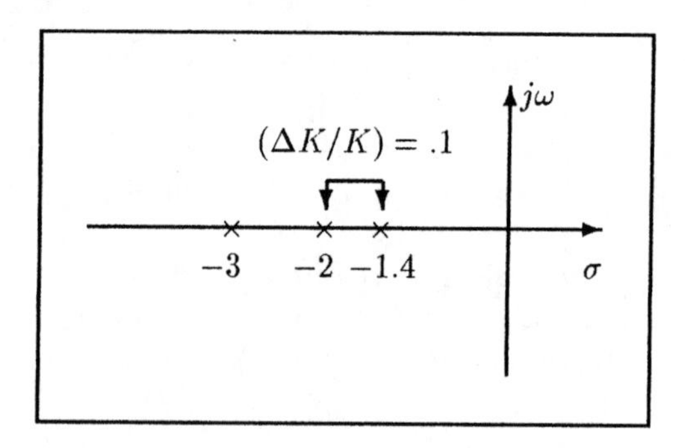

Figure 5.35 Sensibilité des pôles

5.5 RÉSUMÉ

Dans ce chapitre, pour des systèmes linéaires à coefficients constants, nous avons vu comment caractériser la stabilité et la sensibilité des pôles en boucle fermée lorsqu'un paramètre varie. Le critère de stabilité que nous avons étudié est celui de Routh-Hurwitz. C'est un critère algébrique simple et facile à utiliser.

La technique du lieu des racines permet d'étudier le comportement des pôles du système en boucle fermée quand un ou plusieurs paramètres de l'équation caractéristique varient. Cette technique peut être utilisée comme un outil de conception de système asservi.

5.6 QUESTIONS

5.1 Pouvez-vous donner la définition de la stabilité d'un système?

5.2 Pouvez-vous rappeler en quoi consiste le critère de Routh-Hurwitz?

5.3 Pouvez-vous rappeler les limites de l'applicabilité du critère de Routh-Hurwitz et donner la façon de contourner ces limites?

5.4 Pouvez-vous dire comment on traite la stabilité des systèmes avec retard par la méthode de Routh-Hurwitz?

5.5 Pouvez-vous rappeler comment on traite la stabilité relative à l'aide du critère de Routh-Hurwitz?

5.6 Pouvez-vous rappeler les grands points de la technique des lieux des racines?

5.7 Pouvez-vous rappeler les règles qui assurent l'obtention d'une approximation du lieu des racines d'un système donné?

5.8 Pouvez-vous dire comment l'ajout d'un pôle ou d'un zéro se répercute sur le lieu des racines?

5.9 Pouvez-vous rappeler la définition de la sensibilité et donner son interprétation?

5.10 Pouvez-vous dire comment on traite les systèmes avec retard pur par la technique du lieu des racines?

5.7 EXERCICES

5.1 Considérons le schéma-bloc de la figure 5.36 dont les expressions des différentes fonctions de transfert sont fixes.

Étudier la stabilité de ce système dans les cas suivants:

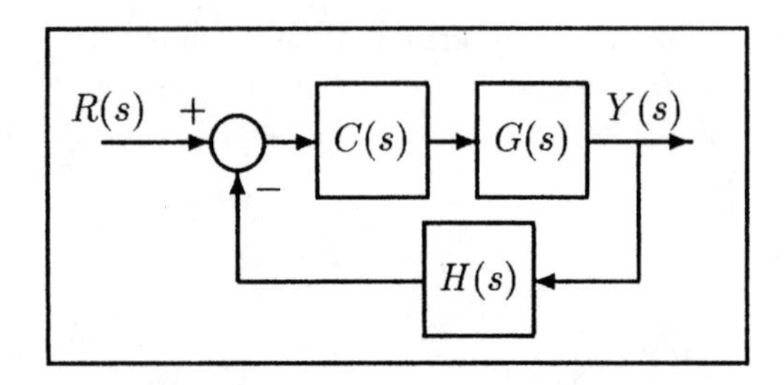

Figure 5.36 Système asservi sous forme générale

1 $C(s) = 1$, $G(s) = \frac{3}{s(s^2+2s+3)}$, $H(s) = 1$;

2 $C(s) = K$, $G(s) = \frac{3}{s(s^2+2s+3)}$, $H(s) = 1$;

3 $C(s) = K$, $G(s) = \frac{3}{s(s^2+2s+3)}$, $H(s) = k_D$;

4 $C(s) = k_p + \frac{k_I}{s}$, $G(s) = \frac{3}{s(s^2+2s+3)}$, $H(s) = 1$;

5 $C(s) = k_p + \frac{k_I}{s}$, $G(s) = \frac{3}{s(s^2+2s+3)}$, $H(s) = k_D s$.

5.2 Soit le système asservi dont le schéma-bloc est représenté à la figure 5.36 où la fonction de transfert de la chaîne de retour est unitaire. La fonction de transfert $G(s)$ du système à commander est fixe et son expression est:

$$G(s) = \frac{s+2}{s^2+2s+2}$$

Étudier la stabilité du système dans les cas suivants:

1 $C(s) = 1$

2 $C(s) = k_p$

3 $C(s) = k_p + \frac{k_I}{s}$

4 $C(s) = k_p + \frac{k_I}{s} + k_D s$

5.3 On considère le système représenté à la figure 5.37 dont le but consiste à maintenir le niveau d'eau $h(t)$ dans le réservoir à une hauteur fixée. Les paramètres du système sont donnés ci-dessous:

– moteur à courant continu:

résistance de l'induit	$R = 10\Omega$
bobine de l'induit	L: négligeable
constante de couple	$K_t = 0.8\ N.m/A$
constante de fcem	$K_\omega = 0.08\ V/rad/s$
inertie du rotor	$J_m = 3.5\ 10^{-5}\ Kg.m^2$
inertie de la charge	$J_c = 0.05\ Kg.m^2$
rapport de réduction	$n = \frac{n_1}{n_2}$, $n = \frac{1}{100}$

– réservoir:
  * le débit d'entrée $q_I(t)$ est donné par $q_I(t) = k_I\theta_c(t)$;
  * le débit de sortie est: $q_o(t) = K_o h(t)$, avec $K_o = 1.4\ m^2/s$, $k_I = 0.3\ m^3/[s.rad]$;

– amplificateur de gain $k_a = 10$;

– comparateur qui délivre l'erreur suivante: $e(t) = K_s(r(t) - h(t))$ avec $K_s = 3$ V/m.

1 Écrire les équations traduisant le modèle du système et déduire le diagramme fonctionnel associé.

2 En posant $C(s) = 1$ (correcteur placé entre le comparateur et l'amplificateur de puissance de gain k_a), trouver la fonction de transfert en boucle ouverte $G(s) = \frac{H(s)}{E(s)}$ et la fonction de transfert en boucle fermée. Trouver l'équation caractéristique du système et étudier la stabilité.

3 En prenant le correcteur considéré à la question 2 comme étant une action proportionnelle de gain k_p, représenter le lieu des racines d'un tel système.

5.4 Soit un système asservi représenté par le schéma-bloc de la figure 5.38 dans lequel $C(s)$ est le correcteur:

1) Pour $C(s) = k_p$, (correcteur proportionnel), démontrer, à l'aide d'un croquis du lieu des racines, qu'il n'existe aucune valeur positive de k_p capable de rendre ce système absolument stable.

2) Pour $C(s) = k_D(s+2)$, (correcteur dérivatif), tracer un croquis du lieu des racines; trouver la valeur minimale de k_D qu'il faut pour rendre ce système stable et placer cette valeur sur le lieu des racines en déterminant les coordonnées du point correspondant.

3) Pour $C(s) = k_D(s+1)$, (correcteur dérivatif), tracer un croquis du lieu des racines, et pour $k_D = 3.5$, trouver la position des pôles complexes sachant que le pôle réel est à -1.5.

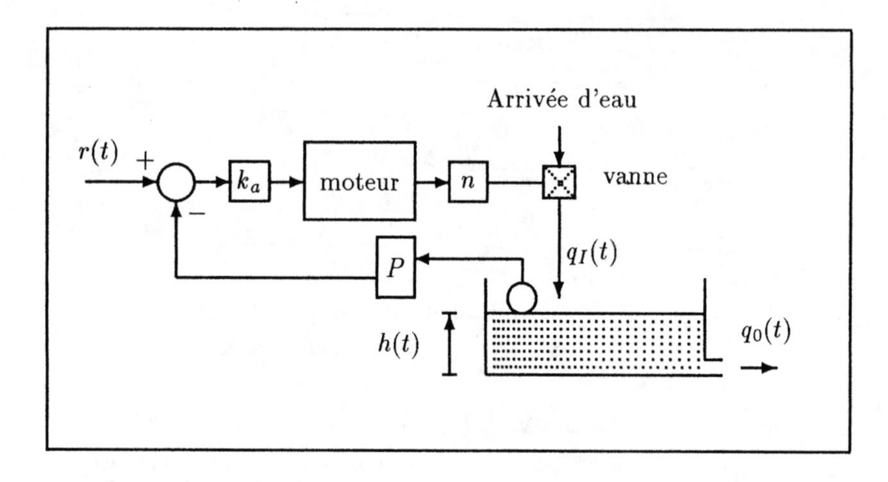

Figure 5.37 Commande du niveau d'eau $h(t)$

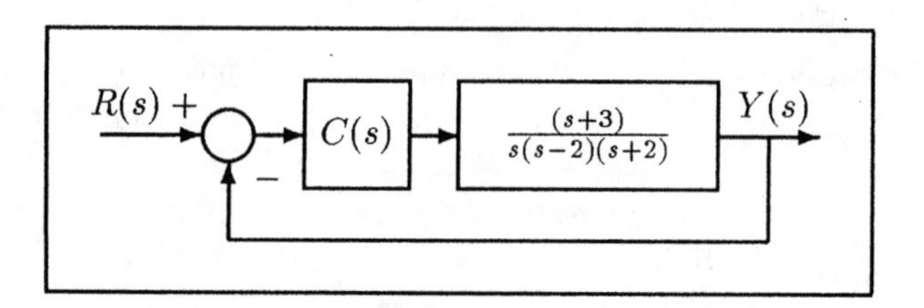

Figure 5.38 Stabilisation d'un système de troisième ordre instable.

5.5 Soit le système asservi à retour unitaire représenté à la figure 5.39 avec:

$$C(s) = K$$
$$G(s) = \frac{1}{(0.1s+1)(0.02s+1)(0.006s+1)}$$

On désire que le système soit stable et maintienne une erreur en régime permanent égale à 0.03 suite à une grandeur d'entrée en forme d'échelon unitaire.

1- En appliquant le critère de Routh Hurwitz, trouver la valeur maximale que peut prendre le gain K.

2- Évaluer l'erreur statique associée à ce gain maximal.

3- Dire si on peut obtenir les spécifications désirées en ajustant le gain K. Si non, proposer le correcteur adéquat.

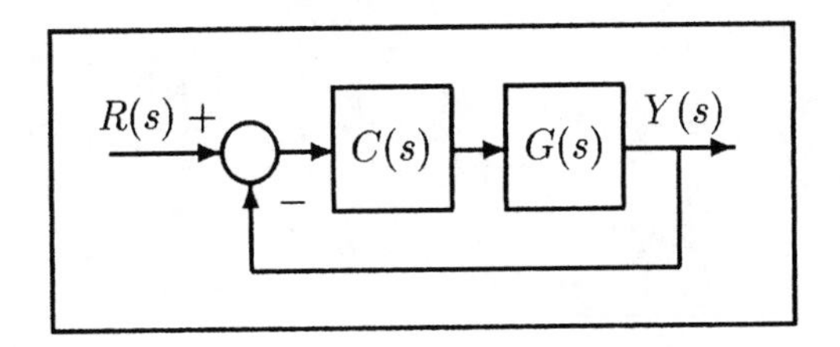

Figure 5.39 Système asservi à retour unitaire.

5.6 En se référant à l'énoncé du problème 4.11,

1 Trouver la valeur limite acceptable que peut prendre $\theta_c(t)$ en régime permanent en faisant varier K lorsque $T_d(t)$ est un échelon unitaire, $r(t) = 0$ et $K_t = 0.01$. Donner la valeur de K correspondant à cette valeur limite. Expliquer si, du point de vue du régime transitoire, la valeur de K est satisfaisante.

2 En supposant que l'on désire faire fonctionner le système avec la valeur de K calculée ci-dessus, trouver K_t tel que les racines de l'équation caractéristique admettent une partie réelle égale à -2.5. Calculer ces racines.

5.7 Soit le système à branches multiples représenté à la figure 5.40.

1 Trouver la fonction de transfert $G(s) = \frac{Y(s)}{R(s)}$ du système.

2 En appliquant le critère de Routh, étudier la stabilité du système.

3 Tracer le lieu des racines correspondant lorsque K varie.

5.8 Le schéma-bloc du système de réglage de la position d'un gouvernail de navire est donné par la figure 5.41.

1- Tracer le lieu des racines du système en fonction de K.

2- En déduire les valeurs de K pour lesquelles le système est stable.

5.9 La figure 5.42 représente le schéma-bloc d'un asservissement de vitesse d'une turbine à gaz.

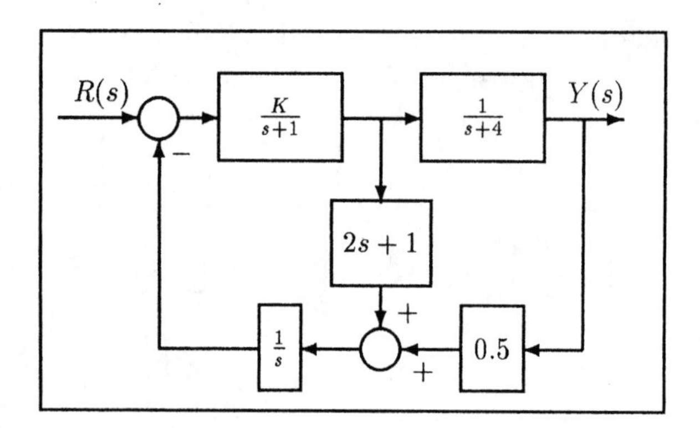

Figure 5.40 Système à branches multiples

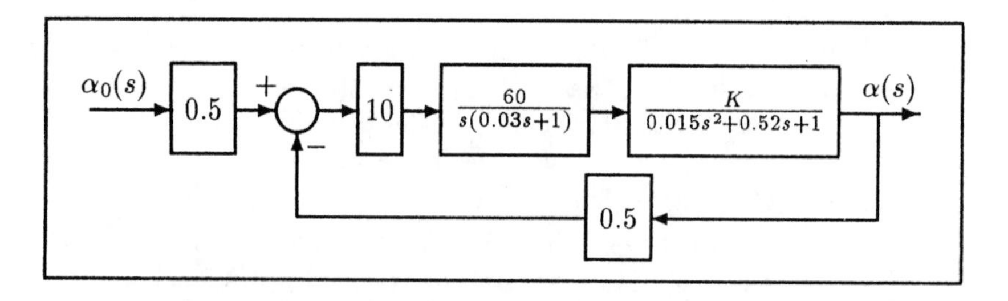

Figure 5.41 Réglage de la position d'un gouvernail de navire

1- Si $C_p = 0$, tracer le lieu des racines du système en fonction du rapport $\frac{b}{a}$.

2- Démontrer qu'une partie du lieu est un cercle.

3- En déduire la stabilité du système.

5.10 Le modèle élaboré d'un asservissement de vitesse d'une turbine à gaz avec une chaîne de rétroaction rigide (i.e. sans isodrome et ressort) est donné par la figure 5.43.

1- Étudier la stabilité par Routh-Hurwitz du système si $K_1 = 10$, $K_2 = 0.6$, $K_3 = 2$, $K_4 = 0.8$, $K_5 = 1$, $K_6 = 0.4$, $\tau_1 = 0.03$, $\tau_2 = 0.2$, $\tau_3 = 5$, $\tau_4 = 0.3$. (on prendra $\tau_1^2 = 0$).

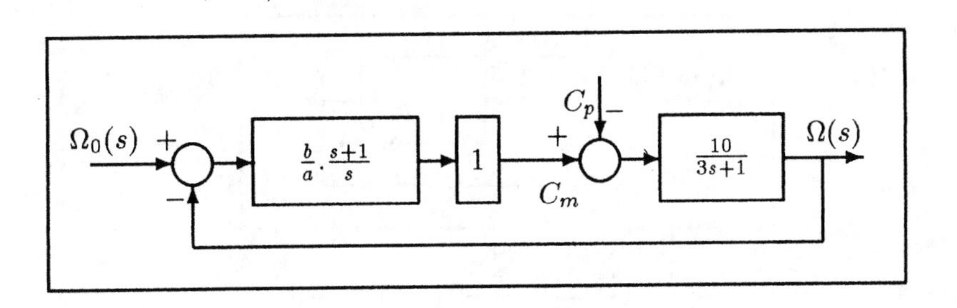

Figure 5.42 Asservissement d'une turbine à gaz

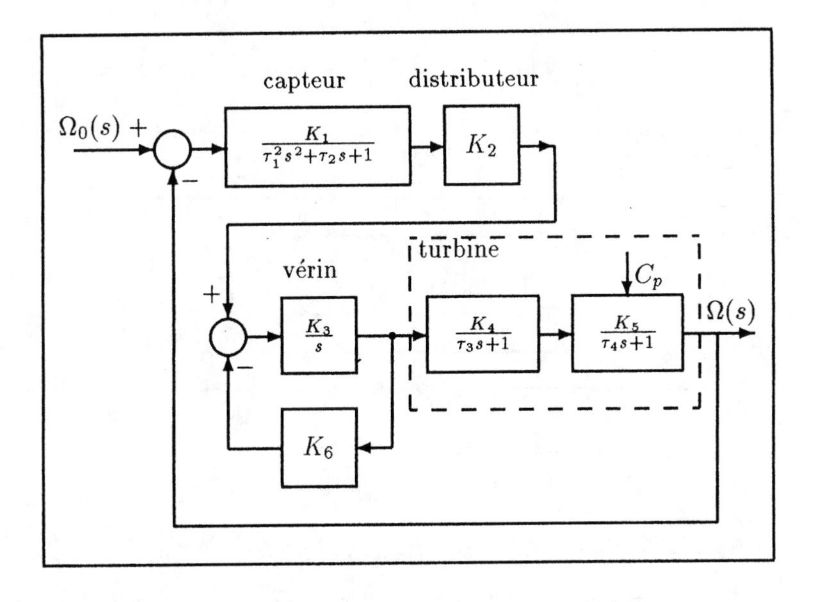

Figure 5.43 Turbine à gaz avec rétroaction rigide

2- Donner l'erreur en régime permanent suite à une entrée $\Omega_0(t)$ en échelon unitaire et $C_p(t) = 0$.

3- Tracer le lieu des racines en fonction du gain global du système.

5.11 Considérons le système à retard décrit par la figure 5.44.

1- Étudier la stabilité du système par le critère de Routh-Hurwitz.

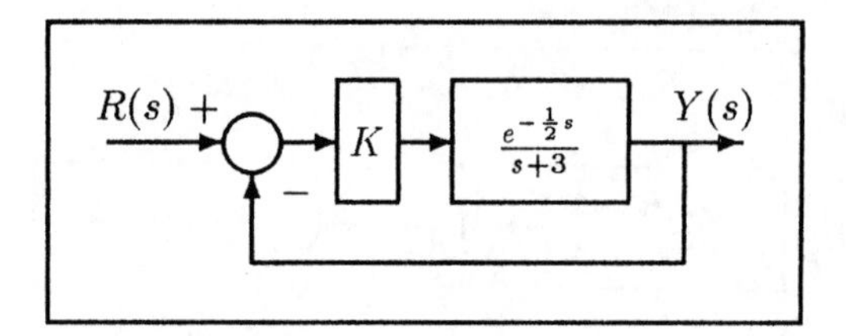

Figure 5.44 Système à retard

2- Tracer le lieu des racines du système et comparer avec le résultat trouvé ci-dessus en 1.

3- Trouver les pôles du système en boucle fermée pour $K = 20$.

5.12 Soit le système du troisième ordre représenté à la figure 5.45.

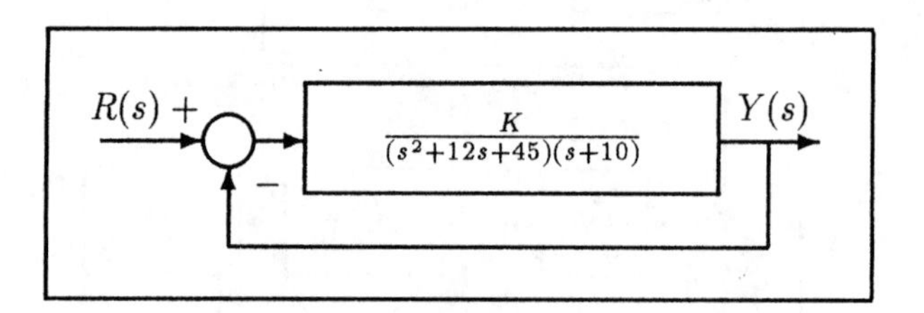

Figure 5.45 Système du 3e ordre

1- Tracer le lieu des racines du système.

2- Pour $K = 100$, trouver la réponse du système à un échelon unitaire.

3- En négligeant le pôle $s = -10$, calculer la valeur du gain K qui donne la même valeur de $y(t)$ en régime permanent que celle trouvée en 2.

5.13 Soit le système à boucle interne positive représenté à la figure 5.46.

1- Tracer le lieu des racines de la partie du système dont la branche de rétroaction est positive $(Y(s)/U(s))$.

2- Tracer le lieu des racines de tout le système lorsque $K_1 = 2$ et comparer avec les résultats trouvés en 1.

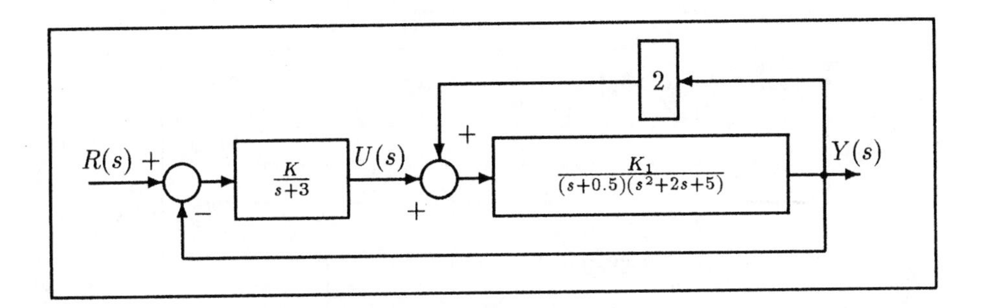

Figure 5.46 Système à boucle interne positive

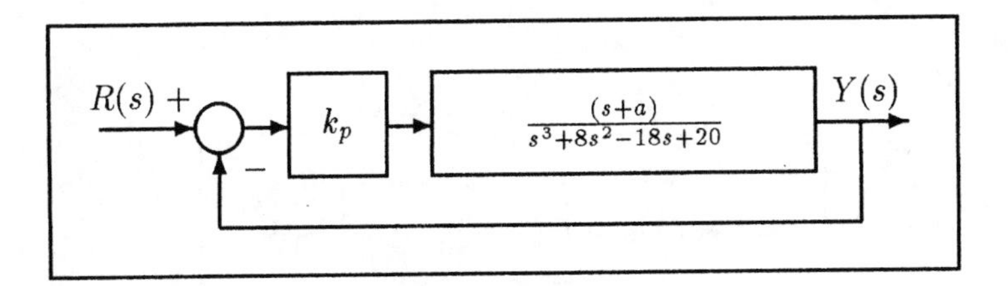

Figure 5.47 Commande en boucle fermée

5.14 On considère le système en boucle fermée tel que représenté à la figure 5.47.

1- En fixant $a = +1$, tracer le lieu des racines lorsque le gain k_p du correcteur varie. Indiquer pour quelles valeurs de k_p le système est stable.

2- Tracer le lieu des racines si on place le zéro $z = -a$ au voisinage du pôle réel du système (i.e. $a = 9$). Dire ce que devient la stabilité du système.

5.15 En se basant sur le lieu des racines, trouver la valeur limite du gain K qui assure la stabilité du système du quatrième ordre représenté à la figure 5.48.

5.16 On considère le système asservi classique représenté par le diagramme fonctionnel de la figure 5.49 où $C(s)$ et $G(s)$ désignent respectivement la fonction de transfert du correcteur et la fonction de transfert du système à

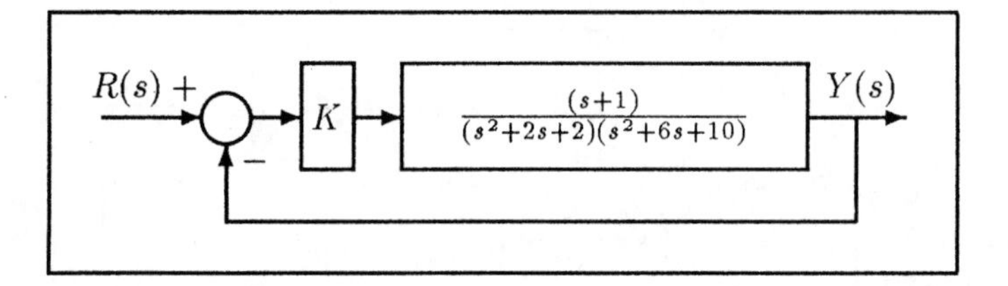

Figure 5.48 Système du 4e ordre

commander. L'expression de $G(s)$ est donnée par:

$$G(s) = \frac{4}{s(s^2 + 4s + 6)}$$

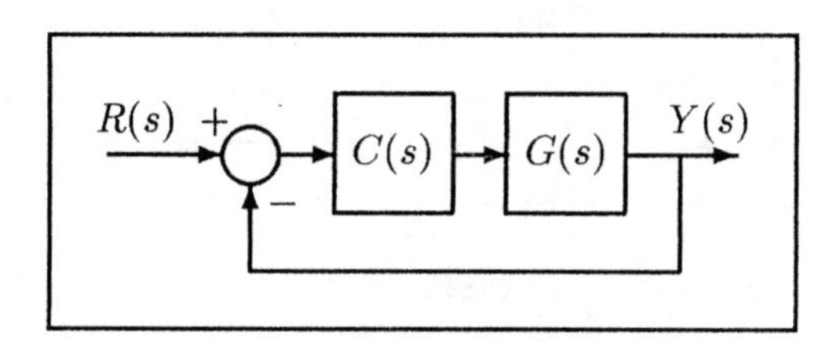

Figure 5.49 Système asservi classique.

1 Déterminer la fonction de transfert du correcteur $C(s)$ de manière à satisfaire les spécifications suivantes:

   a- l'erreur en régime permanent associée à une entrée en échelon unitaire de position est nulle;

   b- l'équation caractéristique du système est: $s^3 + 4s^2 + 6s + 4 = 0$.

2 Reprendre la question 1 avec les spécifications suivantes:

   a l'erreur en régime permanent associée à une entrée en échelon unitaire de vitesse est $\frac{1}{0.9}$;

   b les pôles dominants de l'équation caractéristique en boucle fermée sont:
   $s_1 = (-1 + j)$ et $s_2 = (-1 - j)$.

3 En choisissant $C(s)$ de la forme $C(s) = \frac{K(1+\tau s)}{s}$,

a trouver les valeurs de K et τ de façon à satisfaire les spécifications suivantes:

a1 l'erreur en régime permanent associée à une entrée en échelon de vitesse est égale à $\frac{1}{4}$;

a2 l'amplitude de la partie imaginaire des pôles complexes de l'équation caractéristique est supérieure à 4 rad/s;

b en prenant la valeur de K trouvée ci-dessus, esquisser le lieu des racines en fonction de τ.

5.17 On considère le système physique représenté par le diagramme fonctionnel de la figure 5.50:

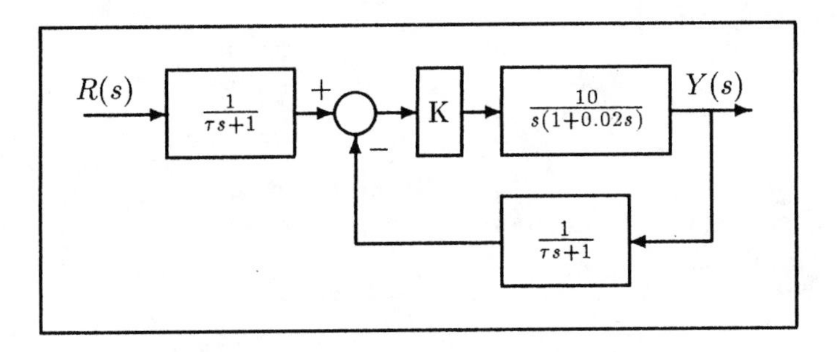

Figure 5.50 Système physique

1 Trouver la fonction de transfert de ce système en boucle fermée.

2 Donner le type du système.

3 Expliquer si les erreurs en régime permanent associées respectivement à des grandeurs d'entrée en échelon de position et de vitesse dépendent de la valeur de K et de τ. En déduire l'effet de chaque paramètre.

4 Donner les conditions que doivent vérifier les paramètres K et τ pour que le système en boucle fermée soit stable.

5 Tracer la courbe $K = f(\tau)$ représentant le domaine de stabilité obtenu à la question 4 ci-dessus.

5.18 Considérons le système dynamique de la figure 5.51 où:

$$G(s) = \frac{2600}{s(s^2 + 100s + 2600)}$$

$$H(s) = \frac{K}{0.04s + 1}$$

1 Tracer le lieu des racines du système.

2 Montrer que les pôles associés à $\zeta = 0.5$ sont $s_{1,2} = -6.6 \pm j11.4$. En déduire la valeur de K correspondante.

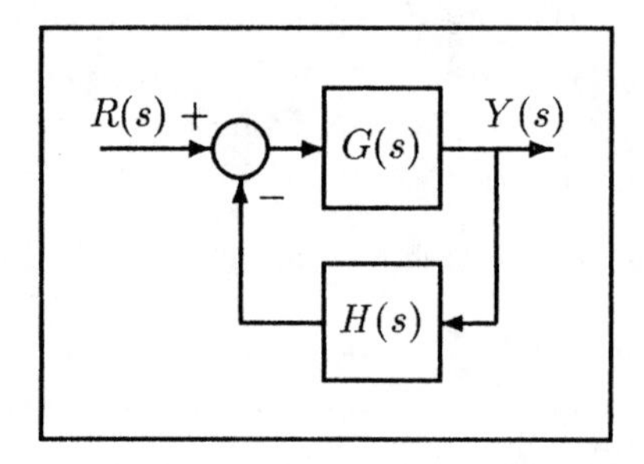

Figure 5.51 Système dynamique

5.19 Soit le système à deux paramètres variables représenté à la figure 5.52.

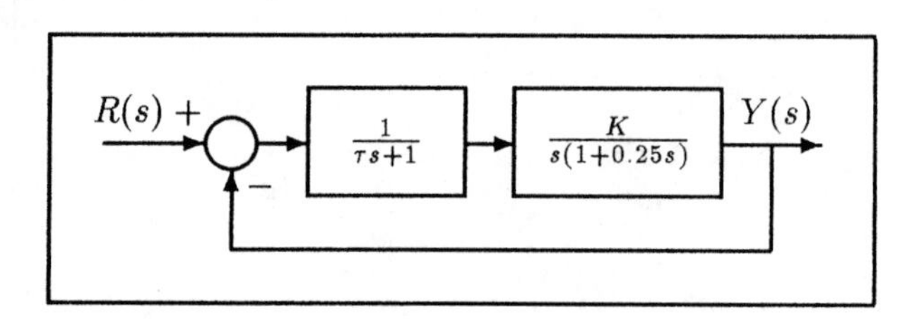

Figure 5.52 Système à deux paramètres variables

1 Trouver les fonctions de transfert du système en boucle ouverte et en boucle fermée.

2 Déterminer les conditions des paramètres K et τ qui assurent la stabilité au système bouclé.

3 Représenter graphiquement le domaine de stabilité $K(\tau)$ obtenu.

4 Pour $K = 1$, tracer le lieu des racines en fonction de τ.

5.20 Soit un système dont l'équation caractéristique est:

$$D(s) = 1 + K\frac{(s + 0.1)}{s(s + 1)(s - 2)}$$

1 Tracer le lieu des racines du système et en déduire la stabilité.

2 Indiquer si on aurait pu déduire la stabilité seulement par simple inspection de l'équation caractéristique?

3 Donner l'expression du correcteur susceptible de stabiliser le système.

5.21 Soit le système à boucle interne négative représenté à la figure 5.53.

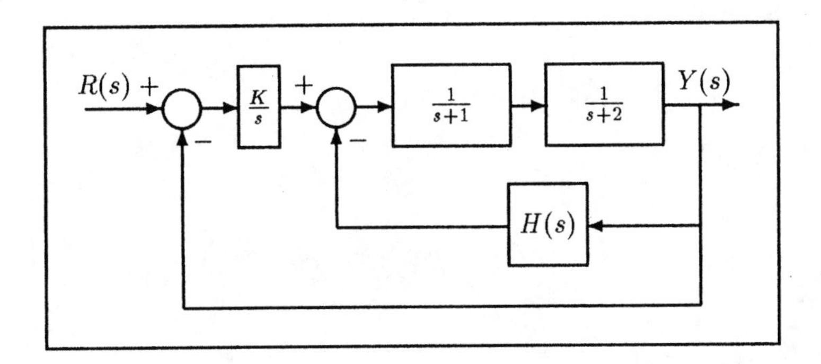

Figure 5.53 Système à boucle interne négative

1 Étudier la stabilité du système par le critère de Routh-Hurwitz lorsque $H(s) = 1$.

2 Indiquer ce que devient la stabilité du système si $H(s) = K_1$ avec $K_1 < 1$.

3 Tracer le lieu des racines du système pour $H(s) = 1$ et $H(s) = 4$. Commenter.

6

ANALYSE FRÉQUENTIELLE

L'objectif de ce chapitre consiste à présenter au lecteur les techniques d'analyse des systèmes linéaires invariants dans le domaine fréquentiel. Après lecture de ce chapitre, le lecteur doit être capable de:

1. **tracer les diagrammes de Bode, de Black et de Nyquist pour n'importe quel système;**
2. **vérifier la stabilité d'un système et en déterminer, dans le cas de système stable, le degré de stabilité (marge de phase et marge de gain);**
3. **déterminer les caractéristiques de la fonction de transfert en boucle fermée en se servant des abaques;**
4. **déterminer les performances des systèmes tels que le facteur de surtension, la bande passante, etc.**

6.1 INTRODUCTION

Lors de l'analyse et de la conception des systèmes asservis, il est important d'avoir une base de comparaison entre différents systèmes. Celle-ci peut être élaborée en excitant les différents systèmes par des signaux-tests tels que le signal en forme d'échelon, le signal en forme d'impulsion, le signal en forme de sinusoïde, etc. La méthode fréquentielle permet d'étudier le comportement d'un système en régime permanent lorsqu'il est excité par un signal d'entrée de forme sinusoïdale d'amplitude constante et de fréquence variable.

Il est entendu que le choix du signal-test pour un système donné dépend des caractéristiques propres de ce système; on tend à le choisir de façon à ce que la réaction du système se rapproche le plus possible de la réalité. Dans cette réalité, les signaux d'excitation sont impurs, c'est-à-dire superposés à d'autres signaux parasites qu'on appelle **bruits** de fréquences différentes du signal utile. Les systèmes sont ainsi soumis non seulement au signal utile mais à des grandeurs d'entrée dont les fréquences peuvent varier, ce qui peut nuire au fonctionnement normal du système asservi. Il est alors important de connaître comment le système se comporte en fonction de la fréquence.

Les méthodes fréquentielles permettent de concevoir les systèmes de telle sorte que l'influence des bruits soit négligeable. Elles permettent également de discuter des problèmes de stabilité graphiquement, donc sans avoir à résoudre l'équation caractéristique du système, en vue de déterminer les changements à effectuer dans la fonction de transfert pour avoir les performances désirées. Nous étudierons en détail les techniques d'analyse fréquentielle. Les techniques de synthèse seront présentées au chapitre 7.

Le chapitre est organisé comme suit: dans la section 6.2, nous démontrons que la réponse associée à une grandeur d'entrée en forme de sinusoïde est une sinusoïde dont la phase et l'amplitude sont différentes de celles de la grandeur d'entrée. Les sections 6.3 et 6.4 sont dédiées respectivement aux techniques d'analyse basées sur la fonction de transfert en boucle ouverte, et à la fonction de transfert en boucle fermée. La technique de stabilité et la détermination des performances sont aussi présentées.

6.2 FORME DE LA RÉPONSE

Les méthodes fréquentielles supposent que le système considéré est stable, linéaire invariant et à déphasage minimal. Par système linéaire, nous entendons des systèmes pour lesquels s'applique le principe de superposition. Ainsi, si la grandeur d'entrée d'un système est sinusoïdale, le signal est reproduit par le système sans aucune déformation. La grandeur de sortie est alors également sinusoïdale de même fréquence mais déphasée dans le temps et d'amplitude différente. Justifions cette dernière assertion par la recherche de la forme de la réponse à une grandeur d'entrée en forme de sinusoïde.

Soit le système linéaire stable de la figure 6.1. Ce système peut être en boucle ouverte ou fermée.

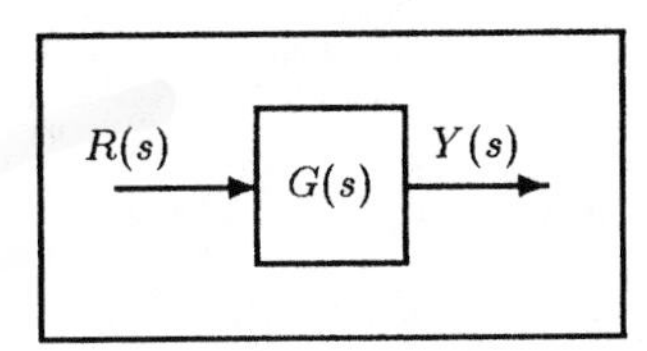

Figure 6.1 Schéma-bloc d'un système linéaire

La fonction de transfert de ce système est donnée par l'expression suivante:

$$G(s) = \frac{Y(s)}{R(s)} = \frac{N(s)}{D(s)} \tag{6.1}$$

où $N(s)$, $D(s)$ sont des polynômes en s dont les degrés sont respectivement m et n et que $m \leq n$ pour la raison de causalité du système.

Le système est excité par une grandeur d'entrée sinusoïdale de la forme $r(t) = R_m sin(\omega t)$, et nous cherchons à trouver la forme de la grandeur de sortie correspondante.

Notons que:

$$R(s) \quad = \quad \mathcal{L}[r(t)] = \mathcal{L}[R_m sin(\omega t)] = \frac{R_m \omega}{s^2 + \omega^2}$$

Pour simplifier les calculs, posons $R_m = 1$. Ainsi l'expression de la grandeur d'entrée devient:

$$R(s) = \frac{\omega}{s^2 + \omega^2}$$

Compte tenu de l'équation (6.1), l'expression de la grandeur de sortie s'écrit:

$$Y(s) = R(s)\frac{N(s)}{D(s)} = \frac{\omega}{s^2 + \omega^2}\frac{N(s)}{D(s)} = \frac{\omega}{(s + j\omega)(s - j\omega)}\frac{N(s)}{D(s)}$$

En supposant que $Y(s)$ a des racines simples, la décomposition en éléments simples donne l'expression suivante pour $Y(s)$:

$$Y(s) = \frac{K_1}{s - j\omega} + \frac{K_2}{s + j\omega} + \frac{k_1}{s + p_1} + \frac{k_2}{s + p_2} + \cdots + \frac{k_n}{s + p_n}$$

En prenant les transformées inverses des différents termes de cette expression, on obtient:

$$y(t) = \left[K_1 e^{j\omega t} + K_2 e^{-j\omega t} + k_1 e^{-p_1 t} + k_2 e^{-p_2 t} + \cdots + k_n e^{-p_n t}\right] u_{-1}(t)$$

Il est évident que les termes en p_1, p_2, ..., p_n tendent vers zéro lorsque t tend vers l'infini du fait que le système est stable. Dans ce cas, la réponse du système en régime permanent est:

$$y(t) = K_1 e^{j\omega t} + K_2 e^{-j\omega t} \tag{6.2}$$

avec:

$$\begin{aligned} K_1 &= \lim_{s \to j\omega} \frac{\omega}{(s - j\omega)(s + j\omega)}(s - j\omega)\frac{N(s)}{D(s)} \\ &= -j\frac{1}{2}\frac{N(j\omega)}{D(j\omega)} = -j\frac{1}{2}G(jw) \qquad (6.3) \\ K_2 &= \lim_{s \to -j\omega} \frac{\omega}{(s - j\omega)(s + j\omega)}(s + j\omega)\frac{N(s)}{D(s)} \\ &= j\frac{1}{2}\frac{N(-j\omega)}{D(-j\omega)} = j\frac{1}{2}G(-jw) = \bar{K}_1 \qquad (6.4) \end{aligned}$$

La fonction de transfert $G(s)$ dans l'équation (6.1) étant une fonction complexe, on peut l'écrire sous la forme suivante:

$$G(j\omega) = \frac{N(j\omega)}{D(j\omega)} = M(\omega)e^{j\varphi(\omega)} = M(\omega)[cos(\varphi(\omega)) + jsin(\varphi(\omega))]$$

et

$$G(-j\omega) = \frac{N(-j\omega)}{D(-j\omega)} = M(\omega)e^{-j\varphi(\omega)} = M(\omega)[cos(\varphi(\omega)) - jsin(\varphi(\omega))]$$

$M(\omega)$ et $\varphi(\omega)$ désignent respectivement l'amplitude et la phase de $G(j\omega)$.

Finalement,

$$G(j\omega) = A(\omega) + jB(\omega) \tag{6.5}$$
$$G(-j\omega) = A(\omega) - jB(\omega) \tag{6.6}$$

où

$$A(\omega) = M(\omega)cos(\varphi(\omega))$$
$$B(\omega) = M(\omega)sin(\varphi(\omega))$$

Les expressions (6.3) et (6.4) s'écrivent en tenant compte de (6.5) et (6.6) comme suit:

$$K_1 = -j\frac{1}{2}[A(\omega) + jB(\omega)] \tag{6.7}$$
$$K_2 = j\frac{1}{2}[A(\omega) - jB(\omega)] \tag{6.8}$$

En remplaçant (6.7) et (6.8) dans (6.2) et en procédant à quelques transformations simples, on obtient:

$$y(t) = A(\omega)\left[\frac{1}{2}e^{-j\omega t} - \frac{1}{2}e^{j\omega t}\right] + B(\omega)\left[j\frac{1}{2}e^{-j\omega t} + j\frac{1}{2}e^{j\omega t}\right]$$

Finalement, en utilisant la formule d'Euler et en simplifiant l'expression de $y(t)$, on a:

$$y(t) = A(\omega)sin(\omega t) + B(\omega)cos(\omega t)$$

Cette expression peut s'écrire:

$$\begin{aligned} y(t) &= \sqrt{A^2(\omega) + B^2(\omega)}\left[\frac{A(\omega)}{\sqrt{A^2(\omega) + B^2(\omega)}}\sin(\omega t)\right. \\ &+ \left.\frac{B(\omega)}{\sqrt{A^2(\omega)B^2(\omega)}}\cos(\omega t)\right] \end{aligned}$$

ou bien:

$$y(t) = M(\omega) sin(\omega t + \varphi(\omega)) \tag{6.9}$$

avec:

$$\begin{aligned} M(\omega) &= \sqrt{A^2(\omega) + B^2(\omega)} \\ \varphi(\omega) &= \arctan\left(\frac{B(\omega)}{A(\omega)}\right) \end{aligned}$$

En conclusion, si la grandeur d'entrée d'un système stable, linéaire et invariant et à déphasage minimal est un signal sinusoïdal de la forme $r(t) = sin(\omega t)$, alors la réponse correspondante est sinusoïdale. Pour déterminer cette réponse, il suffit de remplacer s par $j\omega$ dans la fonction de transfert (6.1) et de calculer la réponse par l'équation (6.9).

Remarque: Dans le cas où l'amplitude du signal d'entrée sinusoïdal n'est pas unitaire mais de valeur égale à R_m, le raisonnement reste le même et la seule modification à faire est de multiplier l'amplitude par le facteur R_m.

Ainsi l'étude du système asservi en fréquence revient à étudier l'amplitude et la phase de la fonction de transfert en fonction de la fréquence.

Exemple 6.1 Étude de la réponse en fréquence d'un système du 1er ordre

Considérons le moteur électrique à courant continu commandé par l'induit. En se basant sur les résultats du chapitre 2, on déduit que la fonction de transfert de ce système entre la vitesse de l'arbre, $Y(s)$, et la tension électrique, $R(s)$, est donnée par l'expression suivante:

$$G(s) = \frac{Y(s)}{R(s)} = \frac{k}{\tau s + 1}$$

Si $r(t) = sin(\omega t)$, alors en remplaçant s par $j\omega$ dans $G(s)$, on obtient:

$$G(j\omega) = \frac{Y(j\omega)}{R(j\omega)} = \frac{k}{j\omega\tau + 1}$$

L'amplitude et l'argument de $G(j\omega)$ sont données par les expressions suivantes:

$$\begin{aligned} |G(j\omega)| &= \frac{1}{\sqrt{\omega^2\tau^2 + 1}} \\ \varphi(\omega) &= -\arctan(\omega\tau) \end{aligned}$$

Conformément à l'expression (6.9), la grandeur de sortie s'écrit:

$$y(t) = \frac{k}{\sqrt{\omega^2\tau^2 + 1}} sin(\omega t - \arctan(\omega\tau))$$

En général, l'expression de la réponse fréquentielle d'un système linéaire et invariant est complexe et n'apporte aucune information. Comme pour la réponse temporelle, des techniques sont alors nécessaires pour analyser les systèmes dans le domaine fréquentiel. Dans les sections suivantes, nous présentons les techniques adaptées à la réponse en fréquence. Parmi ces techniques, on retrouve celles qui sont appropriées à l'étude de la réponse en fréquence en utilisant la fonction de transfert en boucle ouverte. Les autres utilisent la fonction de transfert en boucle fermée. Les techniques utilisant la fonction de transfert en boucle ouverte sont principalement basées sur:

- le diagramme de Bode;
- le diagramme de Black;
- le diagramme de Nyquist.

Les techniques utilisant la fonction de transfert en boucle fermée sont:

- l'abaque de Hall;
- l'abaque de Black-Nichols.

6.3 TECHNIQUES BASÉES SUR LA FONCTION DE TRANSFERT EN BOUCLE OUVERTE

Dans cette section, nous présentons les techniques fréquentielles qui permettent d'analyser le système asservi considéré. Ces techniques sont principalement basées sur la connaissance de la fonction de transfert en boucle ouverte du système à analyser.

6.3.1 Diagramme de Bode

Dans le paragraphe précédent, on a montré que dans le domaine fréquentiel une fonction de transfert sinusoïdale est caractérisée par son amplitude ainsi que sa phase en fonction de la fréquence. L'étude du système dans le domaine fréquentiel se ramène alors à l'étude de l'amplitude et de la phase en fonction de la fréquence. Parmi les techniques fréquentielles, on retrouve le diagramme de Bode qui consiste à représenter graphiquement sur une échelle semi-logarithmique l'amplitude et la phase en fonction de la fréquence. Le diagramme de Bode consiste donc en la construction de deux diagrammes distincts, amplitude et phase, pour la même échelle semi-logarithmique des fréquences. Si $G(j\omega)$ est la fonction de transfert dans laquelle on a remplacé s par $j\omega$ alors:

- l'amplitude $M(\omega)$ de $G(j\omega)$ est dessinée sur une échelle linéaire en décibels (noté db) tel que:

$$M(\omega) = 20\log_{10}|G(j\omega)| \quad (db) \tag{6.10}$$

- la phase $\varphi(\omega)$ de $G(j\omega)$ est dessinée sur une échelle linéaire habituelle en degrés tel que:

$$\varphi(\omega) = \arg\left(G(j\omega)\right) \tag{6.11}$$

les fréquences en abscisse sont comptées sur une échelle semi-logarithmique. L'avantage de cette échelle est de mettre en évidence tant les basses que les hautes fréquences. Dans cette échelle, on définit **l'octave** comme étant la distance entre ω et 2ω quelle que soit la valeur donnée à ω. On définit aussi la **décade** comme étant la distance entre ω et 10ω.

On sait que la fonction de transfert d'un système quelconque est constituée de produits et de divisions de fonctions de transfert d'éléments de base constituant ce système. Ceci revient dans le domaine semi-logarithmique à les ajouter et les à soustraire. Ainsi, calculer l'amplitude ou la phase d'une fonction de transfert $G(j\omega)$ revient à calculer la somme algébrique des amplitudes ou des phases des différents éléments de base entrant dans cette fonction de transfert.

L'échelle semi-logarithmique permet également de procéder à une construction asymptotique des différentes courbes, ce qui facilite énormément la tâche. Si la construction exacte des courbes est nécessaire, une correction très simple peut être faite.

La forme générale de la fonction de transfert en boucle ouverte étant donnée par l'expression suivante:

$$G(s) = \frac{K}{s^l}\frac{1 + b_1 s + \ldots + b_m s^m}{1 + a_1 s + \ldots + a_n s^n}$$

où l, $(n + l)$ et m désignent respectivement le type du système, le degré du dénominateur de $G(s)$ et l'ordre du numérateur du système. L'ordre du système doit être supérieur ou égal au degré du numérateur de $G(s)$. La fonction de transfert $G(s)$ admet tous ses pôles à parties réelles négatives.

Le tracé du diagramme de Bode est obtenu en remplaçant s par $j\omega$, puis en exprimant l'amplitude et la phase de $G(j\omega)$ en fonction de la fréquence ω. L'évaluation de l'amplitude et de la phase à différentes valeurs de la fréquence ω requiert trop de calcul, et l'emploi d'un moyen de calcul informatique est de grande utilité.

Toutefois l'approche utilisée par la communauté des automaticiens consiste à ne considérer que les basses et les hautes fréquences aux fins d'obtenir une allure asymptotique du diagramme de Bode. Les valeurs prises par la phase et l'amplitude vers les basses et les hautes fréquences dépendent respectivement des paramètres l et $(n+l-m)$. Les tableaux 6.1 et 6.2 donnent des indications asymptotiques vers les basses et les hautes fréquences pour quelques valeurs des paramètres $(n + l - m)$ et montrent comment ceux-ci affectent l'amplitude et la phase.

Tableau 6.1 Comportement asymptotique de l'amplitude et de la phase vers les basses fréquences.

l	$M(\omega)$	$\varphi(\omega)$	pente en db/dec
0	*cte*	0°	0
1	∞	-90°	-20
2	∞	-180°	-40
3	∞	-270°	-60

En effet, vers les basses fréquences, la fonction de transfert est estimée par l'expression suivante:

$$G(s) = \frac{K}{s^l}$$

Tableau 6.2 Comportement asymptotique de l'amplitude et de la phase vers les hautes fréquences.

$n+l-m$	$M(\omega)$	$\varphi(\omega)$	pente en db/dec
1	$-\infty$	-90°	-20
2	$-\infty$	-180°	-40
3	$-\infty$	-270°	-60

dont le module et la phase sont données par les expressions suivantes:

$$\begin{aligned} M(\omega) &= 20\log_{10}(K) - (20l)\log_{10}(\omega) \\ \varphi(\omega) &= -l\frac{\pi}{2} \end{aligned}$$

Vers les hautes fréquences, on fait une approximation de la fonction de transfert $G(s)$ par la fonction $\frac{Kb_m s^m}{a_n s^{n+l}}$ dont l'amplitude et la phase sont données par les expressions suivantes:

$$\begin{aligned} M(\omega) &= 20\log_{10}\left(\frac{Kb_m}{a_n}\right) - 20(n+l-m)\log_{10}(\omega) \\ \varphi(\omega) &= -(n+l-m)\frac{\pi}{2} \end{aligned}$$

La pente de la courbe d'amplitude a une valeur négative qui dépend de $(n+l-m)$. La valeur de cette pente est de $20(n+l-m)db/dec$. La figure 6.2 illustre le comportement asymptotique de l'amplitude et de la phase aux basses et aux hautes fréquences.

Les courbes approximant le tracé exact de la fonction de transfert $G(s)$ se coupent à la fréquence ω_c dont la valeur est donnée par la résolution de l'équation suivante:

$$\frac{K}{s^l} = \frac{Kb_m}{a_n s^{n+l-m}} \qquad \text{avec} \quad s = j\omega_c$$

dont la solution est:

$$\omega_c = \sqrt[n-m]{\left|\frac{b_m}{a_n}\right|}$$

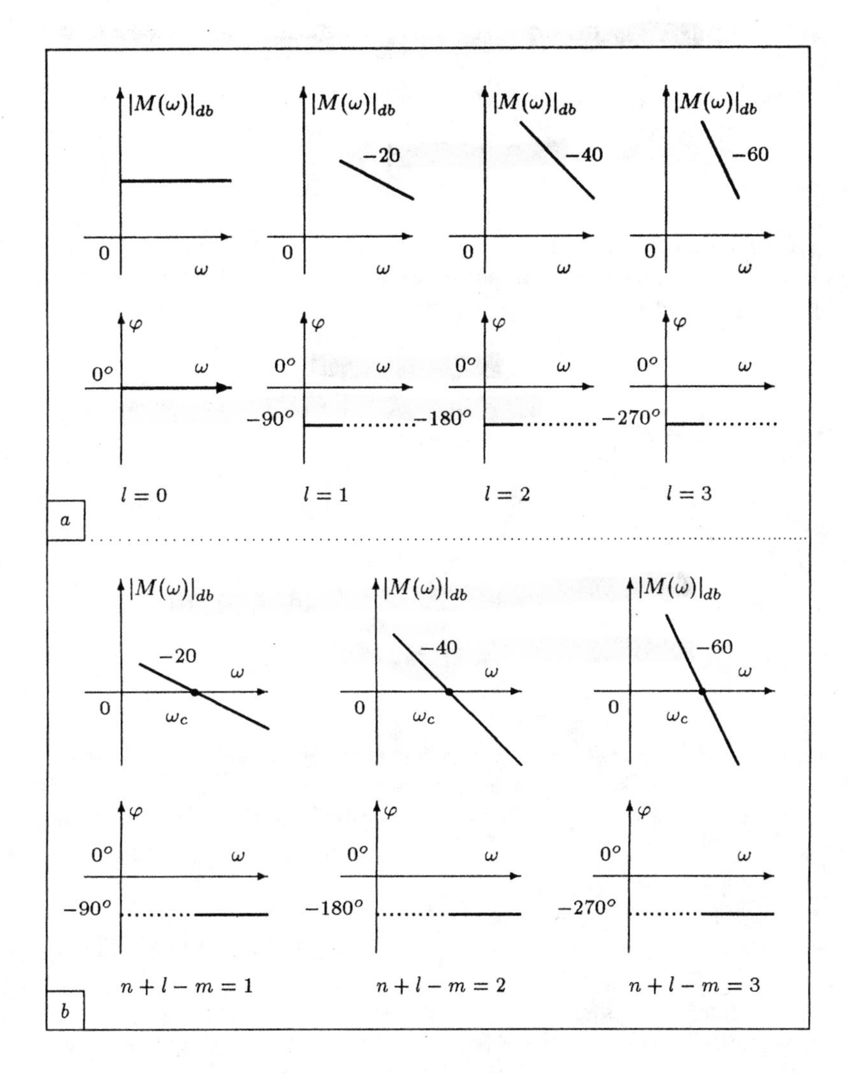

Figure 6.2 Diagramme de Bode vers les basses (a) et les hautes fréquences (b)

Pour une meilleure compréhension de la méthode, construisons un à un les diagrammes de Bode des éléments de base suivants:

$$K; \quad [j\omega\tau]^{\pm 1}; \quad [1 + j\omega\tau]^{\pm 1}; \quad \left[1 + j2\zeta\frac{\omega}{\omega_n} + \left(j\frac{\omega}{\omega_n}\right)^2\right]^{\pm 1}$$

Exemple 6.2 Diagramme de Bode d'un élément proportionnel

La fonction de transfert de cet élément est:

$$G(j\omega) \;=\; K, \quad K > 0$$

Le gain est indépendant de la fréquence ω. Compte tenu des expressions (6.10) et (6.11), l'amplitude et l'argument de cette fonction de transfert sont donnés par les expressions suivantes:

$$\begin{aligned} |G(j\omega)| &= K \\ \arg\,(G(j\omega)) &= 0^o \end{aligned}$$

Pour le diagramme de Bode, nous traçons l'amplitude $M(\omega)$ en décibels et la phase $\varphi(\omega)$ en degré:

$$\begin{aligned} M(\omega) &= 20\log_{10}|G(j\omega)| = 20\log_{10}(K)\ (db) \\ \varphi(\omega) &= -\arctan\left(\frac{0}{K}\right) = 0^o \end{aligned}$$

Étant donné que l'amplitude et la phase sont indépendantes de la fréquence, le diagramme de Bode est une droite horizontale égale à $20\log_{10}(K)$ représentant la courbe de l'amplitude en décibels, et une autre droite horizontale égale à 0° représentant la courbe de phase. Ce diagramme de Bode est représenté à la figure 6.3

Nous remarquons que lorsque K augmente ($K > 1$), la courbe de l'amplitude en décibels se déplace parallèlement à elle-même vers le haut alors que la phase reste invariable. Autrement dit, toute variation de K se traduit par une translation verticale de la courbe de l'amplitude sans aucun changement dans la phase.

Le logiciel MATLAB permet d'obtenir la réponse fréquentielle d'un élément proportionnel. L'utilisation des instructions suivantes de MATLAB permet d'obtenir un tel diagramme:

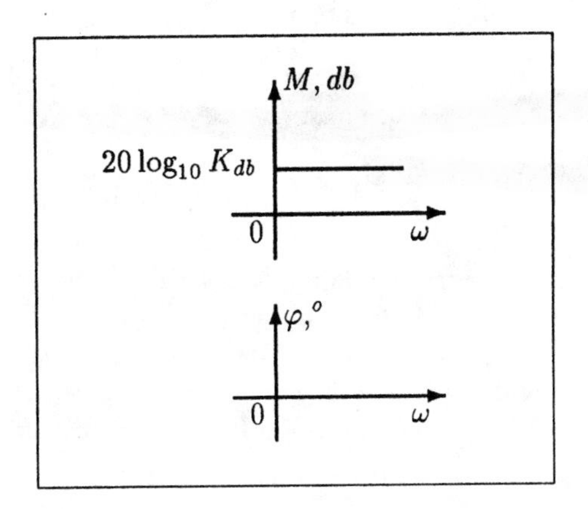

Figure 6.3 Diagramme de Bode d'un élément proportionnel (K est plus grand que 1)

```
≫ K = 15;
≫ num = [K];
≫ den = [1];
≫ [m,p,w] = bode(num,den,-1,2);
≫ m = 20 * log10(m);
≫ subplot(211)
≫ plot(w,m);
≫ subplot(212)
≫ plot(w,p);
```

Exemple 6.3 Diagramme d'un élément intégral

La fonction de transfert de cet élément est:

$$G(j\omega) = \frac{1}{j\omega\tau}$$

dont l'amplitude et l'argument sont:

$$\begin{aligned} |G(j\omega)| &= \left|\frac{1}{j\omega\tau}\right| = \frac{1}{\omega\tau} \\ \varphi(\omega) &= -\arg\,(j\omega\ \tau) = -90^o \end{aligned}$$

Pour le diagramme de Bode, on trace:

$$\begin{aligned} M(\omega) &= 20\log_{10}\left(\frac{1}{\omega\tau}\right) = -20\log_{10}(\omega\tau) \quad (db) \\ \varphi(\omega) &= -90^o \end{aligned}$$

Le diagramme de Bode correspondant est obtenu en évaluant les expressions de l'amplitude en décibels et de la phase en degré à différentes valeurs de la fréquence. Ce diagramme est représenté à la figure 6.4. On constate que l'argument de l'élément intégral est indépendant de la fréquence. Par contre, l'amplitude en dépend. La courbe de l'amplitude est une droite de pente négative.

Pour déterminer la pente de cette droite, considérons les fréquences $\frac{1}{\tau}$ et $\frac{10}{\tau}$. Pour $\omega = \frac{1}{\tau}$, les valeurs de l'amplitude et de la phase sont:

$$\begin{aligned} M(\omega) &= 0(db) \\ \varphi(\omega) &= -90^o \end{aligned}$$

Pour la fréquence $\omega = \frac{10}{\tau}$, les valeurs correspondantes de l'amplitude et de la phase sont:

$$\begin{aligned} M(\omega) &= -20(db) \\ \varphi(\omega) &= -90^o \end{aligned}$$

Donc, si ω varie d'une décade, $M(\omega)$ varie de $-20db$; on dit, dans ce cas, que la courbe a une pente de $-20db/dec$. La courbe de l'amplitude coupe l'axe des ω à la fréquence $\omega_c = \frac{1}{\tau}$.

L'allure du diagramme de Bode de l'élément intégral s'obtient avec les instructions suivantes:

```
≫ num = [1];
≫ den = [.2,0];
≫ [m,p,w] = bode(num,den,-1,2);
≫ subplot(211)
≫ semilogx(w,m);
≫ subplot(212)
≫ semilogx(w,p);
```

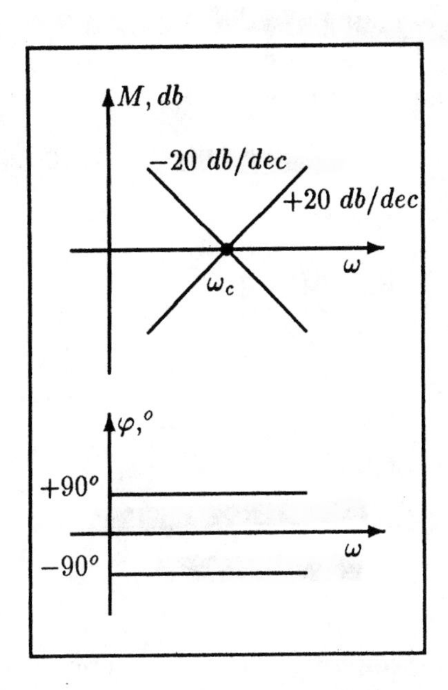

Figure 6.4 Diagramme de Bode d'un élément intégral et d'un élément différentiel. Les paramètres τ et K sont égaux à 1

Dans le cas de plusieurs intégrateurs en cascade, la fonction de transfert $G(s)$ est donnée par:

$$G(s) = \frac{K}{s^n}$$

Les expressions de l'amplitude et de la phase sont:

$$\begin{aligned} M(\omega) &= 20\log_{10}\left(\frac{K}{\omega^n}\right) \\ \varphi(\omega) &= -n(90) \end{aligned}$$

La courbe de l'amplitude coupe l'axe des ω à $K = \omega_c^n$. C'est-à-dire $\omega_c = K^{\frac{1}{n}}$.

Exemple 6.4 Diagramme de Bode d'un élément différentiel

La fonction de transfert de cet élément est:

$$G(j\omega) = j\omega\tau$$

dont l'amplitude et l'argument sont:

$$\begin{aligned} |G(j\omega)| &= \omega\tau \\ \varphi(\omega) &= +\frac{\pi}{2} \end{aligned}$$

Le diagramme de Bode est obtenu en traçant les expressions suivantes de l'amplitude et de la phase:

$$\begin{aligned} M(\omega) &= 20\log_{10}(\omega\tau) \\ \varphi(\omega) &= +90^o \end{aligned}$$

Le diagramme de Bode correspondant est obtenu en évaluant les expressions de l'amplitude en décibels et de la phase en degrés à différentes valeurs de la fréquence. Ce diagramme est représenté à la figure 6.4. On constate que l'amplitude de l'élément différentiel dépend de la fréquence. Par contre l'argument n'en dépend pas. La courbe de l'amplitude est une droite de pente positive.

Pour déterminer la pente de cette droite, considérons les fréquences $\frac{1}{\tau}$ et $\frac{10}{\tau}$. Pour $\omega = \frac{1}{\tau}$, les valeurs de l'amplitude et de la phase sont:

$$\begin{aligned} M(\omega) &= 0(db) \\ \varphi(\omega) &= 90^o \end{aligned}$$

Pour la fréquence $\omega = \frac{10}{\tau}$, les valeurs correspondantes de l'amplitude et de la phase sont:

$$\begin{aligned} M(\omega) &= 20(db) \\ \varphi(\omega) &= 90^o \end{aligned}$$

Donc, si ω varie d'une décade, $M(\omega)$ varie de $20db$; on dit, dans ce cas, que la courbe a une pente de $20db/dec$. La courbe d'amplitude coupe l'axe des ω à la valeur $\omega_c = \frac{1}{\tau}$.

L'allure du diagramme de Bode de l'élément différentiel s'obtient avec les instructions suivantes:

```
≫ num = [0.2,0];
≫ den = [1];
≫ [w,m,p] = bode(num,den,-1,2);
≫ m = 20*log10(m);
≫ subplot(211)
≫ plot(w,m);
≫ subplot(212)
≫ plot(w,p);
```

Dans le cas de plusieurs différentiateurs en cascade, la fonction de transfert $G(s)$ est donnée par:

$$G(s) = Ks^n$$

Le diagramme de Bode est donné par:

- l'amplitude

$$M(\omega) = 20\log_{10}(K\omega^n)$$

- la phase

$$\varphi(\omega) = n(90)$$

La courbe de l'amplitude coupe l'axe des ω à la fréquence ω_c dont la valeur est donnée par $\omega_c = \frac{1}{K^{\frac{1}{n}}}$.

Exemple 6.5 Diagramme de Bode d'un système du 1er ordre

Considérons la fonction de transfert suivante:

$$G(j\omega) = \frac{1}{1 + j\omega\tau}$$

L'amplitude et l'argument de cette fonction de transfert sont:

$$\begin{aligned} |G(j\omega)| &= \frac{1}{\sqrt{1 + \omega^2\tau^2}} \\ \varphi(\omega) &= -\arctan(\omega\tau) \end{aligned}$$

Le diagramme de Bode de cet élément du premier ordre est obtenu en traçant les expressions suivantes de l'amplitude en décibels et de la phase en degrés:

$$\begin{aligned} M(\omega) &= 20\log_{10}\frac{1}{\sqrt{1+\omega^2\tau^2}} = -20\log_{10}\sqrt{1+\omega^2\tau^2} \\ \varphi(\omega) &= -\arctan(\omega\tau) \end{aligned}$$

Le tracé du diagramme de Bode n'est pas chose facile du fait du volume de calcul qu'il nécessite. L'outil informatique est indispensable pour le tracé exact d'un tel diagramme. Une autre technique nécessitant moins de calcul est aussi disponible, et donne le **diagramme de Bode asymptotique**. Une telle technique consiste à ne considérer que les faibles et les hautes fréquences pour le tracé du diagramme de Bode.

En effet, vers les basses fréquences, c'est-à-dire pour toutes les fréquences ω vérifiant la condition suivante:

$$\omega \ll \frac{1}{\tau}$$

la fonction de transfert $G(s)$ de cet élément s'approche de 1. L'amplitude et l'argument correspondant sont alors donnés par:

$$\begin{aligned} M(\omega) &= 0 \; db \\ \varphi(\omega) &= 0 \end{aligned}$$

L'amplitude et la phase sont alors représentées par des droites constantes de valeurs nulles. Pour les hautes fréquences, c'est-à-dire pour toutes les fréquences vérifiant la condition suivante:

$$\omega \gg \frac{1}{\tau}$$

la fonction de transfert $G(s)$ de cet élément s'approche de $\frac{1}{\tau s}$, dont l'amplitude et l'argument correspondants sont donnés par:

$$\begin{aligned} M(\omega) &= -20 log(\omega\tau) \; db \\ \varphi(\omega) &= -90^o \end{aligned}$$

L'amplitude est représentée dans ce cas par une droite de pente négative de valeur égale à $-20db/dec$. La phase est aussi une droite parallèle à l'axe des ω et de valeur égale à -90°.

Le diagramme de Bode asymptotique est alors obtenu en utilisant les courbes des basses et des hautes fréquences. D'après ce diagramme asymptotique, on constate que la courbe de l'amplitude en fonction de la fréquence est formée de deux droites dont l'intersection se produit à la fréquence $\omega = \frac{1}{\tau}$. Il en est de même pour la courbe de phase.

Établissons maintenant que les deux droites du diagramme asymptotique se coupent à $\omega = \frac{1}{\tau}$. En effet, vers les basses fréquences, c'est-à-dire pour toute valeur de ω tendant vers zéro, la courbe de l'amplitude s'approche de:

$$M(\omega) \;=\; 0 \;\; (db)$$

Et pour les hautes fréquences, c'est-à-dire pour toute valeur de ω tendant vers l'infini, la courbe de l'amplitude a comme approximation:

$$M(\omega) \;=\; -20\log_{10}(\tau\omega)$$

Les deux droites se joignent à la fréquence ω_c dont la valeur est obtenue en résolvant l'équation suivante:

$$0 \;=\; 20\log_{10}(\tau\omega_c)$$

La solution de cette équation est bien $\omega_c = \frac{1}{\tau}$. Les valeurs prises par l'amplitude et la phase à cette fréquence sont:

$$\begin{aligned} M(\omega) &= 20\log_{10}(\sqrt{2}) = -3 \; db \\ \varphi(\omega) &= -\arctan(1) = -45^o \end{aligned}$$

Le diagramme de Bode correspondant est représenté à la figure 6.5. Un tel diagramme peut être obtenu en utilisant les instructions suivantes de MATLAB:

```
>> num = [1];
>> den = [0.2,1];
>> [w,m,p] = bode(num,den,-1,2);
>> subplot(211)
>> semilogx(w,m);
>> subplot(212)
>> semilogx(w,p);
```

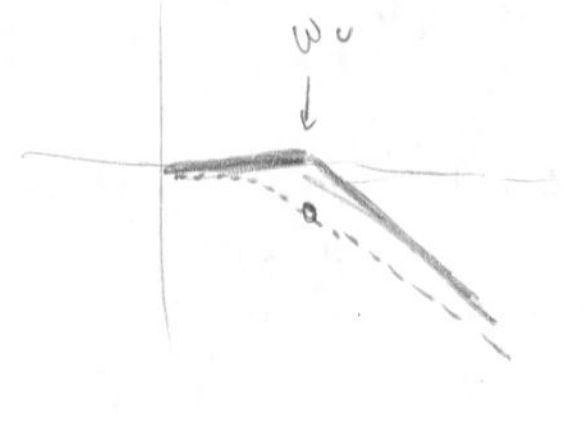

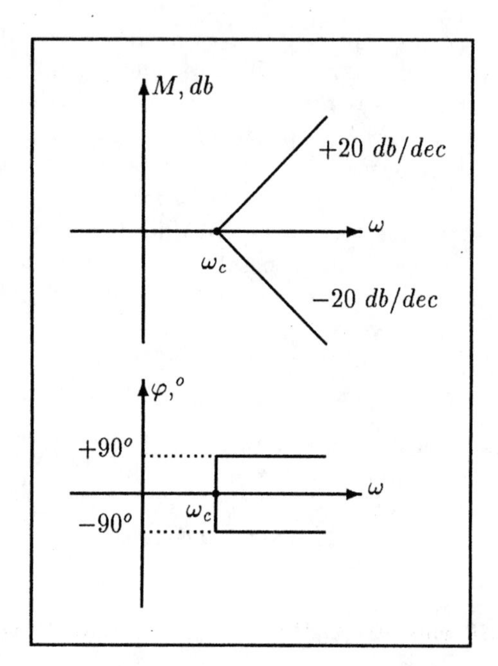

Figure 6.5 Diagramme de Bode d'un 1er ordre et d'un système de la forme $1 + \tau s$

Considérons maintenant la fonction de transfert suivante:

$$G(j\omega) = 1 + j\omega\tau$$

L'amplitude et la phase correspondantes sont:

$$\begin{aligned} |G(j\omega)| &= \sqrt{1 + \omega^2\tau^2} \\ \varphi(\omega) &= \arctan(\omega\tau) \end{aligned}$$

Pour le diagramme de Bode, nous traçons:

- l'amplitude en décibels

$$M(\omega) = 20 \log_{10} \sqrt{1 + \omega^2\tau^2}$$

- la phase en degré

$$\varphi(\omega) = \arctan(\omega\tau)$$

Pour ce système, et ceux qui vont suivre, nous procédons de manière asymptotique. En effet, lorsque $\tau\omega \ll 1$, (i.e $\omega \ll \frac{1}{\tau}$) la fonction de transfert $G(s)$ s'approche de 1 dont l'amplitude et la phase sont parfaitement données par:

$$\begin{aligned} M(\omega) &= 0 \; db \\ \varphi(\omega) &= 0^o \end{aligned}$$

Tandis que lorsque $\tau\omega \gg 1$, (i.e $\omega \gg \frac{1}{\tau}$) $G(s)$ s'approche de τs dont l'amplitude et la phase sont cette fois-ci:

$$\begin{aligned} M(\omega) &= 20\log_{10}(\tau\omega) \\ \varphi(\omega) &= 90^o \end{aligned}$$

Exemple 6.6 Diagramme de Bode d'un élément du second ordre

Considérons la fonction de transfert suivante:

$$G(j\omega) = \frac{1}{1 + j2\zeta\frac{\omega}{\omega_n} + [j\frac{\omega}{\omega_n}]^2} = \frac{1}{\left[1 - \frac{\omega^2}{\omega_n^2}\right] + j2\zeta\frac{\omega}{\omega_n}}$$

On sait que pour un taux d'amortissement $\zeta > 1$, $G(j\omega)$ s'écrit sous la forme de produit de deux éléments du 1er ordre avec pôles réels. Si $0 < \zeta < 1$, alors $G(j\omega)$ s'écrit sous la forme de produit de deux éléments du premier ordre avec des pôles complexes conjugués.

Pour tracer le diagramme de Bode de cet élément, on a besoin des grandeurs suivantes:

- l'amplitude $M(\omega)$

$$M(\omega) = 20\log_{10}|G(j\omega)| = -20\log_{10}\sqrt{\left[1 - \frac{\omega^2}{\omega_n^2}\right]^2 + 4\zeta^2\frac{\omega^2}{\omega_n^2}}$$

Pour les basses fréquences c'est-à-dire $\omega \ll \omega_n$, le terme $\frac{\omega}{\omega_n}$ tend vers 0 et l'amplitude en db est alors $M(\omega) = 0$ db. Pour les hautes fréquences, c'est-à-dire, $\omega \gg \omega_n$, le terme $\left[\frac{\omega^2}{\omega_n^2}\right]^2$ est prépondérant. L'amplitude est alors donnée par:

$$M(\omega) \quad = \quad -20\log_{10}\left(\frac{\omega^2}{\omega_n^2}\right) = -40\log_{10}\left(\frac{\omega}{\omega_n}\right) \quad db$$

On constate que la courbe de gain est formée par le tracé des deux droites associées aux basses et hautes fréquences. La droite des hautes fréquences a une pente négative, qu'on détermine en considérant les fréquences ω_n et $10\omega_n$. Pour la fréquence ω_n l'amplitude est nulle. Pour la fréquence $10\omega_n$, l'amplitude est de $-40 db/dec$. Une variation de ω d'une décade entraîne une variation de $M(\omega)$ de deux fois -20 db/dec. Donc, la pente de $M(\omega)$ pour les hautes fréquences est de -40 db/dec.

- la phase

$$\varphi(\omega) = -\arctan\left(\frac{2\zeta\frac{\omega}{\omega_n}}{1-\frac{\omega^2}{\omega_n^2}}\right)$$

Pour les basses fréquences, c'est-à-dire $\omega \ll \omega_n$ la phase est donnée par $\varphi(\omega) = 0^o$. Pour les hautes fréquences, c'est-à-dire $\omega \gg \omega_n$, la phase est donnée par $\varphi(\omega) = -180^o$. Pour la fréquence intermédiaire ω_n, la phase prend une valeur égale à -90°.

Le diagramme de Bode asymptotique associé est représenté à la figure 6.6. Pour une représentation exacte du diagramme de Bode de cette fonction de transfert pour différentes valeurs du coefficient d'amortissement ζ, on se réfère aux courbes de la figure 6.7. La courbe d'amplitude possède un maximum M_p pour des taux d'amortissement ζ satisfaisant la relation suivante:

$$0 < \zeta < 0.707$$

Ce maximum se produit à la fréquence ω_p dont la valeur est donnée par:

$$\omega_p = \omega_n\sqrt{1-2\zeta^2}$$

Cette valeur est obtenue en cherchant le maximum de la fonction $M(\omega)$, c'est-à-dire en résolvant $\frac{dM(\omega)}{d\omega} = 0$. La valeur du pic correspondant est donnée par:

$$M_p = M(\omega_p) = \frac{1}{2\zeta\sqrt{1-\zeta^2}}$$

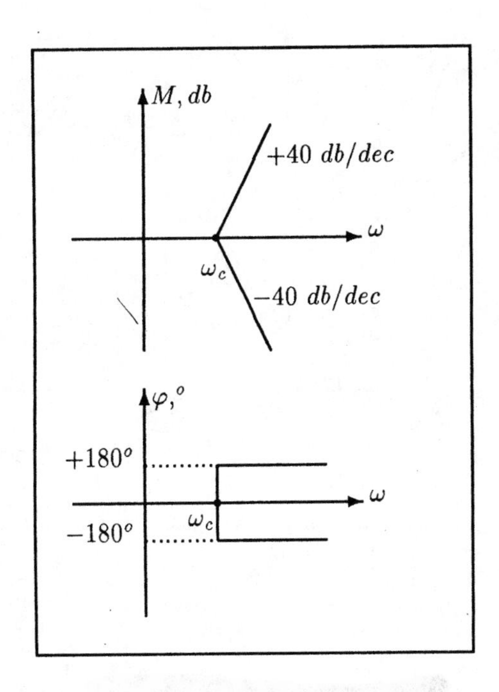

Figure 6.6 Diagramme de Bode d'un élément du 2e ordre et d'un élément de la forme $1 + \frac{2\zeta}{\omega_n}s + \frac{s^2}{\omega_n^2}$

L'allure du diagramme de Bode du système du second ordre est obtenue en utilisant les instructions suivantes de MATLAB:

```
≫ num = [1];
≫ den = [1,0.5,1];
≫ [w,m,p] = bode(num,den,-1,2);
≫ m = 20 * log10(m);
≫ subplot(211)
≫ plot(w,m);
≫ subplot(212)
≫ plot(w,p);
```

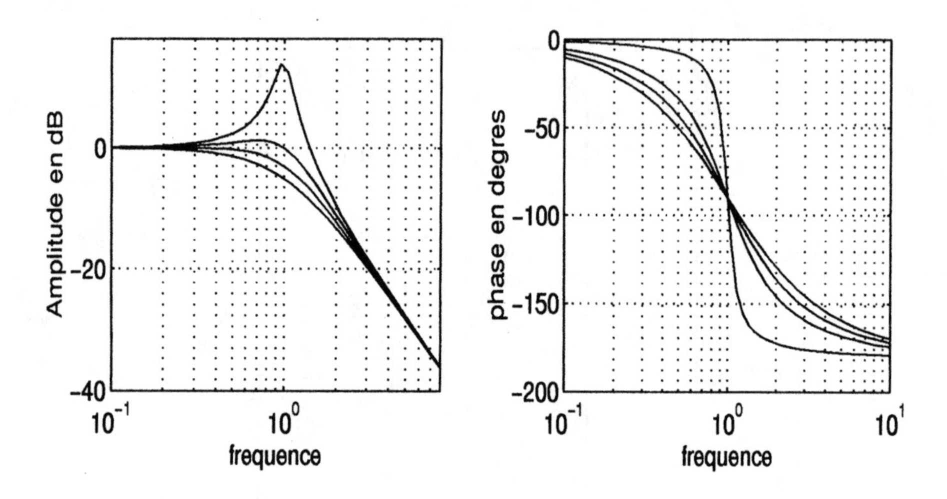

Figure 6.7 Diagramme de Bode d'un élément du 2e ordre vs ζ ($K = 1$, $\omega_n = 1$) avec $\zeta = 0.1$, $\zeta = 0.5$, $\zeta = 0.707$ et $\zeta = 0.9$

Considérons la fonction de transfert suivante:

$$\begin{aligned} G(j\omega) &= 1 + j2\zeta\frac{\omega}{\omega_n} + \left(j\frac{\omega}{\omega_n}\right)^2 \\ &= \left[1 - \frac{\omega^2}{\omega_n^2}\right] + j2\zeta\frac{\omega}{\omega_n} \end{aligned}$$

Pour le traçage du diagramme de Bode, on a besoin des expressions suivantes de l'amplitude et de la phase:

$$\begin{aligned} M(\omega) &= 20\log_{10}\sqrt{\left[1 - \frac{\omega^2}{\omega_n^2}\right]^2 + j4\zeta^2\frac{\omega^2}{\omega_n^2}} \\ \varphi(\omega) &= \arctan\left(\frac{2\zeta\frac{\omega}{\omega_n}}{1 - \frac{\omega^2}{\omega_n^2}}\right) \end{aligned}$$

Pour les basses fréquences, c'est-à-dire $\omega \ll \omega_n$, la fonction de transfert $G(s)$ s'approche de 1. Les valeurs de l'amplitude et de la phase correspondants sont alors:

$$\begin{aligned} M(\omega) &= 0\ db \\ \varphi(\omega) &= 0 \end{aligned}$$

Pour les hautes fréquences, c'est-à-dire $\omega \gg \omega_n$, la fonction de transfert $G(s)$ s'approche de $\frac{s^2}{\omega_n^2}$. Les valeurs de l'amplitude et de la phase sont:

$$\begin{aligned} M(\omega) &= 40 \log_{10}\left(\frac{\omega}{\omega_n}\right) db \\ \varphi(\omega) &= 180^o \end{aligned}$$

Le diagramme de Bode correspondant est illustré à la figure 6.6. La pente du diagramme d'amplitude est $40db/dec$ vers les hautes fréquences. L'allure de ce diagramme s'obtient avec les instructions suivantes de MATLAB:

```
≫ num = [1,0.5,1];
≫ den = [1];
≫ [w,m,p] = bode(num,den,-1,2);
≫ subplot(211)
≫ semilogx(w,m);
≫ subplot(212)
≫ semilogx(w,p);
```

Exemple 6.7 Diagramme de Bode d'un système d'ordre quelconque

Considérons le système représenté par la fonction de transfert suivante:

$$G(s) = K\frac{\tau_1 s + 1}{(\tau_2 s + 1)(\tau_3 s + 1)}, \quad \text{avec} \quad \frac{1}{\tau_2} < \frac{1}{\tau_1} < \frac{1}{\tau_3} \text{ et } K > 1$$

Cette fonction de transfert s'écrit comme un produit de quatre fonctions de transfert dont les expressions sont:

$$\begin{aligned} G_1(s) &= K \\ G_2(s) &= \tau_1 s + 1 \\ G_3(s) &= \frac{1}{\tau_2 s + 1} \\ G_4(s) &= \frac{1}{\tau_3 s + 1} \end{aligned}$$

À partir des tracés des diagrammes des fonctions de base précédentes, le tracé du diagramme de Bode de chacune des fonctions $G_i(s)$ $i = 1, \ldots, 4$ ne pose aucune difficulté. Ces tracés sont représentés à la figure 6.8 ainsi que la somme de ces fonctions qui représente le tracé de la fonction $G(s)$. Notons que le tracé de $G(s)$ est obtenu en additionnant les diagrammes des amplitudes en db et les diagrammes de phases en degré.

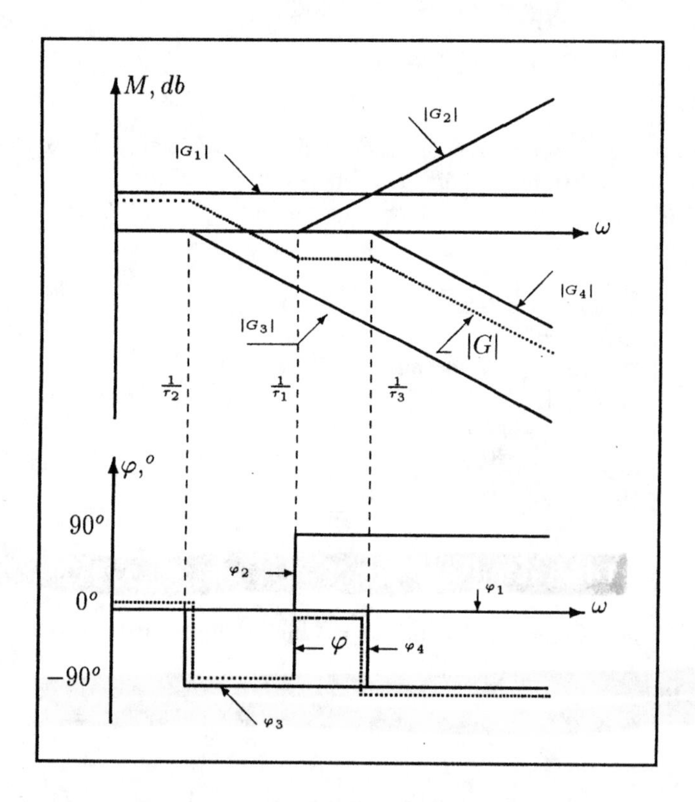

Figure 6.8 Diagramme de Bode de l'élément $K\frac{\tau_1 s+1}{(\tau_2 s+1)(\tau_3 s+1)}$

6.3.2 Diagramme de Black

Cette technique est en quelque sorte une variante du diagramme de Bode où, au lieu d'avoir deux diagrammes distincts pour l'amplitude (en db) et la phase (en degrés), on n'en a qu'un seul représentant l'amplitude en fonction de la phase. Le diagramme de Black, ou lieu de Black, représente alors l'amplitude $M(\omega)$ en décibels d'une fonction de transfert $G(j\omega)$ en fonction de sa phase $\varphi(\omega)$ en degrés. Le diagramme est tracé pour des valeurs de ω entre 0 et $+\infty$.

Dans le diagramme de Bode, un changement de gain K se traduisait par une translation de $M(\omega)$ verticale. Pour le diagramme de Black, cette propriété reste valable. Les calculs algébriques sur les fonctions de transfert valables pour le diagramme de Bode le sont aussi pour celui de Black.

Comme dernière particularité importante, notons que si le diagramme de Bode est connu pour une fonction de transfert donnée, alors celui de Black est très facile à déduire.

En considérant la forme générale de la fonction de transfert en boucle ouverte donnée par l'expression suivante:

$$G(s) = \frac{K}{s^l}\frac{1 + b_1 s + \ldots + b_m s^m}{1 + a_1 s + \ldots + a_n s^n}$$

où l, m, et $(n+l)$ ont les mêmes significations que dans la section précédente, et en se référant aux tableaux 6.1 et 6.2, on dresse la figure 6.9, qui indique comment un système d'ordre général se comporte vers les basses et les hautes fréquences en fonction des paramètres l et $(n+l-m)$.

Pour la construction du diagramme de Black, on procède de la même manière que pour le diagramme de Bode, c'est-à-dire que l'on construit le diagramme de Black pour les éléments de base suivants:

$$K\left[j\omega\tau\right]^{\pm 1}; \quad K\left[1 + j\omega\tau\right]^{\pm 1}; \quad K\left[1 + j2\zeta\frac{\omega}{\omega_n} + \left(j\frac{\omega}{\omega_n}\right)^2\right]^{\pm 1}$$

Exemple 6.8 Diagramme de Black d'un élément intégral

La fonction de transfert de cet élément est:

$$G(j\omega) = \frac{K}{j\omega\tau}$$

L'amplitude et la phase correspondantes sont données par les expressions suivantes:

$$\begin{aligned} M(\omega) &= 20\log_{10}|G(j\omega)| = 20\log_{10}(K) - 20\log_{10}(\omega\tau) \\ \varphi(\omega) &= \arg\left(G(j\omega)\right) = \arctan(K) - \arctan\left(\frac{\tau\omega}{0}\right) = -\frac{\pi}{2} = -90^o \end{aligned}$$

??

Le tableau 6.3 donne les valeurs de l'amplitude et de la phase qui renseignent sur l'allure asymptotique du diagramme de Black correspondant.

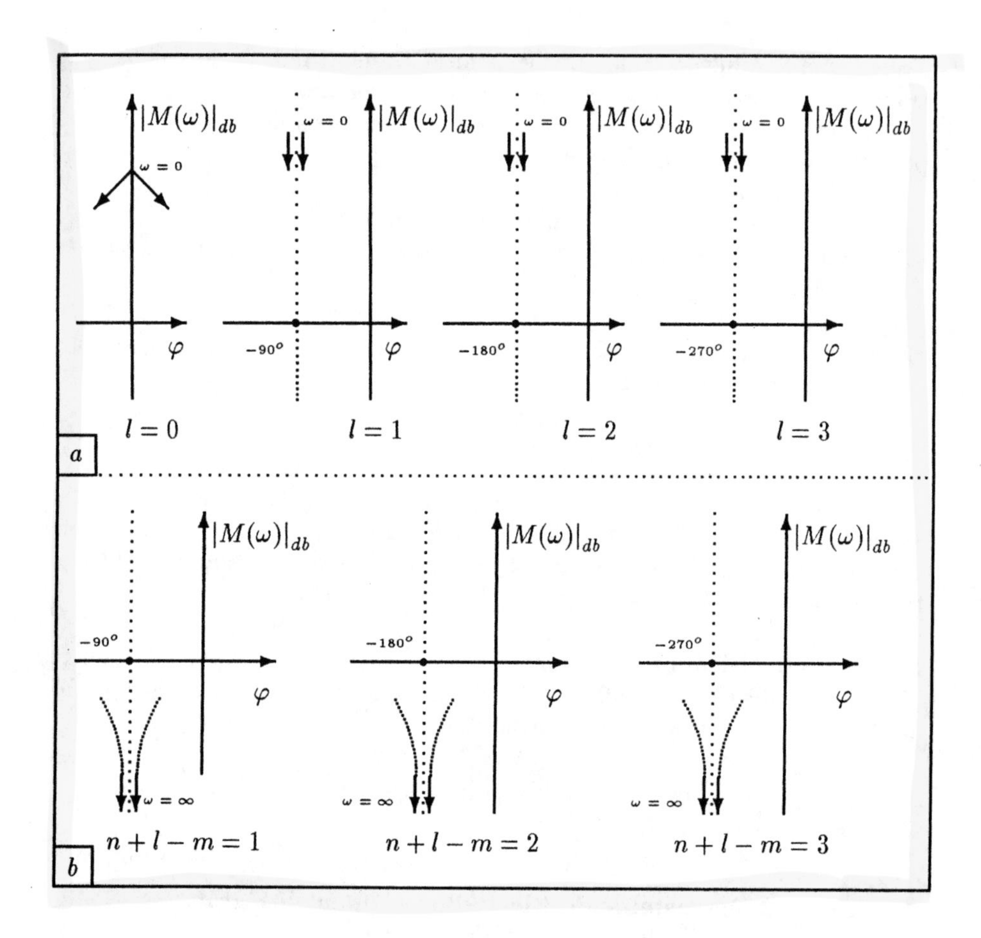

Figure 6.9 Diagramme de Black vers les basses (a) et hautes fréquences (b)

Tableau 6.3 Valeurs asymptotiques de $\frac{K}{\tau s}$

ω	$M(\omega)$	$\varphi(\omega)$
0	∞	-90°
∞	$-\infty$	-90°
$\frac{K}{\tau}$	0	-90°

La phase $\varphi(\omega)$ étant indépendante de ω, le diagramme de Black de $G(j\omega)$ est une droite parallèle à l'ordonnée $M(\omega)$ et passant par le point $\varphi(\omega) = -90^o$. Ceci est représenté à la figure 6.10.

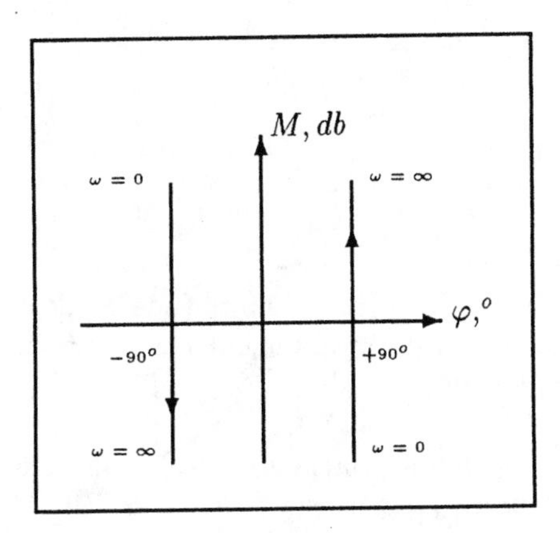

Figure 6.10 Diagramme de Black d'un élément intégral et d'un élément différentiel

Le diagramme de Black de l'élément intégral s'obtient en utilisant les instructions suivantes de MATLAB:

```
≫ k = 1;
≫ num = [k];
≫ den = [0.5,0];
≫ [m,p,w] = bode(num,den,-1,2);
≫ m = 20 * log10(m);
≫ plot(m,p);
```

Exemple 6.9 Diagramme de Black d'un élément différentiel

La fonction de transfert de cet élément est:

$$G(j\omega) = Kj\omega\tau$$

L'amplitude et la phase de l'élément différentiel sont données par les expressions suivantes:

$$\begin{aligned} M(\omega) &= 20\log_{10}(K\omega\tau) \\ \varphi(\omega) &= \arg\left(\frac{K\omega\tau}{0}\right) = \arctan(\infty) = +90^o \end{aligned}$$

Tableau 6.4 Valeurs asymptotiques de $K\tau s$

ω	$M(\omega)$	$\varphi(\omega)$
0	$-\infty$	90°
∞	∞	90°
$\frac{1}{K\tau}$	0	90°

Le tableau 6.4 donne les valeurs de l'amplitude et de la phase aux basses et hautes fréquences. Ces valeurs indiquent comment l'allure du diagramme asymptotique se comporte.

Comme pour l'élément intégral, la phase $\varphi(\omega)$ étant indépendante de ω, le diagramme de Black de $G(j\omega)$ est une droite parallèle à l'ordonnée $M(\omega)$ et passant par le point $\varphi(\omega) = +90^o$ (fig. 6.10).

Le diagramme de Black de l'élément différentiel s'obtient avec les instructions suivantes de MATLAB:

```
≫ k = 1;
≫ num = [k*0.2,0];
≫ den = [1];
≫ [m,p,w] = bode(num,den,-1,2);
≫ m = 20 * log10(m);
≫ plot(m,p);
```

Exemple 6.10 Diagramme de Black d'un élément du premier ordre

Considérons la fonction de transfert suivante:

$$G(j\omega) = \frac{K}{1 + j\omega\tau}$$

L'amplitude et la phase de cet élément sont données par:

$$\begin{aligned} M(\omega) &= 20\log_{10}(K) - 20\log_{10}\sqrt{1 + \omega^2\tau^2} \\ \varphi(\omega) &= -\arctan(\omega\tau) \end{aligned}$$

Vers les basses fréquences, la fonction de transfert $G(s)$ s'approche de K dont l'amplitude et la phase sont données par:

$$M(\omega) = 20\log_{10}(K)$$

Tableau 6.5 Valeurs asymptotiques de $\frac{K}{1+\tau s}$

ω	$M(\omega)$	$\varphi(\omega)$
0	$20\log_{10}(K)$	0
∞	$-\infty$	-90°
$\frac{\sqrt{K^2-1}}{\tau}$, $K>1$	0	$-\arctan(\sqrt{K^2-1})$

$$\varphi(\omega) = 0$$

Vers les hautes fréquences, la fonction de transfert $G(s)$ s'approche de $\frac{K}{\tau s}$ dont l'amplitude et la phase sont données par:

$$\begin{aligned} M(\omega) &= 20\log_{10}(K) - 20\log_{10}(\omega\tau) \\ \varphi(\omega) &= -90^o \end{aligned}$$

En se basant sur ces approximations et l'expression exacte de l'amplitude, on peut déduire le tableau 6.5 qui donne l'allure asymptotique du diagramme de Black correspondant (fig. 6.11).

Considérons la fonction de transfert suivante:

$$G(j\omega) = K(1 + j\omega\tau)$$

L'amplitude et la phase de cet élément sont données par:

$$\begin{aligned} M(\omega) &= 20\log_{10}(K) + 20\log_{10}\sqrt{1+\omega^2\tau^2} \\ \varphi(\omega) &= \arctan(\omega\tau) \end{aligned}$$

En procédant de manière similaire à celle utilisée pour le premier ordre, on obtient le tableau 6.6 qui donne les valeurs de l'amplitude et de la phase qui indiquent comment le diagramme de Black se comporte aux basses et hautes fréquences.

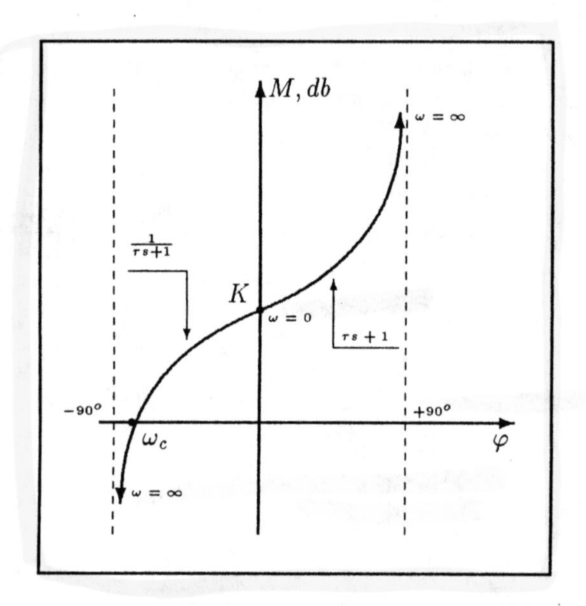

Figure 6.11 Diagramme de Black d'un premier ordre et de $K(\tau s+1)$, K est plus grand que 1

Tableau 6.6 Valeurs asymptotiques de $1+\tau s$

ω	$M(\omega)$	$\varphi(\omega)$
0	$20\log_{10}(K)$	0
∞	∞	90°
$\frac{\sqrt{K^2-1}}{K\tau}$, $K>1$	0	$-\arctan\left(-\frac{\sqrt{K^2-1}}{K}\right)$

Le diagramme de Black d'un premier ordre s'obtient avec les instructions suivantes de MATLAB:

```
≫ k = 1;
≫ num = [k];
≫ den = [0.5,1];
≫ [m,p,w] = bode(num,den,-1,2);
≫ m = 20 * log10(m);
≫ plot(m,p);
```

Exemple 6.11 Diagramme de Black d'un éléments du second ordre

Considérons la fonction de transfert suivante:

$$G(j\omega) = \frac{K}{1+2\zeta j\frac{\omega}{\omega_n}+[j\frac{\omega}{\omega_n}]^2} = \frac{K}{\left[1-\frac{\omega^2}{\omega_n^2}\right]+j2\zeta\frac{\omega}{\omega_n}}, \quad K>0$$

L'amplitude et la phase de cet élément sont données par:

$$M(\omega) = 20\log_{10}(K) - 20\log_{10}\left(\sqrt{\left[1-\frac{\omega^2}{\omega_n^2}\right]^2+4\zeta^2\frac{\omega^2}{\omega_n^2}}\right)$$

$$\varphi(\omega) = -\arctan\left(\frac{2\zeta\frac{\omega}{\omega_n}}{1-\frac{\omega^2}{\omega_n^2}}\right)$$

Vers les basses fréquences, la fonction de transfert $G(s)$ s'approche de K dont l'amplitude et la phase sont:

$$M(\omega) = 20\log_{10}(K)$$

$$\varphi(\omega) = 0$$

Vers les hautes fréquences, la fonction de transfert $G(s)$ s'approche de $\frac{K\omega_n^2}{s^2}$ dont l'amplitude et la phase sont données par:

$$M(\omega) = 20\log_{10}(K) - 40\log_{10}\left(\frac{\omega}{\omega_n}\right)$$

$$\varphi(\omega) = -180^o$$

En se basant sur ces approximations, on dresse le tableau 6.7a qui donne les valeurs de l'amplitude et de la phase vers les basses et hautes fréquences du comportement du diagramme de Black correspondant.

Le diagramme de Black de l'élément du second ordre est illustré à la figure 6.12. D'après l'étude du second ordre à la section précédente, nous savons que $M(\omega)$ admet un maximum pour:

$$\omega_p = \omega_n\sqrt{1-2\zeta^2}$$

Tableau 6.7a Valeurs asymptotiques de $\frac{K}{1+\frac{2\zeta}{\omega_n}s+\frac{s^2}{\omega_n^2}}$

ω	$M(\omega)$	$\varphi(\omega)$
0	$20\log_{10}(K)$	0
∞	$-\infty$	-180°

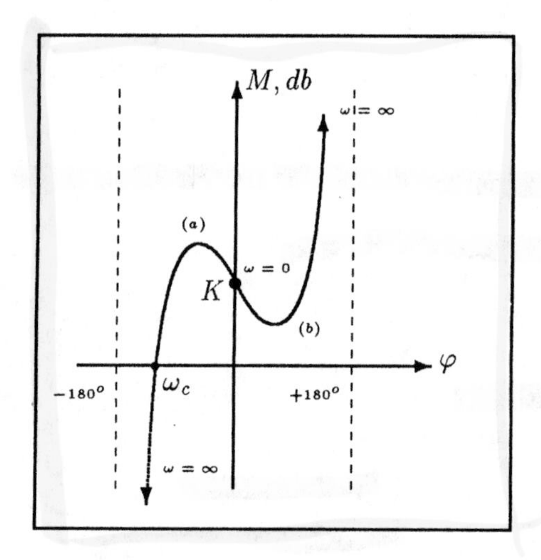

Figure 6.12 Diagramme de Black d'un second ordre (a) et de l'élément (b): $K(1+\frac{2\zeta}{\omega_n}s+\frac{s^2}{\omega_n^2})$, K est plus grand que 1

Sur la figure 6.13, nous avons représenté le diagramme de Black en fonction de $\zeta > 0$.

Considérons la fonction de transfert suivante:

$$G(j\omega) = K\left(\left[1-\frac{\omega^2}{\omega_n^2}\right]+j2\zeta\frac{\omega}{\omega_n}\right)$$

L'amplitude et la phase de cet élément sont données par:

$$M(\omega) \quad = \quad 20\log_{10}(K)+20\log_{10}\left(\sqrt{\left[1-\frac{\omega^2}{\omega_n^2}\right]^2+4\zeta^2\frac{\omega^2}{\omega_n^2}}\right)$$

Tableau 6.8 Valeurs asymptotiques de $K\left(1+\frac{2\zeta}{\omega_n}s+\frac{s^2}{\omega_n^2}\right)$

ω	$M(\omega)$	$\varphi(\omega)$
0	$20\log_{10}(K)$	0
∞	∞	180°

$$\varphi(\omega) \quad = \quad -\arctan\left(\frac{2\zeta\frac{\omega}{\omega_n}}{1-\frac{\omega^2}{\omega_n^2}}\right)$$

En procédant de manière similaire à celle utilisée pour le second ordre, on obtient les valeurs du tableau 6.8 qui renseignent sur le comportement asymptotique du diagramme de Black correspondant aux basses et hautes fréquences.

De la même manière que précédemment, $M(\omega)$ admet ici aussi un pic à la fréquence ω_p.

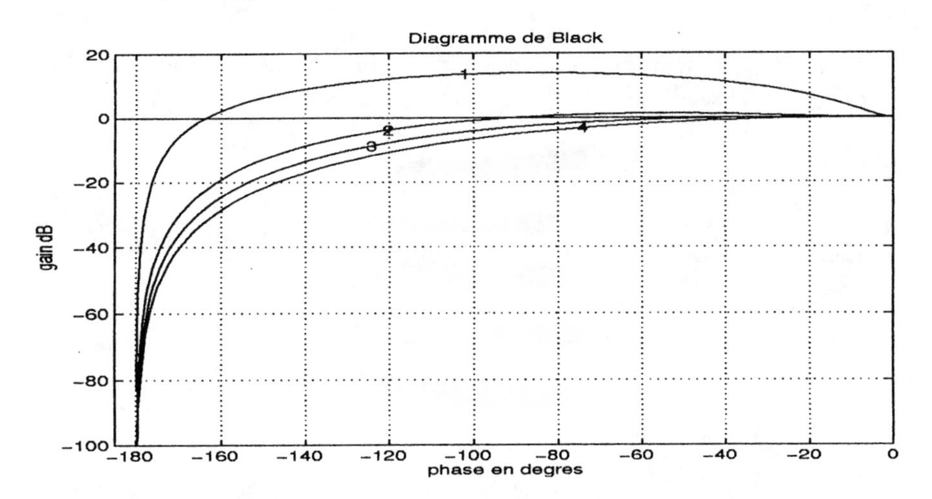

Figure 6.13 Diagramme de Black d'un 2e ordre normalisé, ($K = 1$, $\tau = 1$, avec $\zeta = 0.1$ (1), $\zeta = 0.5$ (2), $\zeta = 0.707$ (3) et $\zeta = 0.9$ (4))

Le diagramme de Black d'un système de deuxième ordre s'obtient avec les instructions suivantes de MATLAB:

```
≫ k = 1;
≫ num = [k];
≫ den = [1,0.5,1];
≫ [m,p,w] = bode(num,den,-1,2);
≫ m = 20 * log10(m);
≫ plot(m,p);
```

Exemple 6.12 Diagramme de Black d'un système d'ordre quelconque

Considérons le système représenté par la fonction de transfert suivante:

$$G(s) = K\frac{\tau_1 s + 1}{(\tau_2 s + 1)(\tau_3 s + 1)s} \quad \text{avec} \quad \frac{1}{\tau_2} < \frac{1}{\tau_1} < \frac{1}{\tau_3} \quad \text{et} \quad K > 1$$

Cette fonction de transfert peut être écrite comme étant un produit des cinq fonctions de transfert suivantes:

$$\begin{aligned} G_1(s) &= K \\ G_2(s) &= \tau_1 s + 1 \\ G_3(s) &= \frac{1}{\tau_2 s + 1} \\ G_4(s) &= \frac{1}{\tau_3 s + 1} \\ G_5(s) &= \frac{1}{s} \end{aligned}$$

À partir des tracés des diagrammes des fonctions de base précédentes, le tracé de Black de chacune des fonctions $G_i(s)$ $i = 1, \ldots, 5$ ne pose aucune difficulté. Nous allons utiliser MATLAB pour le faire. En choisissant $K = 10, \tau_3 = 1, \tau_1 = 5$ et $\tau_2 = 10$, le tracé de la fonction $G(s)$ est illustré à la figure 6.14. Notons que le tracé de $G(s)$ est obtenu en additionnant les diagrammes des amplitudes en db et les diagrammes de phases en degré.

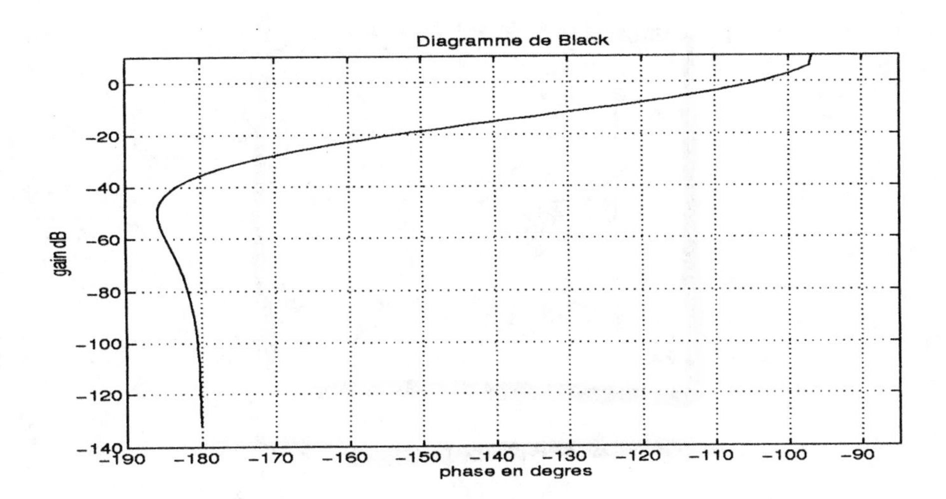

Figure 6.14 Diagramme de Black de l'élément $K\frac{\tau_1 s+1}{(\tau_2 s+1)(\tau_3 s+1)s}$, $K = 10$, $\tau_1 = 5$, $\tau_2 = 10$, $\tau_3 = 1$

6.3.3 Diagramme de Nyquist

Pour obtenir ce diagramme, il faut tracer dans le plan complexe la courbe que décrit la fonction de transfert d'un système en boucle ouverte $G(j\omega)$ en fonction de la fréquence. En effet, toute fonction de transfert $G(s)$ peut s'écrire sous la forme suivante:

$$G(j\omega) = A(\omega) + jB(\omega)$$

où $A(\omega)$ et $B(\omega)$ désignent respectivement la partie réelle et la partie imaginaire de $G(s)$ lorsque s est remplacé par $j\omega$. Ces deux grandeurs sont en général des fonctions de la fréquence ω. Contrairement aux cas précédents, la fonction de transfert $G(s)$ peut admettre des pôles instables.

Le diagramme de Nyquist consiste principalement à tracer la partie imaginaire de $G(j\omega)$ en fonction de la partie réelle de $G(j\omega)$, lorsque ω varie de zéro à l'infini. Le diagramme de Nyquist est équivalent aux diagrammes précédents. Il peut être déduit des autres diagrammes.

Sur la figure 6.15, nous avons montré un exemple de représentation du diagramme de Nyquist. Nous pouvons voir sur cette figure que pour n'importe quelle fréquence ω, on peut déterminer l'amplitude $M(\omega)$ ainsi que la phase $\varphi(\omega)$ d'une fonction de transfert en boucle ouverte et par conséquent, construire les diagrammes de Black ou de Bode.

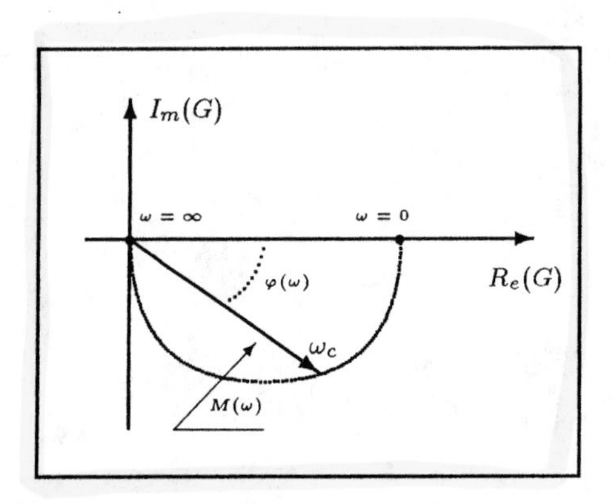

Figure 6.15 Lien entre les diagrammes de Black, Bode et Nyquist

Nous avons dit précédemment que lors de la multiplication de la fonction de transfert par un gain K, la phase reste inchangée; seule l'amplitude est affectée. Il en résulte que pour une fréquence donnée, la multiplication de la fonction de transfert par un gain K fait déplacer le lieu de Nyquist le long de l'argument correspondant à cette fréquence.

Nous allons aussi considérer que la forme générale de la fonction de transfert en boucle ouverte est donnée par l'expression suivante:

$$G(s) = \frac{K}{s^l} \frac{1 + b_1 s + \ldots + b_m s^m}{1 + a_1 s + \ldots + a_n s^n}$$

où l, m, et $(n+l)$ ont les mêmes significations que dans la section précédente. En se plaçant vers les basses fréquences, la fonction de transfert peut s'approximer par l'expression suivante:

$$G(s) = \frac{K}{s^l}$$

dont les parties réelle et imaginaire sont données par les expressions suivantes:

$$R_e(\omega) = \begin{cases} 0 & \text{si } l \text{ est impair,} \\ (-1)^{\frac{l}{2}} \frac{K}{\omega^l} & \text{autrement.} \end{cases}$$

$$I_m(\omega) = \begin{cases} (-1)^{\frac{l+1}{2}} \frac{K}{\omega^l} & \text{si } l \text{ est impair,} \\ 0 & \text{autrement.} \end{cases}$$

Vers les hautes fréquences, l'approximation de $G(s)$ est donnée par:

$$G(s) = \frac{Kb_m}{a_n}\frac{1}{s^{n+l-m}}$$

dont les parties réelle et imaginaire s'écrivent:

$$R_e(\omega) = \begin{cases} 0 & \text{si } (n+l-m) \text{ est impair,} \\ (-1)^{\frac{n+l-m}{2}} \frac{Kb_m}{a_n \omega^{n+l-m}} & \text{autrement.} \end{cases}$$

$$I_m(\omega) = \begin{cases} (-1)^{\frac{n+l-m+1}{2}} \frac{Kb_m}{a_n \omega^{n+l-m}} & \text{si } n+l-m \text{ est impair,} \\ 0 & \text{autrement.} \end{cases}$$

Suite à cette étude asymptotique, nous pouvons tracer la figure 6.16. Cette figure nous indique comment un système d'ordre général se comporte vers les basses et hautes fréquences en fonction des paramètres l et $(n+l-m)$.

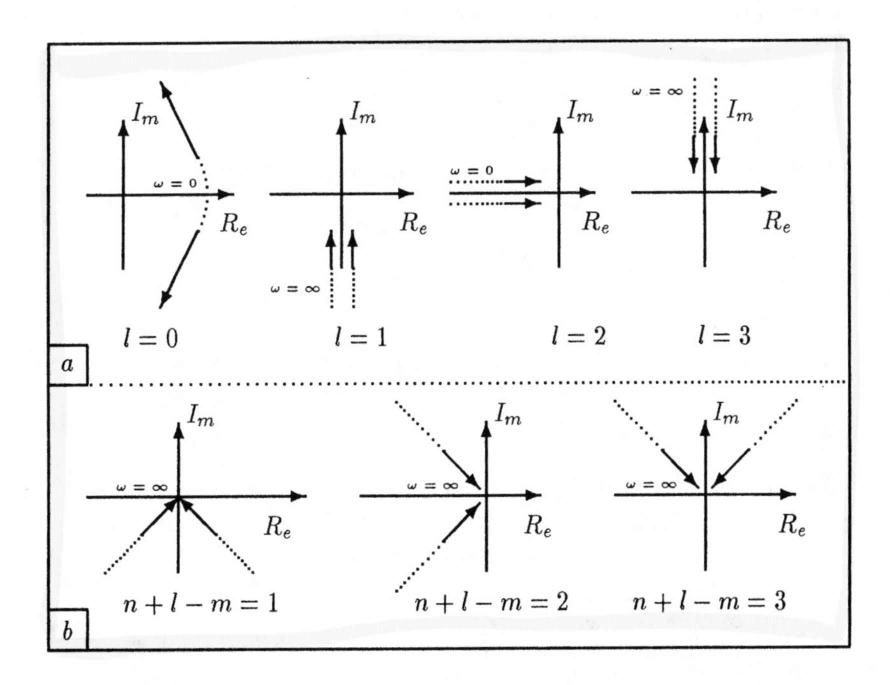

Figure 6.16 Diagramme de Nyquist vers les basses (a) et hautes fréquences (b)

Tableau 6.9 Valeurs asymptotiques de $\frac{1}{\tau s}$

ω	0	∞	$\frac{1}{\tau}$
$M(\omega)$	∞	0	1
$\varphi(\omega)$	-90°	-90°	-90°

On commence, comme pour les sous-sections précédentes, à tracer le diagramme de Nyquist pour les différentes fonctions de transfert de base. Les fonctions de transfert de base auxquelles on s'intéresse sont:

$$[j\omega\tau]^{\pm 1}; \quad [1 + j\omega\tau]^{\pm 1}; \quad \left[1 + j2\zeta\frac{\omega}{\omega_n} + \left(j\frac{\omega}{\omega_n}\right)^2\right]^{\pm 1}$$

Exemple 6.13 Diagramme d'un élément intégral

La fonction de transfert est la suivante:

$$G(j\omega) = \frac{1}{j\omega\tau}$$

L'amplitude et la phase d'un tel élément sont données par:

$$\begin{aligned} |G(j\omega)| &= \frac{1}{\omega\tau} = M(\omega) \\ \varphi(\omega) &= -90^o \end{aligned}$$

Le tableau 6.9 donne les valeurs qui renseignent sur l'allure asymptotique du diagramme de Nyquist correspondant. Le diagramme de Nyquist correspondant est représenté à la figure 6.17.

Le diagramme de Nyquist d'un élément intégral s'obtient avec les instructions suivantes de MATLAB:

```
≫ num = [1];
≫ den = [0.5,0];
≫ [ω ,Re,Im] = nyquist(num,den,-1,2);
≫ plot(Re,Im);
```

Exemple 6.14 Diagramme de Nyquist d'un élément différentiel

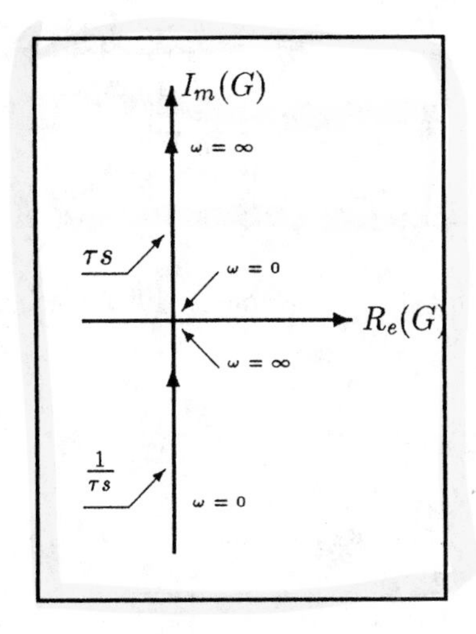

Figure 6.17 Diagramme de Nyquist de l'élément intégral et de l'élément différentiel

Tableau 6.10 Valeurs asymptotiques de τs

ω	0	∞	$\frac{1}{\tau}$
$M(\omega)$	0	∞	1
$\varphi(\omega)$	90°	90°	90°

La fonction de transfert est:

$$G(j\omega) = j\omega\tau$$

L'amplitude et la phase de cet élément sont données par:

$$|G(j\omega)| = \omega\tau = M(\omega)$$
$$\varphi(\omega) = +90^o$$

Le tableau 6.10 donne les valeurs qui renseignent sur l'allure asymptotique du diagramme de Nyquist correspondant.

Le diagramme de Nyquist correspondant est représenté à la figure 6.17.

Tableau 6.11 Valeurs asymptotiques de $\frac{1}{1+\tau s}$

ω	0	∞	$\frac{1}{\tau}$
$M(\omega)$	1	0	$\frac{1}{\sqrt{2}}$
$\varphi(\omega)$	0	-90°	-45°

Le diagramme de Nyquist d'un élément différentiel s'obtient avec les instructions suivantes de MATLAB:

```
≫ num = [0.1,0];
≫ den = [1];
≫ [ω ,Re,Im] = nyquist(num,den,-1,2);
≫ plot(Re,Im);
```

Exemple 6.15 Diagramme de Nyquist d'un élément du premier ordre

Considérons la fonction de transfert suivante:

$$G(j\omega) = \frac{1}{1 + j\omega\tau}$$

L'amplitude et la phase de cet élément sont données par:

$$\begin{aligned} |G(j\omega)| &= \frac{1}{\sqrt{1+\omega^2\tau^2}} = M(\omega) \\ \varphi(\omega) &= -\arctan(\omega\tau) \end{aligned}$$

En procédant par approximation aux basses et hautes fréquences on obtient le tableau 6.11, qui donne les valeurs qui renseignent sur l'allure asymptotique du diagramme de Nyquist correspondant.

Lorsque ω varie de zéro à l'infini, l'amplitude $M(\omega)$ varie de 1 à zéro; on peut donc penser que $M(\omega)$ décrit un cercle lorsque ω varie dans de larges limites. Pour vérifier cela, procédons à la démonstration suivante:

$G(j\omega)$ peut s'écrire ainsi:

$$G(j\omega) = \frac{1}{1 + j\omega\tau} = \frac{1}{1+\omega^2\tau^2} - j\frac{\omega\tau}{1+\omega^2\tau^2} = x - jy$$

On remarque que:

$$x = -\frac{y}{\omega\tau} \tag{6.12}$$

En élevant (6.12) au carré et en soustrayant x à ses deux membres, on obtient:

$$x^2 - x = \left[-\frac{y}{\omega\tau}\right]^2 - x$$

ou

$$\left[x - \frac{1}{2}\right]^2 - \frac{1}{4} = \frac{y^2}{\omega^2\tau^2} - x$$

ou bien

$$\left[x - \frac{1}{2}\right]^2 - \frac{1}{4} = y^2\left[\frac{1}{\omega^2\tau^2} - \frac{x}{y^2}\right] \tag{6.13}$$

où

$$\frac{1}{\omega^2\tau^2} - \frac{x}{y^2} = \frac{1}{\omega^2\tau^2} - \frac{\frac{1}{1+\omega^2\tau^2}}{\frac{\omega^2\tau^2}{[1+\omega^2\tau^2]^2}} = -1$$

L'équation (6.13) s'écrit donc:

$$\left[x - \frac{1}{2}\right]^2 - \frac{1}{4} = -y^2$$

ou

$$\left[x - \frac{1}{2}\right]^2 + y^2 = \left[\frac{1}{2}\right]^2$$

Ceci est bien l'équation d'un cercle de centre O$[\frac{1}{2}$,0] et de rayon $\frac{1}{2}$.

Le diagramme correspondant est celui de la figure 6.18 (a).

Considérons maintenant la fonction de transfert d'un système du premier ordre de la forme suivante:

$$G(j\omega) = 1 + j\omega\tau$$

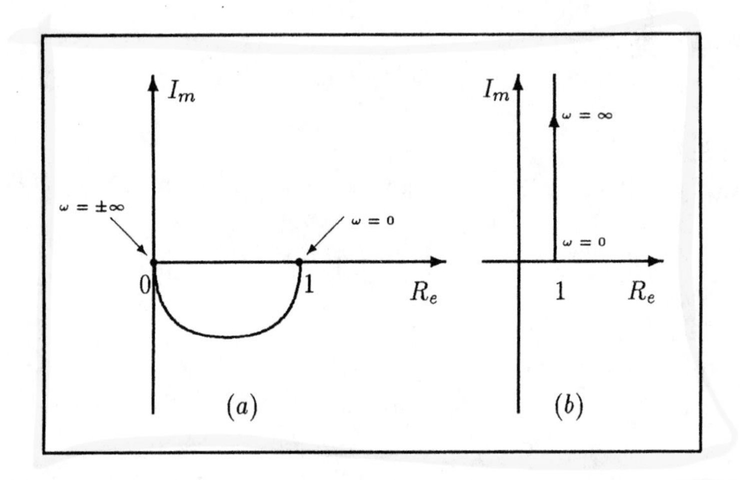

Figure 6.18 Diagramme de Nyquist d'un premier ordre (*a*) et de l'élément (*b*) = $(1 + \tau s)$

Tableau 6.12 Valeurs asymptotiques de $1 + \tau s$

ω	0	∞
$M(\omega)$	0	∞
$\varphi(\omega)$	0	$90°$

L'amplitude et la phase de cet élément en fonction de la fréquence sont données par les expressions suivantes:

$$\begin{aligned} |G(j\omega)| &= \sqrt{1+\omega^2\tau^2} = M(\omega) \\ \varphi(\omega) &= \arctan(\omega\tau) \end{aligned}$$

En procédant par approximation aux basses et hautes fréquences, on obtient le tableau 6.12 qui donne les valeurs qui renseignent sur l'allure asymptotique du diagramme de Nyquist correspondant (fig. 6.18 (b)).

Tableau 6.13 Valeurs asymptotiques de $\frac{1}{1+2\zeta j\frac{\omega}{\omega_n}+[j\frac{\omega}{\omega_n}]^2}$.

ω	0	∞	ω_n
$M(\omega)$	1	0	$\frac{1}{2\zeta}$
$\varphi(\omega)$	0	-180°	-90°

Le diagramme de Nyquist d'un élément de premier ordre s'obtient avec les instructions suivantes de MATLAB:

```
≫ num = [1];
≫ den = [0.5,1];
≫ [ω ,Re,Im] = nyquist(num,den,-1,2);
≫ plot(Re,Im);
```

Exemple 6.16 Diagramme de Nyquist d'un élément du second ordre

Considérons la fonction de transfert suivante:

$$G(j\omega) = \frac{1}{1+2\zeta j\frac{\omega}{\omega_n}+[j\frac{\omega}{\omega_n}]^2} = \frac{1}{\left[1-\frac{\omega^2}{\omega_n^2}\right]+j2\zeta\frac{\omega}{\omega_n}}$$

L'amplitude et la phase de cet élément sont données par:

$$M(\omega) = \frac{1}{\sqrt{[1-\frac{\omega^2}{\omega_n^2}]^2+4\zeta^2\frac{\omega^2}{\omega_n^2}}}$$

$$\varphi(\omega) = -\arctan\left(\frac{2\zeta\frac{\omega}{\omega_n}}{1-\frac{\omega^2}{\omega_n^2}}\right)$$

En procédant par approximation aux basses et hautes fréquences, on obtient le tableau 6.13 qui donne les valeurs qui renseignent sur l'allure asymptotique du diagramme de Nyquist (fig. 6.19a) correspondant.

Si on donne différentes valeurs à ζ tel que $\zeta > 0$, on obtient la représentation de Nyquist telle que montrée à la figure 6.20.

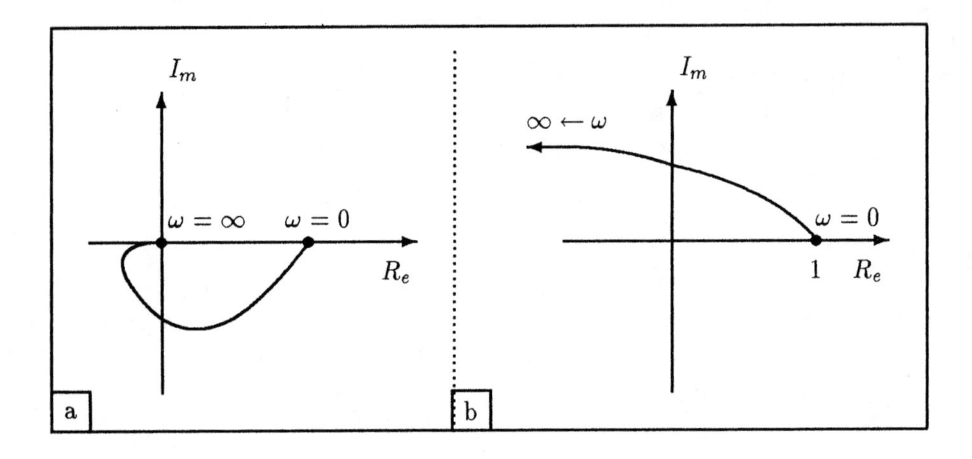

Figure 6.19 Diagramme de Nyquist d'un 2e ordre (a) et de l'élément (b) = $1 + \frac{2\zeta}{\omega_n}s + \frac{s^2}{\omega_n^2}$

Considérons maintenant la fonction de transfert suivante:

$$G(j\omega) = 1 + 2\zeta j\frac{\omega}{\omega_n} + \left[j\frac{\omega}{\omega_n}\right]^2$$

L'amplitude et la phase qui correspondent à cet élément sont:

$$\begin{aligned} M(\omega) &= \sqrt{\left[1 - \frac{\omega^2}{\omega_n^2}\right]^2 + 4\zeta^2\frac{\omega^2}{\omega_n^2}} \\ \varphi(\omega) &= \arctan\left(\frac{2\zeta\frac{\omega}{\omega_n}}{1 - \frac{\omega^2}{\omega_n^2}}\right) \end{aligned}$$

le tableau 6.14 donne les valeurs qui renseignent sur l'allure asymptotique du diagramme de Nyquist correspondant. ce qui donne le diagramme de la figure 6.19 (b).

Tableau 6.14 Valeurs asymptotiques de $1 + 2\zeta j\frac{\omega}{\omega_n} + [j\frac{\omega}{\omega_n}]^2$.

ω	$M(\omega)$	$\varphi(\omega)$
0	1	0
∞	∞	180°

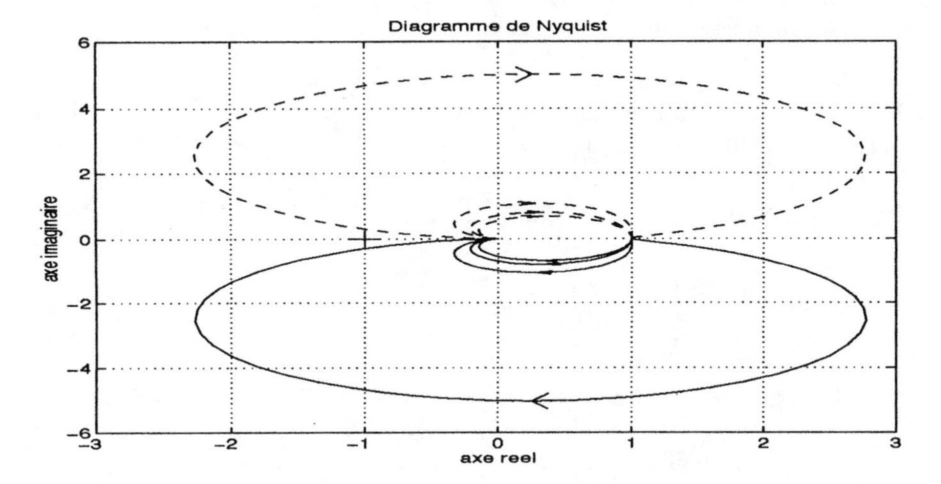

Figure 6.20 Diagramme de Nyquist d'un 2e ordre normalisé en fonction de ζ ($K = 1$, $\omega_n = 1$ avec $\zeta = 0.1$, $\zeta = 0.5$, $\zeta = 0.707$ et $\zeta = 0.9$

Le diagramme de Nyquist d'un élément de second ordre s'obtient avec les instructions suivantes de MATLAB:

```
≫ num = [1];
≫ den = [1,0.5,1];
≫ [ω ,Re,Im] = nyquist(num,den,-1,2);
≫ plot(Re,Im);
```

Sur la figure 6.20 on a représenté le diagramme de Nyquist en fonction de ζ.

Exemple 6.17 Diagramme de Nyquist d'un système d'ordre quelconque

Considérons le système représenté par la fonction de transfert suivante:

$$G(s) = K\frac{\tau_1 s + 1}{(\tau_2 s + 1)(\tau_3 s + 1)s} \quad \text{avec} \quad \frac{1}{\tau_2} < \frac{1}{\tau_1} < \frac{1}{\tau_3} \quad \text{et} \quad K > 1$$

En ce qui concerne le diagramme asymptotique de ce système, on a:

- vers les basses fréquences, on a $G(s) \simeq \frac{K}{s}$ dont la partie réelle est nulle et la partie imaginaire égale à $-\infty$.
- vers les hautes fréquences, on a $G(s) \simeq \frac{K\tau_1}{\tau_1\tau_3 s^2}$ dont les parties réelle et imaginaire sont toutes deux nulles lorsque $\omega \to \infty$.

D'un autre côté, on peut calculer les expressions de la partie réelle et de la partie imaginaire en fonction de ω:

$$
\begin{aligned}
R_e(\omega) &= -K\frac{\omega(\tau_2+\tau_3)+\omega^3(\tau_1\tau_2\tau_3)}{\omega(\tau_2^2\omega^2+1)(\tau_3^2\omega^2+1)} \\
I_m(\omega) &= -K\frac{1+\tau_1\omega+(\tau_1\tau_2+\tau_1\tau_3+\tau_2\tau_3)\omega^2}{\omega(\tau_2^2\omega^2+1)(\tau_3^2\omega^2+1)}
\end{aligned}
$$

Ces expressions confirment les valeurs prises par le diagramme asymptotique. Le diagramme de Nyquist d'un tel système avec $K = 10, \tau_1 = 0.1, \tau_2 = 0.2$ et $\tau_3 = 0.05$ est illustré à la figure 6.21.

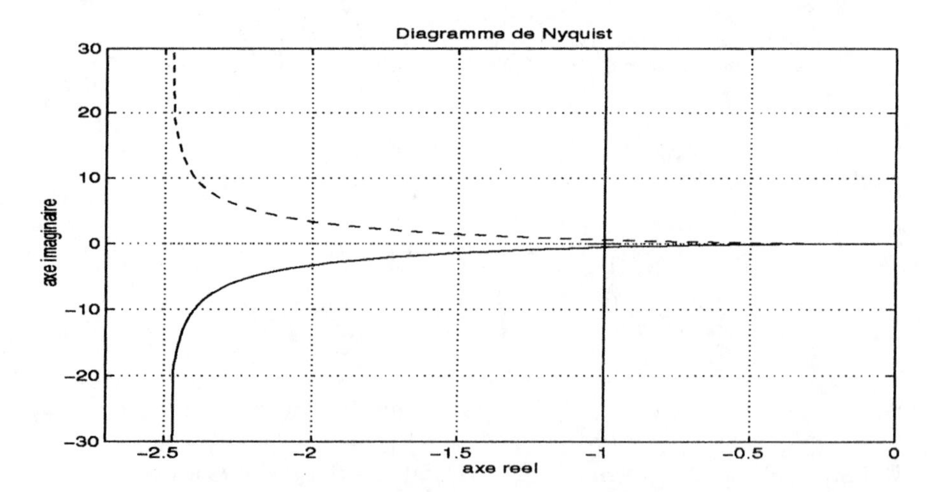

Figure 6.21 Diagramme de Nyquist de l'élément $K\frac{\tau_1 s+1}{(\tau_2 s+1)(\tau_3 s+1)s}$ ($K = 10$, $\tau_1 = 0.1$, $\tau_2 = 0.2$ et $\tau_3 = 0.05$)

6.3.4 Stabilité de Nyquist

Au cours du chapitre 5, nous avons présenté un critère algébrique de stabilité. Ce critère consiste à déterminer s'il y a ou non des racines d'un certain polynôme à partie réelle positive. Ce polynôme représente l'équation caractéristique du système en boucle fermée. Dans cette sous-section, nous allons présenter un critère géométrique. Il nous renseigne sur le nombre des racines du système à partie réelle positive tout en se basant sur la fonction de transfert en boucle ouverte.

L'étude de stabilité selon Nyquist repose sur le théorème de Cauchy dont l'énoncé est le suivant: **l'intégrale de la fonction $F(s)$ suivant un contour $\mathcal{C}$ fermé dans le plan complexe s est égale à zéro si $F(s)$ est analytique sur le contour $\mathcal{C}$ et à l'intérieur du domaine limité par $\mathcal{C}$, c'est-à-dire:**

$$\oint_{\mathcal{C}} F(s)ds = 0$$

La définition d'une fonction analytique sera présentée un peu plus loin dans cette section.

Application du théorème de Cauchy: transformation conforme

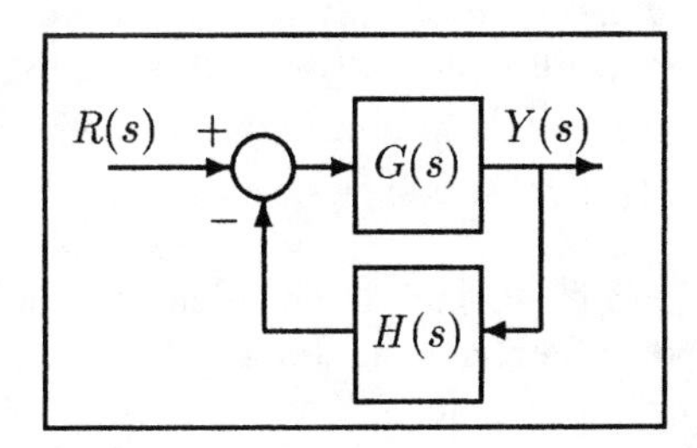

Figure 6.22 Schéma-bloc d'un système en boucle fermée à retour non unitaire

Un système asservi est souvent représenté sous sa forme générale tel qu'illustré à la figure 6.22. L'étude de la stabilité de ce système est faite sur la base du dénominateur de la fonction de transfert en boucle fermée dont l'expression est:

$$F(s) = \frac{G(s)}{1 + G(s)H(s)} = \frac{G(s)}{1 + T(s)} \tag{6.14}$$

Tout le problème consiste à trouver les racines de l'équation caractéristique:

$$1 + T(s) = 0$$

Un système est stable si toutes les racines de l'équation caractéristique sont à partie réelle négative.

Comme la fonction de transfert en boucle ouverte $G(s)H(s) = T(s)$ est un rapport de polynômes en s, alors $1 + G(s)H(s)$ peut aussi s'écrire:

$$1 + G(s)H(s) = 1 + \frac{N(s)}{D(s)} = \frac{D(s) + N(s)}{D(s)} = \frac{(s + z_1)(s + z_2)\cdots}{(s + p_1)(s + p_2)\cdots} \tag{6.15}$$

Finalement l'équation caractéristique devient:

$$1 + G(s)H(s) = D(s) + N(s) = (s + z_1)(s + z_2)\cdots(s + z_n) = 0 \tag{6.16}$$

L'équation (6.16) représente l'équation caractéristique du système où $-z_1$,$-z_2$, ..., $-z_n$ sont ses racines ou ses zéros. Si s prend l'une des valeurs $-z_i$, alors $1 + GH(s) = 0$ et $\frac{Y(s)}{R(s)}$ tend vers l'infini.

Les racines $-p_1$, $-p_2$, ..., $-p_n$ de l'équation (6.15) sont appelées les pôles de $1 + G(s)H(s)$. Si s prend l'une de ces valeurs, alors $1 + G(s)H(s)$ tend vers l'infini et $\frac{Y(s)}{R(s)}$ tend vers zéro. Remarquons que les pôles de $1 + G(s)H(s)$ sont les mêmes que ceux de $G(s)H(s)$ mais les zéros sont différents.

Pour étudier la stabilité du système, on doit donc parcourir tout le demi-plan droit du plan complexe s à la recherche des racines à partie réelle positive, car elles sont les seules à déstabiliser le système.

C'est une tâche ardue qui peut être simplifiée en utilisant ce qu'on appelle **la transformation conforme** qui consiste, comme son nom l'indique, à passer de l'étude de la zone d'instabilité dans le plan s (son demi-plan droit) à celle dans le plan $G(s)H(s)$.

Définition 6.3.1 *Une fonction $T(s)$ définie dans un domaine $\mathcal{D}$ est dite analytique dans $\mathcal{D}$ si la dérivée $\frac{dT}{ds}(s)$ est continue dans $\mathcal{D}$.*

Pour toute fonction $T(s)$, où $s = \sigma + j\omega$, on a:

$$T(s) = A(\sigma, \omega) + jB(\sigma, \omega)$$

où $A(\sigma, \omega)$ et $B(\sigma, \omega)$ sont respectivement la partie réelle et la partie imaginaire de $T(s)$.

On peut montrer que la fonction $T(s)$ est analytique dans $\mathcal{D}$ si et seulement si les équations suivantes:

$$\begin{aligned} \frac{\partial A}{\partial \sigma}(\sigma, \omega) &= \frac{\partial B}{\partial \omega}(\sigma, \omega), \ \forall \sigma, \omega \\ \frac{\partial A}{\partial \omega}(\sigma, \omega) &= \frac{\partial B}{\partial \sigma}(\sigma, \omega), \ \forall \sigma, \omega \end{aligned}$$

sont satisfaites dans le domaine $\mathcal{D}$.

On peut aussi montrer que toutes les fonctions rationnelles en s sont des fonctions analytiques partout dans le plan complexe sauf aux points de singularité (i.e. pôles de fonction).

D'un autre côté, chaque point s du domaine $\mathcal{D}$ dont la partie réelle est σ et la partie imaginaire est ω est transformé par la fonction analytique $T(s)$ en un point du plan complexe dont la partie réelle est $A(\sigma, \omega)$ et la partie imaginaire est $B(\sigma, \omega)$. Cette correspondance entre les différents points des plans complexes est appelée transformation. La fonction analytique $T(s)$ fait correspondre à chaque point du plan-s un point unique du plan-T. Si la fonction $T(s)$ est analytique, chaque courbe régulière du plan-s sera transformée en une courbe régulière du plan-T. Le diagramme de Nyquist peut être considéré comme étant la transformation de l'axe imaginaire positif $j\omega$ du plan-s dans le plan-T.

Pour étudier la stabilité des systèmes asservis, on utilise la fonction de transfert en boucle ouverte et le contour $\mathcal{C}$ excluant toutes les singularités sur l'axe imaginaire par un petit cercle de rayon ϵ suffisamment petit. Soit Γ le contour obtenu par la transformation $T(s)$. Le principe des arguments donne une relation entre le nombre de pôles et de zéros de $T(s)$ encerclés par $\mathcal{C}$ et le nombre d'encerclements de l'origine dans le plan T.

Le contour $\mathcal{C}$ ne doit contenir ni pôle ni zéro sur son contour. En parcourant alors le contour $\mathcal{C}$ dans le sens horaire, le théorème de Cauchy établit que la variation de l'argument de $G(s)H(s)$ est donnée par:

$$\arg \, [G(s)H(s)]_{\mathcal{C}} = 2\pi(P - Z) \qquad (6.17)$$

où arg $[G(s)H(s)]_C$ représente la variation de l'argument de $G(s)H(s)$ le long de $\mathcal{C}$; P traduit le nombre de pôles de $G(s)H(s)$ à l'intérieur du contour $\mathcal{C}$ et Z celui des zéros de $G(s)H(s)$ à l'intérieur du contour $\mathcal{C}$.

La variation de l'argument de $G(s)H(s)$ le long de $\mathcal{C}$ est égale à 2π fois le nombre de tours, dans le sens horaire, autour de l'origine, de la courbe Γ image de $\mathcal{C}$ dans le plan $G(s)H(s)$.

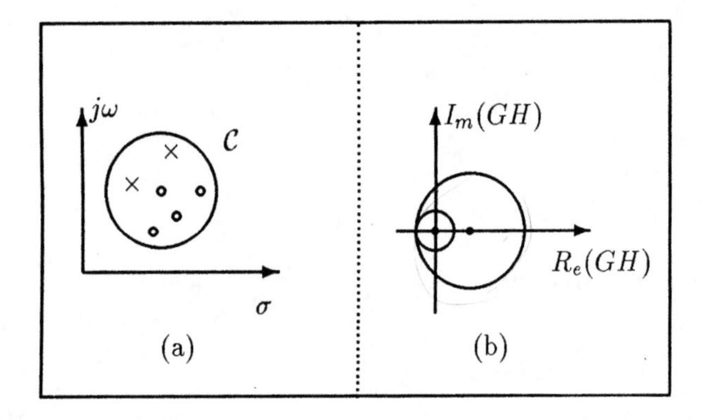

Figure 6.23 Exemple illustrant l'emploi de la transformation conforme

Nous avons représenté sur la figure 6.23 (a) quatre zéros $(-z_1, -z_2, -z_3, -z_4)$ et deux pôles $(-p_1, -p_2)$ à l'intérieur du contour $\mathcal{C}$. En appliquant l'équation (6.17), on obtient le schéma de la figure 6.23 (b) qui montre que la courbe $G(s)H(s)$ encercle l'origine selon un angle de $2\pi(2-4)$ ou -4π ou deux fois l'origine dans le sens horaire.

Comme le plan $GH(s)$ se déduit du plan $1+GH(s)$ par simple translation de -1 tel que montré à la figure 6.24 et puisque les méthodes fréquentielles concernent des fonctions de transfert en boucle ouverte, alors tout encerclement de l'origine dans le plan s entraîne **l'encerclement du point -1 dans le plan** $G(s)H(s)$. Le théorème de Cauchy donne alors la relation:

$$\arg\ [1 + G(s)H(s)]_C = 2\pi(P - Z)$$

Ainsi, on peut caractériser la stabilité d'un système en boucle fermée par le critère suivant:

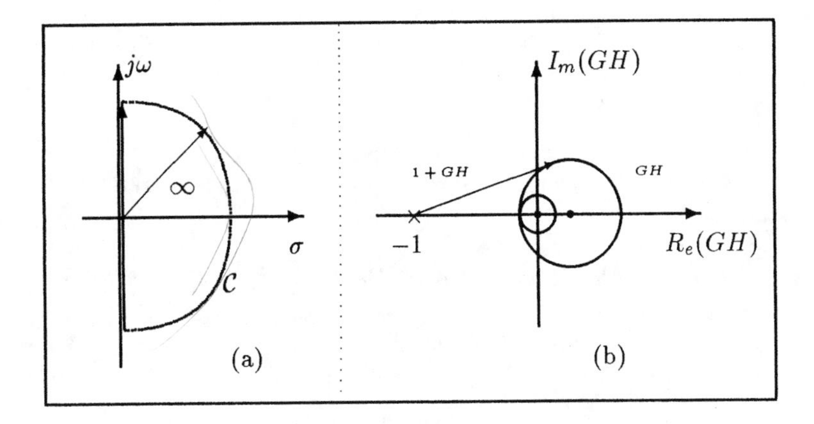

Figure 6.24 Transformation conforme

Critère de stabilité

En partant du principe que le nombre de pôles à parties réelles positives ainsi que le nombre d'encerclements dans le sens horaire sont connus, le critère de stabilité de Nyquist reposant sur le théorème de Cauchy s'énonçe ainsi:

Un système est stable si le nombre d'encerclements N du point $-1+j0$ dans le plan complexe $GH(s)$ est égal au nombre de pôles à partie réelle positive tel que:

$$N = Z - P$$

où P et Z désignent respectivement le nombre de pôles à partie réelle positive de $G(s)H(s)$, et le nombre de zéros à partie réelle positive de $G(s)H(s)$.

De ce théorème, il résulte que

$$Z \;=\; N + P$$

c'est-à-dire que le système est stable si et seulement si le nombre de zéros à partie réelle positive est égal à la somme du nombre de pôles à partie réelle positive et du nombre d'encerclements du point critique de la fonction $G(s)H(s)$.

À moins d'introduire volontairement des éléments instables dans des systèmes, ces derniers sont souvent composés d'éléments de nature stable. Cela veut dire que la possibilité d'avoir des pôles dans le demi-plan positif est très réduite. Donc, si $P = 0$, le critère de Nyquist devient:

$$N = Z$$

Pour que le système soit stable, il faut que $Z = 0$, ce qui équivaut à écrire $N = 0$, donc pas d'encerclement du point -1. Dans le cas contraire, le système est instable.

Exemple 6.18 Étude de la stabilité d'un système d'ordre trois

Considérons le système représenté par la fonction de transfert suivante:

$$G(s) = K\frac{1}{s(3s+1)(s+1)}$$

Cette fonction de transfert représente un système à déphasage minimal. Le diagramme de Nyquist de ce système peut être obtenu sans difficulté (fig. 6.25c).

Avant de conclure sur la stabilité de ce système, il est préférable de chercher la ou les conditions que doit vérifier le gain K pour que le système soit stable en boucle fermée.

En se référant à la figure 6.25a on peut facilement déduire l'équation caractéristique suivante:

$$1 + K\frac{1}{s(3s+1)(s+1)} = 3s^3 + 4s^2 + s + K = 0$$

Le tableau de Routh-Hurwitz associé est donné par:

s^3	3	1
s^2	4	K
s^1	$\frac{4-3K}{4}$	0
s^0	K	

la stabilité de ce système exige que K vérifie la relation suivante:

$$0 < K < \frac{4}{3}$$

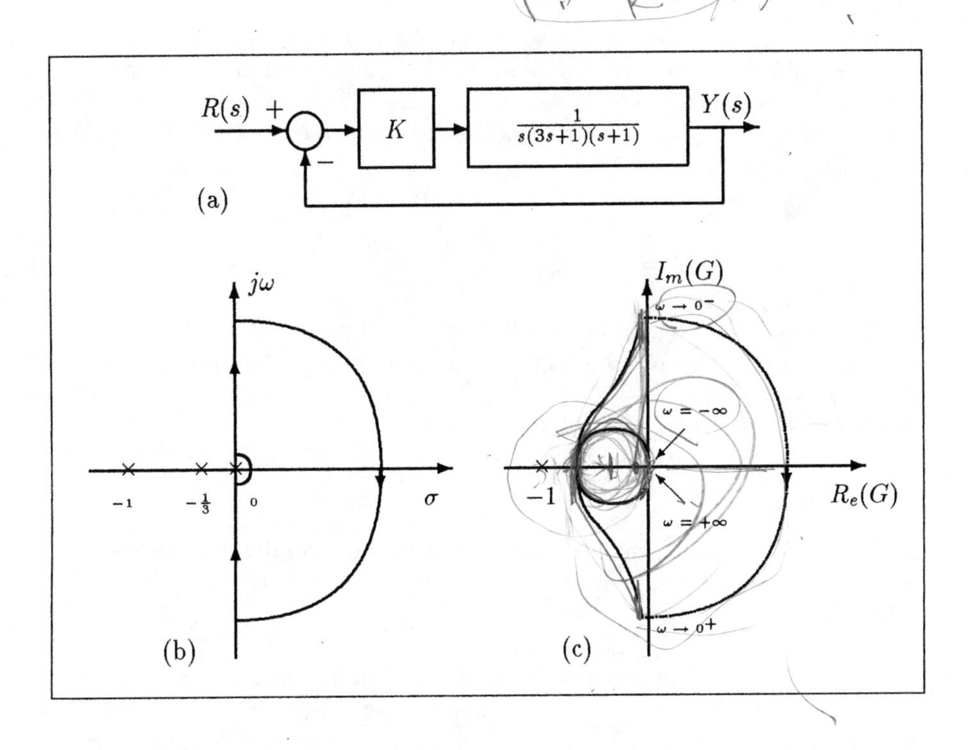

Figure 6.25 Stabilité d'un système de type 1 (a), contour de Nyquist du système de type 1 (b) et diagramme de Nyquist de l'élément $K\frac{1}{s(3s+1)(s+1)}$ pour $K = 1$ (c)

Pour retrouver cette condition par le critère de Nyquist, on doit d'abord déterminer les parties réelle et imaginaire de la fonction de transfert en boucle ouverte, associées à $G(s)$. Les expressions correspondantes sont:

$$Re(\omega) = -K\frac{4}{(1-3\omega^2)^2+16\omega^4}$$

$$Im(\omega) = -K\frac{1-3\omega^2}{\omega(1-3\omega^2)^2+16\omega^3}$$

La partie imaginaire s'annule pour ω égale à $\frac{1}{\sqrt{3}}$. La valeur de la partie réelle correspondante est égale à $\frac{-3K}{4}$. Comme nous l'avons mentionné précédemment, le contour $\mathcal{C}$ doit exclure les pôles sur l'axe imaginaire. Le contour C choisi pour cet exemple est illustré à la figure 6.25b.

La fonction de transfert $G(s)$ n'admet ni pôle ni zéro à partie réelle positive. La stabilité de ce système exige alors que le nombre d'encerclement du point critique soit égal à zéro. Ce qui revient à imposer à l'intersection du diagramme de Nyquist avec l'axe réel d'être supérieure à -1. La contrainte sur le gain K est donc:

$$0 < K < \frac{4}{3}$$

En se référant maintenant au diagramme de Nyquist de la figure 6.25c et en utilisant le théorème de stabilité, c'est-à-dire en notant le fait que $P = 0$ et que $N = 0$, il résulte que $Z = P + N = 0$; le système est stable si et seulement si la contrainte sur K est vérifiée.

Critère de Nyquist simplifié

Le critère de Nyquist peut être simplifié. Le critère résultant a plusieurs formulations selon que l'on travaille avec les diagrammes de Nyquist, de Bode ou de Black.

Dans le diagramme de Nyquist, un système dont la fonction de transfert en boucle ouverte $G(s)H(s)$ ne possédant aucun pôle à partie réelle positive est stable en boucle fermée si et seulement si, en parcourant le diagramme de Nyquist de $G(s)H(s)$ dans le sens croissant des fréquences de 0 à l'infini, on laisse le point critique à gauche (fig. 6.26a).

Dans le diagramme de Black, un système dont la fonction de transfert en boucle ouverte $G(s)H(s)$ ne possédant aucun pôle à partie réelle positive est stable en boucle fermée si et seulement si, en parcourant le diagramme de Black de $G(s)H(s)$ dans le sens croissant des fréquences de 0 à l'infini, on laisse le point critique à droite (fig. 6.26b).

Dans le diagramme de Bode, un système dont la fonction de transfert en boucle ouverte $G(s)H(s)$ ne possédant aucun pôle à partie réelle positive est stable en boucle fermée si et seulement si, en parcourant le diagramme de Bode de $G(s)H(s)$ dans le sens croissant des fréquences de 0 à l'infini, on laisse le point critique à droite (fig. 6.26c).

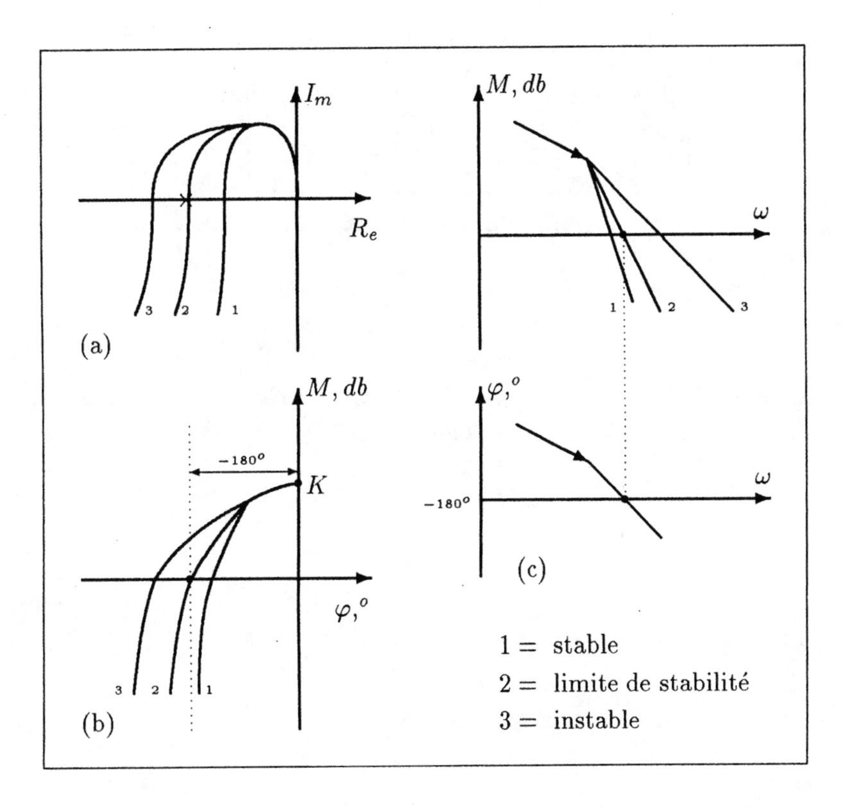

Figure 6.26 Critère de Nyquist simplifié: diagramme de Nyquist (a), diagramme de Black (b) et diagramme de Bode (c)

Exemple 6.19 Étude de stabilité d'un système de type zéro

Considérons le système en boucle fermée représenté à la figure 6.27, avec les expressions des fonctions de transfert $G(s)$ et $H(s)$ suivantes:

$$G(s) = \frac{1}{(s+1)^3}$$
$$H(s) = 1$$

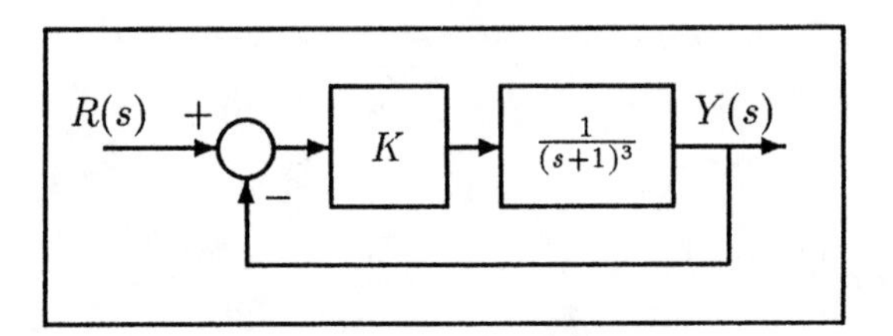

Figure 6.27 Stabilité d'un système de type zéro

Le correcteur utilisé est du type proportionnel de gain K. La fonction de transfert en boucle ouverte correspondante est donnée par:

$$G(s)H(s) = \frac{K}{(s+1)^3}$$

La stabilité de ce système dépend de la valeur donnée au gain du correcteur, ce qui peut être vérifié par le critère de Routh-Hurwitz.

Compte tenu de ce critère, on a:

s^3	1	3
s^2	3	$1+K$
s^1	$\frac{9-1-K}{3}$	0
s^0	$1+K$	

La stabilité de ce système exige que K soit choisi dans le domaine $]0, 8[$.

Par le critère de Nyquist, on a:

$$G(j\omega)H(j\omega) = K\frac{(1-3\omega^2) - j\omega(3-\omega^2)}{(1-3\omega^2)^2 + \omega^2(3-\omega^2)^2}$$

Les parties imaginaire et réelle correspondantes sont:

$$Im(\omega) = -K\frac{\omega(3-\omega^2)}{(1-3\omega^2)^2 + \omega^2(3-\omega^2)^2}$$

$$Re(\omega) = K\frac{(1-3\omega^2)}{(1-3\omega^2)^2 + \omega^2(3-\omega^2)^2}$$

La partie imaginaire s'annule à $\omega = 0$ ou $\omega = \sqrt{3}$. C'est cette dernière valeur qui est acceptable. La partie réelle correspondante est donnée par:

$$Re(\omega)_{\omega=\sqrt{3}} = -\frac{K}{8}$$

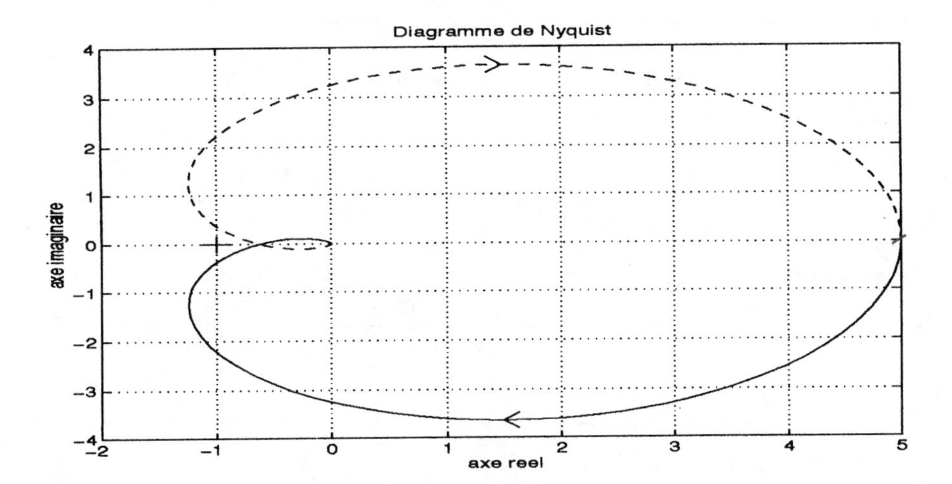

Figure 6.28 Diagramme de Nyquist de $\frac{K}{(s+1)^3}$ $(K = 5)$

Ainsi le système est stable si et seulement si $K < 8$. Ce qui confirme le résultat obtenu par le critère algébrique de Routh-Hurwitz. La figure 6.28 illustre le diagramme de Nyquist correspondant.

Exemple 6.20 Étude de stabilité d'un système de type 1

Considérons le système en boucle fermée représenté à la figure 6.29 avec les expressions des fonctions de transfert $G(s)$ et $H(s)$ suivantes:

$$G(s) = \frac{1}{s(s+1)^2}$$
$$H(s) = 1$$

Le correcteur utilisé est du type proportionnel de gain K. La fonction de transfert en boucle ouverte correspondante est donnée par:

$$G(s)H(s) = \frac{K}{s(s+1)^2}$$

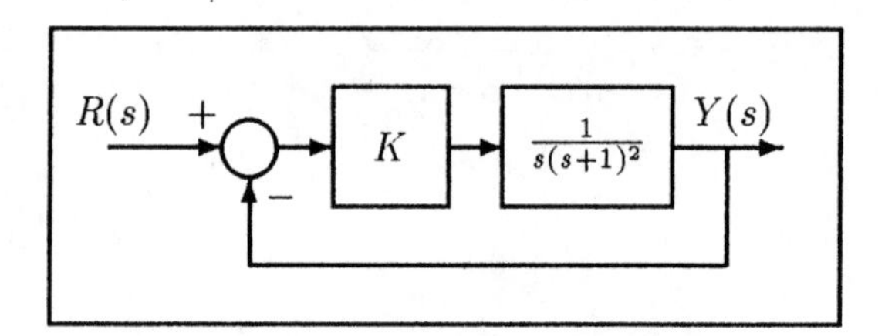

Figure 6.29 Stabilité des systèmes de type 1

Les parties réelle et imaginaire de cette fonction de transfert sont:

$$
\begin{aligned}
Re(\omega) &= -2K\frac{\omega^2}{\omega^2[(1-\omega^2)^2+4\omega^2]} \\
Im(\omega) &= -K\frac{\omega(1-\omega^2)}{\omega^2[(1-\omega^2)^2+4\omega^2]}
\end{aligned}
$$

La partie imaginaire s'annule à $\omega = 1$. La partie réelle correspondante est:

$$Re(\omega) = -\frac{2K}{4} = -\frac{K}{2}$$

La stabilité de ce système exige alors que K soit inférieur à 2. Le diagramme de Nyquist est illustré à la figure 6.30.

6.3.5 Système à déphasage non minimal

Les systèmes considérés dans ce chapitre jusqu'à maintenant sont des systèmes à déphasage minimal. Il existe en pratique d'autres systèmes que l'on appelle des systèmes à déphasage non minimal. Mathématiquement, les systèmes à déphasage non minimal se traduisent par des systèmes dont la fonction de transfert, modélisant leur comportement dynamique, contient un ou plusieurs zéros à partie réelle positive ou un retard pur. Dans cette sous-section, nous allons voir comment analyser ces types de systèmes.

Système à déphasage minimal avec zéro à partie réelle positive

Pour les systèmes à déphasage minimal, il est établi qu'il existe une seule relation entre les courbes d'amplitude et de la phase. En effet, si la courbe

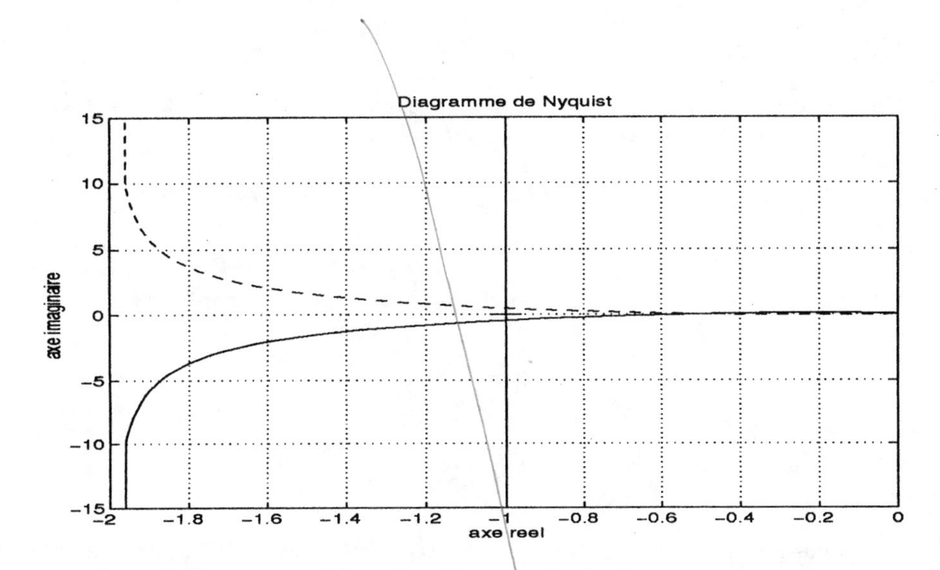

Figure 6.30 Diagramme de Nyquist de $\frac{1}{s(s+1)^2}$

d'amplitude est connue, celle de la phase peut en être déduite et par conséquent nous pouvons établir la fonction de transfert modélisant le système considéré. En général, les systèmes à déphasage non minimal sont plus compliqués à commander que ceux à déphasage minimal.

Exemple 6.21 Comparaison entre un système à déphasage minimal et un système à déphasage non minimal

Considérons le système à déphasage non minimal avec un zéro à partie réelle positive modélisé par la fonction de transfert suivante:

$$G_1(s) = \frac{1-s}{s^2+s+2}$$

Les expressions d'amplitude et de phase sont données par:

$$\begin{aligned} M_1(\omega) &= \frac{\sqrt{1+\omega^2}}{\sqrt{\omega^4-3\omega^2+4}} \\ \varphi_1(\omega) &= -\arctan\left[\frac{\omega}{2-\omega^2}\right] - \arctan(\omega) \end{aligned}$$

Considérons maintenant le système à déphasage minimal suivant, avec le même dénominateur mais un zéro à partie réelle négative:

$$G_2(s) = \frac{1+s}{s^2+s+2}$$

Les expressions de l'amplitude et de la phase sont données par:

$$\begin{aligned} M_2(\omega) &= \frac{\sqrt{1+\omega^2}}{\sqrt{\omega^4 - 3\omega^2 + 4}} \\ \varphi_2(\omega) &= -\arctan\left[\frac{\omega}{2-\omega^2}\right] + \arctan(\omega) \end{aligned}$$

On remarque que ces deux fonctions de transfert admettent la même amplitude mais des phases différentes. C'est là une caractéristique des systèmes à déphasage non minimal.

Système avec retard pur

Le retard pur est défini comme étant l'intervalle de temps entre l'instant de l'application du signal d'excitation du système et l'instant où débute la réponse de celui-ci. Mathématiquement, si la grandeur de sortie est désignée par $y(t)$, et si le retard du système est noté par τ, alors la grandeur de sortie sera obtenue par $y(t-\tau)$. En utilisant le théorème du retard, nous obtenons $e^{-\tau s}Y(s)$. La fonction de transfert d'un système avec retard pur de valeur τ est alors donnée par l'expression suivante:

$$G(s) = e^{-\tau s}\frac{N(s)}{D(s)}$$

dont le degré de $N(s)$ est inférieur à celui de $D(s)$.

Cette expression de la fonction de transfert $G(s)$ peut s'écrire:

$$G(s) = e^{-\tau s}G_0(s)$$

où $G_0(s)$ est une fonction de transfert ne comportant aucun retard.

L'amplitude et la phase de $G(s)$ sont données par les expressions suivantes:

$$\begin{aligned} M(\omega) &= |e^{-\tau j\omega}||G_0(j\omega)| = |G_0(j\omega)| \\ \varphi(\omega) &= \arg\left(e^{-\tau j\omega}\right) + \arg\left(G_0(j\omega)\right) = \arg\left(G_0(j\omega)\right) - \tau\omega \end{aligned}$$

On constate que l'amplitude est la même que celle de la fonction de transfert sans retard $G_0(s)$, et que la phase doit être corrigée par le facteur $\tau\omega$.

Exemple 6.22 Système à déphasage minimal avec retard pur

Pour illustrer l'impact du retard pur sur la réponse fréquentielle d'un système comportant un retard pur, considérons le cas d'un système du premier ordre tel qu'étudié précédemment, auquel on ajoute un retard pur. Le système correspondant est alors un système à déphasage non minimal. La fonction de transfert correspondante est donnée par:

$$G(s) = \frac{Ke^{-\tau_d s}}{\tau s + 1}$$

Les paramètres K, τ et τ_d sont: $K = 2$, $\tau = 1$ et $\tau_d = 0.5$.

L'amplitude et la phase de $G(s)$ s'écrivent:

$$\begin{aligned} M(\omega) &= |e^{-\tau_d j\omega}|\,|G_0(j\omega)| = \frac{2}{\sqrt{\omega^2+1}} \\ \varphi(\omega) &= \arg\left(e^{-\tau_d j\omega}\right) + \arg\left(G_0(j\omega)\right) = -\arctan[\omega] - 0.5\omega \end{aligned}$$

On constate que l'amplitude est la même que celle de la fonction de transfert du premier ordre sans retard, et que la phase doit être corrigée par le facteur 0.5ω.

6.4 TECHNIQUES BASÉES SUR LA FONCTION TRANSFERT EN BOUCLE FERMÉE

Les techniques que l'on présente dans cette section supposent que le système asservi à déphasage minimal est à retour unitaire. Dans le cas où le système n'est pas à retour unitaire, une transformation pour le ramener à un retour unitaire est nécessaire. Le diagramme réel en fréquence du système avec retour non unitaire est obtenu en procédant à une correction par un terme approprié du système obtenu par la transformation précédente. Cette approche est traitée à la fin de cette section.

Les techniques présentées jusqu'à maintenant reposent sur la fonction de transfert en boucle ouverte. Pour déterminer certaines performances telles que la bande passante, on a parfois besoin du diagramme de la fonction de transfert en boucle fermée. Dans cette sous-section, on développe les abaques qui permettent de trouver le diagramme approprié de la fonction de transfert en boucle fermée.

6.4.1 Abaque de Hall

La construction de cet abaque nous permet de déterminer la réponse d'un système en boucle fermée à partir de sa réponse en boucle ouverte sans avoir à calculer l'amplitude et la phase de la fonction de transfert en boucle fermée pour toute la gamme de variation de la fréquence.

Soit la fonction de transfert d'un système en boucle fermée:

$$F(s) = \frac{G(s)}{1 + G(s)}$$

où, $G(s)$ et $F(s)$ étant des grandeurs complexes, on a:

$$\begin{aligned} F(s) &= Me^{j\varphi} \\ G(s) &= a + jb \end{aligned}$$

- l'amplitude de $F(s)$

$$M(\omega) = |F(s)| = \sqrt{\frac{a^2 + b^2}{(1 + a)^2 + b^2}}$$

Cette expression peut s'écrire sous la forme suivante:

$$M^2 = \frac{a^2 + b^2}{(1 + a)^2 + b^2} \tag{6.18}$$

Si on soustrait 1 aux deux termes de (6.18), on obtient:

$$M^2 - 1 = \frac{a^2 + b^2}{(1 + a)^2 + b^2} - 1 \tag{6.19}$$

En divisant (6.18) par (6.19), on a:

$$\frac{M^2}{M^2-1} = -\frac{a^2+b^2}{1+2a}$$

Cette dernière équation peut s'écrire:

$$\left[a + \frac{M^2}{M^2-1}\right]^2 + b^2 = \left[\frac{M}{M^2-1}\right]^2 \tag{6.20}$$

L'équation (6.20) est bien l'équation d'un cercle de centre $\left(-\frac{M^2}{M^2-1}, 0\right)$ et de rayon $\frac{M}{M^2-1}$ avec $M \neq \pm 1$.
Si $M = \pm 1$, le cercle se transforme en une droite parallèle à l'ordonnée passant par le point d'abscisse $\frac{-1}{2}$.
L'équation (6.20) permet d'obtenir toute une famille de cercles pour différentes amplitudes M lorsque la phase est constante.

- l'argument de $F(s)$ est:

$$\varphi = \arg\,[a + jb] - \arg\,[(1+a) + jb]$$

Une telle expression se ramène à:

$$\varphi = \arctan\left(\frac{b}{a}\right) - \arctan\left(\frac{b}{1+a}\right)$$

ce qui donne:

$$\tan\varphi \;=\; \tan\left[\arctan\left(\frac{b}{a}\right) - \arctan\left(\frac{b}{1+a}\right)\right] = \frac{\frac{b}{a} - \frac{b}{1+a}}{1 + \frac{b}{a}\frac{b}{1+a}} = \frac{b(1+a) - ab}{a(1+a) + b^2}$$

Finalement:

$$\tan\varphi = \frac{b}{a + a^2 + b^2}$$

En modifiant cette dernière expression, on obtient:

$$\left[a + \frac{1}{2}\right]^2 + \left[b - \frac{1}{2\tan\varphi}\right]^2 = \left[\frac{1}{2}\sqrt{1 + \frac{1}{\tan^2\varphi}}\,\right]^2 \tag{6.21}$$

L'équation (6.21) nous permet d'obtenir toute une famille de cercles pour différentes phases, φ, lorsque l'amplitude M est constante.

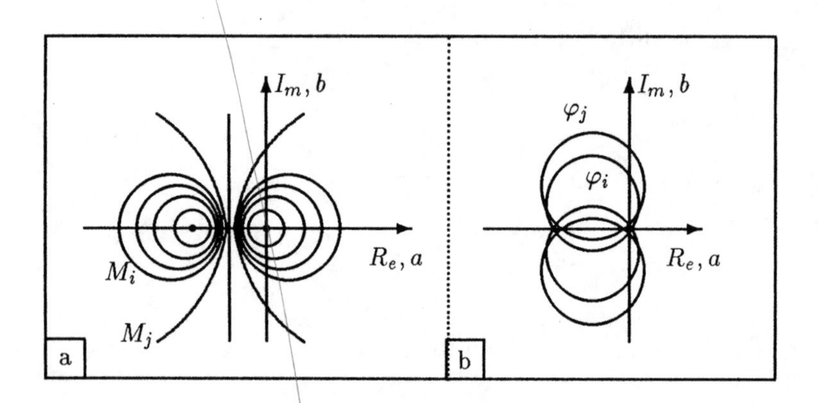

Figure 6.31 Abaque de Hall

Finalement, les deux familles de courbes décrites par les équations (6.20) et (6.21) sont représentées respectivement à la figure 6.31a et 6.31b.

Quoique nous ayons représenté les deux ensembles de courbes séparément pour la clarté du dessin, l'abaque de Hall est normalement la superposition de ces deux ensembles. Cet abaque nous permet de calculer la réponse fréquentielle d'un système asservi à retour unitaire tout en se servant du diagramme de Nyquist de la fonction de transfert en boucle ouverte du système.

En superposant l'abaque de Hall (les deux familles de courbes superposées) et le diagramme de Nyquist de la fonction de transfert en boucle ouverte, on obtient la réponse fréquentielle du système en boucle fermée.

La procédure qui permet d'obtenir les informations nécessaires à la construction de la réponse fréquentielle du système en boucle fermée se résume comme suit:

1. **disposer de l'abaque de Hall;**
2. **tracer le diagramme de Nyquist (il doit être à la même échelle que l'abaque);**
3. **juxtaposer le diagramme de Nyquist sur l'abaque;**
4. **pour chaque point d'intersection entre le diagramme de Nyquist et l'abaque correspondant à une fréquence donnée ω, noter les valeurs des courbes équigain et équiphase passant par ce point**

d'intersection. Retenir tous ces couples de valeurs pour chaque ω choisi;

5. **Sur la base des données recueillies, construire le diagramme de Nyquist qui correspond au système en boucle fermée.**

Les autres diagrammes (Black et Bode) peuvent être déduits sans aucune difficulté.

6.4.2 Abaque de Black-Nichols

Le diagramme de Black a été tracé pour la fonction de transfert en boucle ouverte. Pour tracer le diagramme du même nom en boucle fermée, on utilise ce qu'on appelle l'abaque de Black-Nichols.

Soit $G(j\omega)$ la fonction de transfert d'un système en boucle ouverte et soit $F(j\omega)$ celle du même système en boucle fermée avec retour unitaire (fig. 6.32). Ces deux fonctions de transfert sont reliées par la relation suivante:

$$F(s) \quad = \quad \frac{G(s)}{1+G(s)}$$

En écrivant $G(s)$ et $F(s)$ sous la forme suivante:

$$\begin{aligned} G(j\omega) &= A(\omega)e^{j\varphi(\omega)} = A(\omega)[cos\varphi + jsin\varphi] \\ F(j\omega) &= B(\omega)e^{j\psi(\omega)} \end{aligned}$$

avec $A(\omega) = |G(j\omega)|$, et $\varphi(\omega) = \arg\ (T(j\omega))$; $B(\omega) = |F(j\omega)|$, et $\psi(\omega) = \arg\ (F(j\omega))$;

On obtient ainsi les expressions de $B(\omega)$ et $\psi(\omega)$ suivantes:

$$B(\omega) \quad = \quad |F(j\omega)| = \frac{|T(j\omega)|}{|1+T(j\omega)|} = \frac{A(\omega)}{\sqrt{A^2(\omega)+2A(\omega)cos\varphi+1}}$$

et

$$\psi(\omega) \quad = \quad \arg\ F(j\omega) = \arctan\left[\frac{sin(\varphi(\omega))}{A(\omega)+cos(\varphi(\omega))}\right]$$

L'abaque de Black-Nichols représenté à la figure 6.33 a été construit sur la base des considérations traduisant le lieu des points vérifiant les relations suivantes:

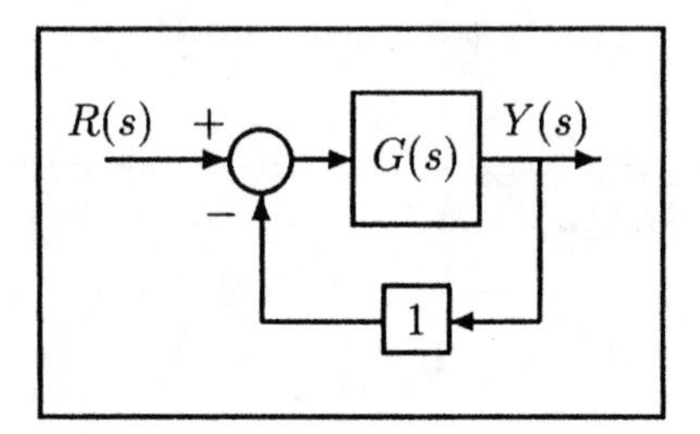

Figure 6.32 Schéma-bloc d'un système à retour unitaire

$$\begin{aligned} 20\log_{10} B(\omega) &= \text{cte} \\ \psi(\omega) &= \text{cte} \end{aligned}$$

lorsque $A(\omega)$ et $\varphi(\omega)$ varient en fonction de ω.

L'abaque est principalement utilisé pour déduire les informations sur la fonction de transfert d'un système quelconque avec un retour unitaire. La procédure qui permet d'obtenir de telles informations se résume comme suit:

1. **disposer de l'abaque de Black-Nichols;**
2. **tracer le diagramme de Black (il doit être à la même échelle que l'abaque);**
3. **juxtaposer le diagramme sur l'abaque;**
4. **pour chaque point d'intersection entre le diagramme et l'abaque correspond à une fréquence donnée ω, noter les valeurs des courbes équigain et équiphase passant par ce point d'intersection. L'une correspond à $20\log_{10} B(\omega)$ constant, l'autre à $\psi(\omega)$ constant. Retenir ces deux grandeurs;**
5. **construire le diagramme de Bode pour le système en boucle fermée. En effet, pour chaque ω, on peut lire sur l'abaque $20\log_{10} B(\omega)$ et $\psi(\omega)$ correspondants.**

Les diagrammes de Black et de Nyquist peuvent être déduits sans aucune difficulté.

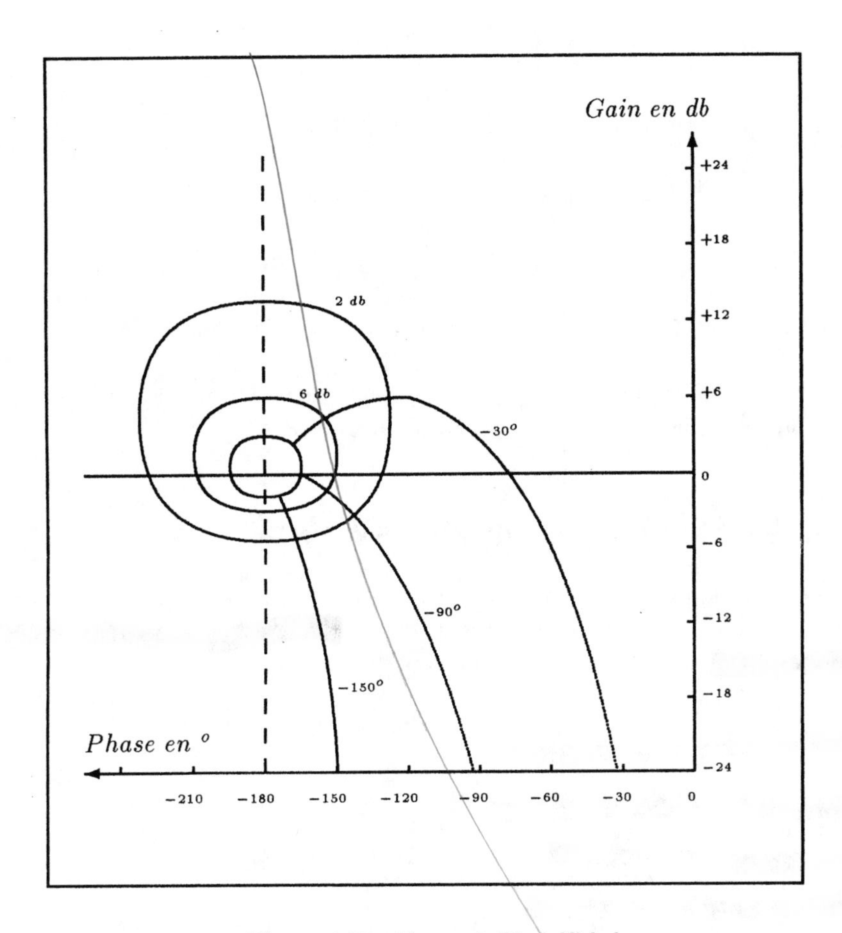

Figure 6.33 Abaque de Black-Nichols

6.4.3 Système asservi à retour non unitaire

Considérons le système asservi de la figure 6.32. La fonction de transfert en boucle fermée d'un tel système est donnée par l'expression suivante:

$$F(s) = \frac{G(s)}{1 + G(s)}$$

Cette expression peut aussi être écrite sous la forme suivante:

$$F(s) = \frac{G(s)H(s)}{1 + G(s)H(s)} \frac{1}{H(s)}$$

dont l'expression

$$F_0(s) = \frac{G(s)H(s)}{1 + G(s)H(s)}$$

représente une fonction de transfert en boucle fermée d'un système à retour unitaire. La fonction de transfert $F(s)$ peut être alors obtenue à partir de $F_0(s)$ en la multipliant par $\frac{1}{H(s)}$. Ce qui revient en quelque sorte à corriger l'amplitude et la phase par des grandeurs appropriées.

6.4.4 Performances des systèmes

En général, lors du design d'un système asservi, nous cherchons toujours à assurer à celui-ci certaines performances. Parmi les performances qu'on rencontre fréquemment dans le domaine fréquentiel on retrouve:

- le facteur de surtension M_p;
- la fréquence de résonance ω_p;
- la bande passante ω_b;
- la marge de gain ΔG;
- la marge de phase $\Delta\phi$;

Le facteur de surtension M_p est défini comme étant le maximum du module en db de la fonction de transfert en boucle fermée. Ce maximum se produit à la fréquence ω_p. Le facteur de surtension M_p donne une indication sur la stabilité relative, puisque de grandes valeurs de M_p correspondent à de grands dépassements de la réponse indicielle du système asservi. En pratique il est conseillé de prendre des facteurs de surtension dans la plage [1.1, 1.5] ou [0.83, 3.52] en db.

Le facteur de surtension M_p s'obtient à partir du diagramme de Bode du système en boucle fermée ou du diagramme de Black avec l'aide de l'abaque de Nichols ou du diagramme de Nyquist avec l'aide de l'abaque de Hall. Mentionnons que les deux dernières approches utilisent la fonction de transfert en boucle ouverte du système asservi.

Pour ce qui est de l'approche utilisant le diagramme de Bode, le facteur de surtension est obtenu par lecture directe sur le diagramme. Il en est de même pour la fréquence de résonance ω_p correspondante.

Pour ce qui est de la deuxième approche, on doit commencer par tracer la fonction de transfert en boucle ouverte du système asservi, puis par simple superposition du diagramme de Black obtenu avec l'abaque de Nichols, déduire le facteur de surtension recherché. Il correspond au point de tangence de la plus grande courbe équigain avec le diagramme de Black. La fréquence de résonance ω_p correspond à la fréquence durant laquelle se produit cette tangence.

Pour ce qui est de la troisième approche, la technique est identique à la précédente. Il suffit de remplacer le diagramme de Black par celui de Nyquist et l'abaque de Nichols par celui de Hall. Les figures 6.34a,b,c illustrent la technique de détermination de M_p et de ω_p correspondante.

La bande passante ω_b est définie comme étant la plage de fréquences dans laquelle le système répond de manière satisfaisante. La bande passante ω_b est une caractéristique du régime transitoire. En effet, un système avec une large bande passante possède des pôles très éloignés de l'axe imaginaire, ce qui correspond à un temps de montée rapide. D'un autre coté, un système avec une faible bande passante produit une réponse lente.

La bande passante correspond à la plage des fréquences comprises entre 0 et la fréquence ω_c qui correspond à une chute de -3 *db* de la courbe d'amplitude en db de la fonction de transfert en boucle fermée. La figure 6.35 illustre la bande passante dans le cas d'une réponse admettant un seul pic.

En pratique, le système asservi en opération est soumis à différents types de perturbations de hautes fréquences. Dans le cas de larges bandes passantes, les perturbations indésirables sont infiltrées dans la boucle de commande et causent ainsi des détériorations des performances. Il est alors conseillé de choisir une bande passante optimale qui transmet le signal utile sans aucune déformation et qui filtre les bruits indésirables de manière à éviter des surprises dans le fonctionnement du système considéré.

On a vu au cours du chapitre 5 qu'il n'est pas suffisant d'assurer la stabilité absolue, c'est-à-dire de placer tous les pôles du système asservi dans le demi-

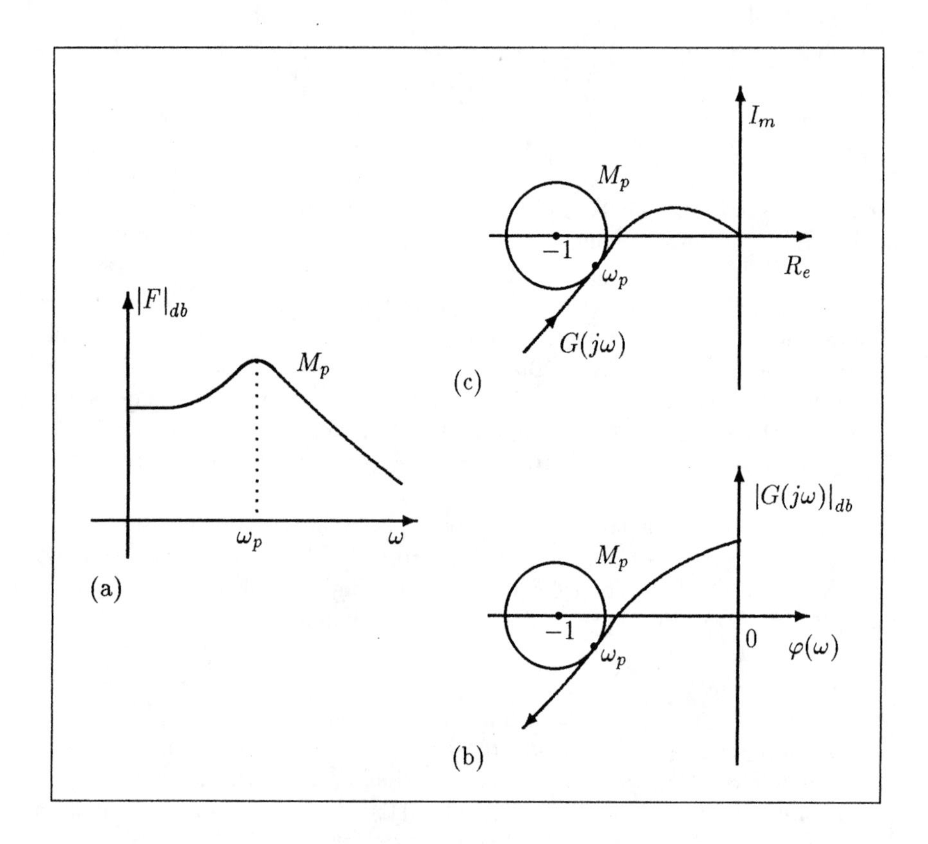

Figure 6.34 Détermination de M_p à l'aide du diagramme de Bode de la fonction de transfert en B.F. (a), de l'abaque de Nichols (b) et du diagramme de Hall (c)

plan complexe gauche. En effet, imaginons que quelques pôles de notre système sont près de l'axe imaginaire tout en restant dans le demi-plan complexe gauche. On a également vu que pour différentes raisons (vieillissement, chauffage des composantes du système, etc.) les paramètres changent et, par conséquent, les pôles près de l'axe imaginaire peuvent immigrer vers le demi-plan complexe droit et produire ainsi l'instabilité du système asservi.

Pour éviter ceci, on doit assurer au système asservi un certain degré de stabilité (cf. chapitre 5). Dans l'étude fréquentielle, le degré de stabilité est mesuré par deux grandeurs importantes qui sont la **marge de gain** et la **marge de phase**.

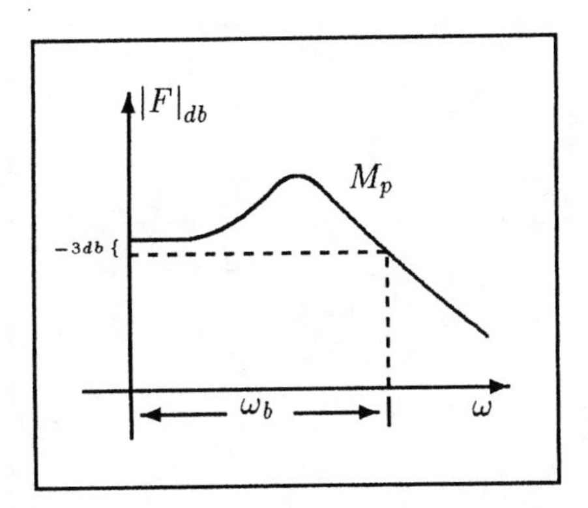

Figure 6.35 Détermination de la bande passante ω_b

La marge de gain ΔG est définie comme étant la grandeur par laquelle il faut multiplier la fonction de transfert en boucle ouverte pour amener l'amplitude à 1 lorsque la phase est -180°. Mathématiquement, si on désigne par ω_{ph} la fréquence à laquelle la phase est égale à $-\pi$, la marge de gain est donnée par:

$$\Delta G = \frac{1}{|G(j\omega_{ph})|}$$

La marge de phase $\Delta\phi$ est définie comme étant la phase qu'il faut ajouter à la phase de la fonction de transfert en boucle ouverte du système asservi, lorsque le gain en *db* est égal à zéro, pour rendre le système instable. En notant par ω_{am} la fréquence à laquelle le module de $G(s)$ en db est égal à 0, c'est-à-dire $|G(j\omega_{am})| = 1$, la marge de phase est définie comme étant la différence entre la phase de $G(j\omega_{am})$ à la fréquence ω_{am} et $-\pi$, ce qui donne:

$$\Delta\phi = \arg\,(G(j\omega_{am})) - (-\pi) = \pi + \arg\,(G(j\omega_{am}))$$

Les marges de gain et de phase peuvent aussi être déterminées à partir des diagrammes de Bode, de Black et de Nyquist. Les figures 6.36a, 6.36b et 6.36c illustrent comment ces grandeurs peuvent être directement mesurées.

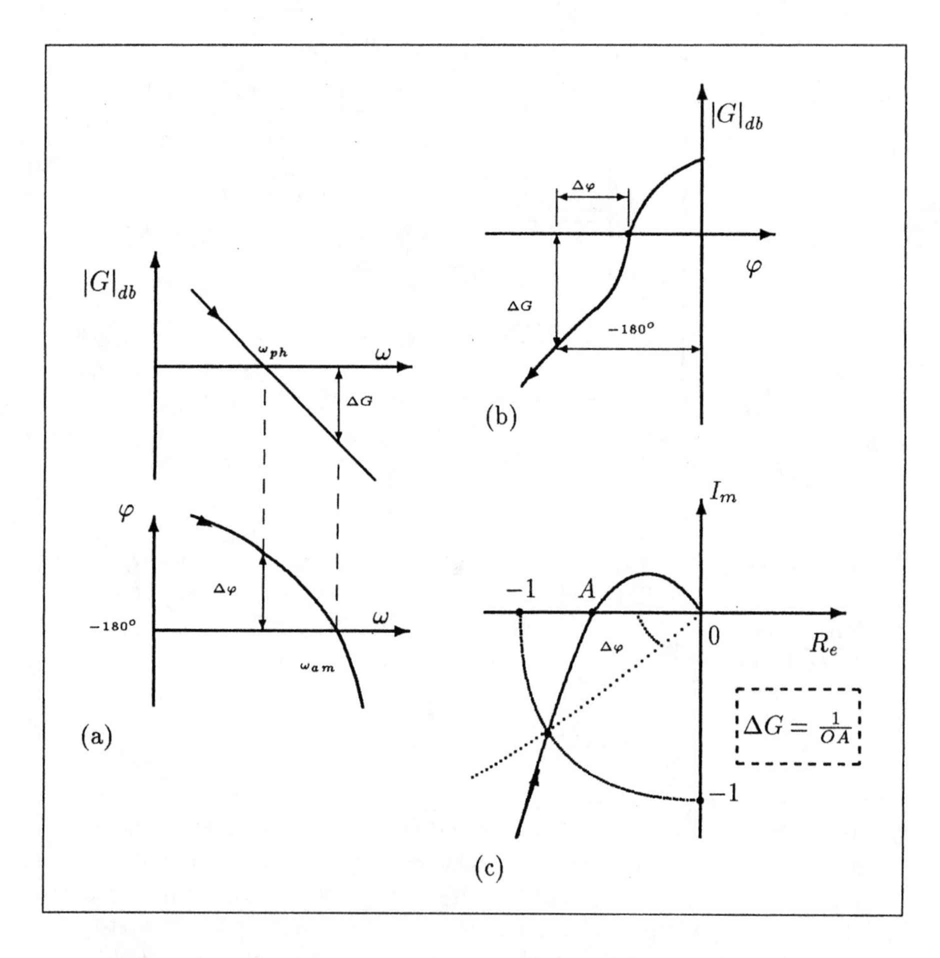

Figure 6.36 Détermination de la marge de phase et de gain à partir du diagramme de Bode de G(s) (a), du diagramme de Black de G(s) (b) et du diagramme de Nyquist de G(s) (c)

Exemple 6.23 Étude d'un système de premier ordre

Soit un système asservi du premier ordre (fig. 6.37) dont on veut déterminer les performances suivantes:

- la marge de gain ΔG;

- la marge de phase $\Delta\varphi$;
- le facteur de surtension M_p;
- la fréquence de surtension ω_p;
- la bande passante ω_b;

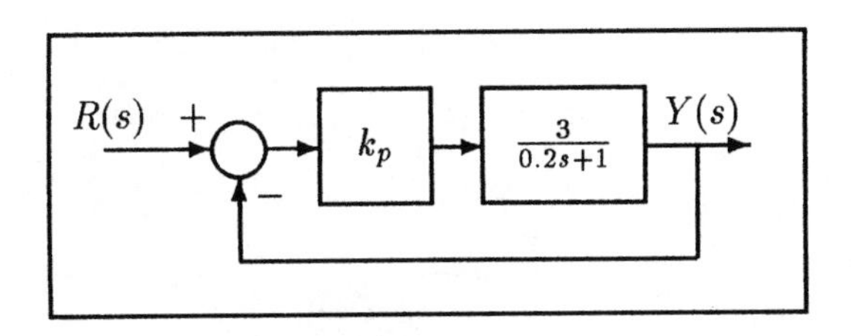

Figure 6.37 Commande d'un système du premier ordre

Pour déterminer ces performances, on doit d'abord trouver les fonctions de transfert en boucle ouverte et fermée. Ces deux fonctions sont données par les expressions suivantes:

$$
\begin{aligned}
T(s) &= \frac{3k_p}{0.2s+1} \\
F(s) &= \frac{3k_p}{0.2s+1+3k_p}
\end{aligned}
$$

Pour déterminer les marges de gain et de phase, on utilise le diagramme de Nyquist (fig. 6.38). Pour cela, on calcule la partie réelle et la partie imaginaire de $T(j\omega)$. Les expressions correspondantes sont données par:

$$
\begin{aligned}
Re(\omega) &= \frac{3k_p}{0.4\omega^2+1} \\
Im(\omega) &= -\frac{0.6k_p\omega}{0.04\omega^2+1}
\end{aligned}
$$

La partie imaginaire s'annule pour une fréquence ω égale à 0 ou l'infini. La partie réelle correspondant à cette dernière fréquence est 0 et par conséquent, la marge de gain est donnée par:

$$\Delta G = \frac{1}{\lim_{\omega\to\infty} Re(\omega)} = \infty$$

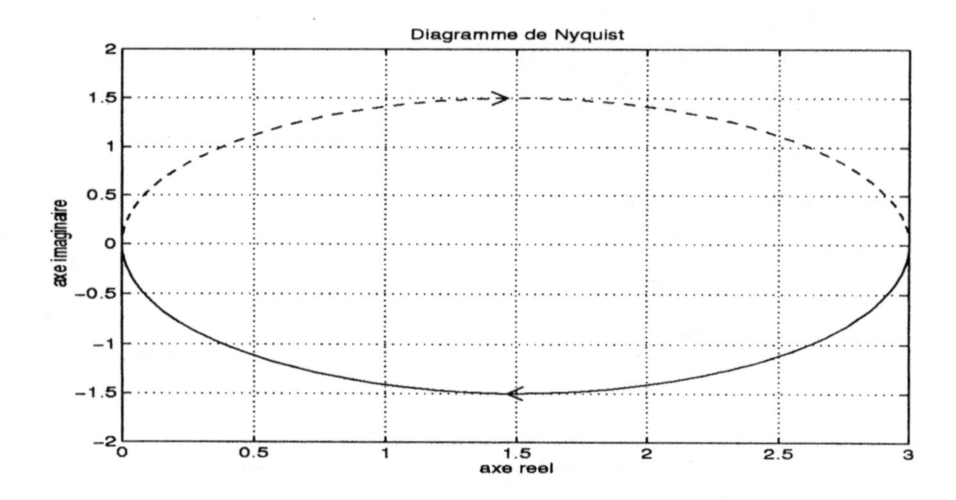

Figure 6.38 Diagramme de Nyquist avec $K = \frac{1}{3}$

Pour déterminer la marge de phase, on calcule la fréquence ω_{am} à laquelle l'amplitude de $T(j\omega)$ est égale à 1. L'expression correspondante est:

$$T(\omega_{am}) = \frac{3k_p}{\sqrt{0.04\omega_{am}^2 + 1}} = 1$$

ce qui correspond à la fréquence dont l'expression est donnée par:

$$\omega_{am} = \frac{\sqrt{9k_p^2 - 1}}{0.2}$$

La marge de phase correspondante s'écrit:

$$\Delta\varphi = \pi - \arctan(0.2\omega_{am}) = 180 - \arctan(\sqrt{9k_p^2 - 1})$$

On constate que la valeur de la marge de phase est fonction du gain k_p. Pour $k_p = 1$ par exemple, la valeur de la marge de phase est:

$$\Delta\varphi = 109.5^o$$

Pour le calcul du facteur de surtension M_p, on doit d'abord déterminer l'expression de l'amplitude $M(\omega)$ de la fonction de transfert en boucle fermée:

$$M(\omega) = \frac{3k_p}{\sqrt{0.04\omega^2 + (1+3k_p)^2}}$$

Le maximum de cette fonction est obtenu par l'annulation de la dérivée de $M(\omega)$ par rapport à la fréquence:

$$\frac{dM(\omega)}{d\omega} = -\frac{0.12k_p\omega}{(0.04\omega^2 + (1+3k_p)^2)\sqrt{0.04\omega^2 + (1+3k_p)^2}} = 0$$

La seule fréquence finie à laquelle cette fonction admet un maximum est $\omega = 0$. L'amplitude d'un système de premier ordre n'admet donc pas de maximum.

En ce qui concerne la bande passante, on doit trouver la fréquence ω_b qui vérifie la relation suivante:

$$M(\omega_b) = 0.707M(0)$$

Ce qui est équivalent à:

$$\frac{1}{\sqrt{0.04\omega_b^2 + (1+3k_p)^2}} = \frac{0.707}{1+3k_p}$$

Ce qui donne:

$$\omega_b = 3.22(1+3k_p)$$

Exemple 6.24 Étude d'un système du second ordre

Soit un système asservi du second ordre (fig. 6.39) dont on veut établir les performances suivantes:

- la marge de gain ΔG;
- la marge de phase $\Delta\varphi$;
- le facteur de surtension M_p;

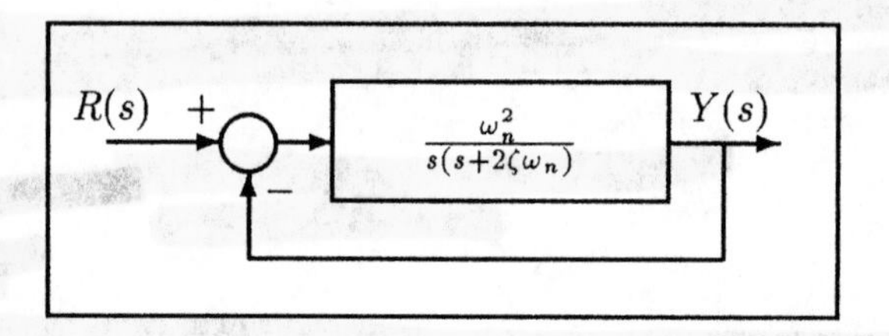

Figure 6.39 Système du 2e ordre

- la fréquence de surtension ω_p;
- la bande passante ω_b;

Pour déterminer ces performances, on doit en premier lieu connaître les fonctions de transfert du système en boucle ouverte et fermée. Ces deux fonctions sont données par les expressions suivantes:

$$T(s) = \frac{\omega_n^2}{s(s+2\zeta\omega_n)}$$

$$F(s) = \frac{\omega_n^2}{s^2+2\zeta\omega_n s+\omega_n^2}$$

Pour déterminer les marges de gain et de phase, on utilise le diagramme de Nyquist. Pour cela, on calcule la partie réelle et la partie imaginaire de $T(j\omega)$:

$$Re(\omega) = -\frac{\omega_n^4}{\omega^2(\omega^2+4\zeta^2\omega_n^2)}$$

$$Im(\omega) = -\frac{2\zeta\omega_n^3}{\omega(\omega^2+4\zeta^2\omega_n^2)}$$

La partie imaginaire s'annule pour une fréquence ω égale à l'infini. La partie réelle correspondant à cette dernière fréquence est 0 et par conséquent, la marge de gain est donnée par:

$$\Delta G = \frac{1}{\lim_{\omega\to\infty} Re(\omega)} = \infty$$

Pour déterminer la marge de phase on doit calculer la fréquence ω_{am} à laquelle l'amplitude de $T(j\omega)$ est égale à 1. L'expression correspondante est donnée par:

$$|T(\omega_{am})| = \left|\frac{\omega_n^2}{j\omega_{am}(j\omega_{am} + 2\zeta\omega_n)}\right| = 1$$

ce qui correspond à la fréquence dont l'expression est donnée par:

$$\omega_{am} = \omega_n\sqrt{-2\zeta^2 + \sqrt{4\zeta^4 + 1}}$$

La marge de phase correspondante est donnée par:

$$\begin{aligned}\Delta\varphi &= \pi - 90 - \arctan\left(\frac{\omega_{am}}{2\zeta\omega_n}\right)\\ &= 90 - \arctan\left(\frac{\sqrt{-2\zeta^2 + \sqrt{4\zeta^4 + 1}}}{2\zeta}\right)\end{aligned}$$

Pour le calcul du facteur de surtension M_p, on doit d'abord déterminer l'expression de l'amplitude $M(\omega)$ de la fonction de transfert en boucle fermée en posant $u = \frac{\omega}{\omega_n}$:

$$M(u) = \frac{1}{\sqrt{(1-u^2)^2 + 4\zeta^2u^2}}$$

Le maximum de cette fonction est obtenu par l'annulation de la dérivée de $M(u)$ par rapport à la fréquence ω. Celle-ci est donnée par:

$$\frac{dM(u)}{du} = \frac{4\zeta^2u - 2u(1-u^2)}{[(1-u^2)^2 + 4\zeta^2u^2]\sqrt{(1-u^2)^2 + 4\zeta^2u^2}}$$

La seule valeur à laquelle cette fonction admet un maximum correspond à $u = \sqrt{1-2\zeta^2}$. Ce qui correspond à la fréquence $\omega_p = \omega_n\sqrt{1-2\zeta^2}$. L'amplitude d'un système de second ordre admet donc un maximum dont la valeur est:

$$M(\omega_p) = M_p = \frac{1}{2\zeta\sqrt{1-\zeta^2}}$$

En ce qui concerne la bande passante, on doit trouver la fréquence ω_b qui vérifie la relation suivante:

$$M(\omega_b) = 0.707M(0)$$

Ce qui est équivalent à:

$$\frac{1}{\sqrt{(1-(\frac{\omega_b}{\omega_n}))^2+4\zeta^2(\frac{\omega_b}{\omega_n})^2}} \quad = \quad 0.707$$

Ce qui donne:

$$\omega_n^2 = 0.5\left[(\omega_n^2-\omega_b^2)^2+4\zeta^2\omega_n^2\omega_b^2\right]$$

Cette égalité peut s'écrire:

$$\left(\frac{\omega_b}{\omega_n}\right)^2 = 1-2\zeta^2 \pm \sqrt{4\zeta^2-4\zeta^2+2}$$

dont la seule solution acceptable, du fait que $\frac{\omega_b}{\omega_n} > 0$, est:

$$\omega_b = \omega_n\sqrt{1-2\zeta^2+\sqrt{4\zeta^4-2\zeta^2+2}}$$

Exemple 6.25 Étude d'un système de 3e ordre

Soit à calculer pour $k = 3$ et $k = 30$ la marge de gain ainsi que la marge de phase du système suivant:

$$G(j\omega)H(j\omega) = \frac{k}{j\omega(1+j0.05\omega)(1+j0.025\omega)}$$

La marge de gain est finalement une mesure de la stabilité d'un système, et sa valeur en détermine le degré de stabilité.

La phase a une relation non négligeable avec l'amortissement de la réponse transitoire caractérisé par la valeur maximale du dépassement M_p.

En procédant par diagramme asymptotique, et en utilisant les résultats précédents sur le diagramme de Bode, il résulte que l'asymptote du diagramme de Bode coupe l'axe des fréquences à $\omega_c = 3\ rad/sec$ lorsque le gain K est égal à 3 avec une pente de $-20\ db/dec$ à cause de la présence du pôle à l'origine dans la fonction de transfert en boucle ouverte.

À cette fréquence, la contribution des autres composantes de la fonction de transfert est:

- $$\frac{1}{0.05s+1} \quad \Longrightarrow \quad \left|\frac{1}{0.05 \times 3j+1}\right| = \frac{1}{\sqrt{(0.05 \times 3)^2+1}} = 0.989$$

  qui correspond approximativement à 0 *db*.

- $$\frac{1}{0.025s+1} \quad \Longrightarrow \quad \left|\frac{1}{0.025 \times 3j+1}\right| = \frac{1}{\sqrt{(0.025 \times 3)^2+1}} = 0.997$$

  qui correspond approximativement à 0 *db*.

Il résulte alors que la courbe de gain coupe effectivement le 0 *db* à la fréquence $\omega_c = 3\ rad/sec$. La contribution en angle des différentes composantes de la fonction de transfert sont:

$$\begin{aligned} -\tan^{-1}\left[\frac{3}{0}\right] &= -90^o \\ -\tan^{-1}\left[\frac{3}{20}\right] &= -8.54^o \\ -\tan^{-1}\left[\frac{3}{40}\right] &= -4.29^o \end{aligned}$$

Ce qui donne comme gain de la fonction de transfert:

$$\varphi(3) \quad = \quad -90^o - 8.54^o - 4.29^o = -102.82^o$$

La marge de phase est alors:

$$\Delta\varphi(3) \quad = \quad 180 - 102.82^o = 77.18^o$$

Pour la marge de gain, on doit déterminer la fréquence à laquelle la courbe de phase coupe le -180°. L'expression de la phase de notre système est donnée par:

$$\varphi(\omega) \quad = \quad -90^o - \tan^{-1}\left[\frac{\omega}{20}\right] - \tan^{-1}\left[\frac{\omega}{40}\right]$$

On a:

$$\begin{aligned} \varphi(29) &= -90^o - 55.41^o - 35.94^o = -181.35^o \\ \varphi(28) &= -90^o - 54.46^o - 34.94^o = -179.45^o \end{aligned}$$

En interpolant, on a:

$$\phi(28.5) = -180^o$$

D'un autre côté, l'expression de l'amplitude est donnée par:

$$|M(\omega)| = \frac{3}{\omega\sqrt{(0.05\omega)^2+1}\sqrt{(0.025\omega)^2+1}}$$

Dont la valeur à $\omega = 28.5\ rad/sec$ est 0.05 soit $-1.30\ db$.

On peut procéder de la même manière pour calculer les marges de phase et de gain lorsque le gain K est égal à 30, en faisant attention au calcul de la fréquence à laquelle le gain coupe l'axe des 0 *db* et celle à laquelle la phase coupe -180°.

Exemple 6.26 Lien entre les performances dans le domaine temporel et celles dans le domaine fréquentiel.

Le but principal de cet exemple est de montrer comment les performances dans le domaine temporel sont reliées aux performances dans le domaine fréquentiel. Il est clair que dans le cas général, il n'est pas possible d'établir un tel lien de manière analytique. Néanmoins, nous allons montrer l'existence de ces liens sur l'exemple d'un système du deuxième ordre (fig. 6.39).

Les fonctions de transfert en boucle ouverte et fermée de ce système sont:

$$\begin{aligned} T(s) &= \frac{\omega_n^2}{s(s+2\zeta\omega_n)} \\ F(s) &= \frac{\omega_n^2}{s^2+2\zeta\omega_n s+\omega_n^2} \end{aligned}$$

En se référant à l'exemple 6.22, le facteur de surtension M_p et la perturbation correspondante sont donnés par:

$$\begin{aligned} M_p &= \frac{1}{2\zeta\sqrt{1-2\zeta^2}} \\ \omega_p &= \omega_n\sqrt{1-2\zeta^2} \end{aligned}$$

D'un autre côté, on a établi que pour un deuxième ordre, le dépassement en pourcentage est relié au taux d'amortissement ζ par:

$$d = 100e^{-\left(\frac{\pi\zeta}{\sqrt{1-\zeta^2}}\right)}$$

ou encore:

$$\zeta = -\frac{\ln(d/100)}{\sqrt{\pi^2 + \ln^2(d/100)}}$$

En se référant aux relations précédentes, on conclut que le facteur de surtension M_p est lié au taux d'amortissement et par conséquent, au dépassement d en pourcentage. On retient de ce lien que le facteur de surtension M_p est d'autant plus élevé que le dépassement maximal en pourcentage est grand, ce qui correspond à un taux d'amortissement ζ faible. En général, la pulsation de surtension ω_p est différente de la pulsation naturelle ω_n du système considéré. La pulsation de surtension ω_p peut être approximée par ω_n lorsque le taux d'amortissement ζ est faible ($\zeta \ll 0.707$).

Comme second volet dans cet exemple, on s'intéresse au lien entre le temps de réponse t_r, le temps de pic t_p et la bande passante. En se référant toujours à l'exemple 6.22, on a:

$$\omega_b = \omega_n\sqrt{1 - 2\zeta^2 + \sqrt{4\zeta^4 - 4\zeta^2 + 2}}$$

D'un autre côté, on a l'expression suivante du temps de réponse d'un deuxième ordre à 5 %:

$$t_r = \frac{3}{\zeta\omega_n}$$

Compte tenu de cette expression, on obtient le lien suivant entre la bande passante ω_b et le temps de réponse t_r à 5 %:

$$\omega_b = \frac{3}{t_r\zeta}\sqrt{(1 - 2\zeta^2) + \sqrt{4\zeta^4 - 4\zeta^2 + 2}}$$

D'un autre côté, le temps de pic d'un système du deuxième ordre est donné par:

$$t_p = \frac{\pi}{\omega_n\sqrt{1 - \zeta^2}}$$

Ce qui donne le lien suivant entre la bande passante ω_b et le temps de pic t_p:

$$\omega_b = \frac{\pi}{t_p\sqrt{1-\zeta^2}}\sqrt{(1-2\zeta^2)+\sqrt{4\zeta^4-4\zeta^2+2}}$$

Comme troisième volet dans cet exemple, on étudie le lien qui existe entre la marge de phase $\Delta\varphi$ et le taux d'amortissement ζ pour un système du deuxième ordre.

En se référant à la technique qui permet de déterminer analytiquement la marge de phase, on a:

$$|T(j\omega_{am})| = 1$$

ce qui donne:

$$\omega_{am} = \omega_n\sqrt{-2\zeta^2+\sqrt{1+4\zeta^2}}$$

La phase de $T(j\omega)$ à cette fréquence est donnée par:

$$\begin{aligned} \arg\,[T(j\omega_{am})] &= -90 - \tan^{-1}\left(\frac{\omega_{am}}{2\zeta\omega_n}\right) \\ &= -90 - \tan^{-1}\left(\frac{\sqrt{-2\zeta^2+\sqrt{1+4\zeta^4}}}{2\zeta}\right) \end{aligned}$$

Ce qui donne comme marge de phase:

$$\begin{aligned} \Delta\varphi &= 90 - \tan^{-1}\left(\frac{\sqrt{-2\zeta^2+\sqrt{1+4\zeta^4}}}{2\zeta}\right) \\ &= \tan^{-1}\left(\frac{2\zeta}{\sqrt{-2\zeta^2+\sqrt{1+4\zeta^4}}}\right) \end{aligned}$$

De cette relation, nous constatons que la marge de phase augmente lorsque ζ augmente.

6.4.5 Dilemme précision-stabilité

Au cours du chapitre 5, on a fait ressortir le dilemme précision-stabilité. En effet, lors de la conception d'un système asservi, on cherche toujours à assurer une grande précision et une stabilité suffisante.

Pour montrer comment ce dilemme se manifeste aussi dans la réponse fréquentielle, nous allons considérer l'exemple suivant.

Exemple 6.27 Étude du dilemme précision stabilité d'un système de troisième ordre

Soit à étudier la stabilité et la précision du système asservi représenté à la figure 6.40.

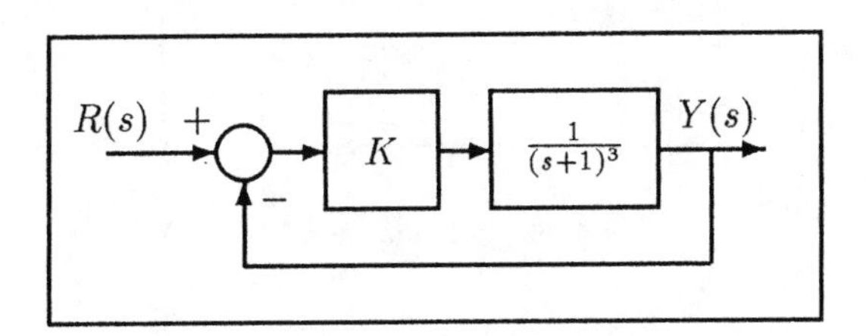

Figure 6.40 Commande d'un système du troisième ordre

On cherche à assurer à ce système une stabilité suffisante et une précision correspondant à une grandeur d'entrée en forme d'échelon unitaire inférieure à 0.1.

Le système étant de type zéro, l'erreur en régime permanent lorsque la grandeur d'entrée est en forme d'échelon unitaire est donnée par:

$$e(\infty) = \frac{1}{1+K} < 0.1$$

La contrainte sur la précision exige un choix de K supérieur à 10. Or la stabilité telle que nous l'avons vu pour ce système au cours de l'exemple 6.19 exige que K soit compris entre 0 et 8. Ce qui exclut tout compromis entre la stabilité et la précision pour la structure de commande précédente. Il est nécessaire alors de changer cette structure pour améliorer la précision tout en conservant une stabilité suffisante pour le système en boucle fermée. Une façon de procéder est de remplacer le correcteur proportionnel par un correcteur PI.

6.4.6 Sensibilité

La sensibilité dynamique est obtenue en remplaçant le paramètre s par $j\omega$ dans l'expression de la sensibilité . En général, l'expression obtenue est une fonction de la fréquence ω. Considérons le système asservi tel que représenté à la figure 6.41.

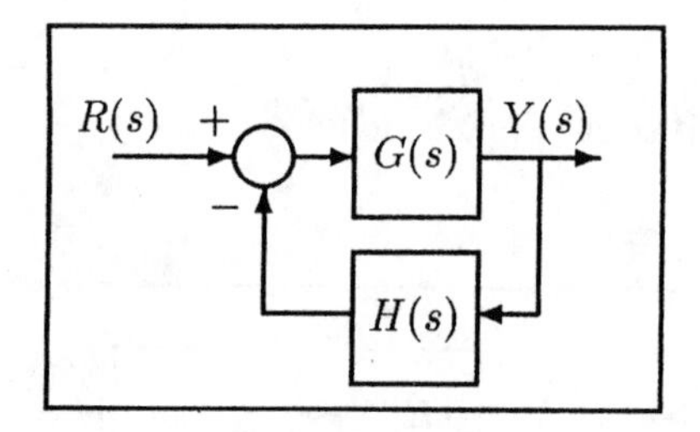

Figure 6.41 Schéma-bloc du système

La fonction de transfert en boucle fermée d'un tel système est donnée par l'expression suivante:

$$F(s) = \frac{G(s)}{1 + G(s)H(s)}$$

La sensibilité de $F(S)$ par rapport à $G(s)$ s'écrit:

$$S_{G(s)}^{F(s)} = \frac{\frac{dF(s)}{F(s)}}{\frac{dG(s)}{G(s)}} = \frac{1}{1 + G(s)H(s)}$$

La sensibilité de $F(S)$ par rapport à $H(s)$ s'écrit:

$$S_{H(s)}^{F(s)} = \frac{\frac{dF(s)}{F(s)}}{\frac{dH(s)}{H(s)}} = \frac{dF(s)}{dH(s)}\frac{H(s)}{F(s)} = -\frac{G(s)}{1 + G(s)H(s)}$$

En général, on désire maintenir la sensibilité en dessous d'une certaine valeur limite fixée par le cahier des charges. Une telle contrainte est souvent représentée par l'inégalité suivante:

$$S_{G(s)}^{F(s)} \leq S_d$$

Dans la figure 6.41, on a représenté le cas d'un système de type zéro et on a traduit la signification de la contrainte de sensibilité. En effet, si le rayon de $\frac{1}{S_d^m}$, où S_d^m est la sensibilité maximale désirée, est tangent au diagramme de Nyquist de la fonction de transfert en boucle ouverte du système, on est certain que la sensibilité du système ne sera jamais supérieure à S_d^m. Notons que le choix d'une sensibilité faible entraîne une diminution de la marge de phase. Il est alors conseillé, lors de la conception, d'accorder une attention particulière au dilemme **stabilité-précision-sensibilité**.

Exemple 6.28 Étude de la sensibilité dynamique d'un asservissement d'une antenne parabolique

En se référant au chapitre 2, on peut dresser le schéma bloc de l'asservissement de position de l'antenne parabolique (fig. 6.42).

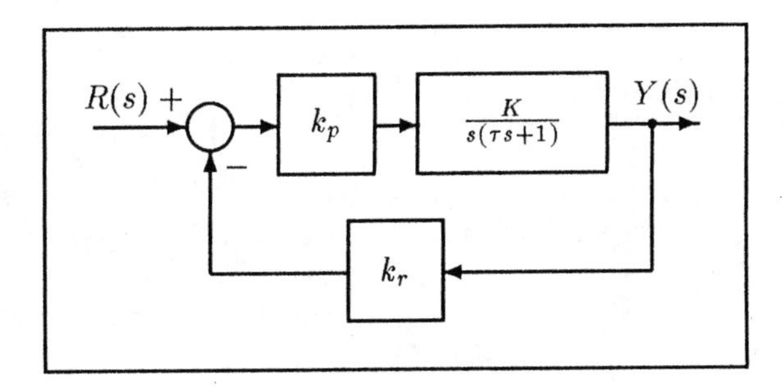

Figure 6.42 Schéma-bloc du système de réglage de l'antenne

Le capteur de mesure de la position angulaire admet une fonction de transfert constante représentée par le paramètre K_r. Le correcteur utilisé pour satisfaire les performances imposées par le cahier des charges est du type proportionnel de gain k_p.
L'objectif de cet exemple est de voir comment varie la fonction de transfert en boucle fermée du système lorsque ses paramètres varient suite à un phénomène quelconque qui peut être l'échauffement, le vieillissement des composantes, etc.

La fonction de transfert en boucle fermée d'un tel système est donnée par:

$$F(s) = \frac{Y(s)}{R(s)} = \frac{Kk_p}{\tau s^2 + s + Kk_pK_r}$$

Lorsque K, k_p, τ et K_r varient, les sensibilités correspondantes sont respectivement données par les expressions suivantes:

$$\begin{aligned}
S_K^{F(s)} &= \frac{dF(s)}{dK} \times \frac{K}{F(s)} = \frac{\tau s^2 + s}{\tau s^2 + s + Kk_pK_r} \\
S_{k_p}^{F(s)} &= \frac{dF(s)}{dk_p} \times \frac{k_p}{F(s)} = \frac{\tau s^2 + s}{\tau s^2 + s + Kk_pK_r} \\
S_\tau^{F(s)} &= \frac{dF(s)}{d\tau} \times \frac{\tau}{F(s)} = -\frac{\tau s^2}{\tau s^2 + s + Kk_pK_r} \\
S_{K_r}^{F(s)} &= \frac{dF(s)}{dK_r} \times \frac{K_r}{F(s)} = -\frac{Kk_pK_r}{\tau s^2 + s + Kk_pK_r}
\end{aligned}$$

Pour étudier la sensibilité dynamique, on doit traduire et étudier ces expressions en fonction de la fréquence .

6.5 RÉSUMÉ

Les méthodes fréquentielles sont plus anciennes que les techniques temporelles comme la technique du lieu des racines. Elles ont été développées par Nyquist et Bode vers les années 30. Ces techniques présentent un certain nombre d'avantages concernant l'analyse et la synthèse des systèmes asservis. Ainsi elles se prêtent bien à la modélisation des systèmes à partir des données expérimentales et elles ont aussi l'avantage d'analyser et de concevoir les systèmes à déphasage non minimal. Ces techniques sont essentiellement graphiques. L'analyse dans le domaine fréquentiel repose principalement sur le tracé d'un diagramme qui permet non seulement d'étudier la stabilité du système considéré mais aussi de déterminer ses performances.

6.6 QUESTIONS

1. Dire en quoi consiste la réponse fréquentielle.
2. Donner la raison pour laquelle on doit étudier la réponse en fréquence en plus de la réponse temporelle.
3. Rappeler le principe de construction des diagrammes de Bode, de Black et de Nyquist.
4. Rappeler le principe de l'étude de la stabilité par le critère de Nyquist. Sous quelles hypothèses le critère de Nyquist peut-il se simplifier ? En supposant que ces hypothèses sont satisfaites, rappeler le critère de Nyquist simplifié dans chacun des diagrammes suivants:
   - Bode
   - Black
   - Nyquist
5. Rappeler le critère de stabilité dans l'analyse fréquentielle et donner les paramètres qui quantifient le degré de stabilité.
6. Rappeler les spécifications dans le domaine fréquentiel et donner le principe qui permet de les déterminer.
7. Donner les expressions des spécifications dans le domaine fréquentiel d'un système de deuxième ordre. Quel est le lien entre ces spécifications et celles de ce même système dans le domaine du temps ?
8. Dire en quoi consiste l'abaque de Nichols et quelle est son utilité.
9. Dire en quoi consiste l'abaque de Hall et quelle est son utilité.
10. Dire en quoi consiste la sensibilité dynamique. Dire comment on la compare à la sensibilité statique.

6.7 EXERCICES

6.1 Pour la fonction de transfert $G(s)$ du système en boucle fermée donnée par l'expression suivante:

$$G(s) = \frac{C(s)}{R(s)} = \frac{1}{(1 + 0.01s)(1 + 0.05s + 0.01s^2)}$$

on vous demande de:

1. tracer la réponse en fréquence,
2. déterminer le facteur de surtension M_p et la fréquence de résonnance ω_p du système,
3. déterminer le facteur d'amortissement et la fréquence naturelle ω_n du système de deuxième ordre qui donne les mêmes M_p et ω_p déterminés précédemment.

6.2 On considère un système en boucle fermée à retour unitaire. La fonction de transfert en boucle ouverte $T(s)$ est donnée par l'expression suivante:

$$T(s) = \frac{K}{s(s+1)^2}$$

On vous demande de:

1. étudier la stabilité du système en boucle fermée par:
   - Nyquist,
   - Routh Hurwitz,
2. tracer le diagramme de Nyquist pour $K = 1$.
3. déterminer la valeur de K qui procure un facteur de résonance de 1.4,
4. déterminer la valeur de K qui procure une marge de gain de 20 dB,
5. déterminer la valeur de K qui procure une marge de phase de 60°.

6.3 Un système asservi à retour unitaire ($H = 1$) est représenté par la fonction de transfert suivante:

$$G(s) = \frac{100}{s(0.1s+1)(0.05s+1)}$$

1. Tracer un croquis montrant les asymptotes d'amplitude et de phase du diagramme de Bode de la fonction de transfert $G(s)$.
2. Déterminer la fréquence de coupure ω_c (passage à 0 db) de l'asymptote d'amplitude ainsi que la fréquence ω_{ph} du passage à -180 degrés de l'asymptote de phase.
3. Calculer l'amplitude et la phase de la courbe réelle (pas les asymptotes) à la fréquence de 20 rad/s.
4. Spécifier les constantes α et τ d'un correcteur $C(s)$ de type retard de phase (phase lag) pour rencontrer les trois conditions suivantes:

(a) la fréquence de coupure ω_c des asymptotes d'amplitude de la fonction $C(s)G(s)$ doit être de 10 rad/s,

(b) l'asymptote de phase de la fonction $C(s)G(s)$ aux fréquences supérieures à 10 rad/s doit être la même que celle de la fonction $G(s)$ seule,

(c) la constante τ doit être la plus petite possible.

6.4 Le système considéré dans ce problème est représenté par la figure 6.43. La fonction de transfert en boucle ouverte de ce système est donnée par:

$$T(s) = G(s)H(s) = \frac{K}{s(1+\tau_1 s)(1+\tau_2 s)}$$

où K, τ_1 et τ_2 sont des paramètres réels positifs.

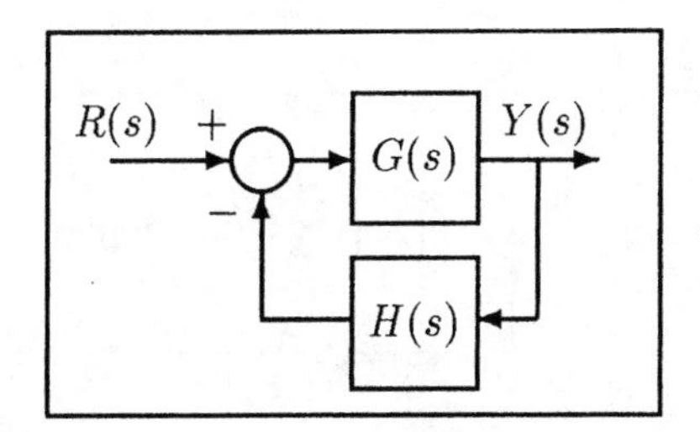

Figure 6.43 Schéma-bloc du système

1. En utilisant la technique de Routh-Hurwitz, donner la condition de stabilité du système en boucle fermée.
2. En supposant que $K\frac{\tau_1+\tau_2}{\tau_1\tau_2} < 1$, étudier la stabilité par Nyquist.
3. En ajoutant une action proportionnelle dérivée, la fonction de transfert en boucle ouverte est donnée par:

$$T(s) = \frac{K(1+\tau_d s)}{s(1+\tau_1 s)(1+\tau_2 s)} \qquad \tau_d > 0$$

Montrer, en utilisant le critère de Nyquist, que ce type de correcteur améliore la stabilité du système en boucle fermée.

6.5 Pour le système à retour unitaire dont la fonction de transfert est donnée par l'expression suivante:

$$G(s) = \frac{6}{s(s^2+4s+6)},$$

on demande de déterminer la marge de gain, la marge de phase, la bande passante et le facteur de surtension du système en boucle fermée lorsqu'un des correcteurs suivants de fonction de transfert $C(s)$ est inséré dans la chaîne directe.

1. $C(s) = 1$
2. $C(s) = \frac{5(s+1)}{s+5}$
3. $C(s) = \frac{s+1}{5s+1}$
4. $C(s) = \frac{(s+1)^2}{(1+0.2s)(1+5s)}$

6.6 Le schéma de la figure 6.44 traduit la commande d'un procédé dynamique dont la fonction de transfert est $G(s) = \frac{1}{s(\tau s+1)}$

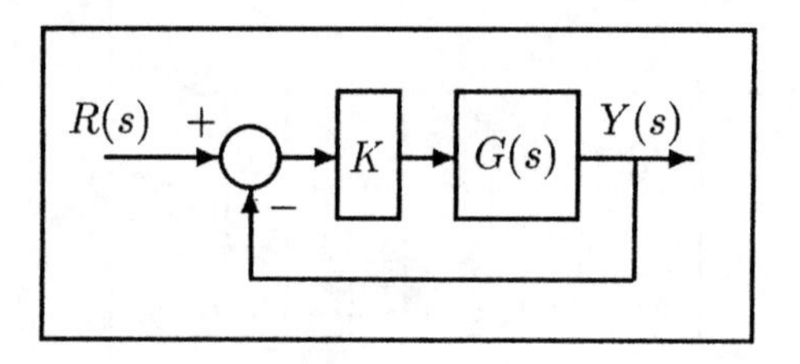

Figure 6.44 Procédé dynamique

En fixant $K = \tau = 1$

1. Dire si le système est stable.
2. Calculer la marge de phase.
3. Calculer la marge de gain.

6.7 Soit un système dynamique décrit par l'équation différentielle suivante:

$$0.5\frac{d^2}{dt^2}y(t) + \frac{d}{dt}y(t) = 0.25\frac{d}{dt}r(t) + r(t)$$

1. Pour des conditions initiales nulles, établir $G(s) = Y(s)/R(s)$.
2. Le système est commandé par un correcteur proportionnel de gain $k_p > 0$ tel que représenté à la figure 6.45.
   a) Tracer le diagramme de Bode du système si $k_p = 1$.
   b) Tracer le diagramme de Nyquist du système si $k_p = 1$.

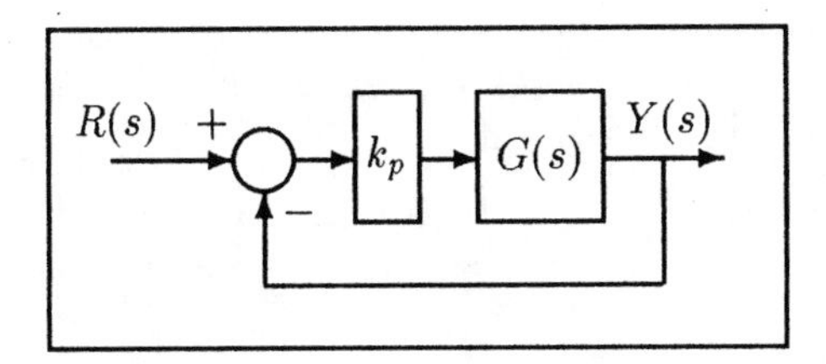

Figure 6.45 Système à correcteur proportionnel

c) Donner les conditions sur k_p pour que le système soit stable.

d) Déterminer la marge de phase et la marge de gain si $k_p = 1$.

6.8 Un système asservi est représenté par le diagramme fonctionnel de la figure 6.46.

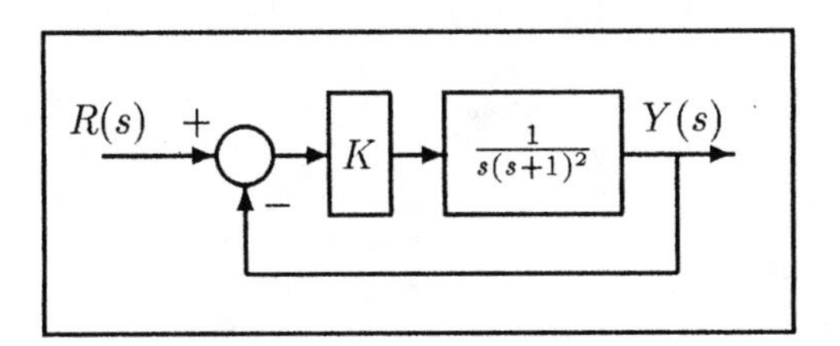

Figure 6.46 Système asservi

Déterminer les valeurs de K pour lesquelles ce système est stable en utilisant:

1. le critère de Nyquist.
2. le critère de Routh-Hurwitz.

6.9 Le schéma-bloc du dispositif de réglage de la fréquence d'une centrale hydro-électrique est celui de la figure 6.47 avec $K > 0$.

1. Pour $C(s) = 1$, trouver l'équation caractéristique du système et étudier la stabilité en boucle fermée.
2. Reprendre la question 1 avec $C(s) = 1 + \frac{1}{s}$.
3. En appelant $T(s) = KC(s)G(s)$ la fonction de transfert en boucle ouverte du système avec $C(s) = 1 + \frac{1}{s}$ et $K = 1$, tracer le diagramme de Black de $T(s)$.

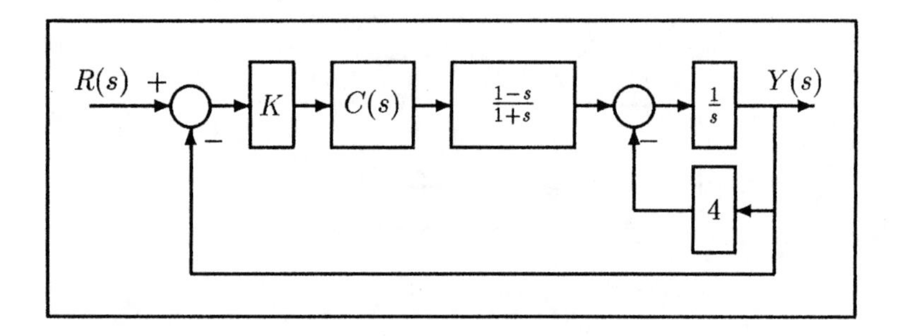

Figure 6.47 Centrale hydro-électrique

4. En déduire le diagramme de Black pour $K = 4$ et donner l'allure de la fonction de transfert en boucle fermée.
5. Déterminer les marges de phase et de gain pour $K = 4$.

6.10 La fonction de transfert d'un système en boucle ouverte est:

$$T(s) = \frac{K}{s(s+1)(s+5)}$$

1. Examiner la stabilité par le critère de Routh-Hurwitz.
2. Retrouver les mêmes résultats sur la stabilité en utilisant le critère de Nyquist.
3. En fixant $K = 10$, montrer que la courbe du gain coupe l'axe des fréquences à $\omega_1 = 1.23\ rad/s$ et celle de la phase coupe la droite -180° à $\omega_2 = 2.24\ rad/s$.
4. En déduire la marge de phase et celle du gain.

6.11 L'identification d'un procédé par voie expérimentale, basée sur la méthode fréquentielle, a donné les résultats incrsits au tableau 6.15.

1. Donner l'allure du diagramme de Bode.
2. En déduire la fonction de transfert du système.
3. Déterminer la marge de phase et la marge de gain.

Tableau 6.15 Données expérimentales

ω *rad/s*	$M(\omega)$ db	$-\phi(\omega)$ °
0.1	20	97
0.3	10	110
0.4	3	128
0.9	−2	138
1	−3	146
2	−13	175
5	−31	214
8	−42	231
12	−51	242
16	−58	250
30	−74	261

6.12 Soit un processus dont la fonction de transfert en boucle ouverte est:

$$T(s) \quad = \quad \frac{50K}{s(s+10)(s+5)}$$

1. En utilisant le critère de Nyquist, dites pour quelles valeurs de K le système est stable. Vérifier le résultat obtenu par le critère de Routh-Hurwitz.
2. En fixant $K = 5$,
   a) Calculer la marge de phase et celle du gain. Le système est-il stable ?
   b) Trouver les racines de l'équation caractéristique ainsi que les performances du régime transitoire.
   c) Tracer le diagramme de Nyquist du système en boucle fermée.

6.13 Considérons une structure de commande en boucle fermée à correcteur proportionnel telle que représentée à la figure 6.48.

1. Pour $k_p = 1$ et $k_p = 100$, tracer le diagramme de Black correspondant et conclure sur la stabilité en boucle fermée. En déduire la marge de phase et la marge de gain.
2. Pour quelle valeur de k_p le système devient instable ? Confirmer le résultat par le critère de Routh-Hurwitz.

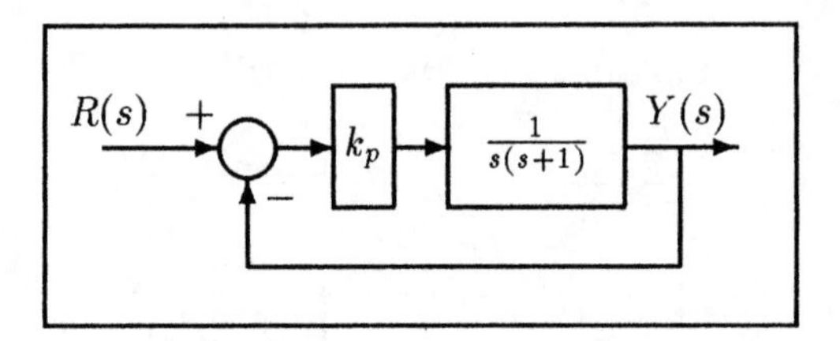

Figure 6.48 Structure de commande en boucle fermée

6.14 La fonction de transfert en boucle ouverte d'un système asservi avec retour unitaire est:

$$T(s) = \frac{25(s+2)}{s^2 + 10.5s + 5}$$

Étudier la stabilité du système bouclé en utilisant le critère de revers dans le lieu de Bode.

6.15 Soit le système sous sa forme générale représenté à la figure 6.49.

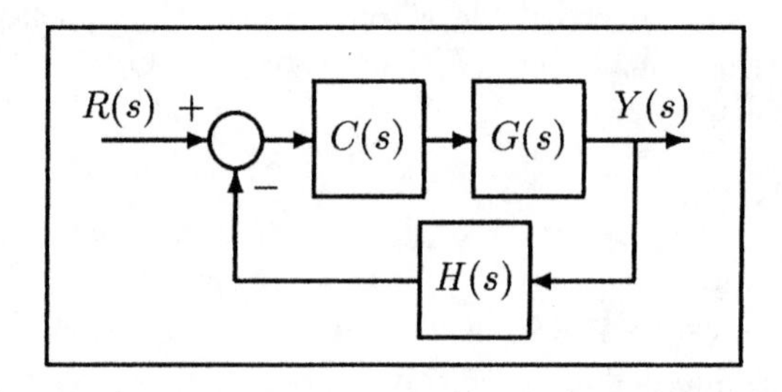

Figure 6.49 Système sous forme générale

Les fonctions de transfert des différents éléments sont:

$$G(s) = \frac{k}{0.1s+1}$$
$$K = 3$$
$$H(s) = 1$$

1. Si $C(s) = 1$, étudier la stabilité par Nyquist.

2. Si $C(s) = \frac{1}{0.08s+1}$, le système résultant est-il stable ? Si oui, déterminer les marges de phase et de gain.
3. La stabilité du système est-elle fonction de la valeur du gain K ? Si oui, comment faut-il choisir K par rapport à la valeur "3" pour améliorer le degré de stabilité ?

6.16 On considère l'asservissement de position schématisé par la figure 6.50a.

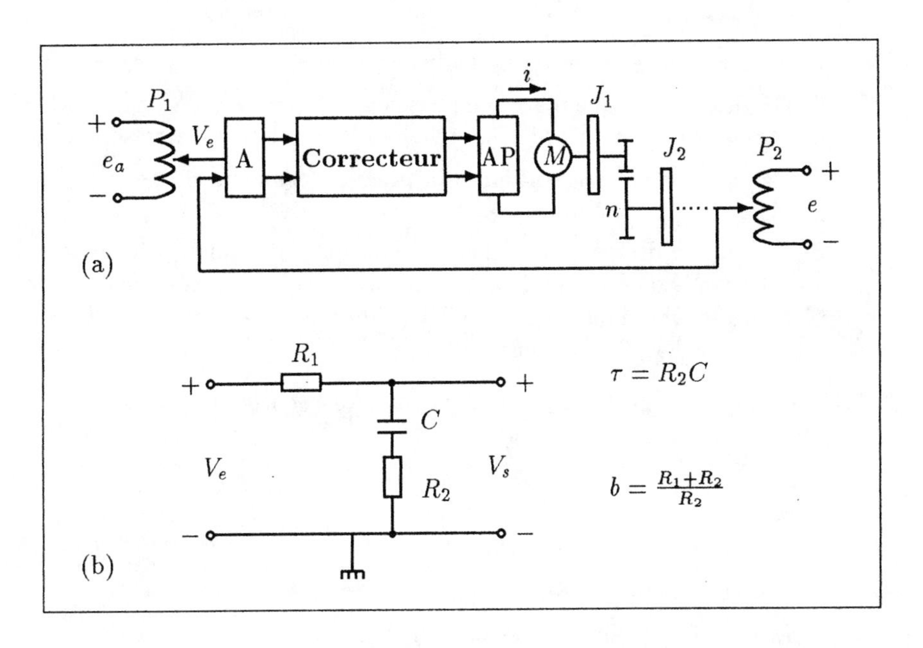

Figure 6.50 Asservissement de position (a) et diviseur de tension (b)

Les potentiomètres P_1 et P_2 sont linéaires et ont une course utile de 360°. Ils sont alimentés par une tension $e = 50V$ et leur point milieu est à la masse. Le préamplificateur A de gain réglable est indépendant de la fréquence. L'amplificateur de puissance AP a un gain en tension de "1". Les deux amplificateurs ont une impédance d'entrée très grande et une impédance de sortie faible. Le moteur à courant continu est à aimant permanent et ses caractéristiques principales sont:

- Résistance d'induit $r_a = 500\ \Omega$;
- Inductance de l'induit L_a négligeable;
- Moment d'inertie du moteur $J_1 = 40\ g.cm^2$;

– Coefficients de couple et de fcem $K_t = K_\Omega = 0.3$.

Le moteur entraîne une charge dont l'inertie est $J_2 = 0.2\ Kg.m^2$ par l'intermédiaire d'un réducteur de rapport $n = 200$. Les frottements visqueux sont négligés.

1. Dessiner le diagramme fonctionnel de l'asservissement.
2. Calculer la fonction de transfert $T(s)$ en boucle ouverte du système non corrigé.
3. Tracer le diagramme de Bode du système.
4. On désire avoir une marge de phase de 45°. Trouver la valeur du gain A et de la fréquence de coupure ω_c en boucle ouverte correspondant.
5. Calculer les erreurs statiques du premier, deuxième et troisième ordres.
6. En vue de diviser par 10 l'erreur statique du second ordre tout en conservant une marge de phase de 45°, on utilise le correcteur de la figure 6.50b. Pour $R_1 = 90\ K\Omega$, déterminer les valeurs qu'il faut donner à R_2, C et A ainsi qu'à ω_c.

6.17 Soit le système dont la fonction de transfert en boucle ouverte est:

$$T(s) = \frac{ke^{-\frac{s}{2}}}{(s+1)^2}$$

1. Tracer le diagramme de Bode.
2. Tracer le diagramme de Nyquist.
3. Étudier la stabilité par les deux méthodes.

7

DESIGN DES SYSTÈMES ASSERVIS

L'objectif de ce chapitre consiste à présenter au lecteur les techniques de design des correcteurs en cascade que ce soit dans les domaines du temps ou de la fréquence. Après lecture de ce chapitre, le lecteur doit être capable de:

1. **choisir la méthode appropriée qu'il doit utiliser pour résoudre son propre problème de design;**
2. **choisir la structure du correcteur qui répond aux spécifications fixées par le cahier des charges et en déterminer les paramètres;**
3. **vérifier si les spécifications imposées sont satisfaites ou non.**

7.1 INTRODUCTION

En général, dans un problème de design de système asservi, on part de certaines spécifications qui traduisent les contraintes physiques qu'il faut imposer à la réponse du système pour choisir le correcteur approprié. Ce correcteur, une fois inséré, procure les spécifications désirées. Pour résoudre ce problème, deux méthodes peuvent être utilisées. La première consiste à effectuer le design en se basant sur les techniques d'essai et erreur. La seconde consiste principalement à traduire les spécifications désirées en terme de fonction de transfert afin d'obtenir, par manipulation algébrique, l'expression du correcteur cherché (design direct). Il faut noter que la traduction des spécifications en fonction de transfert n'est pas chose facile et requiert en général beaucoup d'expérience, ce qui rend cette approche difficile.

Au cours de ce chapitre, nous nous intéressons à la première approche, qui est une méthode pratique et facile à utiliser. Cette approche sera utilisée sur des méthodes graphiques de conception des systèmes linéaires. Ces méthodes se basent principalement sur:

- la technique du lieu des racines,
- le diagramme de Bode,
- le diagramme de Nyquist,
- les abaques de Black-Nichols et de Hall.

Le choix de la méthode dépend essentiellement de la nature des spécifications imposées, lesquelles décrivent les qualités de la dynamique recherchée du système asservi considéré. Ces qualités sont généralement reliées à:

- la stabilité relative du système asservi;
- la rapidité de la réponse du système asservi (régime transitoire);
- la précision du système asservi;
- la robustesse du système asservi.

Généralement, les spécifications peuvent être données dans le domaine du temps ou dans le domaine fréquentiel. Nous rappelons ces différentes spécifications et nous conseillons au lecteur de consulter les chapitres appropriés pour plus d'information sur leur définition et leur détermination.

Les différentes spécifications que l'on peut rencontrer lors d'un problème de design sont:

(i) spécifications dans le domaine du temps

- dépassement (d) en %;
- temps de pic (t_p);

- temps de montée (t_m);
- temps de réponse (t_r);
- constante du temps dominante ($\tau_d = \frac{1}{\zeta\omega_n}$),
- erreurs en régime permanent $e(\infty)$;
- sensibilité de la réponse.

(ii) spécifications dans le domaine de la fréquence

- bande passante (ω_b);
- facteur de surtension (M_p);
- fréquence de résonnance (ω_p);
- pente d'atténuation vers les fréquences élevées;
- marge de phase ($\Delta\phi$);
- marge de gain (ΔG).

En général, pour satisfaire aux spécifications imposées par le cahier des charges, on doit concevoir un correcteur qui, une fois ajouté au système à commander, permettra au système asservi ainsi obtenu de répondre à ces spécifications. Pour répondre à ce probléme, on se consacre principalement aux méthodes classiques (lieu des racines, méthode fréquentielle et méthodes empiriques).

Il existe d'autres techniques pour résoudre ce problème, appellées méthodes modernes: technique de placement des pôles, commande optimale, etc..

Avant de commencer à développer les techniques de design des correcteurs en cascade qui sont présentées dans cet ouvrage, précisons que ces méthodes ne s'appliquent qu'aux systèmes linéaires à déphasage minimal. On suppose que le modèle du système est parfaitement connu. Les méthodes empiriques font exception puisqu'alors le modèle est déterminé à partir d'une réponse indicielle.

Le chapitre est organisé comme suit: dans la section 7.2, on formule le problème de design des systèmes asservis. Dans la section 7.3, on décrit les différents types de correcteurs, en faisant ressortir les avantages et les inconvénients de chacun. La section 7.4 est consacrée à la résolution du problème de design des systèmes asservis par les méthodes empiriques. Les sections 7.5 et 7.6 sont respectivement dédiées au design des correcteurs à l'aide de la technique du lieu des racines et du diagramme de Bode.

7.2 FORMULATION DU PROBLÈME DE DESIGN DES SYSTÈMES ASSERVIS

Pour fixer les idées, on étudie un certain nombre d'exemples. Le premier exemple nous permet d'illustrer la philosophie du design des systèmes linéaires et de faire ressortir le dilemme stabilité-précision. Le second donne un modèle de formulation de problème de design des systèmes linéaires.

Exemple 7.1 Dilemme précision stabilité

La fonction de transfert du système commandé tel que représenté à la figure 7.1 est:

$$G(s) = \frac{1}{s(s+1)(1+0.1s)}.$$

C'est un système de type 1. On cherche à assurer au système asservi, lorsqu'il est excité par une grandeur d'entrée en forme de rampe unitaire, les spécifications suivantes:

- une erreur de vitesse en régime permanent inférieure ou égale à 1%
- le système en boucle fermée doit être stable.

D'après le chapitre 4, on conclut que le correcteur de type proportionnel de gain k_p est suffisant pour répondre aux spécifications imposées (c'est-à-dire $C(s) = k_p$). On suppose que le système asservi est à retour unitaire.

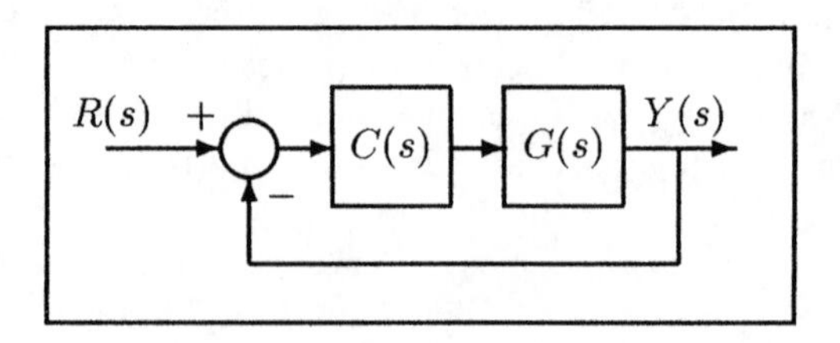

Figure 7.1 Structure de commande

Pour résoudre ce probléme, on peut ajuster le gain k_p de façon à satisfaire aux spécifications imposées. Pour faire ceci, on peut procéder soit par la technique du lieu des racines ou le diagramme de Black, soit algébriquement.

L'erreur en régime permanent associée à une rampe unitaire est donnée par:

$$e(\infty) = \lim_{t\to\infty} e(t) = \lim_{s\to 0} sE(s) = \lim_{s\to 0} \frac{1}{s\left[1 + C(s)G(s)\right]} = \frac{1}{k_p}$$

Cette erreur ne doit pas excéder le 1%, soit $\frac{1}{k_p} \leq 0.01$, ce qui donne une valeur de 100 pour k_p, ($k_p = 100$).

Par conséquent, pour satisfaire à cette spécification, k_p doit être supérieur ou égal à 100. À ce stade, la conception n'est pas terminée car il faut analyser la stabilité aussi.

Pour cela, on peut procéder de différentes manières, par exemple, la méthode de Routh-Hurwitz. L'équation caractéristique du système en boucle fermée s'écrit:

$$0.1s^3 + 1.1s^2 + s + k_p = 0.$$

Le tableau de Routh-Hurwitz associé est:

s^3	0.1	1
s^2	1.1	k_p
s^1	$\frac{1.1 - k_p \times .1}{1.1}$	0
s^0	k_p	0

La stabilité du système en boucle fermée exige la condition suivante sur k_p:

$$0 < k_p < 11.$$

Comme conclusion, on ne peut, par simple ajustement de gain k_p, satisfaire aux spécifications imposées. On doit alors insérer dans la chaîne directe un correcteur autre qu'un correcteur proportionnel pour satisfaire à ces spécifications.

Exemple 7.2 Correction d'un système de troisième ordre de type 1

Dans cet exemple, on suppose que le système considéré est modélisé par une fonction de troisième ordre dont l'expression est:

$$G(s) \quad = \quad \frac{1}{s(s+1)(s+5)}$$

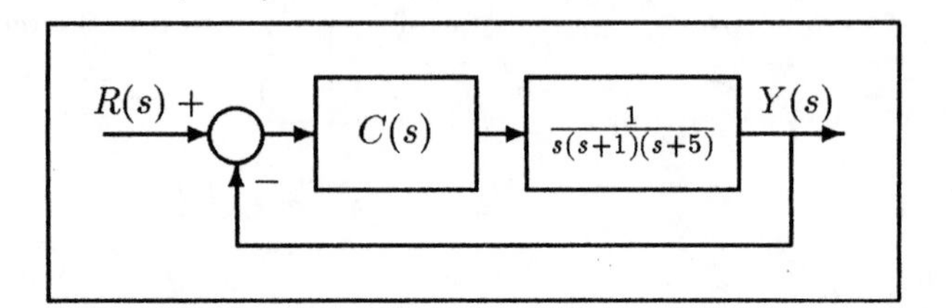

Figure 7.2 Asservissement d'un système de fonction de transfert $G(s) = \frac{1}{s(s+1)(s+5)}$

La structure de commande de ce système en boucle fermée est illustrée à la figure 7.2. Le système est de type 1. On peut montrer que le correcteur du type proportionnel est incapable d'assurer au système en boucle fermée une marge de phase de 45° et une marge de gain de l'ordre de 10 *db*.

Avec un correcteur de type proportionnel de gain k_p de valeur égale à 10, le système est stable avec une marge de phase de 25.4^o et une marge de gain de 9.5 *db*. Les fréquences de coupure correspondantes sont respectivement $\omega_{cg} = 1.23\ rad/s$ et $\omega_{cp} = 2.24\ rad/s$. Pour cette même valeur de gain, l'erreur en régime permanent associée à une excitation sous forme de rampe est de 0.5.

Les spécifications que procure le correcteur de type proportionnel ne sont pas acceptables. Si on veut minimiser l'erreur, on doit augmenter le gain, mais en augmentant celui-ci le système devient instable. Le régime transitoire obtenu avec ce correcteur est très oscillant. Étant donné que le correcteur précédent est inacceptable, on doit chercher un autre type de correcteur qu'il faudra utiliser pour améliorer les performances actuelles du système commandé. On cherche donc le correcteur qui améliore essentiellement le régime transitoire, la marge de phase pour la ramener à 45° et la marge de gain de l'ordre de 10 *db* (voir figure 7.3).

Pour l'instant, nous sommes incapables de répondre à ce problème de design. La solution de ce problème constitue l'un des objectifs de ce chapitre.

Le problème de design de système asservi consiste à déterminer le type de correcteur qui assure au système considéré les spécifications désirées.

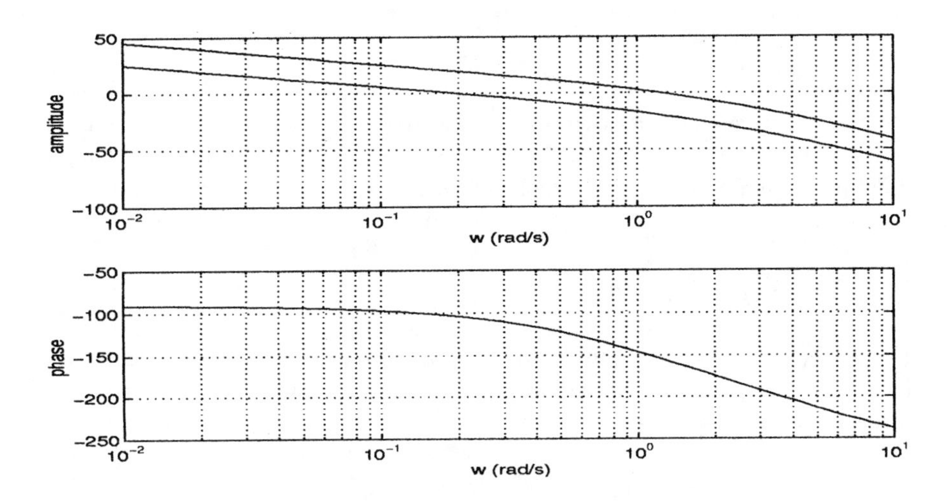

Figure 7.3 Réponses fréquentielles de $\frac{1}{s(s+1)(s+5)}$ et $\frac{10}{s(s+1)(s+5)}$

Les correcteurs auxquels nous allons nous intéresser dans le cadre de ce chapitre sont principalement:

- les correcteurs proportionnel (P), intégral (I), dérivé (D) et leurs combinaisons;
- les correcteurs avance de phase;
- les correcteurs retard de phase;
- les correcteurs avance-retard de phase.

Avant de voir les procédures qui permettent d'ajuster les paramètres de ces types de correcteur, nous allons les présenter principalement dans le domaine fréquentiel en vue de faire ressortir leurs avantages, ce qui va guider le lecteur dans son choix lors du design. Pour plus de renseignements sur ces correcteurs, par exemple leurs réalisations électroniques avec des composantes actives ou passives, le lecteur peut consulter le chapitre 3.

7.3 TYPES DE CORRECTEURS

Dans cette section, on rappelle brièvement la structure de différents types de correcteurs classiques, en insistant sur l'amélioration apportée par le correcteur en question lorsqu'il est utilisé en cascade. L'analyse est surtout faite dans le domaine fréquentiel, afin de développer chez le lecteur le réflexe de designer.

7.3.1 Correcteur P

Le correcteur proportionnel est le correcteur le plus simple. Le signal produit par ce correcteur est proportionnel au signal d'erreur. La fonction de transfert est:

$$C(s) = k_p \tag{7.1}$$

La réponse du correcteur proportionnel au signal d'erreur est instantanée. Le diagramme de Bode de ce correcteur est simple (voir chapitre 6.) La courbe d'amplitude est constante et indépendante de la fréquence. Celle de la phase est nulle quelle que soit la fréquence. L'absence de retard dans la phase est une indication de la vitesse de la réponse de celui-ci.

En général, les performances en régime permanent et la vitesse de la réponse de la grandeur de sortie du système peuvent être améliorées en augmentant le gain k_p du correcteur. L'augmentation du gain peut cependant détériorer la marge de stabilité. Le correcteur P est utilisé en pratique dans des systèmes dont les variations des charges est rapide. Le correcteur P, pour un type donné de système, est incapable d'annuler l'erreur en régime permanent.

7.3.2 Correcteur PI

On peut pallier à l'incapacité du correcteur P d'annuler l'erreur en régime permanent en utilisant le correcteur PI qui augmente le type du système commandé par l'ajout d'un pôle à l'origine. La conséquence de cette augmentation est l'annulation possible de l'erreur en régime permanent. Ce type de correcteur admet la fonction de transfert suivante:

$$C(s) = k_p\left(1 + \frac{1}{T_I s}\right) = \frac{k_p}{s}\left(s + \frac{1}{T_I}\right) \tag{7.2}$$

où k_p est le gain et T_I est la constante d'intégration.

Quand elle est insérée en cascade, l'action proportionnelle intégrale se traduit par l'ajout d'un pôle à l'origine, i.e, $s = 0$ et d'un zéro à $-\frac{1}{T_I}$, i.e, $s = -\frac{1}{T_I}$ à la fonction de transfert en boucle ouverte du système compensé. Ceci se traduit par l'augmentation du type du système et permet ainsi d'améliorer le régime permanent.

Un des problèmes de l'action intégrale est sa tendance à augmenter les oscillations de la variable commandée. Le gain de l'action proportionnelle doit être réduit lorsqu'il est combiné à l'action intégrale. Ceci réduit l'habilité du correcteur PI à répondre à des variations de charges rapides. Le correcteur PI peut devenir nuisible si le système à commander possède un temps mort élevé. En effet, ce retard se traduit par un décalage entre les grandeurs de la sortie et les actions du correcteur. L'action intégrale continue à délivrer un signal de commande même si le signal d'erreur est réduit à zéro.

Le diagramme de Bode associé à ce type de correcteur est illustré à la figure 7.4a. L'action intégrale agit en faible fréquence, elle ajoute ainsi du gain et réduit la phase.

7.3.3 Correcteur PD

Le correcteur PD est utilisé pour réduire les oscillations du système. Ce type de correcteur admet la fonction de transfert suivante:

$$C(s) = k_p\,(1 + T_D s) \tag{7.3}$$

où k_p est le gain et T_D est la constante de dérivation.

Le terme $(1 + T_D s)$ peut être considéré comme étant un correcteur en série au correcteur proportionnel k_p. Quand elle est insérée en cascade, l'action proportionnelle dérivée se traduit par l'ajout d'un zéro à $-\frac{1}{T_D}$, i.e, $s = -\frac{1}{T_D}$ à la fonction de transfert en boucle ouverte du système compensé. Un tel correcteur permet d'améliorer la stabilité du système en boucle fermée.

Le diagramme de Bode associé à ce type de correcteur est illustré à la figure 7.4b. On constate que l'action dérivée contribue par une avance de phase aux fréquences élevées. Le même effet est valable pour le gain. Le correcteur PD est un filtre passe haut. Vers les hautes fréquences, le gain est grand, ce qui amplifie les bruits de hautes fréquences qui sont dans le système. L'effet bénéfique du correcteur PD est l'amélioration du régime transitoire. En général, avec un

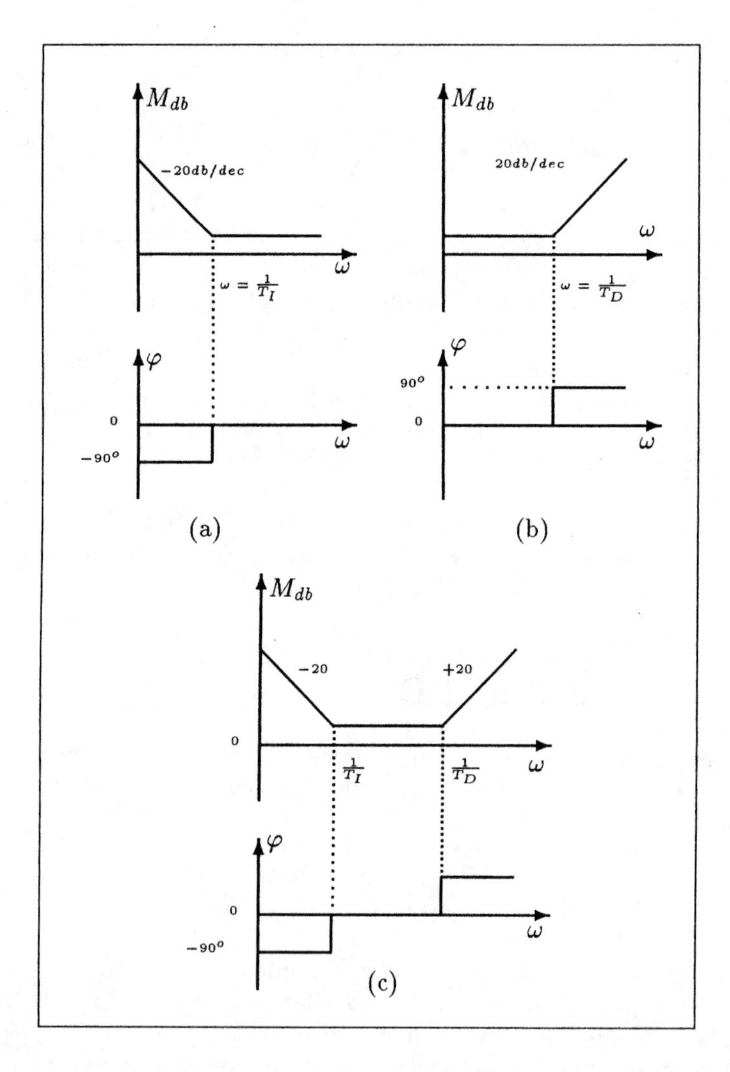

Figure 7.4 Diagramme de Bode du correcteur PI (a), du correcteur PD (b) et du correcteur PID (c)

correcteur PD on obtient un système avec un temps de montée rapide et un faible dépassement. Le correcteur PD a un effet anticipatif.

7.3.4 Correcteur PID

Le correcteur PID peut être considéré comme une combinaison des correcteurs PD et PI. La fonction de transfert de ce type de correcteur est donnée par l'expression suivante:

$$C(s) = k_p\left(1 + \frac{1}{T_I s} + T_D s\right) \tag{7.4}$$

où k_p, T_I et T_D représentent respectivement le gain du système, la constante d'intégration et la constante de dérivation.

Ce type de correcteur offre tous les avantages des correcteurs précédents. Il est très utilisé en pratique. Quand il est inséré en cascade, le correcteur PID introduit un pôle à l'origine, i.e, $s = 0$ et deux zéros à la fonction de transfert en boucle ouverte du système compensé. Le correcteur a pour effet d'agir en même temps sur le régime permanent et sur le régime transitoire. Le diagramme de Bode associé à ce type de correcteur est illustré à la figure 7.4c.

7.3.5 Correcteur avance de phase

Ce type de correcteur représente une approximation du correcteur PD et peut être réalisé physiquement à l'aide d'un circuit électronique actif (cf. chapitre 3) ou passif tel que représenté à la figure 7.5a.

Dans le cas d'un circuit passif, la fonction de transfert d'un tel correcteur est:

$$\frac{E_2(s)}{E_1(s)} = \frac{1}{a}\frac{1 + aTs}{1 + Ts} = \frac{s + \frac{1}{aT}}{s + \frac{1}{T}} \tag{7.5}$$

avec $a = \frac{R_1+R_2}{R_2}$, $a > 1$ et $T = \frac{R_1R_2C}{R_1+R_2}$.

Quand il est inséré en cascade, le correcteur avance de phase introduit un pôle et un zéro à la fonction de transfert en boucle ouverte du système compensé. La disposition du pôle et du zéro du correcteur est représentée à la figure 7.5b.

Le diagramme de Bode associé à ce type de correcteur est représenté à la figure 7.5c.

Lorsque le correcteur avance de phase est utilisé en série avec un gain k_p, il permet d'augmenter la marge de gain. Ceci permet au gain $\frac{k_p}{a}$ d'être plus

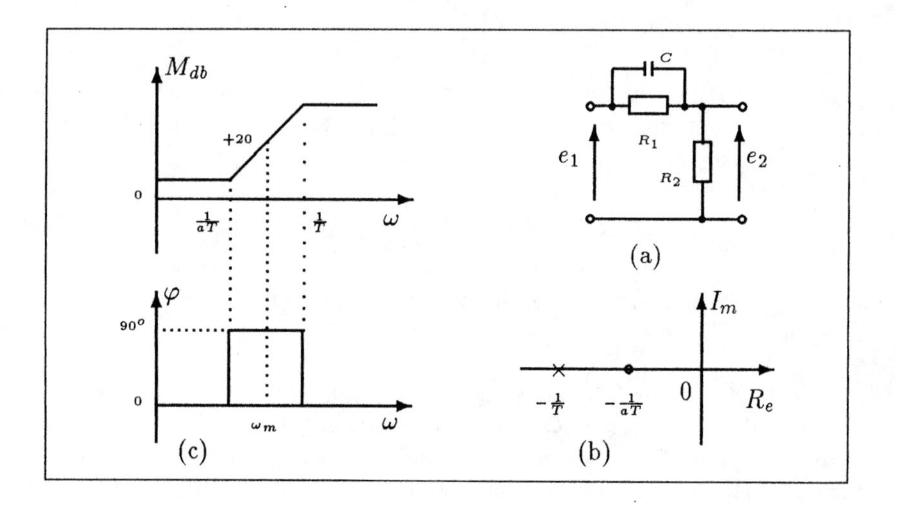

Figure 7.5 Correcteur avance de phase: (a) schéma électronique; (b) configuration pôle-zéro; (c) diagramme de Bode

grand que lorsqu'il était sans correcteur. Son avantage se résume par son effet de stabilisateur et sa capacité d'augmenter la fréquence de surtension, ω_p, ce qui se traduit par une augmentation de la rapidité du système corrigé.

Lors de la phase de synthèse, on doit exploiter l'apport maximal du correcteur avance de phase pour modifier l'allure de la réponse fréquentielle du système compensé autour de la fréquence ω_m dont l'expression est:

$$\omega_m = \frac{1}{T\sqrt{a}}$$

Le système compensé a alors une plus grande marge de phase. Le maximum de phase correspondant à ω_m est:

$$\sin(\phi_m) = \frac{a-1}{a+1}$$

la figure 7.6 illustre comment l'angle ϕ_m varie en fonction du paramètre a.

7.3.6 Correcteur retard de phase

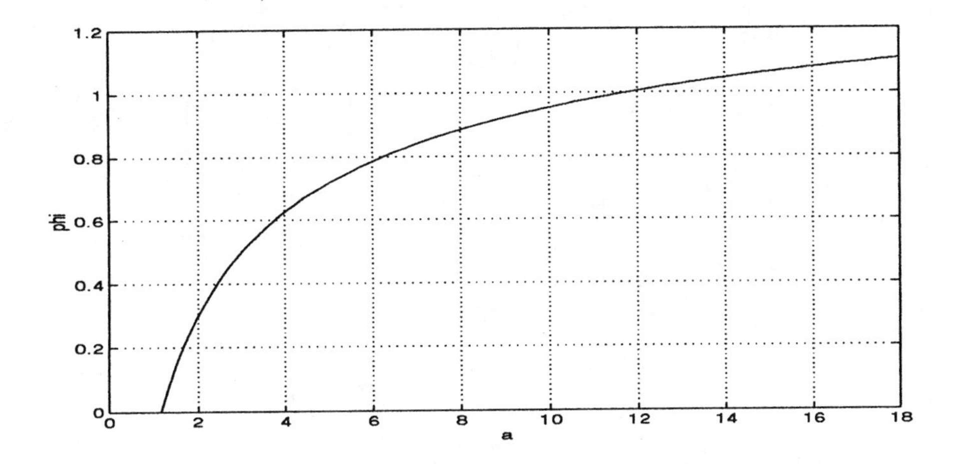

Figure 7.6 Évolution de ϕ_m en fonction de a

Ce type de correcteur représente une approximation du correcteur PI et peut être réalisé physiquement à l'aide d'un circuit électronique actif (cf. chapitre 3) ou circuit passif tel que représenté à la figure 7.7 (a). La seule différence entre ces deux types de correcteurs est que le correcteur retard de phase est incapable d'annuler l'erreur en régime permanent du système commandé.

Dans le cas d'un circuit passif, la fonction de transfert d'un tel correcteur est:

$$\frac{E_2(s)}{E_1(s)} = \frac{1 + aTs}{1 + Ts} = a\frac{s + \frac{1}{aT}}{s + \frac{1}{T}} \tag{7.6}$$

avec $a = \frac{R_2}{R_1+R_2}$, $a < 1$ et $T = C(R_1 + R_2)$.

Quand il est inséré en cascade, le correcteur retard de phase introduit un pôle et un zéro à la fonction de transfert en boucle ouverte du système compensé. La disposition du pôle et du zéro de ce correcteur est représentée à la figure 7.7 (b).

Le diagramme de Bode associé à ce type de correcteur est représenté à la figure 7.7 (c).

Ce type de correcteur est utilisé lorsque la vitesse de la réponse du système et l'amortissement du système en boucle fermée sont satisfaisants, mais que l'erreur en régime permanent est grande. Ce correcteur permet ainsi au gain

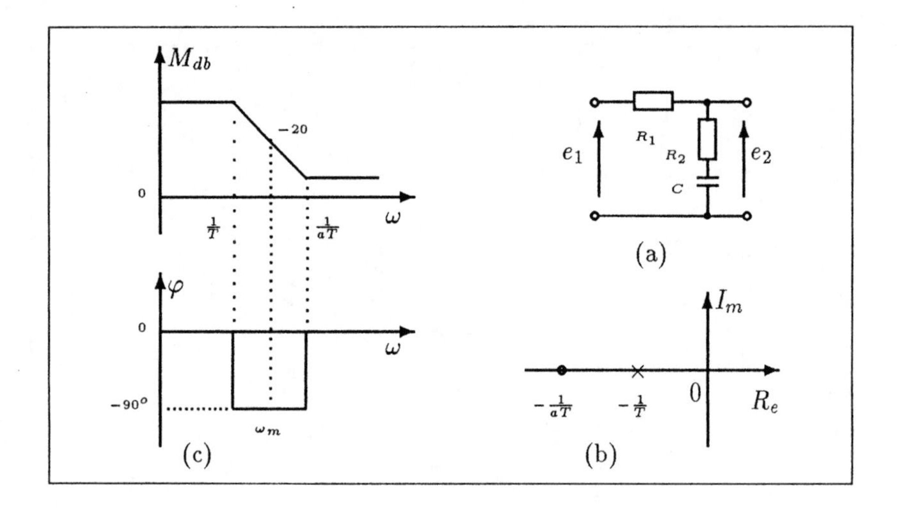

Figure 7.7 Correcteur retard de phase: (a) schéma électronique; (b) configuration pôle-zéro; (c) diagramme de Bode

d'augmenter sans changement majeur de la fréquence de résonance ω_p et du facteur de surtension M_p de la fonction de transfert du système en boucle fermée.

7.3.7 Correcteur avance-retard de phase

Les correcteurs avance de phase et retard de phase sont complémentaires, car l'un améliore les performances en régime transitoire et l'autre les performances en régime permanent.

Dans les situations où un des correcteurs précédents n'arrive pas à satisfaire seul aux spécifications imposées, une combinaison en cascade de ces deux types de correcteurs peut être utilisée. Cette combinaison conduit au correcteur avance-retard de phase, qui représente une approximation du correcteur PID et peut être réalisé physiquement à l'aide du circuit de la figure 7.8a. La seule différence entre ces deux types de correcteurs est que le correcteur avance-retard de phase est incapable d'annuler l'erreur en régime permanent du système commandé.

Dans le cas du circuit passif, la fonction de transfert d'un tel correcteur est:

$$\frac{E_2(s)}{E_1(s)} = \frac{(1 + aT_1 s)}{(1 + T_1 s)} \frac{(1 + bT_2 s)}{(1 + T_2 s)} \tag{7.7}$$

avec $aT_1 = R_1C_1$, $a > 1$, $bT_2 = R_2C_2$, $T_1 + T_2 = R_1C_1 + R_1C_2 + R_2C_2$ et $b = \frac{1}{a}$.

Dans le reste de cet ouvrage, on utilise la fonction de transfert suivante pour ce type de correcteur:

$$C(s) \quad = \quad k_p \left(\frac{s + \frac{1}{\beta_1 T_1}}{s + \frac{1}{T_1}} \right) \left(\frac{s + \frac{1}{\beta_2 T_2}}{s + \frac{1}{T_2}} \right), \beta_1 > 1, \beta_2 < 1 \tag{7.8}$$

La fonction de transfert $\frac{s+\frac{1}{\beta_1 T_1}}{s+\frac{1}{T_1}}$ produit l'effet d'une avance de phase tandis que la fonction de transfert $\frac{s+\frac{1}{\beta_1 T_1}}{s+\frac{1}{T_1}}$ produit celui du retard de phase.

Quand il est inséré en cascade, le correcteur avance-retard de phase introduit deux pôles et deux zéros à la fonction de transfert en boucle ouverte du système compensé. La disposition de ces pôles et zéros est illustrée à la figure 7.8b.

Le diagramme de Bode associé à ce type de correcteur est illustré à la figure 7.8c.

7.4 DESIGN DES CORRECTEURS PAR MÉTHODES EMPIRIQUES

Les méthodes empiriques se divisent en deux catégories: la première considère le design dans le domaine du temps et se base principalement sur la réponse indicielle du système soit en boucle ouverte quand il peut opérer, soit en boucle fermée quand il ne peut pas opérer en boucle ouverte. La seconde considère le problème de design dans le domaine fréquentiel. Ces méthodes sont de grande utilité lorsque le modèle analytique du système n'est pas facile à obtenir. Lorsque le modèle analytique du système est disponible, ces méthodes peuvent aussi être utilisées.

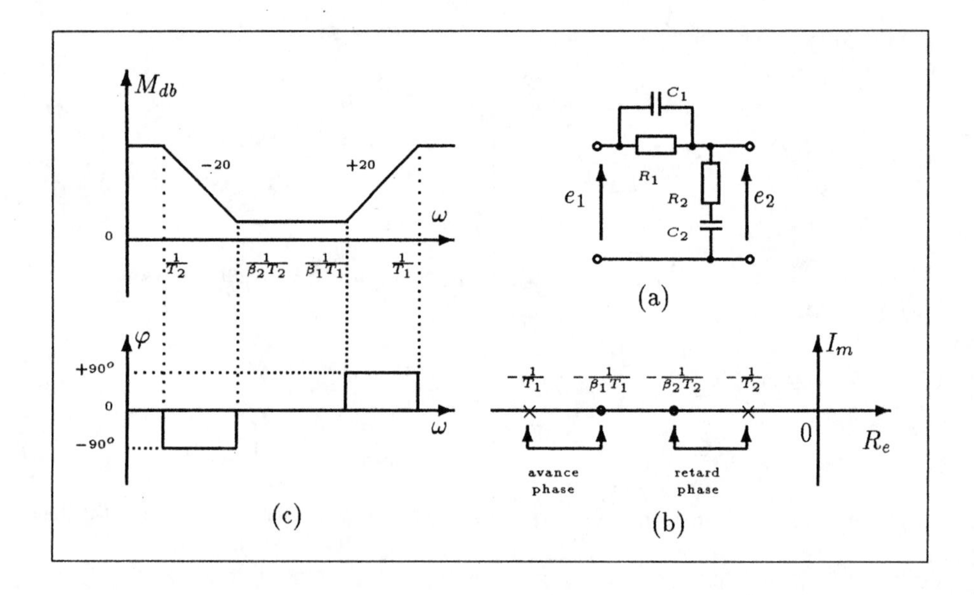

Figure 7.8 Correcteur avance-retard de phase: (a) schéma électronique; (b) configuration pôle-zéro; (c) diagramme de Bode

7.4.1 Design dans le domaine temporel

Les méthodes empiriques sont dues aux travaux de Ziegler-Nichols. Ces méthodes sont employées pour fixer les paramètres des correcteurs de types:

- proportionnel;
- proportionnel-intégral;
- proportionnel-intégral-dérivé.

Ces méthodes sont très utilisées en pratique et ne s'appliquent qu'à des systèmes dont la réponse indicielle est apériodique. En effet, le choix des correcteurs dépend principalement, dans ces méthodes, de la réponse du système à une excitation donnée. Dans le cas où le système est stable en boucle ouverte, et ne posséde pas de pôles à l'origine ni de pôles complexes dominants, la grandeur de sortie correspondant à un signal test en forme d'échelon unitaire est en forme

Tableau 7.1 Réglage des correcteurs classiques selon Ziegler-Nichols : cas du système stable en boucle ouverte

Type des correcteurs	valeurs des paramètres
proportionnel	$k_p = \frac{T}{\tau}$
proportionnel-intégral	$k_p = \frac{0.9T}{\tau}$ $T_I = 3.3\tau$
proportionnel-intégral-dérivée	$k_p = \frac{1.2T}{\tau}$ $T_I = 2\tau$ $T_D = 0.5\tau$

de "$\int$". Cette forme de la grandeur de sortie est utilisée pour déduire le modèle du système $G(s)$ considéré. L'expression de $G(s)$ est donnée par:

$$G(s) = k\frac{e^{-\tau s}}{Ts+1}$$

Le principe est illustré à la figure 7.9. La signification des paramètres τ, T et k est illustrée par la même figure. Le correcteur utilisé a la forme suivante:

$$C(s) = k_p\left(1 + \frac{1}{T_I s} + T_D s\right)$$

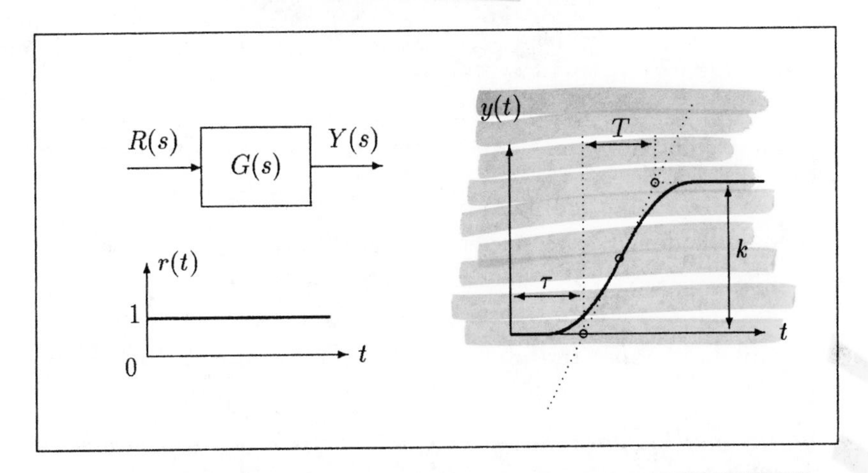

Figure 7.9 Principe de la méthode de Ziegler-Nichols: cas du système stable en boucle ouverte

Les paramètres suggérés par Ziegler-Nichols pour le réglage des correcteurs sont résumés dans le tableau 7.1. La forme de la réponse en boucle fermée est souvent inacceptable et possède un dépassement compris entre 10% et 60%. Un ajustement des différentes constantes du correcteur PID est alors indispensable pour obtenir les performances désirées. Notons que l'expression du correcteur PID peut s'écrire sous la forme suivante lorsque les paramètres du tableau 7.1 sont attribués à ceux du correcteur PID:

- correcteur PI

$$C(s)_{PI} = \frac{0.9T}{\tau^2}\frac{(\tau s + 0.3)}{s} \tag{7.9}$$

Le correcteur PI introduit alors un pôle à l'origine et un zéro à $-\frac{0.3}{\tau}$

- correcteur PID

$$C(s)_{PID} = 0.6T\frac{(s + \frac{1}{\tau})^2}{s} \tag{7.10}$$

Le correcteur PID introduit alors un pôle à l'origine et un zéro double à $-\frac{1}{\tau}$

La méthode de Ziegler-Nichols n'est applicable que si la relation suivante est vérifiée:

$$0.15 \leq \frac{\tau}{T} \leq 0.6 \tag{7.11}$$

D'autres règles ont été proposées pour fixer les paramètres des correcteurs de type PID (voir [2]).

La procédure de design des correcteurs de type P, PI ou PID peut se résumer ainsi:

1. **obtenir la réponse indicielle du système à commander en boucle ouverte;**
2. **déterminer les paramètres τ et T à partir de cette réponse indicielle;**
3. **calculer les paramètres du correcteur utilisé en se basant sur le tableau approprié;**

4. **calculer la fonction de transfert du système en boucle fermée et vérifier si les performances sont vérifiées ou non;**

5. **ajuster les paramètres du correcteur si nécessaire pour obtenir les performances désirées.**

Exemple 7.3 Cas du système stable en boucle ouverte

Pour montrer comment utiliser les techniques de Ziegler-Nichols dans le cas du système stable en boucle ouverte, considérons le procédé dont la réponse indicielle est donnée par la figure 7.10.

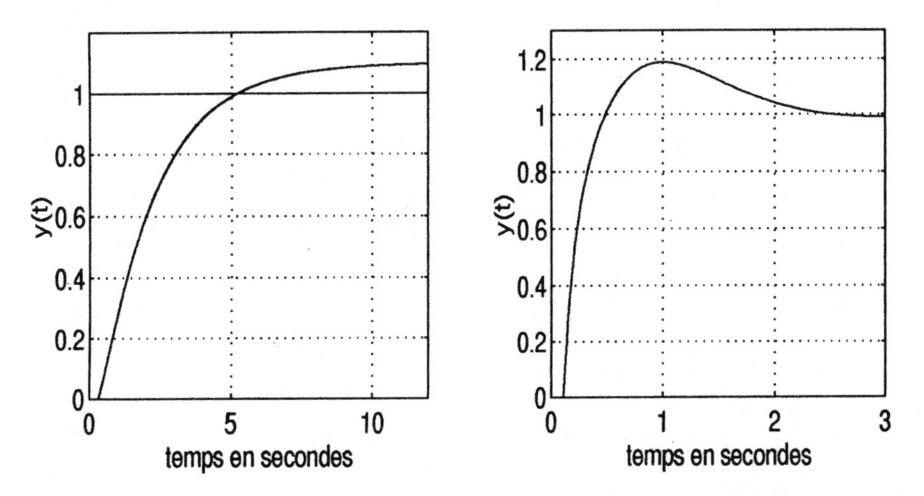

Figure 7.10 Réponse indicielle de $G(s) = 1.1\frac{e^{-0.4s}}{2s+1}$ et réponse indicielle du système en boucle fermée avec un correcteur PID

De cette figure, on déduit les paramètres k, τ et T dont les valeurs sont $k = 1.1$, $\tau = 0.4$ et $T = 2$. En insérant un correcteur de type PID dans la chaîne directe du système dont la réponse indicielle est représentée à la figure 7.10, le réglage de ce correcteur est:

$$\begin{aligned} k_p &= \frac{1.2T}{\tau} = \frac{2.4}{0.4} = 6.0 \\ T_I &= 2\tau = 0.8\ s \\ T_D &= 0.5\tau = 0.5 \times\ 0.4 = 0.2\ s \end{aligned}$$

En se basant sur la relation (7.10), l'expression du correcteur s'écrit:

$$C(s) = 0.6T\frac{(s+\frac{1}{T})^2}{s} = 1.2\frac{(s+2.5)^2}{s}$$

La fonction de transfert du système en boucle fermée est donnée par:

$$F(s) = \frac{C(s)G(s)}{1+C(s)G(s)} = \frac{1.32(s+2.5)^2e^{-0.4s}}{2s^2+1.32s(s+2.5)^2e^{-0.4s}}$$

En tenant compte de l'approximation de Padé suivante:

$$e^{-0.4s} = \frac{1-0.2s}{1+0.2s}$$

l'expression de la fonction de transfert $F(s)$ devient:

$$F(s) = \frac{-0.2s^3+3.96s+6.6}{0.11s^3+1.76s^2+4.76s+6.6}$$

La réponse indicielle du système en boucle fermée avec correcteur est représentée à la figure 7.10. On en déduit que le temps de réponse à 5% est de 2.4 s et le dépassement est de 15%.

Dans le cas où ces performances sont jugées inacceptables, on doit ajuster les paramètres du correcteur tout en respectant la stabilité du système en boucle fermée. La fonction de transfert en boucle fermée du système est donnée par l'expression suivante:

$$F(s) = \frac{1.1k_p(T_IT_Ds^2+T_Is+1)e^{-\tau s}}{s(T_ITs+T_I)+1.1k_p(T_IT_Ds^2+T_Is+1)e^{-\tau s}}$$

En tenant compte de l'approximation de Padé suivante:

$$e^{-\tau s} = \frac{1-\frac{\tau}{2}s}{1+\frac{\tau}{2}s}$$

l'expression de cette fonction devient:

$$F(s) = \frac{1.1k_p(T_IT_Ds^2+T_Is+1)(1-\frac{\tau}{2}s)}{a_3s^3+a_2s^2+a_1s+a_0}$$

avec $a_3 = \frac{\tau}{2} T_I \left[T - 1.1 k_p T_D\right]$, $a_2 = T_I \left[T + \frac{\tau}{2} + 1.1 k_p (T_D - \frac{\tau}{2})\right]$,
$a_1 = \left[T_I + 1.1 k_p (T_I - \frac{\tau}{2})\right]$ et $a_0 = 1.1 k_p$.

Étant donné que T, τ et T_I sont positifs, la stabilité de ce système en boucle fermée exige que les conditions

$$\frac{\tau}{2} - \frac{1}{1.1k_p}\left(T + \frac{\tau}{2}\right) < T_D < \frac{T}{1.1k_p}$$

$$(1.1k_p)^2\left[\left(\frac{\tau}{2}\right)^2 + T_I\left(T_D - \frac{\tau}{2}\right)\right] + (1.1k_p)\left[T_I(T_D + T) - \tau T - \left(\frac{\tau}{2}\right)^2\right] T_I\left(T + \frac{\tau}{2}\right) > 0$$

soient vérifiées.

La structure de commande du système est illustrée à la figure 7.11, où les expressions des différentes fonctions de transfert ont été définies précédemment.

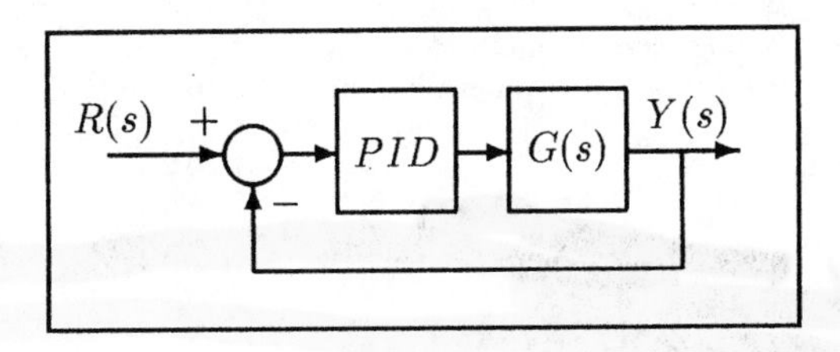

Figure 7.11 Structure de commande en boucle fermée du procédé avec PID

En pratique, il peut exister des systèmes qui ne peuvent pas opérer en boucle ouverte à cause de leur instabilité naturelle. Le pendule inversé est un exemple de cette classe de système. La méthode précédente ne peut alors plus s'appliquer. Ziegler et Nichols ont proposé une méthode qui consiste à utiliser le système en boucle fermée tel que présenté à la figure 7.11. Dans ce cas, la technique repose sur la détermination de deux grandeurs qui sont respectivement le gain critique K_c et la période d'oscillation T_c (limite de stabilité).

Pour un signal d'entrée en échelon unitaire, la valeur de K_c est celle qui met le système à la limite d'oscillation. Cette situation est obtenue en augmentant K du correcteur PID avec $T_I = \infty$ et $T_D = 0$. Le principe est illustré à la figure 7.12a. Le paramètre T_c est choisi comme étant la période du signal de sortie correspondant au gain K_c.

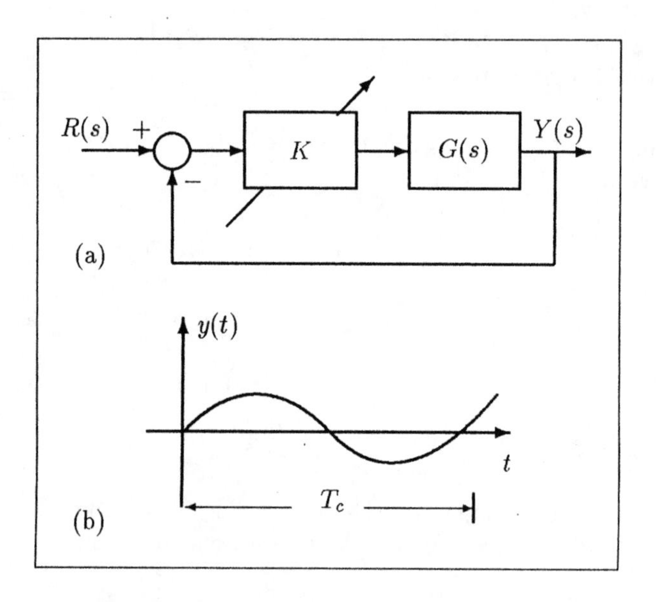

Figure 7.12 Principe de la méthode de Ziegler-Nichols: cas du système instable en boucle ouverte (a) et détermination de T_c (b)

Tableau 7.2 Réglage des correcteurs classiques selon Ziegler-Nichols : cas du système instable en boucle ouverte

Type de correcteur	valeurs des paramètres
proportionnel	$k_p = .5K_c$
proportionnel-intégral	$k_p = 0.45K_c$ $T_I = 0.83T_c$
proportionnel-intégral-dérivé	$k_p = 0.6K_c$ $T_I = 0.5T_c$ $T_D = 0.125T_c$

Les paramètres suggérés par Ziegler-Nichols pour le réglage des correcteurs sont résumés dans le tableau 7.2.

En général, la réponse obtenue n'est pas satisfaisante mais constitue un point de départ pour un ajustement fin des paramètres du correcteur utilisé.

Notons que l'expression du correcteur PID peut s'écrire sous la forme suivante lorsque les paramètres du tableau 7.2 sont attribués à ceux du correcteur PID:

- correcteur PI

$$C(s)_{PI} = \frac{0.45K_c}{T_c}\left(\frac{T_c s + 1.2}{s}\right) \tag{7.12}$$

  Le correcteur PI introduit alors un pôle à l'origine et un zéro à $-\frac{1.2}{T_c}$

- correcteur PID

$$C(s)_{PID} = 0.075K_c T_c \frac{(s + \frac{4}{T_c})^2}{s} \tag{7.13}$$

  Le correcteur PID introduit alors un pôle à l'origine et un zéro double à $-\frac{4}{T_c}$

La procédure de design des correcteurs de type P, PI ou PID peut se résumer aux points suivants:

1. **monter le système en boucle fermée en fixant la grandeur d'entrée à une forme en échelon et en utilisant un correcteur PID avec $T_I = \infty$ et $T_D = 0$, et faire varier le gain proportionnel jusqu'à ce que la réponse soit sous forme de sinus (voir figure 7.12b);**
2. **noter la valeur du gain K_c et de la période d'oscillation T_c à partir de la réponse du système illustré à la figure 7.12b;**
3. **calculer les paramètres du correcteur utilisé en se basant sur la table appropriée;**
4. **calculer la fonction de transfert du système en boucle fermée et vérifier si les performances sont vérifiées ou non;**
5. **ajuster les paramètres du correcteur si nécessaire pour obtenir les performances désirées.**

Il existe des systèmes pour lesquels les méthodes de Zieglers-Nichols ne peuvent pas s'appliquer. En effet, tout système contenant un pôle à l'origine exclut l'utilisation de la première méthode. Si, en plus, pour ce système, il n'existe pas de

K_c tel que le système en boucle fermée ne soit pas oscillant, alors l'emploi de la seconde méthode est aussi exclu.

Exemple 7.4 Cas du système instable en boucle ouverte

Pour montrer comment on utilise les techniques de Ziegler-Nichols dans le cas du système instable en boucle ouverte, considérons le procédé dont la fonction de transfert est donnée par:

$$G(s) = \frac{1}{s(s+1)(0.1s+1)}$$

On détermine les paramètres du correcteur PID en utilisant la deuxième méthode de Ziegler-Nichols.

La première étape de la procédure consiste à déterminer les valeurs des paramètres K_c et T_c. Ces valeurs sont $K_c = 11$ et $T_c = 1.99$.

Il faut noter que ces paramètres K_c et T_c peuvent aussi se déterminer de manière analytique en utilisant l'équation caractéristique. En effet, le paramètre K_c correspond au gain qui place le système à la limite de stabilité. Tandis que T_c correspond à la période des oscillations.

Pour le système précédent, ces paramètres peuvent se calculer en utilisant l'équation caractéristique suivante:

$$1 + \frac{K}{s(s+1)(0.1s+1)} = 0$$

dont le tableau de Routh-Hurwitz correspondant est:

$$\begin{array}{c|cc} s^3 & 0.1 & 1 \\ s^2 & 1.1 & K \\ \hline s^1 & \frac{1.1-K\times 0.1}{1.1} & 0 \\ s^0 & K & 0 \end{array}$$

La limite de stabilité est donnée par un gain K_c égal à 11.

Les pôles complexes assurant les oscillations correspondantes à ce gain peuvent se calculer de deux manières. La première consiste à remplacer s par $j\omega$ et K par 11 dans l'équation caractéristique, ce qui donne la fréquence des oscillations et par conséquent la période correspondante. La seconde méthode consiste à utiliser le tableau de Routh-Hurwitz. En effet, ces pôles sont obtenus en annulant la ligne des s^2 dans le tableau, ce qui donne:

$$1.1s^2 + 11 = 0$$

dont les solutions sont:

$$s = \pm j\sqrt{10}$$

La fréquence d'oscillation est alors égale à $\sqrt{10}$ et la période des oscillations T_c est égale à $\frac{2\pi}{\sqrt{10}}$.

La fonction de transfert du système corrigé en boucle fermée est donnée par l'expression suivante:

$$F(s) = \frac{k_p(T_I T_D s^2 + T_I s + 1)}{0.1T_I s^4 + 1.1T_I s^3 + T_I(1 + k_p T_D)s^2 + k_p T_I s + k_p}$$

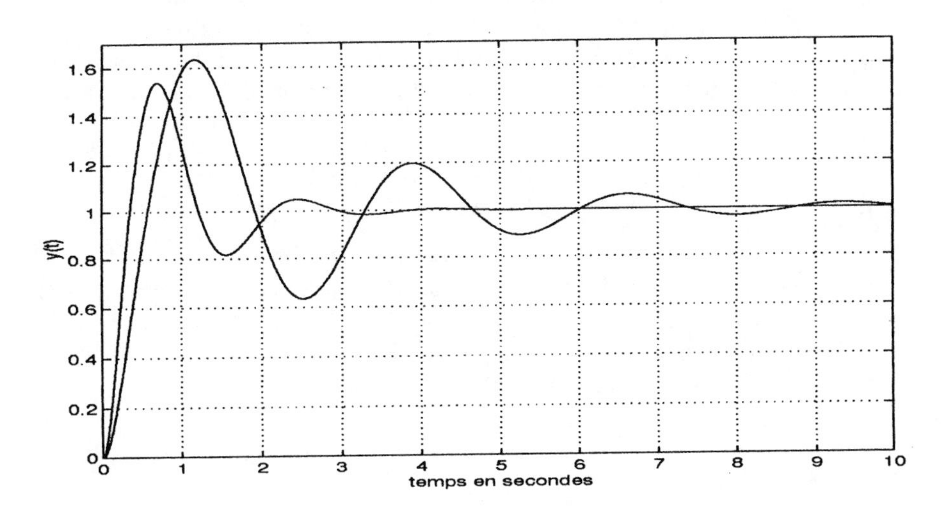

Figure 7.13 Réponses indicielles du système en boucle fermée avec $k_p = 6.6$ et $k_p = 15$

En utilisant un correcteur de type PID avec le réglage suivant donné par le tableau 7.2

$$\begin{aligned} k_p &= 0.6K_c = 6.6 \\ T_I &= 0.5T_c = 0.99 \\ T_D &= 0.125T_c = 0.25 \end{aligned}$$

l'expression numérique de cette fonction de transfert en boucle fermée est donnée par:

$$F(s) = \frac{1.63s^2 + 6.53s + 6.6}{0.1s^4 + 1.09s^3 + 2.62s^2 + 6.53s + 6.6}$$

La réponse indicielle du système en boucle fermée avec correcteur PID avec $k_p = 6.6$ représentée à la figure 7.13 montre que le correcteur ne donne pas les spécifications désirées pour le système. Par contre les valeurs trouvées pour le correcteur PID peuvent être utilisées comme un point de départ pour un réglage adéquat de celui-ci. Pour un $k_p = 15$, la réponse indicielle montre une certaine amélioration des spécifications (voir figure 7.13)

7.4.2 Design dans le domaine fréquentiel

Ces techniques de design reposent principalement sur les diagrammes de Bode pour fixer les gains proportionnels des correcteurs P, PI et PID dans le cas où ils ne sont pas fixés par la contrainte de précision. Ces gains doivent être choisis de façon à ce que les marges de phase et de gain vérifient les relations suivantes:

$$8\ db \leq \Delta G \leq 15\ db$$
$$40^o < \Delta\varphi < 50^o$$

Les constantes de temps des actions intégrale et dérivée doivent être choisies en se basant sur les plus grandes constantes de temps du système, c'est-à-dire les pôles les plus proches de l'axe imaginaire (pôles d'un système: $s_i = -\frac{1}{\tau_i}, i = 1, 2, \ldots, n$, où n est le nombre de pôles).

On suppose que le système considéré est décrit par une fonction de transfert dont la forme est donnée par:

$$G(s) = \frac{k}{(1+\tau_1 s)(1+\tau_2 s)\cdots(1+\tau_n s)} \tag{7.14}$$

où k et τ_i désignent respectivement le gain et la constante de temps du système.

En définissant K_{op} comme étant le gain optimal du système en boucle ouverte qui assure la marge de gain et la marge de phase désirées et τ_{max}^1 et τ_{max}^2 par:

$$\begin{aligned} \tau_{max}^1 &= max\{\tau_1, \cdots, \tau_n\} \\ \tau_{max}^2 &= max\left\{\{\tau_1, \cdots, \tau_n\} - \{\tau_{max}^1\}\right\} \end{aligned}$$

Tableau 7.3 Réglage des correcteurs P, PI, PID dans le domaine fréquentiel

Types de correcteurs	valeurs des paramètres
proportionnel	$k_p = K_{op}/k$
proportionnel-intégral	$k_p = K_{op}/k$ $T_I = \tau^1_{max}$
proportionnel-intégral-dérivée	$k_p = K_{op}/k$ $T_I = \tau^1_{max} + \tau^2_{max}$ $T_D = \tau^1_{max}\tau^2_{max}/T_I$

le réglage des paramètres des correcteurs P, PI, et PID est donné par le tableau 7.3. Notons que le gain K_{op} est défini comme étant le gain qui assure au système corrigé un facteur de surtension M_p égal à 2.3 db.

Pour la détermination du gain K_{op}, nous conseillons au lecteur de consulter la section 7.6 qui traite le problème de design en se basant sur le diagramme de Bode.

En adoptant les expressions des paramètres données par le tableau 7.3, l'expression du correcteur PID se simplifie:

$$C(s)_{PID} = k_p \frac{(\tau^1_{max} s + 1)(\tau^2_{max} s + 1)}{(\tau^1_{max} + \tau^2_{max})s} \tag{7.15}$$

Procédure de design d'un correcteur **P**

La procédure à suivre pour fixer le paramètre k_p du correcteur proportionnel peut se résumer aux points suivants:

1. **déterminer la fonction de transfert en boucle ouverte du système compensé soit:**

   $$T(s) = \frac{k_p k}{\prod_{i=1}^{n}(\tau_i s + 1)} = \frac{K}{\prod_{i=1}^{n}(\tau_i s + 1)}$$

   avec $K = k_p k$.

2. **tracer le diagramme de Black de $T(s)$;**

3. **avec l'aide de l'abaque de Nichols, déterminer le gain optimal K_{op}, c'est-à-dire celui qui procure au système compensé un facteur de surtension de l'ordre de 2.3 *db*, puis en déduire le gain k_p**

du correcteur en utilisant la relation suivante:

$$k_p = \frac{K_{op}}{k}; \tag{7.16}$$

4. **vérifier si les performances sont satisfaites. Dans le cas contraire, ajuster le gain k_p pour les obtenir.**

Procédure de design d'un correcteur PI

La procédure à suivre pour fixer les paramètres k_p et k_I du correcteur proportionnel et intégral peut se résumer aux points suivants:

1. **déterminer la fonction de transfert en boucle ouverte du système compensé soit:**

$$T(s) = \frac{k_p k(T_I s + 1)}{T_I s \prod_{i=1}^{n}(\tau_i s + 1)} = \frac{K(T_I s + 1)}{s \prod_{i=1}^{n}(\tau_i s + 1)} \tag{7.17}$$

   avec $K = \frac{k_p k}{T_I}$. Puis déterminer la constante de temps τ_{max}^1 qui devra fixer T_I;

2. **tracer le diagramme de Black de $T(s)$ en tenant compte de $T_I = \tau_{max}^1$.**

3. **avec l'aide de l'abaque de Nichols, déterminer le gain optimal K_{op}, puis en déduire le gain k_p du correcteur en utilisant la relation suivante:**

$$k_p = \frac{K_{op} T_I}{k}; \tag{7.18}$$

4. **vérifier si les performances sont satisfaites. Dans le cas contraire, ajuster les paramètres k_p et k_I pour les obtenir.**

Procédure de design d'un correcteur PID

La procédure à suivre pour fixer les paramètres k_p, T_I et T_D du correcteur proportionnel intégral et dérivé peut se résumer aux points suivants:

1. **déterminer la fonction de transfert en boucle ouverte du système compensé soit:**

$$T(s) = \frac{k_p k (T_I T_D s^2 + T_I s + 1)}{T_I s \prod_{i=1}^{n} (\tau_i s + 1)} = \frac{K (T_I T_D s^2 + T_I s + 1)}{s \prod_{i=1}^{n} (\tau_i s + 1)} \tag{7.19}$$

avec $K = \frac{k_p k}{T_I}$, puis déterminer les constantes de temps τ_{max}^1 et τ_{max}^2 qui devront fixer T_I et T_D en utilisant les formules suivantes:

$$\begin{aligned} T_I &= \tau_{max}^1 + \tau_{max}^2 \\ T_D &= \frac{\tau_{max}^1 \tau_{max}^2}{T_I} \end{aligned}$$

2. **tracer le diagramme de Black de $T(s)$ en tenant compte de $T_I = \tau_{max}^1$ et $T_D = \tau_{max}^2$;**

3. **avec l'aide de l'abaque de Nichols, déterminer le gain optimal K_{op}, puis en déduire le gain k_p du correcteur en utilisant la relation suivante:**

$$k_p = \frac{K_{op} T_I}{k} \tag{7.20}$$

4. **vérifier si les performances sont satisfaites. Dans le cas contraire, ajuster les paramètres k_p, T_I et T_D pour les obtenir.**

Exemple 7.5 Méthode empirique dans le domaine fréquentiel

Supposons que le système que l'on veut commander est modélisé par la fonction de transfert suivante:

$$G(s) = \frac{2}{(0.1s + 1)(5s + 1)(10s + 1)}$$

La réponse en fréquence du système en boucle et la réponse indicielle du système en boucle fermée avec un correcteur de type proportionnel sont illustrées à la figure 7.14. Si on veut commander ce système en utilisant un correcteur PID, le réglage de ses paramètres est obtenu en se référant au tableau 7.3. Les performances désirées sont:

- système stable avec une marge de phase de l'ordre de 45° et une marge de gain plus grande que 22.0 db;

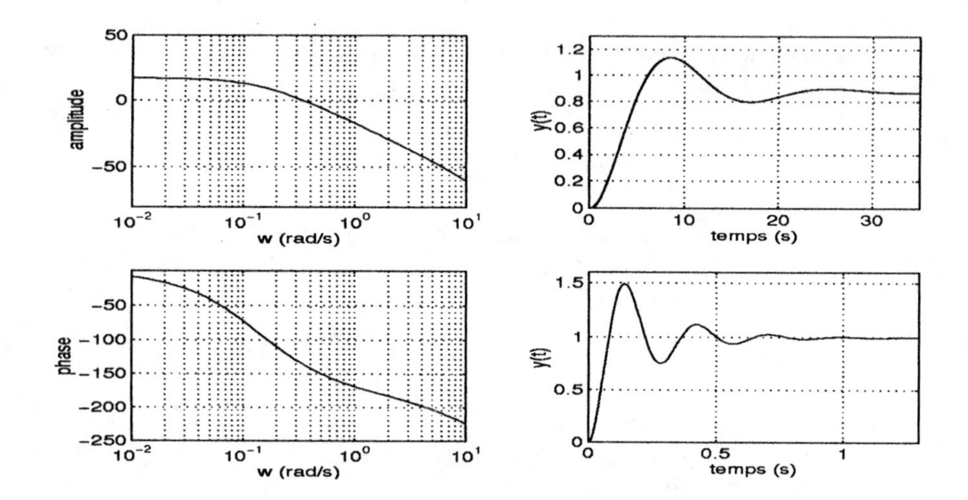

Figure 7.14 Réponse fréquentielle du système en boucle ouverte; réponse indicielle du système en boucle fermée avec un correcteur proportionnel de gain $k_p = 3.48$ et réponse indicielle du système en boucle fermée avec un correcteur PID

- erreur nulle en régime permanent.

Pour déterminer le gain optimal K_{op}, on trace le diagramme de Bode du système compensé en boucle ouverte, donné par la figure 7.14. Le gain K_{op} qui répond aux spécifications (ΔG) est:

$$K_{op} = 3.48 \text{ ou } K_{op} = 10.84 \; db$$

Pour les constantes des actions intégrale et dérivée, on calcule τ^1_{max} et τ^2_{max}. Le système admet trois constantes de temps qui sont: $\tau_1 = 0.1$, $\tau_2 = 5$ et $\tau_3 = 10$; dont les pôles associés sont: $p = -10$, $p_2 = -0.2$ et $p_3 = -0.1$. Ce qui donne $\tau^1_{max} = 10$ et $\tau^2_{max} = 5$.

Les constantes T_I et T_D sont données par:

$$\begin{aligned} T_I &= \tau^1_{max} + \tau^2_{max} = 10 + 5 = 15 \; s \\ T_D &= \frac{\tau^1_{max}\tau^2_{max}}{T_I} = \frac{50}{15} = 3.33 \; s \end{aligned}$$

La valeur du gain de l'action proportionnelle est alors donnée par:

$$k_p = \frac{K_{op} T_I}{k} = 26.06$$

La fonction de transfert du système en boucle fermée s'écrit:

$$F(s) = \frac{2k_p(T_I T_D s^2 + T_I s + 1)}{5T_I s^4 + 51.5T_I s^3 + T_I(15.1 + 2k_p T_D)s^2 + T_I(1 + 2k_p)s + 2k_p}$$

La réponse indicielle du système en boucle fermée (avec correcteur) est illustrée à la figure 7.14. En comparant les deux réponses indicielles, on conclut que les performances du système se sont bien améliorées.

7.5 DESIGN DES CORRECTEURS À L'AIDE DU LIEU DES RACINES

Au chapitre 5, on a vu que la technique du lieu des racines renseigne sur la stabilité et le régime transitoire du système étudié. Au cours de cette sous-section, nous allons l'utiliser pour la conception des systèmes de commandes des systèmes linéaires invariants. La méthode utilisée est principalement basée sur le concept de pôles dominants. En général, on utilise le fait qu'une paire de pôles dominent les autres, ce qui permet d'utiliser les relations analytiques du système de second ordre telles qu'établies au chapitre 4.

Lorsque les spécifications sont données par rapport à la position des pôles des systèmes en boucle fermée, par exemple, le taux d'amortissement, la constante du temps, etc., la méthode des lieux des racines est préférable pour désigner le correcteur qui répond aux spécifications imposées. Au cours de cette section, on montre au lecteur comment fixer les paramètres des correcteurs P, PI, PD, PID, avance de phase, retard de phase et avance-retard de phase en utilisant cette technique.

La fonction de transfert $G(s)$ du système à corriger est donnée par l'expression suivante:

$$G(s) = k\frac{\prod_{i=1}^{m}(s + z_i)}{s^l \prod_{j=1}^{n}(s + p_j)}, \quad n + l \geq m \tag{7.21}$$

où $-z_i$, $-p_j$, k, n, m et l représentent respectivement les zéros, les pôles, le gain, le nombre de pôles autre que ceux à l'origine, le nombre de zéros et le type de $G(s)$.

7.5.1 Correcteur P

Lorsque le correcteur proportionnel est utilisé pour répondre aux spécifications imposées par le cahier des charges, la méthode du lieu des racines peut être utilisée pour fixer le paramètre k_p de ce correcteur. Le gain k_p du correcteur doit être choisi de manière à assurer au système une dynamique décrite par une paire de pôles dominants.

En général, les spécifications que l'on peut rencontrer dans le cas où le correcteur proportionnel peut être utilisé sont:

- la stabilité du système en boucle ouverte;
- la réponse indicielle doit être apériodique ou oscillante avec un dépassement fixé et éventuellement avec un temps de réponse désiré (c'est-à-dire la constante de temps des pôles dominants à une constante près dépendant du pourcentage choisi définissant le régime permanent).

Il faut noter le fait que le correcteur P n'améliore pas le type du système; il est donc incapable d'annuler l'erreur en régime permanent.

Dans ce cas, la procédure que l'on peut utiliser pour fixer le gain k_p est la suivante:

1. **obtenir l'équation caractéristique du système compensé, en la mettant sous la forme $1 + KG(s) = 0$; avec $K = k_p k$;**
2. **tracer le lieu des racines en faisant varier K de 0 à l'infini;**
3. **trouver l'intersection du lieu des racines avec la demi-droite d'angle θ ($\cos\theta = \zeta$) découlant de l'origine. Cette intersection définit les pôles dominants désirés. Soit s_d le pôle dont la partie imaginaire est positive;**

4. **calculer le gain K_d qui procure les pôles désirés. Ce gain est donné par**

$$K_d = \frac{\prod_{i=1}^{n} |s_d + p_i|}{\prod_{j=1}^{m} |s_d + z_j|} \tag{7.22}$$

5. **calculer le gain du correcteur à partir de la relation suivante:**

$$k_p = \frac{K_d}{k} \tag{7.23}$$

6. **vérifier si les performances sont satisfaites ou non.**

Exemple 7.6 Design d'un correcteur proportionnel à l'aide du lieu des racines

Considérons le système dont la fonction de transfert est:

$$G(s) = \frac{2}{s(s+2)(s+5)}$$

On cherche à concevoir un correcteur pour que le système en boucle fermée satisfasse les spécifications suivantes:

- stabilité
- dépassement maximal de l'ordre de 16%,
- t_r de l'ordre de 4.16 s à 5%.

Pour résoudre ce problème, un correcteur de type proportionnel est suffisant. Utilisant alors la procédure précédente pour le concepteur (designer):

1. L'équation caractéristique du système considéré est donnée par

$$1 + k_p \frac{2}{s(s+1)(s+5)} = 0.$$

En posant $K = 2k_p$, l'équation caractéristique est:

$$1 + K \frac{1}{s(s+1)(s+5)} = 0$$

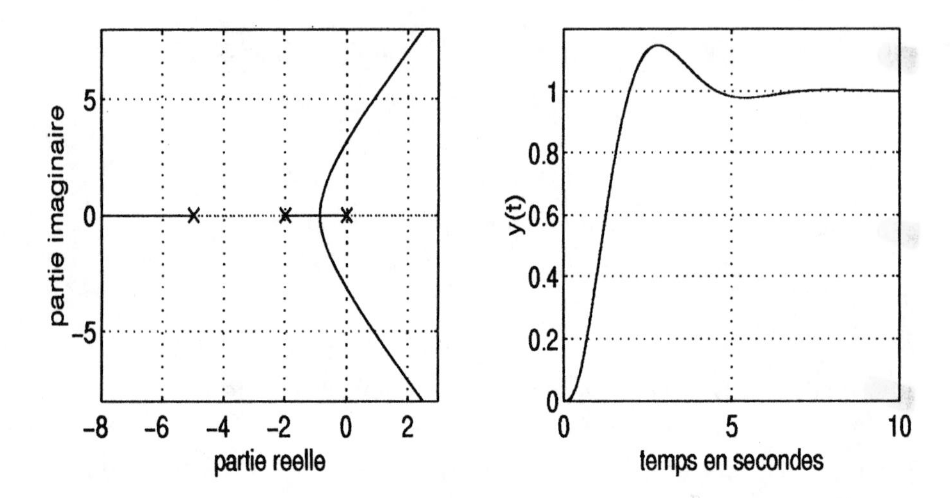

Figure 7.15 Lieu des racines de $\frac{1}{s(s+2)(s+5)}$ et réponse indicielle du système corrigé en boucle fermée

2. Le tracé des lieux des racines correspondant à cette équation caractéristique est représenté à la figure 7.15.

3. L'intersection avec l'angle θ correspondant au taux d'amortissement ζ de 0.5 ($cos^{-1}(\zeta) = \theta$), donne comme paire de pôles dominants dont le pôle s_d correspondant est donné par:

$$s_d = -0.7217 + j1.2078$$

4. Le gain correspondant K_d est donné par

$$K_d = \frac{|s_d + 0||s_d + 1||s_d + 5|}{|1|} = 11.0$$

5. Le gain du correcteur est obtenu par la relation suivante:

$$k_p = \frac{K_d}{2} = 5.5$$

6. La réponse indicielle du système compensé est illustrée à la figure 7.15. Nous constatons que toutes les spécifications sont satisfaites.

7.5.2 Correcteur PI

Comme nous l'avons dit précédemment, le correcteur PI introduit un pôle et un zéro. L'expression d'un tel correcteur est donnée par:

$$C(s) = k_p + \frac{k_I}{s} = k_p \frac{(s+z)}{s} \text{ avec } z = \frac{k_I}{k_p}$$

En général, le correcteur PI est utilisé pour assurer les spécifications suivantes:

- une réponse indicielle apériodique ou oscillante;
- une erreur en régime permanent donnée;
- un temps de réponse donné;
- un système stable.

L'effet principal du correcteur PI est l'imposition d'un temps de réponse donné et l'annulation de l'erreur en régime permanent du système en boucle fermée. Il ne doit pas changer le régime transitoire du système.

On fait appel à ce type de correcteur lorsqu'on cherche à: (i) annuler l'erreur en régime permanent, (ii) assurer une réponse apériodique ou oscillante avec un temps de réponse maximal t_r à 5%, soit égal à $\frac{3}{\sigma}$, où σ désigne le module de la partie réelle des pôles complexes dominants.

Le choix des paramètres k_p et k_I qui répondent aux spécifications imposées est principalement basé sur le zéro ajouté à la fonction de transfert du système et sur le temps de réponse maximal t_r imposé.

La procédure à suivre pour déterminer ces paramètres se résume aux points suivants:

1. **obtenir la nouvelle fonction de transfert du système compensé, soit:**

$$G(s) = K\frac{(s+z)}{s}\,\frac{\prod_{i=1}^{m}(s+z_i)}{s^l\prod_{j=1}^{n}(s+p_j)}, \quad K = k_p k \tag{7.24}$$

   et reporter tous les pôles et les zéros de cette fonction à l'exception du zéro du correcteur PI.

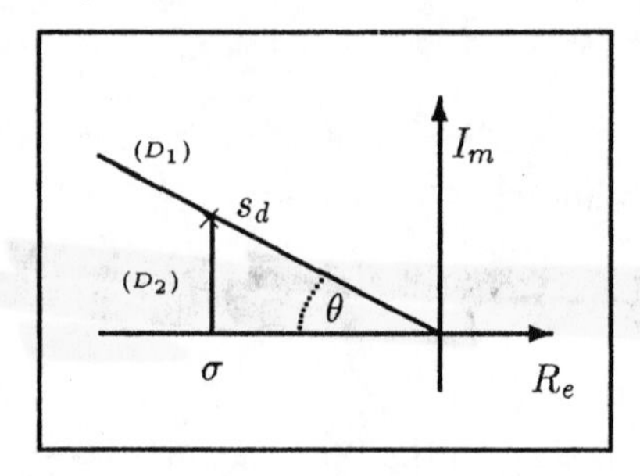

Figure 7.16 Détermination des pôles dominants

2. **déterminer l'intersection des deux demi-droites (D_1) et (D_2) telles que représentées à la figure 7.16, c'est-à-dire la droite (D_1) définie par $\zeta = \cos\theta$, et la droite (D_2) définie par $\sigma = -\frac{3}{t_r}$. Cette intersection détermine les pôles dominants, celui qui possède la partie imaginaire positive étant noté s_d.**

3. **utiliser ce pôle s_d et l'équation d'angles pour déterminer la contribution en angle nécessaire du zéro $(-z)$, donnée par:**

$$\alpha = (1 + 2q)\pi - \sum_{i=1}^{m} \alpha_i + \sum_{i=1}^{n+l+1} \beta_i, \quad \text{avec } q = 0, \tag{7.25}$$

où α_i est l'argument associé aux zéros $-z_i$; $i = 1, \ldots, m$; de la fonction de transfert en boucle ouverte (c'est-à-dire $tg^{-1}(s_d + z_i)$); β_i est l'argument associé aux pôles $-p_i$; $i = 1, \ldots, n + l + 1$ (c'est-à-dire $tg^{-1}(s_d + p_i)$).

Le report de cet angle (passant par s_d) permet de déterminer la position du zéro, $-z$, sur l'axe réel. Une autre approche consiste à procéder analytiquement en utilisant la relation suivante:

$$|z| = |\sigma| + \frac{I_m(s_d)}{tg(\alpha)} \tag{7.26}$$

avec α et σ tels que présentés précédemment.

4. **calculer le gain K_d qui assure le passage du lieu des racines par le pôle s_d en utilisant l'équation des amplitudes. Puis en déduire les paramètres du correcteur à l'aide des relations suivantes**

$$k_p = \frac{K_d}{k} \tag{7.27}$$

$$\text{et} \quad k_I = zk_p \tag{7.28}$$

5. **vérifier si les performances sont satisfaites ou non.**

Étant donné que l'on cherche à concevoir un système asservi stable et qui satisfait les performances désirées qui sont généralement fonction de ζ, cette méthode n'est applicable que si la valeur de α est inférieure ou égale à $90^o + \arcsin(\zeta)$. Le fait de prendre un α supérieur à $90^o + \arcsin(\zeta)$ place le zéro dans le demi-plan droit, ce qui risque de causer l'instabilité du système du fait que les pôles tendent vers les zéros lorsque le gain devient très grand. Cette condition est nécessaire et non suffisante.

Exemple 7.7 Design d'un correcteur PI

Considérons le système dont le modèle est donné par la fonction de transfert suivante:

$$G(s) = \frac{8(s+7)}{(s+3)(s+6)(s+8)}$$

Comme spécifications, on impose au système d'avoir une erreur nulle en régime permanent associée à une grandeur d'entrée en forme d'échelon unitaire; on demande un taux d'amortissement de 0.5 et un temps de réponse à 5% de 1 s. Pour répondre à ces spécifications, on remarque que le correcteur PI procure une erreur nulle en régime permanent du fait qu'il améliore le type du système en boucle fermée. L'autre partie des spécifications est obtenue en plaçant le zéro à une place appropriée.

Pour déterminer les paramètres du correcteur PI, on suit la procédure précédente:

1. la fonction de transfert en boucle ouverte du système compensé est donnée par

$$G(s) = \frac{K(s+z)(s+7)}{s(s+3)(s+6)(s+8)}, \quad \text{avec } K = 8k_p$$

dont le report des pôles et du zéro de cette fonction à l'exception du zéro du correcteur qui reste à déterminer est donné par la figure 7.17.

2. de la figure 7.17 et des performances désirées, on déduit les pôles dominants suivants:

$$s_d = -3.000 + 5.196j$$

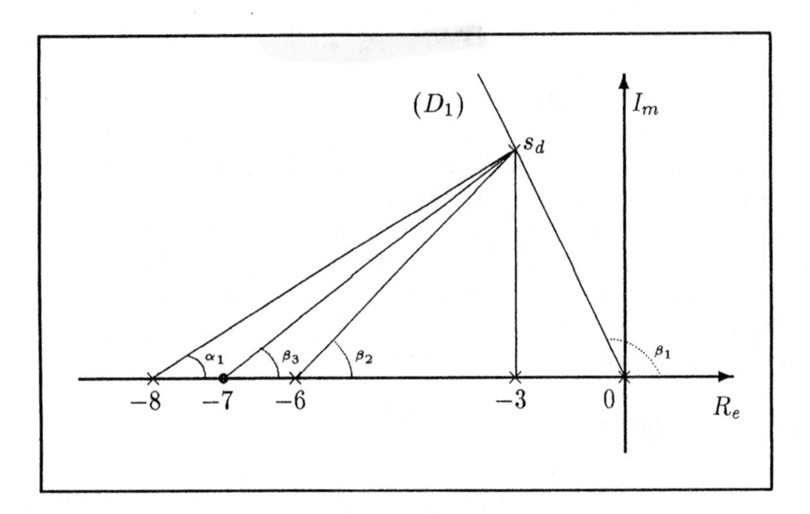

Figure 7.17 Pôles et zéro de $\frac{8(s+7)}{s(s+3)(s+6)(s+8)}$

3. l'emplacement du zéro du correcteur est déterminé à partir de la condition des angles

$$\begin{aligned}\alpha &= \pi - \arg(s_d + 7) + \arg(s_d) + \arg(s_d + 3) + \arg(s_d + 6) \\ &\quad + \arg(s_d + 8) = 83.69^o\end{aligned}$$

et de la notation

$$|z| = |\sigma| + \frac{I_m(s_d)}{tg\alpha} = 3 + \frac{5.196}{tg(83.69)} = 3.57$$

4. la valeur du gain K_d qui procure le pôle dominant s_d est donnée par:

$$K_d = \frac{|s_d||s_d + 3||s_d + 6||s_d + 8|}{|s_d + z||s_d + 7|} = 87.3$$

Les paramètres du correcteur PI sont alors donnés par:

$$\begin{aligned}k_p &= \frac{K_d}{8} = 10.91 \\ k_I &= k_p z = 38.95\end{aligned}$$

La fonction de transfert du système corrigé en boucle fermée s'écrit:

$$F(s) = \frac{8k_p(s^2 + (7+z)s + 7z)}{s^4 + 17s^3 + (90 + 48k_p)s^2 + (144 + 8k_p(7+z))s + 56k_p z}$$

5. En tenant compte de l'expression de ce correcteur, la réponse du système en boucle fermée avec retour unitaire est illustrée à la figure 7.18. On constate que toutes les spécifications sont atteintes.

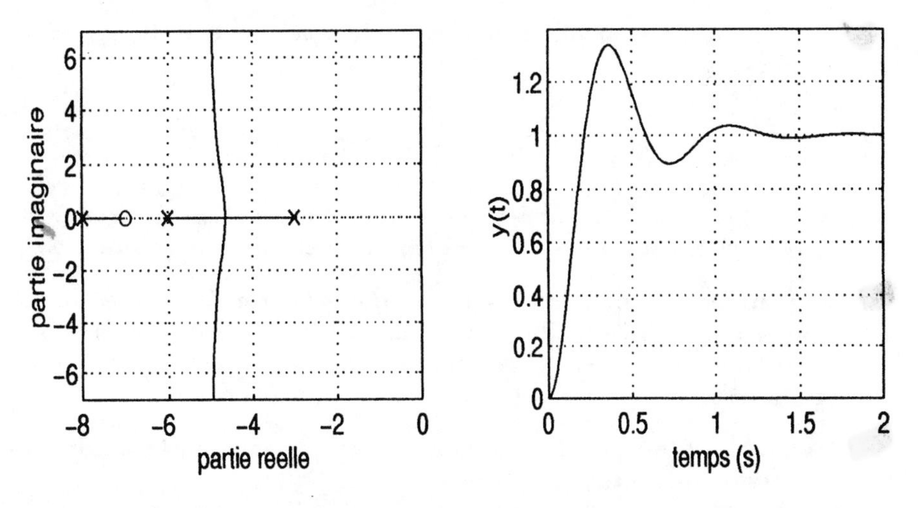

Figure 7.18 Lieu des racines de $\frac{(s+7)}{(s+3)(s+6)(s+8)}$, de $\frac{(s+z)(s+8)}{s(s+3)(s+6)(s+8)}$ et réponse indicielle du système corrigé en boucle fermée

7.5.3 Correcteur PD

Lorsque ce correcteur est utilisé, il introduit un zéro qui est la clé de la détermination des paramètres du correcteur. La fonction de transfert de celui-ci est donnée par:

$$C(s) = k_p + k_D s = k_D(s+z), \text{ avec } z = \frac{k_p}{k_D}$$

L'effet principal du correcteur PD est l'imposition d'un temps de réponse donné et l'amélioration, (non l'annulation) de l'erreur en régime permanent du système en boucle fermée. Il ne doit pas affecter le régime permanent du système.

Les performances imposées sont relatives à la stabilité, le temps de réponse et la forme de la réponse en fonction du temps.

Le zéro est utilisé pour déformer le lieu des racines pour améliorer le régime transitoire tel que souhaité. Pour fixer les paramètres du correcteur qui répond à ces spécifications, on utilise la procédure suivante:

1. **obtenir la fonction de transfert en boucle ouverte du système compensé**

$$G(s) \quad = \quad K(s+z)\frac{\prod_{i=1}^{m}(s+z_i)}{s^l\prod_{j=1}^{n}(s+p_j)}, \; K = k_D k \qquad (7.29)$$

et reporter les pôles et les zéros de cette fonction de transfert dans le plan complexe à l'exception du zéro du correcteur.

2. **déterminer le pôle dominant s_d, qui va fixer la forme de la réponse; en utilisant le taux d'amortissement ($\cos\theta = \zeta$) et le temps de réponse ($t_r = \frac{3}{\sigma}$) imposés. Ce pôle est illustré à la figure 7.16.**

3. **déterminer le zéro du correcteur (-z) en se basant sur la condition des angles suivante:**

$$\alpha = (2q+1)\pi - \sum_{i=1}^{m}\alpha_i + \sum_{j=1}^{n+l}\beta_j, \quad \textbf{avec } q = 0, \qquad (7.30)$$

où α_i désigne l'argument de (s_d+z_i); et β_i désigne celui de (s_d+p_i).

La valeur de z est déterminée tel que représenté à la figure 7.19. On peut aussi la déterminer analytiquement comme on l'a fait pour le correcteur PI.

4. **déterminer la valeur du gain K_d qui procure le pôle s_d en utilisant l'équation des amplitudes suivante:**

$$K_d = \frac{\prod_{j=1}^{n+l}|s_d+p_j|}{\prod_{i=1}^{m+1}|s_d+z_i|} \qquad (7.31)$$

Puis déterminer les paramètres du correcteur comme suit:

$$k_D \quad = \quad \frac{K_d}{k} \qquad (7.32)$$

$$k_p \quad = \quad k_D z \qquad (7.33)$$

5. **vérifier si les performances sont satisfaites ou non.**

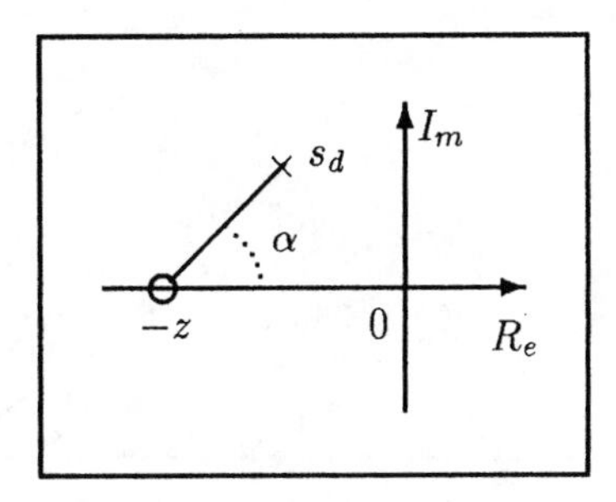

Figure 7.19 Détermination du zéro du correcteur

Exemple 7.8 Design d'un PD à l'aide de la technique du lieu des racines

Considérons l'exemple suivant:

$$G(s) = \frac{8(s+7)}{s(s+2)(s+8)}$$

Les spécifications désirées sont résumées ci-dessous:

- système stable;
- temps de réponse à 5% de l'ordre de 1 s;
- taux d'amortissement de 0.5.

Pour résoudre ce problème, on utilise la procédure précédente;

1. la fonction de transfert en boucle ouverte du système compensé est donnée par

$$G(s) = K(s+z)\frac{s+7}{s(s+2)(s+8)}, \quad \text{avec } K = 8k_D$$

dont les pôles et zéros (à l'exception du zéro du correcteur) sont reportés à la figure 7.20.

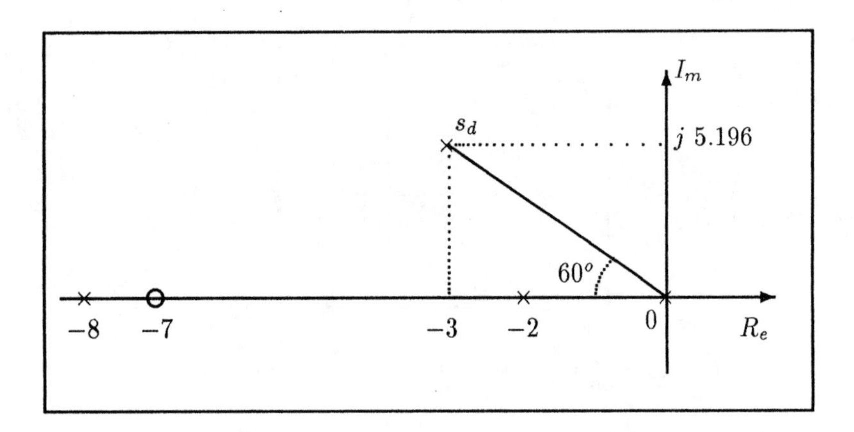

Figure 7.20 Pôles et zéros de $K\frac{s+7}{s(s+2)(s+8)}$

2. le pôle dominant s_d est déterminé par les demi-droites (D_1) et (D_2):

$$
\begin{aligned}
(D_1) &\ : \ \cos\theta = \zeta \\
(D_2) &\ : \ \sigma = \frac{3}{t_r} = 3
\end{aligned}
$$

Ce point est représenté à la figure 7.20 et sa valeur est donnée par;

$$s_d = -3.000 \pm j5.196$$

3. pour déterminer le zéro du correcteur, on commence par déterminer la contribution en angle du zéro du correcteur, α:

$$\alpha = \pi - \arg\,(s_d + 7) + \arg\,(s_d + 2) + \arg\,(s_d + 8) + \arg\,(s_d) = 34.586^o$$

Cet angle nous donne la valeur du zéro du correcteur suivante:

$$z = 10.54$$

4. la valeur du K_d qui procure le pôle dominant s_d est

$$K_d = \frac{|s_d||s_d + 2||s_d + 8|}{|s_d + 7||s_d + z|} = 3.826$$

et les paramètres du correcteur sont donnés par:

$$
\begin{aligned}
k_D &= \frac{K_d}{8} = 0.478 \\
k_p &= k_D z = 5.038
\end{aligned}
$$

La fonction de transfert en boucle fermée du sysème corrigé s'écrit:

$$F(s) = \frac{8k_D(s+z)(s+7)}{s^3 + (10 + 8k_D)s^2 + (16 + 8k_D(z+7))s + 56k_D z}$$

Le lieu des racines du système avec le correcteur PD et la réponse indicielle de système sont illustrés à la figure 7.21. On constate que toutes les spécifications sont satisfaites.

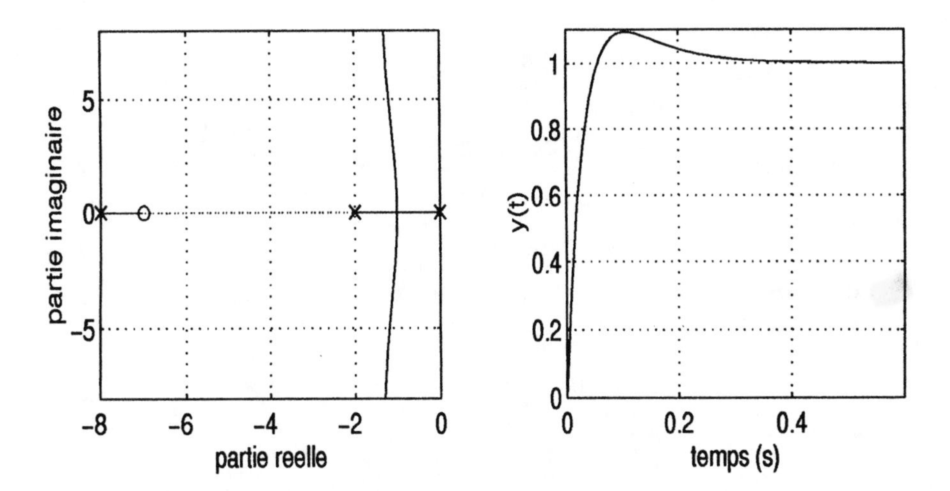

Figure 7.21 Lieu des racines du système corrigé avec un PD et réponse indicielle de $F(s) = \frac{8k_D(s^2+(7+z)s+7z)}{s^3+(10+8k_D)s^2+(16+8k_D(7+z))s+56k_D z})$

7.5.4 Correcteur PID

On fait appel à ce type de correcteur lorsqu'on désire en même temps agir sur le régime permanent et le régime transitoire. En effet, la fonction de transfert $C(s)$ de ce correcteur est donnée par:

$$C(s) = k_p + \frac{k_I}{s} + k_D s = k_D \frac{(s+a_1)(s+a_2)}{s}$$

où $k_p = k_D(a_1 + a_2)$ et $k_I = k_D a_1 a_2$.

L'effet principal du correcteur PID est l'imposition d'un temps de réponse donné et l'annulation de l'erreur en régime permanent du système en boucle fermée.

En général, on utilise ce type de correcteur lorsque les spécifications sont:

- stabilité;
- erreur en régime permanent nulle;
- temps de réponse maximal fixé ;
- forme de la réponse du système apériodique ou oscillante (ζ, $d\%$).

La procédure utilisée pour fixer les paramètres k_p, k_I et k_D repose principalement sur l'introduction du pôle à l'origine, le temps de réponse fixé et l'annulation du pôle défavorable noté p_d du point de vue stabilité, c'est-à-dire le pôle le plus rapproché de l'axe imaginaire excepté ceux qui sont à l'origine. Cette procédure se résume comme suit;

1. **déterminer les fonctions de transfert en boucle ouverte du système non compensé et compensé, c'est-à-dire,**

$$\begin{aligned} G(s) &= k\frac{\prod_{i=1}^{m}(s+z_i)}{s^l\prod_{j=1}^{n}(s+p_j)} \\ G_c(s) &= K\frac{(s+a_1)(s+a_2)}{s}\frac{\prod_{i=1}^{m}(s+z_i)}{s^l\prod_{j=1}^{n}(s+p_j)}, \quad \textbf{avec } K = kk_D \end{aligned}$$

   utiliser le pôle le plus défavorable du point de vue stabilité pour déterminer le zéro $-a_1$ en procédant à une annulation pôle-zéro. Puis, reporter tous les pôles et les zéros à l'exception du 2e zéro introduit par le correcteur (c'est-à-dire -a_2 de $G_c(s)$) dans le plan complexe.

2. **déterminer le pôle dominant s_d, qui va fixer la forme de la réponse en utilisant le taux d'amortissement ($\cos\theta = \zeta$) et le temps de réponse ($t_r = \frac{3}{\sigma}$) imposés.**

3. **déterminer le zéro du correcteur ($-a_2$) en se basant sur la condition des angles suivants:**

$$\alpha = (2q+1)\pi - \sum_{i=1}^{m}\alpha_i + \sum_{j=1}^{n+l-1}\beta_j, \quad \textbf{avec } q = 0 \tag{7.34}$$

où $\alpha_i = \arg(s + z_i)$, et $\beta_j = \arg(s + p_j)$

Remarquons que cette relation ne tient pas compte du zéro du correcteur $(-a_1)$ et du pôle p_d, car le zéro a été choisi de manière à annuler le pôle p_d. La valeur de a_2 est déterminée en utilisant l'angle α de la façon suivante:

$$|a_2| = |\sigma| + \frac{Im(s_d)}{tg\alpha} \tag{7.35}$$

où σ désigne la partie réelle du pôle dominant s_d et $Im(s_d)$ celle de la partie imaginaire.

4. déterminer la valeur du gain K_d qui procure le pôle dominant s_d en utilisant l'équation des amplitudes suivante:

$$K_d = \frac{|s_d^{l+1}| \prod_{j=1}^{n} |s_d + p_j|}{|s_d + a_1||s_d + a_2| \prod_{i=1}^{m+1} |s_d + z_i|} \tag{7.36}$$

Un pôle du système à commander a été annulé par un zéro du correcteur.

Puis déterminer les paramètres du correcteur comme suit:

$$\begin{aligned} k_D &= \frac{K_d}{k} \\ k_p &= \frac{K_d}{k}(a_1 + a_2) \\ k_I &= \frac{K_d}{k} a_1 a_2 \end{aligned}$$

5. vérifier si les performances sont satisfaites ou non.

La même condition relative à α que dans le cas d'un PI doit être satisfaite pour l'utilisation de cette approche.

Exemple 7.9 Design d'un PID

Considérons dans cet exemple le système décrit par la fonction de transfert suivante:

$$G(s) = \frac{2(s+6)}{(s+1)(s+2)(s+5)}$$

On cherche le correcteur qui assure les spécifications suivantes:

- système stable en boucle fermée;
- erreur en régime permanent associée à un échelon unitaire nulle;
- temps de réponse maximale de l'ordre de 3 s à 5%;
- la forme de la réponse indicielle doit avoir un taux d'amortissement de l'ordre de 0.5.

Pour satisfaire alors ces spécifications, le correcteur du type PID est suffisant.

1. les deux fonctions de transfert cherchées sont données par:

$$G(s) = \frac{2(s+6)}{(s+1)(s+2)(s+5)}$$
$$G_c(s) = K\frac{(s+a_1)(s+a_2)(s+6)}{s(s+1)(s+2)(s+5)}$$

   où $K = 2k_D$.

   De l'expression de $G(s)$, on déduit que le pôle le plus proche de l'axe imaginaire est $p_d = -1$. Donc, pour annuler l'effet de ce pôle, on doit l'annuler par le zéro $(-a_1)$, du correcteur, ce qui donne alors $a_1 = 1$. Compte tenu de ceci, le report des pôles et des zéros à l'exception du zéro $(-a_2)$ du correcteur est illustré à la figure 7.22.

2. compte tenu du taux d'amortissement et du temps de réponse maximal, le pôle dominant est:

$$s_d = -1.0 \pm j1.73$$

3. le deuxième zéro du correcteur est déterminé à partir des deux relations suivantes:

$$\alpha = \pi - \arg\,(s_d+6) + \arg\,(s_d+2) + \arg\,(s_d) + \arg\,(s_d+5) = 4.3$$
$$a_2 = \frac{3}{t_r} + \frac{I_m(s_d)}{tg\alpha} = 24.1$$

4. le gain K_d qui procure le pôle dominant s_d est donné par:

$$K_d = \frac{|s_d||s_d+2||s_d+5|}{|s_d+a_2||s_d+6|} = 0.143$$

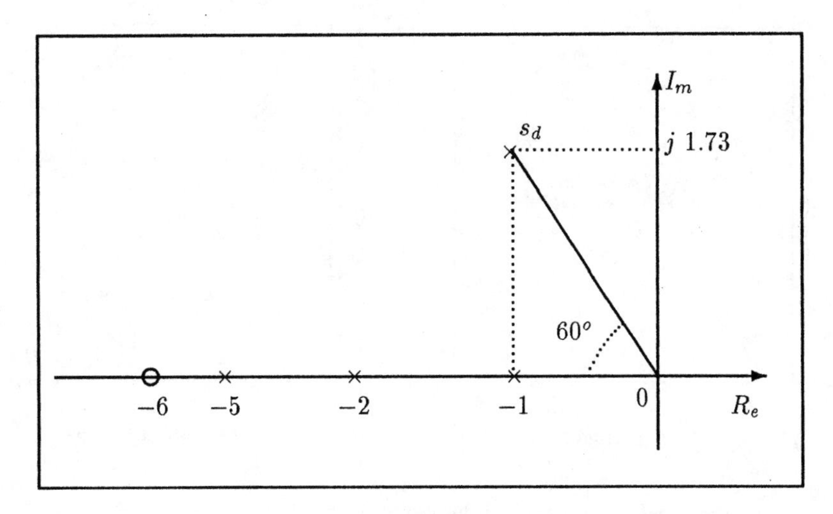

Figure 7.22 Pôles et zéros de $K\frac{(s+6)}{s(s+2)(s+5)}$

et les valeurs des paramètres du correcteur sont

$$\begin{aligned} k_D &= \frac{K_d}{2} = 0.0715 \\ k_p &= \frac{K_d}{2}(a_1 + a_2) = 1.788 \\ k_I &= \frac{K_d}{2}(a_1 a_2) = 1.717 \end{aligned}$$

La réponse indicielle du système compensé en boucle fermée est donnée par la figure 7.23.

7.5.5 Correcteur avance de phase

L'effet d'un tel correcteur dans le domaine du temps peut être montré en utilisant la technique du lieu des racines. Pour cela, considérons l'asservissement de position d'un moteur cc à aimant permanent. La fonction de transfert d'un tel système est:

$$G(s) = \frac{k}{s(s+p)},\ k \geq 0,\ p \geq 0$$

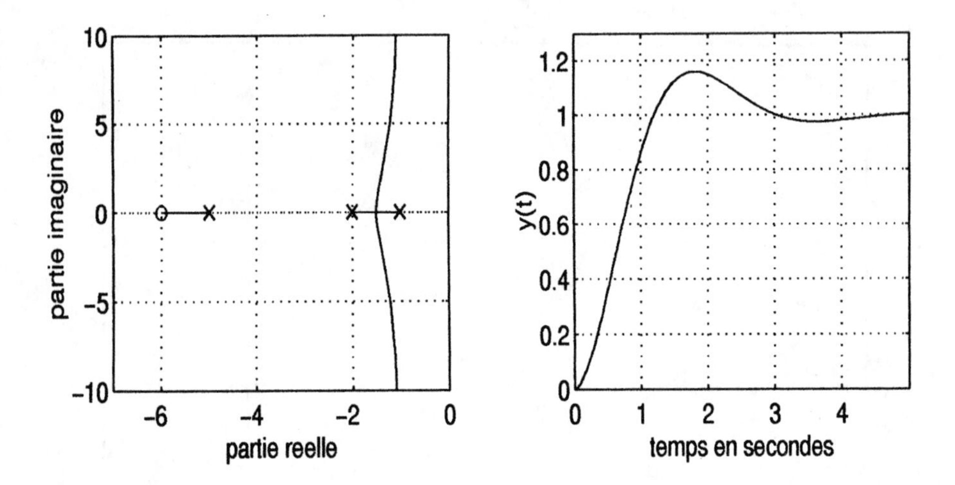

Figure 7.23 Lieu des racines du système corrigé et réponse indicielle de $F(s)\frac{2k_D s^3+(2k_p+12k_D)s^2+(2k_I+12k_p)s+12k_I}{s^4+(8+2k_D)s^3+(17+2k_p+12k_D)s^2+(10+2k_I+12k_p)s+12k_I}$

Le lieu des racines d'un tel système avec un correcteur proportionnel k_p lorsque $k = 1$ est représenté à la figure 7.24a. La plus petite constante de temps dominante, τ_d, est illustrée dans cette figure.

La paire de pôle-zéro du correcteur peut occuper plusieurs positions, mais la plus intéressante est celle qui améliore le temps de réponse, c'est-à-dire celle qui correspond à l'emplacement du pôle et du zéro à gauche des deux pôles du système. En introduisant le correcteur avance de phase dont la fonction de transfert est:

$$C(s) = k_p \frac{aTs + 1}{Ts + 1} \text{ avec } a > 1$$

dans la chaîne directe, le lieu des racines du système compensé est illustré à la figure 7.24b.

Le pôle et le zéro introduits par ce correcteur modifient l'allure du lieu et permettent d'obtenir une constante de temps dominante plus petite que celle obtenue par un correcteur proportionnel. Ceci est obtenu en choisissant k_p très grand de façon à placer les pôles dominants sur les asymptotes.

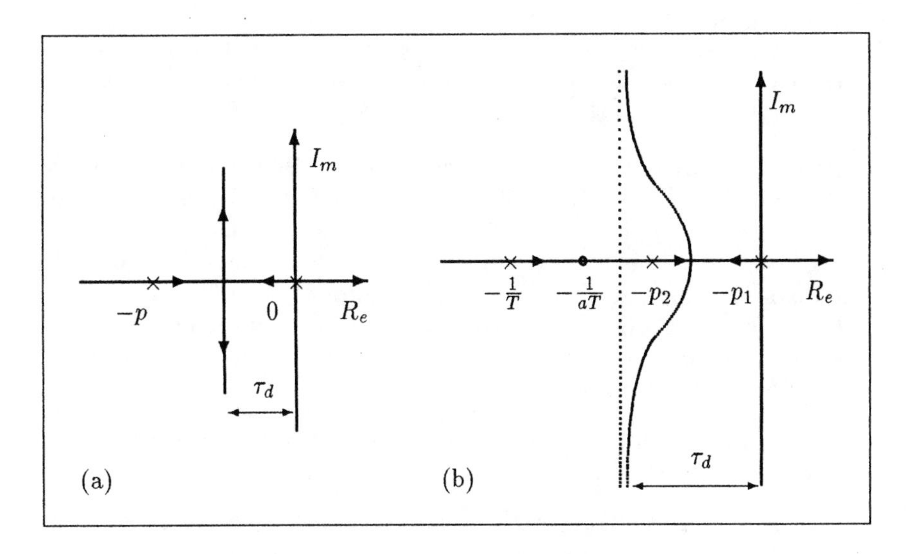

Figure 7.24 Asservissement de position d'un moteur à cc: Lieu des racines de $\frac{1}{s(s+p)}$ (a) et Asservissement du moteur avec un correcteur avance de phase: Lieu des racines de $\frac{(1+aTs)}{(s)(s+p)(1+Ts)}$ (b)

En général, le design du correcteur avance de phase est basé sur la technique du lieu des racines lorsque les spécifications font intervenir:

- la constante d'erreur,
- le temps de réponse,
- le dépassement en poucentage.

Le design du correcteur avance de phase peut être réalisé en utilisant une procédure de design appropriée. Cette procédure peut être appliquée comme suit:

1. **à partir des spécifications dans le domaine du temps (constante du temps, facteur d'amortissement, etc.), on déduit l'emplacement des pôles dominants du système en boucle fermée.**
2. **à partir du lieu des racines du système non compensé, obtenir si possible les pôles désirés en ajustant le gain. Si c'est impossible,**

déterminer l'angle associé aux pôles désirés en boucle fermée en traçant des vecteurs à partir des pôles et zéros de la fonction de transfert en boucle ouverte. La différence entre cet angle et 180° est l'angle qu'il faut compenser.

3. **placer le pôle et le zéro du correcteur de façon à introduire l'angle requis. Il existe plusieurs possibilités de placer le pôle et le zéro du correcteur pour obtenir la contribution en angle requise. En effet, on peut, par exemple, placer le zéro arbitrairement puis déterminer l'emplacement du pôle en utilisant la condition d'angle. Une manière de placer le zéro consiste à le prendre égal à la partie réelle du pôle dominant traduisant les spécifications désirées.**

4. **déterminer la valeur du gain en boucle ouverte et évaluer ensuite l'erreur en régime permanent.**

5. **tester si les spécifications sont satisfaisantes ou non. Dans le cas où les spécifications ne sont pas satisfaites, ajuster l'emplacement du pôle et du zéro et recommencer.**

Exemple 7.10 Design d'un correcteur avance de phase

Le système auquel on s'intéresse dans cet exemple admet la fonction de transfert suivante:

$$G(s) = \frac{1}{s(s+5)(s+6)}$$

Cette fonction représente par exemple la fonction de transfert d'un moteur à courant continu et son amplificateur de puissance entre la position angulaire et la tension d'alimentation de l'amplificateur. On cherche un système en boucle fermée avec un taux d'amortissement de 0.5 et une constante de temps dominante de $\frac{1}{3}$ s (soit un temps de réponse de l'ordre de 1 s). En suivant la procédure de design précédente, on a:

1. chercher à satisfaire les spécifications précédentes revient à à assurer la dominance des pôles suivants:

$$s_{1,2} = -3.0 \pm 6.196j$$

Ces pôles ne peuvent pas être obtenus en ajustant le gain K. L'ajout d'un correcteur de type avance de phase s'impose. L'argument du système sans le correcteur avance de phase est donné par:

$$\arg\left(\frac{1}{s(s+5)(s+6)}\right)_{s=-3+5.196j} = -249.07$$

2. la différence d'angle est $249.07-180 = 69.07^o$. On a besoin d'un correcteur qui augmente la phase de 69.07^o. En désignant par α l'argument du pôle et par β celui du zéro, la contribution en angle apporté par le correcteur avance de phase est de $\beta - \alpha = 69.07$, ce qui donne $\alpha = \beta - 69.07$.

3. en plaçant le zéro à -3, ce qui correspond à $\beta = 90^o$, la relation précédente d'angle donne $\alpha = 20.93^o$. D'un autre côté de l'emplacement du pôle du correcteur, c'est-à-dire $s = -\frac{1}{T}$, on a la relation trigonométrique suivante:

$$tg(20.93) = \frac{5.196}{\frac{1}{T} - 3}$$

On déduit de cette relation $s = -\frac{1}{T} = -16.67$, soit $T = 0.06$. En tenant compte de l'expression du zéro, de son emplacement, c'est-à-dire à -3 et de la valeur de T, on obtient $a = 5.53$

4. la fonction de transfert en boucle ouverte du système compensé s'écrit:

$$C(s)G(s)H(s) = \frac{K(s+3)}{s(s+16.67)(s+5)(s+6)}$$

Le lieu des racines associé donne une valeur de K_d égale à 564.1, pour avoir $s_{1,2} = -3 \pm j5.196$, les autres pôles sont placés respectivement à $s = -19.52$ et -2.55. Le gain du correcteur correspondant à la valeur de K_d est:

$$k_p = \frac{K_d}{a}$$

La fonction de trnsfert du système en boucle fermée est:

$$F(s) = \frac{k_p(s + \frac{1}{aT})}{s^4 + (6 + \frac{1}{T})s^3 + (5 + \frac{6}{T})s^2 + (\frac{5}{T} + k_p)s + \frac{k_p}{aT}}$$

Le lieu des racines du système corrigé et la réponse indicielle du système corrigé sont représentés à la figure 7.25.

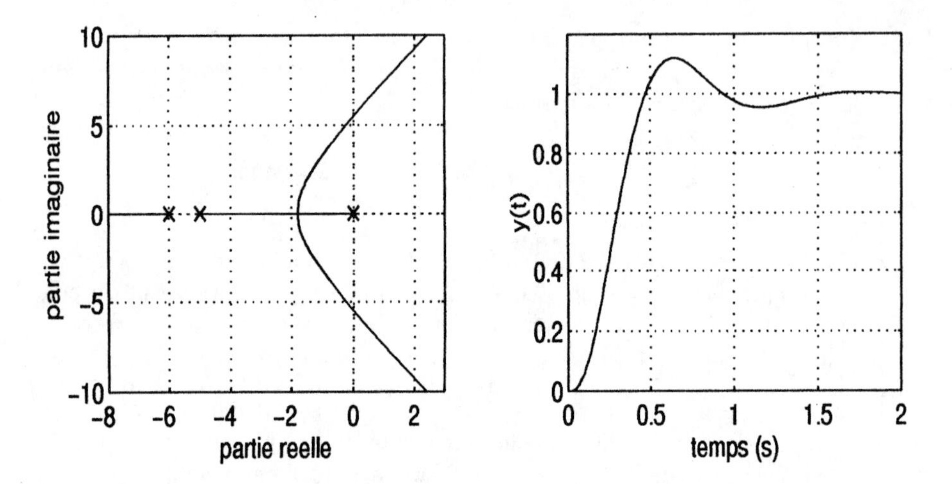

Figure 7.25 Lieu des racines du système non corrigé et réponse indicielle du système corrigé en boucle fermée

7.5.6 Correcteur retard de phase

Pour montrer l'importance du correcteur retard de phase, on utilise le système dont la fonction de transfert est donnée par:

$$G(s) = k\frac{\prod_{j=1}^{m}(s+z_j)}{\prod_{i=1}^{n}(s+p_i)}$$

où $-z_j$, $j = 1, \ldots, m$ et $-p_i$, $i = 1, \ldots, n$ désignent respectivement les zéros et les pôles du système étudié.

On suppose que le facteur d'amortissement et la constante du temps sont satisfaits, mais que la constante d'erreur est plus grande que celle requise par les spécifications.

Pour obtenir ces spécifications, on peut utiliser le correcteur retard de phase dont la fonction de transfert est:

$$\begin{aligned} C(s) &= k_p\frac{s+\frac{1}{aT}}{s+\frac{1}{T}}, \quad a<1 \\ &= k_p\frac{s+z}{s+p}, \text{ avec } z=\frac{1}{aT}, p=\frac{1}{T} \end{aligned}$$

Étant donné que ce correcteur est une réalisation approchée du correcteur PI, il faut que sa contribution soit réservée au régime permanent. Il ne faut donc pas changer la forme du lieu des racines. On peut, pour cela, choisir la paire pôle-zéro du correcteur la plus proche de l'origine (pôle très voisin du zéro).

Soit K_1 la constante d'erreur du système sans le pôle et le zéro du correcteur retard de phase. Son expression est donnée par:

$$K_1 = kk_p \frac{\prod_{j=1}^{m} z_j}{\prod_{i=1}^{n} p_i}$$

Soit K_2 ($K_2 > K_1$) la constante d'erreur désirée du système en présence du pôle et zéro du correcteur, dont l'expression en fonction des paramètres du correcteur est:

$$K_2 = kk_p \frac{z}{p} \frac{\prod_{j=1}^{m} z_j}{\prod_{i=1}^{n} p_i}$$

D'un autre côté, on veut que le correcteur n'affecte pas le régime transitoire; du fait que le pôle et le zéro du correcteur sont plus rapprochés l'un de l'autre, il résulte que le gain kk_p, qui procure au système la paire de pôles dominants, admet sensiblement la même valeur dans le cas avec ou sans le correcteur retard de phase. Ceci se traduit par:

$$\frac{K_1}{\frac{\prod_{j=1}^{m} z_j}{\prod_{i=1}^{n} p_i}} = kk_p = \frac{K_2}{\frac{z}{p} \frac{\prod_{j=1}^{m} z_j}{\prod_{i=1}^{n} p_i}}$$

ce qui donne:

$$a = \frac{p}{z} = \frac{K_1}{K_2} < 1$$

Si la valeur de T est choisie de manière à ce que le pôle et le zéro du correcteur s'annulent, cette fonction de transfert est approximée par:

$$C(s)G(s) = kk_p \frac{\prod_{j=1}^{m}(s + z_j)}{\prod_{i=1}^{n}(s + p_i)} \tag{7.37}$$

L'approche de design d'un tel correcteur peut être résumée ainsi:

1. **à partir du lieu des racines du système non compensé, déduire le gain qui procure les pôles désirés et en déduire la constante d'erreur du système correspondante.**

2. **soit K_1 la constante d'erreur du système avec un correcteur proportionnel. soit K_2 la valeur de la constante d'erreur qui corresponde à l'erreur en régime permanent du système compensé. Le paramètre a est choisi de la manière suivante:**

$$a = \frac{K_1}{K_2}$$

d'un autre côté, on a:

$$a = \frac{p}{z} \tag{7.38}$$

3. **la valeur de T est choisie de sorte que le pôle et le zéro du correcteur soient plus rapprochés et le plus proche possible de l'axe imaginaire, ce qui se traduit par une faible contribution en angle par le correcteur ajouté et en même temps une amélioration du régime permanent.**

4. **utiliser la condition d'amplitudes pour déterminer la valeur du gain K_d qui procure la paire de pôles dominante désirée, c'est-à-dire:**

$$K_d = \left(\frac{|s_d + p|}{|s_d + z|}\right)\left(\frac{\prod_{j=1}^{n}(|s_d + p_j|)}{\prod_{i=1}^{m}(|s_d + z_i|)}\right)$$

puis dérterminer le gain du correcteur par:

$$k_p = \frac{K_d}{k} \tag{7.39}$$

5. **vérifier si les spécifications sont satisfaites. Dans le cas contraire, ajuster la position du pôle et du zéro du correcteur et reprendre l'analyse.**

Exemple 7.11 Design d'un correcteur retard de phase

Considérons l'asservissement de position d'un moteur cc à aimant permanent dont la fonction de transfert est:

$$G(s) = \frac{1}{s(s+5)}$$

Comme spécifications, on cherche à assurer au système en boucle fermée un taux d'amortissement ζ de 0.707 et une constante de temps dominante de l'ordre de 0.4 s. L'erreur en régime permanent doit être de l'ordre de 0.01 lorsque la grandeur d'entrée est une rampe unitaire.

À partir des spécifications, on déduit que les pôles désirés sont: $s = -2.5 \pm j2.5$. Le gain qui procure ces pôles est égal à 12.5. La constante de vitesse correspondante est $K_1 = 12.5$. Ce qui correspond à une erreur de 0.08, loin de la valeur désirée.

On suppose que le régime transitoire est satisfaisant, mais que l'erreur en régime permanent doit être améliorée pour atteindre la valeur de 0.01, soit une constante de vitesse K_2 de 100. Pour répondre alors à ces spécifications, on doit concevoir un correcteur de type retard de phase, c'est-à-dire trouver les paramètres k_p, T et a de l'expression suivante:

$$C(s) = k_p \frac{s + \frac{1}{aT}}{s + \frac{1}{T}}, \text{ avec } a < 1$$

En suivant la procédure de design, on a:

1. Pour avoir les spécifications du régime transitoire, le gain nécessaire est $K = 12.5$. La valeur de la constante d'erreur K_1 égale à 12.5.

2. valeur de a:

$$K_2 = \lim_{s \mapsto 0} s \frac{k_p}{s(s+1)} = k_p = 100$$

   ce qui donne comme valeur de a:

$$a = \frac{12.5}{100} = 0.13 = \frac{p}{z}$$

3. le système en boucle ouverte sans correcteur a un pôle à $s = -5$, le pôle et le zéro du correcteur doivent être placés à droite de celui-ci. Ainsi si on choisit le zéro égal à -0.1, le pôle est alors égal à -0.125. Compte tenu des expressions du pôle et du zéro du correcteur, on en déduit la valeur de T. Cette valeur est donnée par $T = 8$.

4. Compte tenu des valeurs de z et de p, le gain du système est ajusté de manière à garder une constante d'erreur en boucle fermée égale à 100, c'est-à-dire: $K_2 = 10 = kk_p\frac{z}{p} = K\frac{0.1}{0.125}$ ce qui correspond à:

$$K = \frac{100 \times 0.125}{0.1} = 125.$$

La fonction de transfert en boucle ouverte du système compensé est donnée par:

$$C(s)G(s)H(s) = \frac{K(s+0.1)}{s(s+5)(s+0.125)}$$

où le gain $K = k_p = 25$.

Le lieu des racines d'un tel système est illustré à la figure 7.26. De ce lieu, on conclut que les pôles dominants sont:

$$s_{1,2} = -2.5 \pm j2.5$$

La fonction de transfert du système corrigé en boucle fermée est donnée par l'expression suivante:

$$F(s) = \frac{k_p(s + \frac{1}{aT})}{s^3 + (5 + \frac{1}{T})s^2 + (k_p + \frac{5}{T})s + \frac{k_p}{aT}}$$

La réponse indicielle correspondante est représentée à la figure 7.26.

7.5.7 Correcteur avance-retard de phase

Le correcteur avance-retard de phase présente les avantages des correcteurs avance de phase et retard de phase pris séparément. Ainsi, on l'utilise principalement quand il faut en même temps améliorer le régime transitoire et le régime permanent.

La fonction de transfert d'un tel correcteur est représentée à la fonction suivante:

$$C(s) = k_pC_1(s)C_2(s)$$

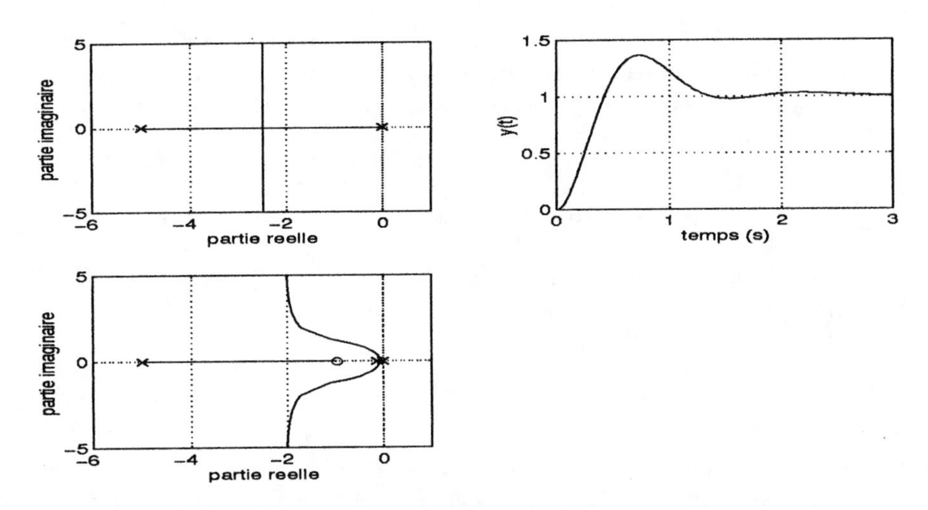

Figure 7.26 Lieu des racines de $\frac{1}{(s+5)}$, de $\frac{(s+0.1)}{s(s+5)(s+0.125)}$ et réponse indicielle du système corrigé en boucle fermée

où

$$
\begin{aligned}
C_1(s) &= \frac{s+\frac{1}{\beta_1 T_1}}{s+\frac{1}{T_1}}, \; T_1 > 0, \; \beta_1 > 1, \\
C_2(s) &= \frac{s+\frac{1}{\beta_2 T_2}}{s+\frac{1}{T_2}}, \; T_2 > 0, \; \beta_2 < 1,
\end{aligned}
$$

La procédure de design du correcteur avance-retard de phase se résume aux points suivants:

1. Analyser le système sans le correcteur avance-retard et déterminer de combien on doit améliorer le régime transitoire du système étudié;

2. Déterminer les paramètres du correcteur avance de phase (le gain, le pôle et le zéro);

3. Analyser le système corrigé avec le correcteur avance de phase et déterminer de combien on doit améliorer le régime permanent de ce système;

4. Déterminer les paramètres du correcteur retard de phase (le gain, le pôle et le zéro);

5. Déterminer la fonction de transfert en boucle ouverte du système corrigé, puis vérifier si toutes les spécifications sont satisfaites ou non. Dans le cas où les spécifications ne sont pas satisfaites, reprendre la procédure à partir du point 2.

Exemple 7.12 Design d'un correcteur avance-retard de phase

Considérons l'asservissement de position d'un moteur cc entraînant une charge mécanique; la fonction de transfert de l'ensemble est:

$$G(s) = \frac{1}{s(s+0.5)}$$

Le système est commandé en boucle fermée avec un retour unitaire. Nous cherchons dans cet exemple à concevoir le correcteur de type avance-retard de phase qui permet d'assurer au système en boucle fermée les spécifications suivantes:

- un temps de réponse à 5% de l'ordre de 12 s;
- un dépassement en pourcentage de l'ordre de 16%;
- une erreur en régime permanent associée à une grandeur d'entrée en forme de rampe unitaire de l'ordre de 0.01;

Pour concevoir un tel correcteur, on suit la procédure vue précédemment:

1. le lieu des racines du système sans le correcteur avance de phase est illustré à la figure 7.27. Il est clair qu'un correcteur de type proportionnel n'est pas capable d'assurer au système les performances désirées. Compte tenu de la valeur du temps de réponse du système à 5% et de la valeur du dépassement, il résulte que les pôles désirés sont:

$$s_d = -2.5 \pm j4.33$$

2. En suivant la procédure de désign du correcteur avance de phase, on trouve l'expression suivante pour le correcteur avance de phase:

$$C_1(s) = \frac{s + \frac{1}{a_1 T_1}}{s + \frac{1}{T_1}}$$

avec $a_1 = 10$ et $T_1 = 0.2$.

3. en se référant à la figure, on constate que le correcteur est acceptable.

4. en suivant la procédure de design du correcteur retard de phase présentée précédemment, on obtient l'expression suivante:

$$C_2(s) = \frac{s + \frac{1}{a_2 T_2}}{s + \frac{1}{T_2}}$$

avec $a_2 = 0.1$ et $T_2 = 100$.

5. en se référant à la figure, on constate que le correcteur est acceptable (voir figure 7.27).

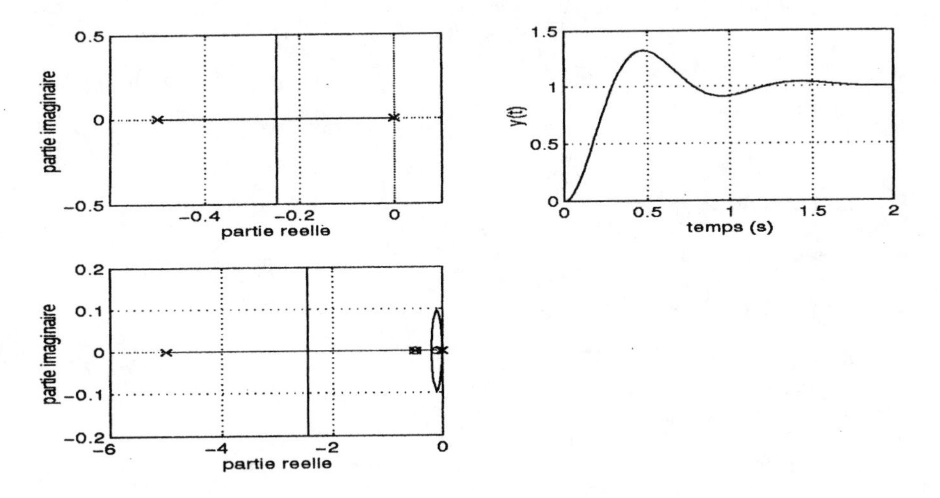

Figure 7.27 Lieu des racines de $\frac{1}{(s+0.5)}$, $de \frac{(s+0.5)(s+0.1)}{s(s+0.5)(s+5)(s+0.01)}$ et réponse indicielle du système corrigé en boucle fermée

7.6 DESIGN DES CORRECTEURS À L'AIDE DU DIAGRAMME DE BODE

Le design des correcteurs à l'aide du diagramme de Bode présente un avantage sur les autres approches présentées dans cet ouvrage. En effet, il ne nécessite pas la connaissance de l'expression analytique de la fonction de transfert du système commandé, et seul le diagramme de Bode est suffisant. Un tel diagramme peut être obtenu par voie expérimentale. En général, on a recours à cette technique lorsque les spécifications sont formulées dans le domaine fréquentiel, telles que la marge de phase, la marge de gain, etc. Les méthodes dans le domaine fréquentiel utilisent principalement les concepts de stabilité, du régime permanent et du régime transitoire. En se référant au chapitre 6, on sait que:

- le dépassement en pourcentage est réduit quand on augmente la marge de phase;
- le temps de montée est augmenté quand on augmente la bande passante;
- l'erreur en régime permanent est améliorée quand on augmente l'amplitude vers les basses fréquences même si cette amplitude vers les hautes fréquences est atténuée.

Dans cette section, nous allons principalement nous attarder au design des correcteurs de type:

- proportionnel;
- proportionnel-intégral;
- proportionnel-dérivé;
- proportionnel-intégral-dérivé;
- avance de phase;
- retard de phase;
- avance-retard de phase.

7.6.1 Correcteur proportionnel P

Soit $G(s)$ la fonction de transfert du système à commander et $C(s)$ celle du correcteur proportionnel utilisé. Le système asservi résultant est supposé être à retour unitaire tel que représenté à la figure 7.1. L'expression de la fonction de transfert $G(s)$ est supposée avoir la forme suivante:

$$G(s) = k\frac{b_m s^m + \ldots + 1}{s^l(a_n s^n + \ldots + 1)}$$

Celle de la fonction de transfert du correcteur est

$$C(s) = k_p$$

Il en résulte alors que l'expression de la fonction de transfert du système compensé en boucle ouverte est:

$$\begin{aligned} C(s)G(s) &= k_p k \frac{b_m s^m + \ldots + b_1 s + 1}{s^l(a_n s^n + \ldots + a_1 s + 1)} \\ &= K \frac{b_m s^m + \ldots + b_1 s + 1}{s^l(a_n s^n + \ldots + a_1 s + 1)}, \quad K = k k_p \end{aligned}$$

Pour déterminer le correcteur proportionnel qui répond aux spécifications désirées, nous pouvons utiliser deux approches. La première est basée sur le diagramme de Bode, tandis que la seconde swe réfère à celui de Black.

En général, le correcteur P est utilisé pour assurer les spécifications suivantes:

- une réponse indicielle apériodique ou oscillante;
- une erreur en régime permanent donnée;
- un temps de réponse donné;
- un système stable.

Méthode de Bode. Cette méthode consiste à déterminer la valeur qu'il faut donner au gain du correcteur proportionnel en se basant sur la marge de phase du système en boucle ouverte qui doit être comprise entre 40° et 50° tout en assurant une marge de gain supérieure à 8db. La procédure qui permet le design d'un tel correcteur se résume comme suit:

1. **Tracer le diagramme de Bode de $G_c(s)$ pour $K = 1$.**
2. **Relever la pulsation ω_c à laquelle la marge de phase est égale à 45° (ce qui est compris entre 40° et 50°).**
3. **En déduire la valeur du gain K_d qui correspond à la pulsation ω_c. Puis calculer la valeur du gain du correcteur proportionnel en utilisant la relation:**

$$k_p = \frac{K_d}{k}$$

4. **Faire une translation verticale de la courbe d'amplitude de la quantité K_d décibels et vérifier que la marge de gain est supérieure à 8 *db*.**

Méthode de Nichols. Cette méthode consiste à déterminer la valeur qu'il faut donner au correcteur proportionnel en se basant sur le facteur de surtension du système en boucle fermée qui doit être de l'ordre de 2.3db. La marge de phase doit être comprise entre 40° et 50°. Celle du gain doit être supérieure à 8db. La procédure qui permet le design d'un tel correcteur se résume comme suit:

1. **Tracer le diagramme de Black de $C(s)G(s)$ pour $K = 1$.**
2. **En utilisant l'abaque de Black-Nichols, faire une translation de ce diagramme jusqu'à ce qu'il soit tangent au contour équigain (2.3db). Ce déplacement correspond à la valeur qu'il faut donner au gain (c'est-à-dire $K = K_d$) pour que le système en boucle fermée admette un facteur de surtension égal à 2.3db.**
3. **Calculer le gain du correcteur en utilisant la relation suivante:**

$$k_p = \frac{K_d}{k}$$

4. **Lire la pulsation de résonance au point de tangence et vérifier les marges de gain et de phase.**

Exemple 7.13 Design d'un correcteur proportionnel

Dans cet exemple, nous allons nous consacrer au design d'un correcteur de type proportionnel en utilisant la méthode fréquentielle. Pour cela, considérons l'asservissement de position de l'antenne parabolique décrite au chapitre 2. La fonction de transfert du système est donnée par:

$$G(s) = \frac{0.04}{s(0.0125s + 1)(0.04s + 1)} \qquad (7.40)$$

Comme spécifications, on cherche à assurer au système asservi une marge de phase de l'ordre de 45° et une marge de gain supérieure à 10 *db*.

Pour concevoir le correcteur proportionnel, nous allons suivre les deux méthodes précédentes.

- Méthode de Bode

1. la fonction de transfert de cet asservissement en boucle ouverte est:

$$T(s) = K\frac{1}{s(0.0125s+1)(0.04s+1)}, \quad \text{avec} \quad K = 0.04k_p$$

dont le diagramme de Bode est illustré à la figure 7.28 lorsque $k = 1$.

2. à partir du diagramme de phase de la figure 7.28, on retrouve que $\omega_c = 16.5\ rad/s$. La valeur d'amplitude à cette fréquence est:

$$|T(j\omega_c)| = -26.1\ db$$

3. la valeur du gain K_d est alors 26.1 db, ce qui correspond à $K_d = 20.19$. La valeur du gain du correcteur proportionnel correspondant est:

$$k_p = \frac{K_d}{k} = 504.6$$

4. en utilisant la valeur du gain du correcteur proportionnel trouvé en 3, le tracé du diagramme de Bode tel représenté à la figure 7.28 nous indique que l'on a:

$$\begin{aligned} \Delta\phi &= 45^o \\ \Delta G &= 14.35\ db \end{aligned}$$

dont les fréquences de coupure sont respectivement $\omega_{am} = 44.72\ rad/s$ et $\omega_{ph} = 16\ rad/s$. Ce qui correspond aux spécifications imposées.

- Méthode de Nichols

1. la fonction de transfert de cet asservissement en boucle ouverte est:

$$T(s) = K\frac{1}{s(0.0125s+1)(0.04s+1)}, \quad \text{avec} \quad K = 0.04k_p$$

dont le diagramme de Black correspondant est illustré à la figure 7.28 pour $K = 1$.

2. à partir de ce diagramme et de l'abaque de Black-Nichols, on retrouve que $K_d = 20.19$.

3. la valeur du gain K_d est alors 26.1 db. La valeur du gain du correcteur proportionnel correspondant est:

$$k_p = \frac{K_d}{k} = 504.6$$

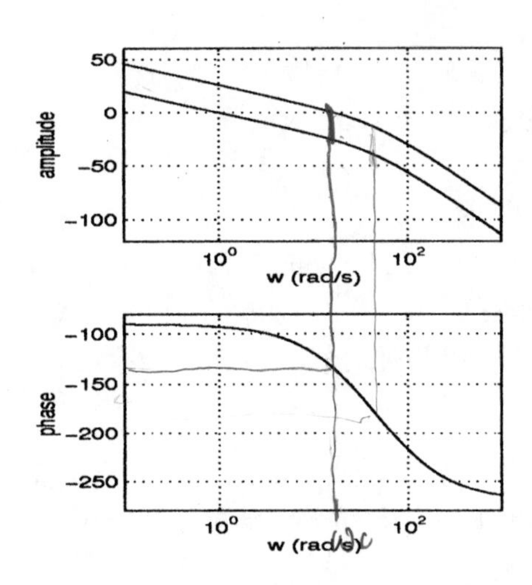

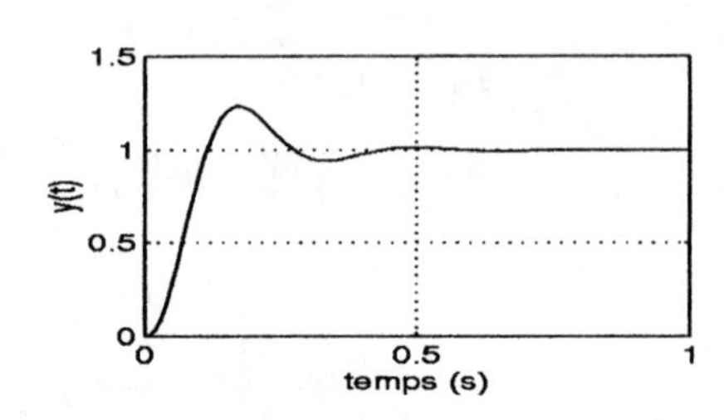

Figure 7.28 Diagrammes de Bode des fonction de transfert $\frac{1}{s(0.0125s+1)(0.04s+1)}$ et $\frac{20.19}{s(0.0125s+1)(0.04s+1)}$, et réponse indicielle du système compensé en boucle fermée

4. en utilisant la valeur du gain du correcteur proportionnel trouvé en 3, le tracé du diagramme de Bode tel représenté à la figure 7.28 nous indique que l'on a:

$$\begin{aligned} \Delta\phi &= 45^o \\ \Delta G &= 14.35\ db \end{aligned}$$

Ce qui correspond aux spécifications imposées.

7.6.2 Correcteur proportionnel-intégral (PI)

En général, le correcteur PI entraîne une diminution de la bande passante du système compensé, ce qui entraîne une augmentation du temps de réponse t_r et une plus grande insensibilité aux perturbations de pulsations supérieures à ω_b. Un autre effet bénéfique est l'augmentation du type du système d'une unité, ce qui, dans certains cas, se traduit par l'annulation de l'erreur en régime permanent. La fonction de transfert du correcteur PI est donnée par:

$$C(s) = k_p + \frac{k_I}{s} = \frac{1 + s\tau_n}{s\tau_i}$$

où $k_p = \frac{\tau_n}{\tau_i}$ et $k_I = \frac{1}{\tau_i}$.

Compte tenu de l'expression de $G(s)$ donnée à la section précédente, l'expression de la fonction de transfert en boucle ouverte du système compensé est donnée par:

$$T(s) = C(s)G(s) = K(1 + s\tau_n)\frac{b_m s^m + \ldots + b_1 s + 1}{s^{l+1}(a_n s^n + \ldots + a_1 s + 1)}$$

où $K = \frac{k}{\tau_i}$.

En général, le correcteur PI est utilisé pour assurer les spécifications suivantes:

- une réponse indicielle apériodique ou oscillante;
- une erreur en régime permanent donnée;
- un temps de réponse donné;
- un système stable.

L'effet principal du correcteur PI est l'imposition d'un temps de réponse donné et l'annulation de l'erreur en régime permanent du système en boucle fermée. Nous présentons une procédure qui permet de concevoir ce type de correcteur. Elle est basée sur l'annulation du pôle le plus défavorable. Cette procédure se résume comme suit:

1. **Déterminer le pôle le plus défavorable du point de vue de stabilité. Ce pôle correspond à la constante de temps la plus élevée. L'annulation de ce pôle par le zéro du correcteur permet de déterminer τ_n en utilisant la relation suivante:**

$$\tau_n = \left|\frac{1}{p_{min}}\right| = \tau_{max}$$

2. **Déterminer le gain K_d de la fonction de transfert en boucle ouverte du système compensé en tenant compte de l'annulation pôle-zéro et en utilisant la méthode de Bode. Puis, en déduire τ_i en utilisant la relation:**

$$\tau_i = \frac{k}{K_d}$$

3. **En déduire les gains k_p et k_I en utilisant les relations suivantes:**

$$k_I = \frac{1}{\tau_i}$$
$$k_p = \frac{\tau_n}{\tau_i}$$

4. **Tracer le diagramme de Bode du système compensé et vérifier si les marges de phase et de gain sont acceptables.**

Exemple 7.14 Design d'un correcteur PI

Pour illustrer les étapes de la procédure de design du correcteur PI, nous allons travailler sur un système de 3e ordre du type 0 et concevoir un correcteur PI qui assure au système les spécifications requises. La fonction de transfert d'un tel système est donnée par:

$$G(s) = \frac{4}{(0.5s+1)(4s+1)(0.1s+1)}$$

On cherche à assurer au système en boucle fermée une erreur nulle en régime permanent associée à une grandeur d'entrée en forme d'échelon, une réponse indicielle possédant un taux d'amortissement de l'ordre de 0.5.

Pour déterminer le correcteur qui répond aux spécifications précédentes, on suit la procédure présentée précédemment.

1. De la fonction de transfert du système non compensé, $G(s)$, on conclut que le pôle le plus défavorable est $p_{min} = -\frac{1}{\tau_{max}} = -\frac{1}{4} = -0.25$. Ce qui donne $\tau_n = \tau_{max} = 4$.

2. Le diagramme de Bode de

$$T(s) = \frac{(1+4s)}{s} \frac{1}{(1+0.5s)(1+4s)(0.1s+1)} = \frac{1}{s(1+0.5s)(0.1s+1)}$$

est illustré à la figure 7.29.

De ce diagramme, on déduit que $K_d = 5.3\ db$ soit $K_d = 1.87$. Le paramètre τ_i du correcteur PI est donné par:

$$\tau_i = \frac{4}{1.87} = 2.14\ s$$

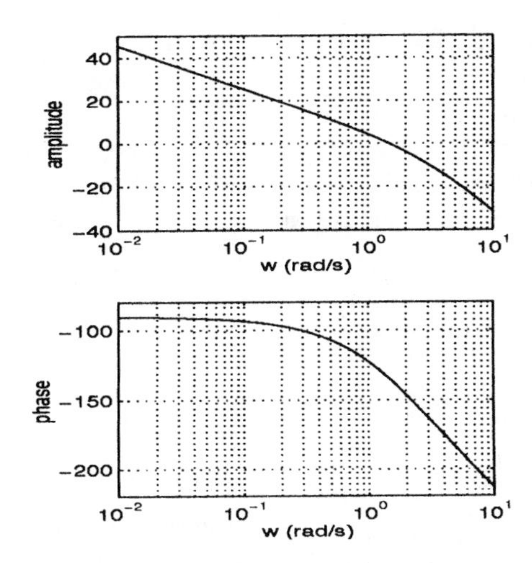

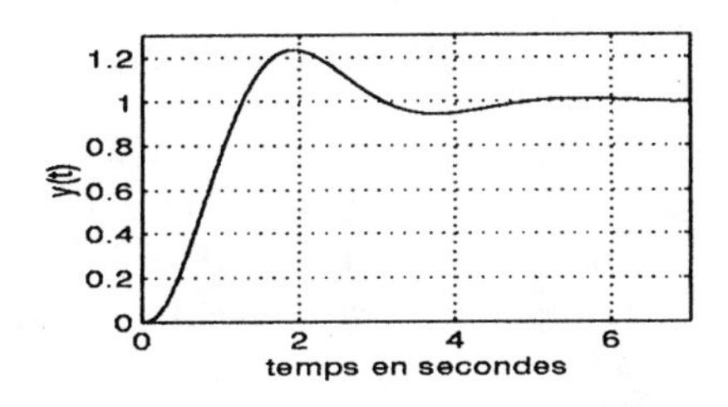

Figure 7.29 Diagramme de Bode de $\frac{1}{s(1+0.5s)(0.1s+1)}$ et réponse indicielle du système corrigé en boucle fermée.

3. Les valeurs de k_p et de k_I sont données par:

$$\begin{aligned} k_p &= \frac{\tau_n}{\tau_i} = \frac{4}{2.14} = 1.87 \\ k_I &= \frac{1}{2.14} = 0.47 \end{aligned}$$

4. La fonction de transfert en boucle ouverte du système compensé est:

$$C(s)G(s)H(s) = \frac{1.87}{s(1+0.5s)(0.1s+1)}$$

dont le diagramme de Bode est illustré à la figure 7.29. Les marges de phase et de gain correspondantes sont données par:

$$\begin{aligned} \Delta\varphi &= 45^o \\ \Delta G &= 16.15 \ db \end{aligned}$$

Ces valeurs sont acceptables. D'un autre côté, la réponse indicielle du sysème corrigé en boucle fermée dont l'expression est:

$$F(s) = \frac{4(k_p s + k_I)}{0.2s^4 + 2.45s^3 + 4.6s^2 + (1+4k_p)s + 4k_I}$$

est illustré à la figure 7.29. On constate que les performances du système sont acceptables.

7.6.3 Correcteur proportionnel-dérivé PD

L'effet d'un correcteur proportionnel-dérivé est contraire à celui du correcteur proportionnel-intégral. Ainsi, il permet d'augmenter la bande passante du système lorsqu'il est utilisé, ce qui se traduit par une réduction du temps de réponse et une grande sensibilité aux perturbations de pulsations supérieures à la bande passante.

La fonction de transfert du correcteur PD est donnée par:

$$C(s) = k_p + k_D s = k_p(1 + \tau_D s) \text{ avec } \tau_D = \frac{k_D}{k_p}$$

Compte tenu de l'expression de $G(s)$ donnée à la section du correcteur (P), celle de la fonction de transfert du système compensé en boucle ouverte est donnée par:

$$T(s) = C(s)G(s) = K(1 + \tau_D s)\frac{b_m s^m + \ldots + b_1 s + 1}{s^l(a_n s^n + \ldots + a_1 s + 1)}$$

où $K = k_p k$.

En général, le correcteur PD est utilisé pour assurer les spécifications suivantes:

- une réponse indicielle apériodique ou oscillante;
- une erreur en régime permanent donnée;
- un système stable.

Nous présentons une procédure qui permet de concevoir ce type de correcteur. Elle est basée sur l'avance de phase maximal de 90° (avance maximale du PD) lorsque l'amplitude du correcteur est de 20 db. Ce maximum de phase se produit à $\omega_m = \frac{10}{\tau_D}$. La procédure se résume comme suit:

1. **à partir de la spécification relative à l'erreur en régime permanent, déterminer la valeur du gain K_d;**

2. **tracer le diagramme de Bode de $K_d \frac{b_m s^m + \ldots + b_1 s + 1}{s^l(a_n s^n + \ldots + a_1 s + 1)}$ et déterminer la pulsation ω_m pour laquelle le gain en db de cette fonction de transfert est égal à -20 db;**

3. **étant donné que la fréquence de coupure du PD est $\frac{1}{\tau_D}$, à la fréquence $\frac{10}{\tau_D}$, le gain et la phase sont respectivement 20 db et 90°. Prendre $\omega_m = \frac{10}{\tau_D}$ et vérifier la marge de phase du système compensé à ω_m:**

$$\Delta\varphi_c = \varphi + 90$$

où φ est la phase du système sans correcteur à cette fréquence ω_m.

Ainsi si

$$\Delta\varphi_c \begin{cases} < 40^o & \textbf{choisir un autre correcteur} \\ > 50^o & \textbf{diminuer } \tau_D \textbf{ jusqu'à ce que } \Delta\varphi_c = 45^o \textbf{ et noter } \tau_D \end{cases}$$

4. **calculer les paramètres du correcteur en utilisant les relations suivantes:**

$$\begin{aligned} k_p &= \frac{K_d}{k} \\ k_D &= k_p \tau_D \end{aligned}$$

5. **tracer le diagramme de Bode de $T(s)$ et vérifier si les marges de phase et de gain du système corrigé sont acceptables.**

Exemple 7.15 Design d'un correcteur PD

Pour illustrer les étapes de la procédure de design du correcteur PD dans le domaine fréquentiel, on travaille sur un système du 3e ordre de type 1. La fonction de transfert d'un tel système est donnée par l'expression suivante:

$$G(s) = \frac{5}{s(1+2s)(0.2s+1)}$$

On cherche à assurer au système en boucle fermée une erreur en régime permanent associée à une grandeur d'entrée en forme de rampe unitaire de l'ordre de 10%, une réponse indicielle possédant un taux d'amortissement de l'ordre de 0.5.

Il est clair qu'un correcteur de type PD est suffisant pour répondre aux spécifications précédentes. Pour déterminer le correcteur qui répond à ces spécifications, suivons la procédure présentée précédemment.

1. Pour un système de type 1, l'erreur associée à une rampe unitaire est inversement proportionnelle au gain de la fonction de transfert en boucle ouverte, soit:

$$K_d = \frac{1}{0.1} = 10$$

2. Le diagramme de Bode $\frac{K_d}{s(2s+1)(0.2s+1)}$ est illustré à la figure 7.30.

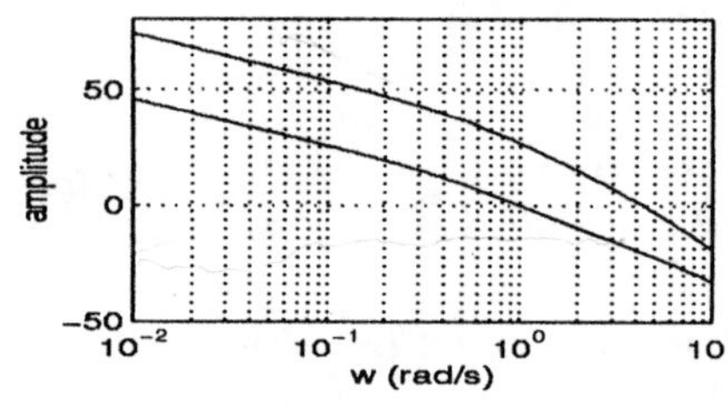

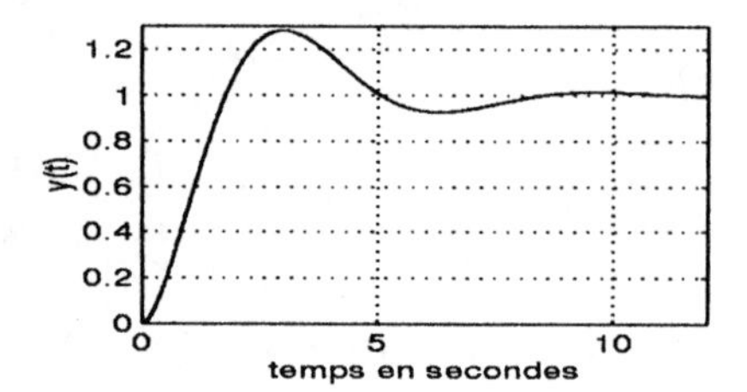

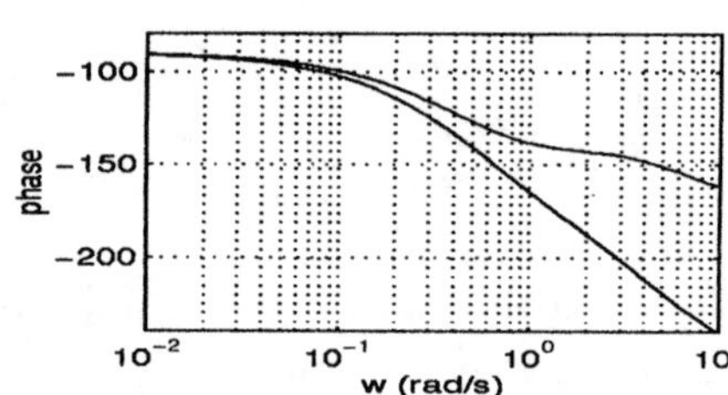

Figure 7.30 Diagramme de Bode de $\frac{10}{s(1+2s)(0.2s+1)}$, de $\frac{1+\tau_D s}{s(1+2s)(0.2s+1)}$ et réponse indicielle du système compensé en boucle fermée

Le gain est égal à -20db lorsque la pulsation ω_m est égale à 10 rad/s.

3. La marge de phase du système non compensé est $\Delta\varphi = -238.5^o$ à $\omega = \omega_m = 10rad/s$. La marge de phase du système compensé est alors:

$$\Delta\varphi_c = 180 - 238.5 + 90 = 31.5^o$$

Cette marge n'est pas comprise entre 40° et 50°, la valeur du paramètre τ_D doit alors être choisie de la manière suivante:

$$\tau_D = \frac{10}{\omega'_m} \quad \text{avec} \quad \omega'_m < 10$$

soit $\tau_D = \frac{10}{6}$. Ce qui donne la marge de phase désirée.

4. Les paramètres k_p et k_D sont donnés par:

$$\begin{aligned} k_p &= \frac{10}{5} = 2 \\ k_D &= 2\frac{10}{\omega_m} = 1 \end{aligned}$$

5. Le diagramme de Bode de $G_c(s)$ est représenté à figure 7.30. Les marges de gain et de phase sont données par:

$$\begin{aligned} \Delta G &= \infty \\ \Delta\varphi &= 41.95^o \end{aligned}$$

La fréquence coupure est $\omega_{am} = 1\ rad/s$. La réponse en boucle fermée du système corrigé est illustré à la figure 7.30. On en déduit que toutes les spécifications sont satisfaites.

7.6.4 Correcteur proportionnel-intégral-dérivé PID

Le correcteur PID possède des effets bénéfiques de chacun des correcteurs PD et PI considérés séparément. Ainsi, il permet d'augmenter le type du système, ce qui se traduit par l'annulation de l'erreur en régime permanent dans certains cas et le maintien de la bande passante. La fonction de transfert du correcteur PID est donnée par:

$$C(s) = k_p + \frac{k_I}{s} + k_D s = \frac{(1+s\tau_n)(1+s\tau_v)}{s\tau_i}$$

où $k_p = \frac{\tau_n + \tau_v}{\tau_i}$, $k_I = \frac{1}{\tau_i}$ et $k_D = \frac{\tau_n \tau_v}{\tau_i}$.

Compte tenu de l'expression de $G(s)$ donnée à la section du correcteur P, celle de la fonction de transfert en boucle ouverte du système compensé est donnée par:

$$G_c(s) = K_c \frac{(1+s\tau_n)(1+s\tau_v)(b_m s^m + \ldots + b_1 s + 1)}{s^{l+1}(a_n s^n + \ldots + a_1 s + 1)} \quad \text{avec } K = \frac{k}{\tau_i}$$

Étant donné que le correcteur PID combine les effets du correcteur PI et ceux du correcteur PD, nous devons trouver les spécifications relatives à ces deux types de correcteurs.

En général, le correcteur PID est utilisé pour assurer les spécifications suivantes:

- une réponse indicielle apériodique ou oscillante;
- une erreur en régime permanent donnée;
- un temps de réponse donné;
- un système stable.

La procédure de design d'un tel correcteur est une combinaison des deux procédures du design des correcteurs PI et PD. Elle est principalement basée sur l'introduction d'un pôle à l'origine, sur le gain K_d en régime permanent et sur l'avance de phase maximale $\Delta\varphi = 90^o$ lorsque l'amplitude du correcteur est égal à $-20db$ ($\omega_n \tau_v = 10$). Les différentes étapes de cette procédure se résument comme suit:

1. **déterminer le pôle le plus défavorable du point de vue de stabilité. Ce pôle correspond à la constante de temps la plus élevée. Puis, procéder à l'annulation de ce pôle par l'un des zéros du correcteur, ce qui permet de calculer τ_n par la relation suivante:**

$$\tau_n = \left| \frac{1}{p_{min}} \right| = \tau_{max}$$

2. **Calculer la valeur du gain K_d du système compensé en utilisant la spécification relative à l'erreur en régime permanent.**

$$K_d = \begin{cases} \frac{1-e(\infty)}{e(\infty)} & \text{si } G_1(s)G_2(s) \text{est de type0} \\ \frac{1}{e(\infty)} & \text{si } G_1(s)G_2(s) \text{est de type 1} \end{cases}$$

où $e(\infty)$ est l'erreur en régime permanent imposée.

3. **Tracer le diagramme de Bode de**

$$T(s) = K(1+\tau_n s)\frac{b_m s^m + \ldots + b_1 s + 1}{s^{l+1}(a_n s^n + \ldots + a_1 s + 1)}$$

Puis mesurer la marge de phase correspondante, notée $\Delta\varphi_o$. Déterminer la pulsation ω_m pour laquelle l'amplitude est égal à -20 db. Vérifier la marge de phase du système compensé à la fréquence ω_m

$$\Delta\varphi_c = \varphi + 90,$$

où φ représente la phase de $T(s)$ à la fréquence ω_m. Ainsi si $\Delta\varphi_c = 45^o$, alors on prend $\tau_v = \frac{10}{\omega_n}$

Dans le cas contraire, on procède comme suit:

$$\Delta\varphi_c \begin{cases} < 40^o & \textbf{introduire un correcteur supplémentaire} \\ > 50^o & \textbf{diminuer } \tau_v \textbf{ jusqu'à ce que } \Delta\varphi = 45^o \textbf{ et noter } \tau_v \end{cases}$$

4. **Calculer les paramètres k_p, k_D, et k_I du correcteur PID en utilisant les relations suivantes.**

$$\begin{aligned} k_I &= \frac{1}{\tau_i}, \; (K_d = \frac{k}{\tau_i}) \\ k_p &= \frac{\tau_n + \tau_v}{\tau_i} \\ k_D &= \frac{\tau_n \tau_v}{\tau_i} \end{aligned}$$

5. **Tracer le diagramme de Bode du système compensé (i.e. $G_c(s)$) et vérifier si les marges de phase et de gain sont acceptables.**

Exemple 7.16 Design d'un PID pour un système d'ordre 3 et de type 0

Pour illustrer les étapes de la procédure de design des correcteurs PID, nous allons considérer le système de troisième ordre illustré à la figure 7.31.

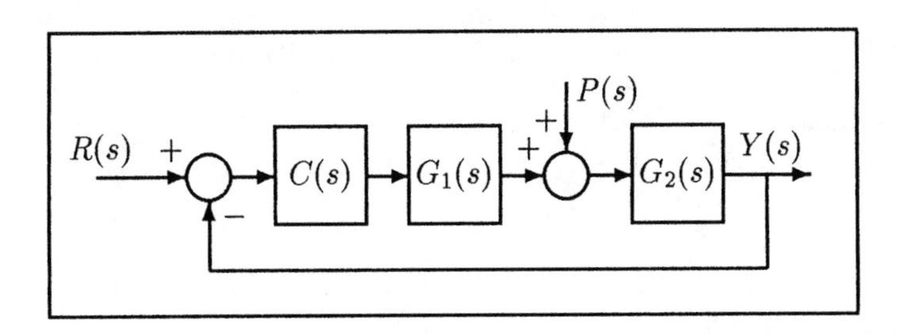

Figure 7.31 Structure de commande d'un système du 3ᵉ ordre à l'aide d'un PID

Les fonctions de transfert $G_1(s)$ et $G_2(s)$ sont données par:

$$\begin{aligned} G_1(s) &= \frac{1}{1+0.9s} \\ G_2(s) &= \frac{0.1}{(1+2s)(1+10s)} \end{aligned}$$

On cherche à assurer au système en boucle fermée une erreur en régime permanent associée à une rampe unitaire de l'ordre de 10%, et une marge de phase de l'ordre de 45°.

Pour satisfaire ces spécifications, l'emploi d'une action intégrale est nécessaire étant donné que le type est 0. On utilise un correcteur PID. Pour déterminer les paramètres k_p, k_I, et k_D de ce correcteur, suivons la procédure précédente.

1. La fonction de transfert en boucle ouverte du système non compensé est donnée par:

$$G(s) = G_1(s)G_2(s) = \frac{0.1}{(1+2s)(1+10s)(0.9s+1)}$$

De cette fonction de transfert, on déduit que le pôle le plus défavorable est $p_{min} = -\frac{1}{10}$. Ce qui correspond à $\tau_n = 10$.

2. En tenant compte de la spécification relative à l'erreur en régime permanent, la valeur du gain permanent K_d est alors:

$$K_d = \frac{1}{0.1} = 10$$

3. Le diagramme de Bode de

$$\frac{0.1K_d(1+10s)}{s(1+0.9s)(1+2s)(1+10s)}$$

est représenté à la figure 7.32.

De ce diagramme, nous déduisons que la valeur de la marge de phase est de l'ordre de:

$$\Delta\varphi_1 = -45.09^o$$

La pulsation ω_m pour laquelle l'amplitude est égale à -20 *db* est donnée par:

$$\omega_m = 3.6 \; rad/s$$

La phase du système non compensé à cette fréquence ω_m est donnée par:

$$\varphi = -245.51^o$$

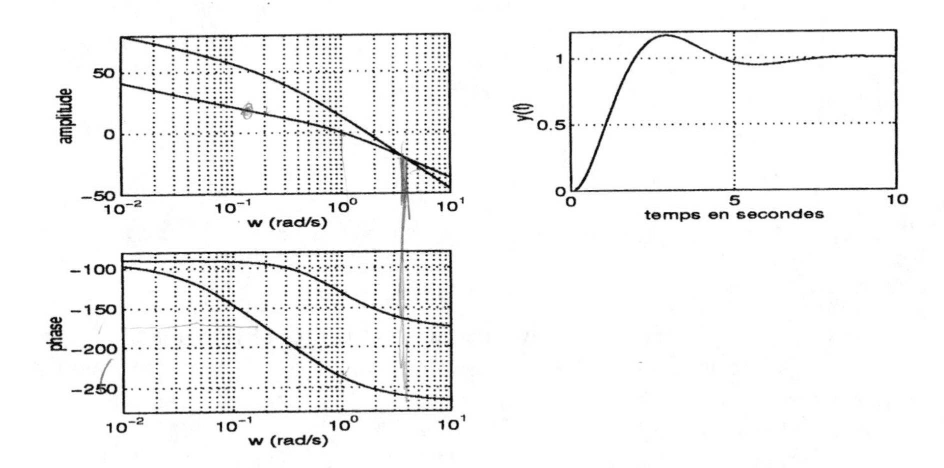

Figure 7.32 Diagrammes de Bode des fonctions de transfert $\frac{1}{s(1+0.9s)(1+2s)}$ et $\frac{k_d(1+\tau_n s)(1+\tau_v s)}{(1+0.9s)(1+2s)(1+10s)}$, et réponse indicielle du système corrigé en boucle fermée

Ce qui donne une marge de phase $\Delta\varphi$ de l'ordre de -45.09^o. Avec le correcteur proprement choisi, on a comme marge de phase:

$$\varphi_c = -45^o$$

La constante τ_v est choisie de la manière suivante:

$$\tau_v = \frac{10}{\omega_m} = \frac{10}{3.6} = 2.78$$

4. Les paramètres k_p, k_I, k_D du correcteur sont calculés après avoir tenu compte de l'ajustement du gain pour l'erreur en régime permanent:

$$\begin{aligned}
\tau_i &= \frac{k}{K_c} = \frac{0.1}{10} = 0.01 \\
k_p &= \frac{\tau_n + \tau_v}{\tau_i} = 127.78 \\
k_I &= \frac{1}{\tau_i} = 10 \\
k_D &= \frac{\tau_n \tau_v}{\tau_i} = 278.0
\end{aligned}$$

5. Le diagramme de Bode du système compensé est donné par la figure 7.32. La réponse indicielle du système corrigé avec le correcteur PID est illustrée

à la figure 7.32. Nous constatons que la réponse est acceptable. Les marges de phase et de gain sont données par:

$$\begin{aligned} \Delta\varphi &= 2.97^o \\ \Delta G &= 3.92 \end{aligned}$$

7.6.5 Correcteur avance de phase

D'après l'étude de l'exemple 6.24 du chapitre 6, on sait que pour chaque valeur du paramètre a, le correcteur avance de phase peut produire un maximum de phase ϕ_m. Cette valeur et la fréquence ω_m à laquelle ce maximum se produit peuvent être formulées comme fonctions de a et T à partir du diagramme de Bode. Ces fonctions sont:

$$\omega_m = \frac{1}{T\sqrt{a}} \tag{7.41}$$

En évaluant la phase du correcteur à cette fréquence, on peut montrer que l'on a l'expression suivante:

$$\sin\phi_m = \frac{a-1}{a+1} \tag{7.42}$$

ou

$$a = \frac{1+\sin\phi_m}{1-\sin\phi_m} \tag{7.43}$$

Ces deux relations sont très utiles dans le design du correcteur avance de phase.

Le design dans le domaine en fréquence est souvent lié aux spécifications de marge de phase et de marge de gain.

Le but de ce correcteur est d'utiliser son maximum de phase pour augmenter la phase du système en boucle ouverte près de la fréquence à laquelle le module en décibels coupe le 0 db (i.e. fréquence à laquelle le module est égal à 1), tout en gardant inchangée la courbe de gain aux alentours de cette fréquence. Ceci n'est, en général, pas réalisable et un compromis doit être trouvé.

En notant par $G(s)$ la fonction de transfert du système à commander et par $C(s)$ celle du correcteur avance de phase que l'on cherche à utiliser pour répondre aux spécifications imposées dont l'expression est donnée par:

$$C(s) = k_p\frac{aTs+1}{Ts+1}, \text{ avec } a > 1$$

la fonction de transfert du système compensé en boucle ouverte s'écrit:

$$G_c(s) = C(s)G(s) = K\frac{aTs+1}{Ts+1}\frac{b_m s^m + \ldots + 1}{s^l(a_n s^n + \ldots + 1)}$$

avec $K = k_p k$.

Le design est principalement basé sur le fait que l'on veut que le correcteur avance de phase apporte sa contribution maximale en phase à la fréquence ω_m, qui sera aussi considérée comme la fréquence de coupure du système compensé. C'est-à-dire que la courbe de gain coupe le 0 *db* à une fréquence ω égale à ω_m. La procédure de design suggérée repose sur les différentes étapes à suivre sont les suivantes:

1. **trouver la valeur K qui permet d'obtenir l'erreur en régime permanent, en utilisant le fait que seule la contribution en gain du correcteur avance de phase est utilisée. Le gain k_p du correcteur est déterminé à partir de la relation suivante:**

$$k_p = \frac{K}{k}$$

2. **tracer le diagramme de Bode de $K\frac{b_m s^m + \ldots + 1}{s^l(a_n s^n + \ldots + 1)}$ puis déterminer la marge de gain et la marge de phase du système non compensé. Calculer la marge de phase ϕ qui manque. Cette valeur augmentée d'une faible quantité pour assurer la sécurité doit être considérée comme ϕ_m, ce qui permet d'obtenir le paramètre a à partir de:**

$$a = \frac{1 + \sin\phi_m}{1 - \sin\phi_m} \tag{7.44}$$

3. **trouver la fréquence à laquelle le gain du système sans le correcteur est égal à $-20log_{10}\sqrt{a}$ et la considérer comme étant la fréquence de coupure du système compensé. Le paramètre T du correcteur est alors déterminé par la relation suivante:**

$$T = \frac{1}{\omega_m\sqrt{a}}$$

4. **construire le diagramme de Bode du système compensé et voir si les spécifications sont satisfaites. Dans le cas contraire, ϕ_m est modifié et la procédure est répétée.**

Exemple 7.17 Design d'un correcteur avance de phase

Le système considéré dans cet exemple admet comme fonction de transfert l'expression suivante:

$$G(s) = \frac{K}{s(s+1)}$$

Pour $K = 10$, nous avons une constante d'erreur de vitesse $K_v = 10$. Pour cette valeur, le régime transitoire n'est pas satisfaisant. Déterminer le correcteur avance de phase qui procure au système une marge de gain supérieure à 6 dB et une marge de phase de l'ordre de 40°.

La procédure précédente est utilisée pour répondre à ces spécifications.

1. pour avoir les spécifications relatives au régime permanent, on a: $K = 10$
2. le diagramme de Bode de $\frac{10}{s(s+1)}$ est illustré à la figure 7.33. De ce diagramme, on déduit une marge de phase égale à 17.96^o et une marge de gain infinie. De là découle que $40^o - 17^o = 23^o$ doit être ajouté à la courbe de phase pour satisfaire la spécification de marge de phase. De ce déficit d'angle augmenté de 5° ($\phi_m = 28^o$), on tire la valeur de a,
$$a = \frac{1 + \sin 28}{1 - \sin 28} = 2.77$$
3. de cette valeur, on déduit que $-20log_{10}\sqrt{a} = -8.85\ db$, le gain de la fonction de transfert en boucle ouverte sans le correcteur avance de phase prend la valeur de $-8.85\ db$ à la fréquence approximative de 4 rad/s. En prenant $\omega_m =$ 4 rad/s on a:
$$T = \frac{1}{\omega_m\sqrt{a}} = \frac{1}{4\sqrt{2.77}} = 0.16$$
Ce qui donne l'expression pour le correcteur:
$$C(s) = 10\frac{(0.42s+1)}{(0.16s+1)}$$
et les fonctions de transfert du système compensé en boucle ouverte et fermée sont:
$$\begin{aligned} C(s)G(s)H(s) &= \frac{K(0.42s+1)}{s(s+1)(0.16s+1)} \\ F(s) &= \frac{k_p(aTs+1}{Ts^3+(1+T)s^2(1+ak_pT)s+k_p} \end{aligned}$$

4. du tracé de Bode tel qu'illustré à la figure 7.33 du système compensé, on déduit que $\Delta\phi = 40.67^o$ et que $\Delta M = \infty$. La réponse indicielle du système corrigé est illustrée à la figure 7.33. les spécifications n'étant pas satisfaites, on doit reprendre l'étude.

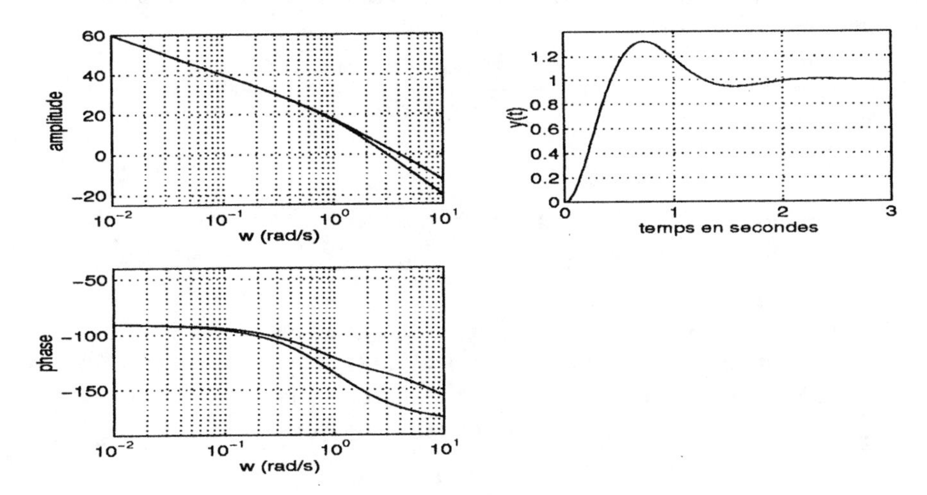

Figure 7.33 Diagramme de Bode de $\frac{10}{s(s+1)}$, de $\frac{10(0.42s+1)}{s(0.16s+1)(s+1)}$ et réponse indicielle du système corrigé en boucle fermée

7.6.6 Correcteur retard de phase

Comme son nom l'indique, le correcteur retard de phase est principalement utilisé pour améliorer la phase du système considéré et par conséquent améliorer le régime transitoire. Il représente une approximation du correcteur PI. Le correcteur retard de phase a pour effet principal la diminution de la bande passante du système compensé, ce qui entraîne l'augmentation du temps de réponse et une plus grande insensibilité aux perturbations de pulsation supérieure à la bande passante.

Ce type de correcteur utilise les atténuations du circuit en fréquence pour garder la courbe de phase inchangée plus près de la fréquence de coupure associée au gain tout en réduisant cette fréquence.

En notant par $G(s)$ la fonction de transfert du système à commander et par $C(s)$ celle du correcteur retard de phase que l'on cherche à utiliser pour répondre aux spécifications imposées, i.e.,

$$C(s) = k_p \frac{aTs+1}{Ts+1}.$$

la fonction de transfert en boucle ouverte du système en boucle fermée est donnée par:

$$G_c(s) = C(s)G(s) = K \frac{aTs+1}{Ts+1} \frac{b_m s^m + \ldots + 1}{s^l(a_n s^n + \ldots + 1)}$$

avec $K = kk_p$.

La procédure de design de ce correcteur repose sur les étapes à suivre se résument aux points suivants:

1. **trouver la valeur K qui permet d'obtenir l'erreur en régime permanent, en utilisant le fait que seule la contribution en gain du correcteur avance de phase est utilisée. Le gain k_p du correcteur est déterminé à partir de la relation suivante:**

$$k_p = \frac{K}{k}$$

2. **tracer le diagramme de Bode de $K \frac{b_m s^m + \ldots + 1}{s^l(a_n s^n + \ldots + 1)}$ puis déterminer la fréquence à laquelle la courbe de phase a la marge de phase désirée. Déterminer le nombre de décibels requis pour ramener la courbe de gain à 0 dB à cette fréquence. Soit m' cette valeur et ω' cette fréquence, la valeur de a est alors déterminée à partir de l'expression:**

$$a = 10^{-\frac{m'}{20}} \tag{7.45}$$

Les étapes précédentes altèrent la courbe de phase. Cependant, cette courbe ne sera pas changée de manière appréciable au voisinage de ω' si T est choisi de manière à satisfaire la relation suivante:

$$\omega' \gg \frac{1}{aT}$$

3. **Un bon choix du paramètre T est déterminé de façon à placer la fréquence $\frac{1}{aT}$ à une décade de ω', soit:**

$$\frac{1}{aT} = \frac{\omega'}{10} \tag{7.46}$$

c'est-à-dire:

$$T = \frac{10}{\omega' a}$$

4. **Construire Bode et évaluer les spécifications. Si elles sont satisfaites, le design est terminé, sinon, on doit répéter la procédure.**

Exemple 7.18 Design d'un correcteur retard de phase

Considérons le même exemple que précédemment. Pour $K = 1$, nous avons la paire de pôles suivante:

$$s_{1,2} = -0.5 \pm j0.866.$$

Supposons que le régime transitoire est satisfait, mais que la constante d'erreur de vitesse C_v n'est pas satisfaite et qu'on désire avoir $C_v = 10$, $\Delta\phi \geq 40^o$, $M \geq 6$ dB.

Pour déterminer le correcteur retard de phase qui convient et résoudre ce problème, on peut utiliser la procédure de design de correcteur retard de phase vue précédemment.

1. Comme le type du système est égal à 1, la constante d'erreur de vitesse est égale à K. Ce qui donne $K = 10$.

2. On construit le diagramme de Bode de la fonction de transfert, $\frac{10}{s(s+1)}$ du système non compensé en boucle ouverte. En choisissant une marge de phase sécuritaire de 5°, on a: $\Delta\phi = 40^o + 5^o = 45^o$

   Le système non compensé admet une marge de phase de 45° à la fréquence 1 rad/s, ce qui donne $\omega' = 1$ rad/s.

   La courbe d'amplitude a, à cette fréquence, un gain de 18 db, ce qui donne $m' = 18$. La valeur de a est alors donnée par:

$$a = 10^{-\frac{18}{20}} = 0.13$$

3. T est choisi de manière à placer $\omega = \frac{1}{aT}$ à une décade de $\omega' = 1$ rad/s, soit $\frac{1}{aT} = 0.1$. Ce qui correspond à $T = 79.4$. La fonction de transfert du correcteur retard de phase est alors donnée par:

$$C(s) = 10\frac{10s + 1}{79.4s + 1} \qquad (7.47)$$

et la fonction de transfert du système compensé en boucle ouverte est:

$$G_c(s)G(s)H(s) = \frac{10(10s+1)}{s(s+1)(79.4s+1)} \tag{7.48}$$

4. Le diagramme de Bode associé est illustré à la figure 7.34. On constate que pour $K = 10$, $C_v = 10$, $\Delta\phi = 41.76^o$ et $\Delta M = \infty$. Ce qui répond aux spécifications imposées.

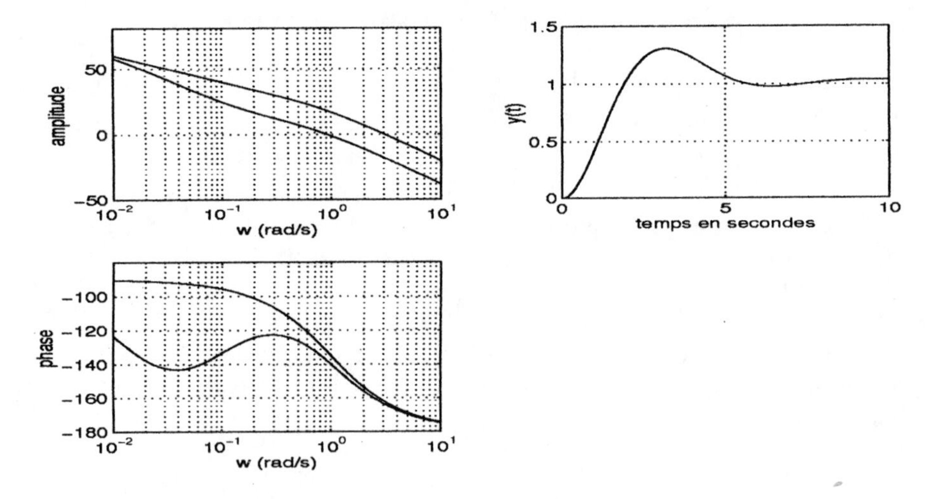

Figure 7.34 Diagramme de Bode de $\frac{10(10s+1)}{s(s+1)(79.4s+1)}$ et réponse indicielle du système corrigé en boucle fermée

7.6.7 Correcteur avance-retard de phase

Tel que son nom l'indique, le correcteur avance-retard de phase est une combinaison des correcteurs avance de phase et retard de phase. Il représente une approximation du correcteur PID avec la différence essentielle qu'il ne permet pas l'annulation de l'erreur en régime permanent du système comme le correcteur PID le fait.

Son effet principal est un compromis des effets des correcteurs avance de phase et retard de phase. Ainsi, il permet d'obtenir une bande passante qui assure un temps de réponse relativement faible et une sensibilité moyenne aux perturbations dont la pulsation est supérieure à la bande passante.

Nous avons présenté la structure de ce correcteur dans une sous-section antérieure. Rappelons ici les avantages de ce correcteur. Quand il est inséré en cascade avec un système, ce correcteur peut être plus efficace qu'un correcteur avance de phase seul. Il affecte le gain et la phase du système seulement dans les fréquences intermédiaires situées entre $\frac{1}{T_2}$ et $\frac{1}{T_1}$.

En se référant à la sous-section 7.3.6, la fonction de transfert de ce correcteur est généralement donnée par la forme suivante:

$$G(s) = k_p \frac{(1 + \beta_1 T_1 s)(1 + s\beta_2 T_2)}{(1 + T_1 s)(1 + T_2 s)}$$

où $k_p > 0$, $\beta_1 > 1$ et $\beta_2 < 1$.

La procédure de design d'un tel correcteur à l'aide du diagramme de Bode repose principalement sur les procédures de design du correcteur avance de phase et du correcteur retard de phase. Remarquons que ce type de correcteur est généralement utilisé lorsque les performances en régime permanent et en régime transitoire ne sont pas satisfaisantes. Le choix de la procédure initiale repose principalement sur la décision du designer. Ainsi, s'il juge que le régime transitoire est d'une grande importance, il commence par le design du correcteur avance de phase. Ensuite, une fois le design de ce correcteur terminé, il faut s'attaquer au design du correcteur retard de phase. Par contre, lorsque le designer juge que le régime permanent est d'une grande importance, le cheminement inverse est utilisé.

La procédure de design du correcteur avance-retard de phase se résume aux points suivants:

1. **À partir des spécifications de l'erreur en régime permanent, déterminer la valeur à donner au gain du correcteur avance-retard de phase;**

2. **En utilisant cette valeur pour le gain K, tracer le diagramme de Bode de la fonction de transfert du système non compensé, puis trouver la marge phase de ce sysème.**

3. **Déterminer les paramètres du correcteur avance de phase;**

4. **Déterminer les paramètres du correcteur retard de phase;**

5. **Déterminer la fonction de transfert en boucle ouvert du système corrigé, puis vérifier si toutes les spécifications sont satisfaites ou non. Dans le cas oú les spécifications ne sont satisfaites, reprendre la prcédure à partir du point 2.**

Exemple 7.19 Design d'un correcteur avance-retard de phase pour un système de troisième ordre

Considérons l'asservissement du moteur à courant continu entraînant une charge mécanique dont la fonction de transfert globale est:

$$G(s) = \frac{1}{s(s+0.5)}$$

On demande de déterminer le correcteur avance-retard de phase qui assure au système en boucle fermée à retour unitaire les spécifications suivantes:

- une erreur en régime permanent de l'ordre de 0.01;
- une marge de phase de l'ordre de 40°;
- une marge de gain plus grande à 10 db;

En suivant la procédure présentée précédemment, on a:

- le gain est $K = 100$
- le tracé du diagramme de Bode est illustré à la figure 7.35.
- la procédure présentée précédemment pour le design du correcteur avance de phase dans le domaine fréquentiel a permis de trouver l'expression suivante pour le correcteur avance de phase:

$$C_1(s) = \frac{s + \frac{1}{a_1 T_1}}{s + \frac{1}{T_1}}$$

avec $a_1 = 10$ et $T_1 = 0.2$

- la procédure présentée précédemment pour le design du correcteur retard de phase dans le domaine fréquentiel nous a permis de trouver l'expression suivante pour le correcteur retard de phase:

$$C_2(s) = \frac{s + \frac{1}{a_2 T_2}}{s + \frac{1}{T_2}}$$

avec $a_2 = 0.1$ et $T_2 = 100$

- la réponse indicielle du système compensé est représentée à la figure 7.35. On constate que les spécifications sont satisfaites.

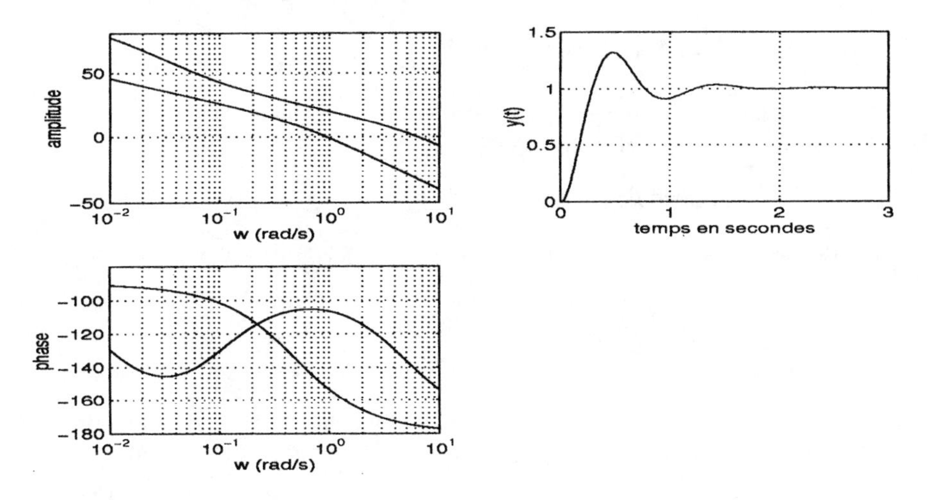

Figure 7.35 Diagramme de Bode de $\frac{1}{s(s+0.5)}$ et réponse indicielle du système corrigé en boucle fermée

7.7 RÉSUMÉ

Les systèmes asservis sont souvent conçus pour des buts bien précis. En général, un système asservi bien conçu doit offrir les qualités suivantes:

- opérer de manière stable;
- assurer à la grandeur de sortie du système asservi des oscillations acceptables avec un dépassement raisonnable;

- assurer la plus petite erreur possible en régime permanent;
- assurer une certaine insensibilité aux variations des paramètres du système compensé;
- assurer un rejet des perturbations agissant sur le système commandé.

La réussite du design repose sur la bonne formulation du cahier des charges qui fixe les performances désirées.

7.8 QUESTIONS

1. Rappeler les différentes spécifications que l'on peut rencontrer lors de la résolution d'un problème de design ?
2. Rappeler la formulation d'un problème de design ?
3. Rappeler les différentes méthodes que l'on peut utiliser pour résoudre un problème de design donné ?
4. Dire ce qui motive le choix entre les méthodes fréquentielles et temporelles ?
5. Rappeler les différents correcteurs que l'on peut utiliser pour répondre aux spécifications du cahier des charges et dire sur quoi on se base pour choisir le correcteur ?
6. Désigner les correcteurs à action idéale et ceux à action approchée et faire le lien entre l'action réelle et l'action approchée correspondante ?
7. Rappeler les procédures de design des correcteurs PD et avance de phase dans les domaines temporel et fréquentiel ?
8. Rappeler les procédures de design des correcteurs PI et retard de phase dans les domaines temporel et fréquentiel ?
9. Rappeler les procédures de design des correcteurs PID et avance-retard de phase dans les domaines temporel et fréquentiel ?
10. Donner le principe des méthodes empiriques et dire dans quels cas on les utilise ?

7.9 EXERCICES

7.1 Dans ce problème, nous traitons de la commande d'altitude d'un satellite. Pour orienter les satellites, on doit commander trois axes. Nous traitons aussi la commande d'un seul axe qui se résume à la rotation autour d'un axe perpendiculaire au plan horizontal. Le schéma-bloc d'un tel système asservi est représenté à la figure 7.36.

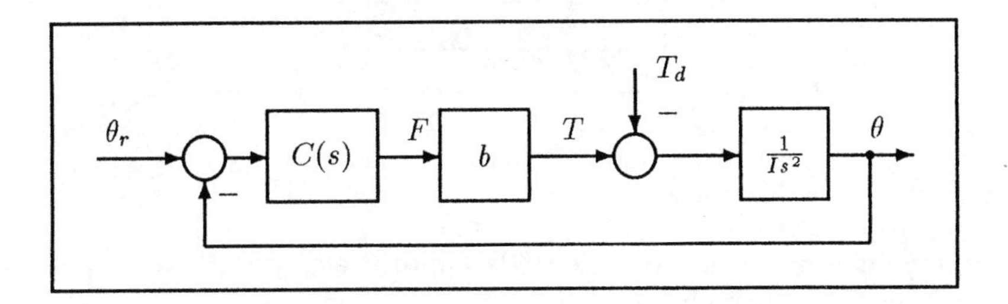

Figure 7.36 Commande de l'axe horizontal d'un satellite

Dans cette figure, F désigne la force de poussée, b désigne la distance entre le point d'application de la force F et le centre de gravité du satellite, I désigne le moment d'inertie par rapport à l'axe vertical, T et T_d sont respectivement le couple moteur et le couple de perturbation.

1. Montrer que le correcteur de type PI n'est pas suffisant pour stabiliser le système de la figure 7.36.
2. En choisissant un correcteur de type proportionnel, établir les racines du système en boucle fermée et montrer que le gain du correcteur affecte uniquement la fréquence naturelle.
3. Pour pallier ces inconvénients, nous proposons d'utiliser le correcteur suivant:

$$C(s) = k_p \frac{\tau_1 s + 1}{\tau_2 s + 1}$$

où k_p, τ_1 et τ_2 sont des paramètres à déterminer. En supposant que l'équation caractéristique désirée est donnée par:

$$s^3 + 1.75\omega_0 s^2 + 3.25\omega_0^2 s + \omega_0^3 = 0$$

et que le rapport $\frac{b}{I}$ est égal à 100, déterminer les paramètres k_p, τ_1 et τ_2 en fonction de ω_0.

7.2 Le schéma-bloc de commande d'un missile est représenté à la figure 7.37. La dynamique du missile peut être approchée par un double intégrateur.

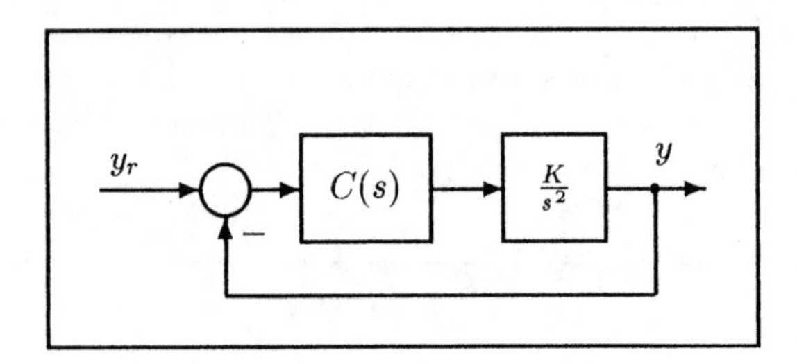

Figure 7.37 Asservissement d'un missile

Le missile en boucle ouverte est à la limite de stabilité. Le gain K est fixé à 1 dans tout le problème.

1. Déterminer le type de correcteur qui permet de stabiliser le système.
2. En considérant un correcteur PD, déterminer le domaine de stabilité. Représenter $k_p = f(k_D)$.
3. En fixant $k_p = 2$ et $k_D = 1$, calculer l'erreur en régime permanent associée aux grandeurs d'entrées en forme suivantes:
   a) échelon unitaire;
   b) rampe unitaire.
4. Calculer la réponse $y(t)$ associée à une grandeur d'entrée en forme d'échelon unitaire.

7.3 Dans cet exercice, on reprend le même système que celui de la figure 7.36 et on cherche à concevoir un correcteur de type avance de phase dont la fonction de transfert est:

$$C(s) = \frac{1 + aTs}{1 + Ts}, \quad a > 1$$

de façon à satisfaire la spécification suivante: marge de phase approximativement égale à 45°.

7.4 Un système asservi avec un correcteur PI est représenté à la figure 7.38

On demande d'ajuster les gains k_p et k_I du correcteur PI de façon à satisfaire les spécifications suivantes:

1. $K_v = 10$

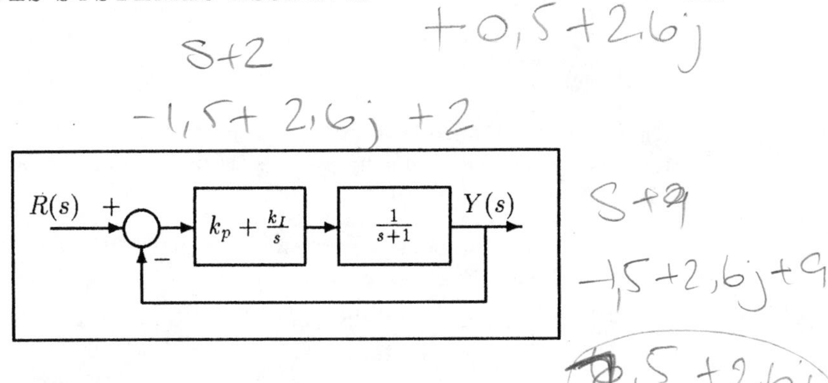

Figure 7.38 Système asservi avec un correcteur PI

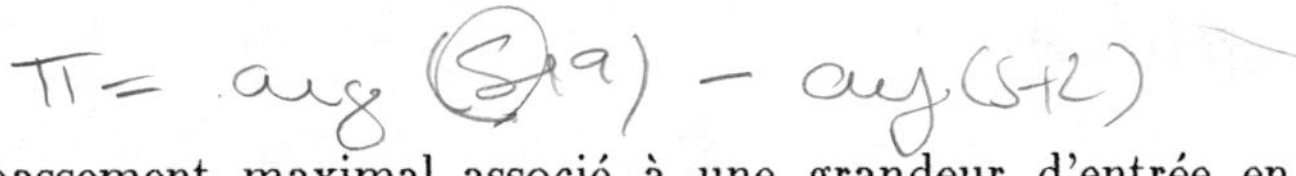

2. Dépassement maximal associé à une grandeur d'entrée en forme d'échelon unitaire égal à 1% de K_v.

7.5 Un système asservi à retour unitaire est défini par la fonction de transfert suivante:

$$G(s) = 10\frac{s+9}{(s+2)(s+4)(s+10)}$$

On désire obtenir les spécifications suivantes:

a. Un coefficient d'amortissement égal à $\zeta = 0.5$.

b. Un temps de réponse à 5% égal à 2 secondes.

c. Une erreur nulle en régime permanent.

Pour cela, on se propose de faire la synthèse d'un correcteur $C(s)$ de type PI.

1. Placer les pôles et zéros de $G(s)$ dans le plan complexe ainsi que la paire de pôles dominante relative aux spécifications désirées.
2. Calculer l'argument θ_z du zéro z_c du correcteur à partir de la condition d'angle.
3. Reporter l'angle θ_z et en déduire la position de z_c ainsi que la constante de temps T_i du correcteur.
4. Déterminer le gain du correcteur à partir de la condition d'amplitude. En déduire la fonction de transfert $C(s)$ du correcteur.
5. Calculer les pôles du système en boucle fermée en utilisant la fonction de transfert du correcteur.

7.6 La fonction de transfert du système qu'on désire commander est:

$$G(s) = \frac{K}{s(0.5s+1)}$$

On demande de faire le design du correcteur avance de phase $C(s)$ qu'il faut insérer dans la chaîne directe du système pour assurer les performances suivantes:

1. Une marge de phase supérieure ou égale à 40°. [On prendra pour le calcul considéré $\Delta\varphi = 45^o$].
2. Une erreur en régime permanent suite à une grandeur d'entrée en forme de rampe unitaire inférieure ou égale à 0.05.

7.7 Un système asservi à retour unitaire admet la fonction de transfert du processus suivante:

$$G(s) = \frac{10}{(s+1)(0.1s+1)}$$

La fonction de transfert du correcteur reste à déterminer.

1. Déterminer le type de correcteur qui procure une erreur en régime permanent, associée à une entrée en échelon unitaire, égale à 0.01.
1. Trouver la fonction de transfert $C(s)$ du correcteur qui procure une erreur nulle en régime permanent suite à une grandeur d'entrée en forme d'échelon unitaire.
2. Établir les conditions que doit vérifier le système bouclé pour assurer la stabilité. [On utilisera pour cela le critère de Routh.]

7.8 La fonction de transfert d'un système à retour unitaire est donnée par l'expression suivante:

$$G(s) = \frac{1}{s^2 + 2s + 2}$$

Ce système étant instable, on a pensé à lui adjoindre un correcteur $C(s)$ afin de corriger le défaut et d'améliorer ses performances.

1. En supposant que $C(s) = K$, tracer le lieu des racines et conclure sur la stabilité.
2. En prenant maintenant $C(s) = K(s+2)$, tracer le lieu des racines et conclure sur la stabilité.
3. Indiquer lequel des deux correcteurs choisir, en expliquant pourquoi.
4. En choisissant un troisième type de correcteur tel que

   $$C(s) = \frac{K(s+1)}{s+10}$$

   tracer le lieu des racines et évaluer la stabilité du système.
5. Quel devra être le correcteur à choisir parmi les trois et pourquoi ?

7.9 Dans ce problème, on cherche à déterminer les paramètres d'un compensateur PID en se basant sur la méthode de Ziegler-Nichols, appelée souvent dans la littérature **ultimate cycle method**. Le système admet comme fonction de transfert $G(s)$ l'expression suivante:

$$G(s) = \frac{0.1}{s(s+1)(0.8s+1)}$$

Le système étant à retour unitaire:

1. Déterminer le gain critique K_c.
2. Déterminer la période d'oscillation T_c correspondante.
3. Établir la fonction de transfert du correcteur PID.

7.10 Soit le servomécanisme représenté par le schéma-bloc de la figure 7.39.

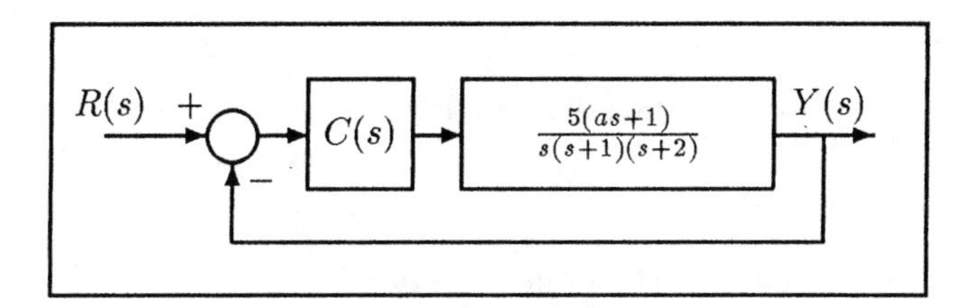

Figure 7.39 Servomécanisme

1. Si $C(s)$ est un correcteur de type proportionnel et $a = 0$, tracer le lieu des racines du système. En déduire la valeur maximale du gain du correcteur pour que le servomécanisme demeure absolument stable ainsi que la position des trois pôles correspondants à ce gain.
2. Reprendre la question 1 avec $a = \frac{1}{3}$.
3. Si $C(s)$ est un correcteur de type PD et $a = 1$, déterminer les paramètres de ce correcteur pour obtenir une erreur de vitesse en régime permanent inférieure à 2% et un facteur d'amortissement de 0.7.

7.11 Dans cet exercice, nous allons considérer le contrôle de l'orientation d'un satellite. En utilisant le modèle présenté au chpitre 2, déterminer le correcteur qui pourra assurer au système en boucle fermée les spécifications suivantes:

– erreur en régime permanent associée à une rampe unitaire nulle.
– dépassement $\leq 15\%$
– temps de réponse à $5\% \leq 3$ secondes.

Le satellite est censé avoir un moment d'inertie de $10^{-2}\ N.m/s^2$.

7.12 Dans cet exercice, nous allons considérer le système dont le schéma-bloc est illustré à la figure 7.40. Le système commandé est du troisième ordre de type zéro.

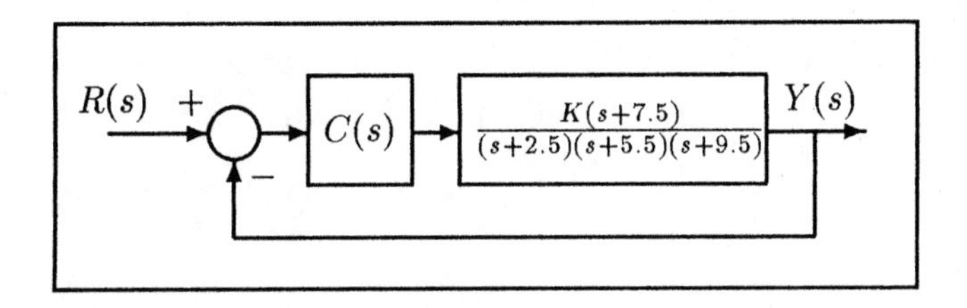

Figure 7.40 Design des correcteurs système de 3e ordre à l'aide des techniques empiriques

1. concevoir les correcteurs de type suivants:
   proportionnel;
   proportionnel-intégral;
   proportionnel-intégral-dérivée;

   en utilisant les méthodes empiriques et en cherchant à assurer au système en boucle fermée les meilleurs performances.
2. comparer différentes performances obtenues en utilisant chacun des correcteurs précédents.

7.13 Le système auquel on s'intéresse dans ce problème est modélisé par la fonction de transfert suivante:

$$G(s) = \frac{K}{s(s+4.5)(s+14.5)}$$

Utiliser la technique du lieu des racines pour déterminer les gains des boucles d'asservissement de ce système tel que représenté à la figure 7.41, de manière à assurer à la boucle interne un taux d'amortissement de l'ordre de 0.707 et à la boucle externe un taux de l'ordre de 0.6. Le correcteur $C(s)$ est une action proportionnelle de gain k_p.

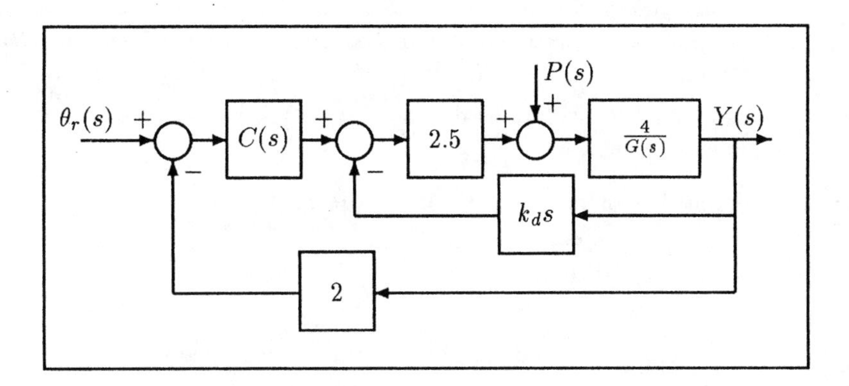

Figure 7.41 Structure de commande en cascade

7.14 Considérons que le système à commander admet la fonction de transfert suivante:

$$G(s) = \frac{e^{-0.1s}}{s(2s+1)}$$

Les spécifications à satisfaire sont:

- réponse indicielle oscillante avec un taux d'amortissement de l'ordre de 0.707;
- erreur de vitesse nulle;
- erreur en accélération de l'ordre de 10%;
- système stable.

Déterminer le correcteur qui permet de satisfaire de telles specifications en utilisant les techniques empiriques.

7.15 Considérons le système du second ordre suivant:

$$G(s) = \frac{13.75}{(s+2.5)(s+5.5)}$$

Pour ce système commandé en boucle fermée avec un retour unitaire et un correcteur proportionnel.

1. déterminer les meilleures performances obtenues par un tel asservissement, principalement celles concernant l'erreur en régime permanent;

2. utiliser les techniques présentées au chapitre 7 pour fixer les paramètres du correcteur PI afin d'assurer au système asservi un taux d'amortissement de l'ordre de 0.707.
3. comparer les oscillations des deux systèmes asservis des deux questions précédentes.

7.16 Considérons le système du quatrième ordre suivant:

$$G(s) = \frac{42}{(s+1)(s+2)(s+3)(s+7)}$$

Pour ce système commandé en boucle fermée avec un retour unitaire et un correcteur proportionnel.

1. déterminer les meilleures performances obtenues par un tel asservissement, principalement celles concernant l'erreur en régime permanent;
2. utiliser les techniques présentées au chapitre 7 pour fixer les paramètres du correcteur PD afin d'assurer au système asservi un taux d'amortissement de l'ordre de 0.707 et une réduction de 50% de sa valeur de la question 1.
3. comparer les oscillations des deux systèmes asservis des deux questions précédentes.

7.17 Considérons l'asservissement de position d'un gouvernail de bateau tel que présenté dans les chapitres précédents. Pour ce système, nous cherchons à concevoir le correcteur qui nous procure les meilleures performances. Pour cela, nous supposons que la fonction de transfert est:

$$G(s) = \frac{s+7}{(s+2)(s+5)(s+9)}$$

Les spécifications recherchées sont:

- une réduction appréciable du temps de réponse lorsque le système est commandé à l'aide d'une action proportionnelle par exemple de 4;
- une une réduction de l'erreur en régime lorsque l'entrée est en forme d'échelon unitaire.

1. Déterminer les actions idéale et approchée qui répondent aux spécifications imposées.
2. utiliser Matlab pour déterminer la réponse indicielle du système en boucle fermée et comparer les spécifications des deux cas.

7.18 Considérons l'asservissement de position d'un gouvernail d'avion tel que présenté dans les chapitres précédents. Pour ce système, nous cherchons à concevoir le correcteur qui nous procure les meilleures performances. Pour cela, nous supposons que la fonction de transfert est:

$$G(s) = \frac{2}{s(s+3.5)(s+5.5)}$$

Les spécifications recherchées sont:

- une réduction appréciable du temps de réponse lorsque le système est commandé à l'aide d'une action proportionnelle par exemple de 4;
- un dépassement maximal de l'ordre de 10%.

1. Déterminer les deux actions idéale et approchée qui répondent au cahier des charges précédent.
2. Utiliser Matlab pour déterminer la réponse indicielle du système en boucle fermée. Établir les performances du système dans chacun des cas et faites une comparaison.

7.19 Considérons l'asservissement de l'épaisseur de métal obtenue par un laminoir tel que présenté dans les chapitres précédents. Pour ce système, nous cherchons à concevoir le correcteur en cascade qui nous procure les meilleures performances. En supposant que la fonction de transfert du système est:

$$G(s) = \frac{1}{(s+1)(s+2)(s+9)}$$

et que les spécifications désirées sont:

- une erreur en régime permanent inférieure à 0.01;
- et des pôles dominants voisins de:

$$s_{1,2} = -0.7 \pm j3.8$$

1. En utilisant les techniques du chapitre 7, déterminer les actions idéale et approchée qui permettent de répondre aux spécifications imposées.
2. Utiliser Matlab pour simuler les deux structures de commande et déterminer les temps de réponse et les dépassements des deux cas. Comparer les spécifications obtenues par l'utilisation des deux actions.

8

REPRÉSENTATION INTERNE: ANALYSE ET DESIGN

L'objectif de ce chapitre consiste à présenter au lecteur les différentes techniques d'analyse et de design des systèmes linéaires représentés par modèle d'état. Après lecture de ce chapitre, le lecteur doit être capable de:

1. **dresser le modèle d'état de n'importe quel système;**
2. **trouver la représentation externe à partir du modèle d'état;**
3. **obtenir la représentation interne à partir de la représentation externe;**
4. **établir les formes canoniques (forme commandable, forme observable, forme de Jordan) associées à une représentation d'état donnée;**
5. **vérifier la stabilité du système, que ce soit en boucle ouverte ou fermée;**
6. **tester la commandabilité et l'observabilité du système;**
7. **déterminer la réponse du système à une grandeur d'entrée;**
8. **établir la loi de commande sous forme de retour d'état;**
9. **concevoir l'observateur d'état.**

8.1 INTRODUCTION

Au cours du chapitre 2, nous nous sommes intéressés à la modélisation des systèmes dynamiques linéaires. Les représentations que nous avons présentées étaient la représentation par équation différentielle, la représentation externe ou fonction de transfert et la représentation interne ou modèle d'état.

La représentation interne, à laquelle est consacré ce chapitre, est d'une grande importance dans l'étude des systèmes dynamiques du fait qu'elle peut modéliser des systèmes linéaires ou non linéaires, des systèmes invariants ou variants, des systèmes à une grandeur d'entrée et une grandeur de sortie, ainsi que des systèmes à plusieurs grandeurs d'entrée et plusieurs grandeurs de sortie. De plus, la représentation interne se prête bien au développement des programmes d'ordinateurs qui permettent l'analyse ou la synthèse des systèmes dynamiques.

Le chapitre est organisé comme suit: dans la section 2, nous rappelons ce qu'est la représentation interne et nous montrons comment on l'obtient à partir d'autres représentations telles que la représentation par équation différentielle et la représentation par fonction de transfert. Dans la section 3, nous présentons les différentes formes canoniques. Dans la section 4, nous développons le moyen d'obtenir la représentation externe à partir du modèle d'état. Dans la section 5, nous établissons la solution du modèle d'état lorsque la grandeur d'entrée principale, la perturbation et les conditions initiales sont données. La section 6 est réservée aux transformations des modèles d'état en une forme de Jordan. Dans la section 7, nous développons les concepts de stabilité, de commandabilité et d'observabilité. La section 8 est dédiée à la commande par retour d'état. Enfin, la section 9 traite du design de l'observateur d'état qui estime les états pour la commande par retour d'état.

8.2 REPRÉSENTATION INTERNE

Dans cette section, on revoit comment on obtient la représentation interne d'un système linéaire. On donne aussi l'interprétation physique du concept d'état. Pour cela, considérons l'exemple simple suivant constitué d'un moteur électrique à courant alternatif.

Exemple 8.1 Modèle d'état d'un moteur à courant alternatif

Le moteur à courant alternatif (ac) est souvent employé dans des applications qui nécessitent de faibles puissances. Il est, d'autre part, moins cher qu'un moteur à courant continu. Les moteurs ac utilisés dans des systèmes asservis ont deux phases. Le stator du moteur possède deux enroulements disposés tel que représenté à la figure 8.1. Ces deux enroulements sont appelés la phase de référence, qui est en permanence alimentée par une tension alternative fixe $v_0(t)$, et la phase de commande qui est alimentée en permanence par une tension alternative variable $v(t)$ déphasée de 90° par rapport à la tension $v_0(t)$.

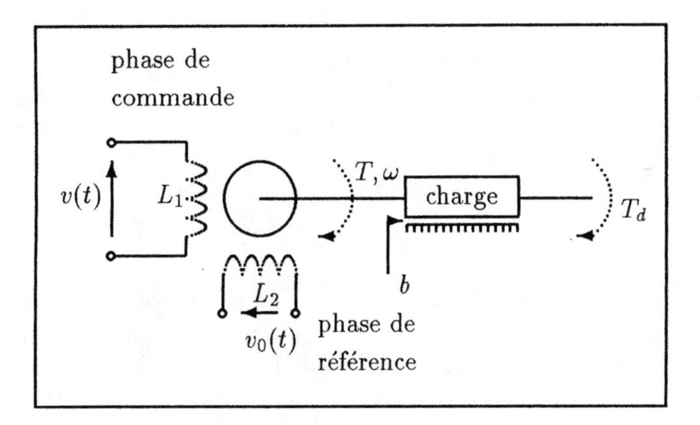

Figure 8.1 Représentation schématique d'un moteur ac

La courbe caractéristique du couple $T = f(\omega(t), v(t))$ développée par le moteur est fonction de la vitesse de l'arbre ω et de la tension d'alimentation $v(t)$, et est non linéaire. Autour d'un point de fonctionnement nominal T_e, ω_e, v_e, cette courbe caractéristique peut être linéarisée et approximée par la relation suivante entre le couple $T(t)$, la vitesse $\omega(t)$ et la tension $v(t)$:

$$T(t) = -k_1\omega(t) + k_2 v(t), \quad k_1 > 0, \quad k_2 > 0$$

Cette forme s'explique par le fait que le couple diminue quand la vitesse augmente et augmente quand la tension augmente.

En notant par $T_d(t)$ le couple de charge, par J le moment d'inertie de la partie tournante et par b le coefficient de frottement visqueux, l'équation différentielle

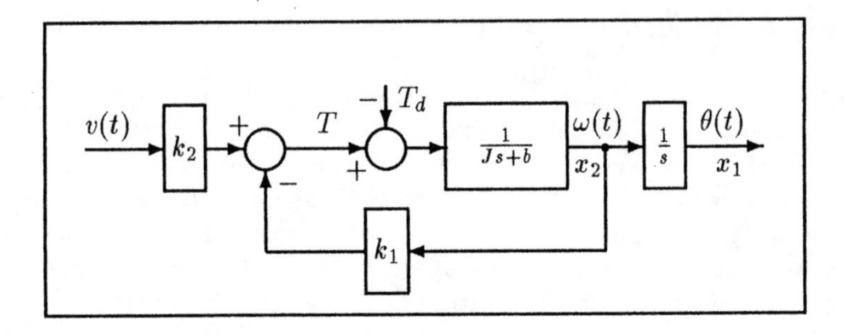

Figure 8.2 Schéma-bloc d'un moteur ac

décrivant la dynamique de ce moteur est obtenue en utilisant la relation fondamentale de la dynamique des corps en rotation:

$$J\frac{d}{dt}\omega(t) = T(t) - b\omega(t) - T_d(t)$$

Le schéma-bloc correspondant est représenté à la figure 8.2. Pour établir le modèle d'état correspondant, posons: $x_1(t) = \theta(t)$, (position angulaire) et $x_2(t) = \frac{d}{dt}\theta(t) = \omega(t)$ (vitesse angulaire). En dérivant ces équations par rapport au temps et en tenant compte de ces mêmes équations et de celles obtenues après dérivation, On établit le modèle d'état suivant:

$$\dot{\mathbf{x}}(t) = \begin{bmatrix} 0 & 1 \\ 0 & -\frac{b+k_1}{J} \end{bmatrix} \mathbf{x}(t) + \begin{bmatrix} 0 & 0 \\ \frac{k_2}{J} & -\frac{1}{J} \end{bmatrix} \begin{bmatrix} v(t) \\ T_d(t) \end{bmatrix} \quad (8.1)$$

$$\mathbf{y}(t) = \begin{bmatrix} 1 & 0 \end{bmatrix} \mathbf{x}(t) \quad (8.2)$$

L'équation (8.1) est l'équation d'état du système et l'équation (8.2) est l'équation de sortie. Remarquons que ces deux équations dépendent des paramètres du système.

On constate d'après cet exemple que les variables d'état représententent des variables physiques. Si on connait les variables d'état et les grandeurs d'entrée principales et secondaires à un instant donné, on peut prédire le comportement futur du système. En mécanique, les variables d'état représentent en général la position et ses dérivées. En électrique, elles représentent les tensions, les courants et leurs dérivées.

Obtenir l'équation différentielle décrivant la dynamique du système ne devrait pas poser de problème étant donné que cette question a été traitée au cours du chapitre 2. L'obtention du modèle d'état ou de la fonction de transfert à partir de l'équation différentielle a aussi été traitée. Par contre, on n'a pas encore vu comment obtenir le modèle d'état à partir de la fonction de transfert. Pour cela, supposons que le système considéré est représenté par la fonction de transfert suivante:

$$G(s) = \frac{Y(s)}{U(s)} = \frac{b_m s^m + b_{m-1} s^{m-1} + \cdots b_0}{s^n + a_{n-1} s^{n-1} + \cdots + a_0}, \qquad m \leq n$$

Pour obtenir le modèle d'état associé à cette représentation externe dans le cas où $m < n$, on procède comme suit:

- Écrire $G(s)$ sous la forme suivante:

$$G(s) = \frac{Y(s)}{W(s)} \frac{W(s)}{U(s)}$$

  où

$$\begin{aligned} \frac{W(s)}{U(s)} &= \frac{1}{s^n + a_{n-1} s^{n-1} + \cdots + a_0} \\ \frac{Y(s)}{W(s)} &= b_m s^m + \cdots + b_0 \end{aligned} \tag{8.3}$$

- Obtenir le modèle d'état à partir de cette forme.

Pour la fonction de transfert $W(s)/U(s)$, on peut écrire l'équation différentielle suivante:

$$\frac{d^n}{dt^n} w(t) + a_{n-1} \frac{d^{n-1}}{dt^{n-1}} w(t) + \cdots + a_0 w(t) = u(t)$$

En posant:

$$\begin{aligned} x_1(t) &= w(t) \\ x_2(t) &= \frac{d}{dt} w(t) \\ &\vdots \\ x_n(t) &= \frac{d^{n-1}}{dt^{n-1}} w(t) \end{aligned}$$

En procédant comme vu au chapitre 2, on obtient l'équation d'état recherchée dont la forme est:

$$\dot{\mathbf{x}}(t) = \begin{bmatrix} 0 & 1 & \dots & 0 & 0 \\ 0 & 0 & 1 & \dots & 0 \\ \vdots & \vdots & \vdots & \vdots & \vdots \\ 0 & 0 & \dots & 0 & 1 \\ -a_0 & -a_1 & \dots & -a_{n-2} & -a_{n-1} \end{bmatrix} \mathbf{x}(t) + \begin{bmatrix} 0 \\ 0 \\ \vdots \\ 0 \\ 1 \end{bmatrix} \mathbf{u}(t) \tag{8.4}$$

Pour l'autre fonction de transfert, on écrit:

$$y(t) = b_m \frac{d^m}{dt^m} w(t) + \cdots + b_0 w(t)$$

Compte tenu des équations précédentes, l'équation de sortie est:

$$\mathbf{y}(t) = \begin{bmatrix} b_0, & \cdots, & b_m, & 0, & \cdots, & 0 \end{bmatrix} \mathbf{x}(t) \tag{8.5}$$

Les équations (8.4) et (8.5) constituent le modèle d'état recherché.

Lorsque le degré n du dénominateur de $G(s)$ est égal à celui du numérateur ($n = m$), on procède à une division polynomiale pour obtenir une nouvelle fonction de transfert dont le degré du numérateur est strictement inférieur à celui du dénominateur. Ensuite, on procède comme précédemment en utilisant la nouvelle fonction de transfert $G_0(s)$ obtenue après division polynomiale. C'est-à-dire:

$$G(s) = \frac{Y(s)}{U(s)} = D + G_0(s)$$

Ce qui donne la représentation d'état cherchée à partir de l'équation suivante:

$$Y(s) = DU(s) + G_0(s)U(s) = DU(s) + \overline{Y}(s)$$

Une telle procédure est utilisée dans l'exemple 8.4.

Exemple 8.2 Fonction de transfert sans zéro

Dans cet exemple, supposons que le système considéré est décrit par la fonction de transfert suivante:

$$G(s) = \frac{Y(s)}{U(s)} = \frac{1}{(s+1)(s+2)(s+3)}$$

On cherche à déterminer la représentation interne correspondante. Pour cela, à partir de la fonction de transfert, on obtient l'équation différentielle associée, donnée par la relation suivante:

$$\frac{d^3}{dt^3}y(t) + 6\frac{d^2}{dt^2}y(t) + 11\frac{d}{dt}y(t) + 6y(t) = u(t)$$

En posant $x_1(t) = y(t)$, $x_2(t) = \frac{d}{dt}y(t)$ et $x_3(t) = \frac{d^2}{dt^2}y(t)$, en dérivant ces équations par rapport au temps et en tenant compte des équations différentielles précédentes, on écrit:

$$\begin{aligned}
\dot{x}_1(t) &= \frac{d}{dt}y(t) = x_2(t) \\
\dot{x}_2(t) &= \frac{d^2}{dt^2}y(t) = x_3(t) \\
\dot{x}_3(t) &= \frac{d^3}{dt^3}y(t) = -6\frac{d^2}{dt^2}y(t) - 11\frac{d}{dt}y(t) - 6y(t) + u(t) \\
&= -6x_1(t) - 11x_2(t) - 6x_3(t) + u(t)
\end{aligned}$$

En écrivant ces équations sous forme matricielle, on obtient le modèle d'état suivant:

$$\begin{aligned}
\dot{\mathbf{x}}(t) &= \begin{bmatrix} 0 & 1 & 0 \\ 0 & 0 & 1 \\ -6 & -11 & -6 \end{bmatrix} \mathbf{x}(t) + \begin{bmatrix} 0 \\ 0 \\ 1 \end{bmatrix} \mathbf{u}(t) \\
\mathbf{y}(t) &= \begin{bmatrix} 1 & 0 & 0 \end{bmatrix} \mathbf{x}(t)
\end{aligned}$$

ce qui constitue le modèle d'état recherché.

Ce modèle d'état peut être obtenu en utilisant le logiciel MATLAB avec les instructions suivantes:

```
≫ num = [1];
≫ den = conv([1,1],conv([1,2],[1,3]));
≫ [A,b,c,d] = tf2ss(num,den);
```

Exemple 8.3 Fonction de transfert avec zéro

Dans cet exemple, on suppose que le système dynamique admet des zéros dans sa fonction de transfert, laquelle est donnée par l'expression suivante:

$$G(s) = \frac{Y(s)}{U(s)} = \frac{(s+4)(s+6)}{s(s+1)(s+2)(s+3)}$$

Pour ce système, on cherche à déterminer une représentation d'état possible. Pour cela, on écrit la fonction de transfert sous la forme suivante:

$$G(s) = \frac{Y(s)}{W(s)} \frac{W(s)}{U(s)}$$

où

$$\begin{aligned} \frac{W(s)}{U(s)} &= \frac{1}{s(s+1)(s+2)(s+3)} \\ \frac{Y(s)}{W(s)} &= (s+4)(s+6) \end{aligned}$$

La fonction de transfert $W(s)/U(s)$ ne contient aucun zéro et, par conséquent, on procède comme dans l'exemple précédent pour établir le modèle d'état correspondant: on écrit l'équation différentielle correspondante, donnée par la relation suivante:

$$\frac{d^4}{dt^4}w(t) + 6\frac{d^3}{dt^3}w(t) + 11\frac{d^2}{dt^2}w(t) + 6\frac{d}{dt}w(t) = u(t)$$

En posant $x_1(t) = w(t)$, $x_2(t) = \frac{d}{dt}w(t)$, $x_3(t) = \frac{d^2}{dt^2}w(t)$ et $x_4(t) = \frac{d^3}{dt^3}w(t)$, en dérivant ces équations par rapport au temps et en tenant compte de l'équation différentielle précédente, on écrit:

$$\begin{aligned} \dot{x}_1(t) &= \frac{d}{dt}w(t) = x_2(t) \\ \dot{x}_2(t) &= \frac{d^2}{dt^2}w(t) = x_3(t) \\ \dot{x}_3(t) &= \frac{d^3}{dt^3}w(t) = x_4(t) \\ \dot{x}_4(t) &= \frac{d^4}{dt^4}w(t) = -6\frac{d}{dt}w(t) - 11\frac{d^2}{dt^2}w(t) - 6\frac{d^3}{dt^3}w(t) + u(t) \\ &= -6x_2(t) - 11x_3(t) - 6x_4(t) + u(t) \end{aligned}$$

En écrivant ces équations sous forme matricielle, on obtient l'équation d'état suivante:

$$\dot{\mathbf{x}}(t) = \begin{bmatrix} 0 & 1 & 0 & 0 \\ 0 & 0 & 1 & 0 \\ 0 & 0 & 0 & 1 \\ 0 & -6 & -11 & -6 \end{bmatrix} \mathbf{x}(t) + \begin{bmatrix} 0 \\ 0 \\ 0 \\ 1 \end{bmatrix} \mathbf{u}(t)$$

Pour obtenir l'équation de sortie, on doit utiliser l'autre fonction de transfert, c'est-à-dire $Y(s)/W(s)$. Pour cela, on écrit l'équation différentielle correspondante, donnée par la relation suivante:

$$y(t) = \frac{d^2}{dt^2}w(t) + 10\frac{d}{dt}w(t) + 24w(t)$$

Compte tenu des relations précédentes, cette équation peut s'écrire:

$$\mathbf{y}(t) = \begin{bmatrix} 24 & 10 & 1 & 0 \end{bmatrix} \mathbf{x}(t)$$

Cette équation est l'équation de sortie. L'équation de sortie et l'équation d'état constituent le modèle d'état recherché.

Un tel modèle d'état peut être obtenu en utilisant les instructions suivantes de MATLAB:

```
≫ num = conv([1,4],[1,6]);
≫ den = conv([1,1,0],conv([1,2],[1,3]));
≫ [A,b,c,d] = tf2ss(num,den);
```

Exemple 8.4 Fonction de transfert dont le degré du numérateur est égal à celui du dénominateur

La fonction de transfert d'un tel système est la suivante:

$$G(S) = \frac{Y(s)}{U(s)} = \frac{3s^3 + 2s^2 + 5s + 2}{s^3 + 2s^2 + s + 1}$$

Après division polynomiale, on obtient:

$$G(s) = \frac{Y(s)}{U(s)} = 3 + \frac{-4s^2 + 2s - 1}{s^3 + 2s^2 + s + 1}$$

La grandeur de sortie Y(s) est telle que:

$$Y(s) = 3U(s) + \frac{-4s^2 + 2s - 1}{s^3 + 2s^2 + s + 1}U(s)$$

Posons:

$$\overline{Y}(s) = \frac{-4s^2 + 2s - 1}{s^3 + 2s^2 + s + 1}U(s)$$

En introduisant une fonction intermédiaire $W(s)$, on peut écrire:

$$\frac{\overline{Y}(s)}{U(s)} = \frac{\overline{Y}(s)}{W(s)} \frac{W(s)}{U(s)}$$

Avec:

$$\begin{aligned}
\frac{\overline{Y}(s)}{W(s)} &= -4s^2 + 2s - 1 \\
\frac{W(s)}{U(s)} &= \frac{1}{s^3 + 2s^2 + s + 1}
\end{aligned}$$

En posant $x_1(t) = w(t)$, $x_2(t) = \dot{w}(t)$ et $x_3(t) = \ddot{w}(t)$, on a, après dérivation de ces relations, le modèle d'état suivant:

$$\begin{aligned}
\dot{x}_1(t) &= x_2(t) \\
\dot{x}_2(t) &= x_3(t) \\
\dot{x}_3(t) &= -2x_3(t) - x_2(t) - x_1(t) + u(t) \\
\overline{y}(t) &= -4x_3(t) + 2x_2(t) - x_1(t)
\end{aligned}$$

Comme:

$$y(t) = \overline{y}(t) + 3u(t)$$

la représentation d'état du système est:

$$\begin{aligned}
\dot{\mathbf{x}}(t) &= \begin{bmatrix} 0 & 1 & 0 \\ 0 & 0 & 1 \\ -1 & -1 & -2 \end{bmatrix} \mathbf{x}(t) + \begin{bmatrix} 0 \\ 0 \\ 1 \end{bmatrix} \mathbf{u}(t) \\
\mathbf{y}(t) &= \begin{bmatrix} -1 & 2 & -4 \end{bmatrix} \mathbf{x}(t) + 3\mathbf{u}(t)
\end{aligned}$$

Une telle représentation peut aussi être obtenue en utilisant le logiciel MATLAB. Les instructions nécessaires sont:

```
≫ num = [3,2,5,2];
≫ den = [1,2,1,1];
≫ [A,b,c,d] = tf2ss(num,den);
```

Compte tenu des résultats de ces exemples et de la théorie présentée au début de ce chapitre, une représentation interne possible dans le cas où la fonction de transfert est spécifiée (après division polynomiale si nécessaire) s'établit comme suit:

- L'équation d'état s'obtient en remplissant la matrice A par des zéros à l'exception de la diagonale immédiatement au-dessus de la diagonale principale qui est remplie par des 1 et la dernière ligne qui est remplie par les coefficients du dénominateur de $G(s)$, changés de signe, en commençant par le coefficient de s^0 qui est placé à la première colonne. La matrice B est obtenue en plaçant un 1 à la dernière ligne. Le reste est rempli par des zéros.
- L'équation de sortie s'obtient à partir du numérateur de $G(s)$ dont le degré doit être inférieur à celui du dénominateur. La matrice C s'obtient en plaçant les coefficients de ce polynôme en commençant par celui de s^0 à la première colonne de la matrice C. La matrice D est différente de zéro uniquement dans le cas où le degré du numérateur m est égal à celui du dénominateur n.

8.3 FORME CANONIQUE

Nous avons précisé au cours du chapitre 2 que la représentation interne n'est pas unique. Nous allons maintenant démontrer cette affirmation. Nous allons principalement nous restreindre à quelques formes particulières souvent employées dans la littérature et que l'on appelle généralement les **formes canoniques**, au nombre de trois: la forme commandable, la forme observable et la forme de Jordan.

Pour introduire ces formes, considérons un système mono-entrée-mono-sortie et supposons que le modèle d'état d'un système dynamique donné est représenté par les équations suivantes:

$$\begin{aligned} \dot{\mathbf{x}}(t) &= \mathbf{A}\mathbf{x}(t) + \mathbf{B}\mathbf{u}(t) \\ \mathbf{y}(t) &= \mathbf{C}\mathbf{x}(t) \end{aligned}$$

où $\mathbf{x}(t) \in \mathbb{R}^n$, $\mathbf{u}(t) \in \mathbb{R}$, $\mathbf{y}(t) \in \mathbb{R}$, $\mathbf{A}(n,n)$, $\mathbf{B}(n,1)$, $\mathbf{C}(1,n)$.

Supposons aussi que la fonction de transfert associée est donnée par:

$$G(s) = \frac{Y(s)}{U(s)} = \frac{b_m s^m + b_{m-1}s^{m-1} + \cdots + b_0}{s^n + a_{n-1}s^{n-1} + \cdots + a_0} \qquad n \geq m \tag{8.6}$$

8.3.1 Forme commandable

La forme commandable par rapport à la dernière ligne de ce système est donnée par les équations suivantes:

$$\begin{aligned} \dot{\mathbf{x}}(t) &= \mathbf{A_c x}(t) + \mathbf{B_c u}(t) \\ \mathbf{y}(t) &= \mathbf{C_c x}(t) \end{aligned}$$

où

$$\begin{aligned} \mathbf{A_c} &= \begin{bmatrix} 0 & 1 & \ldots & 0 & 0 \\ 0 & 0 & 1 & \ldots & 0 \\ \vdots & \vdots & \ddots & \ddots & \vdots \\ 0 & 0 & \ldots & 0 & 1 \\ -a_0 & -a_1 & \ldots & -a_{n-2} & -a_{n-1} \end{bmatrix} \\ \mathbf{B_c} &= \begin{bmatrix} 0 \\ 0 \\ \vdots \\ 0 \\ 1 \end{bmatrix} \\ \mathbf{C_c} &= \begin{bmatrix} b_0, & \cdots, & b_m, & 0, & \cdots, & 0 \end{bmatrix} \end{aligned}$$

La procédure pour obtenir cette forme à partir d'une fonction de transfert a été présentée précédemment. Le diagramme fonctionnel dans le cas général où $n = m$ est donné à la figure 8.3.

La forme est obtenue dans ce cas en procédant de la manière suivante:

- procéder à une division polynomiale pour se ramener au cas précédent, c'est-à-dire:

$$G(s) = b_n + \frac{(b_{n-1} - a_{n-1}b_n)s^{n-1} + \cdots + (b_0 - a_0 b_n)}{s^n + a_{n-1}s^{n-1} + \cdots + a_0}$$

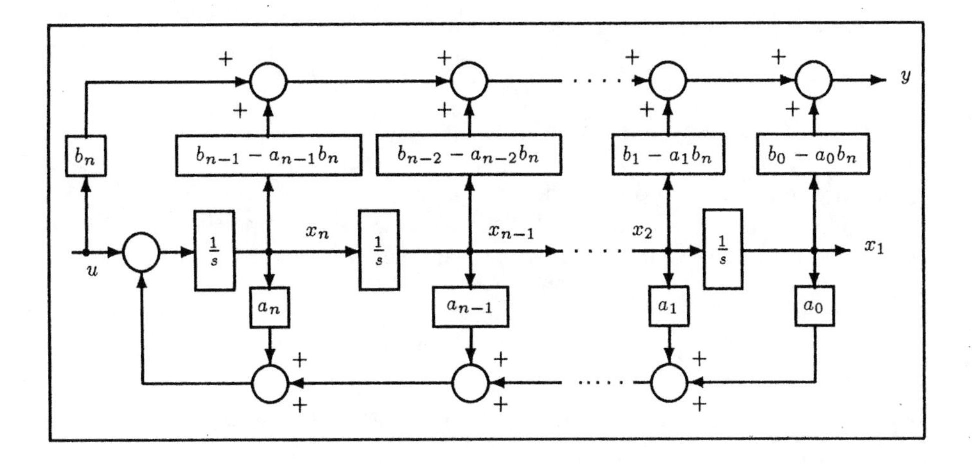

Figure 8.3 Diagramme fonctionnel de la forme canonique commandable

- obtenir le modèle d'état correspondant en procédant de la même manière que précédemment en utilisant la fonction de transfert suivante:

$$G_0(s) = \frac{(b_{n-1} - a_{n-1}b_n)s^{n-1} + \cdots + (b_0 - a_0 b_n)}{s^n + a_{n-1}s^{n-1} + \cdots + a_0}$$

ce qui donne:

$$\begin{aligned} \dot{\mathbf{x}}(t) &= \mathbf{A_c x}(t) + \mathbf{B_c u}(t) \\ \mathbf{y}(t) &= \mathbf{C_c x}(t) + \mathbf{D_c u}(t) \end{aligned}$$

avec

$$\mathbf{A_c} = \begin{bmatrix} 0 & 1 & \ldots & 0 & 0 \\ 0 & 0 & 1 & \ldots & 0 \\ \vdots & \vdots & \ddots & \ddots & \vdots \\ 0 & 0 & \ldots & 0 & 1 \\ -a_0 & -a_1 & \ldots & -a_{n-2} & -a_{n-1} \end{bmatrix}$$

$$\mathbf{B_c} = \begin{bmatrix} 0 \\ 0 \\ \vdots \\ 0 \\ 1 \end{bmatrix}$$

$$\begin{aligned} \mathbf{C_c} &= \begin{bmatrix} b_0 - a_0 b_n, & b_1 - a_1 b_n, & \cdots, & b_{n-1} - a_{n-1} b_n \end{bmatrix} \\ \mathbf{D_c} &= [b_n] \end{aligned}$$

Exemple 8.5 Forme commandable

Pour montrer comment obtenir la forme canonique commandable, considérons le système dynamique dont la grandeur d'entrée est $u(t)$ et celle de sortie est $y(t)$ et dont la représentation externe est donnée par:

$$G(s) = \frac{s^2 + 7s + 12}{s(s^2 + 3s + 2)}$$

En se référant à la section précédente, la fonction de transfert peut s'écrire comme suit:

$$G(s) = \frac{Y(s)}{W(s)} \frac{W(s)}{U(s)}$$

où

$$\begin{aligned} \frac{W(s)}{U(s)} &= \frac{1}{s^3 + 3s^2 + 2s} \\ \frac{Y(s)}{W(s)} &= s^2 + 7s + 12 \end{aligned}$$

De la fonction de transfert $W(s)/U(s)$, on tire l'équation d'état suivante:

$$\dot{\mathbf{x}}(t) = \begin{bmatrix} 0 & 1 & 0 \\ 0 & 0 & 1 \\ 0 & -2 & -3 \end{bmatrix} \mathbf{x}(t) + \begin{bmatrix} 0 \\ 0 \\ 1 \end{bmatrix} \mathbf{u}(t)$$

On obtient l'équation de sortie à partir de la fonction de transfert $Y(s)/W(s)$:

$$\mathbf{y}(t) = \begin{bmatrix} 12 & 7 & 1 \end{bmatrix} \mathbf{x}(t)$$

Les deux équations (équation d'état et équation de sortie) constituent le modèle d'état recherché.

Remarque: lorsque le système dynamique est décrit par une représentation interne quelconque, la représentation interne sous forme canonique commandable s'obtient en cherchant dans un premier temps la fonction de transfert correspondante. On procède ensuite comme précédemment. On peut également effectuer par un changement de variables. Cette approche est traitée un peu plus loin dans ce chapitre.

8.3.2 Forme observable

La forme canonique observable (par rapport à la première colonne) du système représenté par la fonction de transfert de la relation (8.6) est donnée par les équations suivantes:

$$\dot{\mathbf{x}}(t) = \mathbf{A_o}\mathbf{x}(t) + \mathbf{B_o}\mathbf{u}(t) \tag{8.7}$$

$$\mathbf{y}(t) = \mathbf{C_o}\mathbf{x}(t) \tag{8.8}$$

où

$$\mathbf{A_o} = \begin{bmatrix} -a_{n-1} & 1 & \dots & 0 & 0 \\ -a_{n-2} & 0 & 1 & \dots & 0 \\ \vdots & \vdots & \ddots & \ddots & \vdots \\ -a_1 & 0 & \dots & 0 & 1 \\ -a_0 & 0 & \dots & 0 & 0 \end{bmatrix}$$

$$\mathbf{B_o} = \begin{bmatrix} 0 \\ \vdots \\ 0 \\ b_m \\ \vdots \\ b_0 \end{bmatrix}$$

$$\mathbf{C_o} = \begin{bmatrix} 1, & 0, & \dots, & 0 \end{bmatrix}$$

Pour obtenir ce modèle d'état, on écrit la fonction de transfert de l'équation (8.6) sous la forme suivante:

$$\begin{aligned} s^n Y(s) + s^{n-1} a_{n-1} Y(s) &+ \dots + s^m a_m Y(s) + \dots + a_0 Y(s) \\ &= b_m s^m U(s) + \dots + b_0 U(s) \end{aligned}$$

Cette relation peut s'écrire sous la forme suivante:

$$\begin{aligned} Y(s) &= \frac{1}{s}\Bigg[-a_{n-1}Y(s) + \frac{1}{s}[-a_{n-2}Y(s)] + \ldots + \frac{1}{s}[-a_{m+1}Y(s)] \\ &\quad + \frac{1}{s}[-a_m Y(s) + b_m U(s)] + \ldots + \frac{1}{s}[-a_0 Y(s) + b_0 U(s)]\Bigg] \end{aligned}$$

En posant:

$$\begin{aligned} X_n(s) &= \frac{1}{s}[-a_0 Y(s) + b_0 U(s)] \\ X_{n-1}(s) &= \frac{1}{s}[-a_1 Y(s) + b_1 U(s) + X_n(s)] \\ &\vdots \\ X_m(s) &= \frac{1}{s}[-a_m Y(s) + b_m U(s) + X_{m+1}(s)] \\ &\vdots \\ X_1(s) &= \frac{1}{s}[-a_{n-1} Y(s) + X_2(s)] \\ Y(s) &= X_1(s) \end{aligned}$$

Cette approche n'est applicable que dans le cas où $m < n$. Dans le cas où $m = n$, on doit d'abord procéder à une division polynômiale pour obtenir la forme suivante:

$$\frac{Y(s)}{U(s)} = b_n + G_0(s)$$

où $G_0(s)$ a un numérateur de degré inférieur à celui du dénominateur.

Cette relation servira de base à l'élaboration du modèle d'état sous forme observable. Le diagramme fonctionnel correspondant est représenté à la figure 8.4. Pour obtenir la forme canonique observable dans le cas où $m = n$, on procède comme pour la forme canonique commandable.

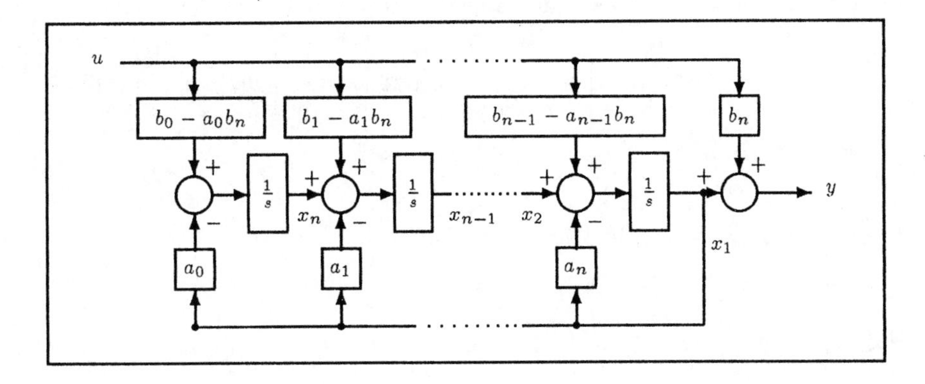

Figure 8.4 Diagramme fonctionnel de la forme canonique observable

Exemple 8.6 Forme observable

Pour montrer comment obtenir la forme canonique observable, considérons le système utilisé à l'exemple 8.5, c'est-à-dire le système dont la fonction de transfert est:

$$G(s) = \frac{s^2 + 7s + 12}{s^3 + 3s^2 + 2s}$$

De cette fonction de transfert, nous obtenons la relation suivante:

$$s^3Y(s) + 3s^2Y(s) + 2sY(s) = s^2U(s) + 7sU(s) + 12U(s)$$

que nous pouvons réécrire sous la forme suivante:

$$Y(s) = \frac{1}{s}\left[-3Y(s) + U(s) + \frac{1}{s}\left[[-2Y(s) + 7U(s)] + \frac{1}{s}[12U(s)]\right]\right]$$

Posons:

$$\begin{aligned} X_3(s) &= \frac{1}{s}[12U(s)] \\ X_2(s) &= \frac{1}{s}[-2Y(s) + 7U(s) + X_3(s)] \\ X_1(s) &= \frac{1}{s}[-3Y(s) + U(s) + X_2(s)] \\ Y(s) &= X_1(s) \end{aligned}$$

Écrivons ces équations dans le domaine du temps sous forme matricielle:

$$\begin{aligned}\dot{\mathbf{x}}(t) &= \begin{bmatrix} -3 & 1 & 0 \\ -2 & 0 & 1 \\ 0 & 0 & 0 \end{bmatrix} \mathbf{x}(t) + \begin{bmatrix} 1 \\ 7 \\ 12 \end{bmatrix} \mathbf{u}(t) \\ \mathbf{y}(t) &= \begin{bmatrix} 1 & 0 & 0 \end{bmatrix} \mathbf{x}(t)\end{aligned}$$

Ce qui constitue le modèle d'état recherché.

8.3.3 Forme de Jordan

La forme canonique de Jordan est principalement liée aux pôles de la fonction de transfert modélisant le système en question. Ces pôles peuvent être simples, ou d'ordre multiple. Au premier cas est associée la forme de Jordan diagonale, tandis qu'au deuxième cas correspond la forme bloc de Jordan. Dans le reste de cette sous-section, traitons ces deux cas.

a. **Cas de pôles simples**

Supposons que le système considéré admet n pôles distincts $-p_i, i = 1, 2, \ldots, n$ dont la décomposition en éléments simples est:

$$G(s) = \frac{k_1}{s + p_1} + \ldots + \frac{k_n}{s + p_n} = \frac{Y(s)}{U(s)}$$

En posant:

$$X_i(s) = \frac{k_i}{(s + p_i)} U(s), \; i = 1, 2, \ldots, n$$

On obtient la relation suivante dans le domaine du temps:

$$\dot{x}_i(t) = -p_i x_i(t) + k_i u(t)$$

Compte tenu de ces relations et de la décomposition en éléments simples, nous pouvons établir facilement le modèle d'état suivant:

$$\dot{\mathbf{x}}(t) = \begin{bmatrix} -p_1 & 0 & \ldots & 0 & 0 \\ 0 & -p_2 & \ldots & 0 & 0 \\ \vdots & \vdots & \ddots & \ddots & \vdots \\ 0 & 0 & \ldots & -p_{n-1} & 0 \\ 0 & 0 & \vdots & 0 & -p_n \end{bmatrix} \mathbf{x}(t) + \begin{bmatrix} k_1 \\ k_2 \\ \vdots \\ k_{n-1} \\ k_n \end{bmatrix} \mathbf{u}(t)$$

$$\mathbf{y}(t) = \begin{bmatrix} 1, & \ldots, & 1 \end{bmatrix} \mathbf{x}(t)$$

b. **Cas de pôles multiples**

Pour faciliter l'exposé, supposons que le système possède une racine $-p$ de multiplicité égale à n. Pour trouver le modèle d'état sous forme de Jordan correspondant, nous devons décomposer en éléments simples la fonction de transfert du système. On obtient:

$$G(s) = \frac{Y(s)}{U(s)} = \frac{k_1}{(s+p)^n} + \frac{k_2}{(s+p)^{n-1}} + \ldots + \frac{k_{n-1}}{(s+p)^2} + \frac{k_n}{(s+p)}$$

En posant:

$$\begin{aligned}
X_1(s) &= \frac{1}{(s+p)^n} U(s) = \frac{1}{(s+p)} X_2(s) \\
X_2(s) &= \frac{1}{(s+p)^{n-1}} U(s) = \frac{1}{(s+p)} X_3(s) \\
&\vdots \\
X_{n-1}(s) &= \frac{1}{(s+p)^{n-(n-2)}} U(s) = \frac{1}{(s+p)} X_n(s) \\
X_n(s) &= \frac{1}{s+p} U(s)
\end{aligned}$$

Et compte tenu de la décomposition en éléments simples, nous pouvons établir facilement le modèle d'état suivant:

$$\dot{\mathbf{x}}(t) = \begin{bmatrix} -p & 1 & \ldots & 0 & 0 \\ 0 & -p & 1 & \ldots & 0 \\ \vdots & \vdots & \ddots & \ddots & \vdots \\ 0 & 0 & \ldots & -p & 1 \\ 0 & 0 & \ldots & 0 & -p \end{bmatrix} \mathbf{x}(t) + \begin{bmatrix} 0 \\ 0 \\ \vdots \\ 0 \\ 1 \end{bmatrix} \mathbf{u}(t) \qquad (8.9)$$

$$\mathbf{y}(t) = \begin{bmatrix} k_1, & \ldots, & k_n \end{bmatrix} \mathbf{x}(t) \qquad (8.10)$$

Remarque: les coefficients k_i, $i = 1, \ldots, n$; peuvent être mis indifféremment dans la matrice **B** ou dans la matrice **C**. Le modèle d'état (8.9)-(8.10) est obtenu dans le cas où $m < n$. Dans le cas où $n = m$, le modèle d'état peut être obtenu de la même manière que pour le cas de la forme commandable ou observable. Le schéma-bloc de la forme de Jordan dans le cas où $n = m$ et les racines sont simples est illustré à la figure 8.5.

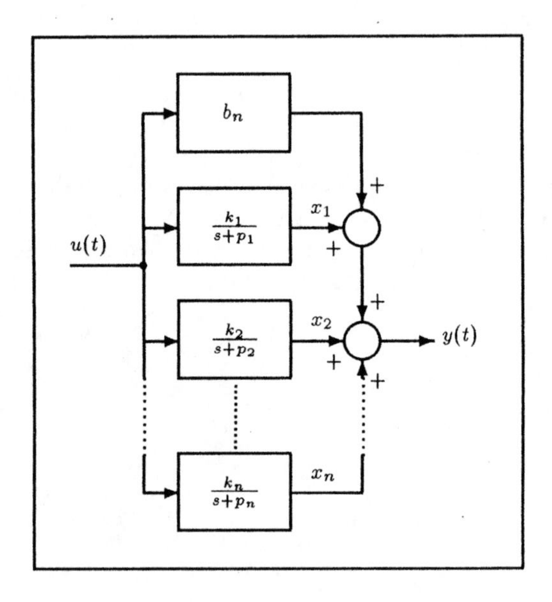

Figure 8.5 Diagramme fonctionnel de la forme de Jordan

Exemple 8.7 Forme de Jordan dans le cas de racines simples

Pour montrer comment obtenir la forme de Jordan dans le cas de pôles simples, nous allons considérer le même système que celui des exemples précédents, c'est-à-dire le système dont la fonction de transfert est:

$$G(s) = \frac{s^2 + 7s + 12}{s^3 + 3s^2 + 2s}$$

Les pôles de ce système sont $s = 0$, $s = -1$ et $s = -2$.

La décomposition en éléments simples donne:

$$G(s) = \frac{Y(s)}{U(s)} = \frac{6}{s} + \frac{-6}{s+1} + \frac{1}{s+2}$$

En posant:

$$X_1(s) = \frac{6}{s}U(s)$$

$$\begin{aligned} X_2(s) &= \frac{6}{s+1}U(s) \\ X_3(s) &= \frac{1}{s+2}U(s) \end{aligned}$$

Compte tenu de ces équations et de l'équation de $G(s)$ décomposée en éléments simples, on obtient le modèle d'état suivant:

$$\begin{aligned} \dot{\mathbf{x}}(t) &= \begin{bmatrix} 0 & 0 & 0 \\ 0 & -1 & 0 \\ 0 & 0 & -2 \end{bmatrix} \mathbf{x}(t) + \begin{bmatrix} 6 \\ 6 \\ 1 \end{bmatrix} \mathbf{u}(t) \\ \mathbf{y}(t) &= \begin{bmatrix} 1 & -1 & 1 \end{bmatrix} \mathbf{x}(t) \end{aligned}$$

Ce qui constitue le modèle d'état recherché.

Exemple 8.8 Forme de Jordan dans le cas de racines multiples

Pour montrer comment obtenir la forme canonique de Jordan dans le cas de pôles multiples, considérons le système dynamique dont la fonction de transfert est la suivante:

$$G(s) = \frac{(s+3)(s+4)}{s(s+1)^2(s+2)}$$

Ce système possède 4 pôles qui sont $s = 0$, $s = -1$ (double) et $s = -2$.

La décomposition en éléments simples de cette fonction de transfert donne:

$$G(s) = \frac{Y(s)}{U(s)} = \frac{6}{s} + \frac{-6}{(s+1)^2} + \frac{-5}{s+1} + \frac{-1}{s+2}$$

En posant:

$$\begin{aligned} X_1(s) &= \frac{1}{s}U(s) \\ X_2(s) &= \frac{1}{(s+1)^2}U(s) = \frac{1}{s+1}X_3(s) \\ X_3(s) &= \frac{1}{s+1}U(s) \\ X_4(s) &= \frac{1}{s+2}U(s) \\ Y(s) &= 6X_1(s) - 6X_2(s) - 5X_3(s) - X_4(s) \end{aligned}$$

Compte tenu de ces relations et de l'expression de $G(s)$ décomposée en éléments simples, on obtient le modèle d'état suivant:

$$\begin{aligned}\dot{\mathbf{x}}(t) &= \begin{bmatrix} 0 & 0 & 0 & 0 \\ 0 & -1 & 1 & 0 \\ 0 & 0 & -1 & 0 \\ 0 & 0 & 0 & -2 \end{bmatrix} \mathbf{x}(t) + \begin{bmatrix} 1 \\ 0 \\ 1 \\ 1 \end{bmatrix} \mathbf{u}(t) \\ \mathbf{y}(t) &= \begin{bmatrix} 6, & -6, & -5, & -1 \end{bmatrix} \mathbf{x}(t)\end{aligned}$$

Ceci constitue le modèle d'état recherché.

Remarque: il existe une autre technique qui permet de trouver la forme canonique de Jordan. Elle consiste à trouver une transformation T qui met le système sous forme diagonale. Cette approche est présentée un peu plus loin dans ce chapitre.

8.4 FONCTION DE TRANSFERT

Nous avons montré au cours des sections précédentes comment établir la représentation interne à partir de la représentation externe (ou fonction de transfert). Le but de cette section est de montrer au lecteur comment nous pouvons établir la fonction de transfert d'un système dynamique à partir de sa représentation interne. Pour cela, supposons que le système dynamique est modélisé par le modèle d'état suivant:

$$\begin{aligned}\dot{\mathbf{x}}(t) &= \mathbf{A}\mathbf{x}(t) + \mathbf{B}\mathbf{u}(t) \\ \mathbf{y}(t) &= \mathbf{C}\mathbf{x}(t) + \mathbf{D}\mathbf{u}(t) \\ x(0) &= x_0\end{aligned}$$

où $\mathbf{x}(t) \in \mathbb{R}^n$, $\mathbf{u}(t) \in \mathbb{R}$, $\mathbf{y}(t) \in \mathbb{R}$, et $\mathbf{A}$, $\mathbf{B}$, $\mathbf{C}$ et $\mathbf{D}$ sont des matrices constantes de dimensions appropriées.

En composant par l'opérateur de la transformée de Laplace, nous obtenons les équations suivantes:

$$\begin{aligned}s\mathbf{X}(s) - \mathbf{x}_0 &= \mathbf{A}\mathbf{X}(s) + \mathbf{B}\mathbf{U}(s) \\ \mathbf{Y}(s) &= \mathbf{C}\mathbf{X}(s) + \mathbf{D}\mathbf{U}(s)\end{aligned}$$

où $\mathbf{X}(s) = \mathcal{L}[\mathbf{x}(t)]$, $\mathbf{U}(s) = \mathcal{L}[\mathbf{u}(t)]$ et $\mathbf{Y}(s) = \mathcal{L}[\mathbf{y}(t)]$

En regroupant les termes semblables, ces équations deviennent:

$$\begin{aligned} (s\mathbf{I} - \mathbf{A})\mathbf{X}(s) &= \mathbf{x}_0 + \mathbf{B}\mathbf{U}(s) \\ \mathbf{Y}(s) &= \mathbf{C}\mathbf{X}(s) + \mathbf{D}\mathbf{U}(s) \end{aligned}$$

où $\mathbf{I}$ est la matrice identité d'ordre n.

Nous pouvons montrer que la matrice $(s\mathbf{I} - \mathbf{A})$ est inversible. En composant alors par $(s\mathbf{I} - \mathbf{A})^{-1}$, nous obtenons ce qui suit:

$$\begin{aligned} \mathbf{X}(s) &= (s\mathbf{I} - \mathbf{A})^{-1}\mathbf{x}_0 + (s\mathbf{I} - \mathbf{A})^{-1}\mathbf{B}\mathbf{U}(s) \\ \mathbf{Y}(s) &= \mathbf{C}\mathbf{X}(s) + \mathbf{D}\mathbf{U}(s) \end{aligned}$$

En combinant ces deux dernières équations, nous obtenons finalement la fonction de transfert $G(s)$ recherchée dont l'expression est donnée par:

$$\mathbf{G}(s) = \frac{\mathbf{Y}(s)}{\mathbf{U}(s)} = \mathbf{C}(s\mathbf{I} - \mathbf{A})^{-1}\mathbf{B} + \mathbf{D}, \quad \mathbf{x}_0 = 0 \tag{8.11}$$

Exemple 8.9 Calcul de la fonction de transfert

Dans cet exemple, nous allons montrer comment calculer la fonction de transfert à partir d'une représentation interne donnée. Supposons que le système dynamique considéré est modélisé par le modèle d'état suivant:

$$\begin{aligned} \dot{\mathbf{x}}(t) &= \begin{bmatrix} 0 & 1 \\ -2 & -3 \end{bmatrix} \mathbf{x}(t) + \begin{bmatrix} 0 \\ 1 \end{bmatrix} \mathbf{u}(t) \\ \mathbf{y}(t) &= \begin{bmatrix} 5 & 1 \end{bmatrix} \mathbf{x}(t) \end{aligned}$$

D'après l'expression (8.11) de la fonction de transfert, on obtient:

$$G(s) = \frac{Y(s)}{U(s)} = \begin{bmatrix} 5 & 1 \end{bmatrix} \begin{bmatrix} s\mathbf{I} - \mathbf{A} \end{bmatrix}^{-1} \begin{bmatrix} 0 \\ 1 \end{bmatrix}$$

On commence par calculer l'expression de $(s\mathbf{I} - \mathbf{A})^{-1}$.

$$(s\mathbf{I} - \mathbf{A})^{-1} = \begin{bmatrix} s & -1 \\ 2 & s+3 \end{bmatrix}^{-1} = \frac{1}{s(s+3)+2} \begin{bmatrix} s+.3 & 1 \\ -2 & s \end{bmatrix}$$

Compte tenu de l'expression de $(sI - A)^{-1}$, celle de $G(s)$ devient alors:

$$\begin{aligned} G(s) &= \frac{Y(s)}{U(s)} = \frac{1}{(s^2+3s+2)} \begin{bmatrix} 5 & 1 \end{bmatrix} \begin{bmatrix} s+3 & 1 \\ -2 & s \end{bmatrix} \begin{bmatrix} 0 \\ 1 \end{bmatrix} \\ &= \frac{s+5}{s^2+3s+2} \end{aligned}$$

Cette expression constitue la fonction de transfert recherchée.

Nous pouvons aussi utiliser le logiciel MATLAB pour obtenir cette fonction de transfert, avec les instructions suivantes:

```
≫ A = [0,1;-2,-3];
≫ b = [0;1];
≫ c = [5,1];
≫ d =[0];
≫ [num,den] = ss2tf(A,b,c,d);
```

8.5 RÉSOLUTION DU MODÈLE D'ÉTAT

Dans cette section, nous allons montrer comment déterminer la réponse d'un système dynamique, modélisé sous forme de représentation interne, à des grandeurs d'entrée principales ou secondaires ou à des conditions initiales. Supposons que le système est d'ordre n et que la représentation d'état est donnée par:

$$\dot{\mathbf{x}}(t) = \mathbf{Ax}(t) + \mathbf{Bu}(t) + \mathbf{Ev}(t), \quad \mathbf{x}(0) = \mathbf{x}_0 \tag{8.12}$$

$$\mathbf{y}(t) = \mathbf{Cx}(t) + \mathbf{Du}(t) + \mathbf{Fw}(t) \tag{8.13}$$

où $\mathbf{x}(t) \in \mathbb{R}^n$ est l'etat du système, $\mathbf{u}(t) \in \mathbb{R}$ est l'excitation principale du système, $\mathbf{y}(t) \in \mathbb{R}$ est la grandeur de sortie du système, $\mathbf{v}(t) \in \mathbb{R}$ est le bruit du système, $\mathbf{w}(t) \in \mathbb{R}$ est le bruit de mesure du système et $\mathbf{x}_0 \in \mathbb{R}$ est le vecteur des conditions initiales du système.

Les paramètres $\mathbf{A}$, $\mathbf{B}$, $\mathbf{C}$, $\mathbf{D}$ et $\mathbf{E}$ sont des matrices constantes avec des dimensions appropriées.

Dans un premier temps, supposons que le système évolue uniquement sous l'effet des conditions initiales sans grandeur d'entrée principale et sans perturbation. Ensuite, nous traitons le cas général en présence de la grandeur d'entrée principale, des perturbations et des conditions initiales.

8.5.1 Système autonome

En considérant l'absence de la grandeur d'entrée principale $\mathbf{u}(t)$ et des perturbations $\mathbf{v}(t)$ et $\mathbf{w}(t)$, le modèle d'état devient:

$$\begin{aligned}\dot{\mathbf{x}}(t) &= \mathbf{A}\mathbf{x}(t), \quad \mathbf{x}(0) = \mathbf{x}_0 \\ \mathbf{y}(t) &= \mathbf{C}\mathbf{x}(t)\end{aligned}$$

Soit $\varphi(\mathrm{t})$ la matrice de transition du système. Cette matrice satisfait l'équation suivante:

$$\frac{d}{dt}\varphi(\mathrm{t}) = \mathbf{A}\varphi(\mathrm{t}) \tag{8.14}$$

Cette matrice de transition est aussi définie par:

$$\mathbf{x}(t) = \varphi(\mathrm{t})\mathbf{x}_0 \tag{8.15}$$

qui est la solution du système homogène.

Pour déterminer l'expression de la matrice de transition $\varphi(\mathrm{t})$, on revient au système homogène et on utilise sa transformée de Laplace. Le système se ramène à:

$$\mathbf{X}(s) = (s\mathbf{I} - \mathbf{A})^{-1}\mathbf{x}_0$$

L'expression en fonction du temps est donc donnée par:

$$\mathbf{x}(t) = \mathcal{L}^{-1}\left[(s\mathbf{I} - \mathbf{A})^{-1}\right]\mathbf{x}_0$$

Compte tenu de cette expression et de celle définissant la matrice de transition $\varphi(\mathrm{t})$, on déduit que celle-ci est donnée par:

$$\varphi(\mathrm{t}) = \mathcal{L}^{-1}\left[(\mathrm{s}\mathbf{I} - \mathbf{A})^{-1}\right] \tag{8.16}$$

On sait que la résolution de l'équation différentielle homogène du premier ordre scalaire:

$$\dot{x}(t) = ax(t), \quad x(0) = x_0$$

donne comme solution l'expression suivante:

$$x(t) = e^{at}x_0$$

Par analogie, on conclut que la solution du système homogène est:

$$\mathbf{x}(t) = e^{\mathbf{A}t}\mathbf{x}_0$$

Ceci définit une autre expression de la matrice de transition $\varphi(\mathrm{t})$ qui est:

$$\varphi(\mathrm{t}) = \mathrm{e}^{\mathbf{A}\mathrm{t}} = \mathbf{I} + \mathbf{A}\mathrm{t} + \frac{1}{2!}\mathbf{A}^2\mathrm{t}^2 + \frac{1}{3!}\mathbf{A}^3\mathrm{t}^3 + \dots \tag{8.17}$$

Exemple 8.10 Détermination de la matrice de transition

Pour montrer comment calculer la matrice de transition $\varphi(\mathrm{t})$ d'un système, on considère le système dynamique d'ordre 2 dont le modèle d'état est donné par:

$$\begin{aligned} \dot{\mathbf{x}}(t) &= \begin{bmatrix} 0 & 1 \\ 0 & -1 \end{bmatrix} \mathbf{x}(t) + \begin{bmatrix} 0 \\ 1 \end{bmatrix} \mathbf{u}(t), \quad \mathbf{x}(0) = \mathbf{x}_0 \\ \mathbf{y}(t) &= \begin{bmatrix} 5 & 1 \end{bmatrix} \mathbf{x}(t) \end{aligned}$$

Compte tenu de l'expression de $\varphi(\mathrm{t})$, on écrit:

$$\begin{aligned} \varphi(\mathrm{s}) = (\mathrm{s}\mathbf{I} - \mathbf{A})^{-1} &= \begin{bmatrix} s & -1 \\ 0 & s+1 \end{bmatrix}^{-1} = \frac{1}{s(s+1)} \begin{bmatrix} s+1 & 1 \\ 0 & s \end{bmatrix} \\ &= \begin{bmatrix} \frac{1}{s} & \frac{1}{s(s+1)} \\ 0 & \frac{1}{s+1} \end{bmatrix} \end{aligned}$$

La transformée de Laplace inverse $\varphi(\mathrm{t})$ est donc donnée par:

$$\varphi(\mathrm{t}) = \mathcal{L}^{-1} \begin{bmatrix} \frac{1}{s} & \frac{1}{s(s+1)} \\ 0 & \frac{1}{s+1} \end{bmatrix} = \begin{bmatrix} \mathcal{L}^{-1}(\frac{1}{s}) & \mathcal{L}^{-1}(\frac{1}{s(s+1)}) \\ 0 & \mathcal{L}^{-1}(\frac{1}{s+1}) \end{bmatrix}$$

En utilisant la table de la transformée de Laplace, on obtient l'expression de $\varphi(\mathrm{t})$:

$$\varphi(\mathrm{t}) = \begin{bmatrix} 1 & 1 - e^{-t} \\ 0 & e^{-t} \end{bmatrix}$$

La solution du système homogène est alors:

$$\mathbf{x}(t) \;=\; \varphi(\mathrm{t})\mathrm{x}_0 = \begin{bmatrix} 1 & 1-e^{-t} \\ 0 & e^{-t} \end{bmatrix} \begin{bmatrix} x_{10} \\ x_{20} \end{bmatrix} = \begin{bmatrix} x_{10} + (1-e^{-t})x_{20} \\ x_{20}e^{-t} \end{bmatrix}$$

Notons qu'en régime permanent, l'état du système tend vers:

$$\lim_{t \to \infty} \mathbf{x}(t) = \begin{bmatrix} x_{10} + x_{20} \\ 0 \end{bmatrix}$$

8.5.2 Propriétés de la matrice de transition

Dans cette sous-section, nous énonçons un certain nombre de propriétés de la matrice de transition $\varphi(\mathrm{t})$. Les démonstrations de ces propriétés sont laissées au lecteur à titre d'exercice.

$(P1)$ $\quad \varphi(0) = \mathrm{I}$

$(P2)$ $\quad \varphi(\mathrm{t})^{-1} = \varphi(-\mathrm{t})$

$(P3)$ $\quad \varphi(\mathrm{t}_2 - \mathrm{t}_1)\varphi(\mathrm{t}_1 - \mathrm{t}_0) = \varphi(\mathrm{t}_2 - \mathrm{t}_0), \quad \mathrm{t}_0 < \mathrm{t}_1 < \mathrm{t}_2$

$(P4)$ $\quad [\varphi(\mathrm{t})]^{\mathrm{k}} = \varphi(\mathrm{kt}), \qquad \forall \mathrm{k} \in \mathbb{N}$

8.5.3 Solution globale

Revenons maintenant à la représentation interne complète du système, c'est-à-dire à la présence de la perturbation $\mathbf{v}(t)$, de la grandeur d'entrée principale $\mathbf{u}(t)$ et des conditions $\mathbf{x}_0$ et cherchons comment l'état du système et sa grandeur de sortie évoluent.

En prenant la transformée de Laplace de l'équation d'état, celle-ci devient:

$$s\mathbf{X}(s) - \mathbf{x}_0 = \mathbf{AX}(s) + \mathbf{BU}(s) + \mathbf{EV}(s)$$

où $\mathbf{X}(s) = \mathcal{L}[\mathbf{x}(t)]$, $\mathbf{U}(s) = \mathcal{L}[\mathbf{u}(t)]$ et $\mathbf{V}(s) = \mathcal{L}[\mathbf{v}(t)]$

En regroupant les termes semblables et en multipliant par $(s\mathbf{I} - \mathbf{A})^{-1}$, cette expression peut être réécrite sous la forme équivalente suivante:

$$\mathbf{X}(s) = (s\mathbf{I} - \mathbf{A})^{-1}\mathbf{x}_0 + (s\mathbf{I} - \mathbf{A})^{-1}\mathbf{BU}(s) + (s\mathbf{I} - \mathbf{A})^{-1}\mathbf{EV}(s)$$

L'expression du vecteur d'état dans le domaine temporel est donnée par:

$$\mathbf{x}(t) = \mathcal{L}^{-1}\left[(s\mathbf{I}-\mathbf{A})^{-1}\right]\mathbf{x}_0 + \mathcal{L}^{-1}\left[(s\mathbf{I}-\mathbf{A})^{-1}\mathbf{B}\mathbf{U}(s) + (s\mathbf{I}-\mathbf{A})^{-1}\mathbf{E}\mathbf{V}(s)\right]$$

En utilisant la définition de la matrice de transition $\varphi(\mathrm{t})$ et des propriétés de la convolution, cette équation peut être écrite sous la forme suivante:

$$\mathbf{x}(t) = \varphi(\mathrm{t})\mathbf{x}_0 + \int_0^{\mathrm{t}} \varphi(\mathrm{t}-\tau)\left[\mathbf{B}\mathbf{u}(\tau) + \mathbf{E}\mathbf{v}(\tau)\right]\mathrm{d}\tau, \quad \mathrm{t} \geq 0 \tag{8.18}$$

Remarque: l'expression du vecteur d'état $\mathbf{x}(t)$ que nous venons d'établir est définie lorsque la condition initiale et les grandeurs d'entrées principale et secondaire (perturbation) sont considérées à $t = 0$. La question que nous posons dans cette remarque est de savoir ce que devient cette expression lorsque le temps initial est non nul, c'est-à-dire $t_0 \neq 0$. L'expression du vecteur d'état $\mathbf{x}(t)$ dans ce cas est donnée par:

$$\mathbf{x}(t) = \varphi(\mathrm{t}-\mathrm{t}_0)\mathbf{x}(\mathrm{t}_0) + \int_{\mathrm{t}_0}^{\mathrm{t}} \varphi(\mathrm{t}-\tau)\left[\mathbf{B}\mathbf{u}(\tau) + \mathbf{E}\mathbf{v}(\tau)\right]\mathrm{d}\tau, \ \mathrm{t} \geq 0 \tag{8.19}$$

L'expression da la grandeur de sortie $\mathbf{y}(t)$ est obtenue à partir de l'équation de sortie:

$$\mathbf{y}(t) = \mathbf{C}\mathbf{x}(t) + \mathbf{D}\mathbf{u}(t) + \mathbf{F}\mathbf{w}(t)$$

En composant par la transformée de Laplace et en tenant compte de l'expression de $\mathbf{x}(t)$, nous pouvons montrer que l'expression de la grandeur de sortie est donnée par:

$$\mathbf{y}(t) = \mathbf{C}\varphi(\mathrm{t}-\mathrm{t}_0)\mathbf{x}(\mathrm{t}_0) + \int_{\mathrm{t}_0}^{\mathrm{t}} \mathbf{C}\varphi(\mathrm{t}-\tau)[\mathbf{B}\mathbf{u}(\tau) + \mathbf{E}\mathbf{v}(\tau)]\mathrm{d}\tau + \mathbf{D}\mathbf{u}(\mathrm{t}) + \mathbf{F}\mathbf{w}(\mathrm{t})$$

Exemple 8.11 Résolution du modèle d'état

Pour montrer comment calculer la réponse du système à une grandeur d'entrée principale fixée, par exemple à un échelon unitaire, prenons le système de l'exemple 8.10. Le modèle d'état de ce système est donné par:

$$\begin{aligned}
\dot{\mathbf{x}}(t) &= \begin{bmatrix} 0 & 1 \\ 0 & -1 \end{bmatrix}\mathbf{x}(t) + \begin{bmatrix} 0 \\ 1 \end{bmatrix}\mathbf{u}(t), \quad \mathbf{x}(0) = \mathbf{x}_0 \\
\mathbf{y}(t) &= \begin{bmatrix} 5 & 1 \end{bmatrix}\mathbf{x}(t)
\end{aligned}$$

D'après l'équation (8.18), le vecteur d'état est donné par:

$$\mathbf{x}(t) = \varphi(\mathrm{t})\mathbf{x}_0 + \int_0^t \varphi(\mathrm{t}-\tau)\mathbf{B}\mathbf{u}(\tau)\mathrm{d}\tau$$

Or, d'après l'exemple 8.10, la matrice de transition $\varphi(\mathrm{t})$ est donnée par:

$$\varphi(\mathrm{t}) = \begin{bmatrix} 1 & 1-e^{-t} \\ 0 & e^{-t} \end{bmatrix}$$

Compte tenu de ceci, le vecteur d'état est donné par:

$$\begin{aligned}
\mathbf{x}(t) &= \begin{bmatrix} 1 & 1-e^{-t} \\ 0 & e^{-t} \end{bmatrix} x_0 + \int_0^t \begin{bmatrix} 1 & 1-e^{-(t-\tau)} \\ 0 & e^{-(t-\tau)} \end{bmatrix} \begin{bmatrix} 0 \\ 1 \end{bmatrix} d\tau \\
&= \begin{bmatrix} 1 & 1-e^{-t} \\ 0 & e^{-t} \end{bmatrix} \mathbf{x}_0 + \begin{bmatrix} \int_0^t (1-e^{-(t-\tau)})d\tau \\ \int_0^t (e^{-(t-\tau)})d\tau \end{bmatrix} \\
&= \begin{bmatrix} x_{10} + (1-e^{-t})x_{20} + t - 1 + e^{-t} \\ 0 + e^{-t}x_{20} + 1 - e^{-t} \end{bmatrix}
\end{aligned}$$

La grandeur de sortie $y(t)$ est donnée par:

$$\mathbf{y}(t) = \begin{bmatrix} 5 & 1 \end{bmatrix} \mathbf{x}(t) = 5x_1(t) + x_2(t)$$

8.6 TRANSFORMATION DU MODÈLE D'ÉTAT

Nous avons déjà dit qu'un système donné peut avoir plusieurs représentations internes. Dans cette section, montrons comment obtenir une autre représentation équivalente à un modèle d'état donné.

Supposons que le système considéré est représenté par le modèle d'état suivant:

$$\begin{aligned}
\dot{\mathbf{x}}(t) &= \mathbf{A}\mathbf{x}(t) + \mathbf{B}\mathbf{u}(t), \quad \mathbf{x}(0) = \mathbf{x}_0 \\
\mathbf{y}(t) &= \mathbf{C}\mathbf{x}(t) + \mathbf{D}\mathbf{u}(t)
\end{aligned}$$

où $\mathbf{x}(t) \in \mathbb{R}^n$, $\mathbf{u}(t) \in \mathbb{R}$, $\mathbf{y}(t) \in \mathbb{R}$, et $\mathbf{A}$, $\mathbf{B}$, $\mathbf{C}$, $\mathbf{D}$ sont des matrices constantes de dimensions appropriées.

8.6.1 Diagonalisation d'un système à pôles réels

Comme nous l'avons constaté lors du calcul de la matrice de transition $\varphi(\mathrm{t})$ ou de la réponse à une excitation, il est souhaitable d'avoir à calculer des matrices creuses dont la plus grande partie de ses composantes est nulle. Cette forme est obtenue en transformant le modèle d'état initial. Pour obtenir le nouveau modèle d'état, considérons la transformation suivante:

$$\mathbf{x}(t) = \mathbf{T}\mathbf{z}(t)$$

où $\mathbf{T}$ est la transformation recherchée (matrice non singulière; $\mathbf{x}(t)$ le vecteur d'état initial et $\mathbf{z}(t)$ le nouveau vecteur d'état).

Compte tenu de cette transformation, le modèle d'état devient:

$$\begin{aligned} \mathbf{T}\dot{\mathbf{z}}(t) &= \mathbf{A}\mathbf{T}\mathbf{z}(t) + \mathbf{B}\mathbf{u}(t) \\ \mathbf{y}(t) &= \mathbf{C}\mathbf{T}\mathbf{z}(t) + \mathbf{D}\mathbf{u}(t) \\ \mathbf{x}_0 &= \mathbf{T}\mathbf{z}_0 \end{aligned}$$

Si la matrice $\mathbf{T}^{-1}$ existe, le dernier modèle d'état donne le modèle d'état recherché:

$$\begin{aligned} \dot{\mathbf{z}}(t) &= \overline{\mathbf{A}}\mathbf{z}(t) + \overline{\mathbf{B}}\mathbf{u}(t) \\ \mathbf{y}(t) &= \overline{\mathbf{C}}\mathbf{z}(t) + \overline{\mathbf{D}}\mathbf{u}(t) \\ \mathbf{z}(0) &= \mathbf{z}_0 \end{aligned}$$

où

$$\begin{aligned} \overline{\mathbf{A}} &= \mathbf{T}^{-1}\mathbf{A}\mathbf{T} \\ \overline{\mathbf{B}} &= \mathbf{T}^{-1}\mathbf{B} \\ \overline{\mathbf{C}} &= \mathbf{C}\mathbf{T} \\ \overline{\mathbf{D}} &= \mathbf{D} \end{aligned}$$

Pour les raisons mentionnées au début de cette section, la transformation $\mathbf{T}$ qui procure une matrice sous forme de Jordan doit être considérée.

En général, il existe différentes méthodes pour déterminer la transformation $\mathbf{T}$. Nous utilisons dans cet ouvrage la transformation formée par les vecteurs propres de la matrice **A**, c'est-à-dire:

$$\mathbf{T} = [\ v_1, \quad \ldots, \quad v_n\ ] \tag{8.20}$$

où $v_i, \ i = 1, \ldots, n$ représente le vecteur propre associé à la valeur propre λ_i de la matrice **A**.

Dans le cas où toutes les valeurs propres sont distinctes, la matrice $\overline{\mathbf{A}}$ est donnée par:

$$\overline{\mathbf{A}} = \begin{bmatrix} \lambda_1 & \ldots & 0 \\ \vdots & \ddots & \vdots \\ 0 & \ldots & \lambda_n \end{bmatrix}$$

Montrons que cette matrice est bien donnée par:

$$\overline{\mathbf{A}} = \mathbf{T}^{-1}\mathbf{A}\mathbf{T}$$

où $\mathbf{T} = [\ v_i, \quad \ldots, \quad v_n\ ]$

En effet, d'après la définition des vecteurs propres, nous pouvons écrire:

$$\lambda_i v_i = \mathbf{A} v_i \qquad i = 1, 2, \ldots, n$$

En regroupant toutes les relations dans une représentation matricielle, nous obtenons la relation suivante:

$$\begin{aligned} [\ \lambda_1 v_1, \quad \lambda_2 v_2, \quad \ldots, \quad \lambda_n v_n\ ] &= [\ \mathbf{A} v_1, \quad \mathbf{A} v_2, \quad \ldots, \quad \mathbf{A} v_n\ ] \\ &= \mathbf{A} [\ v_1, \quad v_2, \quad \ldots, \quad v_n\ ] \end{aligned}$$

ce qui est équivalent à:

$$[\ v_1, \quad v_2, \quad \ldots, \quad v_n\ ]\, \overline{\mathbf{A}} = \mathbf{A} [\ v_1, \quad v_2, \quad \ldots, \quad v_n\ ]$$

Par conséquent, si nous définissons **T**:

$$\mathbf{T} = [\ v_1, \quad v_2, \quad \ldots, \quad v_n\ ]$$

nous obtenons le résultat qu'il fallait démontrer, c'est-à-dire:

$$\overline{\mathbf{A}} = \mathbf{T}^{-1}\mathbf{A}\mathbf{T}$$

Dans le cas général où la matrice $\mathbf{A}$ admet des valeurs propres multiples, la matrice de transformation $\mathbf{T}$ qui va donner la forme de Jordan $\overline{\mathbf{A}}$ est obtenue de la même manière que précédemment. Les vecteurs propres associés aux valeurs propres se calculent différemment. Considérons en effet le cas d'un système d'ordre n dont la matrice $\mathbf{A}$ possède q valeurs propres distinctes et une valeur propre multiple d'ordre m (i.e. $m + q = n$).

Les vecteurs propres associés à la valeur propre multiple λ sont calculés à partir du système algébrique suivant:

$$\begin{aligned} \lambda v_1 &= \mathbf{A} v_1 \\ v_1 + \lambda v_2 &= \mathbf{A} v_2 \\ v_2 + \lambda\ v_3 &= \mathbf{A} v_3 \\ &\vdots \\ v_{m-1} + \lambda v_m &= \mathbf{A} v_m \end{aligned}$$

Par contre, les vecteurs propres associés aux valeurs propres distinctes λ_i, se calculent de la même manière qu'auparavant, c'est-à-dire en utilisant la relation suivante:

$$\lambda_i v_i = \mathbf{A} v_i, \quad i = m+1, \ldots, n$$

Une propriété importante est que la transformation $\mathbf{T}$ ne change pas les valeurs propres du système considéré. En effet, nous savons que les valeurs propres dans l'ancienne représentation sont données par:

$$\det\,(s\mathbf{I} - \mathbf{A}) = 0$$

Dans la nouvelle représentation, après transformations, les valeurs propres correspondantes sont:

$$\det\,(s\mathbf{I} - \overline{\mathbf{A}}) = 0$$

En remplaçant $\overline{\mathbf{A}}$ par son expression et en utilisant le fait que $\mathbf{T}^{-1}\mathbf{T} = \mathbf{I}$, nous obtenons:

$$\det\,(s\mathbf{T}^{-1}\mathbf{T} - \mathbf{T}^{-1}\mathbf{A}\mathbf{T}) = 0$$

Cette expression peut s'écrire comme suit:

$$\det\left(\mathbf{T}^{-1}(s\mathbf{I}-\mathbf{A})\mathbf{T}\right)=0$$

En utilisant la propriété du déterminant d'un produit de matrices, on obtient:

$$\det\left(\mathbf{T}^{-1}\right)\ \det\left(s\mathbf{I}-\mathbf{A}\right)\ \det\left(\mathbf{T}\right)\ =\ \frac{1}{\det\left(\mathbf{T}\right)}\ \det\left(s\mathbf{I}-\mathbf{A}\right)\ \mathbf{det}\ (\mathbf{T})=0$$

Ce qui démontre que les valeurs propres restent les mêmes après transformations.

Exemple 8.12 Diagonalisation (cas où les valeurs propres de la matrice A sont distinctes)

Pour montrer comment transformer le modèle d'état d'un système dynamique donné, prenons le modèle d'état suivant:

$$\begin{aligned}\dot{\mathbf{x}}(t) &= \begin{bmatrix} 0 & 1 \\ -3 & -4 \end{bmatrix}\mathbf{x}(t)+\begin{bmatrix} 0 \\ 1 \end{bmatrix}\mathbf{u}(t), \quad \mathbf{x}(0)=\mathbf{x}_0 \\ \mathbf{y}(t) &= \begin{bmatrix} 4 & 1 \end{bmatrix}\mathbf{x}(t)\end{aligned}$$

On cherche la matrice **T** qui permet d'obtenir la matrice diagonale équivalente pour ce problème. On commence par calculer les valeurs propres de la matrice **A**, qui sont les solutions de l'équation suivante:

$$\det\left(s\mathbf{I}-\mathbf{A}\right)=0$$

ce qui donne: $s=-3$ et $s=-1$.

Le vecteur propre v_1 associé à la valeur propre -3 est donné par:

$$\begin{aligned}\begin{bmatrix} 0 & 1 \\ -3 & -4 \end{bmatrix}v_1 &= -3\begin{bmatrix} v_{11} \\ v_{12} \end{bmatrix} \\ \begin{bmatrix} 0 & 1 \\ -3 & -4 \end{bmatrix}\begin{bmatrix} v_{11} \\ v_{12} \end{bmatrix} &= \begin{bmatrix} -3v_{11} \\ -3v_{12} \end{bmatrix}\end{aligned}$$

ce qui se ramène à:

$$v_{12} = -3v_{11}$$

Ainsi, v_{11} est arbitraire et v_{12} est lié au choix de v_{11}. Le vecteur propre correspondant est alors donné par:

$$v_1 = \begin{bmatrix} v_{11} \\ -3v_{11} \end{bmatrix}$$

Le vecteur propre v_2 associé à la valeur propre -1 est donné par:

$$\begin{bmatrix} 0 & 1 \\ -3 & -4 \end{bmatrix} \begin{bmatrix} v_{21} \\ v_{22} \end{bmatrix} = -\begin{bmatrix} v_{21} \\ v_{22} \end{bmatrix}$$

ce qui se ramène à:

$$v_{22} = -v_{21}$$

De même que précédemment, on a:

$$v_2 = \begin{bmatrix} v_{21} \\ -v_{21} \end{bmatrix}$$

En prenant par exemple $v_{11} = 1$ et $v_{21} = 1$, les vecteurs propres sont alors donnés par:

$$v_1 = \begin{bmatrix} 1 \\ -3 \end{bmatrix}$$

$$v_2 = \begin{bmatrix} 1 \\ -1 \end{bmatrix}$$

et la transformation $\mathbf{T}$ s'écrit:

$$\mathbf{T} = (v_1 \quad v_2) = \begin{bmatrix} 1 & 1 \\ -3 & -1 \end{bmatrix}$$

Vérifions que la matrice $\overline{\mathbf{A}}$ est donnée par:

$$\overline{\mathbf{A}} = \begin{bmatrix} -3 & 0 \\ 0 & -1 \end{bmatrix}$$

Pour cela, calculons:

$$\overline{\mathbf{A}} = \mathbf{T}^{-1}\mathbf{A}\mathbf{T}$$

La matrice $\mathbf{T}^{-1}$ est donnée par:

$$\mathbf{T}^{-1} = \frac{1}{2}\begin{bmatrix} -1 & -1 \\ 3 & 1 \end{bmatrix}$$

et $\overline{\mathbf{A}}$ devient alors:

$$\overline{\mathbf{A}} = \frac{1}{2}\begin{bmatrix} -1 & -1 \\ 3 & 1 \end{bmatrix}\begin{bmatrix} 0 & 1 \\ -3 & -4 \end{bmatrix}\begin{bmatrix} 1 & 1 \\ -3 & -1 \end{bmatrix} = \begin{bmatrix} -3 & 0 \\ 0 & -1 \end{bmatrix}$$

Le nouveau modèle d'état est alors donné par:

$$\begin{aligned} \dot{\mathbf{z}}(t) &= \overline{\mathbf{A}}\mathbf{z}(t) + \overline{\mathbf{B}}\mathbf{u}(t), \quad \mathbf{z}(0) = \mathbf{z}_0 \\ \mathbf{y}(t) &= \overline{\mathbf{C}}\mathbf{z}(t) \end{aligned}$$

où

$$\begin{aligned} \overline{\mathbf{A}} &= \begin{bmatrix} -3 & 0 \\ 0 & -1 \end{bmatrix} \\ \overline{\mathbf{B}} &= \frac{1}{2}\begin{bmatrix} -1 & -1 \\ 3 & 1 \end{bmatrix}\begin{bmatrix} 0 \\ 1 \end{bmatrix} = \frac{1}{2}\begin{bmatrix} -1 \\ 1 \end{bmatrix} = \begin{bmatrix} -\frac{1}{2} \\ \frac{1}{2} \end{bmatrix} \\ \overline{\mathbf{C}} &= \begin{bmatrix} 4 & 1 \end{bmatrix}\begin{bmatrix} 1 & 1 \\ -3 & -1 \end{bmatrix} = \begin{bmatrix} 1 & 3 \end{bmatrix} \end{aligned}$$

Exemple 8.13 Transformation, cas où la matrice A admet des valeurs multiples

Dans cet exemple, on montre comment calculer la transformation $\mathbf{T}$ dans le cas de valeurs propres multiples. Pour cela, on considère le système dynamique dont le modèle est:

$$\begin{aligned} \dot{\mathbf{x}}(t) &= \begin{bmatrix} 0 & 1 \\ -1 & -2 \end{bmatrix}\mathbf{x}(t) + \begin{bmatrix} 0 \\ 1 \end{bmatrix}\mathbf{u}(t), \quad \mathbf{x}(0) = \mathbf{x}_0 \\ \mathbf{y}(t) &= \begin{bmatrix} 4 & 1 \end{bmatrix}\mathbf{x}(t) \end{aligned}$$

Les valeurs propres de la matrice $\mathbf{A}$ de ce problème sont $s = -1$ (double). Les vecteurs propres dans ce cas sont déterminés par les relations suivantes:

$$\begin{aligned} -1v_1 &= \mathbf{A}v_1 \\ v_1 - v_2 &= \mathbf{A}v_2 \end{aligned}$$

ce qui donne:

$$\begin{bmatrix} 0 & 1 \\ -1 & -2 \end{bmatrix} \begin{bmatrix} v_{11} \\ v_{12} \end{bmatrix} = - \begin{bmatrix} v_{11} \\ v_{12} \end{bmatrix}$$

dont la résolution donne:

$$\begin{aligned} v_{12} &= -v_{11} \\ v_{11} &: \text{quelconque} \end{aligned}$$

ce qui donne comme vecteur propre:

$$v_1 = \begin{bmatrix} v_{11} \\ -v_{11} \end{bmatrix}$$

Pour la deuxième équation, on a:

$$\begin{bmatrix} 0 & 1 \\ -1 & -2 \end{bmatrix} \begin{bmatrix} v_{21} \\ v_{22} \end{bmatrix} = \begin{bmatrix} v_{11} - v_{21} \\ -v_{12} - v_{22} \end{bmatrix}$$

dont la résolution donne:

$$\begin{aligned} v_{22} &= v_{11} - v_{21} \\ v_{21} &: \text{quelconque} \end{aligned}$$

Ce qui donne

$$v_2 = \begin{bmatrix} v_{21} \\ v_{11} - v_{21} \end{bmatrix}$$

En prenant par exemple $v_{11} = 1$ et $v_{21} = -1$, on obtient:

$$\begin{aligned} v_1 &= \begin{bmatrix} 1 \\ -1 \end{bmatrix} \\ v_2 &= \begin{bmatrix} -1 \\ 2 \end{bmatrix} \end{aligned}$$

La transformation correspondante est donnée par:

$$\mathbf{T} = \begin{bmatrix} 1 & -1 \\ -1 & 2 \end{bmatrix}$$

et la forme de Jordan est donnée par:

$$\begin{aligned} \dot{\mathbf{z}} &= \overline{\mathbf{A}}\mathbf{z} + \overline{\mathbf{B}}\mathbf{u}(t), \quad \mathbf{z}(0) = \mathbf{z}_0 \\ \mathbf{y} &= \overline{\mathbf{C}}\mathbf{z} \end{aligned}$$

où

$$\begin{aligned} \overline{\mathbf{A}} &= \begin{bmatrix} -1 & 1 \\ 0 & -1 \end{bmatrix} \\ \overline{\mathbf{B}} &= \begin{bmatrix} 2 & 1 \\ 1 & 1 \end{bmatrix} \begin{bmatrix} 0 \\ 1 \end{bmatrix} = \begin{bmatrix} 1 \\ 1 \end{bmatrix} \\ \overline{\mathbf{C}} &= \begin{bmatrix} 4 & 1 \end{bmatrix} \begin{bmatrix} 1 & -1 \\ -1 & 2 \end{bmatrix} = \begin{bmatrix} 3 & -2 \end{bmatrix} \end{aligned}$$

8.6.2 Matrice de Vandermonde

Dans le cas où le modèle d'état est donné sous forme canonique commandable avec des **valeurs propres distinctes**, la transformation T qui permet de mettre le modèle d'état sous forme de Jordan est donnée par:

$$\mathbf{T} = \begin{bmatrix} 1 & 1 & \dots & \dots & 1 \\ \lambda_1 & \lambda_2 & \dots & \dots & \lambda_n \\ \lambda_1^2 & \lambda_2^2 & \dots & \dots & \lambda_n^2 \\ \vdots & \vdots & \vdots & \vdots & \vdots \\ \lambda_1^{n-1} & \lambda_2^{n-1} & \dots & \dots & \lambda_n^{n-1} \end{bmatrix}$$

Ainsi, si l'on se réfère à l'exemple 8.12, qui représente un modèle du second ordre, la matrice de Vandermonde est:

$$\mathbf{T} = \begin{bmatrix} 1 & 1 \\ \lambda_1 & \lambda_2 \end{bmatrix}$$

où $\lambda_1 = -3$ et $\lambda_2 = -1$.

On remarque ainsi que le résultat est immédiat.

8.6.3 Diagonalisation d'un système à pôles complexes

Dans la section précédente, nous n'avons parlé que de transformation du modèle d'état dans le cas où les valeurs propres sont réelles distinctes ou multiples. De plus, nous n'avons eu affaire qu'à des matrices "$\mathbf{A}$" et par conséquent "$\overline{\mathbf{A}}$" dont les éléments étaient réels, ce qui facilite grandement leurs manipulations. Il est à noter que si les valeurs propres de la matrice "$\mathbf{A}$" sont complexes, alors la matrice transformée "$\overline{\mathbf{A}}$" aura des éléments diagonaux complexes.

Par exemple, soit la matrice $\mathbf{A}$ suivante:

$$\mathbf{A} = \begin{bmatrix} 0 & -1 \\ 3 & -2 \end{bmatrix}$$

dont les valeurs propres sont $\lambda_1 = -1 + j\sqrt{2}$ et $\lambda_2 = -1 - j\sqrt{2}$. D'après Vandermonde, la matrice $\mathbf{T}$ est:

$$\mathbf{T} = \begin{bmatrix} 1 & 1 \\ -1 - j\sqrt{2} & -1 + j\sqrt{2} \end{bmatrix}$$

La matrice diagonale est finalement:

$$\overline{\mathbf{A}} = \begin{bmatrix} -1 + j\sqrt{2} & 0 \\ 0 & -1 - j\sqrt{2} \end{bmatrix}$$

•

Le lecteur pourra facilement vérifier les calculs précédents et constater que la matrice diagonale telle qu'obtenue avec des éléments complexes est difficile à manipuler pour la suite des calculs.

La question qui se pose maintenant est de savoir s'il est possible de trouver une nouvelle représentation de notre modèle dont les matrices ne contiennent que des éléments réels. Examinons cela sur l'exemple suivant.

Soit un système de second ordre dont la fonction de transfert est:

$$G(s) = \frac{1}{s^2 + 2\zeta\omega_n s + \omega_n^2}$$

La représentation d'état du système considéré sous forme canonique commandable est:

$$\begin{aligned} \dot{\mathbf{x}}(t) &= \begin{bmatrix} 0 & 1 \\ -\omega_n^2 & -2\zeta\omega_n \end{bmatrix} \mathbf{x}(t) + \begin{bmatrix} 0 \\ 1 \end{bmatrix} \mathbf{u}(t) \\ \mathbf{y}(t) &= \begin{bmatrix} 1 & 0 \end{bmatrix} \mathbf{x}(t) \end{aligned}$$

Les pôles correspondants sont donnés par:

$$s_{1,2} = -\zeta\omega_n \pm j\omega_n\sqrt{1-\zeta^2} = -\sigma \pm j\omega_d$$

La transformation **T** qui met la représentation précédente sous forme diagonale est obtenue en utilisant la matrice de Vandermonde:

$$\mathbf{T} = \begin{bmatrix} 1 & 1 \\ \lambda_1 & \lambda_2 \end{bmatrix} = \begin{bmatrix} 1 & 1 \\ -\sigma + j\omega_d & -\sigma - j\omega_d \end{bmatrix} = \begin{bmatrix} v_1 & v_2 \end{bmatrix}$$

La nouvelle représentation est donnée par:

$$\begin{aligned} \dot{\mathbf{z}}(t) &= \begin{bmatrix} -\sigma + j\omega_d & 0 \\ 0 & -\sigma - j\omega_d \end{bmatrix} \mathbf{z}(t) + \begin{bmatrix} \frac{1}{j2\omega_d} \\ -\frac{1}{j2\omega_d} \end{bmatrix} \mathbf{u}(t) \\ \mathbf{y}(t) &= \begin{bmatrix} 1 & 1 \end{bmatrix} \mathbf{z}(t) \end{aligned}$$

Faisons maintenant la transformation suivante:

$$\mathbf{z} = S\omega$$

où

$$\mathbf{S} = \begin{bmatrix} \frac{1}{2} & -\frac{j}{2} \\ \frac{1}{2} & \frac{j}{2} \end{bmatrix}$$

Le nouveau modèle est alors donné par:

$$\begin{aligned} \dot{\omega}(t) &= \mathbf{S}^{-1}\overline{\mathbf{A}}\mathbf{S}\omega(\mathrm{t}) + \mathbf{S}^{-1}\mathbf{T}^{-1}\mathbf{B}\mathbf{u}(\mathrm{t}) = \overline{\mathbf{A_m}}\omega(\mathrm{t}) + \overline{\mathbf{B_m}\mathbf{u}}(\mathrm{t}) \\ \mathbf{y}(t) &= \mathbf{CTS}\omega(\mathrm{t}) + \mathbf{Du}(\mathrm{t}) = \overline{\mathbf{C_m}}\omega(\mathrm{t}) + \overline{\mathbf{D_m}\mathbf{u}}(\mathrm{t}) \end{aligned}$$

avec

$$\begin{aligned} \overline{\mathbf{A_m}} &= \mathbf{S}^{-1}\overline{\mathbf{A}}\mathbf{S} \\ \overline{\mathbf{B_m}} &= \mathbf{S}^{-1}\mathbf{T}^{-1}\mathbf{B} \\ \overline{\mathbf{C_m}} &= \mathbf{CTS} \\ \overline{\mathbf{D_m}} &= \mathbf{D} \end{aligned}$$

ce qui donne, après calculs

$$\begin{aligned} \dot{\boldsymbol{\omega}}(t) &= \begin{bmatrix} -\sigma & \omega_d \\ -\omega_d & -\sigma \end{bmatrix} \boldsymbol{\omega}(\mathrm{t}) + \begin{bmatrix} 0 \\ \frac{1}{\omega_d} \end{bmatrix} \mathbf{u}(\mathrm{t}) \\ \mathbf{y}(t) &= \begin{bmatrix} 1 & 0 \end{bmatrix} \boldsymbol{\omega}(\mathrm{t}) \end{aligned}$$

Ainsi, pour établir le modèle d'état sous forme diagonale d'un système dont les valeurs propres sont complexes, il a fallu utiliser la transformation suivante:

$$\mathbf{x}(t) = \mathbf{TS}\boldsymbol{\omega}(\mathrm{t}) = \begin{bmatrix} 1 & 0 \\ -\sigma & \omega_d \end{bmatrix} \boldsymbol{\omega}(\mathrm{t}) = \mathbf{T_m}\boldsymbol{\omega}(\mathrm{t})$$

Dans le cas général, pour un système d'ordre n avec un pôle complexe, son conjugué et des pôles réels, il s'agit de choisir une matrice de transformation $\mathbf{T_m}$ définie par:

$$\mathbf{x} = \mathbf{T_m}\boldsymbol{\omega}(\mathrm{t})$$

où $\mathbf{T_m}$ ainsi que les matrices correspondantes $\overline{\mathbf{A}}_\mathbf{m}$, $\overline{\mathbf{B}}_\mathbf{m}$, $\overline{\mathbf{C}}_\mathbf{m}$ et $\overline{\mathbf{D}}_\mathbf{m}$ sont données par les expressions suivantes:

$$\begin{aligned} \mathbf{T_m} &= \begin{bmatrix} \begin{bmatrix} 1 & 0 \\ -\sigma & \omega_d \end{bmatrix} & 0 \\ 0 & [v_3, \ldots, v_n] \end{bmatrix} \\ \overline{\mathbf{A}}_\mathbf{m} &= \begin{bmatrix} -\sigma & \omega_d & \ldots & 0 & 0 \\ -\omega_d & -\sigma & 0 & \ldots & 0 \\ 0 & 0 & \lambda_3 & \ldots & 0 \\ \vdots & \vdots & \vdots & \vdots & \vdots \\ 0 & 0 & \ldots & \ldots & \lambda_n \end{bmatrix} \\ \overline{\mathbf{B}}_\mathbf{m} &= \mathbf{T_m^{-1}B} \\ \overline{\mathbf{C}}_\mathbf{m} &= \mathbf{CT_m} \\ \overline{\mathbf{D}}_\mathbf{m} &= \mathbf{D} \end{aligned}$$

Exemple 8.14 Transformation d'une forme canonique commandable en une forme canonique de Jordan

Pour montrer comment cette transformation s'effectue, considérons l'exemple suivant dont la fonction de transfert est:

$$G(s) = \frac{s+4}{(s+2)(s+3)}$$

La forme canonique commandable est donnée par (c.f. section 8.2):

$$\begin{aligned}
\dot{\mathbf{x}}(t) &= \begin{bmatrix} 0 & 1 \\ -6 & -5 \end{bmatrix} \mathbf{x}(t) + \begin{bmatrix} 0 \\ 1 \end{bmatrix} \mathbf{u}(t), \quad \mathbf{x}(0) = \mathbf{x}_0 \\
\mathbf{y}(t) &= \begin{bmatrix} 4 & 1 \end{bmatrix} \mathbf{x}(t)
\end{aligned}$$

D'après la remarque précédente, la transformation qui permet d'obtenir la forme canonique s'écrit:

$$\mathbf{T} = \begin{bmatrix} 1 & 1 \\ \lambda_1 & \lambda_2 \end{bmatrix}$$

où λ_1 et λ_2 sont les deux valeurs propres du système. Ces deux valeurs propres sont:

$$\det\,(s\mathbf{I} - \mathbf{A}) = \det \begin{bmatrix} s & -1 \\ 6 & s+5 \end{bmatrix} = s(s+5) + 6$$

ce qui donne comme racines: $s_1 = -2$ et $s_2 = -3$. La transformation $\mathbf{T}$ est:

$$\mathbf{T} = \begin{bmatrix} 1 & 1 \\ -2 & -3 \end{bmatrix}$$

et le modèle d'état sous forme de Jordan est:

$$\begin{aligned}
\dot{\mathbf{z}}(t) &= \overline{\mathbf{A}}\mathbf{z}(t) + \overline{\mathbf{B}}\mathbf{u}(t), \quad \mathbf{z}(0) = \mathbf{z}_0 \\
\mathbf{y}(t) &= \overline{\mathbf{C}}\mathbf{z}(t)
\end{aligned}$$

où

$$\begin{aligned}
\overline{\mathbf{A}} &= \mathbf{T}^{-1}\mathbf{A}\mathbf{T} = -\begin{bmatrix} 3 & -1 \\ 2 & 1 \end{bmatrix} \begin{bmatrix} 0 & 1 \\ -6 & -5 \end{bmatrix} \begin{bmatrix} 1 & 1 \\ -2 & -3 \end{bmatrix} = \begin{bmatrix} -2 & 0 \\ 0 & -3 \end{bmatrix} \\
\overline{\mathbf{B}} &= \mathbf{T}^{-1}\mathbf{B} = -\begin{bmatrix} 3 & -1 \\ 2 & 1 \end{bmatrix} \begin{bmatrix} 0 \\ 1 \end{bmatrix} = \begin{bmatrix} 1 \\ -1 \end{bmatrix} \\
\overline{\mathbf{C}} &= \mathbf{C}\mathbf{T} = \begin{bmatrix} 4 & 1 \end{bmatrix} \begin{bmatrix} 1 & 1 \\ -2 & -3 \end{bmatrix} = \begin{bmatrix} 2 & 1 \end{bmatrix}
\end{aligned}$$

Dans le reste de cette section, nous étudions l'impact qu'a cette transformation $\mathbf{T}$ sur la matrice de transition φ(t) et sur la solution du modèle d'état.

Pour cela, dénotons par ϕ(t) la matrice de transition associée au modèle:

$$\begin{aligned}
\dot{\mathbf{z}}(t) &= \overline{\mathbf{A}}\mathbf{z}(t) + \overline{\mathbf{B}}\mathbf{u}(t), \quad \mathbf{z}(0) = \mathbf{z}_0 \\
y(t) &= \overline{C}z(t)
\end{aligned}$$

Pour établir la relation qui relie les deux matrices de transition $\varphi(\mathrm{t})$ et $\phi(\mathrm{t})$, revenons à leur définition. En effet, ces deux matrices sont définies dans le cas des conditions initiales $\mathbf{x}_0$ et $\mathbf{z}_0$ par:

$$\begin{aligned} \mathbf{x}(t) &= \varphi(\mathrm{t})\mathbf{x}_0 \\ \mathbf{z}(t) &= \phi(\mathrm{t})\mathbf{z}_0 \end{aligned}$$

D'autre part, nous savons que le lien entre $\mathbf{x}(t)$ et $\mathbf{z}(t)$ est donné par la transformation $\mathbf{T}$ et s'écrit:

$$\mathbf{x}(t) = \mathbf{T}\mathbf{z}(t)$$

En dérivant cette relation par rapport au temps et en tenant compte de la définition de $\varphi(\mathrm{t})$, nous obtenons:

$$\mathbf{T}\dot{\mathbf{z}}(t) = \varphi(\mathrm{t})\mathbf{T}\mathbf{z}_0$$

qui peut s'écrire:

$$\dot{\mathbf{z}}(t) = \mathbf{T}^{-1}\varphi(\mathrm{t})\mathbf{T}\mathbf{z}_0$$

En comparant cette expression à la définition de $\phi(\mathrm{t})$, il s'ensuit que:

$$\phi(\mathrm{t}) = \mathbf{T}^{-1}\varphi(\mathrm{t})\mathbf{T}$$

Cette relation est d'un grand intérêt du fait que le calcul d'une matrice de transition $\varphi(\mathrm{t})$ associé à un système où la matrice $\mathbf{A}$ est pleine peut se déduire par simple calcul algébrique d'une matrice de transition $\phi(\mathrm{t})$ correspondant à une forme de Jordan. L'expression de $\varphi(\mathrm{t})$ est alors obtenue à partir de la relation suivante:

$$\varphi(\mathrm{t}) = \mathbf{T}\phi(\mathrm{t})\mathbf{T}^{-1}$$

Le vecteur d'état $\mathbf{x}(t)$ dans l'ancienne représentation interne est obtenu à partir de celui de la nouvelle représentation interne en utilisant la relation qui définit la transformation $\mathbf{T}$, c'est-à-dire:

$$\mathbf{x}(t) = \mathbf{T}\mathbf{z}(t)$$

Exemple 8.15 Cas où le modèle d'état est sous forme de Jordan

Pour montrer comment les relations précédentes peuvent être utilisées, considérons le système linéaire dynamique dont le modèle d'état est donné par:

$$\begin{aligned}\dot{\mathbf{z}}(t) &= \begin{bmatrix} -3 & 0 \\ 0 & -1 \end{bmatrix}\mathbf{z}(t) + \begin{bmatrix} -\frac{1}{2} \\ \frac{1}{2} \end{bmatrix}\mathbf{u}(t), \quad \mathbf{z}(0) = \mathbf{z}_0 \\ \mathbf{y}(t) &= \begin{bmatrix} 1 & 1 \end{bmatrix}\mathbf{z}(t)\end{aligned}$$

Ce modèle correspond au modèle plein suivant:

$$\begin{aligned}\dot{\mathbf{x}}(t) &= \begin{bmatrix} 0 & 1 \\ -3 & -4 \end{bmatrix}\mathbf{x}(t) + \begin{bmatrix} 0 \\ 1 \end{bmatrix}\mathbf{u}(t), \quad \mathbf{x}(0) = \mathbf{x}_0 \\ \mathbf{y}(t) &= \begin{bmatrix} 4 & 1 \end{bmatrix}\mathbf{x}(t)\end{aligned}$$

La matrice de transition $\phi(\mathrm{t})$ est donnée par:

$$\phi(\mathrm{t}) = \mathcal{L}^{-1}[(\mathrm{s}\mathbf{I} - \overline{\mathbf{A}})^{-1}] = \mathcal{L}^{-1}[\phi(\mathrm{s})]$$

Commençons par calculer $\phi(\mathrm{s})$,

$$\begin{aligned}\phi(\mathrm{s}) &= (s\mathbf{I} - \overline{\mathbf{A}})^{-1} = \begin{bmatrix} s+3 & 0 \\ 0 & s+1 \end{bmatrix}^{-1} = \frac{1}{(s+1)(s+3)}\begin{bmatrix} s+1 & 0 \\ 0 & s+3 \end{bmatrix} \\ &= \begin{bmatrix} \frac{1}{s+3} & 0 \\ 0 & \frac{1}{s+1} \end{bmatrix}\end{aligned}$$

Compte tenu de cette expression de $\phi(\mathrm{s})$ et de la table de la transformée en s, on obtient:

$$\phi(\mathrm{t}) = \begin{bmatrix} e^{-3t} & 0 \\ 0 & e^{-t} \end{bmatrix}$$

La matrice de transition $\varphi(\mathrm{t})$ du modèle plein est:

$$\begin{aligned}\varphi(\mathrm{t}) &= \mathbf{T}\phi(\mathrm{t})\mathbf{T}^{-1} = \frac{1}{2}\begin{bmatrix} 1 & 1 \\ -3 & -1 \end{bmatrix}\begin{bmatrix} e^{-3t} & 0 \\ 0 & e^{-t} \end{bmatrix}\begin{bmatrix} -1 & -1 \\ 3 & 1 \end{bmatrix} \\ &= \frac{1}{2}\begin{bmatrix} 3e^{-t} - e^{-3t} & e^{-t} - e^{-3t} \\ -3e^{-t} + 3e^{-3t} & -e^{-t} + 3e^{-3t} \end{bmatrix}\end{aligned}$$

La réponse en échelon unitaire de ce système est donnée par:

$$\begin{aligned}
\mathbf{z}(t) &= \phi(\mathrm{t})\mathbf{z}_0 + \int_0^{\mathrm{t}} \phi(\mathrm{t}-\tau)\overline{\mathbf{B}}\mathrm{d}\tau \\
&= \begin{bmatrix} e^{-3t} & 0 \\ 0 & e^{-t} \end{bmatrix}\mathbf{z}_0 + \frac{1}{2}\int_0^t \begin{bmatrix} e^{-3(t-\tau)} & 0 \\ 0 & e^{-(t-\tau)} \end{bmatrix}\begin{bmatrix} -1 \\ 1 \end{bmatrix} d\tau \\
&= \begin{bmatrix} e^{-3t} & 0 \\ 0 & e^{-t} \end{bmatrix}\mathbf{z}_0 + \frac{1}{2}\begin{bmatrix} \frac{1}{3}(1-e^{-3t}) \\ 1-e^{-t} \end{bmatrix}
\end{aligned}$$

Le vecteur d'état $\mathbf{x}(t)$ du modèle plein est obtenu par:

$$\begin{aligned}
\mathbf{x}(t) &= \mathbf{Tz}(t) \\
&= \begin{bmatrix} 1 & 1 \\ -3 & -1 \end{bmatrix}\mathbf{z}(t) \\
&= \begin{bmatrix} 1 & 1 \\ -3 & -1 \end{bmatrix}\begin{bmatrix} z_{10}e^{-3t} - \frac{1}{6}(1-e^{-3t}) \\ z_{20}e^{-t} + \frac{1}{2}(1-e^{-t}) \end{bmatrix} \\
&= \begin{bmatrix} z_{10}e^{-3t} + \frac{1}{6}(1-e^{-3t}) + z_{20}e^{-t} + \frac{1}{2}(1-e^{-t}) \\ -3z_{10}e^{-3t} + \frac{1}{2}(1-e^{-3t}) - z_{20}e^{-t} - \frac{1}{2}(1-e^{-t}) \end{bmatrix}
\end{aligned}$$

Enfin, pour montrer l'importance des concepts de commandabilité et d'observabilité, nous allons travailler sur un exemple qui nous amène à poser un certain nombre de questions.

Exemple 8.16 Système ayant une représentation interne de dimension différente de l'ordre de la fonction de transfert correspondante

Considérons le système dynamique dont le schéma-bloc est illustré à la figure 8.6.

Pour cet exemple, cherchons à déterminer les deux représentations suivantes:

- modèle d'état;
- fonction de transfert.

Pour répondre à la question relative à la représentation interne, posons:

$$X_1(s) = \frac{1.5}{s+1}U(s)$$

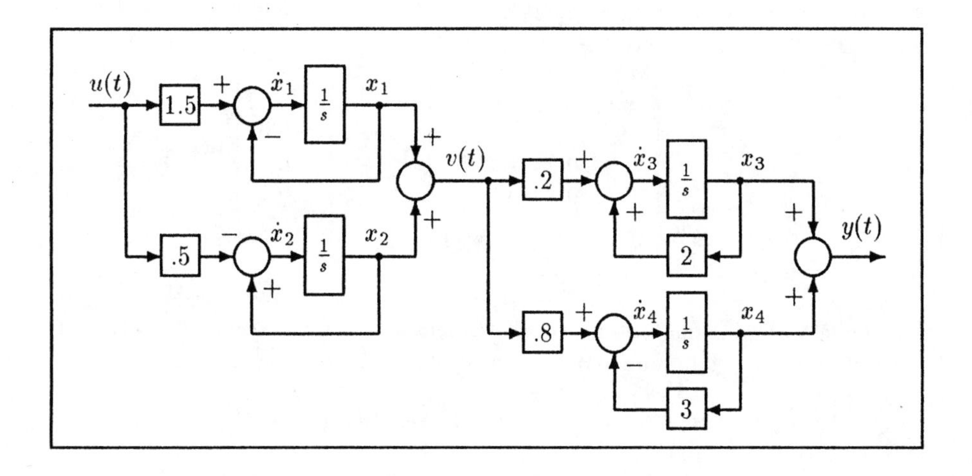

Figure 8.6 Système dynamique

$$
\begin{aligned}
X_2(s) &= -\frac{0.5}{s-1}U(s) \\
X_3(s) &= \frac{0.2}{s-2}V(s) \\
X_4(s) &= \frac{0.8}{s+3}V(s)
\end{aligned}
$$

À partir de ces relations, on peut écrire les relations suivantes:

$$
\begin{aligned}
\dot{x}_1(t) &= -x_1(t) + 1.5u(t) \\
\dot{x}_2(t) &= x_2(t) - 0.5u(t) \\
\dot{x}_3(t) &= 2x_3(t) + 0.2v(t) \\
\dot{x}_4(t) &= -3x_4(t) + 0.8v(t)
\end{aligned}
$$

D'un autre côté, on a:

$$
\begin{aligned}
v(t) &= x_1(t) + x_2(t) \\
y(t) &= x_3(t) + x_4(t)
\end{aligned}
$$

Compte tenu de ces relations et des relations précédentes, on obtient la représentation interne suivante:

$$\begin{aligned}\dot{\mathbf{x}}(t) &= \begin{bmatrix} -1 & 0 & 0 & 0 \\ 0 & 1 & 0 & 0 \\ 0.2 & 0.2 & 2 & 0 \\ 0.8 & 0.8 & 0 & -3 \end{bmatrix} \mathbf{x}(t) + \begin{bmatrix} 1.5 \\ -0.5 \\ 0 \\ 0 \end{bmatrix} \mathbf{u}(t) \\ \mathbf{y}(t) &= \begin{bmatrix} 0 & 0 & 1 & 1 \end{bmatrix} \mathbf{x}(t)\end{aligned}$$

Le modèle d'état ainsi obtenu est de dimension 4. L'équation caractéristique correspondante est donnée par:

$$\det\,(s\mathbf{I} - \mathbf{A}) = (s+1)(s-1)(s-2)(s+3) = 0$$

Le système a quatre pôles qui sont: $s_1 = -1$, $s_2 = 1$, $s_3 = 2$ et $s_4 = -3$. Deux pôles sont stables et deux autres sont instables.

Pour la représentation externe, on a:

$$\begin{aligned}\frac{V(s)}{U(s)} &= \frac{1.5}{s+1} - \frac{0.5}{s-1} \\ \frac{Y(s)}{V(s)} &= \frac{0.2}{s-2} + \frac{0.8}{s+3}\end{aligned}$$

D'un autre côté on a:

$$\frac{Y(s)}{U(s)} = \frac{Y(s)}{V(s)}\frac{V(s)}{U(s)} = \frac{1}{(s+1)(s+3)}$$

La fonction de transfert est alors d'ordre 2 et ses pôles sont: $s_1 = -1$ et $s_2 = -3$. Comment peut-on alors expliquer la différence entre la dimension du modèle d'état et celle de la fonction de transfert ? Cette question est traitée dans le reste de ce chapitre.

8.7 STABILITÉ, COMMANDABILITÉ ET OBSERVABILITÉ

L'un des objectifs de l'automatique est la commande des systèmes en vue d'assurer à ces systèmes certaines spécifications telles que présentées au chapitre 7.

Pour un modèle d'état donné, les grandeurs d'entrée $\mathbf{u}(t)$ constituent les moyens que l'on a pour agir sur l'état du système, les grandeurs de sortie étant les grandeurs par l'intermédiaire desquelles ces états sont observés. Deux questions primordiales vont retenir notre attention au cours de cette section en plus de la stabilité. Ces questions peuvent se formuler ainsi:

- peut-on, en agissant sur les grandeurs d'entrée du système, faire passer l'état du système $\mathbf{x}(t)$ d'un état arbitraire $\mathbf{x}(t_0)$ à un autre état arbitraire $\mathbf{x}(t_1)$?
- peut-on, en observant les grandeurs de sortie $y(t)$ du système sur un intervalle de temps suffisamment long $[t_0, t_1]$, déduire l'état initial $\mathbf{x}(t_0)$ du système?
- peut-on stabiliser un système et si oui, sous quelles conditions?

8.7.1 Stabilité

Intuitivement parlant, nous dirons qu'un système dynamique est stable relativement à un point d'opération ou à une trajectoire si de faibles perturbations appliquées au système entraînent de faibles écarts par rapport au point d'opération considéré ou à la trajectoire considérée.

La figure 8.7 illustre des systèmes stable et instable. En effet, pour le cas de la figure 8.7(b), si une perturbation éloigne la bille de sa position d'équilibre, la bille s'éloigne de cette position et n'y revient jamais. Par contre, le cas de la figure 8.7(a) présente un système stable, car quelle que soit la nature de la perturbation, la bille revient toujours à sa position d'équilibre.

Dans la littérature, il existe plusieurs définitions de stabilité. Nous nous restreignons dans le cadre de cet ouvrage à la stabilité au sens de Lyapunov et à la stabilité d'entrée bornée-sortie bornée (EBSB) pour les systèmes linéaires invariants.

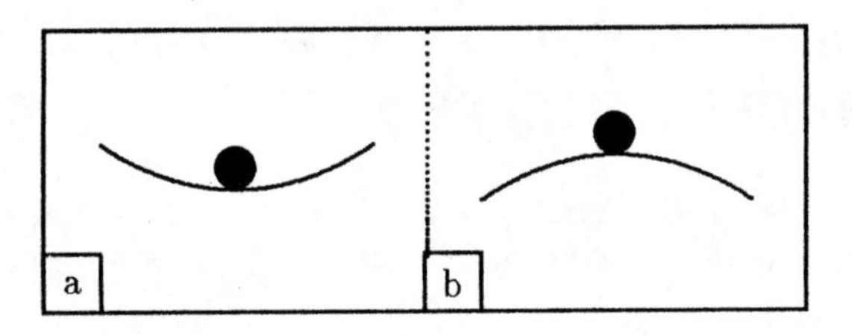

Figure 8.7 Systèmes stable (a) et instable (b)

Stabilité au sens de Lyapunov

Pour les systèmes linéaires dont la représentation interne est:

$$\begin{aligned}\dot{\mathbf{x}}(t) &= \mathbf{A}\mathbf{x}(t) + \mathbf{B}\mathbf{u}(t), \quad \mathbf{x}(0) = \mathbf{x}_0 \\ \mathbf{y}(t) &= \mathbf{C}\mathbf{x}(t) + \mathbf{D}\mathbf{u}(t)\end{aligned}$$

on utilise, en général, la loi de commande $\mathbf{u}(t)$ donnée par:

$$\mathbf{u}(t) = -\mathbf{K}\mathbf{x}(t)$$

Compte tenu de cela, l'équation d'état du système se ramène à:

$$\dot{\mathbf{x}}(t) = (\mathbf{A} - \mathbf{B}\mathbf{K})\mathbf{x}(t) = \mathbf{F}\mathbf{x}(t), \quad \mathbf{x}(0) = \mathbf{x}_0$$

dont la solution est:

$$\mathbf{x}(t) = \varphi(\mathrm{t} - \mathrm{t}_0)\mathbf{x}_0$$

Lorsque le système $\dot{\mathbf{x}}(t) = \mathbf{F}\mathbf{x}(t)$ évolue sous l'effet des conditions initiales et que sa réponse ne l'éloigne pas de sa position d'équilibre lorsque le temps tend vers l'infini, on dit que ce système est stable.

La définition exacte de la stabilité au sens de Lyapunov est:

Définition: le système $\dot{\mathbf{x}}(t) = \mathbf{F}\mathbf{x}(t)$ est stable au sens de Lyapunov si:

$$\forall t_0, \ \forall \epsilon > 0, \ \exists \delta, \text{ tel que } \|\mathbf{x}(t_0)\| < \delta \Rightarrow \|\mathbf{x}(t)\| < \epsilon, \ \forall t > t_0$$

où $\|\mathbf{x}\|$ représente la norme euclidienne, c'est-à-dire:

$$\|\mathbf{x}\| = \left[\sum_{i=1}^{n} x_i^2(t)\right]^{\frac{1}{2}}, \quad \forall \mathbf{x} \in \mathbb{R}^n \tag{8.21}$$

Selon cette définition, le système $\dot{\mathbf{x}}(t) = \mathbf{F}\mathbf{x}(t)$ est stable au sens de Lyapunov si, et seulement si, une faible perturbation dans les conditions initiales entraîne une faible perturbation dans la trajectoire décrite par $\mathbf{x}(t)$.

Le système est dit asymptotiquement stable si, et seulement si, en plus d'être stable nous exigeons de lui que sa réponse $\mathbf{x}(t)$ retourne de manière asymptotique vers le point d'équilibre. Ce concept de stabilité asymptotique est donné par la définition suivante:

Définition: le système $\dot{\mathbf{x}}(t) = \mathbf{F}\mathbf{x}(t)$ est asymptotiquement stable si:
(i) il est stable au sens de Lyapunov;
(ii) $\exists \nu$ tel que $\|\mathbf{x}(t_0)\| < \nu \Rightarrow \|\mathbf{x}(t)\| \to 0$, quand $t \to \infty$

Le paramètre ν peut dépendre de ϵ.

La figures 8.8 illustre deux situations de systèmes stable et instable.

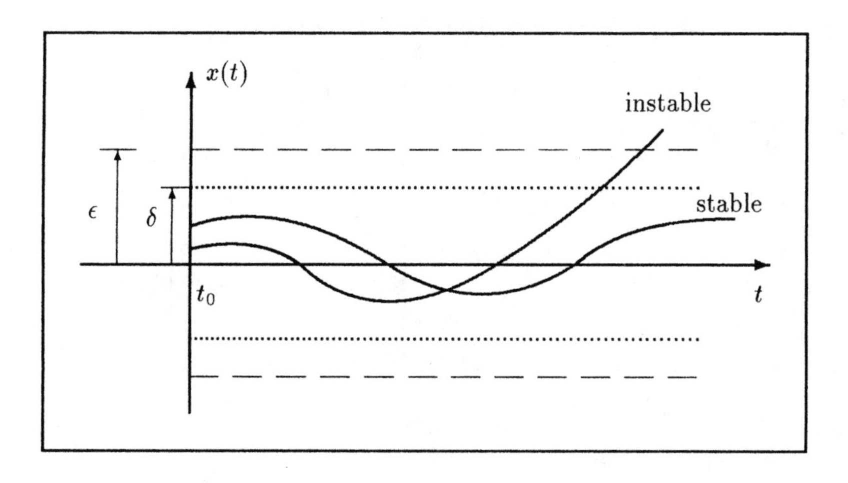

Figure 8.8 Systèmes stable et instable.

En représentation interne, pour analyser la stabilité du système considéré, deux solutions sont possibles. La première consiste à déterminer l'équation caractéristique dont l'expression est donnée par:

$$\det\,(s\mathbf{I}-\mathbf{A})=0$$

et puis, par la méthode de Routh-Hurwitz, conclure sur la stabilité.

La seconde est un peu différente, repose sur la méthode de Lyapunov et résulte du théorème suivant que nous énonçons sans démonstration.

<u>Théorème</u>: si deux matrices symétriques définies positives P et Q vérifient l'équation de Lyapunov stationnaire $\mathbf{A}^T\mathbf{P}+\mathbf{PA}=-\mathbf{Q}$, alors le système $\dot{\mathbf{x}}(t)=\mathbf{Ax}(t)$ est asymptotiquement stable au sens de Lyapunov. Inversement, si le système $\dot{\mathbf{x}}(t)=\mathbf{Ax}(t)$ est asymptotiquement stable au sens de Lyapunov, alors pour toute matrice $\mathbf{Q}$ symétrique et définie-positive, l'équation de Lyapunov a une solution unique $\mathbf{P}$ symétrique et définie-positive.

La méthode de test de la stabilité d'un système est déduite de ce théorème, et consiste à:

(i) prendre une matrice $\mathbf{Q}$ quelconque symétrique et définie-positive. Nous conseillons de prendre $\mathbf{Q}=\mathbf{I}$ pour simplifier les calculs;

(ii) résoudre l'équation de Lyapunov

$$\mathbf{A}^T\mathbf{P}+\mathbf{PA}=-\mathbf{Q}$$

pour déduire $\mathbf{P}$;

(iii) tester si la matrice $\mathbf{P}$ obtenue est symétrique et définie-positive;

(iv) conclure sur la stabilité: si $\mathbf{P}$ est symétrique et définie-positive, alors le système est asymptotiquement stable, autrement le système est instable.

Exemple 8.17 Étude de la stabilité d'un système

Dans cet exemple, on montre comment utiliser l'équation de Lyapunov pour analyser la stabilité d'un système. Considérons le système dont la représentation est donnée par:

$$\dot{\mathbf{x}}(t)=\begin{bmatrix}0 & 1\\ -2 & -3\end{bmatrix}\mathbf{x}(t)$$

Avant d'utiliser la méthode de Lyapunov, commençons par étudier la stabilité par Routh-Hurwitz. Calculons l'équation caractéristique:

$$\det\,(s\mathbf{I}-\mathbf{A}) = \begin{bmatrix} s & -1 \\ 2 & s+3 \end{bmatrix} = s^2+3s+2$$

Les racines sont: $s_1 = -1$ et $s_2 = -2$. Le système est stable.

Par la méthode de Lyapunov, choisissons $\mathbf{Q}$:

$$\mathbf{Q} = \begin{bmatrix} 1 & 0 \\ 0 & 1 \end{bmatrix}$$

qui est symétrique et définie-positive et cherchons la matrice $\mathbf{P}$ correspondante dans l'équation de Lyapunov

$$\mathbf{A}^T\mathbf{P}+\mathbf{PA} = -\mathbf{Q}$$

$$\begin{bmatrix} 0 & -2 \\ 1 & -3 \end{bmatrix}\begin{bmatrix} p_1 & p_2 \\ p_3 & p_4 \end{bmatrix}+\begin{bmatrix} p_1 & p_2 \\ p_3 & p_4 \end{bmatrix}\begin{bmatrix} 0 & 1 \\ -2 & -3 \end{bmatrix}=\begin{bmatrix} -1 & 0 \\ 0 & -1 \end{bmatrix}$$

ce qui donne:

$$\begin{aligned} -2p_3-2p_2 &= -1 \\ p_1-3p_2-2p_4 &= 0 \\ -2p_4+p_1-3p_2 &= 0 \\ p_2-3p_4+p_3-3p_4 &= -1 \end{aligned}$$

dont la résolution nous donne: $p_1 = \frac{5}{4}$, $p_2 = \frac{1}{4}$, $p_3 = \frac{1}{4}$ et $p_4 = \frac{1}{4}$. C'est une matrice $\mathbf{P}$ de la forme:

$$\mathbf{P} = \begin{bmatrix} \frac{5}{4} & \frac{1}{4} \\ \frac{1}{4} & \frac{1}{4} \end{bmatrix}$$

La matrice $\mathbf{P}$ trouvée est symétrique définie-positive. Donc le système est asymptotiquement stable.

Stabilité au sens entrée bornée-sortie bornée

Intuitivement parlant, la stabilité dans ce cas revient à dire qu'à chaque grandeur d'entrée bornée, le système doit faire correspondre une grandeur de sortie bornée. La grandeur d'entrée peut représenter soit la grandeur d'entrée principale, soit la perturbation. La stabilité des systèmes linéaires invariants au sens EBSB se ramène à ce que toutes les racines de l'équation caractéristique doivent être à partie réelle négative pour que le système soit stable.

En effet, la grandeur de sortie correspondante à la représentation interne suivante:

$$\begin{aligned} \dot{\mathbf{x}}(t) &= \mathbf{A}\mathbf{x}(t) + \mathbf{B}\mathbf{u}(t), \quad \mathbf{x}(0) = \mathbf{x}_0 = 0 \\ \mathbf{y}(t) &= \mathbf{C}\mathbf{x}(t) \end{aligned}$$

est donnée par l'expression suivante:

$$\mathbf{y}(t) = \mathbf{C} \int_0^t \varphi(\mathrm{t} - \tau)\mathrm{Bu}(\tau)\mathrm{d}\tau$$

Le système décrit par le modèle est stable au sens EBSB si pour toutes les grandeurs d'entrées $||\mathbf{u}(t)|| \leq \delta < \infty, \quad \forall t \geq 0$, la grandeur de sortie correspondante est telle que:

$$||\mathbf{y}(t)|| \leq \epsilon < \infty, \qquad \forall t \geq 0$$

Étant donné que la grandeur de sortie $\mathbf{y}(t)$ doit toujours être inférieure ou égale à ϵ, quelle que soit t supérieure ou égale à 0, en laissant t tendre vers l'infini et en utilisant la propriété de la convolution, l'expression de la grandeur de sortie $\mathbf{y}(t)$ peut s'écrire comme suit:

$$\mathbf{y}(\infty) = \mathbf{C} \int_0^\infty \varphi(\tau)\mathbf{B}\mathbf{u}(\mathrm{t} - \tau)\mathrm{d}\tau$$

ce qui donne en prenant la norme euclidienne:

$$\begin{aligned} ||\mathbf{y}(\infty)|| &= ||\mathbf{C} \int_0^\infty \varphi(\tau)\mathbf{B}\mathbf{u}(\mathrm{t} - \tau)\mathrm{d}\tau|| \\ &\leq ||\mathbf{C} \int_0^\infty \varphi(\tau)\mathbf{B}\mathrm{d}\tau||||\mathbf{u}(\tau)|| \\ &\leq \delta||\mathbf{C} \int_0^\infty \varphi(\tau)\mathbf{B}\mathrm{d}\tau|| \end{aligned}$$

Si la grandeur de sortie est bornée, nous avons automatiquement:

$$||\mathbf{C} \int_0^\infty \varphi(\tau)\mathbf{B}\mathrm{d}\tau|| < \infty$$

Pour **C** et **B** constants, la condition pour que cette intégrale converge vers une valeur finie est que:

$$\lim_{t \to \infty} ||\varphi(\mathrm{t})|| = 0$$

or, la matrice de transition est donnée par:

$$\varphi(\mathrm{t}) = \mathcal{L}^{-1}\left[\frac{\mathbf{Adj}\ (\mathrm{s}\mathbf{I} - \mathbf{A})}{\mathbf{det}\ (\mathrm{s}\mathbf{I} - \mathbf{A})}\right]$$

En conclusion, la stabilité au sens de EBSB revient à ce que toutes les racines de l'équation caractéristique soient à partie réelle négative.

Pour tester ceci, nous avons déjà présenté la méthode de Routh-Hurwitz qui est une technique simple permettant de calculer le nombre de racines à partie réelle positive, ce qui revient à dire que le système considéré est stable ou instable.

Exemple 8.18 Étude de la stabilité au sens EBSB

Pour montrer comment étudier la stabilité dans ce cas-là, considérons le système dont la représentation d'état est donnée par:

$$\begin{aligned} \dot{\mathbf{x}}(t) &= \begin{bmatrix} -1 & 0 & 0 \\ 0 & -2 & 0 \\ 0 & 0 & -3 \end{bmatrix} \mathbf{x}(t) + \begin{bmatrix} 1 \\ 1 \\ 1 \end{bmatrix} \mathbf{u}(t), \quad \mathbf{x}(0) = \mathbf{x}_0 \\ \mathbf{y}(t) &= \begin{bmatrix} 1 & 1 & 1 \end{bmatrix} \mathbf{x}(t) \end{aligned}$$

Nous étudions la stabilité dans les deux cas suivants: (i) système en boucle ouverte; et (ii) système en boucle fermée avec une loi de commande de la forme $\mathbf{u}(t) = -\mathbf{K}\mathbf{x}(t)$ où $\mathbf{K} = [k_1,\ k_2,\ k_3]$.

(i): système en boucle ouverte
L'équation caractéristique dans ce cas est donnée par:

$$\det\ (s\mathbf{I} - \mathbf{A}) = 0$$

ce qui revient à:

$$\det \left(\begin{bmatrix} s+1 & 0 & 0 \\ 0 & s+2 & 0 \\ 0 & 0 & s+3 \end{bmatrix} \right) = (s+1)(s+2)(s+3)$$

dont les racines sont toutes à partie réelle négative. Le système est donc stable.

(ii): système en boucle fermée

Dans ce cas là, nous avons:

$$\begin{aligned}\dot{\mathbf{x}}(t) &= \mathbf{A}\mathbf{x}(t) + \mathbf{B}\mathbf{u}(t) = \mathbf{A}\mathbf{x}(t) + \mathbf{B}(-\mathbf{K}\mathbf{x}(t)) \\ &= (\mathbf{A} - \mathbf{B}\mathbf{K})\mathbf{x}(t)\end{aligned}$$

dont l'équation caractéristique associée est donnée par:

$$\det\ (s\mathbf{I} - (\mathbf{A} - \mathbf{B}\mathbf{K})) = \det\ (s\mathbf{I} - \mathbf{A} + \mathbf{B}\mathbf{K}) = 0$$

ce qui donne:

$$\begin{aligned}0 &= \det\left(\begin{bmatrix} s+1 & 0 & 0 \\ 0 & s+2 & 0 \\ 0 & 0 & s+3 \end{bmatrix} + \begin{bmatrix} 1 \\ 1 \\ 1 \end{bmatrix}\begin{bmatrix} k_1 & k_2 & k_3 \end{bmatrix}\right) \\ &= \det\left(\begin{bmatrix} s+1 & 0 & 0 \\ 0 & s+2 & 0 \\ 0 & 0 & s+3 \end{bmatrix} + \begin{bmatrix} k_1 & k_2 & k_3 \\ k_1 & k_2 & k_3 \\ k_1 & k_2 & k_3 \end{bmatrix}\right) \\ &= s^3 + (k_1 + k_2 + k_3 + 6)\, s^2 + (5k_1 + 4k_2 + 3k_3 + 11)\, s \\ &\quad +6k_1 + 3k_2 + 2k_3 + 6\end{aligned}$$

En supposant que $k_1 = k_2 = k_3 = \frac{1}{2}$, l'équation caractéristique devient alors:

$$2s^3 + 15s^2 + 34s + 23 = 0$$

L'empoi de la méthode de Routh-Hurwitz nous donne:

$$\begin{array}{c|ll} s^3 & 2 & 34 \\ s^2 & 15 & 23 \\ s & \frac{510-46}{15} & \\ s^0 & 23 & \end{array}$$

qui donne un système stable.

8.7.2 Commandabilité

Le concept de commandabilité est très important dans la théorie du contrôle moderne. Ce concept a été introduit par Kalman.

Si à l'instant t_0 le système se trouve à l'état initial $\mathbf{x}(t_0) = \mathbf{x}_0$, nous disons que cet état est commandable si nous pouvons trouver un temps t_1 fini supérieur à

t_0 et une commande $\mathbf{u}(t)$ dans l'intervalle $[t_0, t_1]$ qui transfère l'état du système de $\mathbf{x}_0$ à $\mathbf{x}(t_1) = \mathbf{x}_1$. Nous disons aussi que le système est complètement commandable s'il est commandable quel que soit l'état initial x_0 et l'instant initial t_0.

Pour les systèmes linéaires et invariants dans le temps, une condition nécessaire et suffisante de commandabilité a été donnée par Kalman et dépend uniquement de la paire $(\mathbf{A}, \mathbf{B})$. Cette condition se résume à ce que la matrice de commandabilité suivante:

$$\mathcal{C} = \begin{bmatrix} \mathbf{B}, & \mathbf{AB}, & \ldots, & \mathbf{A}^{n-1}B \end{bmatrix}$$

soit de rang n. Le paramètre n représente la dimension du système.

En effet, la forme canonique de Jordan se prête bien à l'étude de la commandabilité. Pour voir ceci, considérons les deux systèmes repésentés par les formes canoniques de Jordan suivantes:

- système S_1

$$\begin{aligned} \dot{\mathbf{x}}(t) &= \begin{bmatrix} -1 & 0 & 0 \\ 0 & -2 & 0 \\ 0 & 0 & -3 \end{bmatrix} \mathbf{x}(t) + \begin{bmatrix} 1 \\ 1 \\ 1 \end{bmatrix} \mathbf{u}(t), \quad \mathbf{x}(0) = \mathbf{x}_0 \\ \mathbf{y}(t) &= \begin{bmatrix} 1 & 1 & 1 \end{bmatrix} \mathbf{x}(t) \end{aligned}$$

- système S_2

$$\begin{aligned} \dot{\mathbf{x}}(t) &= \begin{bmatrix} -1 & 0 & 0 \\ 0 & -2 & 0 \\ 0 & 0 & -3 \end{bmatrix} \mathbf{x}(t) + \begin{bmatrix} 1 \\ 1 \\ 0 \end{bmatrix} \mathbf{u}(t), \quad \mathbf{x}(0) = \mathbf{x}_0 \\ \mathbf{y}(t) &= \begin{bmatrix} 1 & 2 & 1 \end{bmatrix} \mathbf{x}(t) \end{aligned}$$

Les schémas-blocs correspondants sont illustrés à la figure 8.9.

En vérifiant la commandabilité de ces systèmes, on trouve que le système S_1 est commandable et que le système S_2 ne l'est pas. En effet, en examinant les représentations internes des deux systèmes tel que représentés à la figure 8.9, on se rend compte que dans le cas du système S_1, la commande $\mathbf{u}(t)$ agit sur tous les états et que, par conséquent, ils sont tous commandables. Pour le système S_2, la commande n'agit que sur les états $x_1(t)$ et $x_2(t)$ et n'a aucune action sur la troisième variable d'état. Ce système est alors non complètement

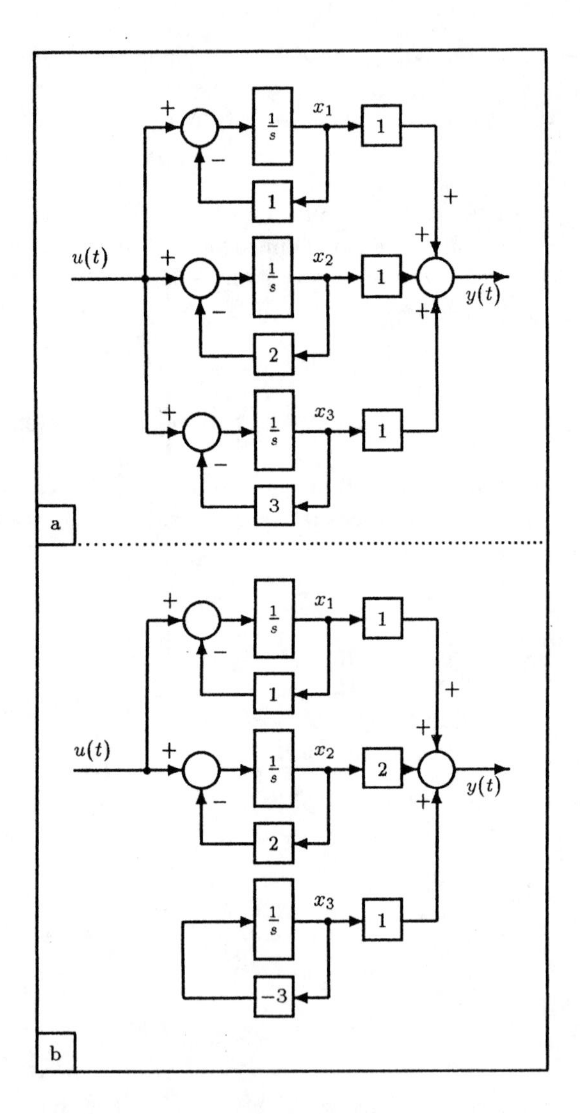

Figure 8.9 Schémas-blocs des systèmes S_1 et S_2 sous forme de Jordan. Étude de la commandabilité

commandable. Les deux états $x_1(t)$ et $x_2(t)$ sont commandables et peuvent être stabilisés dans le cas où ils ne le sont pas. Par contre pour l'état $x_3(t)$, il est impossible de le stabiliser dans le cas où il est instable. Cet état évoluera sous l'effet de ses conditions initiales.

Exemple 8.19 Étude de la commandabilité

Supposons que le système considéré soit représenté par le modèle d'état suivant:

$$\begin{aligned}\dot{\mathbf{x}}(t) &= \begin{bmatrix} 0 & 1 \\ -2 & -3 \end{bmatrix}\mathbf{x}(t) + \begin{bmatrix} 0 \\ 1 \end{bmatrix}\mathbf{u}(t), \quad \mathbf{x}(0) = \mathbf{x}_0 \\ \mathbf{y}(t) &= \begin{bmatrix} 1 & 0 \end{bmatrix}\mathbf{x}(t)\end{aligned}$$

Étudier la commandabilité de ce système revient à déterminer le rang de la matrice $\mathcal{C}$. La dimension de la matrice $\mathbf{A}$ étant égale à 2, donc pour que le système considéré soit commandable, il faut et il suffit que le rang de $\mathcal{C}$ soit égal à 2. La matrice de commandabilité $\mathcal{C}$ est donnée par:

$$\mathcal{C} = \begin{bmatrix} \mathbf{B}, & \mathbf{AB} \end{bmatrix} = \begin{bmatrix} 0 & 1 \\ 1 & -3 \end{bmatrix}$$

Le rang de cette matrice est bien 2. Nous concluons donc que le système considéré est bien commandable.

L'étude de la commandabilité de ce système peut aussi être examinée par le logiciel MATLAB. Les instructions nécessaires sont:

```
≫ A = [0,1;-2,-3];
≫ b = [0;1];
≫ c = [1,0];
≫ d = [0];
≫ CO = Ctrl(A,b,c,d);
≫ If rank(CO)=rank(A);
≫     display('système commandable');
≫ Else;
≫     display('système non commandable');
≫ End;
```

8.7.3 Observabilité

Le concept d'observabilité est en quelque sorte le dual de celui de la commandabilité. En effet, l'observabilité consiste à déduire l'état initial $\mathbf{x}(t_0)$ du système à partir des observations des grandeurs de sorties du système sur un intervalle de temps suffisamment long $[t_0, t_1]$.

Nous disons aussi qu'un état $\mathbf{x}(t_0)$ à l'instant t_0 est observable si cet état peut être identifié à partir de la connaissance de la grandeur de sortie $\mathbf{y}(t)$ et de la grandeur d'entrée $\mathbf{u}(t)$ sur un intervalle $[t_0, t_1]$. Nous disons aussi que le système est complètement observable à t_0 si et seulement si tout état du système est observable. D'une autre manière, ceci revient à dire que l'on peut trouver un $t_1 > t_0$ tel que les n colonnes de la matrice $\mathbf{C}\varphi(\mathrm{t}, \mathrm{t}_0)$ soient linéairement indépendantes sur l'intervalle $[t_0, t_1]$.

Pour le système linéaire invariant dans le temps, une condition nécessaire et suffisante d'observabilité a été donnée par Kalman et dépend uniquement de la paire $(\mathbf{A}, \mathbf{C})$. Cette condition se résume à ce que la matrice d'observabilité suivante soit de rang n.

$$\mathcal{O} = \left[\ \mathbf{C}^T, \quad \mathbf{A}^T\mathbf{C}^T, \quad \ldots, \quad (\mathbf{A}^{n-1})^T\mathbf{C}^T \ \right]^T \tag{8.22}$$

En effet, la forme canonique de Jordan se prête bien à l'étude de l'observabilité. Pour voir ceci, considérons les deux systèmes repésentés par les formes canoniques de Jordan suivantes:

- système S_1

$$\begin{aligned} \dot{\mathbf{x}}(t) &= \begin{bmatrix} -1 & 0 & 0 \\ 0 & -2 & 0 \\ 0 & 0 & -3 \end{bmatrix} \mathbf{x}(t) + \begin{bmatrix} 1 \\ 1 \\ 1 \end{bmatrix} \mathbf{u}(t), \quad \mathbf{x}(0) = \mathbf{x}_0 \\ \mathbf{y}(t) &= \begin{bmatrix} 1 & 2 & 1 \end{bmatrix} \mathbf{x}(t) \end{aligned}$$

- système S_2

$$\begin{aligned} \dot{\mathbf{x}}(t) &= \begin{bmatrix} -1 & 0 & 0 \\ 0 & -2 & 0 \\ 0 & 0 & -3 \end{bmatrix} \mathbf{x}(t) + \begin{bmatrix} 1 \\ 2 \\ 3 \end{bmatrix} \mathbf{u}(t), \quad \mathbf{x}(0) = \mathbf{x}_0 \\ \mathbf{y}(t) &= \begin{bmatrix} 1 & 1 & 0 \end{bmatrix} \mathbf{x}(t) \end{aligned}$$

Les schémas-blocs correspondants sont illustrés à la figure 8.10.

En vérifiant l'observabilité de ces systèmes, on trouve que le système S_1 est observable et que le système S_2 ne l'est pas. En effet, en examinant les

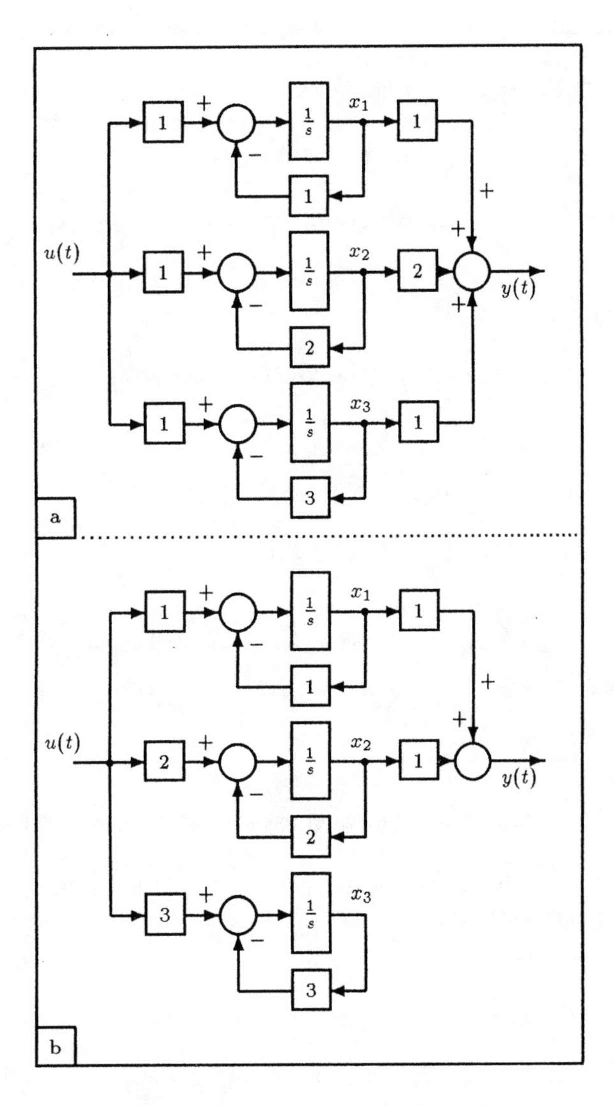

Figure 8.10 Schémas-blocs des systèmes S_1 et S_2 sous forme de Jordan. Étude de l'observabilité

représentations internes des deux systèmes tel que représentés à la figure 8.10, on se rend compte que dans le cas du système S_1, tous les états sont reliés à la grandeur de sortie $\mathbf{y}(t)$ et par conséquent ils peuvent être observés. Pour le système S_2, seuls les états $x_1(t)$ et $x_2(t)$ sont reliés à la grandeur de sortie $\mathbf{y}(t)$ et $x_3(t)$ ne l'est pas. Par conséquent les états $x_1(t)$ et $x_2(t)$ sont observables et l'état $x_3(t)$ ne l'est pas. Ce système est alors non complètement observable. Les deux états $x_1(t)$ et $x_2(t)$ sont observables et peuvent être estimés. Par contre, il n'est pas possible d'estimer l'état $x_3(t)$.

Exemple 8.20 Étude de l'observabilité

Supposons que le système auquel on s'intéresse est représenté par le modèle d'état suivant:

$$\begin{aligned} \dot{\mathbf{x}}(t) &= \mathbf{A}\mathbf{x}(t) + \mathbf{B}\mathbf{u}(t), \quad \mathbf{x}(0) = \mathbf{x}_0 \\ \mathbf{y}(t) &= \mathbf{C}\mathbf{x}(t) \end{aligned}$$

où

$$\mathbf{A} = \begin{bmatrix} 0 & 1 \\ -2 & -3 \end{bmatrix}; \mathbf{B} = \begin{bmatrix} 0 \\ 1 \end{bmatrix} \text{ et } \mathbf{C} = \begin{bmatrix} 1 & 0 \end{bmatrix}.$$

Pour étudier l'observabilité de ce système, on calcule la matrice $\mathcal{O}$:

$$\mathcal{O} = \begin{bmatrix} \mathbf{C}^T, & \mathbf{A}^T\mathbf{C}^T \end{bmatrix}^T = \begin{bmatrix} 1 & 0 \\ 0 & 1 \end{bmatrix}$$

Le rang de cette matrice est 2. Le système est donc complètement observable.

L'étude de l'observabilité de ce système peut aussi être examinée par le logiciel MATLAB. Les instructions nécessaires sont:

```
≫ A = [0,1;-2,-3];
≫ b = [0;1];
≫ c = [1,0];
≫ d = [0];
≫ O = Obsv(A,b,c,d);
≫ If rank(O)=rank(A);
≫     display('système observable');
≫ Else;
≫     display('système non observable');
≫ End;
```

Exemple 8.21 Suite de l'exemple 8.16

Pour expliquer la différence entre la représentation par fonction de transfert et modèle d'état, nous allons réécrire notre modèle d'état présenté à l'exemple 8.16 sous forme diagonale. On peut montrer que la matrice de transformation **T** qui mettra le modèle d'état sous forme diagonale est donnée par:

$$\mathbf{T} = \begin{bmatrix} 2 & 0 & 0 & 0 \\ 0 & 4 & 0 & 0 \\ -\frac{2}{3} & -4 & 1 & 0 \\ 1 & 1 & 0 & 1 \end{bmatrix} \tag{8.23}$$

dont la matrice inverse est donnée par:

$$\mathbf{T}^{-1} = \begin{bmatrix} \frac{1}{2} & 0 & 0 & 0 \\ 0 & \frac{1}{4} & 0 & 0 \\ \frac{1}{3} & 1 & 1 & 0 \\ -\frac{1}{2} & -\frac{1}{4} & 0 & 1 \end{bmatrix} \tag{8.24}$$

Le modèle d'état sous forme diagonale correspondant est alors donné par:

$$\begin{aligned} \dot{\mathbf{z}}(t) &= \begin{bmatrix} -1 & 0 & 0 & 0 \\ 0 & 1 & 0 & 0 \\ 0 & 0 & 2 & 0 \\ 0 & 0 & 0 & -3 \end{bmatrix} \mathbf{z}(t) + \begin{bmatrix} 0.75 \\ -0.25 \\ 0 \\ -0.625 \end{bmatrix} \mathbf{u}(t) \\ \mathbf{y}(t) &= \begin{bmatrix} \frac{2}{3} & 0 & \frac{1}{5} & \frac{4}{5} \end{bmatrix} \mathbf{z}(t) \end{aligned}$$

Le diagramme fonctionnel associé à cette représentation est donné par la figure 8.11.

De cette représentation, nous concluons ce qui suit:

- les modes ou les pôles correspondants à $(s+1)$ et $(s+3)$, (z_1, z_4) sont reliés respectivement à la grandeur d'entrée et à la grandeur de sortie et par conséquent ils sont respectivement commandables et observables;
- le mode ou le pôle correspondant à $(s-1)$ (z_2) est relié à la grandeur d'entrée et non à la grandeur de sortie et par conséquent il est commandable et non observable;
- le mode ou le pôle correspondant à $(s-2)$ (z_3) est relié à la grandeur de sortie et non à la grandeur d'entrée et par conséquent il est observable et non commandable.

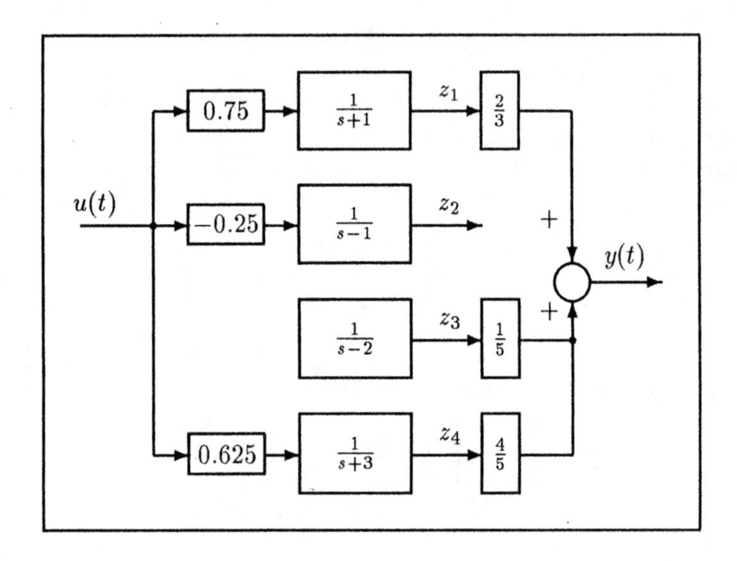

Figure 8.11 Diagramme fonctionnel du système de l'exemple 8.16

Le résultat que l'on peut retenir de l'étude de cet exemple est que la représentation externe ne retient ni les modes non commandables ni les modes non observables. D'un autre côté, on peut montrer que la représentation par équation différentielle conserve les modes non commandables mais pas les modes non observables.

8.8 COMMANDE PAR RETOUR D'ÉTAT

Au cours du chapitre 7, nous nous sommes intéressés à la conception des correcteurs en cascade. Les techniques que l'on a présentées jusqu'à date ne permettent de placer qu'un certain nombre fini de pôles de l'équation caractéristique en rendant quelques-uns dominants. Dans cette section, nous nous intéressons à la conception de la commande par retour d'état. Celle-ci consiste principalement à utiliser les états du système pour construire le signal de commande $u(t)$.

En pratique, la commande par retour d'état suppose que toutes les variables d'état sont accessibles. Cette hypothèse deviendrait évidemment très coûteuse du fait que plus le nombre de variables d'état est élevé, plus le nombre de capteurs nécessaires à leurs mesures augmente. Une alternative à cette contrainte de coût consiste à ne mesurer qu'un nombre réduit de variables d'état et à estimer les autres au moyen d'un observateur d'état. Nous reviendrons sur ce point un peu plus loin dans ce chapitre.

Pour un système linéaire invariant, dont la représentation d'état est:

$$\begin{aligned} \dot{\mathbf{x}}(t) &= \mathbf{A}\mathbf{x}(t) + \mathbf{B}\mathbf{u}(t), \quad \mathbf{x}(0) = \mathbf{x}_0 \\ \mathbf{y}(t) &= \mathbf{C}\mathbf{x}(t) + \mathbf{D}\mathbf{u}(t) \end{aligned}$$

En désignant par $\mathbf{r}(t)$ le signal de référence, la commande par retour d'état consiste à choisir la matrice de gain $\mathbf{K}$ tel que,

$$\mathbf{u}(t) = -\mathbf{K}\mathbf{x}(t) + \mathbf{N}\mathbf{r}(t)$$

de manière à placer tous les pôles du système en boucle fermée à des positions bien précises imposées par les spécifications du cahier des charges. La matrice $\mathbf{N}$ est donnée. Compte tenu de l'expression de la commande $\mathbf{u}(t)$ et du modèle du système en boucle ouverte, celui en boucle fermée est donné par:

$$\begin{aligned} \dot{\mathbf{x}}(t) &= (\mathbf{A} - \mathbf{B}\mathbf{K})\mathbf{x}(t) + \mathbf{B}\mathbf{N}\mathbf{r}(t), \quad \mathbf{x}(0) = \mathbf{x}_0 \\ \mathbf{y}(t) &= (\mathbf{C} - \mathbf{D}\mathbf{K})\mathbf{x}(t) + \mathbf{D}\mathbf{N}\mathbf{r}(t) \end{aligned}$$

Le schéma-bloc correspondant est illustré à la figure 8.12.

En général, la traduction des spécifications en pôles n'est pas une chose facile et requiert beaucoup d'expérience de la part du concepteur.

En notant par $-s_i$, $i = 1, 2, .., n$; les pôles désirés, le problème de la conception de la commande par retour d'état revient alors à la résolution de l'équation algébrique suivante:

$$\begin{aligned} \det\,(s\mathbf{I} - \mathbf{A} + \mathbf{B}\mathbf{K}) &= \prod_{i=1}^{n}(s + s_i) \\ &= s^n + a_{n-1}s^{n-1} + \cdots + a_0 \end{aligned} \tag{8.25}$$

Pour résoudre ce problème, nous allons considérer le cas scalaire (**une grandeur d'entrée une grandeur de sortie**) et le cas multivariable (**plusieurs grandeurs d'entrées plusieurs grandeurs de sorties**).

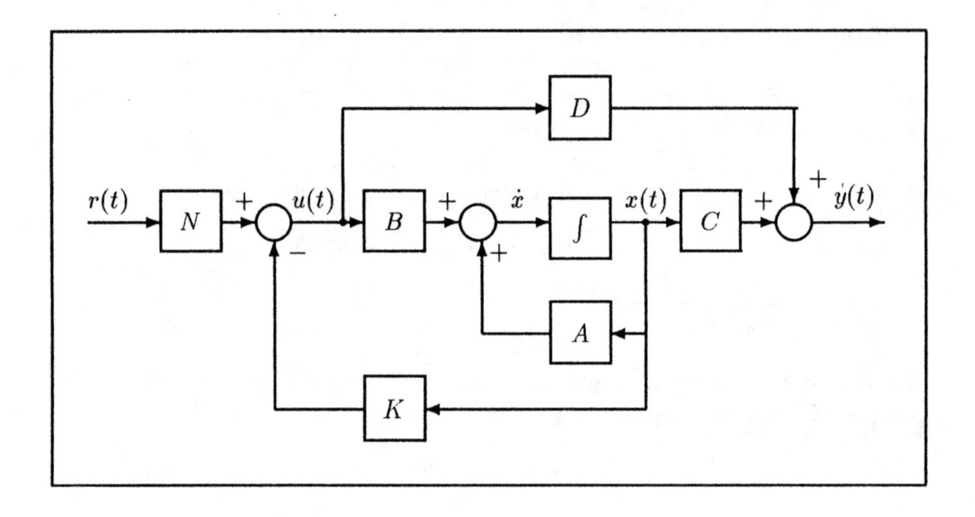

Figure 8.12 Structure de commande par retour d'état

8.8.1 Système mono-entrée mono-sortie

Par système mono-entrée mono-sortie, on entend tout système qui a une seule grandeur d'entrée ($m = 1$) et une seule grandeur de sortie ($p = 1$). La dimension n du système peut être quelconque ce qui laisse entendre que $\mathbf{x} \in \mathbb{R}^n$.

La résolution algébrique de l'équation précédente (i.e. (8.25)) peut être utilisée pour une dimension n réduite ($n \leq 3$). Au-delà de la dimension 4, les calculs deviennent lourds et une autre solution doit être envisagée. Celle-ci consiste en la formule d'Ackermann.

Si $\Delta(s) = s^n + a_{n-1}s^{n-1} + \ldots + a_1 s + a_0$, représente l'équation caractéristique désirée, alors d'après le théorème de Cayley-Hamilton, cette équation est aussi vérifiée par la matrice $\mathbf{A}$, tel que:

$$\Delta(\mathbf{A}) = \mathbf{A}^n + a_{n-1}\mathbf{A}^{n-1} + \cdots + a_0\mathbf{I}$$

La formule d'Ackermann qui permet la détermination de la matrice **K** dans le cas scalaire est donnée par:

$$\mathbf{K} = [\ 0,\ \ 0,\ \ ...,\ \ 0,\ \ 1\ ]\, \mathbf{C}^{-1}\Delta(\mathbf{A})$$

où **C** est la matrice de commandabilité.
La présence de l'inverse de la matrice de commandabilité s'explique par le fait que le système doit être complètement commandable. Il en résulte alors que la commandabilité du système est une condition nécessaire et suffisante à l'existence de la matrice **K**.

D'un autre côté, la présence de $\mathbf{C}^{-1}$ est aussi un inconvénient à la résolution de la formule d'Ackermann. Pour contourner cette difficulté, on procède comme suit:

- trouver la matrice $\mathbf{d}^T = (d_1, \cdots, d_n)$ en utilisant l'équation suivante:

$$\mathbf{d}^T \mathcal{C} = [\ 0,\ \ \cdots,\ \ 0,\ \ 0,\ \ 1\ ]$$

- établir la matrice de retour d'état en utilisant la relation suivante:

$$\mathbf{K} = \mathbf{d}^T \Delta(\mathbf{A})$$

8.8.2 Systèmes multivariables

Par système multivariable, on entend tout système qui a plusieurs grandeurs d'entrées ($m \neq 1$) et plusieurs grandeurs de sorties ($p \neq 1$). La dimension n du système peut être quelconque, ce qui laisse entendre que $\mathbf{x} \in \mathbb{R}^n$. Nous sommes dans le cas multivariable et la détermination de la matrice de gain $\mathbf{K}(m \times n)$ est un problème mal posé du fait que l'on cherche à trouver $(m \times n)$ gains pour n pôles spécifiés. Nous discutons, dans le cadre de ce paragraphe, d'une méthode qui consiste à ramener le problème multivariable (**plusieurs grandeurs d'entrées plusieurs grandeurs de sorties**) à un problème scalaire (**une grandeur d'entrée une sortie**) [voir Balasubramanian-1989].

Cette méthode consiste à poser:

$$\mathbf{K} = \mathbf{q}\mathbf{k}^T = \begin{bmatrix} q_1 \\ \vdots \\ q_m \end{bmatrix} [\ k_1,\ \ \cdots,\ \ k_n\ ]$$

où les éléments q_i, $i = 1, \cdots, m$ sont choisis de manière arbitraire alors que les éléments K_i, $i = 1, \cdots, n$ sont déterminés à partir des pôles spécifiés.

Dans ce cas, l'équation caractéristique du système en boucle fermée devient:

$$\det\ (s\mathbf{I} - \mathbf{A} + \mathbf{B}\mathbf{q}\mathbf{K}^T) = 0$$

La formule d'Ackermann correspondante est alors donnée par:

$$\mathbf{K} = \begin{bmatrix} 0, & 0, & \cdots, & 0, & 1 \end{bmatrix} \mathcal{C}^{-1}\Delta(\mathbf{A})$$

avec

$$\mathcal{C} = \begin{bmatrix} \mathbf{Bq}, & \mathbf{ABq}, & \cdots, & \mathbf{A}^{n-1}\mathbf{Bq} \end{bmatrix}$$

Cette matrice représente la matrice de commandabilité du système équivalent ayant une seule grandeur d'entrée une seule grandeur de sortie.

Exemple 8.22 Placement de pôles d'un système du deuxième ordre

Dans cet exemple, nous cherchons à montrer au lecteur comment procéder lors de la conception de la commande par retour d'état. Pour cela, considérons l'exemple 8.19 et trouvons la matrice de gain qui assure les spécifications suivantes:

- assurer un taux d'amortissement de l'ordre de 0.707;
- et un temps de réponse à 5% de l'ordre de $2s$.

Sachant que la commande par retour d'état ne change pas la dimension du système, alors l'équation caractéristique du système en boucle fermée est d'ordre 2.

L'expression de cette équation est donnée par:

$$\det\ (s\mathbf{I} - \mathbf{A} + \mathbf{BK}) = 0$$

avec

$$\mathbf{K} = \begin{bmatrix} K_1, & K_2 \end{bmatrix}$$

Les spécifications précédentes nous donnent les pôles suivants:

$$s_{1,2} = -\zeta\omega_n \pm j\omega_n\sqrt{1-\zeta^2}$$

dont ω_n est déterminé à partir du temps de réponse t_r. En effet, le temps de réponse t_r est donné par:

$$t_r = \frac{3}{\tau} = \frac{3}{\zeta\omega_n}$$

ce qui donne

$$\omega_n = \frac{3}{\zeta t_r} = \frac{3}{2 \times 0.707} = 2.12\ rad/s$$

Les valeurs des pôles dominants sont alors:

$$s_{1,2} = -1.5 \pm j1.5$$

L'équation caractéristique désirée correspondante est:

$$\begin{aligned} \Delta(s) &= (s+1.5+j1.5)(s+1.5-j1.5) \\ &= s^2+3s+4.5 \end{aligned}$$

avec $\Delta(\mathbf{A})$ donné par:

$$\begin{aligned} \Delta(\mathbf{A}) &= \mathbf{A}^2 + 3\mathbf{A} + 4.5\mathbf{I} \\ &= \begin{bmatrix} -2 & -3 \\ 6 & 9 \end{bmatrix} + \begin{bmatrix} 0 & 3 \\ -6 & -9 \end{bmatrix} + \begin{bmatrix} 4.5 & 0 \\ 0 & 4.5 \end{bmatrix} \\ &= \begin{bmatrix} 2.5 & 0 \\ 0 & 4.5 \end{bmatrix} \end{aligned}$$

La matrice de commandabilité $\mathcal{C}$ est donnée par:

$$\mathcal{C} = \begin{bmatrix} 0 & 1 \\ 1 & -3 \end{bmatrix}$$

La résolution de $(d_1, d_2)\mathcal{C} = \begin{bmatrix} 0 & 1 \end{bmatrix}$ nous donne: $d_1 = 1$ et $d_2 = 0$. La matrice de retour d'état est alors donnée par:

$$\mathbf{K} = \mathbf{d}^T\Delta(\mathbf{A}) = \begin{bmatrix} 1 & 0 \end{bmatrix} \begin{bmatrix} 2.5 & 0 \\ 0 & 4.5 \end{bmatrix} = \begin{bmatrix} 2.5 & 0 \end{bmatrix}$$

ce qui donne $K_1 = 2.5$ et $K_2 = 0$.

La détermination des gains K_1 et K_2 nécessaire pour la commande par retour d'état de ce système peut aussi être examinée par le logiciel MATLAB. Les instructions nécessaires sont:

```
≫ A = [0,1;-2,-3];
≫ b = [0;1];
≫ p = [-1.5,-1.5; 1.5, 1.5];
≫ K = place(A,b,p);
```

Exemple 8.23 Placement de pôles dans le cas multivariable

Pour montrer comment résoudre le problème du placement des pôles dans le cas d'un système à plusieurs grandeurs d'entrée plusieurs grandeurs de sortie, nous allons considérer un système de dimension 2 à deux grandeurs d'entrée et une seule grandeur de sortie. Le modèle d'état correspondant à ce système est donné par:

$$\begin{aligned} \dot{\mathbf{x}}(t) &= \begin{bmatrix} 0 & 1 \\ -2 & -3 \end{bmatrix} \mathbf{x}(t) + \begin{bmatrix} 1 & 0 \\ 0 & 1 \end{bmatrix} \mathbf{u}(t) \\ \mathbf{y}(t) &= \begin{bmatrix} 1 & 0 \end{bmatrix} \mathbf{x}(t) \end{aligned}$$

Supposons que les spécifications désirées sont traduites par les pôles $-s_1$ et $-s_2$ qui sont solution de l'équation caractéristique suivante:

$$\Delta(s) = s^2 + (s_1 + s_2)s + s_1 s_2$$

En appliquant le théorème de Cayley-Hamilton, on peut écrire:

$$\begin{aligned} \Delta(\mathbf{A}) &= \begin{bmatrix} -2 & -3 \\ 6 & 7 \end{bmatrix} + (s_1 + s_2) \begin{bmatrix} 0 & 1 \\ -2 & -3 \end{bmatrix} + s_1 s_2 \begin{bmatrix} 1 & 0 \\ 0 & 1 \end{bmatrix} \\ &= \begin{bmatrix} -2 + s_1 s_2 & -3 + s_1 + s_2 \\ 6 - 2s_1 - 2s_2 & 7 - 3s_1 - 3s_2 + s_1 s_2 \end{bmatrix} \end{aligned}$$

En choisissant

$$\mathbf{K} = \mathbf{q}\mathbf{k}^T = \begin{bmatrix} q_1 \\ q_2 \end{bmatrix} \begin{bmatrix} k_1 & k_2 \end{bmatrix} = \begin{bmatrix} q_1 k_1 & q_1 k_2 \\ q_2 k_1 & q_2 k_2 \end{bmatrix}$$

les éléments q_1 et q_2 doivent être choisis de manière à ce que le système soit commandable, c'est-à-dire

$$\mathcal{C} = \begin{bmatrix} \mathbf{Bq} & \mathbf{ABq} \end{bmatrix} \text{ soit de rang 2}$$

La matrice de commandabilité $\mathcal{C}$ est donnée par:

$$\mathcal{C} = \begin{bmatrix} 1 & 0 & \vdots & 0 & 1 \\ 0 & 1 & \vdots & -2 & -3 \end{bmatrix}$$

La matrice $\mathcal{C}^T$ est donnée par:

$$\mathcal{C}^T = \begin{bmatrix} 1 & 0 \\ 0 & 1 \\ 0 & -2 \\ 1 & -3 \end{bmatrix}$$

L'ordre de $\mathcal{C}$ est obtenu en étudiant le produit $\mathcal{C}\mathcal{C}^T$ dont la valeur est:

$$\mathcal{C}\mathcal{C}^T = \begin{bmatrix} 1 & 0 & 0 & 1 \\ 0 & 1 & -2 & -3 \end{bmatrix} \begin{bmatrix} 1 & 0 \\ 0 & 1 \\ 0 & -2 \\ 1 & -3 \end{bmatrix} = \begin{bmatrix} 2 & -3 \\ -3 & 14 \end{bmatrix}$$

Le déterminant de $\mathcal{C}\mathcal{C}^T$ étant différent de zéro, alors il en résulte que le système est complètement commandable.

En ce qui concerne la commandabilité du système équivalent, on a:

$$\mathcal{C} = \begin{bmatrix} \mathbf{Bq} & \mathbf{ABq} \end{bmatrix} = \begin{bmatrix} q_1 & q_2 \\ q_2 & -2q_1 - 3q_2 \end{bmatrix}$$

Le système équivalent est commandable dans le cas où $q_1 \neq 0$ et $q_2 \neq 0$.

En utilisant la formule d'Ackermann, on obtient:

$$\begin{aligned}
\mathbf{K}^T &= \begin{bmatrix} k_1 & k_2 \end{bmatrix} = \begin{bmatrix} 0 & 1 \end{bmatrix} \mathcal{C}^{-1} \Delta(\mathbf{A}) \\
\mathbf{K}^T &= \mathbf{A} \begin{bmatrix} 0 & 1 \end{bmatrix} \begin{bmatrix} -2q_1 - 3q_2 & -q_2 \\ -q_2 & q_1 \end{bmatrix} \\
&\quad \times \begin{bmatrix} -2 + s_1 s_2 & -3 + s_1 + s_2 \\ 6 - 2s_1 - 2s_2 & 7 - 3s_1 - 3s_2 + s_1 s_2 \end{bmatrix} \\
\mathbf{K}^T &= \mathbf{A} \left[-q_2(-2 + s_1 s_2) + q_1(6 - 2s_1 - 2s_2) \right. \\
&\quad \left. -q_2(-3s_1 + s_1 + s_2) + q_1(7 - 3s_1 - 3s_2 + s_1 s_2) \right]
\end{aligned}$$

avec $\mathbf{A} = -\frac{1}{2q_1^2+3q_1q_2+q_2^2}$

Ce qui donne:

$$\begin{aligned} k_1 &= -\frac{1}{2q_1^2+3q_1q_2+q_2^2}[-q_2(-2+s_1s_2)+q_1(6-2s_1-2s_2)] \\ k_2 &= -\frac{1}{2q_1^2+3q_1q_2+q_2^2}[-q_2(-3s_1+s_1+s_2)+q_1(7-3s_1-3s_2+s_1s_2)] \end{aligned}$$

Pour le design du correcteur par retour d'état, la forme commandable se prête bien. Pour montrer ceci, nous allons nous restreindre au cas d'une seule grandeur d'entrée et d'une seule grandeur de sortie. En effet, si le système est représenté par la forme canonique commandable suivante:

$$\begin{aligned} \dot{\mathbf{x}}(t) &= \mathbf{A_c x}(t) + \mathbf{B_c} u(t) \\ \mathbf{y}(t) &= \mathbf{C_c x}(t) \end{aligned}$$

en choisissant la commande par retour d'état tel que:

$$\mathbf{u}(t) = -\mathbf{Kx}(t) + \mathbf{Nr}(t)$$

où $\mathbf{K}(1 \times n)$, $\mathbf{N}(1 \times 1)$, et $\mathbf{r}(t)$ est le signal de référence; la représentation d'état du système en boucle fermée est alors donnée par:

$$\begin{aligned} \dot{\mathbf{x}}(t) &= [\mathbf{A_c} - \mathbf{B_c K}]\mathbf{x}(t) + \mathbf{B_c N r}(t) \\ \mathbf{y}(t) &= \mathbf{C_c x}(t) \end{aligned}$$

L'équation caractéristique correspondante est:

$$\begin{aligned} \Delta(s) &= \det\,[sI - A_c + B_c K] = s^n + (a_{n-1}+k_n)s^{n-1} + \\ &\quad \ldots + (a_1 + k_2)s + (a_0 + k_1) \end{aligned}$$

D'un autre côté, si les spécifications sont traduites par l'équation caractéristique désirée suivante:

$$\Delta(s) = s^n + d_{n-1}s^{n-1} + \ldots + d_1 s + d_0 = 0$$

les gains du correcteur par retour d'état sont déterminés par les relations suivantes:

$$k_{i+1} = d_i - a_i;\; i = 0, 1, \ldots, n-1$$

Pour appliquer ces relations, il faut que le modèle d'état soit sous forme commandable. Dans le cas où le modèle d'état n'est pas sous cette forme, on peut procéder par le changement de variables suivant:

$$\mathbf{x}(t) = \mathbf{T}\mathbf{z}(t)$$

En notant par $\mathcal{C}$ la matrice de commandabilité et par $\Delta(s) = \det(s\mathbf{I} - \mathbf{A}) = s^n + a_{n-1}s^{n-1} + \ldots + a_1 s + a_0$, cette transformation $\mathbf{T}$ est:

$$\mathbf{T} = \mathcal{C}\mathbf{M}$$

où

$$\mathbf{M} = \begin{bmatrix} a_{n-1} & a_{n-2} & \cdots & a_1 & 1 \\ a_{n-2} & a_{n-3} & \cdots & 1 & 0 \\ \vdots & \vdots & \ddots & \vdots & \vdots \\ \vdots & a_1 & \cdots & \vdots & \vdots \\ a_1 & 1 & \cdots & 0 & 0 \\ 1 & 0 & \cdots & 0 & 0 \end{bmatrix}$$

Les paramètres a_i, $i = 1, \cdots, n-1$ sont les coefficients de l'équation caractéristique suivante:

$$\det(s\mathbf{I} - \mathbf{A}) = s^n + a_{n-1}s^{n-1} + \cdots + a_1 s + a_0$$

8.9 DESIGN DE L'OBSERVATEUR

Au cours de la section précédente, nous avons développé la commande par retour d'état et nous avons supposé que l'état en question était disponible. En pratique, pour différentes raisons telles que le coût, l'inaccessibilité des états, etc., il est presque impossible de mesurer tous les états. Par conséquent, la commande par retour d'état n'est plus applicable sans la disponibilité de ces états. La théorie de l'observateur, développée vers 1961 par Luenberger, venait à point pour permettre la commande par retour d'état par l'estimation des états non accessibles. En effet, l'observateur consiste à estimer les états du système à partir de la mesure des grandeurs de sorties. La théorie de l'observateur est valable aussi bien pour les systèmes scalaires que pour les systèmes multivariables.

8.9.1 Système mono-entrée mono-sortie

Pour montrer le concept de l'observateur, considérons le système dont le modèle d'état est donné par:

$$\begin{aligned} \dot{\mathbf{x}}(t) &= \mathbf{A}\mathbf{x}(t) + \mathbf{B}\mathbf{u}(t), \quad \mathbf{x}(0) = \mathbf{x}_0 \\ y(t) &= \mathbf{C}\mathbf{x}(t) \end{aligned}$$

où $\mathbf{x} \in \mathbb{R}^n, \mathbf{y} \in \mathbb{R}, \mathbf{u}(t) \in \mathbb{R}, \mathbf{A}(n \times n), \mathbf{B}(n \times n), \mathbf{C}(1 \times n)$

En notant par $\hat{\mathbf{x}}(t)$ l'estimé de $\mathbf{x}(t)$ à l'instant t, une manière simple pour calculer $\hat{\mathbf{x}}(t)$ est d'utiliser le modèle suivant pour simuler la dynamique du système précédent.

$$\dot{\hat{\mathbf{x}}}(t) = \mathbf{A}\hat{\mathbf{x}}(t) + \mathbf{B}\mathbf{u}(t) \tag{8.26}$$

En soustrayant le modèle réel du système et celui qui l'estime, on obtient:

$$\dot{\mathbf{x}}(t) - \dot{\hat{\mathbf{x}}}(t) = \mathbf{A}(\mathbf{x}(t) - \hat{\mathbf{x}}(t))$$

Remarquons que cette relation est indépendante de $\mathbf{u}(t)$.

En notant par $\mathbf{e}(t)$ l'erreur d'estimation, la dernière relation peut être réécrite sous la forme:

$$\dot{\mathbf{e}}(t) = \mathbf{A}\mathbf{e}(t)$$

Il est clair que la dynamique de l'erreur dépend de $\mathbf{A}$. En effet, si la matrice $\mathbf{A}$ admet une valeur propre instable, l'erreur correspondante augmente avec le temps. Ceci traduit une mauvaise estimation de l'état considéré du système.

Une approche intelligente qui résoud le problème consiste à construire un estimateur basé sur la mesure des grandeurs de sorties du système. Cet estimateur est décrit par l'équation suivante:

$$\dot{\hat{\mathbf{x}}}(t) = \mathbf{A}\hat{\mathbf{x}}(t) + \mathbf{B}\mathbf{u}(t) + \mathbf{L}[\mathbf{y}(t) - \mathbf{C}\hat{\mathbf{x}}(t)]$$

où

$$\mathbf{L} = [\ l_1, \ \cdots, \ l_n\ ]$$

est une matrice à déterminer.

En notant le fait que pour le modèle du système on a $\mathbf{y} = \mathbf{Cx}$, on peut toujours écrire le modèle du système considéré sous la forme suivante:

$$\dot{\mathbf{x}}(t) = \mathbf{Ax}(t) + \mathbf{Bu}(t) + \mathbf{L}[\mathbf{y} - \mathbf{Cx}]$$

En calculant la différence de ces deux nouveaux modèles, on obtient l'équation suivante de l'erreur d'estimation:

$$\dot{\mathbf{e}}(t) = (\mathbf{A} - \mathbf{LC})\mathbf{e}(t)$$

Contrairement au modèle d'estimation précédent, le modèle (8.26) peut, par un choix approprié de $\mathbf{L}$, placer les valeurs propres de l'estimateur à n'importe quelle position et ainsi agir sur la convergence de l'erreur $\mathbf{e}(t)$ vers 0. Ceci se répercute sur la qualité de l'estimation.

En effet, si les pôles désirés qui assurent la bonne convergence de l'erreur vers zéro sont notés par $-s_i$, $i = 1, \cdots, n$, le calcul de la matrice $\mathbf{L}$ est obtenu de manière similaire à celle du calcul du gain $\mathbf{K}$ du correcteur en résolvant l'équation suivante:

$$\det\,(s\mathbf{I} - \mathbf{A} + \mathbf{LC}) = \prod_{i=1}^{n}(s + s_i)$$

Notons qu'il est possible d'utiliser la formule d'Ackermann de telle sorte que:

$$\begin{aligned} \mathbf{L}^T &= \left[\ l_1, \ \cdots, \ l_n \ \right] \\ &= \left[\ 0, \ \cdots, \ 0, \ 1\ \right] \mathcal{O}^{-1}\Delta(\mathbf{A}) \end{aligned}$$

où $\Delta(\mathbf{A})$ est l'équation caractéristique désirée dans laquelle on a remplacé s par $\mathbf{A}$.

8.9.2 Systèmes multivariables

Le problème d'estimation consiste dans ce cas à déterminer la matrice $\mathbf{L}(n \times m)$ de manière à assurer une bonne convergence de l'erreur $\mathbf{e}(t)$ d'estimation vers zéro. Les équations précédentes restent valables mais avec des dimensions différentes. En effet, l'équation d'estimation est donnée par:

$$\begin{aligned} \dot{\mathbf{e}}(t) &= (\mathbf{A} - \mathbf{LC})\mathbf{e}(t) \\ \mathbf{e}(t) &= \mathbf{x}(t) - \hat{\mathbf{x}}(t) \end{aligned}$$

De la même manière que pour la commande par retour d'état, la détermination de la matrice $\mathbf{L}(n \times m)$ avec nm gains ne peut pas se faire à partir de n pôles. Ceci représente un problème mal posé. Pour contourner cette difficulté, nous utilisons la même procédure que celle utilisée lors de la commande par retour d'état pour le cas multivariable. C'est-à-dire qu'on choisit L tel que:

$$\mathbf{L} = \begin{bmatrix} l_1 \\ \vdots \\ l_n \end{bmatrix} \begin{bmatrix} q_1, & \cdots, & q_n \end{bmatrix} = \mathbf{lq}^T$$

où $\mathbf{q}$ est choisi de manière arbitraire.

Dans ce cas, les gains $l_i, i = 1, \cdots, n$ sont déterminés de manière unique à partir des pôles fixes par la relation suivante:

$$\det\,(s\mathbf{I} - \mathbf{A} + \mathbf{LC}) = \det\,(s\mathbf{I} - \mathbf{A} + \mathbf{lq}^T\mathbf{C}) = \prod_{i=1}^{n}(s + s_i)$$

Ici aussi la formule d'Ackermann peut être utilisée pour trouver la matrice $\mathbf{L}$ des gains.

Nous venons de présenter la méthode de design de l'observateur de modèle d'état. Il est clair qu'il ne peut y avoir de solutions que si la matrice d'observabilité du système considéré est inversible. Cela veut dire que le système doit être observable.

Dans le cas scalaire, la condition d'observabilité exige que le rang de la matrice d'observabilité soit égal à n, c'est-à-dire:

$$rang\mathcal{O} = rang \begin{bmatrix} \mathbf{C}^T, & \mathbf{A}^T\mathbf{C}^T, & \cdots, & (\mathbf{A}^{n-1})^T\mathbf{C}^T \end{bmatrix}^T = n$$

Dans le cas multivariable, on doit avoir:

$$rang\mathcal{O} = rang \begin{bmatrix} \mathbf{C}^T\mathbf{q}, & \mathbf{A}^T\mathbf{C}^T\mathbf{q}, & \cdots, & (\mathbf{A}^{n-1})^T\mathbf{C}^T\mathbf{q} \end{bmatrix}^T = n$$

ou

$$rang[\mathcal{O}\mathcal{O}^T] = n$$

Pour le design de l'observateur d'état, la forme observable se prête bien. Pour montrer ceci, nous allons nous restreindre au cas d'une seule grandeur d'entrée d'une seule grandeur de sortie. En effet, si le système est représenté par la forme canonique observable suivante:

$$\begin{aligned}\dot{\mathbf{x}}(t) &= \mathbf{A_o x}(t) + \mathbf{B_o u}(t)\\ \mathbf{y}(t) &= \mathbf{C_o x}(t)\end{aligned}$$

en choisissant l'estimateur d'état suivant:

$$\begin{aligned}\dot{\hat{\mathbf{x}}}(t) &= \mathbf{A_o \hat{x}}(t) + \mathbf{B_o u}(t) + \mathbf{L}[\mathbf{y}(t) - \mathbf{C_o \hat{x}}(t)]\\ \hat{\mathbf{y}}(t) &= \mathbf{C_o \hat{x}}(t)\end{aligned}$$

le gain $\mathbf{L}$ est déterminé à partir de l'équation caractéristique suivante:

$$\det\,(s\mathbf{I} - \mathbf{A_o} + \mathbf{LC_o}) = 0$$

La matrice $\mathbf{A_o} - \mathbf{LC_o}$ s'écrit:

$$\begin{aligned}\mathbf{A_o} - \mathbf{LC_o} &= \begin{bmatrix} -a_{n-1} & 1 & \ldots & 0 & 0\\ -a_{n-2} & 0 & 1 & \ldots & 0\\ \vdots & \vdots & \ddots & \vdots & \vdots\\ -a_1 & 0 & \ldots & 0 & 1\\ -a_0 & 0 & \ldots & 0 & 0\end{bmatrix} - \begin{bmatrix} l_1\\ l_2\\ \vdots\\ l_{n-1}\\ l_n\end{bmatrix}\begin{bmatrix} 1 & 0 & \ldots & 0 & 0\end{bmatrix}\\ &= \begin{bmatrix} -(a_{n-1}+l_1) & 1 & \ldots & 0 & 0\\ -(a_{n-2}+l_2) & 0 & 1 & \ldots & 0\\ \vdots & \vdots & \ddots & \vdots & \vdots\\ -(a_1+l_{n-1}) & 1 & \ldots & 0 & 1\\ -(a_0+l_n) & 0 & \ldots & 0 & 0\end{bmatrix}\end{aligned}$$

dont l'équation caractéristique $\det\,(s\mathbf{I} - \mathbf{A_o} + \mathbf{LC_o}) = 0$ est:

$$s^n + a_{n-1}s^{n-1} + \ldots + a_1 s + a_0 = 0$$

D'un autre côté si les spécifications sont traduites par l'équation caractéristique désirée suivante:

$$\Delta(s) = s^n + d_{n-1}s^{n-1} + \ldots + d_1 s + d_0 = 0$$

les gains de l'observateur d'état sont déterminés par les relations suivantes:

$$l_i = d_{n-i} - a_{n-i};\ i =, 1, \ldots, n$$

Comme on peut le voir, le design de l'observateur se trouve facilité lorsque le modèle d'état est mis sous la forme canonique observable. Dans le cas où ce modèle n'est pas sous la forme observable, on peut procéder par la transformation suivante qui le met sous la forme observable:

$$\begin{aligned} \mathbf{x}(t) &= \mathbf{T}\mathbf{z}(t) \\ \mathbf{T} &= [\mathbf{M}\mathcal{O}]^{-1} \end{aligned}$$

où $\mathcal{O}$ représente la matrice d'observabilité du système.

La matrice $\mathbf{M}$ utilisée par ces relations est la même que celle que l'on a introduit dans la section de design du correcteur.

Exemple 8.24 Design d'un observateur d'état pour un système de deuxième ordre

Pour montrer comment concevoir l'estimateur d'état d'un système donné, considérons un système dont la représentation interne est simple pour nous permettre l'exécution des calculs à la main. L'exemple de la commande de position angulaire du moteur à courant continu en est un. En effet, en négligeant la constante du temps électrique τ_e du moteur, on peut montrer sans difficulté (voir chap. 2) que la fonction de transfert entre la tension d'alimentation $v(t)$ de l'induit et la position angulaire $\theta(t)$ de l'arbre du moteur est donnée par:

$$G(s) = \frac{K}{s(\tau s + 1)}$$

dont la représentation sous forme commandable est:

$$\begin{aligned} \dot{\mathbf{x}}(t) &= \mathbf{A}\mathbf{x}(t) + \mathbf{B}\mathbf{u}(t) \\ \mathbf{y}(t) &= \mathbf{C}\mathbf{x}(t) \end{aligned}$$

où $\mathbf{x}(t) = \begin{bmatrix} \theta(t) \\ \dot{\theta}(t) \end{bmatrix}$, $\mathbf{u}(t) = \mathbf{v}(t)$, $\mathbf{A} = \begin{bmatrix} 0 & 1 \\ 0 & -\frac{1}{\tau} \end{bmatrix}$, $\mathbf{B} = \begin{bmatrix} 0 \\ \frac{K}{\tau} \end{bmatrix}$ et $\mathbf{C} = \begin{bmatrix} 1 & 0 \end{bmatrix}$

Pour cet exemple, nous cherchons à montrer comment déterminer les gains L de l'observateur. En se référant à la théorie présentée précédemment, on a:

$$\begin{aligned} \mathbf{L}^T &= [l_1, l_2] \\ &= [0, 1]\mathcal{O}^{-1}\Delta(\mathbf{A}) \end{aligned}$$

avec $\mathcal{O} = [\mathbf{C}^T, \mathbf{A}^T\mathbf{C}^T]^T = \begin{bmatrix} 1 & 0 \\ 0 & 1 \end{bmatrix}$, $\Delta(\mathbf{A})$ représente l'équation caractéristique évaluée en $\mathbf{A}$.

En supposant que les pôles désirés pour l'observateur ont pour valeurs:

$$s_{1,2} = 10 \pm j10$$

on obtient:

$$\Delta(s) = (s + s_1)(s + s_2) = s^2 + 20s + 100$$

La valeur de $\Delta(\mathbf{A})$ est:

$$\begin{aligned} \Delta(\mathbf{A}) &= \mathbf{A}^2 + 20\mathbf{A} + 100\mathbf{I} \\ &= \begin{bmatrix} 0 & -\frac{1}{\tau} \\ 0 & \frac{1}{\tau^2} \end{bmatrix} + \begin{bmatrix} 0 & 20 \\ 0 & -20\frac{1}{\tau} \end{bmatrix} + \begin{bmatrix} 100 & 0 \\ 0 & 100 \end{bmatrix} \\ &= \begin{bmatrix} 100 & 20 - \frac{1}{\tau} \\ 0 & -\frac{1}{\tau^2} - \frac{20}{\tau} + 100 \end{bmatrix} \end{aligned}$$

Les valeurs des gains l_i; $i = 1, 2$ sont:

$$\begin{aligned} \mathbf{L}^T &= \begin{bmatrix} l_1 & l_2 \end{bmatrix} \\ &= \begin{bmatrix} 0 & 1 \end{bmatrix} \begin{bmatrix} 1 & 0 \\ 0 & 1 \end{bmatrix} \begin{bmatrix} 100 & 20 - \frac{1}{\tau} \\ 0 & -\frac{1}{\tau^2} - \frac{20}{\tau} + 100 \end{bmatrix} \\ &= \begin{bmatrix} 0 & -\frac{1}{\tau^2}\frac{20}{\tau} + 100 \end{bmatrix} \end{aligned}$$

Soit

$$\begin{aligned} l_1 &= 0 \\ l_2 &= \frac{1}{\tau^2} - \frac{20}{\tau} + 100 \end{aligned}$$

Nous venons de présenter les techniques de conception des correcteurs par retour d'état et celle de l'observateur. Ces techniques dépendent des équations caractéristiques du correcteur et de celle de l'observateur, c'est-à-dire des pôles du correcteur et des pôles de l'observateur.

En général, étant donné que les performances du correcteur dépendent de l'estimé des états, il est évident que la convergence des estimés des états vers les valeurs exactes doit être rapide. Par conséquent, les pôles dominants de l'observateur doivent être placés à gauche des pôles dominants du correcteur. En général, un rapport de 10 entre les pôles dominants de l'observateur et ceux du correcteur est largement suffisant pour assurer une très bonne convergence de l'estimation vers les valeurs exactes des états.

L'inconvénient majeur de la commande par retour d'état pour un système de type donné est en effet son incapacité d'annuler l'erreur en régime permanent. Le type du système peut être augmenté en vue d'annuler l'erreur en régime permanent en utilisant un correcteur PI et retour d'état. La structure d'un tel correcteur est illustrée à la figure 8.13.

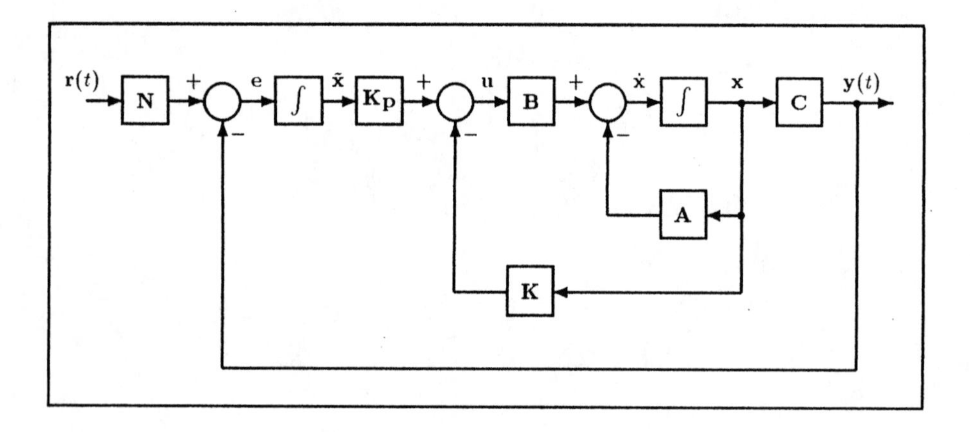

Figure 8.13 Structure de commande par retour d'état et intégrale

Pour établir le modèle d'état de cette structure, nous pouvons nous référer à la figure 8.13. En effet, l'ajout de l'action intégrale augmente la dimension du modèle d'état. Ce nouveau modèle s'écrit:

$$\begin{aligned}
\dot{\mathbf{x}}(t) &= \mathbf{A}\mathbf{x}(t) + \mathbf{B}\mathbf{u}(t) \\
\mathbf{y}(t) &= \mathbf{C}\mathbf{x}(t) \\
\mathbf{u}(t) &= \mathbf{K_p}\tilde{\mathbf{x}}(t) - \mathbf{K}\mathbf{x}(t) \\
\dot{\tilde{\mathbf{x}}}(t) &= -\mathbf{C}\mathbf{x}(t) + \mathbf{N}\mathbf{r}(t)
\end{aligned}$$

En choisssant comme variable d'état le vecteur $\mathbf{z}$ défini par:

$$\mathbf{z}(t) = \begin{bmatrix} \mathbf{x}(t) \\ \tilde{\mathbf{x}}(t) \end{bmatrix}$$

et en tenant compte des équations précédentes, on obtient la nouvelle représentation d'état du système en boucle fermée suivante:

$$\begin{aligned}\dot{\mathbf{z}}(t) &= \begin{bmatrix} \mathbf{A} & 0 \\ -\mathbf{C} & 0 \end{bmatrix} \mathbf{z}(t) + \begin{bmatrix} \mathbf{B} \\ 0 \end{bmatrix} \mathbf{u}(t) + \begin{bmatrix} 0 \\ \mathbf{N} \end{bmatrix} \mathbf{r}(t) \\ \mathbf{y}(t) &= \begin{bmatrix} \mathbf{C} & 0 \end{bmatrix} \mathbf{z}(t)\end{aligned}$$

Les gains $\mathbf{K}$ et $\mathbf{K_p}$ sont déterminés en se basant sur les performances désirées et de l'équation caractéristique suivante:

$$\det \left[s\mathbf{I} - \begin{bmatrix} \mathbf{A} - \mathbf{BK} & \mathbf{BK_p} \\ -\mathbf{C} & 0 \end{bmatrix} \right] = 0$$

où $\mathbf{I}$ est la matrice identité dont la dimension est égale à celle du système augmenté.

Exemple 8.25 Design d'un correcteur par retour d'état et intégral

Pour montrer comment concevoir le correcteur par retour d'état muni d'une action intégrale en vue d'annuler l'erreur en régime permanent, considérons le système dont la représentation interne est:

$$\begin{aligned}\dot{\mathbf{x}}(t) &= \begin{bmatrix} 0 & 1 \\ -2 & -3 \end{bmatrix} \mathbf{x}(t) + \begin{bmatrix} 0 \\ 1 \end{bmatrix} \mathbf{u}(t) \\ \mathbf{y}(t) &= \begin{bmatrix} 1 & 0 \end{bmatrix} \mathbf{x}(t)\end{aligned}$$

Dans un premier temps, nous allons concevoir le correcteur par retour d'état qui va assurer au système en boucle fermée un dépassement de 5% et un temps de réponse de l'ordre de $3s$.

Les pôles qui assurent au système en boucle fermée ces spécifications sont:

$$s_{1,2} = -\zeta\omega_n \pm j\omega_n\sqrt{1-\zeta^2}$$

avec

$$\begin{aligned}\zeta &= 0.707 \\ \omega_n &= \frac{3}{\zeta t_r} = \frac{1}{0.707} = 1.41\ rad/s\end{aligned}$$

c'est-à-dire

$$s_{1,2} = -1 \pm j$$

L'équation caractéristique désirée correspondante est:

$$\Delta(s) = s^2 + (s_1 + s_2)s + s_1 s_2 = s^2 + 2s + 2$$

Celle du système en boucle fermée est:

$$\begin{aligned}
\Delta(s) &= \det\ (s\mathbf{I} - \mathbf{A} + \mathbf{BK}) \\
&= \det \left[\begin{bmatrix} s & 0 \\ 0 & s \end{bmatrix} - \begin{bmatrix} 0 & 1 \\ -2 & -3 \end{bmatrix} + \begin{bmatrix} 0 \\ 1 \end{bmatrix} \begin{bmatrix} k_1 & k_2 \end{bmatrix} \right] \\
&= s^2 + (3 + k_2)s + 2 + k_1
\end{aligned}$$

Par identification des coefficients des deux équations caractéristiques on obtient:

$$\begin{aligned}
k_1 &= s_1 s_2 - 2 = 0 \\
k_2 &= s_1 + s_2 - 3 = -1
\end{aligned}$$

Pour $\mathbf{N} = [1]$, le modéle en boucle fermée est:

$$\begin{aligned}
\dot{\mathbf{x}}(t) &= \begin{bmatrix} 0 & 1 \\ -2 - k_1 & -3 - k_2 \end{bmatrix} \mathbf{x}(t) + \begin{bmatrix} 0 \\ 1 \end{bmatrix} \mathbf{r}(t) \\
\mathbf{y}(t) &= \begin{bmatrix} 1 & 0 \end{bmatrix} \mathbf{x}(t)
\end{aligned}$$

La fonction de transfert entre $y(t)$ et $r(t)$ est:

$$\begin{aligned}
F(s) &= \frac{Y(s)}{R(s)} = \mathbf{C} \left[s\mathbf{I} - \tilde{\mathbf{A}} \right] B \\
&= \begin{bmatrix} 1 & 0 \end{bmatrix} \begin{bmatrix} s & -1 \\ 2 + k_1 & s + 3 + k_2 \end{bmatrix}^{-1} \begin{bmatrix} 0 \\ 1 \end{bmatrix} \\
&= \frac{1}{s^2 + (3 + k_2)s + k_1 + 2} \\
&= \frac{1}{s^2 + 2s + 2}
\end{aligned}$$

La valeur de la réponse à l'échelon en régime permanent est:

$$y(\infty) = \lim_{t \to \infty} y(t) = \frac{1}{s_1 s_2} = \frac{1}{2} = 0.5$$

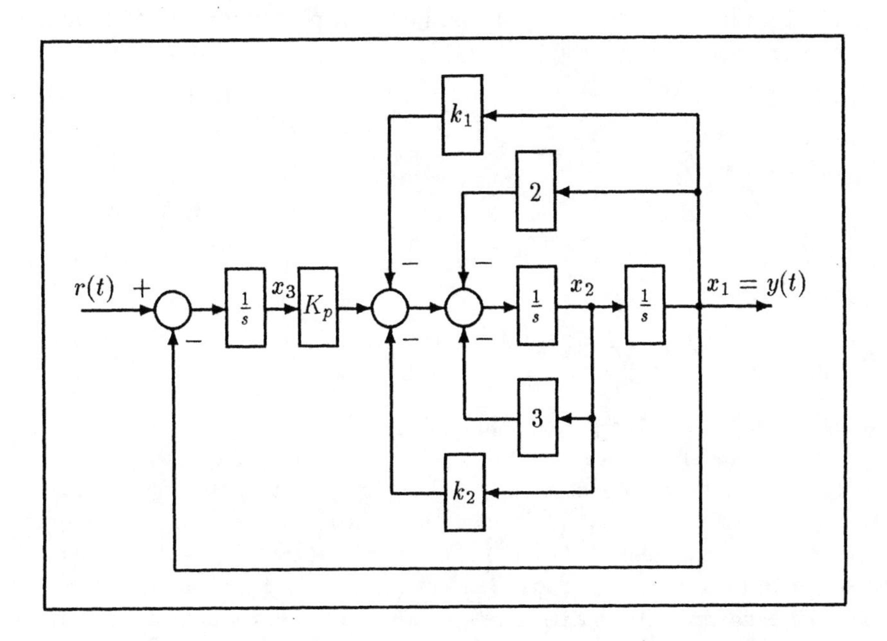

Figure 8.14 Correcteur par retour d'état et intégral d'un système de 2e ordre

Il en résulte alors que le système possède une erreur en régime permanent non nulle. Pour annuler cette erreur, il faut ajouter une action intégrale. Le schéma-bloc du système en boucle fermée est alors illustré à la figure 8.14.

En conservant les spécifications précédentes et en imposant au 3e pôle d'être égal à −6, les nouveaux gains k_1, k_2 et K_p sont déterminés à partir de la relation suivante (cf. équation (8.26)):

$$\det\left[s\mathbf{I} - \begin{bmatrix} \mathbf{A} - \mathbf{BK} & \mathbf{B}K_p \\ -\mathbf{C} & 0 \end{bmatrix}\right] = (s+s_1)(s+s_2)(s+6)$$

c'est-à-dire:

$$\det\left[s\mathbf{I} - \begin{bmatrix} \begin{bmatrix} 0 & 1 \\ -2 & -3 \end{bmatrix} - \begin{bmatrix} 0 \\ 1 \end{bmatrix}\begin{bmatrix} k_1 & k_2 \end{bmatrix} & \begin{bmatrix} 0 \\ 1 \end{bmatrix} K_p \\ \begin{bmatrix} -1 & 0 \end{bmatrix} & 0 \end{bmatrix}\right] = \Delta(s)$$

$$\det\begin{bmatrix} s & -1 & 0 \\ 2+K_1 & s+3+K_2 & -K_p \\ 1 & 0 & 0 \end{bmatrix} = \Delta(s)$$

En comparant terme à terme le polynôme obtenu en développant le déterminant avec le polynôme $\Delta(s)$, on obtient:

$$\begin{aligned} k_1 &= s_1 s_2 + 6(s_1 + s_2) - 2 \\ k_2 &= 6 + s_1 + s_2 - 3 \\ K_p &= 6 s_1 s_2 \end{aligned}$$

8.10 RÉSUMÉ

Nous venons de voir la représentation d'état et les possibilités qu'elle offre dans l'étude des systèmes linéaires. Elle est souvent considérée dans la discipline de l'automatique comme étant une technique moderne pour analyser et concevoir les systèmes asservis. En effet, nous avons vu au cours des chapitres précédents que la représentation par fonction de transfert a été développée à partir des mesures sur la grandeur d'entrée et la grandeur de sortie d'un système sans connaître sa structure interne. Elle décrit la relation entre la grandeur d'entrée et la grandeur de sortie d'un système lorsqu'il est initialement au repos. Si ce n'est pas le cas, le manque d'information sur le comportement interne du système résulte éventuellement sur un design erroné. Par opposition, la représentation d'état ou interne est d'une grande importance dans l'étude des systèmes dynamiques car elle peut être utilisée pour modéliser des systèmes linéaires ou non linéaires, invariants ou variants, à une grandeur d'entrée-une grandeur de sortie ou plusieurs grandeurs d'entrée plusieurs grandeurs de sortie. Basée sur les résultats de l'algèbre linéaire, elle donne une description détaillée de la structure interne d'un système. Comme nous l'avons vu au cours de ce chapitre, les résultats de l'algèbre linéaire ont permis de développer plusieurs techniques de commande, d'observation et d'estimation des systèmes. Enfin, l'atout non négligeable est que la représentation interne se prête très bien au développement des programmes d'ordinateurs qui permettent l'analyse ou la synthèse des systèmes dynamiques. Quant à la question de savoir laquelle des deux représentations interne ou externe utiliser, la réponse dépendra en grande partie du problème, des données disponibles et des objectifs qu'on s'impose. Remarquons toutefois que la présentation faite dans ce chapitre n'est pas exhaustive et que seuls les concepts essentiels y ont été développés. Les possibilités offertes par la représentation interne sont très larges et dépassent le cadre de cet ouvrage.

8.11 QUESTIONS

1. Pouvez-vous dire en quoi consiste la représentation d'état ?
2. Pouvez-vous donner la définition des variables d'état et rappeler le choix naturel de ces variables dans chacune des disciplines suivantes: (1) mécanique, (2) électricité, (3) hydraulique et (4) thermodynamique.
3. Pouvez-vous donner les différentes formes canoniques ?
4. Pouvez-vous rappeler le principe d'obtention d'un modèle d'état à partir d'une fonction de transfert et inversement, la fonction de transfert à partir du modèle d'état ?
5. Pouvez-vous rappeler comment on calcule la réponse d'un système représenté par un modèle d'état à une excitation donnée?
6. Pouvez-vous rappeler comment on caractérise la stabilité d'un système représenté par un modèle d'état ?
7. Pouvez-vous donner l'interprétation des concepts de commandabilité et d'observabilité ?
8. Pouvez-vous rappeler comment on conçoit le correcteur par retour d'état et dire sous quelles hypothèses on peut le réaliser ?
9. Pouvez-vous rappeler comment on conçoit l'observateur d'état et dire sous quelles hypothèses on peut le construire ?
10. Pouvez-vous dire comment doit-on choisir les pôles du correcteur et ceux de l'observateur de manière à assurer la commande en boucle fermée conformément aux spécifications imposées par le cahier des charges ?

8.12 EXERCICES

8.1 Considérons l'asservissement de position angulaire d'une antenne parabolique telle que nous l'avons décrit aux chapitres 1 et 2 (fig. 2.29). Supposons que les fonctions de transfert sont données par:

$$\begin{aligned} G_1(s) &= \frac{C_m(s)}{E(s)} = \frac{80}{s+80} \\ G(s) &= \frac{\alpha(s)}{C_m(s) - C_r(s)} = \frac{1}{s(s+30} \end{aligned}$$

$$G_2(s) = \frac{C_r(s)}{T_r} = 0.1$$

Les paramètres k_0 et k_2 sont constants et non nuls. Le gain du préamplificateur est constant. Le couple de perturbation est supposé constant et la fonction de transfert correspondante est constante aussi. On vous demande de:

1. déterminer l'équation différentielle décrivant le comportement dynamique de l'asservissement de position de l'antenne;
2. déterminer les formes canoniques suivantes du système en boucle ouverte:
   - commandable par rapport à la dernière ligne;
   - observable par rapport à la première colonne;
   - de Jordan;

8.2 Reprenons le même système que celui que l'on considère dans l'exercice 8.1. Supposons que les grandeurs d'entrée sont constantes et que $k_0 = k_2 = 1$.

1. Déterminer la réponse du système lorsque les conditions initiales sont nulles;
2. Déterminer la réponse du système lorsque les conditions initiales sont constantes et non nulles;

8.3 Considérons le système dont les fonctions de transfert de la chaîne directe sont respectivement:

$$\begin{aligned} C(s) &= PID \\ G_1(s) &= K \\ G_2(s) &= \frac{1}{s+0.3} \\ G(s) &= \frac{0.5}{s^2+1.6s+0.26} \end{aligned}$$

où $G(s)$, $G_1(s)$ et $G_2(s)$ représentent respectivement les fonctions de transfert du système à commander, de l'amplificateur et de l'actionneur utilisé.

La chaîne de retour est constituée d'une seule fonction de transfert dont l'expression est donnée par:

$$H(s) = \frac{0.4}{s+0.4}$$

Le schéma-bloc d'un tel système est illustré à la figure 8.15.

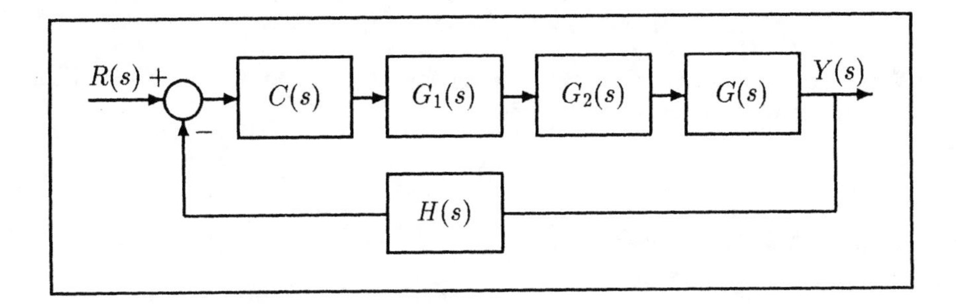

Figure 8.15 Commande en boucle fermée d'un système de second ordre

1. Établir le modèle d'état de ce système;
2. Établir la transformation qui permet de mettre le modèle d'état de ce système sous la forme de Jordan;
3. Calculer la réponse indicielle de ce système et représenter les variables d'états en fonction du temps;

8.4 Considérons le système de l'exercice 8.3.

1. Déterminer le correcteur par retour d'état qui permet d'assurer au système en boucle fermée un temps de réponse de l'ordre de 3 secondes et un dépassement de l'ordre de 5 %.
2. Montrer que l'erreur de cette structure de commande est non nulle;
3. Déterminer le correcteur approprié qui permet l'annulation d'une telle erreur en régime permanent;

8.5 Le processus commandé auquel nous nous intéressons dans ce problème admet la représentation interne suivante:

$$\begin{aligned} \dot{\mathbf{x}}(t) &= \mathbf{A}\mathbf{x}(t) + \mathbf{B}\mathbf{u}(t) \quad \mathbf{x}(0) = \mathbf{x}_0 \\ \mathbf{y}(t) &= \mathbf{C}\mathbf{x}(t) \end{aligned}$$

où $\mathbf{A} = \begin{bmatrix} 0 & 1 & 0 \\ 0 & -3 & 8 \\ 0 & -2 & -10 \end{bmatrix}$, $\mathbf{B} = \begin{bmatrix} 0 \\ 0 \\ 50 \end{bmatrix}$ et $\mathbf{C} = \begin{bmatrix} 1 & 0 & 0 \end{bmatrix}$.

1. Le système en boucle ouverte est-il stable?
2. Le système en boucle ouverte est-il commandable?
3. Le système en boucle ouverte est-il observable?

4. Déterminer la matrice $\mathbf{K}$ de retour d'état qui permet de placer les pôles du système en boucle fermée à -4, $-8 \pm 16j$.

8.6 La chaîne d'action d'un système asservi à retour unitaire comprend un correcteur de fonction de transfert:

$$C(s) = \frac{s+a}{s+b}$$

suivi d'un procédé de fonction de transfert:

$$G(s) = \frac{10(s+3)}{(s+1)(s+2)}$$

1. Écrire le modèle d'état du système.
2. Dire si les valeurs de a et b peuvent influencer la commandabilité ou l'observabilité de l'ensemble. Si oui, indiquer quelles valeurs de a ou b font que le système n'est pas commandable ou observable.

8.7 Soit un système décrit par le modèle d'état suivant:

$$\begin{aligned} \dot{\mathbf{x}}(t) &= \begin{bmatrix} -1 & 0 & 1 \\ 0 & -1 & 1 \\ 0 & a & 1 \end{bmatrix} \mathbf{x}(t) + \begin{bmatrix} 1 \\ b \\ 0 \end{bmatrix} \mathbf{u}(t) \\ \mathbf{y}(t) &= \begin{bmatrix} 1 & 0 & 0 \end{bmatrix} \mathbf{x}(t) \end{aligned}$$

1. Quelles conditions doivent satisfaire a et b pour que le système soit commandable ?
2. Étudier la stabilité du système si $a = 4$ et $b = 3$.
3. Si on veut que le système admette l'équation caractéristique suivante:

$$D(s) = s^3 + 2s^2 + 5s + 6$$

trouver la matrice de gain par retour d'état correspondante.

4. Trouver la matrice de transition du nouveau système et en déduire la réponse aux conditions initiales suivantes: $\ddot{x}(0) = 1$, $\dot{x}(0) = 1$, $x(0) = 2$.

8.8 Soit un système dont la représentation interne est:

$$\begin{aligned} \dot{\mathbf{x}}(t) &= \begin{bmatrix} -a & a-b \\ 0 & -b \end{bmatrix} \mathbf{x}(t) + \begin{bmatrix} 1 \\ 1 \end{bmatrix} \mathbf{u}(t) \\ \mathbf{y}(t) &= \begin{bmatrix} 1 & 0 \end{bmatrix} \mathbf{x}(t) \end{aligned}$$

1. Trouver sa représentation externe.
2. Les deux représentations sont-elles équivalentes ? Expliquer sur un schéma-bloc.
3. Trouver la réponse du système à un échelon unitaire en utilisant les deux représentations.
4. Trouver a et b qui donnent un temps de réponse égal à 1 seconde et une erreur statique nulle.

8.9 Soit un système dont la représentation interne est:

$$\begin{aligned} \dot{\mathbf{x}}(t) &= \begin{bmatrix} 2 & 1 & 1 \\ 1 & 2 & 1 \\ 0 & 0 & 1 \end{bmatrix} \mathbf{x}(t) + \begin{bmatrix} 1 \\ 0 \\ 1 \end{bmatrix} \mathbf{u}(t) \\ \mathbf{y}(t) &= \begin{bmatrix} 1 & 2 & 0 \end{bmatrix} \mathbf{x}(t) \end{aligned}$$

1. Étudier la stabilité de ce système par la méthode de Lyapunov.
2. On désire corriger ce système par la commande de retour d'état qui assure l'équation caractéristique suivante:

$$s^3 + 6.2s^2 + 6.2s + 1 = 0$$

Donner la représentation interne du nouveau système.

3. Trouver la réponse du nouveau système à un échelon unitaire.

8.10 Soit le système dynamique dont la représentation externe est donnée par:

$$G(s) = \frac{Y(s)}{R(s)} = \frac{6(s+2)(s+5)}{(s+1)(s+3)(s+4)}$$

1. Établir la forme canonique de Jordan orrespondante.
2. Trouver l'expression de la matrice de transition et déterminer la réponse du système à une grandeur d'entrée en échelon unitaire pour des conditions initiales nulles.
3. Étudier la commandabilité et l'observabilité de ce système.

8.11 Soit l'asservissement de vitesse d'un procédé hydraulique illustré à la figure 8.16.

1. Établir le modèle d'état du procédé hydraulique dont la grandeur d'entrée est $u(t)$ et la grandeur de sortie $\omega(t)$ en fonction des paramètres du schéma-bloc.

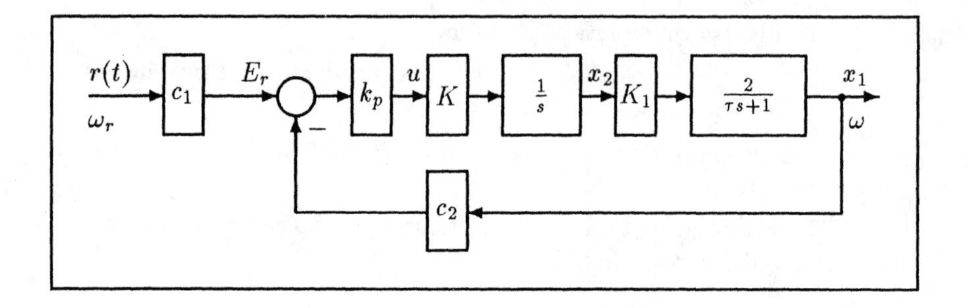

Figure 8.16 Asservissement de vitesse d'un procédé hydraulique

2. Le schéma-bloc de la figure 8.16 traduit une commande par retour d'état. Une telle commande est décrite par le modèle d'état suivant:

$$\begin{aligned}\dot{\mathbf{x}}(t) &= \mathbf{A}\mathbf{x}(t) + \mathbf{B}u(t) \\ y(t) &= \mathbf{C}\mathbf{x}(t) \\ u(t) &= -\mathbf{K}\mathbf{x}(t) + \mathbf{N}r(t)\end{aligned}$$

Trouver les expressions de **A**, **B**, **C**, **N** et **K**.

3. Considérant le modèle d'état du procédé hydraulique décrit par les matrices suivantes:

$$\begin{aligned}\mathbf{A} &= \begin{bmatrix} -3 & 10 \\ 0 & 0 \end{bmatrix} \\ \mathbf{B} &= \begin{bmatrix} 0 \\ 5 \end{bmatrix} \\ \mathbf{C} &= \begin{bmatrix} 1 & 0 \end{bmatrix}\end{aligned}$$

Trouver:

a. les valeurs propres

b. les vecteurs propres associés

c. la transformation **T** qui permet d'écrire la matrice **A** sous la forme de Jordan.

En appliquant la transformation **T** trouvée précédemment, on obtient le nouveau modèle suivant:

$$\begin{aligned}\dot{\mathbf{z}}(t) &= \bar{\mathbf{A}}\mathbf{z}(t) + \bar{\mathbf{B}}u(t) \\ y(t) &= \bar{\mathbf{C}}\mathbf{z}(t)\end{aligned}$$

4. Trouver la matrice de transition $\phi(t)$ associée et donner la solution du modèle d'état en $\mathbf{z}$. En déduire la matrice de transition $\phi(t)$ associée à l'ancien modèle d'état en $\mathbf{x}$ et donner la résolution de ce modèle.
5. Pour des conditions initiales nulles, trouver la réponse à un échelon unitaire et l'erreur en régime permanent associée.
6. En considérant les matrices $\mathbf{A}$, $\mathbf{B}$ et $\mathbf{C}$ données en 3, déterminer la matrice $\mathbf{K} = [K_1 \ K_2]$ de retour d'état qui permet au système bouclé d'avoir un facteur d'amortissement $\zeta = 0.7$ et une pulsation naturelle $\omega_n = 30 \ rad/s$. Trouver l'erreur en régime permanent associée à une grandeur d'entrée $r(t)$ en échelon unitaire [on prendra $N = K_1$].

8.12 Un système mécanique “ressort-masse-amortisseur” est représenté à la figure 8.17 avec $k = 2$, $m = 1$, $b = 3$.

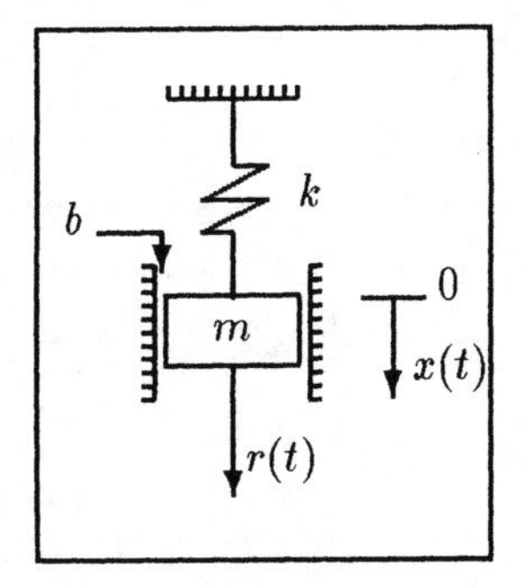

Figure 8.17 Système mécanique ressort-masse-amortisseur

Les conditions initiales étant données,

1. Établir l'équation différentielle régissant le mouvement de la masse m suite à une excitation $r(t)$;
2. Trouver la forme canonique commandable décrivant le système;
3. Étudier la commandabilité et l'observabilité du système;
4. Trouver la transformation linéaire $\mathbf{T}$ qui permet de mettre le modèle d'état trouvé en 2 sous forme diagonale;
5. Le système n'étant pas excité, trouver le comportement du vecteur d'état en fonction du temps dans les conditions suivantes:
   a. la masse m est abandonnée à elle-même à une position égale à 1 et sans vitesse initiale;

b. la masse m est abandonnée à elle-même à une position égale à 1 et une vitesse initiale égale à -1. Dans chacun des cas a et b, trouver $x_1(t)$, $x_2(t)$ et donner $x_2(t)$ en fonction de $x_1(t)$.

6. Pour des conditions initiales nulles, trouver la réponse du système à une excitation en échelon unitaire. Donner x_1 et x_2 en fonction de t et x_2 en fonction de x_1.

8.13 La dynamique d'un satellite est décrite par l'équation différentielle suivante:

$$I\ddot{\theta} = T - T_d$$

où $I = 10^{-2}$ est le moment d'inertie, T est le couple moteur et T_d est le couple résistant.

Le schéma-bloc de commande en boucle fermée d'un tel système est illustré à la figure 8.18.

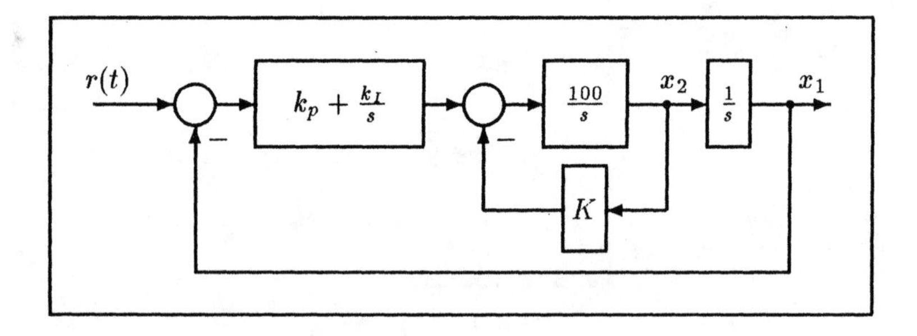

Figure 8.18 Commande en boucle fermée d'un axe de satellite

En négligeant le couple résistant:

1. Trouver le modèle d'état du procédé en boucle ouverte sous forme commandable;
2. Étudier la commandabilité et l'observabilité du système;
3. Déterminer les paramètres du compensateur par retour d'état PI qui assure au système fermé l'équation caractéristique suivante:

$$s^3 + 52.5s^2 + 2925s + 27000 = 0$$

8.14 Le schéma-bloc d'un système de combustion est représenté à la figure 8.19.

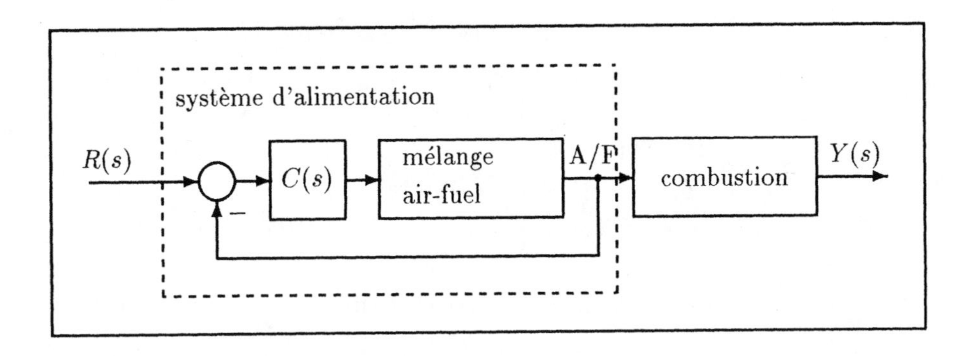

Figure 8.19 Système de combustion.

Le rapport air-fuel (A/F) devant permettre une combustion adéquate, on se propose de faire la synthèse du correcteur $C(s)$ basé sur la commande par retour d'état afin de réaliser les objectifs désirés. La fonction de transfert du système d'alimentation est:

$$G(s) = \frac{30}{s^3 + 8s^2 + 20s + 30}$$

1. Écrire le modèle d'état du système d'alimentation;
2. Analyser la stabilité, la commandabilité et l'observabilité d'un tel systeème;
3. Évaluer le gain du correcteur afin de satisfaire aux exigences suivantes:
   a. erreur en régime permanent nulle pour une grandeur d'entrée en échelon unitaire;
   b. les pôles dominants du système sont $s_1 = -1 + j$, $s_2 = -1 - j$.

8.15 Soit un système de lévitation magnétique représenté par le modèle d'état suivant:

$$\begin{aligned}
\dot{x}_1 &= x_2 \\
\dot{x}_2 &= 2000\ x_1 + 20\ K_3\ x_3 - 0.5\ x_2 \\
\dot{x}_3 &= x_1 - u \\
y &= h_1\ x_1
\end{aligned}$$

Déterminer les valeurs de h_1 et K_3 qui font que le système soit stable, commandable et observable.

8.16 Soit un système décrit par le modèle d'état suivant:

$$\dot{\mathbf{x}}(t) = \begin{bmatrix} 1 & 1 & 0 \\ 0 & 1 & 0 \\ 0 & a & 1 \end{bmatrix} \mathbf{x}(t) + \begin{bmatrix} 0 & 1 \\ 1 & 0 \\ 0 & b \end{bmatrix} \mathbf{u}(t)$$

1. Quelles conditions doivent satisfaire a et b pour que le système soit commandable ?
2. Commenter les résultats trouvés en 1 en se basant sur un schéma de simulation.

A

TRANSFORMÉE DE LAPLACE

La transformée de Laplace (T.L.) est une technique très employée en asservissement pour transformer une fonction dépendant du temps en une fonction dépendant d'une variable complexe. Elle permet de transformer des équations différentielles d'ordre quelconque dans le domaine du temps en des équations algébriques de même ordre dans le domaine complexe pour lesquelles les opérations d'intégration et de dérivation sont plus faciles.

Le but de cette annexe consiste à présenter les points pertinents de la transformée de Laplace.

A.1 DÉFINITION

La transformée de Laplace d'une fonction $f(t)$, de la valeur réelle t, définie pour $t > 0$ est donnée par:

$$\mathcal{L}[f(t)] = F(s) = \int_0^\infty f(t)e^{-st}dt \tag{A.1}$$

où $\mathcal{L}$ est l'opérateur de la transformée de Laplace.

La variable s est complexe; elle est aussi appelée la variable de Laplace. Elle est donnée par:

$$s = \sigma + j\omega \tag{A.2}$$

où σ et ω désignent respectivement la partie réelle et la partie imaginaire du nombre complexe s.

En effectuant l'intégration et en prenant la limite, le résultat est une fonction en s notée $F(s)$.

Étant donné la présence de la borne infinie dans (A.1), cette définition n'a de sens que si l'intégrale est convergente. Pour assurer une telle convergence, la fonction $f(t)$ doit satisfaire certaines hypothèses.

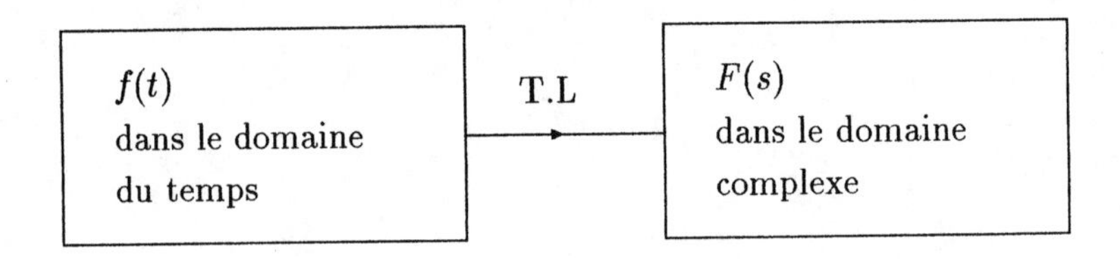

Figure A.1 Transformée de Laplace

L'utilisation de la T.L. permet essentiellement de traiter des équations différentielles par l'intermédiaire de fonctions algébriques. Les caractéristiques de la fonction réelle $f(t)$ peuvent alors être déterminées à partir de l'expression de la fonction $F(s)$.

A.2 CONDITIONS D'EXISTENCE DE LA TRANSFORMÉE DE LAPLACE

Une condition suffisante pour que l'intégrale définissant la transformée de Laplace soit convergente, c'est qu'elle puisse être bornée par une intégrale convergente c'est-à-dire:

$$\int_0^\infty f(t)e^{-st}dt \leq \int_0^\infty |f(t)e^{-st}|dt \leq \int_0^\infty |f(t)|e^{-st}dt$$

puisque $|e^{-j\omega t}| \leq 1, \quad s = \sigma + j\omega$

En effet, s'il existe un réel positif K et un α réel tels que:

$$f(t) \leq Ke^{\alpha t}, \; \forall\, t \geq 0$$

alors

$$\int_0^\infty |f(t)|e^{-st}dt \leq \int_0^\infty Ke^{(\alpha - s)t}dt$$

Cette intégrale est convergente si $\alpha - \sigma < 0$, soit $\alpha < \sigma$.

A.3 TRANSFORMÉE DE LAPLACE DES FONCTIONS USUELLES

En utilisant la définition de la transformée de Laplace de la relation (A.1), on peut générer une table des transformées de Laplace de quelques fonctions usuelles (voir tableau A.1).

A.3.1 Transformée de Laplace de l'impulsion unitaire

Nous allons commencer par introduire la définition mathématique de l'impulsion unitaire. En pratique elle est difficile à obtenir et la fonction δ_Δ en est une bonne approximation dont la définition est:

$$\delta_\Delta(t) = \begin{cases} 0 & \text{si } t < t_1 \\ \frac{1}{\Delta} & \text{si } t_1 \leq t < t_1 + \Delta \\ 0 & \text{si } t \geq t_1 + \Delta \end{cases}$$

Notez que la fonction δ_Δ a une aire égale à l'unité pour tout Δ, et qu'elle tend vers l'impuslion lorsque Δ vers zéro, c'est-à-dire:

$$\delta(t - t_1) = \lim_{\Delta \to 0} \delta_\Delta(t - t_1)$$

Par conséquent pour tout $\epsilon > 0$ et pour toute fonction $f(.)$ continue en t_1 l'impulsion a les propriétés suivantes:

$$\int_{\infty}^{\infty} \delta(t - t_1)dt = \int_{t_1 - \epsilon}^{t_1 + \epsilon} \delta(t - t_1)dt = 1 \tag{A.3}$$

$$\int_{\infty}^{\infty} f(t)\delta(t - t_1)dt = f(t_1) \tag{A.4}$$

Considérons maintenant le cas d'une impulsion unitaire appliquée à $t_1 = 0$ dont la définition mathématique est obtenue de $\delta(t - t_1)$ en prenant $t_1 = 0$. Soit $f(t)$ cette fonction et que sa définition est:

$$f(t) = \begin{cases} \delta(t) & \text{si } t = 0 \\ 0 & \text{ailleurs} \end{cases} \tag{A.5}$$

$$\text{et} \quad \int_0^{\infty} \delta(t)dt = 1 \tag{A.6}$$

Pour trouver la transformée de Laplace d'une telle fonction, utilisons la définition donnée par la relation (A.1):

$$F(s) \;=\; \mathcal{L}\left[f(t)\right] = \int_0^\infty \delta(t)e^{-st}dt = e^{-0} = 1$$

A.3.2 Transformée de Laplace de l'échelon unitaire

Considérons la fonction $f(t)$ dont la définition est donnée par l'expression suivante:

$$f(t) = \begin{cases} 1 & \forall\, t \geq 0 \\ 0 & \text{ailleurs} \end{cases}$$

En appliquant la définition de la transformée de Laplace, on obtient:

$$U(s) \;=\; \mathcal{L}[u_{-1}(t)] = \int_0^\infty 1e^{-st}dt = \left[-\frac{1}{s}e^{-st}\right]_0^\infty = 0 - \left(\frac{1}{s}e^0\right) = \frac{1}{s}$$

A.3.3 Transformée de Laplace de la rampe unitaire

Comme autre exemple de calcul de la transformée de Laplace, considérons la fonction $f(t)$ dont la définition est donnée par l'expression suivante:

$$f(t) = \begin{cases} \text{t} & \forall\, t \geq 0 \\ 0 & \text{ailleurs} \end{cases}$$

En appliquant la définition de la transformée de Laplace, on obtient:

$$F(s) \;=\; \mathcal{L}\left[f(t)\right] = \int_0^\infty te^{-st}dt = \left[-\frac{te^{-st}}{s} - \frac{e^{-st}}{s^2}\right]_0^\infty = \frac{1}{s^2}$$

A.3.4 Transformée de Laplace d'une fonction exponentielle

Considérons le cas d'une fonction $f(t)$ en forme d'exponentielle dont l'expression est donnée par la relation suivante:

$$f(t) = \begin{cases} Ke^{-\alpha t} & \forall\, t \geq 0,\ \alpha > 0 \\ 0 & \text{ailleurs} \end{cases}$$

où K est une constante réelle.

En procédant de la même manière que précédemment, on obtient ce qui suit:

$$F(s) = \int_0^\infty Ke^{-\alpha t}e^{-st}dt = K\left[-\frac{1}{s+\alpha}e^{-(s+\alpha)t}\right]_0^\infty = \frac{K}{s+\alpha}$$

A.3.5 Transformée de Laplace de la fonction sinusoïdale

Comme dernier exemple, nous allons considérer le cas d'une fonction sinusoïdale dont la forme est:

$$f(t) = \begin{cases} \sin(\omega t) & \forall\, t \geq 0 \\ 0 & \text{ailleurs} \end{cases}$$

La transformée de Laplace de cette fonction est:

$$F(s) \;=\; \mathcal{L}\left[f(t)\right] = \int_0^\infty \sin(\omega t)e^{-st}dt = \int_0^\infty \left(\frac{e^{j\omega t} - e^{-j\omega t}}{2j}\right)e^{-st}dt = \frac{\omega}{s^2+\omega^2}$$

Nous invitons le lecteur à faire le calcul des transformées de Laplace des différentes fonctions données au tableau A.1.

A.4 PROPRIÉTÉS DE LA TRANSFORMÉE DE LAPLACE

Nous rappelons dans cette section les propriétés essentielles de la transformée de Laplace. Ces propriétés sont présentées sans aucune démonstration, le lecteur peut consulter les ouvrages appropriés pour les démonstrations.

1. **Linéarité:** La transformée de Laplace est linéaire. En effet, si $f_1(t)$ et $f_2(t)$ admettent respectivement pour transformée de Laplace $F_1(s)$ et $F_2(s)$, alors la transformée de Laplace de la combinaison linéaire de ces fonctions est donnée par l'expression suivante:

$$\mathcal{L}[a_1 f_1(t) + a_2 f_2(t)] = a_1 F_1(s) + a_2 F_2(s)$$

   où a_1 et a_2 sont des constantes réelles.

2. **Dérivation:** La transformée de Laplace d'une dérivation d'ordre quelconque est d'une grande utilité. La transformée de Laplace permet de contourner la résolution des équations différentielles en la ramenant à la résolution d'une équation algébrique. La transformée de Laplace de la dérivée d'une fonction $f(t)$ dont les conditions initiales ne sont pas nulles est donnée par l'expression suivante:

$$\mathcal{L}\left[\frac{d^n}{dt^n} f(t)\right] = s^n F(s) - \sum_{k=1}^{n} \left[s^{n-k} \frac{d^{k-1}}{dt^{k-1}} f(t)\right]_{t=0}$$

3. **Intégration:** La transformée de Laplace d'une intégrale est aussi d'une grande utilité. La transformée de Laplace de l'intégrale d'une fonction $f(t)$ dont les conditions initiales ne sont pas nulles est donnée par l'expression suivante:

$$\mathcal{L}\left[\int_{-\infty}^{t} f(t)dt\right] = \frac{F(s)}{s} + \frac{1}{s}\left[\int_{-\infty}^{t} f(\sigma)d\sigma\right]_{t=0}$$

4. **Retard:** En pratique, il existe certains systèmes dont la réponse n'est pas instantanée, et se manifeste après un certain temps appelé retard. Soit τ ce retard. L'expression de cette fonction est alors donnée par la relation suivante:

$$f(t) = \begin{cases} 0 & \forall\, t < \tau \\ f(t-\tau) & t \geq \tau \end{cases}$$

   La transformée de Laplace de $f(t-\tau)$ peut se calculer en utilisant le théorème du retard. Un tel théorème est donné par la relation suivante:

$$\mathcal{L}[f(t-\tau)] = e^{-\tau s} F(s)$$

   où $F(s) = \mathcal{L}[f(t)]$

5. **Modification d'échelle:** Pour une raison quelconque, on peut être amené à effectuer un changement d'échelle dans le domaine du temps. Comment alors un tel changement d'échelle se traduit t-il dans le plan

complexe ? Le théorème de modification d'échelle permet de répondre à cette question. Ce théorème se traduit par:

$$\mathcal{L}\left[f\left(\frac{t}{a}\right)\right] = aF(as)$$

où a est une constante réelle, et $F(s) = \mathcal{L}[f(t)]$

6. **Translation dans le domaine complexe:** Une translation dans le domaine complexe se traduit dans le domaine du temps par la relation suivante:

$$\mathcal{L}[e^{-at}f(t)] = F(s+a)$$

où a est une constante réelle, et $F(s) = \mathcal{L}[f(t)]$

7. **Convolution:** En supposant que les transformées de Laplace des fonctions $f(t)$ et $g(t)$ sont les suivantes:

$$\begin{aligned} F(s) &= \mathcal{L}[f(t)] \\ G(s) &= \mathcal{L}[g(t)] \end{aligned}$$

La transformée de Laplace de la convolution intégrale $\int_0^t f(t-\tau)g(\tau)d\tau$ est:

$$F(s)G(s) = \mathcal{L}\left[\int_0^t f(t-\tau)g(\tau)d\tau\right]$$

8. **Valeur initiale:** Le théorème de la valeur initiale permet de calculer la valeur de la fonction $f(t)$ à l'instant initial à partir de l'expression de $F(s)$, c'est-à-dire à l'instant $t = 0$. L'énoncé d'un tel théorème est résumé par les relations suivantes:

$$f(0) = \lim_{t \to 0} f(t) = \lim_{s \to \infty} sF(s)$$

9. **Valeur finale:** Le théorème de la valeur finale permet de calculer la valeur de fonction $f(t)$ à l'infini à partir de l'expression de $F(s)$, c'est-à-dire lorsque le temps tend vers l'infini. L'énoncé d'un tel théorème est résumé par les relations suivantes:

$$f(\infty) = \lim_{t \to \infty} f(t) = \lim_{s \to 0} sF(s)$$

Il faut noter que le théorème de la valeur finale n'est applicable que lorsque tous les pôles de $sF(s)$ sont à partie réelle strictement négative.

Exemple A.1 Application des théorèmes de la valeur initiale et de la valeur finale

Pour montrer l'application de ces théorèmes et leurs restrictions considérons le cas de la fonction $\cos(t)$. Une telle fonction et sa transformée de Laplace sont données par les relations suivantes:

$$\begin{aligned} f(t) &= \cos(t)u_{-1}(t) \\ F(s) &= \frac{s}{s^2+1} \end{aligned}$$

où

$$u_{-1}(t) = \begin{cases} 1 & \forall\, t \geq 0 \\ 0 & \text{ailleurs} \end{cases}$$

Le calcul de la valeur initiale de la fonction $f(t)$ utilise le théorème de la valeur initiale:

$$\begin{aligned} f(0^+) &= \lim_{t\to 0^+} f(t) = \lim_{s\to\infty} sF(s) \\ &= \lim_{t\to\infty} \frac{s^2}{s^2+1} = 1 \end{aligned}$$

Cette valeur coïncide avec celle obtenue en évaluant $\cos(t)$ à $t = 0$. Pour calculer la valeur finale, le théorème valeur finale peut être utilisé:

$$\begin{aligned} f(\infty) &= \lim_{t\to\infty} f(t) \\ &= \lim_{s\to 0} \frac{s^2}{s^2+1} = 0 \end{aligned}$$

Le résultat n'a aucun sens car le théorème ne s'applique pas dans ce cas puisque $sF(s)$ possède deux pôles sur l'axe imaginaire.

Exemple A.2 Cas d'une fonction exponentielle

Considérons le cas de la fonction exponentielle $f(t)$ et de sa transformée de Laplace:

$$\begin{aligned} f(t) &= e^{\pm at}, \quad a > 0 \\ F(s) &= \frac{1}{s \mp a} \end{aligned}$$

Dans ce qui suit nous alons traiter les deux cas.

1er **cas** $F(s) = \frac{1}{s+a}$

– Par le théorème de la valeur initiale, on obtient:

$$f(0) = \lim_{s \to \infty} sF(s) = \lim_{s \to \infty} \frac{s}{s+a} = 1$$

– Par le théorème de la valeur finale, on obtient:

$$f(\infty) = \lim_{s \to 0} sF(s) = \lim_{s \to 0} \frac{s}{s+a} = 0$$

Les deux résultats sont corrects car les hypothèses des théorèmes sont satisfaites.

2e **cas** $F(s) = \frac{1}{s-a}$

– Par le théorème de la valeur initiale on obtient:

$$f(0) = \lim_{s \to \infty} sF(s) = \lim_{s \to \infty} \frac{s}{s-a} = 1$$

– Par le théorème de la valeur finale, on s'écrit:

$$f(\infty) = \lim_{s \to 0} sF(s) = \lim_{s \to 0} \frac{s}{s-a} = 0$$

Ce résultat n'a aucun sens car la fonction $sF(s)$ a un pôle à partie réelle positive.

A.5 TRANSFORMÉE DE LAPLACE INVERSE

Dans cette section, nous allons nous intéresser au calcul de la fonction, $f(t)$, associée à la fonction $F(s)$. Du point de vu mathématique, il existe plusieurs méthodes. Dans le reste de cette section nous allons nous restreindre à la méthode de décomposition en éléments simples ou en fraction partielles. Pour les autres techniques, nous conseillons au lecteur de se consulter les références citées à la fin de cet ouvrage.

A.5.1 Définition

La transformée inverse de Laplace d'une fonction complexe $F(s)$, de la valeur complexe s, est définie par:

$$f(t) = \mathcal{L}^{-1}[F(s)] = \frac{1}{2\pi j}\int_{\sigma-j\omega}^{\sigma+j\omega} F(s)e^{+st}ds$$

où $\mathcal{L}^{-\infty}$ est l'opérateur de la transformée inverse de Laplace.

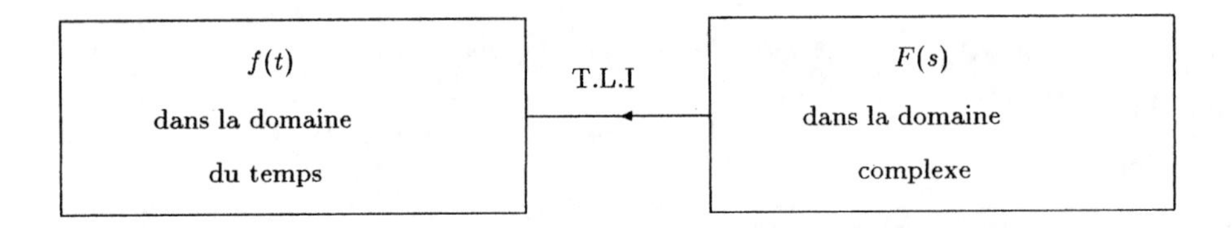

Figure A.2 Transformée de Laplace inverse

Il s'agit alors de calculer l'intégrale d'une fonction complexe. En pratique, on ne se sert pas de cette formule à cause de sa complexité et on a généralement recourt à la méthode de décomposition en éléments simples.

A.5.2 Décomposition en éléments simples

Supposons que la fonction complexe $F(s)$ que l'on désire décomposer en éléments simples est donnée par l'expression suivante:

$$\begin{aligned} F(s) &= \frac{b_0 + b_1 s + \cdots + b_j s^i + \cdots + b_m s^m}{a_0 + a_1 s^1 + \cdots + a_{n-1}s^{n-1} + s^n}, \quad m \leq n \\ &= \frac{N(s)}{D(s)} \end{aligned}$$

Dans le cas où les coefficients a_i et b_j sont réels, le polynôme D(s) admet n racines qui peuvent être réelles ou, complexes. De plus ces racines peuvent être soient simples soient multiples.

Dans le reste de cette annexe, on se limite au cas où n est plus grand que m. Notons que dans le cas contraire, on peut toujours se ramener au cas précédent, c'est-à-dire $n < m$, en effectuant une division polynomiale.

1. **Racines simples**: supposons que le dénominateur $D(s)$ admet n racines réelles simples $-p_1, \ldots, -p_n$. La décomposition en éléments simples s'écrit:

$$F(s) = \frac{c_1}{s+p_1} + \cdots + \frac{c_n}{s+p_n}$$

avec c_i: résidus donnés par: $c_i = \lim_{s \to -p_i}[(s+p_i)F(s)]$

En se référant à la table des transformées de Laplace, on constate que chaque terme de cette décomposition est associé à une fonction exponentielle du temps. Ceci donne alors la solution suivante:

$$\begin{aligned} f(t) &= \left[c_1 e^{-p_1 t} + \cdots + c_i e^{-p_i t} + \cdots + c_n e^{-p_n t}\right] u_{-1}(t) \\ &= \sum_{i=1}^{n} c_i e^{-p_i t} u_{-1}(t) \end{aligned}$$

2. **Racine multiple:** supposons que la racine $-p_1$ a une multiplicité d'ordre k $(k \leq n)$. Pour ce pôle, on va avoir la décomposition suivante:

$$F_1(s) = \frac{c_{11}}{(s+p_1)^k} + \frac{c_{12}}{(s+p_1)^{k-1}} + \cdots + \frac{c_{1k}}{(s+p_1)}$$

La décomposition globale de $F(s)$ est donnée par l'expression suivante:

$$\begin{aligned} F(s) &= \frac{c_{11}}{(s+p_1)^k} + \frac{c_{12}}{(s+p_1)^{k-1}} + \cdots + \frac{c_{1k}}{(s+p_1)} + \frac{c_2}{(s+p_2)} \\ &\quad + \cdots + \frac{c_n}{(s+p_n)} \end{aligned}$$

Pour calculer les coefficients de cette décomposition, on procède de la manière suivante: les coefficients c_2 à c_n correspondent à des pôles simples se calculant de la même façon que précédemment. Quant aux coefficients c_{1j} $(j = 1,\ldots,k)$, on les obtient de la façon suivante:

$$c_{1j} = \lim_{s \to -p_1} \left[\frac{1}{(j-1)!}\frac{d^{j-1}}{ds^{j-1}}\left[F(s)(s+p_1)^k\right]\right], \quad j = 1, \ldots, k$$

Remarque: il existe une autre technique qui permet d'évaluer graphiquement les résidus dans le cas de dimension réduite. Pour le principe de cette méthode supposons que l'on veuille calculer la fonction $f(t)$ à partir de sa transformée de Laplace $F(s)$ dont l'expression est donnée par:

$$F(s) = K\frac{s+z}{s(s+p_2)(s+p_3)}$$

Pour un point s^* du plan complexe, la valeur prise par la fonction $F(s)$ en ce point est:

$$F(s)_{s=s^*} = \frac{KV_0}{V_1V_2V_3}$$

où V_i, $i = 0, 1, 2, 3$ est le vecteur reliant le pôle ou le zéro au point s^*.

Le module et l'argument de cette fonction sont donnés par les expressions suivantes:

$$\begin{aligned}
|F(s)|_{s=s^*} &= \frac{K|V_0|}{|V_1||V_2||V_3|} \\
&= K\frac{\text{produit des vecteurs allant des zéros à } s = s^*}{\text{produit des vecteurs allant des pôles à } s = s^*} \\
\arg\left[\mathrm{F(s)}\right]_{\mathrm{s=s^*}} &= \theta_0 - \theta_1 - \theta_2 - \theta_3
\end{aligned}$$

Les arguments sont calculés à partir de l'axe des réels et sont comptés positifs dans le sens contraire des aiguilles d'une montre. On peut utiliser ce résultat pour calculer la transformée de Laplace inverse:

$$f(t) = \mathcal{L}^{-1}[F(s)]$$

Développons d'abord $F(s)$ en fractions partielles:

$$F(s) = \frac{c_1}{s} + \frac{c_2}{s + p_2} + \frac{c_3}{s + p_3}$$

avec

$$c_i = \left[(s + p_i)F(s)\right]_{s=-p_i}, \; c_i, \; i = 1, 2, 3$$

Les c_i sont appelés **les résidus.**

Pour l'exemple choisi, les résidus sont:

$$\begin{aligned}
c_1 &= \left[sF(s)\right]_{s=0} = \frac{KV_0}{V_2V_3} \\
c_2 &= \left[(s + p_2)F(s)\right]_{s=-p_2} = \frac{KV_0}{V_1V_3} \\
c_3 &= \left[(s + p_3)F(s)\right]_{s=-p_3} = \frac{KV_0}{V_1V_2}
\end{aligned}$$

On a représenté le calcul graphique du résidu c_2 sur la figure A.3.

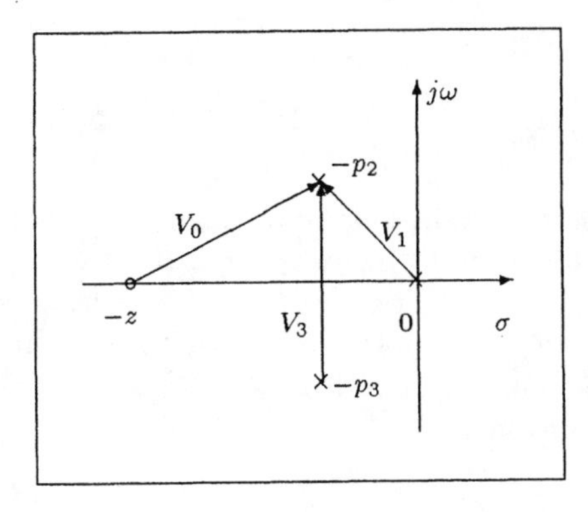

Figure A.3 Pôle-zéro de $\frac{K(s+z)}{s(s+p_2)(s+p_3)}$

Cette méthode permet d'évaluer graphiquement et rapidement les résidus d'une fonction complexe. Toutefois, elle n'est pas applicable dans le cas où les pôles sont multiples.

Remarque: étant donné que tout nombre complexe z peut être représenté par la notation suivante:

$$z = |z|e^{j\theta}$$

où $|z|$ est le module et θ est l'argument du complexe z.

les coefficients c_i, $i = 1, 2, \ldots$ sont déterminés par les relations des modules et des arguments.

Exemple A.3 Calcul des résidus par la méthode graphique

Considérons la fonction dont l'expression est:

$$\begin{aligned} Y(s) &= \frac{6(s+1)}{s(s+2)(s+4)} \\ &= \frac{K_1}{s} + \frac{K_2}{s+2} + \frac{K_3}{s+4} \end{aligned}$$

Les paramètres K_1, K_2, et K_3 sont calculés par décomposition en élements simples:

$$K_1 = \left[\frac{6(s+1)}{(s+2)(s+4)}\right]_{s=0} = \frac{3}{4}$$

$$
\begin{aligned}
K_2 &= \left[\frac{6(s+1)}{s(s+4)}\right]_{s=-2} = \frac{3}{2} \\
K_3 &= \left[\frac{6(s+1)}{s(s+2)}\right]_{s=-4} = -\frac{9}{4}
\end{aligned}
$$

Les mêmes paramètres peuvent aussi être calculés par la méthode graphique. Considérons le graphique de la figure A.4 qui illustre les pôles et le zéro du système considéré. Les vecteurs représentés sur cette figure concernent le calcul du résidu K_1. Le même principe est valable pour la recherche des autres résidus. Les paramètres sont obtenus en utilisant les relations des arguments et des modules. Ainsi, nous avons:

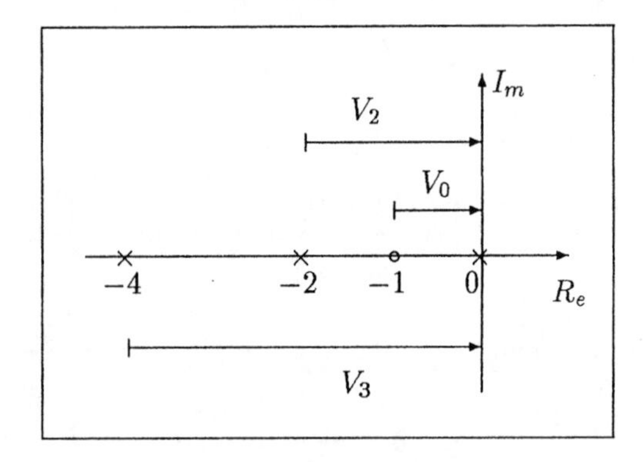

Figure A.4 Disposition des vecteurs pour le calcul du résidu K_1 de $F(s) = \frac{6(s+1)}{s(s+2)(s+4)}$

- Pour K_1:

$$
\begin{aligned}
|K_1| &= 6\frac{|V_0|}{|V_2||V_3|} = 6\frac{1}{(2)(4)} = \frac{3}{4} \\
\arg(\mathrm{K}_1) &= \arg(\mathrm{V}_0) - \arg(\mathrm{V}_2) - \arg(\mathrm{V}_3) = 0 - 0 - 0 = 0
\end{aligned}
$$

Ceci signifie que le paramètre K_1 est positif et que sa valeur est $\frac{3}{4}$.

- Pour K_2:

$$
\begin{aligned}
|K_2| &= 6\frac{1}{(2)(2)} = \frac{3}{2} \\
\arg(\mathrm{K}_2) &= \pi + 0 - \pi = 0
\end{aligned}
$$

Le paramètre K_2 est aussi positif et sa valeur est égale à $\frac{3}{2}$.

- Pour K_3:

$$
\begin{aligned}
|K_3| &= 6\frac{2}{(3)(1)} = \frac{9}{4} \\
\arg(\mathrm{K}_1) &= \pi + \pi - \pi = \pi
\end{aligned}
$$

Cela signifie que le paramètre K_3 est donné par:

$$
\begin{aligned}
K_3 &= |K_3|e^{\arg(\mathrm{K}_3)\mathrm{j}} = \frac{9}{4}e^{\pi j} \\
&= \frac{9}{4}[\cos(\pi) + j\sin(\pi)] = -\frac{9}{4}
\end{aligned}
$$

Nous trouvons bien le même résultat que par la méthode analytique.

Tableau A.1 Transformée de Laplace des fonctions usuelles

f(t) , ≥ 0	**F(s)**
$\delta(t)$, **impulsion**	1
$u_{-1}(t)$, **échelon**	$\frac{1}{s}$
t, **rampe**	$\frac{1}{s^2}$
e^{-at}	$\frac{1}{s+a}$
$\frac{t^{n-1}}{(n-1)!}$, avec $0! = 1$	$\frac{1}{s^n}$, $n = 1, 2, 3, \ldots$
$\frac{1}{(n-1)!} t^{n-1} e^{-at}$, $n = 1, 2, 3, \ldots$	$\frac{1}{(s+a)^n}$
$\sin(\omega t)$	$\frac{\omega}{s^2+\omega^2}$
$\cos(\omega t)$	$\frac{s}{s^2+\omega^2}$
$\sqrt{\frac{z_1^2+\omega^2}{\omega^2}} \sin(\omega t + \phi)$, $\phi = tg^{-1} \frac{\omega}{z_1}$	$\frac{s+z_1}{s^2+\omega^2}$
$\sin(\omega t + \phi)$	$\frac{s(\sin \phi)+\omega(\cos \phi)}{s^2+\omega^2}$
$\frac{1}{\omega} e^{-at} \sin \omega t$	$\frac{1}{(s+a)^2+\omega^2}$
$\frac{1}{\omega_d} e^{-\zeta \omega_n t} \sin \omega_d t$, $\omega_d = \omega_n \sqrt{1-\zeta^2}$	$\frac{1}{s^2+2\zeta\omega_n s+\omega_n^2}$
$e^{-at} \cos \omega t$	$\frac{s+a}{(s+a)^2+\omega^2}$
$\sqrt{\frac{(z_1-a)^2+\omega^2}{\omega^2}} e^{-at} \sin(\omega t + \phi)$, $\phi = tg^{-1} \frac{\omega}{(z_1-a)}$	$\frac{s+z_1}{(s+a)^2+\omega^2}$
$\frac{1}{\omega^2}(1 - \cos \omega t)$	$\frac{1}{s(s^2+\omega^2)}$
$\frac{1}{\omega_n^2} - \frac{1}{\omega_n \omega_d} e^{-\zeta \omega_n t} \sin(\omega_d t + \phi)$	$\frac{1}{s(s^2+2\zeta\omega_n s+\omega_n^2)}$
$\omega_d = \omega_n \sqrt{1-\zeta^2}$, $\phi = \cos^{-1} \zeta$, $\zeta < 1$	

B

CALCUL MATRICIEL

Étant donné l'importance du calcul matriciel dans la théorie des systèmes linéaires, nous avons jugé utile de fournir au lecteur une annexe rappelant les principales propriétés des matrices.

B.1 DÉFINITIONS GÉNÉRALES

Dans cette annexe, on définit les matrices et les opérations sur ces matrices telles que l'addition, la multiplication, etc. On rappelle aussi les différentes propriétés de ces opérations.

B.1.1 Définition d'une matrice

On appelle matrice réelle à n lignes et p colonnes un tableau rectangulaire de np éléments de $\mathbb{R}$ rangés en n lignes et p colonnes. En général, on utilise la notation $\mathbf{A}(n,p)$ pour désigner une telle matrice. L'élément de la i^e ligne et de la j^e colonne est noté par a_{ij}.

Dans le cas où la matrice est colonne (i.e. $p = 1$), un seul indice est utilisé pour repérer les différents éléments, par exemple:

$$\mathbf{A} = [a_1, a_2, \ldots, a_n]^T \tag{B.1}$$

La matrice $\mathbf{A}$ est aussi appelée vecteur colonne.

Dans le cas où la matrice est ligne (i.e. $n = 1$), un seul indice est utilisé pour repérer les différents éléments de la matrice, par exemple:

$$\mathbf{A} = [a_1, \ldots, a_n] \tag{B.2}$$

La matrice **A** est aussi appelée vecteur ligne.

Si $n = p$, la matrice **A** est dite carrée d'ordre n.

En général, deux matrices **A** et **B** sont dites égales si elles ont les mêmes éléments, c'est-à-dire si:

$$a_{ij} = b_{ij}, \ \forall\ i, j\ (1 \leq i \leq n; 1 \leq j \leq p) \tag{B.3}$$

B.1.2 Rang d'une matrice

Le rang d'une matrice $\mathbf{A}(n,p)$ est le rang du système des vecteurs colonne de $\mathbf{A}(n,p)$ (ou le nombre maximum de vecteurs colonne linéairement indépendants).

B.1.3 Addition des matrices

La somme de deux matrices de même dimension $\mathbf{A}(n,p)$ et $\mathbf{B}(n,p)$ est une matrice $\mathbf{C}(n,p)$ de même dimension. Une telle opération est notée par:

$$\mathbf{C} = \mathbf{A} + \mathbf{B} \tag{B.4}$$

Les éléments c_{ij} sont obtenus en ajoutant les éléments de $\mathbf{A}(n,p)$ et de $\mathbf{B}(n,p)$ de même indice, c'est-à-dire:

$$c_{ij} = a_{ij} + b_{ij}, \ \forall\ i, j\ (1 \leq i \leq n; 1 \leq j \leq p) \tag{B.5}$$

Les principales propriétés de l'addition des matrices sont:

- la commutativité:

$$\mathbf{A} + \mathbf{B} = \mathbf{B} + \mathbf{A}, \qquad \forall\ \mathbf{A}, \forall\ \mathbf{B} \tag{B.6}$$

- l'associativité:

$$(\mathbf{A}+\mathbf{B})+\mathbf{C}=\mathbf{A}+(\mathbf{B}+\mathbf{C}), \quad \forall\ \mathbf{A},\ \mathbf{B},\ \mathbf{C} \tag{B.7}$$

- l'addition admet comme élément neutre la matrice $\mathbf{O}$ (matrice nulle):

$$\mathbf{A}+\mathbf{O}=\mathbf{A}, \qquad \forall\ \mathbf{A} \tag{B.8}$$

- toute matrice $\mathbf{A}$ possède une matrice opposée notée $-\mathbf{A}$:

$$\mathbf{A}+(-\mathbf{A}) = \mathbf{O}, \tag{B.9}$$
$$-\mathbf{A} = [-a_{ij}] \tag{B.10}$$

B.1.4 Multiplication d'une matrice par un scalaire

On appelle produit de la matrice $\mathbf{A}(n,p)$ par le scalaire k et on note $k\mathbf{A}$ la matrice $\mathbf{C}(n,p)$ obtenue en multipliant tous les éléments de $\mathbf{A}(n,p)$ par k.

$$c_{ij}=ka_{ij}, \qquad \forall\ i,j\ (1\leq i\leq n; 1\leq j\leq p) \tag{B.11}$$

Les propriétés de la multiplication d'une matrice par un scalaire sont:

- distributivité par rapport à l'addition des matrices:

$$k(\mathbf{A}+\mathbf{B})=k\mathbf{A}+k\mathbf{B}, \qquad \forall\ k\in \mathbb{R}, \forall\ \mathbf{A},\ \mathbf{B} \tag{B.12}$$

- distributivité par rapport à l'addition des scalaires:

$$(k_1+k_2)\mathbf{A}=k_1\mathbf{A}+k_2\mathbf{A}, \qquad \forall\ k_1,\ \forall\ k_2\in \mathbb{R}, \forall\ \mathbf{A} \tag{B.13}$$

- associativité:

$$k_1(k_2\mathbf{A})=(k_1k_2)\mathbf{A}, k_1,\ k_2\in \mathbb{R}, \qquad \forall\ \mathbf{A} \tag{B.14}$$

- élément neutre pour la multiplication scalaire

$$1\mathbf{A}=\mathbf{A} \tag{B.15}$$

B.1.5 Produit de deux matrices

On appelle produit de $\mathbf{A}(n,p)$ par $\mathbf{B}(p,k)$ et on note $\mathbf{AB}$ la matrice $\mathbf{C}(n,k)$ dont l'élément c_{ij}, $\forall\, i,j\ (1 \leq i \leq n; 1 \leq j \leq p)$ s'obtient en multipliant élément par élément la i^e ligne de $\mathbf{A}$ par le j^e colonne de $\mathbf{B}$ et en faisant la somme des produits ainsi obtenus, c'est-à-dire:

$$c_{ij} = \sum_{k=1}^{n} a_{ik} b_{kj} \tag{B.16}$$

Un tel produit n'est défini que si le nombre de colonnes de $\mathbf{A}$ est égal au nombre de lignes de $\mathbf{B}$. D'autre part, le nombre de lignes de $\mathbf{AB}$ est égal au nombre de lignes de $\mathbf{A}$ et le nombre de colonnes de $\mathbf{AB}$ est égal au nombre de colonnes de $\mathbf{B}$.

Les principales propriétés du produit matriciel sont:

- associativité:

$$(\mathbf{AB})\mathbf{C} = \mathbf{A}(\mathbf{BC}), \qquad \forall\ \mathbf{A},\ \mathbf{B},\ \mathbf{C} \tag{B.17}$$

- distributivité par rapport à l'addition:

$$\mathbf{A}(\mathbf{B}+\mathbf{C}) = \mathbf{AB}+\mathbf{AC}, \qquad \forall\ \mathbf{A},\ \mathbf{B},\ \mathbf{C} \tag{B.18}$$

$$(\mathbf{A}+\mathbf{B})\mathbf{C} = \mathbf{AC}+\mathbf{BC}, \qquad \forall\ \mathbf{A},\ \mathbf{B},\ \mathbf{C} \tag{B.19}$$

- distributivité du produit mixte scalaire-matriciel

$$(k\mathbf{A})\mathbf{B} = \mathbf{A}(k\mathbf{B}) = k(\mathbf{AB}), \qquad \forall\ k \in \mathbb{R},\ \forall\ \mathbf{A},\ \mathbf{B} \tag{B.20}$$

- élément neutre

$$\mathbf{I}_q\mathbf{A} = \mathbf{A} \tag{B.21}$$

$$\mathbf{A}\mathbf{I}_n = \mathbf{A}, \qquad \forall\ \mathbf{A}(q,n) \tag{B.22}$$

  où $\mathbf{I}_q$ et $\mathbf{I}_n$ sont les matrices unités d'ordre respectif q et n.

Remarques:

1. en général, le produit matriciel n'est pas commutatif, c'est-à-dire:

$$\mathbf{AB} \neq \mathbf{BA}, \qquad \forall\ \mathbf{A},\ \mathbf{B} \tag{B.23}$$

2. le produit de deux matrices peut être nul sans qu'aucune des matrices ne soit nulle.

B.1.6 Transposition d'une matrice

La transposée de la matrice $\mathbf{A}$ est une matrice notée $\mathbf{A}^T = \mathbf{B}$ dont l'élément $b_{ij}, \forall\, i, j\ (1 \leq i \leq n; 1 \leq j \leq p)$ est défini par:

$$b_{ij} = a_{ji}, \qquad \forall\, i, j\ (1 \leq i \leq n; 1 \leq j \leq p) \tag{B.24}$$

La matrice $\mathbf{A}^T$ a donc pour lignes les colonnes de $\mathbf{A}$ et pour colonnes les lignes de $\mathbf{A}$. Les principales propriétés de la transposition sont:

$$(\mathbf{A} + \mathbf{B})^T = \mathbf{A}^T + \mathbf{B}^T \tag{B.25}$$

$$(k\mathbf{A})^T = k\mathbf{A}^T \tag{B.26}$$

$$(\mathbf{A})^T = \mathbf{A} \tag{B.27}$$

$$(\mathbf{AB})^T = \mathbf{B}^T\mathbf{A}^T \tag{B.28}$$

B.2 MATRICE CARRÉE

Pour une matrice carrée d'ordre n, les éléments a_{11}, a_{22}, ..., a_{nn} sont appelés éléments diagonaux et la suite $(a_{11}, a_{22}, \ldots, a_{nn})$ est appelée diagonale principale.

B.2.1 Matrice diagonale

On appelle matrice diagonale une matrice carrée tel que $a_{ij} = 0$ lorsque $i \neq j$.

B.2.2 Matrice triangulaire

On appelle matrice triangulaire inférieure (supérieure) une matrice carrée dont les éléments situés au-dessus (au-dessous) de la diagonale principale sont nuls, c'est-à-dire:

$$a_{ij} = 0, \qquad \forall\, i < j\ (i > j) \tag{B.29}$$

B.2.3 Matrice symétrique

On appelle matrice symétrique une matrice telle que:

$$\mathbf{A}^T = \mathbf{A}, \tag{B.30}$$

c'est-à-dire:

$$a_{ji} = a_{ij}, \qquad \forall\, i,\ j \tag{B.31}$$

On appelle matrice antisymétrique une matrice telle que:

$$\mathbf{A}^T = -\mathbf{A} \tag{B.32}$$

c'est-à-dire:

$$a_{ji} = -a_{ij}, \qquad \forall\, i,\ j \tag{B.33}$$

B.3 DÉTERMINANT D'UNE MATRICE

Le déterminant d'une matrice carrée est une fonction qui associe à chaque matrice **A** un scalaire noté **det**, c'est-à-dire:

$$\mathbf{det} : \mathbf{A} \rightarrow \mathbb{R}$$

Propriétés des déterminants:

Si dans une matrice carrée **A** d'ordre n, on multiplie toute la ligne ou toute la colonne par un scalaire k, la matrice résultante est notée par $\tilde{\mathbf{A}}$, et on a:

$$\det(\tilde{\mathbf{A}}) = k \det(\mathbf{A})$$

Si on multiplie toute la matrice par un scalaire k, on a:

$$\det(k\mathbf{A}) = k^n \det(\mathbf{A})$$

Si **A** est une matrice et $\mathbf{A}^T$ sa transposée, on a:

$$\det(\mathbf{A}^T) = \det(\mathbf{A})$$

Si **A** et **B** sont des matrices carrées d'ordre n, on a:

$$\det(\mathbf{AB}) = \det(\mathbf{A}) \det(\mathbf{B}) = \det(\mathbf{BA})$$

B.3.1 Inverse d'une matrice

Pour qu'une matrice **A** ait un inverse, il faut, et il suffit, qu'il existe une matrice **B** telle que:

$$\mathbf{AB} = \mathbf{BA} = \mathbf{I}_n \tag{B.34}$$

où $\mathbf{I}_n$ est la matrice identité d'ordre n.

L'inverse de la matrice **A** est, en général, noté $\mathbf{A}^{-1}$.

Pour obtenir $\mathbf{A}^{-1}$, quand elle existe, on divise par le déterminant de **A** la transposée de la matrice des cofacteurs.

Les principales propriétés de l'inversion des matrices sont:

- si **A** a un inverse, $\mathbf{A}^{-1}$ est unique;
- une matrice carrée A a un inverse si et seulement s'il existe une matrice carrée de même ordre **B** vérifiant $\mathbf{AB} = \mathbf{I}_n$ ou $\mathbf{BA} = \mathbf{I}_n$. On a alors $\mathbf{A}^{-1} = \mathbf{B}$;
- si **A** a un inverse, $\mathbf{A}'$ et $\mathbf{A}^{-1}$ en ont aussi et on a:

$$(\mathbf{A}')^{-1} = (\mathbf{A}^{-1})' \tag{B.35}$$

$$(\mathbf{A}^{-1})^{-1} = \mathbf{A} \tag{B.36}$$

- une matrice carrée **A** peut s'inverser si et seulement si les vecteurs colonne (resp. ligne) sont linéairement indépendants;
- si **A** et **B** peuvent s'inverser, **AB** le peut aussi et: $(\mathbf{AB})^{-1} = \mathbf{B}^{-1}\mathbf{A}^{-1}$.

B.3.2 Matrice semi-définie positive

Une matrice **A** est dite semi-définie positive si:

$$< \mathbf{x}, \mathbf{Ax} > \geq 0, \qquad \forall\ \mathbf{x} \in \mathbb{R}^n,\ \mathbf{A}(n,n) \tag{B.37}$$

où $< . >$ est le produit scalaire défini par:

$$< \mathbf{x}, \mathbf{y} > = \sum_{i=1}^{n} x_i y_i$$

La matrice $\mathbf{A}$ est dite définie positive si l'égalité se produit uniquement pour $\mathbf{x} = 0$.

Une matrice $\mathbf{A}$ symétrique est dite définie positive si et seulement si toutes ses valeurs propres sont strictement positives. Elle est aussi dite semi-définie positive si et seulement si toutes ses valeurs propres sont non négatives.

B.4 VALEURS PROPRES ET VECTEURS PROPRES

Les valeurs propres d'une matrice $\mathbf{A}$ sont solutions de l'équation algébrique suivante:

$$\det\,(\boldsymbol{\lambda}\mathbf{I} - \mathbf{A}) = 0$$

Le vecteur propre $\mathbf{v}^i$ associé à la valeur propre λ_i est donné par:

$$\mathbf{A}\mathbf{v}^i = \lambda_i \mathbf{v}^i$$

B.5 THÉORÈME DE CAYLEY-HAMILTON

Si la matrice $\mathbf{A}$ possède l'équation caractéristique suivante:

$$\boldsymbol{\Delta}(\lambda) = \det\,(\lambda\mathbf{I} - \mathbf{A}) = \lambda^{\mathrm{n}} + \mathrm{a}_{\mathrm{n}-1}\lambda^{\mathrm{n}-1} + \ldots + \mathrm{a}_1\lambda + \mathrm{a}_0$$

alors la matrice $\mathbf{A}$ satisfait la relation suivante:

$$\boldsymbol{\Delta}(\mathbf{A}) = \det\,(\lambda\mathbf{I} - \mathbf{A}) = \mathbf{A}^{\mathrm{n}} + \mathrm{a}_{\mathrm{n}-1}\mathbf{A}^{\mathrm{n}-1} + \ldots + \mathrm{a}_1\mathbf{A} + \mathrm{a}_0\mathbf{I}$$

C

RÈGLE DE MASON

Trouver la fonction de transfert d'un système représenté par son schéma-bloc n'est pas toujours chose facile. Les simplifications nécessaires pour aboutir à la fonction de transfert entre l'entrée et la sortie d'un système fortement enchevêtré peuvent prendre beaucoup de temps et engendrer, dans certains cas, des appréciations erronées.

L'objectif de cette annexe est de décrire la règle de J.S. Mason. Cette règle est principalement basée sur la théorie des graphes.

C.1 DÉFINITIONS

Dans cette section, nous allons donner la terminologie de la théorie des graphes.

- **Graphe:** représentation formée par un ensemble d'éléments appelés *noeuds* et par une famille de couples de noeuds appelés *branches*.
- **Noeud:** élément qui représente l'état (ou l'amplitude) d'un ou de plusieurs signaux. Sur un graphe, les noeuds sont désignés par X_i, $(i = 1, 2, 3, \cdots)$.
- **Branche:** liaison entre deux noeuds. Elle est caractérisée par un sens désigné par une flèche et par un gain désigné par $G(s)$.
- **Chemin:** suite de branches connectées en série et dont la séquence respecte le sens indiqué sur chacune des branches.
- **Boucle:** chemin tel que l'extrémité initiale de la première branche coïncide avec l'extrémité finale de la dernière branche.

- **Chemin direct:** chemin reliant le noeud d'entrée du système au noeud de sortie de ce système en parcourant les branches seulement dans le sens direct sans passer par les boucles de rétroaction. C'est l'équivalent de la chaîne directe pour un schéma-bloc.
- **Gain d'une branche:** fonction de transfert $G(s)$ assignée à la branche telle que le signal au noeud X_{i+1} est égal à $G(s)X_i$.
- **Gain d'un chemin:** produit des gains des différentes branches composant le chemin.

C.2 OPÉRATIONS SUR LES GRAPHES

Les opérations sur les graphes sont du même type que celles que l'on effectue sur les schéma-blocs (voir chapitre 2). Nous avons rassemblé les plus importantes dans la figure C.1. En effet, nous avons pour chaque structure (cascade, parallèle, feedback, etc.) donné son graphe correspondant ainsi que le graphe simplifié. Le lecteur peu à titre d'exercice trouver les graphes équivalents à des exemples complexes.

C.3 RÈGLE DE MASON

Cette règle permet, à partir d'un graphe, de calculer la fonction de transfert entre l'entrée et la sortie d'un système en utilisant la formule suivante:

$$F(s) = \frac{1}{\Delta} \sum_k T_k(s)\ \Delta_k \tag{C.1}$$

appelée **formule de Mason** où

$\Delta = 1 - \sum_i L_i + \sum_{i,j} L_i L_j - \sum_{i,j,k} L_i L_j L_k + \cdots =$ déterminant total du graphe.

$\sum_i L_i =$ somme des gains des différentes boucles.

$\sum_{i,j} L_i L_j =$ somme des produits de gains de toutes les combinaisons possibles de deux boucles disjointes [qui ne se croisent pas].

$\sum_{i,j,k} L_i L_j L_k =$ somme des produits de gains de toutes les combinaisons possibles de trois branches disjointes.

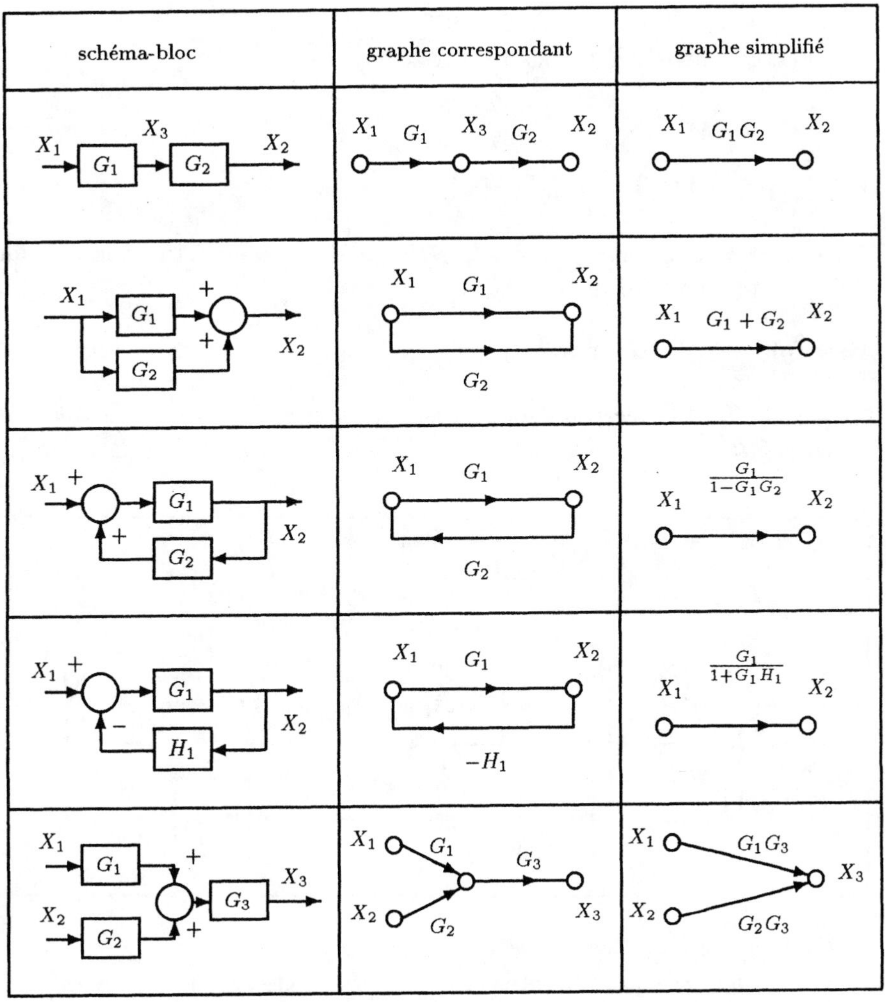

schéma-bloc	graphe correspondant	graphe simplifié
X_1 G_1 X_3 G_2 X_2	X_1 G_1 X_3 G_2 X_2	X_1 G_1G_2 X_2
X_1 G_1 + + G_2 X_2	X_1 G_1 X_2 G_2	X_1 $G_1 + G_2$ X_2
X_1 + G_1 + G_2 X_2	X_1 G_1 X_2 G_2	X_1 $\frac{G_1}{1-G_1G_2}$ X_2
X_1 + G_1 − H_1 X_2	X_1 G_1 X_2 $-H_1$	X_1 $\frac{G_1}{1+G_1H_1}$ X_2
X_1 G_1 + X_2 G_2 + G_3 X_3	X_1 G_1 G_3 X_2 G_2 X_3	X_1 G_1G_3 X_3 X_2 G_2G_3

Figure C.1 Schémas-blocs des équivalences de certains systèmes.

$T_k(s)$ = transmittance du k – ième chemin direct.

Δ_k = déterminant du k – ième chemin direct. Il est obtenu à partir du déterminant total Δ en enlevant à ce dernier les boucles qui touchent ce chemin.

$F(s)$ = fonction de transfert du système.

C.4 APPLICATIONS

Dans cette section, nous utilisons la règle de Mason pour calculer la fonction de transfert d'un système donné.

Exemple C.1 Système avec plusieurs boucles

Trouver la fonction de transfert du système représenté par le schéma-bloc de la figure C.2.

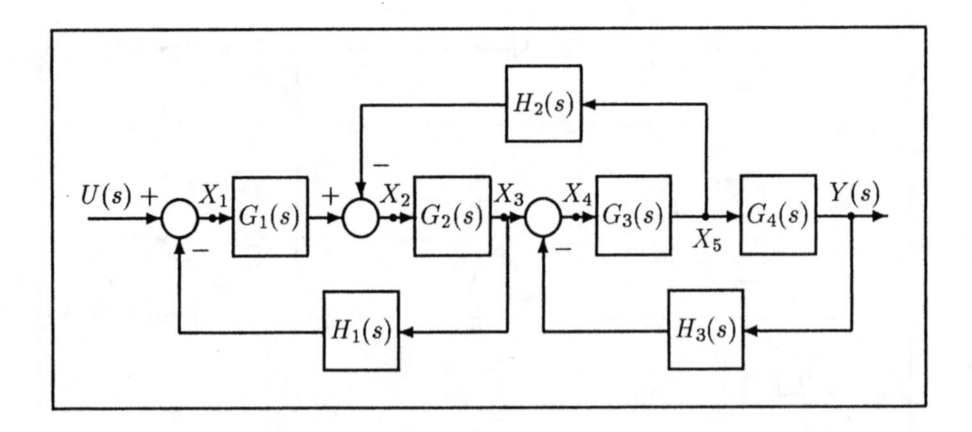

Figure C.2 Schéma-bloc d'un système de commande à une seule grandeur d'entrée et une seule grandeur de sortie

Le graphe équivalent au schéma-bloc de la figure C.2 est représenté à la figure C.3.

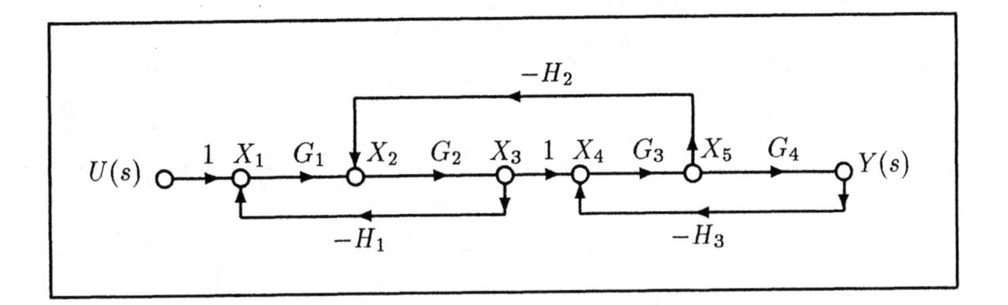

Figure C.3 Graphe équivalent du système de la figure c.2

On a un seul chemin direct dont le gain est:

$$T1 = 1 \times G_1 \times G_2 \times 1 \times G_3 \times G_4 = G_1G_2G_3G_4 \tag{C.2}$$

On a trois boucles dont les gains sont:

$$L_1 = -G_1G_2H_1 \tag{C.3}$$
$$L_2 = -G_3G_4H_3 \tag{C.4}$$
$$L_3 = -G_2G_3H_2 \tag{C.5}$$

parmi lesquelles deux branches ne se croisent pas (disjointes) L_1 et L_2. Ainsi, le déterminant total Δ du système est:

$$\Delta = 1 - (L_1 + L_2 + L_3) + (L_1L_2) \tag{C.6}$$

Comme il n'y a qu'un seul chemin direct T_1 et que toutes les boucles (L_1, L_2, L_3) le touchent, le déterminant Δ_1 de T_1 est:

$$\Delta_1 = 1 \tag{C.7}$$

Δ_1 est obtenu de A.6 en enlevant tous les gains des boucles qui touchent T_1, à savoir L_1, L_2 et L_3. Finalement, en tenant compte des expressions (1), (2), (3) et (4), la formule C.1 devient:

$$F(s) = \frac{1}{\Delta}(T_1\ \Delta_1)$$

ou

$$F(s) = \frac{Y(s)}{U(s)} = \frac{G_1G_2G_3G_4}{1 - (L_1 + L_2 + L_3) + (L_1L_2)} \tag{C.8}$$

Exemple C.2 Système à plusieurs boucles avec anticipation

Trouver la fonction de transfert du système représenté par le schéma-bloc de la figure C.4.

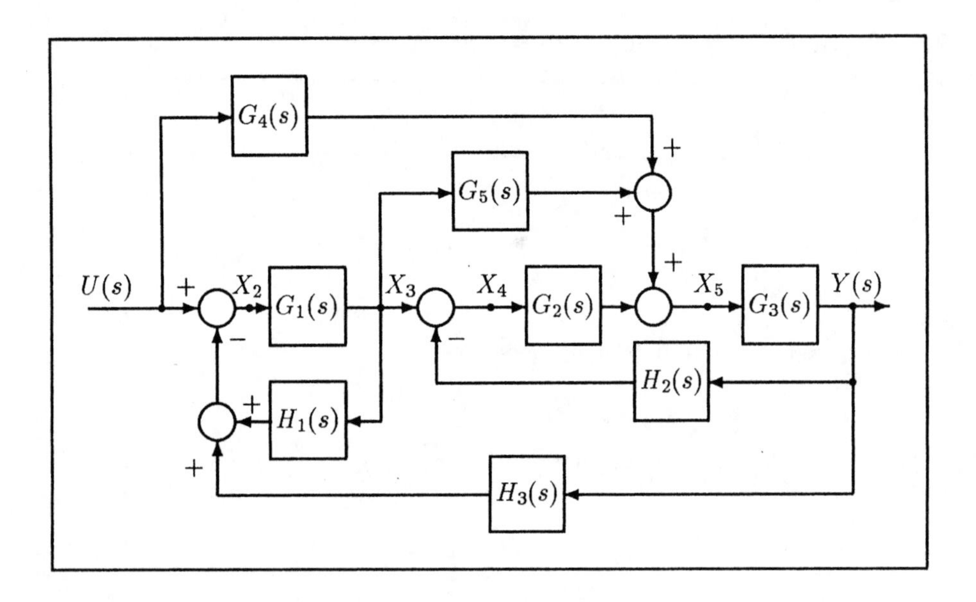

Figure C.4 Schéma-bloc d'un système de commande linéaire à plusieurs boucles

Le graphe correspondant au schéma-bloc de la figure C.4 est donné à la figure C.5.

On a trois chemins directs:

$$
\begin{aligned}
T_1 &= 1 \times G_1 \times 1 \times G_2 \times G_3 = G_1 G_2 G_3 \\
T_2 &= G_4 G_3 \\
T_3 &= 1 \times G_1 \times G_5 \times G_3
\end{aligned}
$$

Il y a quatre boucles:

$$
\begin{aligned}
L_1 &= -G_1 H_1 \\
L_2 &= -G_2 G_3 H_2
\end{aligned}
$$

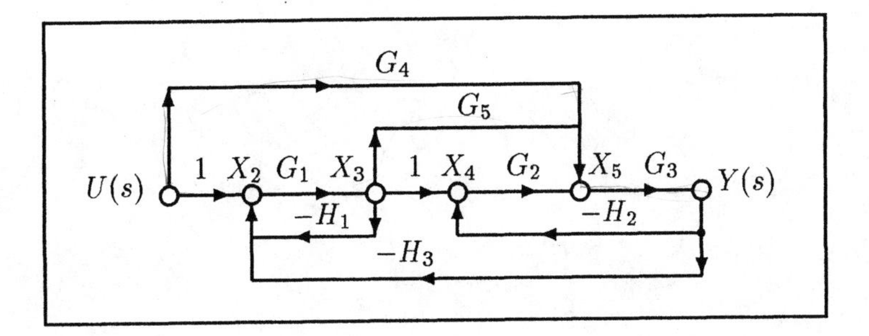

Figure C.5 Graphe équivalent du système de la figure C.4

$$
\begin{aligned}
L_3 &= -G_1G_2G_3H_3 \\
L_4 &= -G_1G_5G_3H_3
\end{aligned}
$$

On a une combinaison de deux boucles disjointes L_1 et L_2 et aucune combinaison de trois ou quatre boucles disjointes.
Ainsi:

$$\Delta = 1 - (L_1 + L_2 + L_3 + L_4) + (L_1L_2) \tag{C.9}$$

Comme il y a trois chemins directs, on a trois déterminants correspondants:

$$
\begin{aligned}
\Delta_1 &= 1 \\
\Delta_2 &= 1 - L_1 = 1 - (-G_1H_1) = 1 + G_1H_1 \\
\Delta_3 &= 1
\end{aligned}
$$

Finalement, en utilisant la formule de Mason, on obtient:

$$F(s) = \frac{Y(s)}{U(s)} = \frac{1}{\Delta}(T_1\Delta_1 + T_2\Delta_2 + T_3\Delta_3)$$

ou, sous sa forme finale

$$F(s) = \frac{G_1G_2G_3 + G_4G_3(1 + G_1H_1) + G_1G_5G_3}{1 + G_1H_1 + G_2G_3H_2 + G_1G_2G_3H_3 + G_1G_5G_3H_3 + G_1G_2G_3H_1H_2}$$

D

NOMBRES COMPLEXES

Très tôt les mathématiciens se sont rendu compte qu'il existe certaines opérations impossibles dans l'ensemble réel $\mathbb{R}$. Ceci a entraîné l'introduction de l'ensemble des nombres complexes $\mathbb{C}$ dont les éléments sont de la forme:

$$z = a + bj \tag{D.1}$$

où $a \in \mathbb{R}$, $b \in \mathbb{R}$ et $j^2 = -1$ ou $j = \sqrt{-1}$

Il est clair que tous les nombres réels sont aussi éléments de $\mathbb{C}$.

Ces nombres complexes jouent un rôle très important dans l'étude des systèmes linéaires, que ce soit lors de l'analyse ou de la synthèse. On a donc jugé utile de rappeler au lecteur les principales propriétés des différentes opérations dans $\mathbb{C}$.

D.1 REPRÉSENTATIONS DES NOMBRES COMPLEXES

Les nombres complexes possèdent plusieurs représentations. Revenons d'abord à celle qu'on a donné en l'introduction. Tout nombre complexe z peut être représenté par $z = a + bj$ où a et b sont appelés respectivement partie réelle et partie imaginaire. Dans le cas où la partie imaginaire est nulle, le nombre complexe considéré est alors appelé réel pur. Dans le cas où la partie réelle est nulle, le nombre complexe considéré est appelé **complexe pur.**

D'un autre côté, chaque nombre complexe dont la partie réelle est a et la partie imaginaire est b peut être associé à un seul point dans le plan, ce qui revient à dire aussi que l'on peut associer à ce nombre complexe un vecteur dont l'origine est confondue avec celle du référentiel du plan, et dont l'extrêmité est le point représentant le nombre complexe en question (fig. D.1).

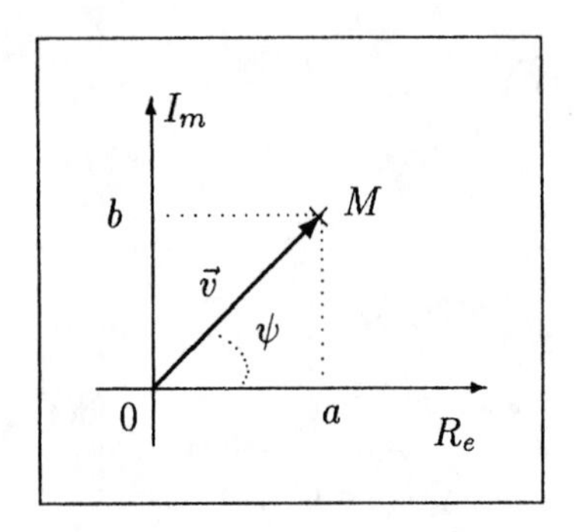

Figure D.1 Représentation schématique d'un nombre complexe dans le plan

Le nombre complexe dont la partie réelle est la même que celle de z (i.e. $z = a + bj$) et la partie imaginaire est de signe opposé est appelé le **nombre complexe conjugué** associé à z. Un tel nombre est noté par $\bar{z}$ et s'écrit:

$$\bar{z} = a - bj \tag{D.2}$$

En se référant à la figure D.1 et en se basant sur les résultats fondamentaux de la géométrie classique, on obtient:

$$\begin{aligned} z &= a + bj = \|OM\| \cos\psi + j(\|OM\| \sin\ \psi) && \text{(D.3)} \\ &= \sqrt{a^2 + b^2}\,(\cos\psi + j \sin\psi) && \text{(D.4)} \end{aligned}$$

Le terme $\sqrt{a^2 + b^2}$ est appelé le **module** de z noté par $\|.\|$, ψ est appelé l'**argument** de z. On les note respectivement:

$$\begin{aligned} \|z\| &= \|OM\| = \sqrt{a^2 + b^2} && \text{(D.5)} \\ \arg(z) &= \psi && \text{(D.6)} \end{aligned}$$

On peut vérifier sans difficulté que ces grandeurs sont données par les expressions suivantes:

$$\begin{aligned} \|z\| &= \sqrt{z\bar{z}} && \text{(D.7)} \\ \psi &= tg^{-1}\left(\frac{b}{a}\right) && \text{(D.8)} \end{aligned}$$

On utilise souvent la représentation suivante:

$$z = \|z\| \left(\cos\psi + j \sin\psi\right) \quad \text{(D.9)}$$

Il existe une autre représentation que l'on appelle la représentation exponentielle d'un nombre complexe, donnée par:

$$z = \|z\| e^{j\psi} \quad \text{(D.10)}$$

D.2 OPÉRATIONS DANS $\mathbb{C}$

Les opérations arithmétiques dans $\mathbb{C}$ se basent principalement sur les opérations dans $\mathbb{R}$.

- **Addition:** l'addition de deux nombres complexes z_1 et z_2 est obtenue en additionnant entre elle les parties réelles et les parties imaginaires, c'est-à-dire:

$$\begin{aligned} z &= z_1 + z_2 = (a_1 + jb_1) + (a_2 + jb_2) \\ &= (a_1 + a_2) + j(b_1 + b_2) \end{aligned} \quad \text{(D.11)}$$

Notons que:

$$z + \bar{z} = 2a \quad \text{(D.12)}$$

$$z - \bar{z} = 2bj \quad \text{(D.13)}$$

- **Multiplication:** la multiplication de deux nombres complexes est obtenue de la manière suivante:
  - la partie réelle est égale à la différence entre le produit des parties réelles des deux nombres complexes considérés et le produit des parties imaginaires
  - la partie imaginaire est égale à la somme des produits de la partie réelle de chacun par la partie imaginaire de l'autre:

c'est-à-dire:

$$\begin{aligned} z &= z_1 z_2 = (a_1 + jb_1)(a_2 + jb_2) \\ &= (a_1 a_2 - b_1 b_2) + (a_1 b_2 + a_2 b_1) j \end{aligned} \quad \text{(D.14)}$$

Le module et l'argument d'un tel produit sont:

$$\|z_1 z_2\| = \|z_1\| \, \|z_2\| \qquad \text{(D.15)}$$

$$\arg(z_1 z_2) = \arg(z_1) + \arg(z_2) \qquad \text{(D.16)}$$

- **Division:** la division de deux nombres complexes est obtenue de la manière suivante:
  - le numérateur du résultat est un nombre complexe égal au produit du nombre complexe du numérateur par le conjugué du dénominateur,
  - le dénominateur du résultat est égal au module au carré du nombre complexe du dénominateur. Soit:

$$\frac{z_1}{z_2} = \frac{a_1 + jb_1}{a_2 + jb_2} = \frac{(a_1 + jb_1)(a_2 - jb_2)}{(a_2 + jb_2)(a_2 - jb_2)} = \frac{z_1 \bar{z}_2}{\|z_2\|^2} \qquad \text{(D.17)}$$

Les module et argument sont:

$$\left\| \frac{z_1}{z_2} \right\| = \frac{\|z_1\|}{\|z_2\|} \qquad \text{(D.18)}$$

$$\arg\left(\frac{z_1}{z_2}\right) = \arg(z_1) - \arg(z_2) \qquad \text{(D.19)}$$

La représentation sous forme exponentielle des nombres complexes est souvent très utile. En effet, si on a à calculer s^n, par exemple, le théorème de Moivre peut être utilisé. Ce théorème est résumé par la relation suivante:

$$z^n = \|z\|^n \left[\cos(n\psi) + j \sin(n\psi)\right] \qquad \text{(D.20)}$$

D'un autre côté, la représentation exponentielle de nombres complexes facilite les opérations telles que la multiplication et la division des nombres complexes. En effet, on a:

$$z_1 z_2 = \|z_1\| e^{j\psi_1} \|z_2\| e^{j\psi_2} = \|z_1\| \, \|z_2\| e^{j(\psi_1 + \psi_2)} \qquad \text{(D.21)}$$

$$\frac{z_1}{z_2} = \frac{\|z_1\| e^{j\psi_1}}{\|z_2\| e^{j\psi_2}} = \frac{\|z_1\|}{\|z_2\|} e^{j(\psi_1 - \psi_2)} \qquad \text{(D.22)}$$

RÉFÉRENCES

[1] ANAND, D.K. *Introduction to Control Systems*, Pergamon Press, 1984.

[2] ASTROM, K.J. and HAGGLUND, T. *Automatic Tuning of PID Controllers*, Instrument Society of America, 1988.

[3] BATESON, R.N. *Introduction to Control System Technology*, Merill Publishing Company, 1989.

[4] BODE, H.W. *Network Analysis and Feedback Amplifier Design*, Van Norstrand, Princeton, N.J., 1945.

[5] CANNON, R.H. *Dynamics of Physical Systems*, Mc Graw Hill, New York, 1967.

[6] CLOSE, C.M. and FREDERICK, D.K., *Modelling and Analysis of Dynamic System*, Houpton Mifflin Company, 1978.

[7] GRACE, A., LAUB, A.J., LITTLE, J.N. and THOMPSON, C.M. *Control System Toolbox*, The mathWorks, Inc., 1992.

[8] DORF, R.C. *Modern Control Systems*, Addison Wesley, Reading Mass., 1995.

[9] D'AZZO, J.J. and HOUSPIS, C.H. *Feedback Control system Analysis and Synthesis*, McGraw Hill, New York, 1990.

[10] D'AZZO, J.J. and C.H. HOUSPIS *Linear Control System: Analysis and Design*, McGraw Hill, New York, 1995.

[11] D'SOUZA, A.F. *Design of Control Systems*, Prentice Hall, Englewood Cliffs, N. J., 1988.

[12] ECKMANN, D.P. *Régulation Automatique Industrielle*, Dunod, 1963.

[13] FRANKLIN, G.F., POWELL, J.D., and EMAMI-NAEINI, A. *Feedback Control of Dynamics Systems*, Addison Wesley, Reading, Mass., 1990.

[14] HARRISON, H.L. and BOLLINGER, J.G. *Introduction to Automatic Controls*, International Texbook Company, 1963.

[15] HOSTETTER, G.H, SAVANT, C.J. Jr., and STEFANI, R.T. *Design of Feedback Control Systems*, Saunders College Publishing, New York, 1989.

[16] KAILATH, T. Linear Systems, Prentice Hall, Englewood Cliffs, N, J., 1980.

[17] KHALIL H.K. *Nonlinear systems*, Macmillan Publishing Company, New York, 1992.

[18] KUO, B.C. *Automatic Control System*, Prentice Hall, Englewood Cliffs, N. J., 1990.

[19] MARCHAL, R. *Thermodynamique et le Théorème d'Énergie Utilisable*, Dunod, 1956.

[20] MATLAB, *Reference Guide*, The MathWorks, Inc., 1992.

[21] MAYR, O. *The Origins of Feedback Control*, MIT Press. Cambridge, Mass., 1970.

[22] MOHLER, R.R. *Nonlinear Systems*, Vol. I-II, Prentice Hall, Englewood Cliffs, N. J., 1991.

[23] OGATA, K. *Modern Control Engineering*, Prentice Hall, Englewood Cliffs, N. J., 1990.

[24] PALM, W.J. *Modeling, Analysis, and Control of Dynamic Systems*, John Wiley, 1986.

[25] SAVANT, C.J. *Control System Design*, Mc Graw Hill, New York, 1966.

[26] SINHA, N.K. *Control Systems*, Holt, Rinehart and Winston, N. Y, 1986.

[27] SLOTINE, J.E. and LI, W. *Applied Nonlinear Systems*, Prentice Hall, Englewood Cliffs, N. J., 1992.

[28] VAN DE VEGTE, J. *Feedback Control System*, Prentice Hall, Englewood Cliffs, N. J., 1990.

[29] VIDYASAGAR, M. *Nonlinear Systems Analysis*, Prentice Hall, Englewood Cliffs, N. J., 1978.

INDEX